COLEÇÃO

HISTÓRIA DA IGREJA DE CRISTO

DANIEL-ROPS

COLEÇÃO

HISTÓRIA DA IGREJA DE CRISTO

X

A IGREJA DAS REVOLUÇÕES (III)

4ª edição

Tradução de Henrique Ruas
Revisão de Emérico da Gama

QUADRANTE

QUADRANTE EDITORA
Rua Bernardo da Veiga, 47 | Tel.: 3873-2270
CEP 01252-020 | São Paulo - SP
atendimento@quadrante.com.br
www.quadrante.com.br

Direção geral
Renata Ferlin Sugai

Direção de aquisição
Hugo Langone

Direção editorial
Felipe Denardi

Produção editorial
Juliana Amato
Gabriela Haeitmann
Ronaldo Vasconcelos
Roberto Martins
Karine Santos

Capa
Gabriela Haeitmann

Diagramação
Sérgio Ramalho

Título original: *L'Église des révolutions. III. Ces chrétiens, nos frères*
Edição: 4ª

Dados Internacionais de Catalogação na Publicação (CIP)

Daniel-Rops, Henri, 1901-1965
A Igreja das revoluções III: esses nossos irmãos, os cristãos / Henri Daniel-Rops; tradução de Henrique Ruas e revisão de Emérico da Gama – 4ª ed. – São Paulo: Quadrante Editora, 2024.

Título original: *L'Église des révolutions III: ces chrétiens, nos frères*
Conteúdo: X. A Igreja das revoluções. 3. Esses nossos irmãos, os cristãos
ISBN (capa dura): 978-85-7465-757-8
ISBN (brochura): 978-85-7465-748-6

1. Igreja - História - Período moderno, 1500- 2. Igreja Católica - História I. Gama, Emérico da. II. Título

CDD–270

Índices para catálogo sistemático:
1. Cristianismo : História da Igreja 270

Sumário

NOTA PRÉVIA

Nenhum dos tomos desta História da Igreja *inclui qualquer aviso inicial ao leitor. Se este foge à regra, é que, para o escrever, o Autor teve de tomar certas opções que lhe parece conveniente explicar.*

1. Esses nossos irmãos, os cristãos («Ces chrétiens, nos fréres») *situa-se na sequência normal dos volumes desta obra, como terceiro tomo de* A Igreja das Revoluções. *Relata os acontecimentos que, de 1789 até hoje, disseram respeito aos «irmãos separados», visto que a abundância do material obrigou a reservar os dois tomos precedentes só para os fatos da Igreja Católica. Depressa, porém, o Autor se apercebeu de que seria impossível aos leitores católicos — e até, digamo-lo sem malícia, a muitos leitores protestantes... — entender-se no meio de tantas Igrejas, denominações, seitas que se declaram enquadradas no protestantismo, se não houvesse um breve memorial que situasse ao menos as principais no seu quadro histórico e dogmático. O leitor encontrará, pois, nestas páginas, antes do relato dos fatos, curtas monografias que o ajudarão a colocar no seu lugar próprio os batistas e os metodistas, os* quakers *e os pentecostais, e ainda os ortodoxos ou os coptas.*

2. O autor deste livro é católico, inteiramente fiel ao magistério da Igreja Católica, Apostólica e Romana, submetido, como filho devotado, à autoridade infalível daquele a quem o Espírito Santo a confiou e que é, para ele, o Vigário de Cristo na terra. Quer isto dizer que nenhuma opinião emitida na presente obra, nenhum juízo nela formulado é, aos olhos do próprio Autor, válido sem que a Ecclesia Mater, *guardiã da verdade intangível, o tenha por tal.*

Mas o Autor pensa ter sido fiel ao espírito autêntico do «catolicismo», ou seja do universalismo, ao rejeitar deliberadamente tudo o que pudesse dar ao seu livro um caráter polêmico. Uma atitude agressiva, seja qual for o terreno em que se manifeste, nunca procede de um amor autêntico à verdade, mas muito mais de uma adesão sectária a um partido, a um sistema de pensamento e aos seus preconceitos. Aqui, o principal objetivo foi compreender e fazer compreender, o que assinala o primeiro passo no processo a que hoje se chama ecumenismo *e cujo termo será, um dia,* Deo volente, *a união de todos os cristãos. Procedendo assim, o Autor pensa ter obedecido às intenções que animam os grandes Papas da nossa época, especialmente João XXIII e Paulo VI.*

3. A maior parte da documentação utilizada neste volume vem, pois, do «outro lado»: protestante para os protestantes; ortodoxo para os ortodoxos. Afastando deliberadamente qualquer obra de acrimoniosa polêmica, o Autor apenas utilizou do lado católico, como documentação, aquelas que procediam do mesmo estado de espírito de abertura aos outros.

Não é necessário dizer que deparou com alguns problemas de terminologia. As mesmas palavras não têm o mesmo sentido quando usadas por um católico, um protestante ou um ortodoxo. De todas elas, a mais difícil de utilizar é Igreja. *Para um católico, não existe, no sentido absoluto do termo, senão uma Igreja, aquela que, há perto de dois mil anos, conserva intacta a mensagem de Cristo e cujas instituições enquadram e sustentam a vida das sucessivas gerações. Mas também os ortodoxos falam da Igreja, reivindicando para ela as mesmas notas características, embora a definição que apresentam seja bastante diferente da dos católicos. E os protestantes falam de* Igrejas, *no plural, atribuindo à palavra uma significação completamente diversa, que corresponde ao mesmo tempo à realidade sociológica de um grupo religioso e à realidade sobrenatural de um modo particular de eleição pelo Espírito Santo. Portanto, quando neste livro se tratar de Igrejas que estão fora da* Igreja Católica, *será preciso lembrar-se dessas diferenças capitais, sem necessidade de recordá-las explicitamente. É assim, aliás, que procedem os documentos pontifícios recentes, que não hesitam em falar da «Igreja ortodoxa russa», da «Igreja evangélica da Alemanha», ou de outras*[1].

Muitos outros termos exigiriam precisões análogas. Se, por exemplo, falamos de «bispos» *luteranos, anglicanos, metodistas, não quer isso dizer de modo nenhum que lhes reconhecemos o privilégio da sucessão apostólica; o termo «estrutura episcopal» alude simplesmente a um sistema de governo. De igual modo, acontecer-nos-á falarmos de* santidade *a propósito desta ou daquela grande figura de «irmão separado», como um João de Kronstadt, um Livingstone ou um Kagawa: é óbvio que a palavra se aplica às virtudes que esses homens revelaram, sem envolver o significado sobrenatural do seu testemunho.*

4. Esta obra vai até 1958. Foi prolongada e interrompida nessa data por força da própria intenção «ecumênica» que a inspira. Pensamos que o último capítulo — consagrado à história dos esforços feitos pelo conjunto dos cristãos para refazerem a unidade — mostrará que, nesta matéria, o advento de João XXIII marca uma completa mudança de rumo. Em termos exatos, foi em 25 de janeiro de 1959 — dia em que o papa anunciou que ia em breve ser convocado um Concílio ecumênico e que um dos seus fins seria preparar a reunificação dos cristãos — que se abriu um novo capítulo na história da unidade cristã. Escrito no clima dado ao mundo cristão pelo papa João, este livro quis encerrar-se com a evocação da sua grande e doce figura.

5. Vejamos agora o ponto mais delicado, sobre o qual o Autor achou necessário dar certas explicações. Alguns leitores hão de ficar talvez surpreendidos por verem classificar os anglicanos entre os protestantes. E alguns dos nossos amigos ingleses não deixarão de nos censurar por isso. Não ignoramos — e temo-lo dito várias vezes — que a Igreja Anglicana está longe de se considerar sem reservas como uma Igreja protestante, que uma grande parte dos seus fiéis conserva zelosamente e com orgulho tradições substancialmente católicas, e que ela se vê como uma espécie de «Igreja-ponte» entre Roma e as Igrejas da Reforma.

No entanto, a inclusão do anglicanismo entre as formas do protestantismo pareceu-nos, no fim de contas, legítima, e não apenas porque alguns historiadores protestantes, como Émile Léonard, também a adotaram. Não se deve esquecer que, entre os «39 artigos» que servem de base ao anglicanismo, vários são nitidamente protestantes. Que o Prayer Book, *cuja reforma em sentido «catolicizante» foi ainda há pouco rejeitada, contém, ao lado de numerosos textos aceitáveis para um católico, outros de sonoridade protestante. Que a filha primogênita da Comunhão Anglicana se chama, nos Estados Unidos, «Igreja Episcopal Protestante». Que o anglicanismo participa como elemento constitutivo do Conselho das Missões Protestantes. Que essa Igreja Anglicana que se afirma a meio caminho do catolicismo aceitou a fusão, na Índia do sul, com elementos protestantes extremamente distantes do catolicismo... Mas deixemos de lado este debate, ou antes, se for preciso encerrá-lo, citemos o rev. Fillingham, ministro anglicano que, em 1896, ao saber que o papa Leão XIII acabava de declarar inválidas as ordenações anglicanas, exclamou:*

«Para nós, protestantes, é bem claro que não julgamos possuir ordens no sentido católico».

Tais são as observações preliminares que nos pareceu indispensável propor ao leitor antes de iniciar a leitura deste volume. Esperamos que o tenham convencido de que, antes de mais, tem diante de si «um livro de boa-fé».

Daniel-Rops
25 de janeiro de 1965,
final do oitavário pela unidade da Igreja

OS CRISTÃOS NO MUNDO

	1958	2008[2]
Não cristãos	1,72 bilhões 65%	4,32 bilhões 66,94%
Cristãos	935 milhões 35%	2,13 bilhões 33,06%
Católicos	480 milhões 51%	1,131 bilhão 53%
Protestantes	250 milhões 26%	810 milhões 38%
Ortodoxos	200 milhões 21%	234 milhões 11%
Outros cristãos	5 milhões (?) 2%	27,7 milhões 1,3%

Notas

[1] *Acta Apostolicae Sedis*, 26 de novembro de 1962, p. ex.

[2] Dados atualizados pelo *International Bulletin of Missionary Research*, vol. 32, n. 1, 2008.

I. FILHAS DA REFORMA

Quatro imagens

Terras altas das Cevennes, charnecas pedregosas, céu azul-duro. Ao longe, os cumes das «serras» são como ondas cristalizadas. A casa de culto é a mais pobre da aldeia: pela sua aparência, um antigo estábulo, comprido, baixo, abobadado; deixaram ficar no lugar a manjedoura e a grade. As paredes, caiadas, são de uma nudez impressionante. Na do fundo, destaca-se uma cruz sem crucificado, e em duas das laterais, versículos bíblicos pintados com licor de noz: *Os seus caminhos não são os nossos* (Is 55, 8); *Ele fez bem todas as coisas* (Mc 7, 37).

A assembleia é composta por uma centena de fiéis, homens à direita, mulheres à esquerda, todos uniformemente vestidos de tecido grosso e escuro. A atitude é digna, um tanto empertigada. De pé diante da mesa de madeira branca que ocupa o fundo da sala, com uma bíblia pousada junto dele numa pequena estante, entre dois ramos de flores, o pastor fala. Veste uma túnica preta de algodão, que faz lembrar a toga dos advogados, não tanto uma batina. Sem cabeção, um pequeno peitilho branco não assenta bem no pescoço. «A graça e a paz vos sejam dadas da parte de Deus, nosso Pai, e de Jesus Cristo nosso Senhor. Invoquemos a ajuda de Deus...» O tom é de uma bela simplicidade. Os sons peculiares que o sotaque da região empresta à língua não impedem que a oração seja claramente fervorosa, convicta.

Durante uma hora, o culto desenrola-se sem que o tom se altere. Adoração, leitura da Lei, confissão dos pecados, profissão de fé, outra leitura bíblica... De tempos a tempos, ressoa um Amém, lançado por muitas vozes em uníssono, e de vez em quando há um canto que sobe, invocação ritmada ou cântico lento: «De uma árvore secular,/ do velho tronco de Israel,/ durante o inverno austero,/ brota um ramo fresco; e sobre a terra endurecida,/ na noite calma e clara,/ uma rosa floriu...»

Mas há dois grandes momentos que sobressaem nesse ato monocórdico: a Pregação e a Santa Ceia. Nem uma nem outra quebram a regra do comedimento e da simplicidade. O pastor fala sem ênfase, indo buscar citações do Antigo e do Novo Testamento com uma facilidade um tanto mecânica; mas a verdade é que o auditório o segue, e essas singelas alusões ao Evangelho despertam ecos nas almas. Vem depois a comunhão. É um desfile sem pressas, em que cada pessoa vai, uma após a outra, sentar-se num dos bancos colocados diante da mesa, para receber o pão na mão semifechada e o vinho num pequeno cálice de estanho. Dir-se-ia uma refeição no campo, e de modo nenhum um sacrifício, menos ainda um mistério. Segue-se uma segunda oração, que todos escutam de pé, e, para finalizar, a bênção que São Paulo dirigia aos amigos de Colossos: «Que a paz de Cristo, à qual fostes chamados para formar um só corpo, reine para sempre nos vossos corações! — Amém!»

Acabou. Com grande simplicidade, diante de todos, o pastor tira a túnica e o peitilho. Agora vestido de cinzento, é bem semelhante a esses homens que o rodeiam, como ele filhos dessa rude terra que foi testemunha das dragonadas e das emboscadas de *camisards*. A assembleia dilui-se na ruela, onde ecoam as vozes de sotaque cantado.

* * *

Domingo norueguês. Estamos no verão, mas o céu puro é de um azul tão pálido que imita o cinzento-pérola. Ao fundo da praça e acima dos tetos das casas baixas, brilha um mar muito calmo, de uma exatidão de pedra preciosa por entre as falésias que o engastam. Voando, as gaivotas dançam um bailado gritante. A cerimônia começou na rua, quando «o bispo da região» (assim se intitula) saiu da casa da paróquia para ir, a pé, até a igreja, à frente de um cortejo de senhores muito sérios, vestidos de cinzento. É um esplêndido ancião, de traços regulares, cabeleira alvíssima. Com os seus óculos de lentes espessas, montadas em ouro, lembra mais um professor universitário que um padre. Traz uma pesada capa de veludo carmesim, ornada, na parte da frente e em baixo, de um vasto galão bordado com temas do Evangelho. Quatro clérigos rodeiam o prelado. Não usam capa, mas todos estão revestidos, como ele, de uma alba e de uma casula (do feitio a que os católicos dão o nome de «gótica»); têm bordada nas costas uma cruz de braços oblíquos, em cuja junção se destaca um motivo de grandes proporções, símbolo crístico ou imagem do Ressuscitado glorioso. E o mais surpreendente nessa procissão nórdica é o colarinho de pregas à espanhola que esconde o pescoço de cada um dos cinco sacerdotes.

Os sinos começaram a repicar. A igreja encheu-se. É sempre assim quando o bispo vem fazer a visita anual; nos domingos comuns, vem menos gente... Trata-se de um edifício antigo, pesado, solidamente plantado no chão.

O interior é abobadado em estilo românico. Nas paredes, há afrescos com cenas da Bíblia. Em todos os vãos, veem-se vitrais com figuras. Presos aos pilares, quadros em estilo *naïf* ou estátuas que parecem vindas da Sicília ou da Espanha evocam santos, porventura mártires. O altar está no meio do presbitério, e esplende com as suas velas. Cobre-o uma toalha bordada. Não há sacrário, mas, em contrapartida, as pias batismais estão situadas bem perto. À entrada do presbitério, tal como nas igrejas católicas, a mesa da comunhão é uma grade de madeira, larga, diante da qual se estende um longo coxim de marroquim castanho.

Eis que começa a «Missa» — a *hogmassa*. Do princípio ao fim, é dita em língua vulgar; mas a ordem que segue é quase a da liturgia romana. O desenrolar das preces litúrgicas é tradicional: Intróito recitado ao pé do altar; oração; leitura da Epístola e, a seguir, do Evangelho; por último, o sermão, muito demorado. O canto, do qual a assistência participa bastante, lembra o gregoriano simplificado, popularizado, a que o norueguês se adapta sem esforço. Hoje, a Missa vai ser completa; ou seja, haverá consagração das espécies e comunhão, o que, consoante as paróquias, só acontece de quinze em quinze dias ou de três em três semanas. Em fila, os assistentes vêm ajoelhar-se à mesa. O celebrante aproxima-se, toca-os um após outro na testa, pronunciando muito baixo algumas palavras, que são as fórmulas da absolvição. Em seguida, entrega-lhes a Hóstia, que alguns recebem entre os dedos. E o desfile recomeça, em direção a uma espécie de aparador dourado, de onde o celebrante retira um pequeno cálice que vai aproximando sucessivamente dos lábios de cada um dos fiéis. Volta o canto, semelhante ao de um salmo. A *massa* está prestes a acabar; faltam poucas orações e uma bênção. O fim parece um tanto abrupto, como algo que se desencaixa. O católico presente experimenta a curiosa impressão de uma semelhança com a liturgia que conhece, mas ao mesmo tempo — será o tom?, a atitude da assistência?, algo de incompleto no desenrolar da cerimônia? — sente uma diferença essencial. O clima é outro.

* * *

Paris. Um bairro popular. Uma rua sem alma. Sábado à noite. Em pequenos grupos, homens e mulheres dirigem-se para um beco sem saída no fundo do qual se ergue um portal semelhante ao das oficinas próximas. Atravessam dois pátios, cheios de objetos de toda a espécie e de ferragens, até chegarem a um edifício de tijolo cujas janelas, lá muito em cima, deixam entrar fortes vagas de luz de *neon*. Por cima da entrada, está estendida quase de ponta a ponta uma faixa de pano com a inscrição «Assembleia de Cristo libertador».

A sala está repleta: pequeno-burgueses, artesãos; dir-se-ia uma reunião sindicalista; mas todas as idades estão representadas, incluindo a infância. Dá a impressão de que todos os presentes se conhecem muito bem, como se pertencessem a uma grande família. No fundo da sala, sobre um estrado alto, está instalada uma mesa, com quatro ou cinco cadeiras pintadas de vermelho e branco, do gênero daquelas que, nas esplanadas dos cafés, se empilham quando já não são precisas. A mesa está coberta de bíblias, evangelhos, diversos opúsculos e muitos folhetos de propaganda. Por trás da mesa, vê-se um homem de pé; parece um mestre-carpinteiro do *faubourg* Saint-Antoine. Fala aos assistentes, num tom de profunda convicção.

O tema do sermão é simples: Cristo veio oferecer aos homens o seu amor, e os homens não o receberam. «Tendes consciência do que a humanidade fez do amor do Cristo Salvador?» Fala-se da bomba atômica, da fome no mundo, dos horrores do Congo Belga. Amemo-nos uns aos outros! Temos de nos amar! O sopro do Espírito Santo não é senão esse poder de amor universal. «Se não quereis que Paris seja um dia outra Hiroshima, importa que o Espírito sopre sobre vós, que vos encha de amor!» O tom subiu. Pela assistência passou como que um arrepio. Começa então um bater de pés, que se amplia, se acelera; de toda a assistência brota, soletrado, ritmado, salmodiado, um refrão que passa a marcar todas as frases do orador: «O Espírito soprou! Cristo salvou-me!» Subitamente, um homem, depois um segundo, depois uma mulher sobem ao estrado. O dirigente da cena apresenta-os à assistência; vão «dar testemunho», dizer aos irmãos publicamente o que o Espírito Santo operou neles. É simples e, a bem dizer, algum tanto estereotipado. «Eu estava possuído pelo mal. Pecava. Não obedecia à lei de Deus. Não conhecia as Assembleias de Cristo. Não tinha amor pelos meus irmãos. Mas um dia senti o sopro passar por mim...» Bravos, hurras, exclamações de alegria; e continuamente a dupla invocação, acentuada pelo bater de pés.

Diante do estrado, colocam uma grande banheira, precisamente uma dessas piscinas dobráveis, feitas de plástico, que se veem nos anúncios das revistas e jornais de jardinagem. «Quem quer receber o batismo de penitência? — exclama o dirigente do culto. — Quem entrará no rio Jordão?» Não; hoje nenhum catecúmeno deseja ser admitido. Nesse momento, porém, no meio da assistência, ouve-se um grito, lançado por voz feminina; grito estridente. A multidão abre passagem; a mulher é trazida para a primeira fila, em frente do estrado. Lá no fundo, as pessoas põem-se na ponta dos pés para conseguir vê-la. Ela ergue os braços ao céu, deita a cabeça para trás e continua a proferir sons estranhos, uma série de onomatopeias, de gargarejos, de gritos guturais que fazem lembrar tudo menos uma língua humana e que, no entanto, o chefe dá mostras de entender e «traduz». A «irmã Helena» acaba de receber a graça das graças: uma língua do fogo de Pentecostes caiu sobre ela e abrasou-a. Tal como os cristãos dos primeiros tempos, Helena «fala em línguas», e o que diz é um apelo veemente à penitência, ao amor universal, a Cristo, único Salvador. A seguir cala-se, aclamada, rodeada, beijada. E recomeça o bater dos pés: «O Espírito soprou! Cristo falou!»

* * *

Agora estamos na Inglaterra, no interior. Os sinos chamam para o ofício dominical. Os fiéis acodem. Muitos deles trazem nas mãos um volumoso livro encadernado em couro escuro. A igreja é de um gótico vulgar, bem semelhante àquele em que, durante o Segundo Império, na França, se inspiravam os fabricantes em série de igrejas católicas, talvez um pouco mais florido e sobrecarregado. Perto da porta, uma pia de mármore vermelho oferece água benta aos dedos do visitante. A nave está pintada em tons acobreados e dourados, com profusão de símbolos de Cristo — o peixe, o cordeiro, a espiga de trigo, a videira e, frequentemente, também o alfa e o ômega aos lados do crisma. A impressão geral é de conforto opulento: bancos de carvalho escuro e encerado, almofadas nas primeiras filas, tapetes de cânhamo espesso sobre as lajes — um tanto à maneira das igrejas católicas da Holanda. O altar ergue-se no meio do coro, em lugar de honra, e tem um tabernáculo coberto por um véu da cor litúrgica do dia: o verde. As janelas têm vitrais. Nas paredes, alinham-se as catorze estações da Via-Sacra. No fundo do coro, ergue-se uma grande cruz de madeira de mogno, e dela pende um Cristo de rosto sereno. À direita e à esquerda, várias capelas, à maneira de Cister, paralelas ao coro. A da direita está muito iluminada e ostenta uma Virgem antiga, de madeira pintada, com o Menino nos braços; diante dela arde uma centena de velas. De resto, velas são o que não falta por todo o lado: em candelabros de múltiplos braços, colocados à entrada do coro, ou no altar em que esplende o ouro e também rutilam ramos de crisântemos púrpura. Ao passar diante do altar, os assistentes fazem uma genuflexão.

E começa o ofício, dirigido por um celebrante e dois clérigos menores: os três envergam casulas verdes com paramentos bordados e orlas de seda-salmão. São ajudados por quatro meninos de coro, vestidos de sobrepelizes fortemente engomadas. A liturgia observa rigorosamente a romana: intróito, leituras, cânon, consagração. Só o Glória foi deslocado para depois do serviço da comunhão, em apoteose da celebração dos mistérios. O órgão toca Bach ou Händel, se não acompanha os cânticos litúrgicos talentosamente executados por um coro. A única diferença marcante para um católico é que, até há pouco, todo o ofício, da primeira à última palavra, era celebrado em inglês de acordo com o «Ritual de Sarum», que é o antigo texto de Salisbury[1]. Mas tudo o que se ouve combina perfeitamente com a piedade católica. Por exemplo, a «oração da humilde aproximação», que o celebrante recita antes de iniciar o cânon: «Senhor de misericórdia, nós não presumimos de nós para vir à tua Santa Mesa, pois bem sabemos que nos faltam méritos; mas confiamos na tua misericórdia e no teu perdão...»

Onde estamos, afinal? O estrangeiro que se encontra de passagem engana-se a cada passo. O que é que separa esse ofício, perfeitamente celebrado, de uma missa solene na França, na Itália ou na Espanha? Talvez se note ali algo de demasiado intencional, um cuidado excessivo em querer dar a essa liturgia todo o brilho, como se oficiante e fiéis não tivessem adquirido ainda a familiaridade com o religioso que só um uso milenário pode dar. Mas é bem pouco: não é o essencial. Quem será capaz de dizer, sinceramente, ao sair desse ofício e depois de receber a bênção final, que acabou de assistir a um culto protestante? E no entanto...

* * *

«Protestante», escrevi. As quatro imagens que acabamos de ver nasceram todas elas no seio das Igrejas saídas da Reforma; todas elas mostram um dos aspectos do fenômeno protestante. A primeira, huguenote, situa-se entre os calvinistas franceses da mais autêntica tradição. A segunda, num ponto dessa Escandinávia que continua a ser o bastião da fé luterana. A terceira levou o leitor para o meio dos membros dessas «Assembleias de Deus» que se costuma designar por «movimentos pentecostais», que alguns protestantes se recusam a reconhecer como suas, mas que nem por isso deixam de ser, quer pelo espírito, quer pela ação, um dos elementos mais vivos do protestantismo. E, da quarta, talvez até aqueles que lá vemos se recusem a reconhecê-la como protestante, mas a sua «Alta Igreja» não deixa de conservar fórmulas dogmáticas protestantes. São quatro imagens espantosamente diferentes, e poderíamos esboçar outras trinta ou quarenta sem sair do âmbito daquilo que, mais que uma obediência, é uma atitude de espírito — a Reforma protestante.

O protestantismo, segundo bloco cristão do mundo

Sob a denominação de «protestantes», podemos, pois, classificar cristãos cuja vida religiosa apresenta modalidades extremamente diversas. Nem por isso o conjunto deixa de constituir uma massa de homens que se consideram solidários uns dos outros, que ostentam com orgulho o mesmo nome e que, efetivamente, numa medida que convirá precisar, mostram traços comuns. Nas estatísticas, esse conjunto surge como o segundo bloco cristão do mundo, muito atrás do bloco católico, mas bem à frente daquele que é formado pelos cristãos orientais chamados ortodoxos.

Não é fácil, aliás, estabelecer a sua importância numérica. É sempre tarefa difícil contar os fiéis de qualquer religião, já que os critérios de fidelidade podem variar consoante as fontes de informação; mas a tarefa torna-se ainda mais difícil quando se trata de uma religião que dá menos peso às obediências formais do que à adesão interior. De modo que, conforme se contem numa Igreja apenas os que nela estão regularmente inscritos e nela desempenham um papel ativo, ou, pelo contrário, todos os batizados, mesmo os que vivem praticamente à margem da fé, os números variam em proporções surpreendentes. Enquanto o *World Christian Handbook* (que se pode considerar oficial) indicava, em 1954, um total de 260 milhões de «filiados» ao protestantismo, entre os quais julgava poder distinguir 70 milhões de «comunicantes», o jornal norte-americano *Life* falava de 254 milhões e o Instituto Americano de Organização somente de 202. O mais recente historiador do protestantismo, Émile Léonard, admite um número próximo deste último, 206, ao passo que o escritor católico Jean Guitton, especialista das questões ecumênicas, aventa 280 milhões. Se confrontarmos todos estes dados, estaremos bastante perto da realidade se nos fixarmos nos 250 milhões de cristãos que, mais ou menos crentes, mais ou menos praticantes, se consideram como pertencentes ao protestantismo. Podemos, de resto, observar que esta incerteza nos cálculos põe logo de relevo uma das características marcantes do fenômeno protestante: certa imprecisão dos contornos, uma espécie de porosidade dos limites, que o diferenciam radicalmente do quadro nítido e definido do catolicismo, o que tem a ver com a sua natureza profunda.

O próprio termo com que se designa este fenômeno religioso é curiosamente limitativo e equívoco. Refere-se a um incidente quase desprezível da história das suas origens[2].

Em 1529, o imperador Carlos V, preocupado com a agitação provocada na Alemanha pelas ideias de um frade chamado Martinho Lutero, que rompera com a Igreja, reuniu em Speyer a Dieta imperial, a fim de examinar a situação e procurar restabelecer a unidade. Compreendendo bem depressa que essa intenção era irrealizável, os delegados, por grande maioria, decidiram manter as coisas como estavam. Esse *status quo* significava que os zeladores das novas ideias e os católicos tradicionais ficavam seguros de não voltarem a ser inquietados, se vivessem numa região em que predominassem os seus adversários.

Mas isso não favorecia os inovadores que, cheios de vigor, estavam certos de que o seu movimento era irresistível. A decisão de Speyer paralisava-lhes os progressos; impedia-os até de persistir em certas propagandas mais agressivas, como por exemplo a crítica aberta ao dogma da Eucaristia. Cinco senhores poderosos e catorze cidades rejeitaram o compromisso. Que era isso? Tolerar no seu território a Missa, essa idolatria papista?... Limitar o direito de os seus pregadores proclamarem a verdade?! Foi então publicado um *protesto*, cujo tom vigoroso pareceu corresponder aos juvenis ardores da revolução religiosa em curso. O termo *protestante* ganhou valor simbólico.

Em termos históricos[3], um protestante é, pois, um cristão que protesta contra a decisão da Dieta de Speyer de 1529! E, por extensão, aquele que protesta contra os erros da Igreja Católica. Seria, no entanto, falsear o sentido e o alcance do enorme fato religioso que é o protestantismo limitar o termo usual a esta concepção meramente negativa. Mesmo que seja verdade — e voltaremos a isso — que o anticatolicismo continua a ser uma das suas constantes, ele próprio se define por algo que ultrapassa tal antagonismo. Só é protesto contra Roma e o catolicismo, afirma, por querer ser um protesto de fidelidade ao verdadeiro cristianismo, um testemunho de consciência. E invoca-se aqui a etimologia: *pro-testari*, testemunhar.

O nexo histórico que liga as múltiplas «denominações» de hoje aos «protestatários» de Speyer não deixa, porém, de ser válido. Recorda que tudo o que designamos por «protestantismo» saiu e procede diretamente do acontecimento que se produziu na Alemanha a partir de 1517 e que envolveu toda a Europa ocidental: *a Reforma protestante*. Nenhum historiador hesita em considerá-la o fato religioso mais importante dos últimos nove séculos, mais importante até que o cisma grego de 1054. No sentido mais profundo do termo, qualquer protestante é filho da Reforma: se não se tivesse dado a Reforma, não haveria protestantes, ou pelo menos seriam outra coisa. Por entre todas as «variações» do protestantismo, pelo menos esse é o laço que permite falar de unidade.

A Reforma: Martinho Lutero

Mas que vem a ser *Reforma*? «Movimento religioso que, no século XVI, subtraiu grande parte da Europa à obediência aos Papas e deu origem às Igrejas protestantes» — responde o dicionário Larousse. A definição só apreende o acontecimento nas suas consequências, sem fazer alusão às causas nem indicar como é que o sentido histórico da palavra, indicado pelo uso da maiúscula, se liga com o sentido usual, etimológico, de «restauração da forma original», de «mudança operada em vista de uma melhoria».

Na realidade, a definição da Reforma está ligada à explicação que dela se propõe. E esta explicação varia conforme os campos. Para os autores protestantes, a Reforma surgiu como a reação normal e legítima da consciência cristã, não apenas ao escandaloso espetáculo que a Igreja oferecia naquela altura, mas também aos desvios que se tinham introduzido na prática e até nos dogmas. Os católicos, que durante muito tempo rejeitaram toda essa tentativa de explicação (sob o Antigo Regime, até se falava em «pretensa Religião reformada»), e que ainda hoje não admitem a segunda parte, puseram o acento nas causas políticas e morais: a cobiça de certas potências leigas, o orgulho ou o excessivo pendor para a liberdade atribuídos aos clérigos rebeldes. Por seu lado, os marxistas, aplicando ao fenômeno os princípios do materialismo histórico, viram na Reforma a consequência das mudanças trazidas pelas profundas transformações econômicas e sociais da época, que, de acordo com o jogo normal da dialética, provocaram a ruína da velha civilização da cristandade. Finalmente, e na esteira de Lucien Febvre[4], historiadores mais recentes têm feito notar que, para um fenômeno religioso, convém procurar antes de mais nada causas religiosas: para estes, é no drama interior de alguns crentes que se deve encontrar o ponto de partida da crise que iria abalar os alicerces do Ocidente. Quatro explicações, portanto; mas devemos considerá-las não tanto contraditórias como complementares, visto que todas elas são parcial e simultaneamente verdadeiras.

Estamos no princípio do século XVI. Um jovem religioso alemão atravessa uma crise espiritual. É um moço alto, magro, de feições pesadas por baixo de sobrancelhas espessas, olhos grandes, que ora brilham em chamas violentas, ora misteriosamente se obscurecem. Pouco ultrapassou a trintena e, no entanto, na Ordem a que pertence — a dos Eremitas de Santo Agostinho —, já faz figura de mestre. A verdade, porém, é que nem os êxitos do púlpito nem a real influência que exerce acalmam dentro dele uma angústia que só os amigos mais íntimos sabem que é constante e terrível. Pecador! Sente-se pecador, menos atenazado pelas tentações carnais do que pelas da revolta espiritual, da grande recusa cujo outro nome é desespero. Fora em vão que, para lhe escapar, após um incidente que parecera ameaçar-lhe a vida, se tinha atirado para o convento, a fim de se colocar sob a proteção da Regra. A angústia não o deixara; tornara-se mesmo mais torturante, quando, na Missa, consagrava o pão e o vinho, feitos Carne e Sangue de Cristo. Porque o mero pensamento de que Cristo, tal como o imaginava, viria no Último Dia pronunciar o juízo era suficiente para empalidecer de morte o seu rosto. E a todos perguntava como perguntava a si próprio: «Que é preciso fazer para sermos salvos?»

Esse jovem monge chama-se *Martinho Lutero*, mas há muitos outros Martinhos Luteros pela cristandade. Na Boêmia, em Flandres, na Suíça, na França, outros homens fazem a mesma pergunta dilacerante. É uma interrogação que anda na atmosfera do tempo. Tempo farto de guerras e violências, de crimes tenebrosos, de pecados grosseiros ou sutis. Tempo em que a Dança dos Mortos é tema familiar aos artistas, em que são muitos os desequilibrados que se voltam para a magia e a necromancia. Tempo ainda em que certos espíritos ímpios começam a negar Deus e a opor-lhe o homem do «humanismo», senhor exclusivo do seu destino. Mas esse homem está aí, na terra, com o sentimento confrangedor da sua miséria e do abismo que o separa da Soberana Justiça. À pergunta que faz, quem responderá?

Devia ser a Igreja. Pois não é ela a *Ecclesia Mater*, sábia e consoladora? Mas, na desordem em que o mundo mergulhou, as instituições da Igreja não foram preservadas. O Papado saiu enfraquecido do exílio em Avinhão e do Grande Cisma. Retorna a Roma, mas, como potência temporal, está demasiado envolvido nas intrigas e conflitos sangrentos da Itália, enquanto o orgulhoso movimento intelectual que pretende ser a «Renascença» exerce sobre ele uma tentação evidente por meio dos seus artistas e escritores. Situação grave, que um historiador católico do século XX não hesita em designar como tal; mas foi por tê-la denunciado, talvez sem prudência, mas não sem verdade, que Savonarola subiu à fogueira vinte anos antes... De alto a baixo da hierarquia eclesiástica, as mesmas causas produzem os mesmos efeitos. São demasiados os bispos que perderam o sentido das responsabilidades espirituais; demasiados os padres e religiosos que são não tanto corruptos como ignaros e inertes, complacentes com superstições que se avizinham da vigarice... A presença no seio da Igreja de altas figuras de santos e também de massas ainda humildemente fiéis não impede que o espetáculo seja aflitivo.

Que resposta pode dar essa Igreja tão pouco exemplar a Martinho Lutero e aos seus companheiros de angústia? É verdade que, se eles tivessem, com a sua fé exigente, a humildade de espírito que faz os autênticos santos, saberiam reconhecer, debaixo da crosta pouco agradável das aparências, a face pura da Esposa de Cristo, e, a despeito de tudo, haveriam de lembrar-se de que as portas do inferno não prevaleceriam contra o depositário da Promessa. Mas temos de confessar que tinham bastantes desculpas para se enganarem. O que lhes propunham para acalmar a angústia era um conjunto de práticas muitas vezes paupérrimas, rotinas sem sentido claro, devoções quase semelhantes a fórmulas mágicas. Tudo nessa prática decadente parecia ter perdido o conteúdo religioso. Multiplicavam-se orações aos santos, esquecendo em demasia que há um só medianeiro entre Deus e o homem: Jesus Cristo. Compravam-se indulgências para adquirir uma salvação baratinha, ignorando que, sem o espírito de penitência, tais indulgências não tinham mais valor que uma palavra lançada ao vento. Que relação existiria entre o gesto de deitar um florim na caixa do cobrador e as aspirações da alma desejosa de elevar-se até Deus? Eis por que, a 31 de outubro de 1517, na porta da capela do castelo de Wittenberg, Martinho Lutero afixou um longo panfleto contra as indulgências e assim deu início à revolução religiosa mais grave de todos os tempos.

Não terá ido depressa demais? A resposta que esperava, não teria ele podido achá-la nos mestres que se propõem explicar os mistérios de Deus? Ai!... De tudo o que constitui o edifício da Igreja, a teologia não é nesse momento o que menos está em ruínas. A escolástica medieval encontra-se em pleno declínio: dir-se-ia uma máquina que gira no vazio, que mói vento, incapaz de apreender a realidade da palavra de Deus. A doutrina em voga é, desde há um século, a do franciscano Ockham: um sistema que leva simultaneamente a uma naturalização excessiva do homem e a uma sobrenaturalização infinita de Deus. Nas universidades, essa doutrina substituiu tão bem o tomismo que Lutero e seus êmulos podem acreditar que ela é a doutrina oficial da Igreja. O mais recente dos ockhamistas, Gabriel, ensina que se pode vencer o pecado pela vontade própria, mas que isso não constitui mérito algum aos olhos de Deus: é necessário que Deus aceite a obra do homem e a tenha por meritória. Nesse sistema, a graça deixou de ser concebida como princípio universal que eleva as forças espirituais até ao plano da justiça divina, e as boas obras já não participam da economia da Salvação. O destino surge como coisa regida pela mecânica gelada de um déspota. A alma está desarmada.

Então, já que a *Mater Ecclesia* parece não ser capaz de lhe dar resposta e as suas práticas mais ocultam a verdade do que a ela conduzem, já que a doutrina que lhe ensinam o empurra para o desespero, Martinho Lutero — e, de resto, outros fazem o mesmo — forja para si próprio um sistema.

É em São Paulo que encontra os elementos, nesse grande pecador a quem Cristo manifestou a sua graça ferindo-o pessoalmente no coração. Dois versículos da *Epístola aos Romanos*, mil vezes relidos e perscrutados, oferecem-lhe a resposta num instante de iluminação: *O justo viverá da fé*, diz um deles (1, 17); e o outro: *Proclamamos que o homem é justificado pela fé, sem intervenção das obras da Lei* (3, 28). Que importa, pois, o sentimento dilacerante da sua miséria experimentado pelo pecador? É verdade que ele «é incapaz de levantar-se sozinho do seu pecado»; é verdade também que, em face dos méritos de Cristo, «as próprias virtudes são pecado diante de Deus»; mas Cristo está aí e responde a quem sabe chamar por Ele com todas as forças. O pecador é como que coberto por Ele com um manto de luz: não mudou por dentro, lá no fundo, mas é erguido até Deus por um poder maior que todos os poderes do inferno. Crer! Ter fé! Eis a única coisa necessária. A quem crê deveras, ainda que seja o último dos pecadores, Deus atribui os méritos de Jesus Cristo.

Tal foi a descoberta que fez Martinho Lutero e que o levou a encontrar a libertação da sua angústia, a paz do coração. Para suprir a insuficiência da teologia, faz dessa descoberta o ponto de partida de um sistema inteiro. Na salvação, ou mesmo na religião, só há a considerar Deus, sem contar com a contribuição ou a cooperação do homem. Nada vale senão a graça. Todas as «boas obras» de caridade e de penitência podem ser merecedoras de apreço em si mesmas, mas não têm nenhum interesse na economia da salvação. Todas e quaisquer intercessões, como por exemplo a da Virgem Maria ou a dos santos, são inconcebíveis. Só vale o recurso direto à palavra de Deus, tal como a encontramos na Escritura. «Não há outro intérprete da palavra divina senão o autor da Palavra!», repete o Reformador. E não foi São Paulo que disse: *O Espírito Santo atesta ao meu espírito* (Rm 8, 16)? Daí também a exclusão de qualquer autoridade ou mediação da Igreja, quer quanto à fé, pela sua doutrina, quer quanto à graça, pelos sacramentos. Destes, Lutero apenas retém os três cuja origem julga encontrar na Escritura: o Batismo, a Penitência e a Eucaristia, a que dá o nome de Ceia. Mas esvazia-os de virtude operativa: o rito não atua por si. É, pois, todo o edifício doutrinal da Igreja que se transtorna, nessa dialética veemente em que se opõe o «livre exame» à «tradição», o recurso direto a Deus às disciplinas eclesiásticas, o Espírito à letra...

Como poderia a Igreja aceitar semelhante subversão? A querela das indulgências ficou para trás: o que está em causa é o próprio conteúdo de toda a religião. Ao inovador, a Igreja responde: «É verdade que, na obra da salvação, tudo vem em última análise de Deus e que a sua graça é indispensável; mas Cristo, nosso único Mediador, disse-nos: "Convertei-vos!" Portanto, Ele reclama a nossa colaboração. E não foi São Paulo, tão caro a Lutero, que disse: *Trabalhai com temor e tremor na vossa salvação* (Fl 2, 12)? E não chegou até a proclamar que, pelas suas provações, completava *o que faltava à paixão de Cristo*? (Cl 1, 24). A fé é indispensável; mas não é mais do que o começo da justificação, a qual se continua pelos atos de caridade e de penitência e mediante a recepção dos sacramentos instituídos por Cristo a fim de operar em nós a obra da Salvação. Quanto à palavra de Deus, se é verdade que é «o alfa e o ômega», foi confiada como um depósito sagrado à Igreja; foi esta que, no seu conjunto, recebeu os dons do Espírito Santo; ela que, pela tradição, explica e prolonga legitimamente o ensino da Escritura; ela também que, associando o mais ínfimo dos pecadores aos méritos dos santos, leva os seus membros à salvação. É fácil notar, item por item, uma radical oposição entre a doutrina católica e a luterana.

Assim, sistematizando a revelação que pensa ter recebido — «o justo vive da fé!» —, Lutero acaba por preconizar uma «opinião separada», como se dizia no começo do cristianismo, uma doutrina que já não é a da comunidade dos fiéis. «Opinião separada» é o que, em grego, se diz *heresia*. Heresia, aliás, nobre — erro para *mais*, como há erros para *menos*: «Só Deus! Só a fé! Só a Escritura!» Mas doutrina por isso mesmo mais perigosa, porque pode tentar as almas exigentes. Quando, três anos depois do incidente de Wittenberg, se torna evidente que não se trata apenas de uma querela entre frades nem de uma discussão de escola, mas que é uma divergência que questiona tudo, e que um número crescente de cristãos adere à nova doutrina, o Papa condena Lutero, excomunga-o, e Lutero responde queimando em público a bula que o condena. É a ruptura, uma ruptura que o jovem religioso agostiniano estava bem longe de considerar possível quando afixava as suas noventa e cinco teses sobre as indulgências! Uma delas, a 38ª, afirmava: «Não se deve desprezar a graça que o Papa concede, porque é uma declaração do perdão de Deus». Mas está na natureza das «opiniões separadas» afastar cada vez mais aqueles que as professam das margens que abandonaram...

Nesse ínterim, aliás, intervieram causas de ordem muito diferente, e Lutero foi arrastado por uma poderosa corrente. Ainda não tinham decorrido dez anos após a famosa afixação, e já a Alemanha inteira estava em pé de guerra e países vizinhos sofriam o embate. A prodigiosa expansão das teses luteranas não se explica apenas por motivos religiosos; há que pensar aqui nas outras explicações propostas por católicos e por marxistas.

No plano imediato, é a política que intervém. Em numerosos principados da Alemanha — nomeadamente na Prússia — e também fora da Alemanha — por exemplo na Suécia e, mais tarde, na Inglaterra —, é o poder central que decide a passagem de um povo inteiro de uma fé para a outra. Para se enriquecerem secularizando os bens da Igreja, para garantirem a sua autonomia, e afinal levados pelo sentimento nacionalista que então despertava em cheio, poderosos senhores e soberanos adotam as ideias novas.

O avanço é facilitado pela situação de desequilíbrio em que se encontra o mundo, que atravessa uma crise social devida ao aparecimento da economia capitalista e uma crise intelectual devida ao rápido alargamento dos conhecimentos. Não é também de excluir que a liberdade sexual concedida ao clero pelo Reformador — pois não se vê na Escritura que há Apóstolos casados? — tenha algo a ver com a rapidez com que alguns clérigos aderem à nova teologia. Puras ou impuras, todas essas forças agem no mesmo sentido.

E, ao tremendo assalto, a Igreja parece não opor senão condenações de princípio, como se a inércia e a rotina a impedissem de meter ombros às reformas que tantos dos seus melhores filhos proclamavam necessárias: fazer, no fim das contas, aquilo que já fizera tantas vezes no decurso da sua história, no tempo de São Gregório, de São Bernardo, de São Francisco de Assis e de São Domingos: assumir a liderança da corrente reformadora para dirigi-la. Virá a fazê-lo mais tarde, um pouco tarde demais, no Concílio de Trento. Nesse intervalo, porém, espíritos demasiado ardentes terão desesperado dela e a cristandade do Ocidente será cortada em duas.

No movimento de que Lutero é o protagonista mais importante, no entanto, manifestam-se sinais inequívocos de insuficiência e desunião. O individualismo radical que está na base da Reforma não faz senão favorecer as tendências divergentes e até as tentativas mais extravagantes. Ao mesmo tempo que Lutero, outros reformadores se levantam, alguns dos quais levam ao extremo teses próximas das suas. Assim, nos meios populares, os «anabatistas» rejeitam todas as práticas, exceto o sacramento do Batismo, que administram aos adultos, para lhe darem todo o sentido de profissão de fé; e a sua corrente multiforme chega a estranhos movimentos de subversão. Em Zurique, Huldrych Zwinglio mostra-se bastante próximo de um radicalismo análogo, embora mais tarde venha a afastar-se dele. Martin Bucer em Estrasburgo, Ecolampádio em Basileia, tentam fixar a doutrina a meio caminho entre Lutero e os radicais. Os «sacramentários» rejeitam totalmente o dogma da Presença real na Eucaristia, e só veem nela um símbolo, um memorial, o que suscita a indignação de Lutero, pois este, se bem que não admita a «transubstanciação», crê na «consubstanciação», ou seja, que Cristo, na hóstia, está presente *com* o pão. Que confusão!

A desordem é manifesta até no plano prático. Os camponeses que, arruinados pela crise econômica, ouviram falar de fraternidade cristã e de comunidade dos bens, revoltam-se, fazendo a Alemanha correr o risco de entrar num período de ferro e fogo. Para restabelecer a ordem, torna-se necessário apelar para a força civil, coisa que Lutero não somente aprova, mas aconselha, confiando assim aos príncipes os poderes que retirou à hierarquia católica. Será necessário que a Reforma se organize, se não quiser afundar-se. E efetivamente aparece um homem que vai pôr ordem em tudo isso, mas que, ao mesmo tempo, irá ainda mais longe que o agostiniano alemão no plano dogmático. É a hora do francês Jean Calvin.

A obra de Calvino

«O segundo patriarca da Reforma», como lhe chama Bossuet com exatidão, tinha oito anos no momento em que

Lutero entrou em cena. Pertence, pois, à segunda geração, aquela que, na maior parte dos movimentos religiosos e políticos, põe em ordem os elementos fornecidos pela primeira e lhes dá plena eficácia. A fria lógica organizadora parece o traço mais evidente desse franzino picardo de olhos de aço, tão pouco comunicativo que se diria um tímido. Mas há nele outra coisa bem diferente: um espírito especulativo quase genial, capaz de abordar os problemas mais árduos, uma alma de apóstolo, um caráter de líder, tudo isso servido por meios de expressão tão requintados que as letras francesas modernas reconhecerão nele um dos seus iniciadores.

Lentamente conquistado pelas novas ideias ou subitamente convertido a elas por uma brusca iluminação (não se sabe ao certo, visto que ele nunca esclareceu este ponto), esse clérigo carregado de benefícios eclesiásticos muda de rumo por volta dos vinte e sete anos. O pensamento dos Reformadores, sobretudo o de Lutero, que ele aprofunda e assimila e a seguir desenvolve e alarga, transforma-se nas suas mãos num novo sistema, mais rigoroso e mais coerente. Expõe-no em 1536, na *Institution chrétienne*, livro capital, livro-base, que alcança um êxito rápido. Depois, chamado a ser — por um concurso de circunstâncias em que vê a intenção da Providência — o chefe espiritual de Genebra, aplica aí as suas ideias: experimenta numa cidade da Terra a Igreja do Céu tal como a concebe. O que não se fará sem contratempos e severidades, que afinal servirão de exemplo. Para os protestantes, Genebra há de ser por muito tempo o arquétipo da comunidade cristã perfeita. Daí sai uma segunda vaga da Reforma: os «calvinistas» tomam o bastão das mãos dos «luteranos».

Que trará, pois, o segundo patriarca à obra iniciada pelo primeiro? Em substância, não muita coisa. Como Lutero, Calvino põe toda a salvação do homem na fé, só nela. Como aquele, não dá importância senão à Sagrada Escritura, interpretada livremente por cada qual, não segundo a sua inteligência, mas pelo testemunho interior do Espírito concedido a cada um. Como aquele, mais que ele, rejeita o que os católicos chamam Tradição, ou seja, o conjunto de dados dogmáticos e de práticas que a Igreja deduziu da mensagem escriturística e do qual é fiadora. Ainda como aquele, não quer nenhum intermediário entre a alma e Deus. Mas quanto aos temas fundamentais da Reforma, leva-os ao limite, com tal rigor na dedução que faz lembrar Descartes. Ao mesmo tempo, dá ao protestantismo um método e uma organização com os quais pouco se tinha preocupado o antigo frade agostiniano. Por este lado, o picardo conquista na história das religiões um lugar de primeira ordem.

No plano dogmático, a sua terrível lógica conduz ao que ele próprio reconhece ser «uma doutrina apavorante». O cuidado, empurrado até à obsessão, de afirmar a soberania de Deus, da sua ação, da sua palavra, e, consequentemente, de rejeitar por completo a obra do homem, leva-o a uma tese radical, tão radical que os seus herdeiros irão abandoná-la: a *predestinação*. «No Conselho eterno de Deus, todo o homem, ao nascer, está ordenado para a vida eterna ou para a eterna condenação». O que é lógico, visto que Deus sabe tudo e tudo pode. Desta afirmação de princípio decorre tudo o mais. Por exemplo, a definição da Igreja, que não pode ser senão uma sociedade de santos, de predestinados, e exclui portanto do seu seio os pecadores que o «Conselho eterno» de Deus condena.

Mas que pode um homem fazer neste mundo, se admite verdadeiramente essa ideia atroz de estar talvez condenado ao castigo eterno sem o saber, sem poder intervir para nada? Não será, à letra, um desesperado? Não. Porque, se é horrível acreditar que se está condenado, é singularmente exaltante persuadir-se de que se está predestinado a ver Deus face a face. E é este sentimento que dará aos calvinistas um impulso apostólico e uma coragem nas provações que a história homenageia.

Como se reconhecerá que se está predestinado? Calvino responde: pela santidade de vida. Para ele, a ação do Espírito Santo não reside numa iluminação interior, como para Lutero, mas sim num apelo à santidade. Praticar as virtudes não é, como dizem os católicos, adquirir méritos em vista do céu, mas fazer já na terra a experiência vital do reino do céu; é trazer em si o sinal de Cristo. Esta é a ideia que o «Procurador de Deus» aplica em Genebra, com um rigor sem brechas. É também ela que vai marcar o calvinismo e, na sua esteira, todo o protestantismo, como uma nota moralizadora a que não falta, por vezes, certo farisaísmo.

Calvino observa em tudo o que diz o mesmo rigor de que lança mão na dedução dos princípios. Homem da Bíblia, não aceita absolutamente nada além do que julga encontrar na Escritura. Por isso, dos três sacramentos ainda conservados por Lutero, põe de lado o da Penitência, que a seu ver não tem a sua origem no Evangelho, pois estaria incluído no Batismo; recusa-se a interpretar no sentido católico a famosa palavra de Cristo aos seus Apóstolos: «A quem perdoardes os pecados, ser-lhes-ão perdoados» (Jo 20, 23). Ao Batismo e à Comunhão, que conserva, acaba por retirar todo o valor propriamente sacramental: o Batismo não é mais que «o sinal da nossa cristandade»; a Comunhão, se não é um memorial simbólico, como para Zwinglio, pelo menos é a evocação de uma presença que só a fé apreende. Suprime a «consubstanciação», ainda admitida por Lutero, e tudo o que, na Missa, recorda o sacrifício de Cristo, bem como tudo aquilo que foi lentamente aglutinado pela Tradição ao dado primitivo da oração judaica. Acabou o incenso; acabaram as velas; acabaram as fórmulas litúrgicas e as cerimônias pomposas. Em edifícios rigorosamente despojados, o culto reduz-se a bem dizer ao ministério da palavra; o ministério do Altar, conservado pelos luteranos, é deixado de lado, e a Comunhão, praticada sob as duas espécies pelos fiéis sentados à volta de uma mesa, há de identificar-se o melhor possível com uma refeição.

É, pois, um estilo novo que Calvino imprime ao protestantismo. E também uma nova ordem. Da organização católica, Lutero conservara ainda numerosos elementos; por exemplo, a hierarquia episcopal, pois os bispos continuavam a ser chefes regionais da Igreja, embora tivessem perdido o poder de ordenar padres por eles designados. No sistema de Calvino, os «pastores» são homens que sentiram a vocação de levar a Palavra e que recebem da comunidade dos fiéis esse ministério. Cada Igreja ou cada paróquia é, portanto, livre. Os conselhos ou «consistórios» que agrupam os seus representantes não possuem, nem de longe, os poderes dogmáticos e disciplinares da hierarquia católica. Instaura-se assim o regime democrático, com a alegação de que se baseia no exemplo da Igreja primitiva.

No entanto, Calvino, que tem um caráter autoritário e sabe a que aberrações pode chegar o homem pecador, não quer que a Igreja dos Santos visível sobre a terra seja deixada aos excessos das paixões. «O livre exame» tem para ele limites, e a comunidade cristã, «a Igreja», deve ajudar cada um dos seus membros a crer retamente e a comportar-se de acordo com os santos princípios, se necessário pela força: foi o que experimentaram os cidadãos de Genebra e alguns espíritos rebeldes, como Miguel Servet... É assim, nesta síntese original entre o espírito de autoridade e a liberdade democrática, que o Reformador, segundo a sua fórmula, «ergue a Igreja» e, no fim de contas, dá à Reforma as suas oportunidades de fazer história.

Será quase desnecessário sublinhar que as deduções e as inovações de Calvino constituíam, ainda mais que as teses de Lutero, «opiniões separadas» inadmissíveis para a Igreja

Católica. Sobre todos os pontos essenciais desse sistema, o catolicismo tem posições diametralmente opostas: não admite que Deus seja concebido como uma espécie de déspota que condena ou salva por capricho; que o Sangue derramado por Cristo não o tenha sido por todos os homens; que o bom comportamento e o esforço heroico por praticar as virtudes não tenham nenhuma utilidade para conquistar a salvação; que as ovelhas perdidas, tão queridas ao coração do Bom Pastor, não façam expressamente parte da Igreja; que Cristo não esteja realmente presente no pão e no vinho eucarísticos; que baste a «vocação» para investir um clérigo numa tarefa sagrada, sem ter uma «missão» recebida do alto e transmitida pela Igreja, de acordo com uma filiação que a vincule diretamente ao Deus feito homem...

Quando Calvino morreu, em 1564, a ruptura entre o cristianismo novo e as antigas formas da religião cristã era completa e parecia definitiva[5]. A Igreja de Cristo estava esquartejada. Os acontecimentos posteriores, que, segundo previra o humanista Erasmo logo no início da Reforma, haviam de provocar «uma carnificina medonha», iriam alargar ainda mais a ferida, aprofundar o abismo. E quatro séculos não seriam demais para que os cristãos começassem a sentir com angústia o escândalo desse despedaçamento.

Pode-se, pois, dizer que, nesse ano de 1564, a Reforma está fixada nos seus traços fundamentais. É impossível, hoje, considerar um ou outro dos aspectos que ela pôde tomar sem ver em qualquer deles, em substância, ao menos alguns dos dados de Lutero ou de Calvino. A convicção de que o homem está suficientemente maduro para correr sozinho a sua aventura espiritual, o recurso à fé como meio único ou pelo menos primordial de salvação, a veneração pela Sagrada Escritura e a confiança plena na Palavra de Deus que ela transmite, a prática, um tanto estereotipada, das virtudes, ou, pelo menos, a proclamação muito acentuada dos grandes princípios morais — irão constituir as bases do protestantismo. Ou, talvez melhor, *dos* protestantismos: aquilo que, apesar de todas as diferenças, os une. E a isso deve-se acrescentar, objetivamente, uma comum hostilidade para com o catolicismo, a qual, consoante os casos, vai da desconfiança ao ódio, sentimento que se explica por motivos ao mesmo tempo espirituais e temporais, visto que o protestantismo nasceu, quanto ao pensamento e quanto às instituições, por oposição à Igreja Católica. Sentimento que só os anos mais recentes têm visto atenuar-se.

«Variações» e rupturas no seio do protestantismo

Filhos da Reforma, ligados uns aos outros pelos mesmos grandes princípios, por que razão os protestantes se foram dividindo cada vez mais no decorrer dos séculos? Por que oferecem o exemplo de uma disparidade que vimos esboçadas nas quatro imagens e que, de resto, não se reduz a meras dessemelhanças culturais? Na sua famosa *Histoire des variations des Églises protestantes*, Bossuet forneceu a essa pergunta uma resposta que nenhum protestante rejeita: «As variações da Reforma vêm da sua própria constituição». Estará, pois, no gênio do protestantismo a cisão até ao infinito?

No preciso momento em que começou essa revolução religiosa, foi possível observar que ela rebentava em vários pontos ao mesmo tempo e que não tinha em toda a parte as mesmas notas características. Se Lutero foi o mais importante dos arautos da Reforma, a verdade é que também surgiram os Zwinglios, os Bucer, os Ecolampádios. Antes de terminar o século XVI, pensou-se, contudo, que os dois grandes rios do luteranismo e do calvinismo iriam absorver todos os pequenos riachos da Reforma, tal como tinha acontecido com a maioria deles, mesmo os mais antigos, anteriores ao próprio Lutero: os hussitas da Boêmia e os valdenses dos Alpes e da Provença. Fora deles, restava apenas, formando uma corrente de certa importância, o anabatismo, ou pelo menos o que dele sobreviveu às catástrofes, e que, temperado e organizado por Menno Simons, se apresentava então como um sistema coerente, simultaneamente simples e místico, bem adaptado à mentalidade popular; as perseguições não pareciam de molde a fazê-lo desaparecer. Na Inglaterra, onde a Reforma se inseriu num contexto muito especial, ainda não era possível decidir se o anglicanismo se iria ligar a uma das grandes correntes existentes, ou se constituiria uma variedade à parte.

Havia, porém, na própria substância do protestantismo, um fermento que não lhe permitiria desenvolver-se de acordo com um esquema tão simples: o «livre exame». Lutero e Calvino tinham admitido que a consciência humana, para caminhar para Deus, não tinha precisão de ser guiada no seu caminho por um magistério capaz de lhe impedir o erro. Era abrir a porta ao individualismo. A partir do momento em que se deixou de reconhecer a existência de uma autoridade infalível para dizer o que é verdadeiro e o que é falso, todo e qualquer desvio doutrinal conduzia necessariamente a uma ruptura, e muitas vezes à fundação de um novo grupo. Mesmo as iniciativas mais felizes, se se apresentassem de modo original e contradissessem os usos, teriam o mesmo resultado: se tivesse nascido no catolicismo, Wesley teria feito dos seus «metodistas» uma Ordem Terceira no seio da Igreja; como era protestante, deu origem a uma denominação independente. A força que impelia a Reforma a dividir-se até ao infinito parecia irresistível.

Os grandes Reformadores tinham compreendido perfeitamente que o individualismo desenfreado ameaçava levar à anarquia espiritual e, subsidiariamente, à anarquia política e social. Segundo concepções diferentes, Lutero e Calvino tinham procurado organizar Igrejas com quadros e disciplina, e tentado até levar a admitir, pela força, «confissões» que fixassem um mínimo de crenças comuns a todos: Confissão de Augsburgo para os luteranos, Confissões calvinistas. Dessa maneira, como escreveu um protestante liberal em 1871, tinham eles «restringido sem hesitação a liberdade dos fiéis, indicando-lhes mais ou menos formalmente de que modo deviam entender a Escritura»[6]. Mas esse restabelecimento de um *Credo* imposto contradizia, evidentemente, o espírito que suscitara a Reforma. Os mesmos argumentos lançados contra a ortodoxia católica valiam contra a nova ortodoxia. Surgiram, pois, novos «protestos», protestos de segundo grau se assim se pode dizer, e tão legítimos como os primeiros. E contra os antigos revolucionários, agora conformistas, iriam erguer-se novos não conformistas.

Até aquilo que, na Reforma, aparece como o elemento mais nobre — ou seja, a vontade de viver integralmente a aventura cristã, de elevar o homem acima de si mesmo —, contribuiu para multiplicar as dissensões e as rupturas. O tema da *Ecclesia reformata semper reformanda* [«A Igreja reformada sempre precisa ser reformada»] é um dos mais caros à consciência protestante, e dos mais expressivos. E é bem verdade que, tanto nas instituições como nas almas, a reforma é sempre necessária, para lutar contra as forças das trevas que arrastam o homem para a facilidade, a rotina, o mal. Nascida do «despertar» espiritual de Martinho Lutero, a Reforma sempre deu grande importância a esses movimentos de «despertar» que, de tempos a tempos, vão levantando os fiéis. Almas tomadas por uma necessidade imperiosa de absoluto sentem-se pouco à vontade no quadro da sua Igreja, e tentam regressar aos primeiros princípios, reencontrar o impulso dos Reformadores;

também elas pensam que o Espírito Santo as chama muito em especial. Como é normal, não são compreendidas por todos; não é fácil admitir que é preciso ser «despertado». E os inovadores são desaprovados. Assim nascem, quer «Igrejas livres», hostis às estabelecidas, no interior de uma mesma Igreja, quer Igrejas novas, como o metodismo, ou ainda seitas, como os *quakers* e, mais perto de nós, os movimentos pentecostais[7].

Foi assim que, segundo um processo dialético tão perfeito que se diria inventado para dar razão a Hegel, apareceram, nos séculos que se seguiram à Reforma, e cada vez mais numerosos e cada vez mais dessemelhantes, formações religiosas que se proclamavam integradas nela. Mas, mesmo no interior dessas novas formações, foram surgindo outros fatores de divisão. O fator geográfico e político não foi o menor. Como Lutero associara expressamente as autoridades civis à administração religiosa na Alemanha, o desmembramento feudal trouxe consigo a constituição de umas trinta e cinco Igrejas luteranas, que a centralização prussiana não conseguiu unificar. Em outros lugares, intervieram contingências sociais: houve Igrejas tendencialmente burguesas, outras populares. Nos Estados Unidos, a questão racial determinou cisões análogas: constituiu-se uma Igreja batista negra à margem da Igreja batista branca, um metodismo negro independente de um metodismo branco. Os debates de ideias que marcaram o século XIX[8] tiveram também resultados semelhantes. A herança dos Reformadores era explorada de dois modos diferentes: pelos que insistiam no livre exame e por aqueles que fixavam a atenção nos grandes temas dogmáticos da soberania de Deus. Um «protestantismo liberal» opôs as suas Igrejas às das ortodoxias rígidas. Teoricamente, não há nenhum limite para essa pulverização, visto que a Igreja está toda ela presente, graças ao Espírito Santo, na mais modesta das paróquias e, como ainda em 1910 proclamava a Constituição da Igreja de Genebra, «cada pastor ensina e prega livremente o Evangelho, sob sua própria responsabilidade, porque esta liberdade não pode ser restringida nem por profissões de fé nem por formulários litúrgicos».

Essa divisão continuada não apresentará vantagens que compensem os seus manifestos inconvenientes? Muitos pensadores protestantes se mostram convencidos disso. Têm falado da «marcha irradiante» da fé reformada, do pluralismo protestante. Para eles, essa divisão permite ao conjunto do movimento saído da Reforma abarcar a experiência cristã na sua totalidade e diversidade, muito melhor que o catolicismo, que lhes parece enfermar de falta de elasticidade[9].

Seja como for, a característica mais marcante do protestantismo, tal como se tem afirmado desde o final do século XIX, consiste na multiplicidade, na divisão. Será possível expressá-la em números? É difícil. Nos Estados Unidos, em 1954, as estatísticas oficiais admitiam a existência de *263 denominações religiosas*[10]. Mas esse número não pretendia ser perfeitamente exato, porque se reconhecia que, na população americana negra, era praticamente impossível determinar o número de seitas e de pequenas Igrejas. Não falemos da África: há quem distinga nesse continente 1.600 seitas, mais ou menos cristãs! Os próprios protestantes não estão de acordo sobre o acolhimento a reservar a este ou àquele agrupamento. Os mórmons, por exemplo, são considerados pela maioria como heréticos, porque acrescentam uma outra revelação à da Bíblia. Os pentecostais, que alguns rejeitam, são tidos — por homens tão prudentes como o pastor Marc Boegner — como a ala mais dinâmica do protestantismo na América do Sul. Quando os metodistas começaram a difundir-se na França, houve pastores — como aquele que assinava «o velho pastor do campo» (Reville) — que declararam estar aí a negação do verdadeiro protestantismo!

A imprecisão aumenta ainda com o uso de termos idênticos para designar realidades muito diversas. Assim o qualificativo *evangélico*, que pode ser reivindicado por todas as Igrejas saídas da Reforma, aplica-se com frequência à Igreja calvinista de tendências hostis ao protestantismo liberal; mas existem numerosos agrupamentos de batistas e mesmo de pentecostais que o arvoram, e no anglicanismo a palavra tem um sentido completamente diferente. A complexidade já é grande se nos ativermos a agrupamentos bem diferenciados; mas, além disso, no interior de uma mesma Igreja pode haver Igrejas que se declarem independentes umas das outras e façam questão de sublinhar as diferenças entre elas. Se é certo que não se observava um grande fosso entre as trinta e cinco Igrejas luteranas que ainda em 1914 havia na Alemanha, já as dezesseis Igrejas batistas dos Estados Unidos apresentam notáveis dessemelhanças.

Não devemos, porém, prender-nos a simples indicações estatísticas para apreciar com equidade a divisão do protestantismo. Muitas dessas «denominações» são de importância mínima. Certos agrupamentos são de âmbito nitidamente local; outros não contam senão um pequeno número de fiéis: são apenas poeiras de Igrejas ao lado das grandes formações. Entre tais e tais «Igrejas», as diferenças são de tal modo pequenas, que podem trocar entre elas os fiéis sem que se levante qualquer problema doutrinal. Havemos de ver que, nos EUA, é frequente que um homem ou mulher mude de «denominação» por motivos matrimoniais... ou de domicílio. Dão-se aproximações, ou até fusões *de fato*, como aquela a que assistiremos na Índia meridional[11].

À tendência que levava a uma divisão cada vez mais forte, tal como prevaleceu até meados do século XIX, opôs-se a tendência para aquilo que Jacques Courvoisier designa por «concentração protestante». Na atualidade, é esta que se vai intensificando[12]. E tem obtido resultados em dois planos.

Primeiro, no interior das grandes formações. Assim se constituíram, no quadro do anglicanismo, a Comunhão Anglicana, cuja unidade foi assegurada pelas conferências de Lambeth, que se reúnem desde 1867[13]; depois, a Aliança Mundial Presbiteriana, que agrupa as Igrejas calvinistas tradicionais e cujo início remonta a cerca de 1875, com sede na Escócia (desenvolveu-se muito a partir de 1890 e em 1948 transferiu-se para Genebra); finalmente, a Aliança Luterana Mundial, estabelecida em 1900.

Ao mesmo tempo, registrava-se uma tendência muito clara para diminuir o número de «Igrejas», por exemplo entre os luteranos, que as reduziram de 35 para 16; assim como entre os batistas, onde se vão dando cada vez mais fusões, embora continue a haver cisões.

Há um outro plano em que a tendência para a concentração não é menos clara: aquele em que, com base em princípios de fé comuns e sobretudo para a defesa de interesses comuns, as diversas formações protestantes de cada país se aproximam umas das outras. Criam-se organismos que agrupam representantes de formações muito diversas. Um exemplo típico é o da Federação Protestante da França, fundada em 1907 e imitada um pouco por todo o lado[14].

No meio de tudo isso, é possível estabelecer uma hierarquia entre as «denominações» protestantes, pois uma meia dúzia delas são de longe as mais importantes, duas ou três estão num segundo plano, e as restantes representam tendências mais ou menos erráticas, tentativas mais ou menos exageradas. Mas não é fácil traduzir essa hierarquia em vocabulário. As palavras mais utilizadas — *Igrejas*, *Comunidades*, *Confissões*, *Denominações*, *Seitas* — são todas discutíveis e equívocas, correspondendo, segundo os casos, a realidades extremamente diversas; a primeira — «Igreja» — só pode ser usada por um católico com reservas expressas, como termo usual mas não teológico, e a última — «Seitas» — adquiriu um sentido pejorativo. Os autores mais qualificados confessam-se impotentes para fixar um vocabulário perfeitamente adequado[15].

Qualquer classificação do protestantismo é, pois, necessariamente arbitrária. A mais admissível, já que parece indispensável estabelecer uma certa ordem para dar clareza à exposição, é a que se refere às grandes correntes das origens — luterana, calvinista, batista, anglicana —, às quais se ligam, seguindo-as no seu desenrolar histórico, as formações religiosas nascidas no seu seio, quer nelas tenham permanecido, quer não, algumas para ganharem uma importância considerável e se igualarem às Igrejas que lhes deram vida.

O mais importante grupo protestante: os luteranos

Primogênito dos protestantes, o luteranismo também se afirmou no decurso dos tempos como o primeiro pela sua importância numérica. Importância que é, de resto, muito difícil de avaliar com precisão, pelas mesmas razões que tornam impossível o cálculo exato do conjunto dos protestantes. Obras que se apresentam todas com caráter oficial propõem estimativas extremamente dessemelhantes: para o ano de 1958, variam entre 63,5 e 80 milhões. Em 1963, Émile G. Léonard chega a falar de 90 milhões. É verossímil o cálculo médio de 75 milhões[16]. Quer isto dizer que mais ou menos um de cada três protestantes se declara filiado à Confissão de Augsburgo, tal como Martinho Lutero a admitiu.

À primeira vista, parece surpreendente. Quando se pensa no protestantismo, quando se procura imaginar o tipo de vida religiosa encarnado por um protestante, não é com certeza a um luterano nem ao luteranismo que um francês, um inglês ou um norte-americano se referem. Dir-se-ia que os herdeiros do primeiro Reformador ficaram confinados a um setor limitado e não exerceram nenhuma influência nos destinos do protestantismo, o que é totalmente falso. Existem muitas razões para este erro de perspectiva.

A primeira é que o luteranismo deu muito menos que falar do que outras formações protestantes: não sofreu crises violentas, não teve cisões estrondosas que provocassem novas confissões. Isto não significa que tenham faltado discussões ou lutas entre tendências; mas não foram até à ruptura e quase passaram despercebidas.

Mas a ignorância de muita gente no que diz respeito ao luteranismo resulta também do preconceito demasiado espalhado de que ele se confunde com a Alemanha: *Luthertum ist Deutschtum* [«Ser luterano é ser alemão»] — diz uma espécie de provérbio, que os alemães não são os últimos a repetir. Palavra ao mesmo tempo verdadeira e falsa. Verdadeira no sentido de que a Alemanha moderna é, em larga medida, filha de Lutero; de que, como diz Nietzsche, «Lutero é, ainda hoje e sempre, o acontecimento capital da história alemã»; de que Fichte e Bismarck são discípulos do frade agostiniano, tal como o são Kant, Hegel e o próprio Nietzsche. Não é por acaso que, nas vésperas das grandes decisões das quais ia sair a Alemanha unida, foram organizadas, em 1868, festas nacionais para erguer um monumento a Lutero. Mas nem por isso deixa de ser falso que se deva identificar *Luthertum* e *Deutschtum*[17], visto que o campo de expansão do luteranismo ultrapassa de longe o mundo germânico, a tal ponto que hoje, de cada dois luteranos, um não é alemão.

E, no entanto, é incontestável que foi no mundo germânico que as doutrinas luteranas se implantaram desde o princípio e que aí têm conservado as suas bases mais poderosas. As *Landeskirchen*, «igrejas regionais», estabelecida no século XVI pela vontade dos Príncipes, sobreviveram ao desaparecimento da Alemanha feudal e à instauração do império de Bismarck, se bem que outras igrejas «confessantes», nascidas por razões propriamente religiosas, se tenham acrescentado àquelas; elas não quebraram o quadro luterano. A tentativa de unificar todos os reformadores dos seus Estados, feita em 1817 pelo rei da Prússia[18], não bastou para modificar em profundidade o caráter do conjunto do protestantismo alemão, que se manteve de coloração luterana.

Da Alemanha, o luteranismo partiu bem cedo para a conquista dos países do Norte, Dinamarca, Noruega, Suécia, onde o seu êxito foi tão completo — assegurado também lá pelos governos — que ainda no nosso tempo os luteranos representam entre 90% e 98% da população nesses três Estados. A seguir, foram conquistados os Estados bálticos e a Finlândia, e neste último país a porcentagem é igualmente impressionante. Criaram-se alguns anexos menos importantes na Boêmia, na Áustria e na Hungria. Na França, o surto calvinista apenas deixaria ao luteranismo zonas estreitas, na Alsácia e na região de Montbéliard, que, até 1801, pertenceu ao Württemberg.

Hoje, a massa luterana mais numerosa fora da Alemanha é a norte-americana. A imigração do século XVIII levou para os Estados Unidos núcleos de luteranos alemães e escandinavos, sólidos na sua fé e que não se têm deixado cercear. A princípio separados uns dos outros pelas enormes distâncias do continente americano, foram-se agrupando ou reagrupando no século XIX, quer de acordo com a origem nacional ou em virtude de afinidades espirituais, e organizaram-se fortemente. Com os seus 10 milhões de fiéis, o luteranismo é uma das mais importantes «denominações» dos EUA e, no luteranismo mundial, um elemento de peso.

Todos os luteranos aderem aos catecismos de Lutero e à Confissão de Augsburgo, que Melanchthon redigiu para ser lida na Dieta de 1530, certamente com a intenção de impedir a ruptura total, ou seja, para pôr em destaque mais os pontos que os aproximavam da doutrina católica do que aqueles que constituíam pedras de escândalo. De modo que um teólogo católico pôde dizer que «as Igrejas luteranas formam o elemento mais ponderado do protestantismo moderno»[19]. Essa fidelidade geral aos mesmos princípios doutrinais não impede que haja diferenças entre as regiões e até entre as Igrejas.

Foi na Escandinávia — como se viu na segunda das nossas «imagens» — que o luteranismo surgiu como mais próximo do cristianismo anterior à Reforma, porque se estabeleceu nela sem brusquidão. A liturgia foi conservada em grande parte: igrejas decoradas, ou mesmo luxuosas, vestes litúrgicas, manutenção do altar, uso de velas e do incenso — outros tantos aspectos que espantam os calvinistas rígidos. Na Suécia, fala-se sempre de *Mässa* para designar o culto, e chama-se indiferentemente «padre» ou «pastor» àquele que preside à liturgia. Os bispos, se é certo que não reivindicam a sucessão apostólica no sentido sacramental do termo, conservam poderes muito extensos. Aliás, o tradicionalismo vai mais longe que as meras aparências. Embora hostis a Roma, os luteranos escandinavos não sentem que se tenha quebrado a continuidade: os seus bispos consideram-se sucessores daqueles que existiam antes da Reforma: cantam um gregoriano quase sem alteração; e, se é verdade que os seus padres são casados, demoraram muito tempo a admitir que as mulheres pudessem ser pastoras, o que não levanta dificuldades em numerosas outras formas de protestantismo.

O luteranismo alemão tem um caráter «protestante» mais acentuado. Se bem que se tenha mantido o altar, a Missa desapareceu, a liturgia simplificou-se, o ensino da palavra e os cânticos ganharam importância. O *Landesbischof* é muito mais um funcionário eclesiástico do que sucessor dos Apóstolos; encoraja fiéis e pastores, deve fomentar as obras de caridade, vela pela formação dos clérigos, tem um papel de representação. Ao seu lado, um conselho leigo exerce funções frequentemente importantes. Mas está amplamente difundida a fé na presença de Cristo na Eucaristia, que, recordemo-lo, não é Presença real. E desde a renovação «ritualista» do século XIX, a liturgia e a decoração das igrejas voltaram a estar na moda em numerosas paróquias. Nos outros países da Europa onde existe, o luteranismo adaptou-se às circunstâncias, não sem sofrer, em maior ou menor grau, certas influências calvinistas: na França, é governado por sínodos, que elegem vitaliciamente, não bispos, mas «inspetores eclesiásticos».

Um dos traços mais duradouramente característicos das Igrejas luteranas da Europa, derivado das suas origens, foi serem Igrejas de Estado, Igrejas «estabelecidas» cuja fé, em princípio, devia ser a de todos os habitantes. *Cuius regio, eius religio*. De acordo com a doutrina do Reformador, e também por força das circunstâncias em que o movimento se desenvolveu, e ainda do caráter de cada nação, a Igreja foi absorvida pelo Estado. No decurso do século XIX, a concepção de Estado evoluiu sob a influência das ideias democráticas, e o estatismo religioso foi cedendo pouco a pouco. Os «não conformistas» e os católicos puderam beneficiar-se de garantias. A história das Igrejas foi, em larga medida, a história de um «desestabelecimento» (o anglicanismo oferecerá exemplo análogo). A doutrina da separação da Igreja e do Estado ganhou terreno. Praticamente, deixou de haver países em que se conservasse a concepção de uma Igreja «oficial».

Quanto ao luteranismo norte-americano, adotou uma forma bastante particular. Entregues a si mesmos, sem poderem dispor de rei ou príncipe que os tivesse em suas mãos, e sem terem levado bispos consigo, os grupos de imigrantes organizaram-se espontaneamente em bases democráticas. A direção é assegurada por sínodos, que gozam de considerável autoridade. Uma das Igrejas sinodais — a do Missouri — teve um desenvolvimento inesperado, a ponto de contar dois milhões de fiéis. No seu conjunto, o luteranismo norte-americano insiste na moral mais estrita e na integridade da doutrina, ao mesmo tempo que atribui grande importância à vida litúrgica: são características que aparentemente o aproximam do catolicismo, embora na realidade constitua um dos bastiões antirromanos dos Estados Unidos.

Essas diferenças entre as parcelas do luteranismo não afetam o essencial. É certo que se tem visto sobressair no seu interior as duas grandes correntes que existem em todas as formas do protestantismo — aquela que procede da doutrina do «livre exame», e aquela que tem origem nas grandes afirmações dogmáticas. Há Igrejas na Alemanha ou sínodos nos Estados Unidos que são de tendência liberal, ao passo que outras são de tendência confessionalista, e é por vezes ardente a discussão entre os teólogos das duas correntes. Mas a verdade é que não se deu nenhuma ruptura.

A maior originalidade do luteranismo está na persistência no seu seio de um movimento *pietista*. Vindo já do final do século XVI, com o pastor Johann Arndt, desenvolvido sessenta anos depois por Tiago Spener, autor dos *Pia Desideria* e animador dos *Collegia pietatis*, é uma reação, quer contra a ortodoxia rígida das Igrejas, quer contra a vaidade das controvérsias. No século XVIII, o pietismo teve a sua grande figura na pessoa do conde Ludwig von Zinzendorf, místico e líder, e o seu foco foi Herrnhut, a aldeia da «guarda do Senhor», onde as almas sinceras procuravam viver plenamente em Deus. Esse movimento, que a Igreja luterana admitiu, conferindo a Zinzendorf o título de bispo, exerceu profunda influência, tanto sobre reformadores estrangeiros (Wesley, por exemplo, e o seu metodismo), como sobre os pensadores alemães do princípio do século XIX, em especial *Schleiermacher*. E continuou até os nossos dias. Podem-se vincular a ele as realizações de algumas comunidades religiosas aparecidas ultimamente[20].

Foi por intermédio do pietismo que o luteranismo absorveu mais ou menos certos grupos anteriores à Reforma, como os *Irmãos Morávios*, ligados ao movimento hussita. Um discípulo de João Huss, Chelciky, ajudado pelo padre Rokycana, fundara, já em 1450, na Boêmia, mais precisamente no Kunwald, uma comunidade de «irmãos», separada da Igreja Católica. Em 1467, essa comunidade conseguiu que um bispo valdense ordenasse alguns sacerdotes; depois, por volta de 1500, organizou-se sob o comando de Lucas de Praga. Eram nessa altura uns cem mil, espalhados sobretudo pela Morávia. A derrota da Montanha Branca, em 1620, provocou a dispersão. Muitos deles emigraram. Os que ficaram em terra germânica vegetavam quando o conde de Zinzendorf se interessou pela sua sorte. Quase todos aderiram nessa altura à Confissão de Augsburgo, embora conservassem a sua autonomia em face do luteranismo oficial. No nosso tempo, os Irmãos Morávios estão divididos em cinco ramos: boêmios, alemães, ingleses (os mais numerosos da Europa, com 43 comunidades), norte-americanos (são a *Moravian Church*, com mais de cem comunidades) e sul-americanos. Este último grupo organizou-se em 1918 sob o nome de «Igreja Evangélica Tcheca dos Irmãos Morávios», e tem-se esforçado muito por manter vivo o culto do passado tcheco, designadamente difundindo a famosa Bíblia de Kralice, outrora traduzida pelos Irmãos e que é um dos monumentos da literatura tcheca. Pouco numerosos no total (1 milhão e meio ou cerca disso), os Irmãos Morávios têm exercido uma influência sem qualquer relação com a sua fraqueza numérica: encontram-se, por exemplo, na vanguarda das missões protestantes.

O luteranismo não mostra propriamente nenhuma ruptura no seu seio. Em contrapartida, a tendência para a concentração tem sido nela muito sensível, sobretudo desde meados do século XIX. Na Alemanha, o número das Igrejas foi reduzido para 16, por fusão de algumas delas. Na América do Norte, constituíram-se dois grandes agrupamentos: o do Conselho Nacional Luterano e o da Conferência dos Sínodos. A ideia de uma união mundial foi lançada, por volta de 1860, por um pastor alemão que emigrou para os Estados Unidos, Wyneken, um dos fundadores do sínodo do Missouri. Retomada em Hannover, deu origem, em 1868, à Conferência Geral Evangélica Luterana, em 1900 à Aliança Luterana ou Obra da Unificação Luterana, e mais tarde (1923), graças aos pastores Morehead e Ralph Long, à Convenção Mundial Luterana, que passou a ser, em Lund (Suécia), em 1947, pelos esforços do bispo Nygren, a *Federação Mundial Luterana*, com órgãos permanentes de direção e doutrina comuns. No entanto, a Federação não conseguiu reunir todas as Igrejas luteranas. Assim, nos Estados Unidos, a Conferência dos Sínodos e certas Igrejas da América do Sul que aderiram a ela mantêm-se à parte. Desde 1952, porém, tem sido tentado um sério esforço de aproximação.

No conjunto do protestantismo, o luteranismo está muito longe de ocupar o lugar apagado que a opinião pública frequentemente lhe atribui. O «confessionalismo» de numerosas das suas Igrejas exerce uma indiscutível influência nas outras formações protestantes. Assim, nos EUA, o Sínodo do Missouri é considerado como chefe de fila[21]. Alguns dos maiores pensadores e teólogos do protestantismo moderno surgiram em Igrejas luteranas: de Kierkegaard e Schleiermacher a Bultmann. A «missão interior», cujo papel na renovação do protestantismo nos finais do século XIX e começos do XX veremos adiante[22], nasceu na Alemanha luterana. De igual modo, o protestantismo social[23], embora contrário na aparência à doutrina luterana acerca das obras, é nas suas origens largamente luterano, como o são igualmente as missões protestantes. Também o protestantismo brasileiro é em grande parte luterano. Por fim, o mais poderoso meio de propaganda de que o protestantismo dispõe está na Hora Luterana, emissão radiofônica norte-americana em 36 línguas difundida por 1500 estações.

Não é, portanto, justo situar os 75 milhões de luteranos numa espécie de sombra discreta. Há mesmo luteranos — como o pastor alemão Klaus Harms (1817) e, na sua esteira, outros como o inspetor eclesiástico francês R. Wolff — que sustentam que a sua religião é a forma mais completa do cristianismo, pois se funda ao mesmo tempo nos sacramentos, como o catolicismo, e na Palavra de Deus, como o calvinismo... Em todo o caso, é certo que esta grande corrente, que tem levado há mais de meio século as Igrejas saídas da Reforma a agrupar-se no Conselho Ecumênico[24], deve em ampla medida o seu impulso ao luteranismo, em especial ao da Escandinávia, onde é dirigida pelo arcebispo Nathan Söderblom.

Seria sem dúvida muito exagerado ver no luteranismo, por ter conservado muitos elementos da tradição e da liturgia católicas, uma «Igreja-ponte», no sentido em que o anglicanismo o pretende ser. Certos países luteranos, como os escandinavos, foram os últimos a suprimir as leis contra o catolicismo. Mas os trabalhos mais recentes dos diversos teólogos têm mostrado que, nas teses de Lutero, havia mais elementos aceitáveis do que se julgara e que, em certos aspectos, as divergências eram mais de vocabulário do que de doutrina.

No rastro de Calvino

Como formação religiosa, o calvinismo não se espalhou de maneira tão massiva como o luteranismo; não teve, a princípio, uma área geográfica tão bem circunscrita. Se nos referirmos apenas aos números, parece ter muito menos importância. Na realidade, porém, esta primeira impressão é inexata, e a herança do «segundo patriarca da Reforma» foi com certeza mais rica do que a do primeiro. A sua mensagem transmite-se atualmente em grande número de Igrejas que não têm nenhum laço de origem com a Reforma genebrina: umas, por terem sido absorvidas — como a de Zurique, nascida de Zwinglio — ou transformadas — como é o caso da escocesa — pelo calvinismo; outras, por terem sofrido muito intensamente a marca do poderoso pensamento do «Procurador de Deus», como acontece com a anglicana e, mais ainda, com as *dissenters* dela afastadas.

Partindo de Genebra, no preciso momento em que Calvino era o senhor da cidade, o calvinismo começou por conquistar uma parte da França, onde depressa absorveu os pequenos grupos evangélicos luteranos que ali se haviam formado. Sonhou por algum tempo em conquistar todo o reino, mas foi barrado pela oposição da dinastia capetíngia à custa de sangrentas guerras de religião. A despeito das perseguições, manteve-se vigoroso num certo número de setores. Ao mesmo tempo, penetrava em Flandres e nos Países Baixos, onde, intimamente associado ao patriotismo antiespanhol, se enraizou profundamente nas massas. Na Inglaterra, sem chegar a absorver a Igreja nacional criada por Henrique VIII, deu-lhe todavia uma cor particular, sobretudo a partir de Elisabeth I. Achou o seu terreno de eleição na Escócia, onde foi implantado por John Knox, discípulo de Calvino. Abriu caminho para a Boêmia, a Áustria, a Hungria, instalou-se na Renânia e no Palatinado, mas foi bloqueado na Itália e na Península Ibérica. Suspensa no final do século XVI, essa expansão recomeçou além-mar no século XVII, graças à descoberta que os holandeses e os ingleses fizeram da sua vocação marítima e comercial. O século XVIII e o seguinte prosseguiram nesse movimento, e os calvinistas ou simpatizantes instalaram-se tanto na América do Norte como na África do Sul, e mais geralmente um pouco por todo o Império britânico. E assim ficou desenhado o campo geográfico do calvinismo.

É de frisar que, contrariamente ao que se deu com o luteranismo, não foi quase nunca a vontade dos príncipes ou dos governantes que o implantou. Em compensação, intervieram com frequência motivos de ordem econômica e sociológica. Foi assim que surgiu a fé genebrina nos Países Baixos, como elo que ligava uns aos outros os marinheiros hostis ao grande comércio dos povos ibéricos, católicos. Em termos mais gerais, pode-se dizer que, em larga medida, o calvinismo foi a religião da burguesia que começava a enquadrar-se na economia capitalista. A perspectiva com que Calvino considerava o êxito material, como prova de predileção divina (o que está de acordo com o ensino veterotestamentário: releia-se o Livro de Jó...), contribuiu para acelerar o processo: «Ouro e prata são boas criaturas, que podem ser aplicadas a bons usos», dizia Calvino. O que estava, evidentemente, bem longe do ideal franciscano da pobreza! Por sua vez, o caráter democrático e a organização eclesial estabeleciam laços entre o calvinismo e os regimes democráticos, tais como as revoluções os iam provocar. A República democrática e liberal-capitalista dos EUA, por exemplo, foi congenitamente calvinista.

Falando com propriedade, os calvinistas dos nossos dias são, pois, descendentes dos grupos mais ou menos amplos que se constituíram no decorrer das duas fases de expansão da doutrina de Calvino. Mas devemos observar que, ao contrário do que se passa com Lutero e os luteranos, não existe nenhuma Igreja com o título oficial de «calvinista». Na França, na Suíça, na Alemanha, na Europa Central, nos Países Baixos, o termo usual é o de *reformados*. Trata-se de um fenômeno curioso de monopolização de um vocábulo, que corresponde a uma verdade profunda, como se o seu uso quisesse dizer que os herdeiros de Calvino foram mais longe na via da Reforma do que os seus antecessores luteranos, ou seja, que são mais profundamente protestantes.

Um outro termo que se emprega não põe o acento no elemento dogmático, mas na organização eclesiástica. Primeiro na Escócia, depois em todos os países britânicos, e em seguida na América, os calvinistas autênticos reconhecem-se nos *presbiterianos*. A palavra vem do organismo a que Calvino confiou o governo das suas Igrejas: o *presbyterium*, conselho de anciãos encarregado de assistir os pastores. Este sistema, frequentemente completado pela organização «sinodal», que comporta graus — conselho, paróquia, consistório, sínodo nacional —, opõe-se a dois outros tipos de governo: o *episcopalismo* dos anglicanos (e, em certa medida, dos luteranos) e o *congregacionalismo* dos independentes, que limitam a autoridade à Igreja local, à comunidade paroquial.

O conjunto dos reformados presbiterianos representa cerca de 35 a 40 milhões de fiéis, uma dúzia dos quais na

Europa, o que significa que o calvinismo, se nos ativermos aos dados estatísticos, se situa muito atrás dos luteranos e mesmo atrás das variedades protestantes mais recentes, como os batistas e os metodistas, e mais ou menos ao lado da Comunhão Anglicana.

Em princípio, há uma grande unidade doutrinal em todos os cristãos que se situam no rastro de Calvino. Todos se proclamam fiéis ao ensino do grande Reformador. Não existe, contudo, «confissão» comum, análoga à Confissão de Augsburgo para os luteranos: o próprio Calvino tinha desejado que cada grupo de Igrejas tivesse a sua confissão própria. Assim, há uma meia dúzia delas: em Genebra, na Escócia, na Hungria, na França a de La Rochelle, nos Países Baixos a de Utrecht. Todas elas, ainda hoje, se dizem formalmente submetidas à doutrina exposta por Calvino na *Instituição Cristã* e nos seus *Tratados*, com exceção — recordemo-lo — da célebre tese sobre a predestinação, abandonada *de facto* na atualidade, e que pelo menos nenhum pastor ousaria expor na forma bruta que lhe dava o «Procurador de Deus». Quanto ao mais, o essencial permaneceu intacto. Os sacramentos — os dois que Calvino deixou subsistir — continuam a ser ministrados tal como o Reformador os fixou. Mesmo os antigos zwinglianos abandonaram o radicalismo do seu fundador para seguirem a via média de Genebra. Esta concepção dos sacramentos, que praticamente só vê neles o sinal e rejeita toda e qualquer eficácia própria, foi por muito tempo objeto, mesmo no seio do protestantismo, e em especial com os luteranos, de discussões muito vivas no melhor estilo escolástico, pelas quais a massa dos fiéis pouco se interessava.

O culto calvinista, perfeitamente análogo entre reformados e presbiterianos, caracteriza-se pela simplicidade e austeridade. Em templos nus, sem altar, sem velas, sem imagens, onde nunca se queima incenso, o ofício surge despojado (como vimos, no início deste livro, na nossa primeira «imagem»). O celebrante só se distingue dos fiéis pela veste negra e pelo peitilho; e até há Igrejas em que estas insígnias distintivas foram abandonadas. A liturgia da Palavra prevalece inteiramente sobre a do Sacrifício do Altar. As orações e as leituras encadeiam-se umas nas outras sem ordem obrigatória. Os cânticos são, de preferência, salmos rimados ou poemas bíblicos parafraseados. A observância do repouso dominical é rigorosa, absoluta, o que dá aos domingos calvinistas a atmosfera de lúgubre fastio que conhecemos.

Por todos estes traços, o calvinismo, seja qual for o nome por que se designe, é radicalmente anticatólico. Um bom reformado, um presbiteriano convicto, não tem senão desprezo pela pompa da liturgia católica, essa «sensualidade» (como dizia um deles), e portanto pela das confissões protestantes que dela conservaram alguns elementos. O calvinismo só considera essencial a Palavra de Deus, tal como se encontra na Bíblia. Não tem senão hostilidade por todos os sistemas hierárquicos, sobretudo pelo da Igreja Romana, e pelo seu chefe, o Papa. Neste sentido, pode-se dizer que constituiu por muito tempo o escudo do protestantismo contra qualquer tentativa de «romanização».

Mas a sua nota mais impressionante talvez não seja ainda essa. Consiste principalmente no seu caráter moralizante, moralizador, que deriva, conforme vimos, da própria concepção que Calvino tinha do que é a vida moral, em que a prática das virtudes é tida como sinal não duvidoso de feliz predestinação, resposta ao apelo do Espírito. A tendência normal do calvinismo é encerrar-se num rigorismo sistemático, que exige uma submissão, ao menos aparente, às regras da moral e à disciplina religiosa, a tudo o que está subentendido no termo inventado já no século XVI — primeiro na Inglaterra, depois na França, onde Ronsard o utilizou em 1562 — para designar essa convicção ou essa pretensão de viver em toda a pureza o cristianismo primitivo: a palavra *puritano*.

Atitude de espírito mais do que doutrina, o puritanismo não é peculiar ao calvinismo, nem sequer ao protestantismo: os católicos jansenistas eram, na essência, puritanos. Mas, historicamente, encarnou em certos elementos presbiterianos. A começar pela Inglaterra, vemo-los, no século XVII, hostis ao Rei não menos que ao Papa: são os *Roundheads* [«Cabeças-redondas»], de Cromwell. Depois, na América do Norte, onde alguns deles, desesperando de reformar de acordo com as suas opiniões a Igreja Anglicana, emigraram na famosa expedição do *Mayflower* e dos *Pilgrim Fathers*. Como conjunto de formações independentes, o puritanismo deixou-se absorver pelas Igrejas reformadas e presbiterianas, e hoje não existem Igrejas puritanas. Como atitude de espírito, porém, o puritanismo exerce influência considerável na quase totalidade do protestantismo.

A maior parte dos movimentos que se opuseram às Igrejas estabelecidas, desde os *quakers* até aos metodistas em especial, foram de tendência puritana. Por toda a parte o puritanismo impôs um certo tom, um certo comportamento, com um não-sei-quê de afetado que surpreende os católicos. Esse moralismo, de que o puritanismo é a expressão extrema, suscitou e continua a suscitar almas de grande fé, de conduta exemplar, tal como surgiram entre os descendentes dos *camisards* ou dos *gueux* da Holanda. Mas pode estar bem facilmente de mãos dadas com condições de vida exatamente opostas à renúncia e até de opulência: a justificação calvinista do êxito material leva a perfeitos exemplos desta estranha aliança entre um Deus severo e Mammon, como a HSP (*Haute Société Protestante*, «Alta Sociedade Protestante») francesa ou os ambientes de altos negócios nos Estados Unidos.

Portanto, pelo estilo de vida que impõe, ainda mais do que pelos dogmas que ensina, o calvinismo exerce no conjunto do protestantismo uma influência sem proporção com a cifra modesta dos seus adeptos formais. Pode-se mesmo dizer que, até uma época recente, em que a sua irradiação veio a chocar com outras, o calvinismo penetrou em meios que, em termos doutrinários, lhe eram avessos. É o que se passou com o metodismo, cuja doutrina de realização da santidade na terra está muito distante da do calvinismo, mas cujas formações, por exemplo nos EUA, se distinguem mal dos presbiterianos. No anglicanismo, deu-se uma «calvinização» perfeitamente análoga até o começo do século XIX, e ainda hoje a «Baixa Igreja» anglicana é, na aparência, bem semelhante aos *dissenters* presbiterianos.

Por força da autonomia que Calvino quis deixar a cada uma das Igrejas — autonomia, recordemo-lo, que em princípio se situa no nível da comunidade paroquial —, o calvinismo teve poucas cisões no decurso da história, e nenhuma delas deu origem a movimentos tão consideráveis como foi o metodismo, ramo que se separou do anglicanismo e se tornou mais importante que este. Houve uma só cisão doutrinal: a que, no final do século XVI, opôs entre si dois professores de Leyden, *Arminius* e *Gomar*, numa luta épica acerca da questão da predestinação. Quando o segundo conseguiu fazer triunfar as suas rígidas teses no sínodo de Dordrecht (1619), nem por isso os arminianos deixaram de subsistir, embora severamente perseguidos[25]. Persistem ainda hoje pequenas Igrejas arminianas, que agrupam, nos Países Baixos, uns 25 mil fiéis, enquanto os descendentes dos gomaristas já não são propriamente predestinacionistas...

Na época contemporânea, têm-se verificado distorções dentro do calvinismo, mas sem chegarem à cisão. Algumas delas foram provocadas por influência externas. É o caso do *darbyismo*[26], nascido do anglicanismo e que irá influir em certos setores calvinistas, nomeadamente na França, onde se pôde dizer que o apostolado das suas missões levava a um calvinismo reforçado. Um movimento apostólico e social como o *Exército da Salvação*[27] coloriu de modo bastante peculiar certas parcelas do calvinismo, designadamente a holandesa. Outras dessemelhanças se deram por motivos meramente internos. Assim, veremos o grande movimento do *«despertar»*[28] trazer como reação, no começo do século XIX, o aparecimento de «Igrejas Livres», que se separaram das Igrejas oficiais, embora não tenham deixado de pertencer ao quadro calvinista.

Assim também, mais tarde, o *protestantismo liberal*[29] ergueu uns contra os outros calvinistas igualmente convictos, em disputas frequentemente violentas, que chegaram ao ponto de fazer surgir comunidades independentes, mas sempre sem pôr em causa a unidade teórica do calvinismo. No seio dos 22 milhões de calvinistas hão de encontrar-se, pois, elementos que divergem sobre o essencial dos dogmas. Na Holanda, a «Igreja Reformada dos Países Baixos» chegou a contar um milhão de fiéis, em oposição à «Igreja Neerlandesa», a oficial, que tinha três milhões. Na França, tem havido até hoje comunidades «liberais» e outras «ortodoxas». Essas tendências estavam mais ou menos em equilíbrio até à entrada em cena de Karl Barth.

No limite extremo da heterodoxia calvinista, podemos citar o curioso e pequeno movimento dos *hinschistas*, de características tão específicas que se pode duvidar de que Calvino se reconheceria nele. Fundada em meados do século XIX por uma burguesa calvinista do sul da França, *Coraly Hinsch*, ajudada pelos seus sobrinhos, os pastores Krüger, e pelo seu discípulo Armengaud (que a desposou), a «Igreja evangélica hinschista» insistia muito nos dons do Espírito Santo, no papel do ministério profético na Igreja;

ensinava uma espécie de dualismo quase maniqueísta ou albigense, que considerava a vida como luta entre Deus e Satã. Ao mesmo tempo, a profetisa-fundadora ocupava-se muito em obras sociais, tendo criado, por exemplo, a primeira associação popular de banhos de mar. Nos nossos dias, subsistem alguns grupos de hinschistas, bastante minúsculos, na região de Montpellier[30].

Se existem no calvinismo forças divergentes, atualmente parece maior a tendência para a concentração. Já em 1875, sob a ação dos escoceses, constituíra-se a Aliança Mundial das Igrejas Reformadas segundo o sistema presbiteriano, cuja comissão teve a primeira sede em Edimburgo e depois se instalou em Genebra: o título tornou-se então Aliança Reformada Mundial. Essa aliança agrupa mais da metade das Igrejas calvinistas e tem chegado a absorver elementos não presbiterianos, tais como certos congregacionalistas norte-americanos. A ela se opõe uma formação mais rigorista, nascida entre os «separados» holandeses, o Sínodo Reformado Ecumênico, que apenas congrega cerca de um quinto das Igrejas presbiterianas. Os dois ajuntamentos mantiveram relações bastantes frias até há bem pouco tempo: o Sínodo acusava a Aliança de não seguir de perto a linha dogmática de Calvino, e sobretudo de deixar alguns dos seus membros, especialmente nos territórios das Missões, cederem a um certo «episcopalismo»... A aproximação foi feita recentemente no quadro do ecumenismo.

A despeito das divergências internas, das suas «variações», ou quem sabe por causa delas e do «pluralismo» que o caracteriza, a verdade é que o calvinismo tem dado provas de grande vitalidade. Durante muito tempo e por toda a parte, os herdeiros de João Calvino constituíram a vanguarda do protestantismo, exercendo nele uma influência muito mais visível que a dos luteranos, apesar de estes serem três vezes mais numerosos. Na ordem teológica e espiritual, observa-se no seio do mundo calvinista uma animação, uma espécie de fermentação, que se traduz em sinais tão diversos como a renovação dogmática promovida por Barth e o renascimento monástico, cujo exemplo mais belo é oferecido pela comunidade de Taizé, fundada por um jovem pastor «reformado» de Genebra. A importância do papel desempenhado no ecumenismo protestante por pastores reformados como o francês Marc Boegner e o holandês Visser't Hooft, não é menos reveladora. No seio do mundo saído da Reforma, o calvinismo continua a ter o papel de fermento.

Os mais independentes dos protestantes: os congregacionalistas

Devemos classificar à margem dos calvinistas, ainda que muitos deles o sejam, os membros das comunidades *congregacionalistas*. A bem dizer, seria possível englobar sob esta denominação, não apenas luteranos ou calvinistas, mas ainda batistas, um vasto setor de metodistas, sem falar dos adeptos da maior parte dos movimentos e seitas que a nossa época tem visto surgir. Porque o termo define essencialmente um sistema de governo eclesiástico, o que pressupõe, como é óbvio, certa teologia da Igreja. Esta concepção pode invocar o Lutero dos primeiros tempos, muitos pontos da doutrina de Calvino, ou mesmo certos reformadores mal conhecidos, como o francês Lambert, franciscano de Avinhão que, já em 1522, conquistado pelas novas ideias vindas da Alemanha, lançou o hábito no Reno e foi casar-se em Wittenberg.

De acordo com esta doutrina, a plenitude do poder espiritual da Igreja assenta nas Igrejas locais. Cada comunidade só se sujeita à sua própria jurisdição, não apenas em matéria de disciplina, mas também de doutrina. Vemos, pois, levada ao seu extremo a vontade de liberdade plena, tal como está na raiz da própria Reforma. A autonomia absoluta da Igreja local é a única forma autêntica da Igreja invisível. Os congregacionalistas opõem-se a todo e qualquer regime hierárquico, tanto na forma presbiteriana como na episcopaliana, admitindo somente uma federação das Igrejas locais.

Foi na Inglaterra que o congregacionalismo começou por afirmar-se mais nitidamente, em oposição à Igreja Anglicana. Por volta de 1570, Robert Brown (ou Browne) lançou a ideia e foi seguido por certo número de fiéis, o que lhe valeu os rigores da Igreja oficial, o exílio na Escócia — de onde os presbiterianos o expulsaram — e em seguida na Holanda — onde ficou a maioria dos seus partidários —, e por fim uma intimação a submeter-se às autoridades inglesas, o que fez. Porém, as suas teses tinham entusiasmado o pastor anglicano *John Robinson*, que as sistematizou, mas se viu por sua vez obrigado a fugir para a Holanda, instalando-se na região de Leyden, onde o movimento prosperou. Obteve a adesão de alguns elementos puritanos, que deram ao conjunto do congregacionalismo a coloração fortemente puritana que iria conservar. Foi na Holanda que se preparou, pelo menos em parte, a célebre expedição dos «Pais Peregrinos» para a América do Norte.

O congregacionalismo propriamente dito — aquele que os repertórios do mundo protestante registram sob esse nome, deixando de lado os movimentos que apenas adotaram o mesmo regime eclesial —, desenvolveu-se principalmente em dois países: Inglaterra e Estados Unidos. Na Inglaterra, um amigo de Robinson, Henry Jacob, regressado da Holanda, fundou em segredo igrejas congregacionalistas. A polícia real tratou-os tão mal como aos católicos e aos outros dissidentes, pois o título de *Independents* de que se orgulhavam, e que lhes vinha de Robert Brown, não era coisa que agradasse a uns soberanos que pretendiam ser senhores da Igreja. Corria nas pequenas comunidades do movimento a palavra de São Paulo: «Saí do meio deles! Apartai-vos, não toqueis no que é imundo!» A quem se aplicava este último adjetivo? Nada menos que à Igreja estabelecida... Sob Cromwell, no entanto, os congregacionalistas respiraram. Prepararam até uma espécie de profissão de fé, a *Declaração de Savoia*, assim chamada pelo nome do palácio onde foi elaborada, e apresentaram-na ao governo pouco depois da morte do ditador. Pelo menos num ponto não se enganavam: ao recusarem ao Rei e ao Parlamento o direito de intervirem nos assuntos religiosos.

Sobrevieram novas perseguições, e só em 1689 é que os «Independentes», tal como os outros *dissenters*, obtiveram plena liberdade. Passaram a viver à sua vontade, mas esse extremo individualismo trouxe consigo tal anarquia que houve necessidade de recorrer a uniões, inicialmente parciais, depois uma mais geral, em 1833: assim nasceu a *Congregational Union of England and Wales*, cujo Conselho devia favorecer o «mútuo entendimento e cooperação». Cerca de 800 mil fiéis ficaram vinculados a essas formações.

Na América do Norte, o congregacionalismo foi essencialmente obra dos *Pilgrim Fathers*, desembarcados no outono de 1620 do *Mayflower*. Na maior parte, vinham do anglicanismo; alguns, do presbiterianismo; mas todos eram radicalmente puritanos. O êxito deste pequeno grupo nas regiões costeiras do Leste americano em que se instalaram fez deles uma espécie de aristocracia cuja influência viria a ser considerável. Pouco a pouco, outros elementos protestantes, já estabelecidos, adotaram o mesmo regime. No entanto, tal como na Inglaterra, sentiram a necessidade de uma certa organização. Os sínodos de

Cambridge (1648), de Boston (1680 e 1865), mas sobretudo o concílio nacional de Oberlin (1871) erigiram um Conselho Central, cuja autoridade não era muita. Mesmo assim demasiada para alguns que, dirigidos por W.E. Channing, se separaram e se juntaram aos dissidentes defensores de uma teologia ultraliberal, os *unitaristas*. Nem por isso os congregacionalistas deixaram de se desenvolver e de desempenhar um papel diretivo na sociedade protestante norte-americana. São ainda hoje cerca de milhão e meio; mas a sua influência ultrapassa de longe o que se poderia esperar de uma cifra tão modesta. A eles se deve, por exemplo, a mais antiga organização de missões em terra pagã, fundada em 1810, o *American Board of Commissionners for the Foreign Missions*. E são numerosos e ativos na política e na imprensa.

Fora da Inglaterra e dos EUA, costuma-se ligar ao congregacionalismo certas Igrejas «livres» ou «independentes», tais como as que existem na Holanda, nos países escandinavos, ou mesmo na Itália e França (nestes dois últimos países, calvinistas). Em conjunto, são no mundo um pouco mais de cinco milhões.

A Comunhão Anglicana

Os reformados que, no Continente, deram origem às grandes Igrejas separadas de Roma, tiveram todos origem no pensamento dogmático de um ou de vários Reformadores. Na Inglaterra, porém, as coisas passaram-se de modo bem diferente: foi a vontade de um príncipe, determinada por interesses pessoais e políticos, que desencadeou o processo pelo qual o país veio a achar-se fortemente marcado pelo protestantismo e quase totalmente separado do catolicismo. É demasiado fácil repetir, com Voltaire, que «a Inglaterra se separou de Roma porque o rei Henrique VIII estava apaixonado». As causas do cisma são mais profundas.

O fato de, já no século XIV, Wiclef não ter sido condenado como herético basta para provar que o seu antipapismo correspondia a uma tendência geral, nacionalista, utilizada por Henrique VIII a favor dos seus objetivos. Os amores do rei com Ana Bolena e o seu divórcio de Catarina de Aragão forneceram a ocasião para a ruptura com o Papa, mas a verdadeira causa ficou bem explícita na declaração de 1532 que a consagrou: «Não se encontra na Sagrada Escritura que o Pontífice romano haja recebido de Deus mais autoridade e jurisdição *neste reino* que qualquer outro bispo estrangeiro». *In this realme!* Foi para ser totalmente senhor no seu reino que Henrique VIII quis ser proclamado *supremum caput Ecclesiae*.

Nessa primeira fase do rompimento, nada permitia pensar que a Inglaterra iria juntar-se ao campo protestante. Henrique VIII, que pouco antes refutara Lutero com tanto acerto que o papa lhe concedera a Rosa de Ouro, considerava-se como o mais ortodoxo dos católicos. Mas exerciam-se à sua volta certas influências protestantes, em especial a do arcebispo de Canterbury, Cranmer, genro do reformador alemão Osiander. Depois dele, essas influências iriam aumentar.

Foi numa série de oscilações entre as inovações protestantes e as tradições católicas que se constituiu uma forma nova de Igreja cristã, que recebeu o nome de *Igreja Anglicana*[31]. Sob o sucessor de Henrique VIII, Eduardo VI, que deu abrigo a Bucer, reformador exilado de Estrasburgo, o pêndulo deslocou-se fortemente no sentido protestante: o *Prayer Book*, base oficial do culto, publicado em 1549, tirou à Missa o caráter de sacrifício e deixou-lhe apenas o de memorial e de comunhão, e algumas revisões posteriores acentuaram os seus traços calvinistas. Depois, o pêndulo voltou-se violentamente para o lado católico sob Maria Tudor, cujo reinado, breve mas severo, reintegrou por momentos o país na órbita de Roma. Com *Elisabeth*, o protestantismo retornou, aliás moderado quanto à intenção, se bem que não na execução.

Fixado um novo *Prayer Book*, a Assembleia do Clero votou, em 1563, o *Bill dos 39 Artigos*, que se apresentava como um resumo dos princípios religiosos que os fiéis súditos de Sua Majestade deviam admitir, ou melhor, como uma lista dos pontos de doutrina que não deviam ser ultrapassados nem num sentido nem em outro. Nas linhas gerais, o «compromisso elizabetano» permitiu um equilíbrio aproximativo entre os elementos católicos e os protestantes. Ficava «estabelecida» uma nova Igreja, de que a rainha quis ser *Supreme Governor*, certamente para frisar por meio desse novo título que não era no plano dogmático e sacramental que pretendia situar-se, mas sim no do governo dos homens e das instituições da Igreja. Voltaria a dar-se, a seguir, uma nova reação catolicizante? Não propriamente. O rei *Jaime I* compreendeu que era mais útil permanecer numa *via media*: não regressar a Roma, mas também não ceder à pressão dos calvinistas integrais, como os que triunfavam na Escócia. Assim nasceu a *Igreja Anglicana*, instituição oficial e nacional, tão hostil, em princípio, aos *dissenters*, que se recusavam a submeter-se aos *Atos de uniformidade*, como aos católicos, que denunciavam o cisma.

Na realidade dos fatos, essa solução, que tinha muito para agradar ao individualismo e ao nacionalismo insular dos ingleses, não triunfou logo. A pressão protestante era tão forte que o pêndulo tornou a pender para o lado da Reforma, levando ao poder o puritano Oliver Cromwell e fazendo rolar a cabeça do rei Carlos I. Mas o futuro pertencia à religião anglicana tal como *Carlos II* a restabeleceu em 1659, e tão estável que nem ele ousou suprimi-la quando, à hora da morte, regressou pessoalmente à comunhão com Roma. Depois disso, assim como Jaime II não conseguiu restabelecer o catolicismo — tentativa que lhe custou o trono —, assim Guilherme de Orange, calvinista holandês muito convicto, não pôde — nem quis — fazer triunfar em Londres a doutrina genebrina na sua plenitude. Em 1685, o anglicanismo ganhou a partida. O pêndulo fixou-se no preciso e justo meio termo. Em face de um reduzido resto de católicos, mas de uma forte minoria de protestantes de diversas confissões, a Igreja Anglicana parecia fazer definitivamente corpo com a Inglaterra, com a sua dinastia, tradições e interesses.

Não se pode, portanto, incluir o anglicanismo na lista dos diferentes protestantismos sem fazer reservas e sem indicar que ocupa nela um lugar completamente à parte. Por muitos dos seus aspectos externos, está bem perto do catolicismo. No seu culto, se é certo que o latim foi abandonado, a liturgia continuou tão católica que uma pessoa pouco avisada pode facilmente enganar-se. A quarta «imagem» que se viu no início deste capítulo prova-o suficientemente. O clero renunciou ao celibato; mas a organização episcopal permanece, sem excluir o caráter de sagração dado à designação dos bispos[32]. A nomeação dos padres é análoga à do clero católico. Existem ordens religiosas anglicanas. Mais profundamente, pode-se dizer que o anglicanismo se aproxima do catolicismo pela sua fidelidade à Tradição, por uma fidelidade que por vezes chega a beirar uma espécie de literalismo ou mesmo de medievalismo, o que leva alguns anglicanos a dizer, com um sorriso, que a sua Igreja é a única que não foi reformada, visto que a de Roma o foi pelo Concílio de Trento. Se a concepção dos sacramentos não é a do catolicismo entre todos os anglicanos, a verdade é que se verifica geralmente entre eles uma atração pelo pensamento relativo à Encarnação, pela presença de Jesus

Cristo, por uma teologia da Igreja considerada como um corpo, que são outros tantos traços católicos.

Em contrapartida, a Igreja Anglicana é nitidamente protestante pela sua radical separação de Roma, pela hostilidade que até época muito recente tem mantido quase unanimemente contra o Papado (sente-se prazer em falar de *no-popery*), pela recusa do Magistério, pelo gosto em professar uma liberdade de pensamento e de crença mais ampla até do que a de muitos reformados. E sublinhemos, por fim, como outra das suas notas características o amor pela Bíblia, que lhe vem das influências protestantes, mas que nele se desenvolveu muito. O zelo por viver no clima bíblico é tão manifesto que é frequente darem às crianças no batismo nomes de personagens do Antigo Testamento e os humoristas podem divertir-se com o uso talvez excessivo desse «dialeto de Canaã»... Mas importa notar, por outro lado, que no anglicanismo o texto bíblico está intimamente ligado à prática litúrgica, muito mais que entre os protestantes, o que confere à *pietas anglicana* características muito peculiares.

O jogo pendular que se deu na formação do anglicanismo corresponde, aliás, ao gênio inglês, ao qual é inteiramente alheia a exigência racionalista e lógica à maneira de Descartes. Daí proveio-lhe uma consequência bem curiosa e que ainda hoje constitui um dos traços capitais da sua personalidade religiosa: a coexistência no seu seio de tendências que parecem contraditórias e que, no entanto, passados três séculos, não procuraram eliminar-se mutuamente. A primeira é catolicizante e tradicional; a segunda, protestante e puritana; a terceira, que se desenvolveu em fins do século XIX sob a influência dos pensadores do «Século das Luzes», mas facilmente ganhou raízes no individualismo britânico, é liberal, crítica ou mesmo racionalista. Os ingleses têm orgulho daquilo a que chamam a *comprehensiveness* [«abrangência»] da sua Igreja, isto é, a aceitação pacífica da coexistência dessas três tendências, que nenhuma autoridade superior tenta sintetizar. Um anglicano pode ser de uma ou outra tendência, sem que por isso deixe de pertencer à *Church of England* ou de aceitar o *Prayer Book*.

Desde a obra clássica de Paul Thureau-Dangin, *O renascimento católico na Inglaterra* (1899), criou-se o hábito de caracterizar essas três tendências pelas expressões *High Church*, *Low Church* e *Broad Church* (Alta Igreja, Baixa Igreja e Igreja Ampla), porque os que preferiam a primeira tendiam a estar na «Câmara Alta» (dos Lordes) e os da segunda eram mais numerosos na «Câmara Baixa» (os Comuns). A fórmula é muito discutível porque tende a indicar que existem efetivamente três Igrejas diferentes, o que é falso, pois a mesma organização e a mesma hierarquia abrangem os anglicanos das três tendências[33]. De resto, atualmente, sobretudo depois de a corrente «ritualista»[34] que se seguiu ao Movimento de Oxford ter levado a High Church a uma catolicização mais vincada, já só se fala de *anglo-católicos*, *evangélicos* e *liberais*.

Exatamente como nas origens, a *Church of England* continua a ser uma Igreja de Estado cujo chefe supremo é o rei: este beneficia-se de privilégios e honras de natureza religiosa, como recorda a admirável cerimônia da sagração, sempre que há uma mudança de soberano. O rei nomeia os bispos; aos cabidos compete apenas homologar a escolha régia. As *Convocations*, pequenos parlamentos provinciais do clero, com uma câmara alta e uma câmara baixa, deliberam sobre todos os aspectos de interesse para a Igreja; mas as suas decisões só entram em vigor se o Parlamento e o rei as aceitam. O mesmo acontece com as da Assembleia nacional, a *Church Assembly*, fundada em 1919, que conta com uma terceira câmara, a dos leigos.

A divergência de posições, ou, para falar francamente, essa espécie de «latitudinarismo» oficialmente admitido, não deixou de criar alguns perigos. Perante uma tal sucessão de artigos de fé impostos alternadamente pelo poder político, perante posições em princípio inconciliáveis que coexistiam no seio da mesma Igreja, o espírito pôde reagir de diversas maneiras, seja pelo ceticismo, seja pelo pietismo e o misticismo. Assim se explica que a Inglaterra e, atrás dela, os EUA tenham sido terrenos de eleição de numerosos movimentos religiosos separatistas, alguns dos quais se constituíram em Igrejas ou seitas. No final do século XVIII, por exemplo, no momento em que a Igreja oficial estava entorpecida pela rotina e pelo conformismo, manifestaram-se tendências violentamente divergentes. Algumas delas levaram a crítica «liberal» até à negação dos dogmas essenciais e à adesão aos *unitaristas*[35]. Outras, com Wesley, quiseram «despertar» espiritualmente a velha *Church of England* e, não o tendo conseguido, acabaram por constituir comunidades independentes, desautorizadas pelo *establishment*: as dos metodistas[36]. Mais tarde, o *Movimento de Oxford*, depois de ter principiado como um «despertar» dentro do anglicanismo, viu uma parte dos seus protagonistas entrar no aprisco da Igreja católica, com Newman, enquanto outros, com Pusey, continuavam no recinto anglicano, mas introduzindo inovações[37]. A capacidade de absorção dos elementos heterogêneos pelo anglicanismo não é, pois, ilimitada.

Tomando em consideração apenas as Ilhas Britânicas, a Igreja Anglicana estende-se atualmente a cerca de dois quintos da população do reino, isto é, aproximadamente 20 milhões. Número, devemos repeti-lo, sujeito a confirmação, como todos os que se aventem neste domínio, e ainda talvez mais discutível por se tratar de uma integração formal, que pode não ir além de um nome. Essa cifra engloba, no próprio arquipélago britânico, três Igrejas além da *Church of England*: a Igreja Anglicana do País de Gales, a Igreja Anglicana da Irlanda, chamada *Church of Ireland*[38], e a Igreja Episcopal da Escócia, que, coisa estranha, não é reconhecida nesse país como «Igreja estabelecida», pois o título está reservado à Igreja Presbiteriana (calvinista).

Mas o anglicanismo não está restringido às Ilhas Britânicas. Alargou o seu campo de ação à medida que Sua Majestade ia dilatando o império. Implantou-se em todos os territórios que iriam constituir a *Commonwealth*. Conseguiu até, à custa de adaptações mínimas, sobreviver à saída dos ingleses nas regiões que a história os levou a abandonar — ontem os Estados Unidos, hoje a Índia. Há, portanto, Igrejas anglicanas no Canadá, na África do Sul, na Austrália, na Índia, como também nos EUA. Por muito tempo, aliás, a situação destes anglicanos de além-mar foi precária: não tinham bispos e dependiam dos da Europa. A partir do século XVIII, criaram-se dioceses, primeiro na Nova Escócia, depois na Índia. A seguir à guerra da Independência, os anglicanos dos recém-criados Estados Unidos constituíram-se em Igreja independente da inglesa, sob o nome de *episcopalianos*. Estes, com cerca de 2 milhões e 500 mil fiéis, formam o segundo grupo «anglicano» do mundo. O seu título exato, recordemo-lo, é, desde 1873, *Protestant Episcopal Church*, em que o primeiro adjetivo assinala claramente a sua separação em relação aos católicos[39], mas o segundo quer indicar que se distinguem dos congregacionalistas e dos presbiterianos, com quem, geograficamente, se encontram misturados. Aqui deparamos com as mesmas tendências que vimos na Inglaterra, embora um pouco menos acentuadas: a tendência «Alta Igreja», representada durante longo tempo pelo bispo Seabury; a tendência «Baixa Igreja», a que o bispo

White, da Pensilvânia, deu um grande vigor; e a tendência liberal, latitudinarista, encarnada no bispo Pruvost, de Nova York. A Igreja episcopaliana americana, recrutada sobretudo entre os elementos ricos dos Estados do Leste, representa uma força considerável.

Todas essas Igrejas anglicanas dispersas pelo mundo têm sabido guardar entre si laços bastante estreitos. Têm hoje o mesmo credo — após uma tentativa de protestantização dos episcopalianos nos começos do século XIX —, que não se vincula a nenhuma doutrina particular da Reforma e não admite como doutrina oficial senão a que deriva do *Prayer Book* e dos trinta e nove artigos. Na prática, essas Igrejas chegaram até a estreitar os seus laços no decurso dos últimos cento e cinquenta anos. Desde 1867, em princípio de dez em dez anos, os representantes de todas as Igrejas anglicanas reúnem-se regularmente no palácio de Lambeth, residência do Arcebispo de Canterbury, a fim de discutirem tudo o que interessa aos seus fiéis. O número destes representantes tem vindo a crescer sempre: era de 76 em 1867, de 194 em 1908, de 252 em 1930, e é atualmente de 475. Pode-se, portanto, dizer que existe uma *Comunhão Anglicana*, comum a 430 dioceses e a perto de 30 milhões de batizados.

A Comunhão Anglicana dá mostras de grande vitalidade. Os seus adeptos têm estado na vanguarda da luta em todos os setores: a excepcional qualidade literária das suas traduções do Livro Sagrado — a célebre «Versão Autorizada» — tem contribuído para o êxito dos seus esforços no campo da leitura da Bíblia; e têm estado também à cabeça da obra missionária[40]. No terrível debate sobre a segregação na África do Sul, adotaram uma atitude corajosa e assumiram a liderança do movimento libertador. As próprias crises que atravessaram a propósito do *Prayer Book*[41], a reação «ritualista» contra o Movimento de Oxford, as discussões com os católicos quando das tentativas de união[42], e as lides estrondosas que opuseram certos partidários demasiado audaciosos dos métodos críticos e os tradicionalistas e fundamentalistas — tudo contribuiu para vivificar essas Igrejas.

No conjunto do mundo protestante, o anglicanismo foi olhado por muito tempo com alguma suspeita, por causa dos fatores catolicizantes que conservava no seu seio. Esse ostracismo larvado cessou. O bispo anglicano Neill sustentou[43] que a sua Igreja tinha lançado vitoriosamente um desafio às outras confissões saídas da Reforma: «Mostrai-me o que é contrário às Escrituras nas minhas instituições!» O anglicanismo tem desempenhado, no seio do protestantismo, um papel importante por força precisamente da sua constituição, e o apelo lançado pela conferência de Lambeth de 1920, por sinal muito comovente, a favor da união dos cristãos teve amplas repercussões. O movimento *Faith and Order*[44], um dos dois que fundaram o ecumenismo protestante do Conselho Ecumênico, teve origem, em boa parte, nos episcopalianos dos Estados Unidos. Foram dos anglicanos as tentativas mais audaciosas de aproximação com os luteranos e com os velhos católicos, a ponto de se ter pensado no reconhecimento recíproco de títulos e ordens.

Ao mesmo tempo, porém, muitos deles não veem sem tristeza essa participação da sua Igreja no protestantismo, e o qualificativo que ela tem nos Estados Unidos — «Episcopal Protestante» — incomoda-os. Acham que não houve ruptura entre a Igreja da Idade Média e a deles, que eles representam uma espécie de *via media* ou «terceira força» entre o catolicismo e o protestantismo, ou talvez mesmo uma «quarta força», visto que têm feito sérios esforços por restabelecer laços com a Igreja Ortodoxa. É também neste setor do anglicanismo que se têm desenvolvido as tendências mais nítidas a favor de um ecumenismo total, que inclua a Igreja Católica. Serão representantes seus que se disporão mais prontamente a responder ao apelo do papa João XXIII e a visitá-lo[45]. A célebre expressão «*Igreja-pórtico*», que numerosos anglicanos aplicam com prazer à sua comunhão, não deixa de ser equívoca, já que os laços que a prendem ao catolicismo não são todos de igual valor. Mas denota um estado de espírito cuja sinceridade está acima de qualquer dúvida e que pode vir a ter grande importância no futuro da cristandade inteira.

Os unitaristas, modernos arianos

O latitudinarismo anglicano e o anarquismo congregacionalista deram em resultado a proliferação, na sociedade muito ilustrada da Nova Inglaterra, onde anglicanos e congregacionalistas eram numerosos, de uma doutrina que os protestantes crentes olham com alguma desconfiança: aquela que, desde o século XIX, tem o nome de *Unitarismo*, mas que, na realidade, surge como prolongamento, como ressurgência de uma vasta corrente heterodoxa que data quase das origens do cristianismo.

Efetivamente, a Igreja não tinha ainda dois séculos de existência quando estalaram no seu seio debates a propósito da Santíssima Trindade e das relações das três Pessoas divinas entre si: começou por haver os «monarquianos» e os «patripassianos», que não viam no Pai e no Filho senão uma pessoa; vieram depois os «sabelianos», que introduziram na concepção da Trindade o dualismo do Bem e do Mal; veio em seguida Paulo de Samosata; e veio Ário, o grande negador da consubstancialidade do Filho; e Macedônio, violento adversário do Espírito Santo. Os Concílios de Niceia e primeiro de Constantinopla condenaram todas essas opiniões divergentes[46]. A verdade, porém, é que elas nunca chegaram a desaparecer.

Na Idade Média, Abelardo e Joaquim de Fiore[47] foram acusados de professar erros antitrinitários. Condenados, as suas opiniões sobreviveram-lhes. O perigo de heresia pareceu até tão evidente a Lutero e a Calvino, que o primeiro teve o cuidado, na Confissão de Augsburgo, de anatematizar aqueles que designava por «samosatianos velhos ou novos», e o segundo mandou para a fogueira Miguel Servet por crime de heresia antitrinitária. Mas, na confusão de ideias da época, era fatal que esses antigos erros voltassem a ganhar vigor, o que se deu quando entraram em cena os *Sozzini*, tio e sobrinho. Rejeitando ao mesmo tempo o dogma da Trindade, a divindade de Cristo, o pecado original, a Redenção, reduziram o cristianismo a uma espécie de moralismo humanitário. O «Catecismo de Raskow», assim chamado por causa da cidade da Transilvânia onde Sozzini Junior se instalara, difundiu as teses por todo o Ocidente cristão.

Transportada para a Inglaterra, a doutrina neoariana dos Sozinni teve certa fortuna, apesar da resistência do anglicanismo nascente, que condenou à fogueira alguns antitrinitários abertos, e à prisão o condutor da seita, John Biddle, que deveu a vida a Cromwell. Sempre ameaçado de ser punido com a morte, o movimento, que se começou então a chamar «unitarista» porque só reconhecia um Deus unitário, organizou-se no século XVIII, com *Lindsey* (1725-1808) em Londres e com *Priestley* em Birmingham, de resto fortemente tingido do racionalismo do «Século das Luzes». Durante o século XIX, penetrou nos Estados Unidos, onde achou um clima muito favorável.

À volta de Boston e da Universidade de Harvard, constituiu-se entre os congregacionalistas uma espécie de capela unitariana, um núcleo dominado por intelectuais e universitários. Conquistados por essas teses, W.E. Channing e Theodore Parker foram os seus primeiros animadores. Vieram depois fiéis de todas as confissões: anglicanos, com o ministro James Freeman, batistas, episcopalianos. A adesão de Emerson teve bastante a ver com o êxito daquela que o poeta dizia ser «a religião dos intelectuais». O desenvolvimento do protestantismo liberal foi-lhe eminentemente favorável, pois o *Unitarismo* (termo que passou a impor-se) surgia aos olhos de muita gente como a vanguarda do liberalismo, expressão de um cristianismo desembaraçado dos dogmas, dos mitos, dos mistérios inaceitáveis para a razão. A teologia da Aliança, interpretada nesse sentido, acabava por proclamar a liberdade da consciência.

Foi essa doutrina que triunfou na Faculdade de Teologia de Harvard. Foi ela também que inspirou grande parte do «protestantismo social» que se desenvolveu nos Estados Unidos e teve em Channing um eloquente porta-voz. Um impressionante elenco de personalidades de primeiro plano conquistadas por essas ideias ou, pelo menos, simpatizantes delas, incluía por exemplo os dois Adams, Filmore e Jefferson, presidente dos Estados Unidos; Benjamin Franklin; e ainda escritores, como Nathaniel Hawthorne. No nosso tempo, 300 mil membros continuam a declarar-se adeptos desse credo tão amplo, do espírito de tolerância universal e da vontade de entreajuda social que veio a ser a sua essência. As discussões sobre a «unipersonalidade» divina, sobre a inexistência do pecado original, sobre a não inspiração da Bíblia, passaram para segundo plano. Paradoxalmente, os unitaristas preservaram os lugares de culto, e a sua arquitetura religiosa é uma das mais interessantes dos Estados Unidos. Em todos aqueles que tendem a não ver em Cristo senão o homem exemplar, o profeta de uma humanidade em marcha para o progresso espiritual, o unitarismo exerce uma real influência.

Na Europa e fora da Europa, conservou zeladores fervorosos, reunidos numa «Associação de Livres Crentes». Na Inglaterra, são cerca de quarenta mil, e contaram entre os seus simpatizantes o pensador místico e platônico James Martineau, grandes intelectuais como Stopford Brooke, J. Estlin Carpenter, L.P. Jacks, todos eles personalidades eminentemente respeitáveis. A Transilvânia, pouco antes sociniana, teve também alguns que, nos nossos dias e sob o regime soviético, procuraram um terreno de entendimento entre a sua crença e o marxismo. Há pequenos grupos desses no Brasil, na Índia, no Japão, e a Itália teve, com Gaetano Conte, um dos pensadores mais interessantes do movimento que ele designou por — nome significativo — «Progresso cristão».

Um protestantismo sem dogmas: o Metodismo

Mais indiferente às especulações intelectuais e aos rigores das definições dogmáticas, mas mais instigado por uma piedade simples e sincera, o *metodismo* ocupa um lugar considerável entre todas as formas de protestantismo — o segundo ou terceiro —, um lugar à parte. Era incontestavelmente uma alma luminosa esse *John Wesley* (1708-91) que a Inglaterra viu, a partir de 1739 e depois, de ano para ano, cada vez mais espetacularmente, atrair as multidões aos vastos descampados para onde as convocava e deixá-las sem fôlego, suspensas unicamente da sua palavra.

Que irradiação era essa que emanava desse homem baixo, magro, de rosto muito pálido, longos cabelos encaracolados, que falava de Deus e dos homens levantando ao céu uns olhos verde-mar e mãos pequenas e trêmulas? Filho de pastor anglicano, começara por pensar na Igreja oficial, anquilosada em rotinas e indiferenças, para lhe dar uma vida espiritual. Estudante, jovem diácono, propusera ao estreito círculo dos seus amigos — na esperança de oferecer depois a todos os crentes — um *método* para alcançar as certezas do amor divino. A essa intenção permaneceria fiel durante toda a vida, a ponto de reivindicar como título de glória a alcunha de *metodista* que os seus companheiros de Oxford lhe tinham dado por ironia. Em breve, porém, a sua ansiosa busca de Deus levou-o para fora dos quadros do anglicanismo e mesmo de todos os protestantismos, resolvido a procurar a salvação na prática simplicíssima da moral do Evangelho, sem nenhuma ou quase nenhuma referência aos dogmas, numa ampla efusão de caridade. Duas palavras resumiam o seu pensamento. Uma delas: «Sê à tua vontade papista ou protestante, desde que sigas a verdadeira religião, a de Tomás de Kempis, de Bossuet e de Fénelon». E a outra: «Vejo o mundo inteiro como a minha paróquia».

Essa largueza de espírito, esse fervor na fraternidade acharam eco em milhares de almas. Não hesitando em falar aos seus ouvintes sobre os problemas que os apaixonavam — o alcoolismo, a prostituição, o destino dos prisioneiros, a injustiça social —, Wesley e os seus companheiros de luta, como George Whitefield, viram crescer rapidamente as multidões à volta dos *Field preachings*. Asperamente criticados ao mesmo tempo pelos anglicanos da Igreja estabelecida e pelos presbiterianos puritanos, perseguidos até, durante algum tempo, pelas autoridades do reino, a verdade é que os metodistas já tinham ganho a partida quando o seu fundador morreu. Não só na Inglaterra, mas também nos EUA, surgiram já então como uma das formações protestantes mais ativas e mais promissoras. E um meio século de História viria a confirmar essa impressão[48].

No entanto, em vida, Wesley proclamou uma adesão sem reservas à Igreja Anglicana. *Clergyman* da Alta Igreja, filho de um *clergyman* da Alta Igreja, educado desde a mais tenra infância na obediência absoluta, nem por um instante pensou que a audácia das suas posições pudesse situá-lo fora dos quadros, para mais tão amplos, da Comunhão Anglicana. Mas os seus requisitórios em prol da justiça social, a sua manifesta indiferença por todos os dogmas, a sua maneira de quase não ver na mensagem cristã mais que um moralismo generoso, algumas manifestações um tanto desordenadas nas assembleias metodistas — tudo isso inquietou a sua Igreja. A tensão aumentou; os próprios metodistas, em face do êxito do movimento, tiveram de se organizar — em «circuitos», «distritos» e «Conferência geral» —, como se lançassem as bases de uma Igreja. Depois, quando os grupos norte-americanos reclamaram padres e a hierarquia «episcopaliana» se recusou a ordená-los, Wesley, ultrapassando os seus poderes de simples pastor, procedeu a ordenações. Quando morreu (1791), a ruptura entre o metodismo e a Igreja Anglicana estava virtualmente consumada. Em 1828, passou a ser oficial.

Ao mesmo tempo em que se separava do anglicanismo, o metodismo entrava no processo típico do protestantismo, o das «variações», das cisões sucessivas. Já em vida do fundador, certas tensões internas tinham anunciado rupturas: Whitefield aproximara-se claramente do calvinismo; na América do Norte, alguns circuitos tinham reclamado bispos que os governassem; um pouco por toda a parte, a questão das relações exatas entre as Igrejas locais e a Conferência metodista provocara dissensões. Logo que Wesley morreu, o desmembramento deu-se com toda a rapidez. Conquistada pela ideia de uma organização muito democrática, a *Methodist New Connexion* (1797) seguiu Alex Kilham; opostos a toda e qualquer retribuição ao clero, os *Independent Methodists* (1805) constituíram-se como Igreja; vieram depois os «despertares» pregados por Bourne e Clowes, de um lado, e de outro por William O'Bryan, os quais deram origem aos *Primitive Methodists* (1811) e aos *Bible Christians* (1815). Uma tentativa de dar estrutura doutrinária ao movimento provocou a cisão (1835) da *Wesleyan Methodist Association.*

Há qualquer coisa de penoso em vermos perderem-se em rivalidades de capelinhas os herdeiros daquele que não queria ter outra paróquia que não o mundo inteiro. A questão da organização contribuiu para aumentar as divisões: os partidários do velho sistema democrático não admitiam o episcopado, de modo que a *Methodist Episcopal Church* escolheu a liberdade (1816). Depois, quando se pôs o doloroso problema da libertação dos negros norte-americanos, o metodismo, que fizera rápidos progressos entre a gente de cor, dividiu-se, e não demoraram a surgir Igrejas de *African Methodists*, de *Colored Methodists*, de *Methodists of the South* e ainda outros. Deve-se confessar que o espírito se perde nessa confusão, tanto mais que, por várias vezes, essas Igrejas separadas se agruparam na *Methodist Connection*, na *Methodist Protestant Church*, na *Congregational Methodist Church* (1872), da qual, em 1881, se desligou a *New Congregational Methodist Church*!

Devemos acrescentar honestamente que a tendência que se notou a partir dos fins do século XIX foi para o reagrupamento, mais do que para a divisão. O que não impediu que se dessem novas cisões, sobretudo no metodismo negro, nem, por outro lado, que viessem à tona rivalidades como a que opõe, nos Estados Unidos, as Igrejas do Sul às do Norte. Mas algumas fusões que se operaram há vinte e cinco anos resistem às forças de ruptura. A *New Methodist Church*, fundada, em 1939, em Kansas City, agrupa cerca de três quartos dos metodistas dos Estados Unidos, em seis grandes secções, cinco de base territorial, incluindo 119 «conferências», e a sexta englobando todos os homens de cor pertencentes a uma comunidade preexistente. No

Canadá, o mesmo esforço foi feito ainda mais depressa, a partir de 1925. Por fim, em 1951, formou-se um *Conselho Metodista Mundial*, a que os metodistas aderiram na sua grande maioria. Ao todo, é possível calcular em pelo menos 30 milhões os cristãos mais ou menos estritamente vinculados ao metodismo. Entre esses, 12 ou 14 milhões participam ativamente da vida de uma das quarenta Igrejas (vinte e duas das quais nos EUA) que se declaram ligadas a Wesley.

Todos têm em comum um credo muito lato e nada rígido. O fundador admitia um resumo do *Prayer Book* anglicano e 25 dos «39 artigos». Mas não se pode dizer com segurança que todos os metodistas de hoje conservem esse mínimo. Aliás, como se pode falar de doutrina oficial a propósito de uma crença que pretende precisamente não rejeitar ninguém por motivos doutrinários? Se é certo que a desconfiança e mesmo a hostilidade para com o catolicismo estiveram por muito tempo bastante espalhadas entre as comunidades metodistas — onde, de resto, o nível da cultura religiosa mal consentiria conhecer exatamente o que seja o catolicismo —, foi por se ter olhado a disciplina romana como escravidão radicalmente oposta ao ideal de generosa liberdade que se queria promover.

No conjunto, as Igrejas metodistas pensam e ensinam que aderir ao «Livro», ou seja, à Bíblia, comportar-se com retidão e honestidade, ser fraternal para com todos e querer ser fiel ao testemunho do Espírito Santo é quanto basta para ser um bom cristão. Pratica-se por vezes a confissão em público. Quanto à comunhão semanal, que Wesley aconselhava, está em desuso em quase todas as Igrejas. Um credo tão difuso torna frequentemente difícil distinguir os núcleos metodistas; isto explica que, em certos países como a França, já não haja, por assim dizer, comunidades metodistas nos nossos dias. Mas esse pragmatismo simplificador agrada sem dúvida à mentalidade anglo-saxônica. Por outro lado, a importância dada ao «Testemunho» aproxima os metodistas das seitas proféticas e apocalípticas, quando se têm em conta algumas das suas manifestações e aquilo que André Siegfried chama «excesso de expressão de um entusiasmo religioso que não quer nenhum controle»[49].

Quanto à organização das Igrejas, diremos que, *grosso modo*, ficou tal como era no tempo de Wesley. Divididas em duas grandes tendências, episcopalistas (sobretudo nos Estados Unidos) e não conformistas, nem por isso deixam de ter o mesmo quadro administrativo. Frequentemente designadas por «sociedades», as Igrejas agrupam-se em «circuitos», que se unem por sua vez, no plano regional, em «conferências»; e a Conferência suprema rege o conjunto. Algumas das Igrejas possuem, ao lado do clero propriamente dito, uma espécie de diáconos, chamados servidores, *stewards*. Em todas elas, é de destacar o papel dos pregadores leigos, que dão testemunho público do Espírito. Na verdade, no metodismo, como nos batistas ou nos pentecostais, considera-se que o Espírito pode atuar diretamente sobre cada pessoa. Ministros ou pregadores mudam incessantemente de lugar e de auditório, segundo o princípio da «itinerância», caro a Wesley.

Quer pela sua indiferença quanto às doutrinas, quer pela sua insistência na experiência pessoal, o metodismo continua a ser terreno propício às renovações religiosas, e constitui, por isso mesmo, uma força muito importante dentro do protestantismo. Pode canalizar as boas vontades que os rigores das Igrejas mais estritas desencorajam, todos os que, pouco preocupados com dogmas e as precisões de natureza metafísica, no entanto rejeitam o credo materialista. O zelo com que, nos seus começos, o metodismo abordou de frente os grandes problemas sociais associou-o ao movimento geral de socialização que conduz o mundo há mais de um século. Por isso se tem podido muitas vezes aventar a hipótese de que, se o socialismo marxista pouco ou nada envolveu o proletariado anglo-saxão, foi porque o metodismo lhe propôs um evangelho de libertação. Por motivo análogo, os metodistas são, com os batistas, a vanguarda do combate contra a segregação nos Estados Unidos.

O metodismo desempenhou um papel de fermento na própria massa do protestantismo. O movimento *evangélico*, nascido na Inglaterra em finais do século XIX, com os mestres de Cambridge Isaac Milner e Charles Simeon e depois com o «*vicar*» de Clapham, John Venn, e o deputado dos Comuns Wilberforce, e que exerceu profunda influência em muitos ambientes, apareceu como uma espécie de contragolpe da ação de Wesley, num plano mais intelectual. Foi desse metodismo da *New Connexion* que saiu, por volta de 1865, a instituição caritativa mais célebre do mundo protestante, o *Exército da Salvação*, que se apresenta menos como Igreja separada do que como uma obra social e uma espécie de ordem religiosa reformada[50].

Os metodistas têm-se mostrado especialmente ativos no apostolado pelo livro. Já no tempo de Wesley se fundara a «Biblioteca Cristã», que difunde numerosos autores espirituais, mesmo católicos (Tauler ou Fénelon). E o *Methodist Book Council* já em 1789 seguia o mesmo caminho, na América do Norte (passou a ser, em 1939, a *Methodist Publishing House*, que é o organismo religioso mais importante da imprensa dos EUA e um dos mais florescentes do mundo).

Nem é preciso dizer que o metodismo estava destinado a ocupar com ardor um lugar privilegiado no movimento ecumênico, uma vez que o princípio mais wesleyano é o do acolhimento universal. Já em 1881 a Conferência Ecumênica Metodista declarava que aderia à ideia de um ecumenismo protestante idêntico àquele que, mais tarde, se viria a pôr em prática no Conselho Ecumênico. Em 1951, a mesma Conferência, reunida em Oxford, publicava um apelo à união de todas as forças espirituais na defesa da religião cristã «desafiada por uma ideologia rival» e declarava que «a família metodista está inteiramente empenhada no movimento mundial» em prol da união dos cristãos. Poderemos observar que, depois de 1958, a grande voz de João XXIII encontrará ecos bem vivos no mundo metodista.

Dissidentes dos dissidentes: a corrente batista

Fora das duas grandes correntes habitualmente consideradas como as duas principais da Reforma, existiam outras, já nas origens, que circulavam de modo mais ou menos anárquico na Alemanha e fora da Alemanha. Não eram apenas aquelas que provinham de Zwinglio, Bucer ou Ecolampádio, e das quais já sabemos que bem cedo se afastaram dos grandes rios. Eram riachos cujas fontes é mais difícil determinar e que corriam em parte subterraneamente. Algumas delas eram ressurgências de antiquíssimas correntes que a Igreja católica tentara estancar sem o conseguir completamente. Várias, por exemplo, provinham bem claramente desses movimentos de «espirituais» que a Idade Média conhecera, com Joaquim de Fiore e certos elementos do franciscanismo nascente, como Jacopone da Todi. Estavam aparentados com esses «Irmãos do Espírito Livre» que se multiplicaram nos Países Baixos durante o século XV, e com os *Alumbrados* que, já no século XVI, tiraram o fôlego à Inquisição espanhola.

Todos esses reformadores, operando fora dos grandes movimentos da Reforma, tinham em comum certas ideias-força: a crença na iluminação interior, no *ditado* direto do

Espírito Santo, numa Igreja puramente espiritual, formada unicamente por santos. Tudo isso se encontrava, é certo, com maior ou menor precisão, em Lutero e Calvino, mas nesses «que corriam por fora» era levado a um ponto extremo de violência e exaltação. Exaltação e violência espirituais a que se acrescentavam outras, de índole temporal, que levavam a questionar a ordem estabelecida, como de resto tinham feito os «espirituais» da Idade Média, veementes defensores de mudanças radicais na Igreja. Esses reformadores anarquizantes não eram clérigos, como Lutero ou Calvino, mas homens do povo, artesãos, tais como Loiet de Antuérpia e João de Leyden, ou camponeses como Tomás Münzer, o animador da famosa «revolta dos camponeses» que apavorou Lutero.

Tais correntes, combatidas quase incessantemente por todas as Igrejas estabelecidas, nem por isso deixaram de manter-se até o nosso tempo, e, sob aspectos e nomes diferentes, continuam a arrastar milhões de cristãos. Estes, aliás, na sua maior parte, já se esqueceram de que descendem de revolucionários da espécie mais violenta, os revolucionários do espírito. No século XVI, esses dissidentes dos dissidentes eram englobados, *grosso modo*, sob a designação de *anabatistas*. O nome vinha-lhes do costume que tinham de só batizar os adultos, e mesmo de *re*batizar (tal é o sentido do nome) as crianças, atendendo a que, sendo a fé e só ela o que fazia os cristãos — *dixit* Lutero —, ela devia ser anterior ao batismo. De resto, essa ideia não era inteiramente inadmissível para quem retirava qualquer virtude operativa ao sacramento e não reconhecia a Igreja como instituição. É por isso mesmo que, na época contemporânea, veremos espíritos da importância de um Kierkegaard e de um Karl Barth defenderem o batismo só para adultos.

O anabatismo tivera trágicos destinos no século XVI[51]. Expulso da Alsácia, associado ao drama da revolta camponesa e arrastado para o esmagamento dos rebeldes, terminara nas loucuras e horrores de Münster (1538), quando João de Leyden pretendera estabelecer aí a Cidade de Deus, o que se saldara por um pavoroso massacre. Mesmo na Suíça, onde Zwinglio parecera, a princípio, ser-lhes bastante favorável, os anabatistas tinham acabado por ser afogados ou enforcados. E no entanto, tão forte era a corrente que os levava, que muitos fugiam e vinham a ressurgir um pouco mais tarde.

O homem que salvou o anabatismo foi *Menno Simons*, antigo padre católico holandês. Compreendeu ele que era vão e perigoso misturar as reivindicações sociais e os grandes planos de reorganização do mundo com intenções puramente espirituais, que era absurdo puxar da espada quando se invocava o Evangelho. Clérigo culto, não estava ligado a nenhum dos perigosos condutores populares do anabatismo, mas antes a pequenos círculos «espirituais» e «iluministas» que existiam na Alemanha, e certamente também a certos teóricos que tinham operado em Zurique, nomeadamente Konrad Grebel. Sob a sua influência, constituíram-se grupos na linha anabatista, mas suficientemente diferentes para que os distinguissem com o nome de *menonitas*, que lhes ficou. Viver de acordo com as prescrições do Sermão da Montanha — era tudo o que o menonismo pedia aos seus fiéis; mas era o essencial. As confissões de fé de Schleitheim (1527) e de Dordrecht (1532) eram muito simples: dos antigos sacramentos, conservavam apenas o Batismo, reduzido aliás ao significado de cerimônia de entrada na Igreja, e a Ceia. Mas insistiam fortemente na simplicidade de vida, na retidão moral, no trabalho, na proibição do juramento e na condenação de qualquer espécie de violência. Foi nessas bases que os menonitas se desenvolveram, dirigidos não por padres, mas por «pastores do rebanho».

É certo que depois de terem alcançado, só na Holanda, o número de 160 mil fiéis em 1700, hoje não passam de 70 mil no seu país de origem; mas de lá tinham enxameado a Alemanha, a Suíça, a Polônia e até a França, onde são atualmente uns quatro mil. No século XVIII, estavam difundidos na Rússia, na região de Ekaterinoslav (a moderna Dniepropetrovsk), de onde se espalharam pela Sibéria, o Cáucaso, a Ásia Central. Tendo-se declarado objetores de consciência, conseguiram ser dispensados do serviço militar e destinados a um serviço civil. Tratados pelos sovietes com muita dureza, forçados a usar armas, muitos deles fugiram para o Altai e o Cazaquistão, onde ainda existem alguns.

Mas a mais forte emigração menonita deu-se no sentido da América do Norte. Instalaram-se grandes núcleos nos Estados Unidos, a princípio na colônia fundada por Guilherme Penn, ou seja na Pensilvânia, depois no interior. Outros fixaram-se no Canadá. Quase por toda a parte, em consequência dos próprios pontos da sua doutrina, acantonaram-se na agricultura. Mas o seu movimento beneficiou-se da sorte de ter à sua testa personalidades fortes que aprofundaram a doutrina (tem renome a Escola Bíblica menonita de Saint-Christchona) e que lhe deram impulso. Como todos os protestantismos, o menonismo norte-americano sofreu a lei da dissociação: cerca de duzentos e cinquenta mil fiéis dos EUA e do Canadá estão distribuídos por dezessete variedades, classificados em duas grandes «conferências», que, desde 1940, o *Mennonite Central Committee* se esforça por harmonizar.

Instalaram-se também na América do Sul, em especial no Brasil. A aventura mais curiosa, neste continente, é a dos *Irmãos Hutterianos*, que já vimos aparecerem nos começos do século XVII, por iniciativa de um místico luterano, Hutter, para quem as Igrejas eram infiéis ao ensino do mestre de Wittenberg. Fugidos da Alemanha a seguir à derrota de 1945, fixaram-se no Paraguai, onde têm tido um êxito estrondoso e contam com quatrocentas e cinquenta comunidades. Estão atualmente muito próximos dos menonitas.

Embora pouco numerosos, os menonitas mantêm missões, mostram-se muito ativos nos Estados Unidos, através da imprensa e dos meios de expressão modernos. A sua recusa de toda e qualquer violência, que os leva à objeção de consciência em tempo de guerra, atraiu as atenções para eles durante a Segunda Guerra Mundial e anos seguintes, em que era frequente ver jovens menonitas do serviço civil trabalharem na reconstrução das cidades destruídas. Um dos seus pensadores, Guy F. Herschberger, é um dos teóricos mais originais do pacifismo, e já se tem aventado a hipótese de o «direito social», tal como o definiu G. Gurvitch[52], ter nascido das comunidades menonitas, onde se procura viver de acordo com o evangelho das Bem-aventuranças...

Mas o anabatismo não teve como único prolongamento o menonismo. À volta do mesmo dado fundamental — o batismo dos adultos —, já em fins do século XVI se constituíram comunidades que, apesar da debilidade do nexo que as unia entre si, se designavam pelo nome genérico de *Batistas*. Pela vaporosidade da sua doutrina, pela absoluta independência que estes decididos congregacionalistas sempre exigiram para as suas Igrejas, e também, é bom dizê-lo, em razão, muitas vezes, das qualidades morais incontestáveis e do vigor que põem no apostolado, os batistas atingiram em três séculos um grau de desenvolvimento que faz deles, hoje em dia (1958), a segunda massa protestante do mundo, com mais de 18 milhões de batizados, o que corresponde a cerca de 40 milhões de membros. Massa considerável, pois, e no entanto confusa, sem estrutura, difícil de apreender no seu conjunto. Talvez seja por isso que o *«Batismo»* surge, estranhamente, quer como lugar de convergência de confissões análogas, quer como força de divisão em Igrejas ou seitas ansiosas por reivindicar a liberdade, logo que se consegue alguma união.

O único vínculo doutrinal que distingue os batistas continua a ser o batismo dos adultos, conferido somente àqueles que fazem profissão pública. A única fonte de fé comum é a Bíblia; mas, como cada qual a pode interpretar à sua maneira, consoante lhe dita o Espírito, todas as concepções são admissíveis; e então, enquanto uns encontram no texto sagrado a mais rígida predestinação calvinista, outros, pelo contrário, acham nele o livre acesso de todos à salvação. Há ainda os que, lendo a Escritura, se convencem de que festejar o domingo como o dia do Senhor é uma heresia e que é preciso conservar o uso judaico do Sábado. É fácil imaginar a que multiplicidade de denominações, de Igrejas, de movimentos, de seitas leva uma tal anarquia. É até impossível dizer exatamente, na atualidade, qual o número delas, pois os autores variam, neste ponto, entre dez e cinquenta!

Talvez seja ainda pela sua organização interna que os batistas mais facilmente se juntam. Essa organização é de tipo rigorosamente congregacionalista. Cada comunidade é independente. A admissão dos novos membros ao batismo é feita por eleição. Em certas comunidades, o voto terá de ser unânime. Cada comunidade elege o seu chefe, que tanto pode ser chamado pastor como ancião ou bispo. Em todas, o culto é muito simples, e dá um lugar importante ao canto coletivo, mas também a momentos de silêncio em que cada qual deve meditar, após o que um dos assistentes, designado por quem preside à reunião, oferece aos outros os frutos da sua meditação, numa espécie de ação de graças.

O *«Batismo»* nasceu sem dúvida na Inglaterra — a questão das suas origens é muito discutida —, depois de se terem instalado no reino elementos anabatistas e também calvinistas «arminianos», após a vitória dos «gomaristas»[53]. Os nomes de John Smyth e de Thomas Helwys são os mais geralmente citados entre os principais fundadores.

Olhados com suspeita pela Igreja estabelecida, aceitos por Cromwell, perseguidos pela monarquia restaurada (John Bunyan ergueu a voz em nome deles), autorizados por fim a viver em paz pelo Ato de Tolerância de 1689, não constituíram qualquer espécie de Igreja, mas adotaram desde o princípio a forma que acabamos de ver, ou seja a justaposição de pequenas comunidades. No entanto, em linhas gerais, distinguiam-se entre eles os *general Baptists*, assim chamados pela sua posição ampla — arminiana — quanto ao problema da predestinação, e os *regular Baptists*, mais calvinistas. A junção dos dois ramos em 1813, na *Baptist Union*, não impediu que, bem depressa, se destacassem alguns grupos: batistas do Sétimo Dia, batistas «livres» ou da «Livre Vontade», outros ainda...

Mas esse fracionamento nada era quando comparado com o norte-americano. A implantação do *Batismo* na América do Norte foi essencialmente obra do pastor *William Rogers* (1599-1683), antigo ministro anglicano que passou para o puritanismo não conformista e teve de se exilar. Hostil a todos os sistemas eclesiásticos que encontrou na colônia, criticou-os tão vivamente que lhe pareceu mais prudente afastar-se e ir instalar-se em Rhode Island, onde fundou Providence. Com o seu amigo Ezequiel Holyman, constituiu as primeiras comunidades batistas, para as quais propôs como regras os «seis princípios» que se podem encontrar na *Epístola aos Hebreus* (6, 1,2): arrependimento, fé, batismo, imposição das mãos, ressurreição dos mortos e «juízo» eterno.

Foi desse grãozinho que saiu a imensa árvore batista, que ocupa um lugar eminente nos protestantismos americanos: 80% dos batistas do mundo são norte-americanos, e representam o segundo grupo religioso dos EUA, logo atrás da Igreja Católica. Denotam um grande espírito empreendedor. Recrutados durante muito tempo entre «os populares sem prestígio dos campos e das cidades de terceira ordem», nas palavras de André Siegfried, conseguiram penetrar tanto no proletariado negro do Sul como nas altas classes dirigentes, para as quais têm multiplicado as universidades. Pode-se considerar como símbolo do seu triunfo o fato de John Rockefeller ter sido um deles.

Mas esse triunfo correspondeu a uma crescente dissociação segundo o duplo processo que já vimos. Por um lado, novos elementos passaram para o campo batista, tal como aconteceu com os que deram origem aos *Discípulos de Cristo*. Simultaneamente, porém, deram-se novas cisões. Três grandes questões provocaram as rupturas. A primeira, dogmática: a da interpretação da Bíblia, que uns queriam que fosse literal, sem nenhuma concessão ao espírito crítico, e os outros entendiam com maior latitude; era impossível qualquer acordo entre «fundamentalistas» e «liberais». Uma segunda questão, de ordem prática, foi a da escravatura, que, quando a Guerra de Secessão opôs Sul e Norte, provocou outras rupturas, a ponto de se terem formado dois blocos: a *Northern* e a *Southern Baptist Convention*, enquanto certo número de comunidades negras se agrupavam na *National Baptist Convention of the USA*. Por último, também o problema das missões veio separar as comunidades: enquanto umas queriam obedecer ao apelo apostólico de Cristo e fundavam a *General Mission Convention* e a *Home Mission Society*, as outras asseguravam que Deus se basta a si mesmo para encontrar os seus eleitos.

Desta maneira, fora dos *Regular Baptists*, que representam quatro quintos do total, não são menos de vinte as organizações batistas norte-americanas que se apresentam com nomes diversos, sem que seja fácil ao público distinguir umas das outras. Entre esses agrupamentos, dois dos mais interessantes e com características mais marcadas são os *Batistas primitivos do Sul* e os *Discípulos de Cristo*.

Os primeiros, que contam nas suas fileiras uns sete milhões de negros, formam um grupo bem distinto, com a aguda consciência de conservarem a verdadeira fé e uma certa desconfiança em relação a todos os protestantismos. Para eles, é inútil submeter os pastores a uma instrução especial, pagar aos servidores da paróquia, fazer qualquer trabalho missionário. A sua pregação é exclusivamente bíblica, mas a compreensão que têm da Bíblia é simplista e decididamente «fundamentalista». Pregam a palavra de Deus tal como está escrita, versículo por versículo, em traduções mais ou menos sofríveis, insistindo nas imagens mais chocantes: o sangue derramado por Jesus, as penas do Inferno e as alegrias do Paraíso. E põem os auditórios a cantar hinos de violenta imagética e ritmo arrebatador. São os batistas dos *nigro spirituals*, ou do filme *Verdes Pastagens*. São também esses batistas que, renovados depois da Segunda Guerra Mundial e desligados dessas imagens aprazíveis, comandaram a luta contra a segregação com o corajoso pastor Martin Luther King.

Os *Discípulos de Cristo*, que contam cerca de um milhão e quinhentos mil fiéis, representam algo de totalmente oposto. O seu fundador foi *Thomas Campbell* (1763-1853), pastor puritano da Irlanda do Norte que se sentiu aguilhoado pelo desejo de viver plenamente o cristianismo na sua primitiva pureza. Emigrou para os EUA e em 1810 instituiu com a ajuda do seu filho Alexandre a Primitiva Igreja da Sociedade Cristã, a que deu uma regra de fé batista. Ao mesmo tempo, o ministro presbiteriano *Barton W. Stone*, depois de ter rompido com a Igreja oficial, fundava uma outra, cujos membros se designavam modestamente apenas por «cristãos». A união dos dois movimentos, em 1838, deu lugar aos «Discípulos de Cristo», também chamados *Reform Baptists*. Mal foram fundados, os Discípulos destacaram-se pelo zelo em evangelizar o que se chamou a «fronteira«, ou seja a franja ainda selvagem do Oeste americano para onde se dirigia a emigração[54]. A despeito de uma dissidência que, em 1906, separou deles os defensores da ortodoxia rigorosa, fundadores da *Igreja de Cristo*, a verdade é que prosperaram.

Deu-se, porém, uma estranha evolução, que arrastou esses «cristãos primitivos» para as audácias da crítica racionalista. Isso facilitou a sua penetração nos meios intelectuais em que a religião que não se queria abandonar se reduzia a um protestantismo liberal, sem dogmas, mas com uma forte armadura moral e alto sentido social. Vinte e cinco universidades pertencem aos Discípulos de Cristo. Os seminários de Colgate Rochester e Divinity School, em Chicago, estão ligados a essa tendência liberal, assim como vários dirigentes do cristianismo social norte-americano, como Walter Rauschenbusch.

Quanto ao resto do mundo, descontados os territórios de missões propriamente ditas, os batistas são relativamente pouco numerosos. Vemo-los na Alemanha, na Dinamarca, na Suécia, na Noruega, no Brasil, na China, no Japão. Na França, são apenas uns milhares, fracionados em quatro grupos, mais uma Igreja independente cujo «tabernáculo» esteve durante muito tempo em Montmartre. Têm uma das suas formações na Rússia, onde eram pouco numerosos antes da Grande Guerra Mundial, mas se desenvolveram espantosamente a partir de 1944, data em que se fundiram com os antigos «Cristãos evangélicos» ou *Pachkovtsi*, fundados em 1895 pelo coronel Pachkov, e com pequenas comunidades evangélicas que prosperavam entre os camponeses da Ucrânia. Em 1960, os seus batizados devem ser perto de 560 mil, o que representa pelo menos três milhões de simpatizantes. A imprensa antirreligiosa comunista insistia frequentemente no perigo que faziam correr ao ateísmo militante[55]...

Os batistas têm perfeita consciência de que as suas divisões os impedem de desempenhar o grande papel que seria de esperar do seu número. Têm-se esforçado por aproximar-se e unir-se. Já em 1812 criaram a *Baptist Educational Society*, com a finalidade de formar pastores preparados para as diversas confissões (a verdade é que pelo menos um terço das comunidades nunca recorreu aos seminários dessa Sociedade). Depois de algumas fusões, chegou-se à Federação Batista, à Associação Evangélica das Igrejas Batistas e, finalmente, em 1905, à *Aliança Batista Universal*, que, aliás, não conseguiu unificar todos os batistas do mundo. Escusado será dizer que os batistas são os mais desconfiados em relação a todas as modalidades de ecumenismo. Em primeiro lugar, ao próprio ecumenismo protestante: é certo que a maioria das suas comunidades aderiu, quer ao Conselho Ecumênico, quer ao Conselho Internacional; mas, a seus olhos, na expressão do pastor missionário batista William Carey Taylor, «os dois Conselhos são igualmente unionistas; ambos defendem doutrinas errôneas; ambos destruiriam a vida batista se nela penetrassem profundamente». Com mais razão, os batistas são hostis a qualquer aproximação com os não protestantes; é em alguns dos seus ambientes — marcados também por um nacionalismo rígido, pelo isolacionismo ou pelo anticomunismo sistemático — que se tem mantido, nos EUA, até um tempo muito recente, o anticatolicismo mais virulento.

Seitas ou novas Igrejas?

Com certos elementos do *Batismo*, como os batistas primitivos, não se está longe do tipo de formações religiosas que se designam por «Seitas». O termo é muito ambíguo.

O dicionário define-o prudentemente como «nome daqueles que se separaram de uma comunhão principal»; mas é bem verdade que essa palavra possui ressonância muito diferente consoante aqueles que a utilizam: laudatória entre os que pertencem a um grupo desse gênero, pejorativa entre os que dele não fazem parte. Para os primeiros, exprime uma certeza de verdade; para os segundos, traduz reprovação, como se vê claramente pelo adjetivo «sectário».

É, de resto, muito difícil precisar os sinais por que se reconhece uma seita, aquilo que a diferencia das grandes formações às quais se dá sem discussão o nome de Igrejas. Será o seu caráter minoritário? Mas nesse caso os batistas devem ser considerados como uma seita na França, enquanto nos Estados Unidos são unanimemente admitidos como Igreja, e as seitas dos pentecostais estão a caminho de se tornar autênticas Igrejas admitidas pelo Conselho Ecumênico das Igrejas. Será a pretensão de ser cada uma delas a única a encarnar o verdadeiro cristianismo? Mas essa convicção é formalmente proclamada por numerosas grandes formações, como o metodismo, e pode-se perguntar se não estará subjacente a todos os movimentos nascidos da Reforma. Já se tem proposto substituir a palavra «seitas» por «Novas Igrejas»; mas esta tem o defeito de parecer depreciar as grandes formações estabelecidas, que assim passariam a ser «Velhas Igrejas».

Seja como for, a multiplicação das seitas é um dos fatos marcantes da história religiosa nos séculos XIX e XX. Nos nossos dias, tem-se chegado a falar de «ofensiva das seitas». Procedem de quase todas as Igrejas, e nem o catolicismo está ao abrigo dessa epidemia. Na quase totalidade, declaram-se protestantes; mas os protestantes estão bem longe de admiti-las todas nas suas fileiras. Por exemplo, a Ciência Cristã, que formalmente se declara uma Igreja protestante, é tratada como herética pela maior parte dos autores protestantes[56], e os pentecostais são pouco mais ou menos vistos como «iluminados» por muitos reformados. Pudemos verificar, no entanto, que os metodistas foram tratados durante muito tempo pelos pastores das Velhas Igrejas como perigosos agitadores...

A verdade é que, quase sempre, os sectários se afastam das Igrejas estabelecidas por motivos que se prendem com a essência do protestantismo. Todas ou quase todas as seitas nasceram de um «despertar», esse fenômeno típico que está na raiz da Reforma e das suas «variações». Todas elas insistem no testemunho interior do Espírito Santo, que, no calvinismo, se estende não apenas à doutrina da justificação tal como a ensinou Lutero, mas a todo o conteúdo do oráculo divino que é a Bíblia; assim se explica que o luteranismo tenha sido muito pouco arranhado pelas seitas. O «iluminismo» encontra terreno privilegiado numa doutrina que admite que cada qual pode receber uma iluminação individual irresistível. As seitas veem-se, pois, legitimamente englobadas num quadro de conjunto das Igrejas nascidas da Reforma — embora a convicção, proclamada por algumas delas, de que o crente convertido pode atingir a perfeição cristã, alcançar a santidade, seja diametralmente oposta à trágica certeza do homem pecador, tal como a tiveram Lutero e Calvino.

A seita mais antiga que conservou importância até os nossos dias é bem representativa destas três intenções: situar-se sob o sopro do Espírito, despertar as almas, separar-se do resto do rebanho para formar uma comunidade de santos. É aquela que o sapateiro *George Fox* (1624-91) fundou em meados do século XVII sob o nome de «Sociedade de Amigos» e que foi, desde muito cedo, conhecida pela alcunha de *Quakers*[57]. Segundo um dos mais recentes pensadores do grupo, Carl Heath, «a Sociedade não assenta em nenhum dogma teológico, em nenhuma concepção literal da Bíblia, mas numa experiência íntima da alma. E convida os homens a partilhar dessa experiência». Nada de Igrejas estabelecidas; nada de sacramentos; nada de clero, mas o sacerdócio universal, extensivo às mulheres. Quanto ao culto, os *silence meetings* em que cada qual meditava à sua luz interior. Uma moral muito austera, que levava à recusa de qualquer juramento, de qualquer participação na guerra e na violência, mesmo em caso de legítima defesa. Tudo isso estava longe do protestantismo tradicional, cuja doutrina luterana da graça, bem como a calvinista da predestinação, os *quakers* aliás rejeitavam.

Perseguidos a princípio, os «Amigos» não deixaram de progredir rapidamente na Inglaterra, e William Penn instalou-os na América, na região que veio a ser o Estado da Pensilvânia, onde a sua seriedade, cultura e aplicação ao trabalho causaram admiração. Apesar de tudo, o século XVIII foi um século de decadência: fechados em si mesmos, para conservarem a pureza original, os *quakers* já não eram mais que um pequeno rebanho, bastante adormecido num como que quietismo, quando foram «redespertados», nos começos do século XIX, por uma série de personalidades — os franceses Antoine Bénézet e Étienne de Grallet, os norte-americanos John Woolman e John Whittes, defensores calorosos da libertação dos negros, e uma mulher admirável, Elizabeth Fry, que conseguiu reformar as prisões inglesas. Esse renascimento elevou o número de fiéis para 200.000 — se bem que repartidos por quatro formações —, em grande parte residentes na Inglaterra e nos Estados Unidos. Abandonaram o famoso vestuário de Fox (blusa de couro sem botões, enorme chapéu) e libertaram-se também das manifestações um tanto insólitas que outrora marcavam as suas reuniões. Mas conservaram a doutrina, o culto muito simples das origens e a moral que o fundador lhes ensinara. Fundaram missões em número surpreendente. Desde a Primeira Guerra Mundial, o Socorro Internacional Quaker tornou-se famoso, e foi tão eficaz durante a Segunda Guerra que, em 1947, dois dos seus comitês receberam o Prêmio Nobel da Paz.

O movimento *«despertar»*, que no início do século XIX sacudiu todo o protestantismo[58], e foi o mesmo que vimos agora arrancar o quakerismo ao seu torpor, teve, entre muitas consequências, a de fazer surgir novas dissidências. As Ilhas Britânicas, terra abençoada para os não conformistas, foram o seu lugar de eleição.

A primeira dissidência foi a de *Edward Irving* (1792-1834). Pastor presbiteriano na Escócia, grande leitor da Bíblia, nela bebeu a convicção de que todas as organizações eclesiásticas, sem exceção, tinham abandonado o modelo primitivo tal como se encontra no Evangelho, e que era preciso ressuscitar a «Igreja Católica Apostólica» e através dela regressar às antigas práticas — sem esquecer os fenômenos carismáticos como «falar línguas» e fazer curas milagrosas —. Fundamentando-se na enumeração dos ministérios dada por São Paulo na Epístola aos Efésios (4, 2), Irving estabeleceu doze «apóstolos», bem como profetas, evangelistas, pastores (também chamados anjos) e doutores. Não tardou que nas pequenas comunidades «católicas apostólicas» florescesse a glossolalia, e já se ouviam profetas que anunciavam o próximo regresso de Cristo. A iluminação interior, um pouco à maneira *quaker*, substituiu os dogmas. No entanto, inesperadamente, Irving veio a sobrepor a essa concepção subjetiva da religião uma teologia dos sacramentos muito próxima da do catolicismo: restabeleceu os sete sacramentos de outrora e a Missa, afirmando o poder operativo dos ritos. Essa doutrina fazia-se acompanhar de uma liturgia de grande suntuosidade, mesmo mais bizantina que romana, com casulas e capas, incenso e coreografias bem estudadas. Com a morte do último dos «apóstolos», em 1901, os «apostólicos» começaram a decair: forçados com frequência a assistir aos cultos protestantes, por falta de lugares de culto próprios, não passam hoje de cinquenta mil, dos quais menos de cem na França. Mas surgiu deles um rebento que de algum modo os prolonga.

Trata-se das *Comunidades Neoapostólicas*. Em 1860, metade dos «apóstolos» vivia na Alemanha. Sentindo-se em dificuldades com eles, o «profeta» berlinense Geyer e o «anjo» Schwartz constituíram outro colégio de doze apóstolos e fundaram uma «Missão Cristã Apostólica». Por morte de Geyer, Schwartz associou-se ao «apóstolo» Krebs, e ambos se lançaram num grande esforço de propaganda. Mas o verdadeiro êxito deveu-se ao sucessor de Krebs, Hermann Niehaus, homem de ferro, animador de multidões, e, a seguir, a J.G. Bischoff, antigo católico de Frankfurt, igualmente enérgico e empreendedor. A partir de 1906, o nome oficial da seita passou a ser «Comunidade Neoapostólica».

Os grandes elementos doutrinais da comunidade são próximos dos de Irving: convicção de serem a única verdadeira Igreja, certeza da iluminação interior. Mas os sacramentos limitam-se a três: o Batismo, a Ceia (ambos concebidos à maneira calvinista) e o «Santo Selo», espécie de confirmação. E, sobretudo, insistiu-se cada vez mais no papel do «apóstolo» elevado a «apóstolo-patriarca», uma espécie de «papa» da seita, com muito mais poder sobre os seus fiéis do que o de Roma, porque só ele pode garantir a salvação das almas! O apóstolo-patriarca Bischoff anunciara várias vezes, em 1950 e 1954, que não morreria sem ter visto o regresso de Cristo. A sua morte (1960) obrigou os seus discípulos a modificar nesse ponto a doutrina. Mas os «neoapostólicos» nem por isso são menos de quinhentos e quarenta mil pelo mundo inteiro, numa quinzena de países, um dos quais a França, onde os catorze mil adeptos estão instalados principalmente na Alsácia e Lorena e na região de Paris. São eles que editam o pequeno boletim *Le Bon Berger* que católicos e protestantes recebem de vez em quando por correio e ficam a perguntar-se de que Igreja reformada virá essa folha, cheia de excelentes conselhos de moral e piedade.

Os «darbyistas» estão menos afastados do protestantismo tradicional. Aquele de quem recebem o nome — *John Nelson Darby* (1800-82) — não professava uma hostilidade menos decidida que a de Irving contra as Igrejas estabelecidas. Saído da *Church of England*, por não poder admitir que uma sociedade fundada por Cristo aceitasse submeter--se a um soberano deste mundo, uniu-se a pequenos grupos evangelistas, que a si mesmo se designaram por «Irmãos de Plymouth», e tinham sido animados por John Walker. Conseguiu impor-se-lhes e tornou-se chefe de um movimento a que os seus talentos de orador poderoso e de escritor particularmente fecundo imprimiram um impulso vigoroso. Pregando ora em Genebra, ora em Lausanne, entre os valdenses dos Alpes e, a partir de 1844, no sul da França, difundindo por todo o lado uma tradução literal da Bíblia, aliás excelente, feita por ele, estendendo o campo de ação à Alemanha, à Itália, à Grécia, aos Estados Unidos e até à Austrália e à Nova Zelândia, Darby surgiu nesses lugares como mensageiro de um protestantismo renovado, simplificado, centrado no fervor pessoal e na amizade fraterna.

A sua doutrina era clara. Todas as Igrejas são casas de Satanás, onde as almas morrem. A verdadeira comunidade cristã não tem organização, nem hierarquia, nem pastores, nem confissão de fé escrita. Cada fiel que recebeu a inspiração do Espírito Santo pode batizar e dar a Santa Ceia. O culto é também muito simples: compõe-se de um ágape de pão e vinho, leituras da Escritura e testemunho dado por quem quiser, após um longo momento de meditação. O batismo só é conferido aos treze anos. Por suspeitarem de toda e qualquer ordem estabelecida, os darbyistas não participam de funções públicas. São atualmente cerca de trezentos mil, dos quais uns dez mil na França.

Irving e Darby anunciavam categoricamente o próximo regresso de Cristo em glória, a Parusia; mas não faziam desse anúncio o eixo do seu pensamento. Outros reformadores puseram mais fortemente o acento nessa convicção, dando assim origem a seitas em que revive o velho milenarismo dos primeiros séculos[59].

Por volta de 1840, um jovem camponês pobre de Pittsfield, *William Miller*, que lera as teorias do teólogo Bengal acerca do *Millenium*, abandonou a Igreja batista para meditar solitariamente sobre o problema da Parusia. Tendo visto no Livro de Daniel (8, 13) que «o santuário seria purificado depois de 2.300 tardes e manhãs», tomou como ponto de partida do cômputo a data do regresso de Esdras a Jerusalém (457 antes de Cristo), e daí deduziu que o acontecimento se daria em 1843, o que anunciou num opúsculo e depois num periódico chamado *Sinais dos tempos*. Houve boa gente que acreditou. Depois de se ver desmentido pelos fatos, e de ter remarcado a data duas vezes com as consequentes decepções, o profeta viu diminuir rapidamente os cinquenta mil fiéis que se tinham agrupado ao seu redor numa colina do Massachusetts na expectativa da vinda gloriosa de Cristo.

Mas eis que surgiu uma profetisa, *Ellen Gould White* (1827-1915), antiga metodista ingressada numa Igreja «batista do sétimo dia», na qual se celebrava o dia do Senhor aos sábados e não aos domingos. Essa mulher extraordinária, muito bem dotada para a ação apostólica, era ao mesmo tempo uma visionária. Assegurou que uma revelação lhe dera a chave do mistério que desanimara Miller: o ano de 1843 era, sim, o ano 2300 da profecia, mas não o fim do mundo; assinalava a entrada de Cristo no «Santo dos Santos» do Céu, período que tem de preceder a Parusia. Importava, pois, preparar os crentes para o Juízo Final que estava próximo. Assim nasceu a seita — ou Igreja — dos *Adventistas do Sétimo Dia*, a qual, detentora única da verdade, seria a única a poder conduzir os seus fiéis à salvação.

Pregando por toda a parte o seu novo evangelho, indo da América à Europa e até à Austrália, organizando, como pessoa prática, centros hospitalares e editoras, Ellen White deu ao movimento uma capacidade de expansão que conserva até hoje. Não pôde impedir os seus discípulos de se cindirem em cinco grupos, mas nem por isso os resultados, ao cabo de um século, são menos impressionantes: um milhão de fiéis, presentes em 230 países (até na Rússia Soviética, onde são cerca de trinta mil), dirigidos por quarenta mil pastores ou evangelistas, com cento e setenta hospitais ou sanatórios, três mil e quinhentas escolas, mais de quinhentos jornais ou revistas em toda a espécie de línguas — e todo esse conjunto organizado segundo uma estrutura muito rígida, dotado de uma Conferência geral no topo, sediada em Washington, e alimentado pelo dízimo pago por todos os adeptos.

O adventismo apresenta-se como uma formação intransigente. Durante muito tempo, a sua imprensa atacou violentamente o catolicismo e o Papa. A sua prática mais famosa é a observância do *sabbath* em vez do domingo, o que, aliás, provocou nos EUA algumas dificuldades com as autoridades civis; mas também fez dos seus membros especialistas em prescrições alimentares, dietética e alimentação naturista. Está poderosamente organizado para a propaganda.

A sua doutrina é claramente bíblica: «a Bíblia e só ela»; mas a Bíblia nos termos em que a comentava Ellen White. Tal como os católicos e os protestantes, admite a Santíssima Trindade, a divindade de Cristo, a Encarnação, a Ressurreição, o pecado original (em certa medida). Como os batistas, impõe o batismo por imersão, a Ceia como símbolo (é celebrada de três em três meses, precedida do *lava-pés*). Mas tem uma peculiar concepção do além, onde os mortos «dormem» até o Juízo Final, que será o triunfo dos eleitos adventistas, e em que os maus serão reduzidos a nada. Apesar deste modo especial de ver as coisas, os adventistas são considerados pelos protestantes como seus e participam dos trabalhos do Conselho Ecumênico[60].

Não seria muito honesto argumentar contra o adventismo que dele nasceram outras seitas milenaristas de doutrina bem inferior à sua e categoricamente rejeitadas pelos protestantes[61]: também o catolicismo não é imune a semelhantes excrescências espontâneas, em que a verdade pode ser estranhamente deformada. Quando muito, pode-se recordar que a multiplicação das dissidências e das seitas procede dos próprios princípios do protestantismo, ao passo que, se se dão rompimentos análogos na Igreja Católica, são contrários à natureza do catolicismo.

Seja como for, a verdade é que, se os adventistas são filhos da liberdade de interpretar a Bíblia, da confiança total no Espírito Santo e da convicção de que todo e qualquer homem recebe diretamente dEle a luz, tais sentimentos deram origem, desde o início do século XX, a um conjunto de movimentos extraordinariamente vivos, cuja atividade faz progredir o protestantismo em diversos setores: esses que se englobam sob o nome de *Movimentos Pentecostais*.

Os movimentos pentecostais, como dizem os seus próprios adeptos, não têm fundador; melhor dito, não têm fundador humano. O único fundador que reconhecem é Cristo, que prometeu aos seus fiéis a vinda do Espírito Santo. Para eles, o momento capital de toda a história da humanidade é, portanto, o dia de Pentecostes, em que os primeiros cristãos, reunidos no Cenáculo, viram subitamente as línguas de fogo descerem sobre eles e se sentiram imediatamente capazes de «falar em línguas», operar milagres e sobretudo proclamar a sua fé. O essencial da experiência cristã estaria nesse «Batismo do Espírito Santo», que «renovaria o ser interior» e «faria os batizados terem acesso aos dons espirituais».

Esta doutrina pode assentar na teologia de São Paulo, que de fato insiste muito na ação do Espírito Santo sobre as almas — embora o Apóstolo, no capítulo 13 da sua primeira Epístola aos Coríntios, previna formalmente contra a tentação de considerar o falar em línguas e o dom de milagres como o essencial do cristianismo —. A verdade, porém, é que a essa tentação sucumbiram, depois de Montano, Prisciliano, Donato e alguns outros. E, entre as seitas protestantes, a ela cederam em diversa medida os *quakers*, os metodistas, os irvingianos, os adventistas. Mas nenhuma formação chegou a fazer do apelo aos carismas a chave de abóbada de um sistema religioso como o fazem os pentecostais.

O recurso ao Espírito Santo como único iluminador das almas foi posto como fundamento doutrinal durante o movimento de «despertar» que se deu no começo do século XX, simultaneamente na América e no País de Gales. Em 1904, um humilde mineiro galês metodista, *Evan Roberts*, afirmou ter tido algumas visões e, «sentindo-se arder no desejo de percorrer o País de Gales para pregar o Salvador», lançou-se, ajudado por Seth Joshuah, ministro da sua Igreja, e por uma jovem de maravilhosa beleza, num apostolado que alvoroçou multidões. Ao mesmo tempo ou quase, na América do Norte (Kansas e em seguida Califórnia), organizavam-se assembleias de «despertar» «tão carregadas de carismas que os cristãos que delas participavam tinham a impressão de participarem de um novo Pentecostes». O pastor batista negro *William J. Seymour* entrou no movimento e imprimiu-lhe uma rápida expansão. Los Angeles passou a ser a capital. Na Escandinávia, Lunde e Barret criavam um movimento perfeitamente análogo.

As «Assembleias de Deus» multiplicaram-se. O fanatismo de alguns e a prudência das antigas Igrejas provocaram um resultado oposto àquele que os pentecostais desejavam: em vez de «despertarem» os irmãos adormecidos, de operarem uma «reforma da reforma», segundo o processo bem conhecido, foram levados a separar-se, constituindo uma nova «denominação» protestante. E assim se constituiu o *pentecostalismo*.

A aventura pentecostal é bem extraordinária. Embrionários em 1906, os movimentos de Pentecostes são atualmente o grupo «sectário» mais original, mais ativo, aquele que conta maior número de almas. As cifras que se aventam são prodigiosas: variam entre quatro e dez milhões, dos quais dois pelo menos na América do Norte. Introduzido no continente europeu por um pastor metodista, o pentecostalismo começou por implantar-se na Escandinávia, onde conquistou numerosos luteranos e absorveu a Igreja Batista. Passando pela Hungria e Polônia, atingiu a Alemanha, onde absorveu muitas comunidades neoapostólicas e em breve alcançou 50 mil adeptos. Desembarcando no Havre com o pastor inglês Douglas Scott, em fins de 1929, expandiu-se muito rapidamente pela França, alcançando em dez anos todas as grandes cidades, Paris, Marselha, Toulouse, e de lá transbordou para a Bélgica, para a Suíça e mesmo para a Itália, onde, em 1954, contava quinhentos centros. No mesmo ano, no Velódromo de Inverno de Paris, o movimento conseguia reunir dez mil fiéis ou simpatizantes. Nesse ínterim, partindo dos EUA, implantava-se no Chile, no Brasil, no México, com uma rapidez não menos espantosa. E continua a progredir.

Como se apresenta, então, o pentecostalismo? Ou, mais rigorosamente, como se apresentam os movimentos pentecostais? Porque é próprio desta seita — ou, se quisermos, desta nova Igreja — afirmar-se pluralista: que cada agrupamento leve a sua vida sob a inspiração do Espírito Santo; uns são mais abertos a todos, outros muito fechados em si mesmos. É certo que existe um «centro mundial», em Springfield, Missouri, mas a sua autoridade é débil. Ao lado do movimento principal, designado por Assembleias de Deus, que congrega nove décimos, existem Pentecostais de Jaffrey, Pentecostais Apostólicos, Pentecostais da Última Chuva (sic), Pentecostais do Primeiro Pentecostes, e ainda os das «Salas Betesda», tidos por todos os outros como suspeitos.

Todos, no entanto, têm em comum doze «verdades fundamentais»: confiança absoluta na Sagrada Escritura; fé em Deus Uno e Trino[62]; crença no pecado original e na redenção operada pelo sangue de Cristo; necessidade do Batismo, dado àqueles que se arrependem e administrado por imersão; necessidade do «segundo batismo», o do Espírito; exigência moral rigorosa, para que cada um seja santo como Cristo; certeza da «cura divina»; prática da «fração do pão», em memória da Santa Ceia; convicção de que o regresso glorioso de Cristo está bem próximo; e igualmente de que o juízo eterno lançará no Inferno aqueles que não estão inscritos no Livro da Vida; e, por fim, experiência prática dos dons do Espírito Santo por meio de manifestações carismáticas.

Neste credo, são muitos os elementos perfeitamente ortodoxos; outros procedem do calvinismo, dos batistas, do adventismo. Alguns são próprios dos movimentos, acima de tudo o papel que se dá ao «falar em línguas» (glossolalia) e à «cura divina», fenômenos pretensamente milagrosos que deveriam produzir-se quase que de maneira automática quando os fiéis de uma assembleia atingissem um nível suficiente de fervor. Quanto ao culto, é a própria simplicidade, como se viu no esboço que dele se traçou no início deste capítulo: leituras, cânticos, «testemunhos», às vezes batismo, ou talvez curas espetaculares.

Em que medida é que os movimentos de Pentecostes se situam no quadro do protestantismo? O semanário francês *Réforme* denunciou vigorosamente o seu «espiritocentrismo», que desloca o centro de gravidade do cristianismo, uma vez que não é o Espírito Santo que salva, mas Cristo. E são muitos os protestantes moderados que desconfiam dessas reuniões em que se grita, se canta muito alto e se produzem acontecimentos deveras singulares. Mas é difícil ao protestantismo rejeitar massas tão consideráveis de crentes sinceros, que manifestam um impulso apostólico extraordinário, multiplicam as missões internas e externas (em terras não batizadas) e revelam qualidades morais, sobretudo a caridade, frequentemente exemplares. numa expressão de um dos seus dirigentes atuais, Arthur G. Osterberg, todos eles «se declaram protestantes e trabalham com os protestantes». Em 1954, no Conselho Ecumênico de Evanston, os pentecostais enviaram observadores: foi um sinal. É ainda demasiado cedo para discernir se um pentecostalismo assente, organizado, não se tornará uma formação protestante de grande importância, ou se o movimento renovará por dentro as outras formações, tal como, exatamente neste momento, acontece com os batistas do Sul nos EUA[63].

AS PRINCIPAIS FORMAÇÕES PROTESTANTES

	década de 1960	2008
Luteranos (total)	75 milhões	65,4 milhões
Irmãos Morávios	1,5 milhões	800.000
Calvinistas (total)	ca. 30 a 40 milhões	75 a 80 milhões
Arminianos	25.000	?
Aliança Mundial das Igrejas Reformadas (presbiterianos, reformados e congregacionalistas)	ca. 30 a 40 milhões	75 a 80 milhões
Igreja Unida de Cristo (congregacionalistas)	1,5 milhões	1,4 milhões
Comunhão Anglicana (total)	ca. 30 milhões	ca. 78 milhões
Episcopalianos	1,5 milhões	2,4 milhões
Metodistas (total)		
Conselho Metodista Mundial	30 milhões	75 milhões
Batistas (total)	ca. 30 a 40 milhões	37 milhões
Hutterianos	100.000	45.000
Menonitas	500.000	1,5 milhões
Batistas do Sul	7 milhões	16 milhões
Reform Baptists	1,5 milhões	12 milhões
Novas Igrejas e seitas	ca. 20 milhões	ca. 130 milhões
Quakers	200.000	360.000
Irvinguianos	50.000	200.000
Neoapostólicos	540.000	10,2 milhões (?)

Irmãos de Plymouth	?	1 milhão
Darbyistas	300.000	42.000
Adventistas do Sétimo Dia	1 milhão	14,5 milhões
Pentecostais(continua)	4 a 10 milhões	125 milhões
Saídos do protestantismo		
Unitarianos	165.000	300.000
Mórmons	?	12,8 milhões
Testemunhas de Jeová	?	6,2 milhões
Amigos do Homem	?	71.500
Outros		
Exército da Salvação	?	1 milhão
Total geral	**ca. 250 milhões**	**ca. 810 milhões**

A história dos movimentos de Pentecostes é significativa. Revela esse apetite inconsciente pelo espiritual que sentem os homens do século XX, como resposta à grande angústia da «idade da morte de Deus». Não são, aliás, apenas as Assembleias de Deus, mas todas as seitas, todas as novas Igrejas que põem às Igrejas estabelecidas uma questão muito séria. Se homens e mulheres de boa fé, que não são — nem todos, ao menos — extravagantes nem pobres de espírito, se voltam para formações religiosas de doutrinas por vezes tão inconsistentes, de práticas por vezes tão aberrantes, é com certeza por não encontrarem nas Igrejas estabelecidas aquilo que esperam. As seitas surgem como uma forma de julgamento histórico das antigas Igrejas, um julgamento que não incide apenas sobre as diversas formações protestantes donde elas saíram, mas também sobre a Igreja Católica, à qual pentecostais e adventistas subtraem almas — quando não são as Testemunhas de Jeová a fazê-lo.

A mera exposição do que são as seitas é suficiente para mostrar o que há nelas de inaceitável. Mas deve-se reconhecer que, ao lado de aspectos suspeitos, nelas se encontram elementos que provêm de uma espiritualidade autêntica. A religião que pregam baseia-se essencialmente na piedade, na experiência pessoal de Deus, na procura de um contato direto com Ele e na necessidade de dar testemunho público da experiência que cada um tem das realidades sobrenaturais. Semeia muito entusiasmo, fervor, alegria. Na palavra de Jonathan Edwards, «não quer encher a cabeça, mas tocar o coração». Pode ser que, ao apelar excessivamente para o sentimento, esta religião das seitas arraste as almas para caminhos bem extravagantes; mas tem o mérito de se opor à rotina, ao conformismo, ao farisaísmo, e de provocar esse «calor interior» que sentiam os discípulos de Emaús quando Jesus ressuscitado lhes falava.

É, de resto, impressionante que, rompendo com uma longa tradição protestante, a maior parte das seitas volte a dar relevo às devoções dos místicos ao Precioso Sangue, às Santas Chagas, a tal ponto que certos cânticos pentecostais são quase palavra por palavra idênticos aos cânticos católicos. Este apelo ao sentimento traduz-se, de modo concreto, num calor humano que — é de justiça confessá-lo — não caracteriza grandemente os templos reformados ditos da HSP, nem certas paróquias católicas imensas das nossas grandes cidades. Todos os observadores católicos que têm estudado este fenômeno das seitas no século XX — o pe. Chéry, Maurice Colinon, Jean Séguy — têm notado unanimemente que existe entre os seus membros uma verdadeira fraternidade. Assim, as novas Igrejas obtêm adesões sobretudo entre a gente modesta[64], os pobres, os deserdados; pelo menos assim foi no início, pois este caráter social se vai atenuando à medida que se estabelecem (como aconteceu com os *quakers* e os metodistas). É também por isso que o fenômeno das seitas põe às Igrejas uma grave questão — um pouco, embora de maneira diferente, como a Reforma protestante o fez em relação à Igreja Católica. Como «testemunhas» de uma fé e adversários das antigas Igrejas na dialética da História, no sentido pleno do termo, os «sectários» são *protestantes*.

A essência do protestantismo

No termo deste resumo das principais formações que hoje constituem globalmente o protestantismo, cabe perguntar o que é que, entre tanta diversidade, permanece comum a todos. Porque, apesar das divergências, não pode deixar de haver algumas constantes, um patrimônio reivindicado por todos, visto que homens religiosos tão diferentes como são os presbiterianos e os metodistas, os episcopalianos e os pentecostais, se definem a si mesmos como protestantes e se proclamam protestantes. Em que consiste esse patrimônio comum? Qual é, para transpor um título famoso, «a essência do protestantismo»?

Dificilmente se encontrará resposta para semelhante pergunta. A mais simples que se pode formular, e, em certo sentido, a mais indiscutível, é que todas essas Igrejas, denominações ou seitas são filhas da Reforma. Até aquelas que sentem alguma relutância em afirmar que pertencem ao protestantismo, como algumas da Comunhão Anglicana, não podem contestar essa filiação. Mas, na realidade dos fatos, que sentido conserva, para muitos protestantes, esse laço histórico? Do ensino dogmático dos grandes Reformadores, que ficou entre os sectários?

O «piedoso pastor do campo» Albert Réville, citado páginas atrás, escrevia em 1842 que, desde a morte de Calvino, «todos ou quase todos abandonaram as doutrinas agostinianas da graça». E é verdade — mais ainda nos nossos dias. O sentimento trágico de uma natureza humana em luta constante com o pecado, esse sentimento que faz a grandeza do drama interior de um Lutero e de um Calvino, perdeu notavelmente o sabor nas diversas variedades de protestantismo em que a religião se reduz a um moralismo vagamente tingido de evangelismo. A rejeição dos méritos — ou seja, a ideia de que, na economia da salvação, as obras são de interesse nulo ao lado da fé — é muito menos admitida desde que o protestantismo liberal e também os movimentos dissidentes, *quakers*, metodistas, batistas, puseram fortemente o acento na entreajuda social. Todas essas Igrejas, denominações ou seitas foram geradas pelos Reformadores; mas conservaram de modo extremamente desigual a herança que deles receberam.

Não há um só dos dados fundamentais do cristianismo, tal como os Reformadores o concebiam, que não possamos ver negado por uma ou outra das formações protestantes — ou tão esvaziado que já não será possível reconhecê-lo. Fora a existência de um Deus único, Criador e Juiz, não há um só dos grandes dogmas que este ou aquele espírito protestante não contradiga. A própria divindade de Cristo foi posta em dúvida. E a imortalidade da alma também. Dos sacramentos, alguns retiveram todos os do catolicismo; outros, três; outros, nenhum. Pode-se certamente dizer que as posições extremistas são de indivíduos ou grupos isolados, e que as grandes formações conservam intactos os elementos de base da fé cristã. Mas não deixa de ser estranho e significativo que as posições extremistas tenham podido ser assumidas por homens que permaneciam perfeitamente no interior do protestantismo, homens que as grandes Igrejas, ainda que os criticassem, ou mesmo penalizassem, não excluíram, a não ser muito raramente. Vimos certos protestantes liberais estarem bem perto do agnosticismo, unitaristas beirarem o arianismo, sem deixarem de fazer parte da grande família protestante.

Há, no entanto, um núcleo irredutível de convicções que todos os protestantes têm em comum, um mínimo de artigos de fé que os une numa comunidade de destino. Tudo bem pesado, parece possível reduzi-los a quatro.

Um protestante autêntico é um homem que crê em Deus, que em tudo vê a presença de Deus «para e pela ação dos homens», um homem para quem nada conta senão o contato com Deus, quer esse contato seja assegurado apenas pela fé, quer se estabeleça por meio de virtudes humanas, da perfeição moral e da caridade.

Esse contato, quer o protestante que seja direto. Foi o que um historiador católico exprimiu nesta fórmula: um protestante é um homem «que crê que cada consciência humana é suficientemente viril para tentar pelos seus próprios meios a experiência religiosa»[65]. Entre Deus e o homem, não deve colocar-se nenhum intermediário, nenhum mediador, salvo um, o único legítimo: Cristo (que não é para todos os protestantes necessariamente Deus ou mesmo Filho de Deus), enviado precisamente à terra para assegurar esse contato, pelos seus ensinamentos e pelo seu sacrifício, ambos explicitados em maior ou menor grau consoante as doutrinas e as obediências.

O caminho da salvação, aquele que põe em contato com Deus, foi revelado pelo próprio Deus num livro, que é a Bíblia. Ler o livro da Palavra de Deus, conhecer e compreender o seu conteúdo, extrair dele todas as lições morais e espirituais que comporta, é portanto a tarefa fundamental de um crente. É esse também um dos traços decisivos do protestantismo, aquele que se encontra fortemente sublinhado em todas as suas «variações»: a fidelidade à Bíblia. Um protestante é acima de tudo um homem da Bíblia, seja ele luterano ou metodista, *quaker* ou pentecostal. E, neste ponto, os anglicanos são protestantes de boa marca. Já um humorista pôde dizer que um protestante acredita na Bíblia antes de acreditar em Deus.

Finalmente, e este quarto ponto não é o menos essencial, o protestante quer receber essa palavra de Deus diretamente, sem nenhum intermediário. «Todo o protestante deve ouvir e ler a Bíblia por si mesmo», exclamava num sermão o pastor Édouard Fontanés, em 1875. «Não tem necessidade de nenhum padre que faça de intermediário, nem da intervenção de um doutor, nem da explicação da Igreja. Ouve no coração uma voz mais persuasiva e mais autorizada: a voz de Deus»[66]. É o que Voltaire já dizia numa expressão célebre: «Todo o protestante é papa, com uma Bíblia na mão». Um protestante é, portanto, muito mais que um homem da Bíblia: é um homem que lê a Bíblia *sozinho*, persuadido de que o Espírito Santo o ilumina, ou seja, que, na expressão de São Paulo, o próprio Espírito «dá testemunho ao nosso espírito» (Rm 8, 16).

É este o ponto que separa radicalmente os protestantes dos outros cristãos, católicos e ortodoxos: Oscar Cullmann fala de um «abismo» entre eles. Para os outros cristãos, qualquer que seja a confiança que tenham na Bíblia, palavra de Deus, por maior que seja o seu desejo de estabelecer o contato entre o homem e Deus, não é admissível a autonomia absoluta do homem nestes domínios. A mensagem de salvação, a mensagem que indica ao homem o meio de chegar a Deus, foi confiada por Cristo a uma instituição em que o Espírito Santo «dá testemunho» muito mais ainda do que no espírito de cada qual: é a Igreja, que possui garantias de inerrância que um simples homem não pode reivindicar e que, para mais, recebeu poderes para explicar a mensagem aos fiéis, para comentá-la, a fim de os ajudar a viver dela. É tão verdade que é esta a pedra de toque que, na assembleia do Conselho Ecumênico em Evanston

(1954), os representantes dos ortodoxos publicaram uma declaração muito firme sobre o papel do Espírito Santo, «que dá testemunho na totalidade da vida e da experiência da Igreja»[67]. A recusa em reconhecer a Igreja como instituição — instituição divina, embora formada por homens —, investida por Deus de poderes de magistério espiritual e de juízo sobre os homens, é fundamental para todos os protestantismos. E é na medida em que certas Igrejas regressam, por diversos modos, a concepções eclesiais tradicionais, que se tornam suspeitas à grande massa dos protestantes.

Assim se explica, não menos que por motivos históricos, um último traço que um católico não pode deixar de notar, lamentando-o, e que é comum a todos os protestantismos, ainda que em alguns deles seja menos acentuado. Que esse traço se exprima demasiadas vezes por asserções grosseiras acerca da cátedra de Pedro — «a superstição fez dela um trono» —, acerca do «rebanho de escravos prostrado aos pés de um homem» (e que constituiria a Igreja Católica), tem em si pouca importância, já que a ignorância e o dislate não são apanágio dos polemistas protestantes. Mas não há dúvida de que corresponde a uma realidade: o anticatolicismo é consubstancial ao protestantismo. Assim como, na dialética da História, foi por oposição à Igreja Católica que o protestantismo se situou, tanto doutrinal como institucionalmente, também aquilo que nele há de mais essencial — a procura de Deus e o conhecimento da mensagem fora de qualquer atuação da Igreja — é diametralmente oposto ao que o catolicismo crê e ensina.

Nos anos mais recentes, a polêmica perdeu muito da sua virulência. Protestantes e católicos têm feito um sério esforço para se conhecerem, reconhecendo-se irmãos, e têm acentuado mais o que os une do que o que os separa. Nem por isso a oposição desapareceu, pois tem a ver com razões essenciais. Será porventura necessário um novo Pentecostes para que essas dificuldades, que parecem invencíveis, acabem por encontrar solução na luz da Verdade que é o Amor?

Notas

[1] As modificações introduzidas na liturgia pelo Concílio Vaticano II aproximaram ainda mais as liturgias romana e anglicana.

[2] Os começos do protestantismo foram tratados no volume IV da presente *História*, *A Igreja da Renascença e da Reforma, 1. A Reforma Protestante*. Parece-nos inútil multiplicar as referências a esse volume. Tudo o que vai ser dito nas páginas seguintes retoma, em substância, esse tomo anterior (por exemplo, o incidente que vamos narrar a seguir aparece ali no cap. V, par. *Os «protestantes»*.)

[3] É interessante notar que o outro termo com que se designou em francês os protestantes — «huguenotes» — recorda também um ínfimo episódio histórico. Os *eidgenossen* — confederados — eram no século XVI os calvinistas de Genebra que se tinham unido para resistir pelas armas aos ataques do duque da Savoia.

[4] Cf. o famoso artigo de Lucien Febvre publicado na *Revue historique* de 1929 (t. XLI), *Les origines de la Réforme française et le problème des causes génerales de la Réforme*. Esse artigo veio renovar as perspectivas e levou a refletir sobre muitos aspectos mal conhecidos da questão. Podemos lembrar as palavras de São Clemente Hofbauer: «A cisão em relação à Igreja produziu-se porque os alemães tinham e continuam a ter necessidade de ser piedosos. Se a Reforma se propagou e manteve, não foi por obra de filósofos heréticos, mas de homens que aspiravam verdadeiramente a uma piedade interior» (cf. Yves Congar, *Chrétiens désunis*, Cerf, Paris, 1937, p. 22).

[5] Porque a Ortodoxia, pela sua doutrina e organização, não se opõe menos essencialmente ao Protestantismo do que o Catolicismo (cf. adiante, cap. VI, par. *O Conselho Ecumênico das Igrejas*, a citação de uma declaração ortodoxa feita no Conselho Ecumênico das Igrejas, em Evanston, em 1954).

[6] Maurice Vernès, *Quelques réflexions sur la crise de L'Église réformée*, Paris, 1871.

[7] O caso dos metodistas revela particularmente a invencibilidade da força de ruptura, porque o seu fundador, Wesley, se recusou obstinadamente a separar-se da sua Igreja de origem, mas os seus sucessores tiveram de ceder, forçados pela própria lógica da ação que realizavam.

[8] Trataremos deles no cap. III deste volume, par. *Do «protestantismo liberal» à crítica «livre»*.

[9] A isso respondem os católicos que há entre eles uma diversidade de atitudes não menos grande, uma abertura não menos ampla a todas as formas da experiência espiritual, mas ordenadas para uma unidade visível...

[10] A Igreja Católica era a mais importante de todas elas, e continua a sê-lo, com 45 milhões de fiéis em maio de 1964 [Em 2008, a Igreja Católica dos Estados Unidos contava aproximadamente 67 milhões de fiéis e era a maior Igreja do país, a caminho de se tornar majoritária em números absolutos (N. do E.)].

[11] Acerca da Igreja da Índia Meridional, ver adiante o cap. VI, par. *O caso audacioso da Igreja da Índia meridional.*

[12] Essa tendência concentradora parece ter-se revertido novamente a partir dos anos sessenta do século XX, em parte pelas maciças perdas de fiéis sofridas pelas confissões protestantes tradicionais, em parte pela multiplicação dos grupos que se dizem «não denominacionais» e das Igrejas neopentecostais (N. do E.).

[13] Cf. adiante o par. *A Comunhão Anglicana.*

[14] O movimento ecumênico é outra coisa, pois admite no seu seio os ortodoxos; mas é evidente que tende para o mesmo (cf. o nosso cap. VI, par. *O mundo da Reforma em marcha para a unidade.*

[15] Ver, por exemplo, o que diz Congar em *Chrétiens en dialogue*, p. 211-42 e LIX; e Émile G. Léonard, na sua *Histoire générale du Protestantisme*, III, pp. 320 e segs.

[16] Segundo dados da Federação Luterana Mundial, que reúne a maioria das igrejas luteranas, há hoje cerca de 65,4 milhões de luteranos no mundo (N. do E.).

[17] Em primeiro lugar porque, na própria Alemanha, o catolicismo continuou a ser um elemento muito importante e, depois da vitória sobre o *Kulturkampf*, participou estreitamente nos destinos do país (v. os tomos precedentes).

[18] Cf. adiante, cap. II, par. *Abalos e dramas do protestantismo alemão.*

[19] Georges Tavard, *À la rencontre du Protestantisme*, Éds. du Centurion, Paris, 1954, p. 24.

[20] Cf. vol. VII, par. *O «despertar» do pietismo.*

[21] O mais célebre pastor batista negro, Martin Luther King, homenageava Martinho Lutero no seu nome. O fato é significativo.

[22] Cf. o cap. III, par. *Frutos duradouros do Despertar.*

[23] Cf. o cap. III, par. *Os protestantes e as obras de beneficência.*

[24] Cf. o cap. VI, par. *O mundo da Reforma em marcha para a unidade.*

[25] Cf. vol. V, cap. III, par. *Seitas e dissidências no protestantismo.*

[26] Sobre John Nelson Darby, cf. neste capítulo o par. *Seitas ou novas Igrejas?*

[27] Cf. o cap. III, par. *William Booth e o Exército da Salvação.*

[28] Cf. o cap. III, par. *O grande «despertar» do princípio do século XIX.*

[29] Cf. o cap. III, par. *Do «protestantismo liberal» à crítica «livre».*

[30] Ver Émile G. Léonard, *Remarques sur les «Sectes»*, in *Annuaire* 1955-1956 da École pratique des Hautes Études. [Ao que parece, os hinchistas deixaram de existir há pelo menos trinta anos (N. do E.).]

[31] «Está ainda por escrever a história das palavras "anglicano" e "anglicanismo". Não sei quando é que a expressão *Comunhão Anglicana* foi utilizada pela primeira vez. O primeiro exemplo da palavra *Anglicanism* mencionado pelo *Oxford English Dictionary* é uma citação de Charles Kingsley em 1846» (S.C. Neill, *Anglicanism*, Penguin, London, 1965, nota à p. 269).

[32] É sabido que foi neste ponto que fracassou em 1896 a tentativa de integração da Igreja Anglicana no seio da Igreja Católica (cf. o cap. VI, par. *A tentativa de união «em corpo» dos anglicanos a Roma*).

[33] A separação é mais marcada entre os episcopalianos dos Estados Unidos (ramo americano dos anglicanos). Veja-se o nosso cap. III, par. *Regresso aos sacramentos e à liturgia.*

[34] Ver *ibid.*

[35] Cf. neste capítulo o par. *Os unitaristas, modernos arianos.*

[36] Cf. neste capítulo o par. *Um protestantismo sem dogmas: o Metodismo.*

[37] Sobre Edward Pusey e o ritualismo, ver o cap. III, p. 289.

[38] É óbvio que fortemente minoritária em relação ao catolicismo.

[39] De tempos em tempos, pensa-se em abandonar o adjetivo; mas acaba por ter aspecto oficial.

[40] Cf. o cap. II, par. *A grande etapa das missões protestantes.*

[41] Cf. o cap. II, par. *A Inglaterra dos anglicanos e dos «dissenters».*

[42] Cf. o cap. VI, par. *A tentativa de união «em corpo» dos anglicanos a Roma.*

[43] Stephen Neill, *Anglicanism: an Explanation, in the Light of History and Theology, of the Nature and Working of the Anglican Communion, its Relationship with Other Christian Groups, and its Part in the Movement for Christian Union* (Londres, 1958; tradução francesa: Paris, 1962), p. 370.

[44] Sobre o *Faith and order*, cf. o cap. VI, par. *O mundo da Reforma em marcha para a unidade.*

[45] Cf. *A Igreja dos novos apóstolos* [O autor remetia aqui para o volume seguinte desta coleção, que no entanto não chegou a escrever (N. do E.).]

[46] Ver os nomes citados no índice dos vols. I, *A Igreja dos Apóstolos e dos mártires*, e II, *A Igreja dos tempos bárbaros.*

[47] Cf. o Índice Analítico do vol. III, *A Igreja das catedrais e das cruzadas.*

[48] Sobre Wesley, cf. vol. VII, par. *Wesley e o metodismo.*

[49] Andreì Latreille e André Siegfried, *Les Forces Religieuses et la Vie Politique: Le Catholicisme et le Protestantisme*, Colin, Paris, 1951, p. 191.

[50] Como o Exército da Salvação é sobretudo conhecido pelas suas realizações sociais, é sob este ponto de vista que será estudado no presente livro. Cf. o cap. III, par. *William Booth e o Exército da Salvação.*

[51] Acerca do anabatismo, cf. o vol. IV, cap. V., par. *Possibilidades e riscos de uma revolução.*

[52] G. Gurvitch, *L'idée de droit social*, Récueil Sirey, Paris, 1932.

[53] Cf. neste capítulo o par. *A obra de Calvino.*

[54] Cf. o cap. II, par. *Quatro problemas postos ao protestantismo norte-americano.*

[55] Cf. o cap. II, par. *Minorias em defesa ou expansão.*

[56] Cf. Gérard Dagon, *Petites Églises et grandes sectes*, Société Centrale d'Évangélisation, Paris, 1960.

[57] Porque, interrogado por um juiz, Fox lhe respondeu convidando-o a tremer (*to quake*) diante de Deus (cf. o vol. VII, cap. V, par. *George Fox e os Quakers*.

[58] Cf. o cap. III, par. *Uma revolução espiritual em Genebra*.

[59] Antes de nos debruçarmos sobre os milenarismos propriamente ditos, convirá examinar uma formação que se pode considerar «de transição»: os *mórmons*. Todos os protestantes que consultamos são unânimes em repelir essa seita famosa do protestantismo e em considerá-la herética, porque a sua doutrina acrescenta uma outra revelação, a de *Joseph Smith* (1805-46), à revelação de Deus na Bíblia.

Mas quando se encontram esses missionários vindos da América, que andam por aí aos pares com o seu evangelho debaixo do braço, e que falam de Deus, de Cristo, da caridade universal, é frequentemente difícil distingui-los dos protestantes. Na América do Norte, onde são cerca de um milhão, sobretudo no Utah, são considerados uma Igreja, aliás cindida em duas «denominações». O seu nome tem uma origem curiosa: *more*, palavra inglesa que significa «mais», e depois o «egípcio» (?) *mon*, que teria sentido de bom. O seu título oficial é «Igreja de Jesus Cristo dos Santos dos Últimos Dias».

Joseph Smith, americano de Vermont, de origem presbiteriana, assegurou em 1820 ter tido uma visão em que dois mensageiros sobrenaturais lhe ordenaram que abandonasse todas as Igrejas. Três anos depois, como a visão continuasse, um dos dois mensageiros designou-se por Moroni e ordenou-lhe que procurasse umas placas de ouro em que estariam gravadas as frases do Evangelho eterno. Smith afirmava tê-las encontrado em 1828, numa colina próxima da sua casa, e pôs-se a traduzi-las para formar *O Livro de Mórmon*. Em seguida, o mensageiro Moroni teria transportado para o céu as placas de ouro.

A nova Igreja cresceu depressa, mas estalou uma perseguição contra ela. Joseph Smith foi linchado. Fiéis às grandes lições da Bíblia, os mórmons lançaram-se então num êxodo prodigioso. Atravessando planícies e montanhas, oitenta mil deles partiram para o Oeste. Em 1847, alcançaram as solidões do Grande Lago Salgado, onde se instalaram. Ali fundaram a sua capital, Salt Lake City. Mas como proclamavam a autonomia teocrática do seu povo e o costume bíblico da poligamia (foi este último traço que os tornou lendários...), o Governo Federal interveio. Os mórmons renunciaram à poligamia em 1890, tornaram-se excelentes cidadãos americanos e deram ao estado do Utah um notável impulso econômico.

Da sua doutrina e organização, podemos dizer que era originariamente «uma mescla de politeísmo gnóstico e pagão, de poligamia muçulmana, de teocracia judaica, de exegese protestante racionalista e de institucionalismo católico, com alguma achega americana». Na realidade, porém, os mórmons deslizam cada vez mais, desde o século XX, para uma espécie de protestantismo com estruturas fortemente hierarquizadas, ensinamentos sérios e morais mais que sobrenaturais, embora hajam «ressuscitado» alguns antigos costumes do cristianismo primitivo, como o batismo dos defuntos por procuração. São em geral tidos por gente amável, bem educada e de um otimismo comunicativo (cf. G.H. Bousquet, *Les Mórmons. Histoire et institutions*, Presses Universitaires de France, Paris, 1949, e bibliografia nesse livro).

[60] Na França, onde não são mais de quatro mil, mas muito ativos, fixaram o seu seminário em Colonges-sous-Salève (Alta Savoia) e o seu centro de edições em Dammartin-les-Lys, onde publicam a revista *Signes des Temps*. As suas emissões de rádio, nas ondas de um posto periférico, *La Voix de l'Éspérance*, adotam uma linguagem que torna difícil saber se se trata de protestantes ou de católicos.

[61] Do adventismo saíram, efetivamente, duas seitas que dão pé para perguntar se serão ainda protestantes ou sequer cristãs: as Testemunhas de Jeová e os Amigos do Homem. A primeira mostrava já um desvio em relação ao adventismo; a segunda, o mesmo em relação às Testemunhas.

Por volta de 1870, Charles Taze Russell, filho de metodistas fervorosos, depois de assistir ocasionalmente a uma reunião de adventistas do sétimo dia, aderiu com entusiasmo a essa formação e, como bom discípulo de William Miller, dedicou-se a refazer os cálculos sobre o Milênio. Mas daí extraiu outras conclusões: o ano capital seria o de 1874, após o qual começaria a espera do Reino de Deus; este instalar-se-ia na terra em 1914 e duraria mil anos antes da Parusia definitiva. Falecido em 1916, após uma vida consagrada à propagação das suas ideias em numerosos países, Russell foi substituído por Rutherford, cujos talentos de organizador eram evidentes. A seita cresceu, propagou-se por cerca de 120 países, instalando por todo o lado jornais, escolas, centros de propaganda, e chegando a contar pelo menos seiscentos mil fiéis, notavelmente dirigidos por uma dupla hierarquia de evangelizadores e missionários, sob o comando de um presidente assistido por um conselho constituído por quarenta membros. São as célebres *Testemunhas de Jeová*. A sua doutrina é tão complexa e tão pouco preocupada em resolver as suas contradições, que os seus defensores só podem responder, a quem os contradiga, que não foram compreendidos. No entanto, alguns pontos são claros.

São violentamente contrários à Trindade e só se referem a Jeová, Deus da Bíblia, proclamando que todas as religiões posteriores são falsas. Afirmam que os fiéis da seita — e mais ninguém — constituem o pequeno rebanho dos cento e quarenta e quatro mil eleitos. Negam a imortalidade da alma e, por conseguinte, o Juízo Final e o Inferno, e mesmo a divindade de Cristo, a quem Deus, porém, teria tornado imortal em razão dos seus méritos. Creem, no entanto, numa Ceia Simbólica, celebrada uma vez por ano, a 14 de Nizan. Denotam uma hostilidade de princípio contra todas as formas de governo e de ordem social, que se manifesta por requisitórios, quer contra Roma, quer contra Hitler, a OTAN ou o comunismo. É de admirar o zelo das «pioneiras» Testemunhas de Jeová, que vão de porta em porta semear as suas ideias e distribuir os seus jornais; mas também não é de estranhar que muitos autores protestantes se recusem a admiti-las no seu seio. Na França, aonde chegaram em 1930, deve haver umas vinte mil Testemunhas, sobretudo entre o proletariado das minas e os operários imigrados. Têm um jornal, *Réveillez-vous*. O movimento parece ter-se desacelerado a partir de 1955.

Mas a desconfiança dos protestantes parece ainda mais justificada no caso dos *Amigos do Homem*, que entre eles se dizem «Exército do Eterno» ou «Igreja do Reino de Deus». Aqui, nada de dogmas, nada, a bem dizer, de qualquer certeza sobrenatural. Uma só afirmação de princípio: o homem é imortal se sabe evitar o pecado, não «ofender o seu corpo», e o Paraíso há de ser nesta mesma terra, onde os eleitos estarão organizados em famílias, colônias, comunas, comarcas, regiões, países, nações, que compõem no seu conjunto o Povo de Deus, a humanidade. Tudo isso apoiado em citações bíblicas e transmitido por numerosíssimos escritos, de tom caloroso, mas de conteúdo geralmente pouco compreensível. O movimento nasceu de uma dissidência das Testemunhas de Jeová provocada por um suíço, Alexander Freytag, «Mensageiro do Eterno», que lançou a *Divina Revelação* a partir de 1916 e conseguiu ter, quando da sua morte, em 1947, cerca de setenta mil adeptos; e depois pelo antigo professor primário basco Bernardo Sayerce, alcunhado de «O Fiel Pastor», que se separou do movimento de Freytag e, a partir de 1947, recrutou cinquenta mil fiéis, muitos dos quais na França, conseguindo promover várias vezes reuniões de quinze mil pessoas. Uma curiosa técnica alimentar, à base de pão, sal, carne e azeite, associa-se, nos Amigos do Homem, a uma ação social e caritativa inegável.

[62] Já surgiram, no entanto, diversas Igrejas pentecostais que negam a Trindade; as mais importantes nos Estados Unidos são a United Pentecostal Church International, as Pentecostal Assemblies of the World, a Apostolic Assembly of the Faith in Christ Jesus e a Apostolic Church of the Faith in Christ Jesus (N. do E.).

[63] Antecipando-nos um pouco, podemos registrar que a última conferência do Conselho Ecumênico das Igrejas (Nova Delhi, 1961) admitiu como membros do Conselho duas Igrejas pentecostais da América do Sul. [Hoje é possível acrescentar ao que diz o Autor que não se produziu nenhuma das duas opções mencionadas: pelo contrário, continuam a multiplicar-se pequenas e grandes formações pentecostais independentes umas das outras. N. do E.].

[64] Esta característica é muito mais rara nas seitas que pretendem apelar mais para a inteligência do que para o sentimento. O caso-limite é o da *Christian Science*, que é apanágio a bem dizer exclusivo da burguesia. Mas vamos deixar de lado a Ciência Cristã, embora se apresente

como Igreja e os seus adeptos se proclamem protestantes, porque a verdade é que todos os protestantes que consultamos declararam que lhes parecia impossível alistá-la entre eles (cf. Gérard Dagon, *Petites Églises et grandes sectes*, p. 73). Sabe-se que, fundada em 1880 por uma mulher espantosa, *Mary Baker Eddy* (1821-1910), a um tempo visionária e organizadora, a Ciência Cristã tem por principal objetivo curar as doenças do corpo suprimindo a realidade do pecado e elevando os corações para o céu. Frequentes referências à Bíblia, afirmações doutrinárias válidas acerca do poder de Deus e da intercessão de Cristo, médico das doenças e vencedor da morte, não bastam para que se considere essa formação, de resto moralmente estimável, como uma verdadeira religião cristã, ainda que em certos pontos se aproxime do *Unitarismo* (veja-se acima o par. *Os unitaristas, modernos arianos*). Leem-se nas obras de Mary Baker Eddy frases como esta: «Deus Pai não é mais que um princípio, não é um ser. A vida, a verdade e o amor constituem o Deus Trino e o tríplice princípio divino; Deus sem o homem seria uma não entidade».

[65] Cf. J. Dedieu, *Instabilité du Protestantisme*, Bloud & Gay, Paris, 1928.

[66] Esta posição parece, no entanto, um pouco abalada, sobretudo nas grandes Igrejas solidamente estabelecidas. Assim, o pastor Pierre Maury fala da «necessidade de escutar a voz da Igreja, tal como se exprime pela tradição, pelos símbolos, pelo magistério eclesiástico, a fim de entender verdadeiramente o testemunho escriturístico prestado por meio de Jesus Cristo».

[67] Cf. o cap. VI, par. *O Conselho Ecumênico das Igrejas.*

II. O MUNDO PROTESTANTE

Expansão e divisão geográficas do protestantismo

Apesar do fracionamento em inúmeras Igrejas, seitas e denominações, existe, pois, um mundo protestante, com um certo número de princípios e de dogmas comuns, e sobretudo uma atitude espiritual acentuadamente constante. Onde se encontra esse mundo? Que espaço cobre?

Se nos situarmos em fins do século XVIII, ou seja, no limiar da época contemporânea, em que o protestantismo, como todas as formações religiosas, se vai achar confrontado com novos destinos[1], podemos notar que ele não ocupa um largo espaço da terra. Podemos dividi-lo em três secções. Numa delas, a Reforma impôs-se tão bem que conquistou a maioria dos batizados. Trata-se, *grosso modo*, do Norte da Europa ocidental, desde Genebra até à Escandinávia, incluindo a maior parte da Alemanha e, como anexo com características especiais, a Inglaterra. Nas outras parcelas do Ocidente, região danubiana, França, Itália, Espanha, o protestantismo apresenta-se sob a forma de minorias, insignificantes nas duas penínsulas mediterrânicas e importante fora delas. Terceira mancha protestante é a que vemos, além-Atlântico, na franja costeira daquilo que, poucos anos antes, passou a ter o nome de Estados Unidos: são os reformados que, efetivamente, desempenharam um papel primacial na elaboração desse novo mundo, a tal ponto que a jovem República parece trazer a marca congênita do protestantismo. Fora desses espaços, a religião reformada assinala a sua presença apenas por alguns pontos minúsculos, dispersos pelo planeta.

Os séculos XIX e XX irão ser uma época de expansão para o protestantismo. Ao passo que os ganhos territoriais foram praticamente nulos no século XVIII, assistiremos nesses séculos a uma dupla implantação nas terras novas da América do Norte e dos outros continentes.

A mancha do protestantismo vai alargar-se rapidamente. Ao mesmo tempo, a fé reformada vai conservar e até aumentar a sua autoridade nas regiões que conquistara nos tempos passados e, em vários casos, irá ganhando terreno em certos países onde era minoria. Em 1958, o protestantismo cobre uma superfície impressionante no mapa mundial das grandes religiões.

É óbvio que, quando se fala de «mundo protestante», não se deve pensar numa unidade orgânica, hierarquicamente constituída, como o catolicismo. A lei da perpétua divisão, que — nunca é demasiado repeti-lo — procede do próprio gênio do protestantismo, atuou nos territórios adquiridos tanto como nos originários; ver-se-á como o caso dos Estados Unidos foi bem revelador neste aspecto. Mas há mais: as condições em que o pensamento e a ação dos Reformadores se tinham inserido nas realidades humanas, haviam provocado desde o início um outro fracionamento. À divisão entre Igrejas doutrinalmente distintas ajuntara-se uma outra, que iria complicá-la ainda mais de modo singular: uma divisão em Igrejas territoriais e nacionais.

Observemos, com efeito, o que aconteceu nas origens da Reforma[2]. A nova fé não pôde sobreviver senão quando foi assumida por Estados e governos que a defenderam dos seus adversários, ou então quando suscitou agrupamentos humanos suficientemente fortes para não poderem ser destruídos. Na Alemanha, por exemplo, o protestantismo só triunfou onde príncipes de cidades poderosas tinham aderido a ele. Na França, só a organização dos reformados num partido importante, com atuação política, quando não militar, conseguiu que todos os esforços dos poderes públicos para os reduzir acabassem por fracassar. Mas é óbvio que os Estados e os Partidos, tomando a seu cargo a Reforma, lhe imprimiram a sua marca. Na Alemanha, cada príncipe quis ter a *sua* Igreja: o resultado foi que, em 1789, já não havia *uma* Igreja luterana alemã, mas *vinte e seis*[3]. Na França, o protestantismo iria conservar por muito tempo, talvez até aos nossos dias, alguma coisa do clã que fora nos tempos das Dragonadas e dos *Camisards*.

As formas religiosas saídas da Reforma tomaram, pois, características muito diferentes, consoante os países em que se constituíram e desenvolveram. Deu-se, por vezes, uma autêntica simbiose entre uma fé reformada e uma nação, como sucedeu na Suécia, onde por muito tempo pareceu impossível separar a consciência nacional do luteranismo, ou como na Holanda, onde o calvinismo imprimiu fortemente os seus traços numa vasta parcela do país. Mas é correto falar também de um protestantismo alemão, de um protestantismo francês, cada um com traços próprios, embora, no interior de cada um deles, se afirmem diversas profissões de fé. E mesmo de um protestantismo norte-americano, com características nacionais bastante gerais, apesar das numerosas «denominações» que coexistem no seu seio.

Consequência evidente desse fracionamento geográfico é não ser possível escrever a história das Igrejas protestantes como se escreve a história da Igreja Católica. Nesta, as dessemelhanças e divergências — que existem: ninguém as negaria — estão necessariamente reduzidas dentro de uma unidade fortemente estruturada, e, para exprimir uma sequência de acontecimentos, é sempre mais fácil achar grandes eixos à volta dos quais se podem ordenar os fatos, quanto mais não seja pela história do Papado. Mas não é possível seguir no seu desenrolar histórico o mundo saído da Reforma sem considerar uma após outra cada uma das suas partes[4].

A Escandinávia, bastião luterano

No norte da Europa, os países escandinavos formam o bloco protestante mais compacto e monolítico do mundo. A Dinamarca, a Noruega e a Suécia, nações irmãs, com destinos por longo tempo entremesclados[5], e, do outro lado do Báltico, a Finlândia, outrora sueca, que se tornou russa em 1809 e recuperou a independência depois da Primeira Guerra Mundial, oferecem o exemplo único de um conjunto geográfico e cultural quase totalmente fiel à fé reformada e por ela impregnado. Em toda a parte desse bloco, a percentagem de protestantes ultrapassa os 90%. Na Finlândia, não está longe dos 99%. Com os seus dezesseis milhões de luteranos, o mundo escandinavo é protestante tal como a Espanha é católica. Já alguém disse que aí se encontrava «o protestantismo em estado puro»[6]. Pelo menos, aí observamos ao vivo a união da fé reformada com realidades étnicas e psicológicas determinadas pela biologia e pela história.

A maneira como a Reforma triunfou nesses países explica as características que o protestantismo nelas conservou. Foi a primeira vaga, a luterana, que cobriu os quatro países escandinavos. Na maior parte do tempo, não achou obstáculos. Embora desencadeada pelos soberanos e príncipes, o povo deixou-se levar por ela de bom grado, em quase toda a parte. Na Noruega e na Dinamarca, os párocos continuaram nos seus postos; os bispos foram agraciados com o título de «superintendentes», mas o bom povo não deu grande importância a essa mudança de título. Numerosos excelentes cristãos nem sequer perceberam de momento que a disputa entre o Rei e o Papa de que lhes falavam — mais uma... — ia desembocar desta vez num cisma. Na Suécia, onde as coisas foram mais trágicas, tendo chegado a haver oitenta protestantes vítimas de uma reação católica, os acontecimentos não foram menos rápidos e a passagem para a Reforma não foi brutal. Se nos lembrarmos de que a Confissão de Augsburgo, regra de fé na Escandinávia, é a menos anticatólica de todas, compreenderemos o sentido profundo das semelhanças externas com o catolicismo que o protestantismo conserva nessa região.

Perante a consciência popular, a Igreja nacional, a da Dinamarca, da Noruega, da Suécia, é tanto a Igreja da Idade Média, em comunhão com Roma — a Igreja dos velhos santos, dos Olavos, das Brígidas —, como a Igreja pós-Reforma. O arcebispo luterano de Upsala, primaz da Suécia, reivindica a filiação apostólica, à qual, de resto, tem materialmente direito, ao contrário dos seus homólogos dinamarquês e norueguês, que descendem de «superintendentes» sagrados por um amigo de Lutero, Bugentragen, que não era bispo. Ao passo que, na Alemanha, a supressão da Missa pareceu indício indiscutível da vitória da Reforma, na Suécia continuou-se a falar de *mässa* e o celebrante nunca deixou de ser chamado «padre» a par de «pastor». Manteve-se em vigor a liturgia tradicional, com velas, com incenso. Nas igrejas de paredes pintadas, diante de altares ricamente adornados, continuou-se a cantar as melodias gregorianas a que a língua sueca se adaptava bem. O uso da língua profana na liturgia, a comunhão sob as duas espécies e sobretudo o casamento dos padres eram as únicas notas distintivas flagrantes. Assim se ficou até ao nosso tempo. No entanto, no século XIX, sob a influência dos movimentos de «despertar» e das seitas, operou-se uma lenta protestantização, à qual se opôs, a partir de 1900, uma reação tradicionalista e ritualista, particularmente sensível no que se tem chamado «a Alta Igreja» da Suécia.

A maneira como a Reforma se impôs na Escandinávia revela também o caráter de «Igrejas estabelecidas» que aí tomaram as comunidades nacionais. Trata-se de verdadeiras Igrejas de Estado, oficialmente reconhecidas como tal, em que o rei dispõe de poderes teologicamente garantidos. No final do século XVIII, essa situação era admitida sem discussão. O nexo entre a fé luterana e o Estado, o regime, a coroa, era tão sólido que, quando, depois de Gustavo IV, místico pouco equilibrado, e de Carlos XIII, fundador de uma ordem civil maçônica, veio o general francês *Bernadotte*, este, que se tornou Carlos XIV(1818-44), não achou nada mais urgente do que declarar-se luterano e comportar--se, efetivamente, como protestante muito correto. No entanto, o sistema do *establishment* foi minado e desviado durante o século XIX. As ideias laicistas, filhas das «luzes» e da Revolução, não se adaptavam bem a esse regime erastiano e constantiniano. As diversas formas de misticismo que agitaram a alma escandinava, desde o iluminismo até o pietismo, o aparecimento de «Despertares», como foi o que teve Grundtvig[7] por arauto, a ação profética do gênio dinamarquês Søren Kierkegaard[8] — levaram a questionar as Igrejas oficiais, acusadas de não passarem de administrações. Ao longo de todo o século XIX e do século XX, tem-se podido notar nos três reinos uma série de decisões tendentes a diminuir, ou até a fazer cessar, a submissão da Igreja ao Estado. Hoje, o rei da Noruega é ainda considerado como *«summus episcopus»*, mas um projeto de Constituição coloca ao lado dele um Conselho Eclesiástico. Na Suécia, o luteranismo continua a ser oficialmente proclamado religião de Estado, ainda que o governo seja, desde há muito, socialista e anticlerical, e se ouça com frequência alguma personagem religiosa afirmar que, «estreitamente ligada ao Estado, a Igreja quer ser livre»[9]. E, em 1956[10] foi apresentada uma proposta de lei destinada a estudar a possibilidade de uma separação entre a Igreja e o Estado.

Um dos sinais mais claros do enfraquecimento dos laços exclusivos entre o Estado e a Igreja oficial foi, durante todo o século XIX, a atenuação e por fim a supressão das leis contrárias aos católicos e aos protestantes «não conformistas». Aos católicos, opunham-se em toda a Escandinávia regulamentos draconianos, que lhes proibiam não só qualquer apostolado, mas ainda quase toda a presença, com penas severas — entre as quais o exílio — para os convertidos e os fautores de conversões. Os não conformistas protestantes e mesmo os pregadores de «despertares» não eram melhor tratados. No início do século XIX, o camponês norueguês Hans Nielsen Hauge esteve preso durante muito tempo por ter violado uma lei de 1741 que proibia os leigos de pregarem. Na Suécia, os bispos reclamavam a aplicação de uma lei de 1826 contra a atividade das seitas. Na Dinamarca, Grundtvig, o pastor patriota, viu-se forçado a fazer reuniões clandestinas para abalar a Igreja oficial. E, para fugir ao rigor das leis, houve «dissidentes» que emigraram para a América. Mas esse rigor era, evidentemente, pouco compatível com as ideias democráticas que, pelo século afora, facilmente conquistaram todos os países escandinavos, a ponto de estes se terem tornado modelos de regime democrático onde floresce a igualdade social. Em 1845, a Noruega e, em 1849, a Dinamarca concederam a igualdade dos cultos, que foi até proclamada pela Constituição dinamarquesa de 1886. A Suécia levou mais tempo a adotar o princípio (ainda em 1858 tinha havido seis mulheres exiladas por conversão!); mas, por fases, em 1860, 70, 73, lá chegou.

Essas decisões libertadoras permitiram ao catolicismo um reaparecimento modesto, mas significativo[11]. Só os jesuítas continuaram proibidos de lá residir — na Noruega, até 1956. As «Igrejas não conformistas reconhecidas» obtiveram até poderes administrativos sobre os seus fiéis, nomeadamente em matéria de registro civil. Os batistas, os metodistas e mais tarde as pequenas Igrejas e seitas desenvolveram-se nos quatro países escandinavos; o mesmo aconteceu recentemente com os pentecostais. De qualquer modo, o conjunto dos católicos e dos não conformistas não representava senão uma estreita franja à margem das Igrejas oficiais.

No interior, porém, das Igrejas oficiais, foram-se afirmando tendências diversas. Muito prudentemente, renunciou-se a reduzi-las, e até se aceitaram providências curiosamente liberais, como a que o Parlamento da Dinamarca votou em 1868, autorizando os fiéis descontentes a constituir «paróquias autônomas de livre escolha», desde que reunissem pelo menos vinte pessoas e pagassem aos pastores; essas paróquias não saíam do quadro eclesiástico nacional. Os círculos pietistas, por um lado, e, por outro, os movimentos da «Alta Igreja», ativos sobretudo na Suécia e na Dinamarca, deixaram de ser olhados com desconfiança pelas autoridades episcopais. O que não impediu que alguns círculos considerassem a hipótese de uma orientação «Larga Igreja»[12], que poderia destacar-se da Igreja de Estado.

A situação religiosa varia de país para país. Na Dinamarca, distinguem-se atualmente três correntes bem nítidas: a da «missão interior», à qual se ligam na sua maioria os leigos praticantes e que faz lembrar simultaneamente um «despertar» tradicional, o pietismo norueguês e o movimento que o catolicismo francês faz avançar desde há meio século; uma corrente teológica contraditoriamente inspirada em Karl Barth — sobretudo no Barth dos primeiros tempos — e, mais recentemente, em Bultmann[13], muito protestantizante e anticatólica; e uma terceira, «ritualista», para a qual a Alta Igreja anglicana e o anglo-catolicismo gozam de muito prestígio.

Quanto à Igreja da Noruega, é mais simples, apresenta-se mais assentada no seu luteranismo. Os dirigentes e muitos intelectuais são de tendência «protestantismo liberal», ou até mais ou menos racionalistas; mas as massas crentes não esqueceram a campanha pietista do camponês Hans Nielsen Hauge e dos seus sucessores. Interessam-se pouco pela teologia, mas têm uma vida espiritual intensa. Quanto à Bíblia, professam as teses «fundamentalistas» — entre os católicos, seriam chamados «integristas» —, tal como as ensina a Faculdade de Teologia especial de Oslo. Esses pietistas noruegueses mostram-se muito desconfiados em relação a qualquer modalidade de ecumenismo, mesmo no seio do protestantismo, a ponto de não terem aceitado a integração do Conselho Internacional das Missões no Conselho Ecumênico das Igrejas.

Na Igreja nacional sueca, a situação é muito mais complicada: no cimo, encontra-se um movimento litúrgico e teológico «Alta Igreja», que insiste na filiação apostólica e tem grande simpatia pelo anglo-catolicismo. A Universidade de Upsala desempenha aí um grande papel, e foi dela que partiu, com Nathan Söderblom, uma das duas correntes que deram origem ao ecumenismo protestante. Em Lund, a Universidade lançou-se, desde o começo do século XX, num verdadeiro renascimento luterano, do qual um dos protagonistas foi Anders Nygren. Mas há também uma forte corrente pietista, vinda dos «leitores» dos princípios do século, dos discípulos do camponês místico Erik Jansen (1840), e em seguida, ainda mais numerosos, do professor Waldenstroem (1877), que eram, de resto, tão heterodoxos sobre a questão da queda original, que lhes foi aberto um processo, o que não impediu que a sua influência se exercesse até hoje. No nível popular, a piedade liga-se a um formalismo rígido, como por exemplo o que exige que o pastor pregue sempre com um grande lenço na mão.

Finalmente, na Finlândia, onde o Estado se declara «não confessional», o luteranismo admite todas as opiniões, mas parece deslizar na prática para um moralismo com tintas de religiosidade. A Igreja não tem seminários. A teologia tem pouco prestígio, e dão-se graves dissensões, a ponto de, para «despertar» a sua Igreja e reconduzi-la a uma consciência mais clara das suas exigências, o professor de Dogma da Universidade de Helsinki, Osmo Tiililä, deixou a Igreja e fez-se inscrever no registro como «leigo». O povo, contudo, guarda fidelidade às tradições luteranas e continua a ler muito a Bíblia na tradução feita por Miguel Agrícola no século XVI. Um dado impressionante, significativo de certa expectativa do divino, é a multiplicação dos movimentos de «despertar»: os «despertados» de Ruotsalainen, os «orantes» de Achrenius e Renquisk, os «evangélicos» de Hedberg e os «lestadianos», designação tirada do seu fundador Lestadius (1800-61), que fazem pensar um tanto nos *quakers*. Mais perto de nós, as novas Igrejas e seitas têm tido grande sucesso na Finlândia.

Em resumo, o luteranismo continua solidamente enraizado em todos os países escandinavos. Faz parte da vida corrente, dos usos, da cultura. A literatura e os costumes estão-lhe intimamente associados. As particularidades étnicas e nacionais, que lançaram raízes sobretudo a partir do século XVI, são necessariamente protestantes. A tradição democrática, que bem depressa conduziu esses povos à liberdade e à participação dos cidadãos no governo, identificou-se, para eles, com o protestantismo, convicção reforçada por essa outra, muito espalhada, de que o catolicismo é necessariamente antidemocrático! Essa estreita ligação entre luteranismo e nacionalismo ganhou novo alento durante a Segunda Guerra Mundial, pela onda de patriotismo que levantou contra os ocupantes hitleristas as figuras mais representativas das Igrejas da Noruega e da Dinamarca. Na Noruega, o bispo Berggrav foi preso pela Gestapo; na Dinamarca, o pastor e escritor Kaj Munk foi por ela assassinado. Chegou-se a poder escrever um extenso livro sobre os sofrimentos das *Igrejas do Norte na crise mundial*.

O apego à religião tradicional arrastou por muito tempo a um virulento anticatolicismo, que se traduziu em campanhas de imprensa, cheias dos piores insultos repetidos sem cessar, e da equiparação do catolicismo ao comunismo, ambos pretensamente totalitários. Só a luminosa figura do papa João XXIII conseguiu modificar certas maneiras de ver... Dinamarqueses e escandinavos, enquanto cristãos, querem conservar as suas características próprias e não fundir-se na massa do protestantismo; essa é a razão mais profunda da querela que agitou recentemente muitos deles, a propósito do problema da ordenação de mulheres como pastores: por aí se vê a força das tradições que, por tantos laços, ligam os luteranos à Igreja anterior à Reforma.

Em que nível se situa a fé nesse bastião luterano? Não é fácil responder. Aparentemente, a descristianização é profunda. Por toda a parte, a assistência aos ofícios é mínima. Na Finlândia, não há mais de 1 a 5% do povo fiel que se incomoda em eleger os párocos! A laicização da sociedade é flagrante. Na Suécia, para cada 100 casamentos, há 50 divórcios. Fala-se muito de uma crescente desmoralização, em consequência da perda da fé; invoca-se como prova disso o fato de as moças raramente chegarem virgens ao matrimônio... Daí a dizer, como se divulga constantemente, que a Escandinávia se tornou pagã, há uma grande distância. Muitos viajantes têm assistido a ofícios em que multidões numerosas e recolhidas cantavam com fervor os graves corais do *Psalbok*. 98% dos suecos estão inscritos nos registros da Igreja, e não admitiriam não ser batizados, casados e enterrados religiosamente. A proporção é quase tão forte nos demais países. Existe uma elite religiosa de alta qualidade, sobretudo na Suécia, onde o Dr. Nygren, bispo de Lund, um dos líderes do ecumenismo, promoveu com êxito uma importante renovação teológica.

A força real das Igrejas nórdicas não deve ser medida pela participação no culto. Em muitos meios, de tom pietista, a «reunião» substitui o ofício na Igreja, mas tem certamente um valor religioso superior. E os escandinavos dão, em média, para a sustentação das missões protestantes, mais que os fiéis dos Estados Unidos. Notáveis na ação caritativa e na educação popular, essas Igrejas luteranas do Norte não parecem prestes a abandonar o terreno que ocupam tão solidamente há trezentos anos.

Abalos e dramas do protestantismo alemão

Nenhuma comunidade nacional protestante sofreu tantos abalos, atravessou tantos dramas, como a da Alemanha. Varrida pelo ciclone napoleônico, trabalhada depois pelas forças de libertação e de unificação desencadeadas pela Revolução, a velha terra germânica fez germinar a seguir, entre os seus filhos, um sonho de dominação da Europa que os levou a duas guerras mundiais, a duas derrotas, uma das quais catastrófica, após ter servido de terreno a uma das piores experiências de ditadura totalitária que a história conheceu, para vir afinal a encontrar-se diante de um futuro cheio de incertezas e ameaças. Ora, todos esses acontecimentos tiveram repercussões sobre a fé a que a maior parte dos seus povos se ligou no século XVI; ou melhor, à qual pensou ter o seu destino ligado.

Protestante, a Alemanha era-o no limiar da época contemporânea, pelos sentimentos e pelas adesões oficialmente proclamadas. Não o era completamente, de acordo com as estatísticas. Um quarto dos seus habitantes permanecia fiel a Roma. Mas a maior parte dos protestantes alemães não acreditava que o catolicismo tivesse no seu país grandes hipóteses de futuro, nem que fosse adequado à *Weltanschauung* nacional; nada os surpreendeu mais que a extraordinária vitalidade manifestada pela Igreja Católica no decurso do século XIX. A proporção entre católicos e protestantes não era, de resto, a mesma em toda a parte. A repartição religiosa apresentava, por volta de 1800, regiões quase inteiramente protestantes, sobretudo no norte e no centro do país, com Berlim, Hamburgo; outras quase homogêneas no seu catolicismo, como a Baviera e a Renânia, com Munique e Colônia, sem esquecer a Polônia ainda anexada; outras, finalmente, onde católicos e protestantes se distribuíam a bem dizer em partes iguais, como o Hesse, o ducado de Baden, o Würtemberg e o Palatinado. Atenuada, temperada pela lei da livre circulação das pessoas imposta pelo governo imperial depois de 1871, essa partilha manteve-se até hoje, embora já não se trate de blocos compactos, mas apenas de fortes maiorias; é ela que ainda nos nossos dias configura um dos traços mais marcantes da situação religiosa alemã.

O protestantismo que domina na Alemanha é aquele que lá nasceu — o de Lutero. Não é o único. Já no século XVI uma parte dos territórios germânicos tinha abandonado a primeira Reforma e aderido à segunda: a calvinista, que, vinda da Alsácia, da França e da Holanda, se impusera muitas vezes no sul e no oeste do país. Quando se fala, pois, de protestantismo alemão, haveria que distinguir Igrejas estritamente luteranas, Igrejas de tipo reformado e até — a partir de 1817 e nas circunstâncias que vamos ver — Igrejas intermédias, mistas, em que as duas confissões se associam melhor ou pior. Mas é fora de dúvida que foi a corrente luterana que estabeleceu os rumos decisivos de todo o protestantismo alemão, que é ele que ainda hoje dá a orientação de fundo e parece determinar as capacidades de todas as comunidades saídas da Reforma. Aliás, não foi em terra germânica que o luteranismo lançou as suas raízes mais antigas? Não foi ele que correspondeu a dois dos dados fundamentais da alma alemã: uma piedade mística e frequentemente angustiada, e uma imperiosa necessidade de disciplina e organização? Mais ainda: não foi em torno da Prússia, cidadela luterana desde as origens, que se fez a unidade alemã e se reconstruiu, no século XIX, o império germânico? Das vinte e seis Igrejas luteranas, a Igreja Evangélica da Prússia era já de si a mais numerosa e a mais forte; mas que autoridade não lhe sobreveio quando passou a ser a Igreja do Imperador!...

Em substância, o luteranismo alemão permaneceu fiel aos ensinamentos de Lutero. São a Confissão de Augsburgo e o Grande e o Pequeno Catecismos que lhe ditam as regras da fé; e até se dá uma atenção surpreendente às «Conversas à mesa» (*Tischreden*). A prática, nomeadamente a dos sacramentos, é ainda a que determinou o antigo monge agostiniano. A administração eclesiástica ficou a ser a que foi estabelecida no seu tempo, com os seus bispos e a sua divisão territorial, embora se tenham vindo a acentuar certas tendências sinodais provindas dos batistas e dos calvinistas. No entanto, esse luteranismo é, nas suas aparências, menos semelhante ao catolicismo do que o da Suécia e o da Noruega. Não foi sem esforços e sem dramas, como que insensivelmente, que ele se impôs ao povo alemão. Triunfou, sim, mas na dor e frequentemente no sangue. Opôs-se, pois, ao catolicismo, razão pela qual lhe rejeitou mais que os outros as formas, tendo sofrido até uma espécie de calvinização: as suas Igrejas são mais despojadas que as escandinavas; a sua liturgia rodeia-se de menos fausto; os seus bispos seguem o modelo «*Herr Doktor*».

Formando um todo com o povo alemão, ou pelo menos com larga parte deste, nas circunstâncias históricas que recordamos[14], o luteranismo viu-se submetido à sua necessidade inata de contar com uma rígida armadura, com um enquadramento social e político, uma necessidade que o próprio Lutero sentira. Ao confiar aos soberanos leigos o cuidado de defender a ordem, ameaçada pelos camponeses rebeldes, o Reformador admitiu que se estabelecesse uma relação necessária entre a livre vida interior do cristão e a armadura de um Estado forte, poderosamente disciplinado. Assim, sob o pretexto de que o Estado se proclamava cristão, acabou-se por integrar a Igreja no Estado, por quase divinizar o Estado. A ideia de uma Igreja universal esfumou-se em benefício das Igrejas nacionais, territoriais. O Estado exerceu uma tutela constante sobre a Igreja. O espetáculo era o mesmo que na Suécia ou na Dinamarca, mas o cesaropapismo tomou formas talvez mais pesadas. No palácio de Koburg, admira-se um afresco do século XVII que evoca o cortejo nupcial do duque João Casimiro. Lá vemos, entre os falcoeiros, os picadores e os músicos, as duas delegações dos «conselheiros temporais» e dos «conselheiros espirituais». Símbolo perfeito: uns e outros não passam de servidores do Príncipe!

Tal foi o regime que governou a vida religiosa do protestantismo alemão até 1918. Na Prússia, por exemplo, o monarca tinha a dignidade de *summus episcopus*. Em virtude do seu *jus espiscopale*, era ele que decidia soberanamente das coisas da Igreja. Nomeava os membros do Conselho evangélico supremo, que dirigia de Berlim as nove antigas províncias e mesmo os membros dos consistórios que tinham a seu cargo as três novas províncias (Schleswig-Holstein,

Hannover e Hessen-Nassau). Para transmitir as suas ordens à Igreja, escolhia os «superintendentes gerais». Era ele quem convocava os sínodos. No sínodo geral, um membro em cinco era designado por ele, e, de resto, as deliberações só se tornavam exequíveis se ele as aceitava. Os pastores eram pagos como funcionários e pregavam a obediência incondicional. Qualquer alemão que pertencesse a uma Igreja tinha de se inscrever oficialmente nos respectivos registros, o que se traduzia na obrigação de pagar o imposto religioso que o Estado recebia em nome da Igreja. Era tal a servidão que os católicos, minoria desprezada, estavam sujeitos a fardos menos pesados... E, em numerosos pequenos Estados, que continuavam a existir no próprio quadro do Império, a situação era inteiramente análoga.

A história do protestantismo alemão do século XIX é, pois, determinada por este fato: a submissão ao soberano laico, mais completa do que a submissão prestada a qualquer monarca católico, mesmo a um Luís XIV ou Filipe II. As condições em que a Alemanha saiu da crise revolucionária de 1789-1815 contribuíram para reforçar esse domínio. As desgraças trazidas por essa crise, os dissabores causados pela ocupação francesa, tinham conferido à Prússia um prestígio considerável, dado o heroísmo com que comandara a resistência a Napoleão. Quando por fim chegou a vitória, o primado prussiano tornou-se ainda mais evidente. A derrota do ogro francês era obra de dois povos protestantes, os ingleses e os alemães. Como não se havia de tirar daí glória para os protestantes? Não era evidente que o protestantismo ia ser o cristianismo do futuro? A Restauração reforçou, pois, o luteranismo na Alemanha, bem como a autoridade do rei vencedor sobre a Igreja. De resto, não eram apenas as velhas tradições germânicas nem os acontecimentos políticos que asseguravam essa situação: era também a filosofia mais moderna, a de Hegel, cuja dialética justificava a onipotência do Estado e cujo discípulo, Marheineck, proclamava que Estado e Igreja não eram senão as duas faces de uma só instituição.

O homem que encarnou ao mesmo tempo o luteranismo e o erastianismo mais categórico foi *Frederico Guilherme III* da Prússia, o vencido de Iena e de Auerstaedt, que passara a ser, pela sua energia e pela de sua mulher, a rainha Luísa, o vencedor de Waterloo. Quarenta e dois anos de reinado (1897-1940) permitiram-lhe firmar a sua autoridade em todos os planos, incluído o religioso. Persuadido de que «o nome do Rei deve ser santificado», tomou uma série de medidas que aumentaram o seu poder de papa-rei. Uma delas suprimiu, por um tempo, os Consistórios, outra confiou os negócios eclesiásticos à polícia. Foi ainda mais longe nas suas iniciativas eclesiásticas. Por ocasião do 3º centenário da Reforma (1817), decidiu fundir todas as Igrejas dos seus Estados, fossem elas luteranas ou calvinistas, para formar uma só «Igreja Nacional Evangélica», na qual se poriam de lado as crenças consideradas acessórias e se reteria apenas o essencial dos princípios cristãos reformados. Proclamada no sínodo geral de Nassau, a «União», apoiada pelos príncipes, conquistou rapidamente um certo número de Estados. Mas os teólogos das duas confissões eram-lhe hostis. A sua oposição cristalizou-se a propósito do novo formulário cultual, a *Agenda*, que Frederico Guilherme pretendia impor: o formulário só foi aceite pela décima sexta parte dos pastores prussianos! Seguiu-se uma grave crise, que iria durar até ao fim do reinado e que foi especialmente séria na Silésia. Por mais que se tivessem coberto os pastores dóceis de condecorações da Ordem da Águia Vermelha — *non propter acta, sed propter agenda*, diziam os maliciosos —, por muito que se tivessem encarcerado pastores recalcitrantes e impedido pela força os fiéis que, desgostosos, queriam emigrar para a América, o único resultado dessa tentativa foi criar uma terceira Igreja, «Unida», semiluterana, semicalvinista, que sobreviveria modestamente até a atualidade.

O fracasso dessa tentativa régia põe de manifesto o vigor das forças que, apesar do seu amor pela disciplina e da sua natural submissão ao poder, agitavam nesse tempo a alma germânica. As forças revolucionárias e liberais que a ideologia francesa desencadeara atuaram no plano político, mas não influíram no plano eclesiástico, pois as ideias democráticas tinham pouco atrativo para os alemães de então. Em contrapartida, houve forças propriamente religiosas que entraram em ação. No século XVIII, como nos lembramos[15], a Alemanha fora palco de um movimento pietista vigoroso, que tivera em Zinzendorf o seu paladino. Depois de 1789, formou-se um outro, ao apelo de Gottfried Herder, o qual desde cedo assumiu a forma de um «despertar»[16], com influência sobre todas as confissões. Entrementes, Schleiermacher propunha um sistema mais apoiado na experiência interior do que no dogma e, desse modo, empenhava-se em fazer reviver a velha teologia luterana. E já se anunciava a «missão interior», de Wichern. Na Alemanha, como aliás em toda a parte, essas correntes vieram a pôr em causa a Igreja estabelecida e o cesaropapismo.

Coisa curiosa: foi um soberano quem se fez defensor da liberdade eclesial: *Frederico Guilherme IV* (1840-59), ou seja, o próprio sucessor do monarca autoritário da União, personalidade respeitável e simpática de verdadeiro crente, que viria a ter um fim de vida ensombrado por uma dolorosa doença mental, sem que por isso deixasse de ser um belo exemplo de resignação e de fé. Mal subiu ao trono, apressou-se a pôr fim ao conflito, libertou os pastores encarcerados, satisfez os fiéis da Silésia que queriam uma Igreja autônoma, e promulgou uma «Concessão Geral» que assegurava aos protestantes que não quisessem pertencer à «Igreja Nacional Evangélica» os mesmos direitos e títulos dos adeptos desta. E teria vontade de ir mais além. «O domínio territorial e o episcopado do soberano — dizia ele — são de tal natureza que uma só dessas instituições bastaria para matar a Igreja, se isso fosse possível». E acrescentava: «Se a tua mãe fosse tua escrava, que farias tu?» Na realidade, porém, esse homem de boa vontade esbarrou com forças maiores que a sua. Assim como, no plano político, após se ter mostrado favorável à causa liberal e outorgado uma Constituição ao seu povo, acabou, depois da revolução de 1848, por usar da força para restabelecer a ordem, assim no plano religioso percebeu que dar de uma só vez a liberdade à Igreja seria entregá-la aos teólogos heterodoxos e aos racionalistas. Cumpriu, portanto, energicamente, um dever que lhe repugnava. Designou um *Oberkirchenrat* encarregado de dirigir os assuntos religiosos, convocou um Sínodo geral para restabelecer a ordem no luteranismo e opôs-se vigorosamente aos «liberais». Sonhou com o sucesso na operação em que o pai falhara; mas a sua «União Evangélica das Igrejas», dirigida por uma assembleia eleita, não chegou a ganhar vida. Aquele que foi chamado «o Ezequias prussiano» morreu na angústia de ter sido insuficiente para a sua tarefa, de não ter sabido, ele, papa-rei, reconduzir para Deus o seu povo...

Estavam em marcha os acontecimentos que iam levar à unificação da Alemanha sob o pulso prussiano de Bismark. Bismark era um protestante sincero, casado com uma luterana fervorosa, hostil por convicção e por política a tudo o que era católico. O caráter protestante da Alemanha foi, portanto, fortemente reforçado por ele. É o que se pôde verificar pela solenidade de que se revestiu, a 18 de junho de 1868, a inauguração de uma estátua colossal de Lutero: nesse evento, o rei da Prússia foi aclamado como chefe da Alemanha protestante. Mas, ao mesmo tempo que o caráter protestante, também foi vigorosamente afirmado o cesaropapismo. A Constituição de 1848 tinha reduzido um pouco o poder religioso do rei, mas a favor do governo e do Parlamento: portanto, no plano das realidades, nada mudara. E assim foi possível que, em 1876, o ministro dos Cultos declarasse: «Na Igreja Evangélica, o Estado encontra-se em condições de deter à nascença qualquer lei religiosa, visto que todas as leis nascem nela com o seu perpétuo concurso». Aliás, a Constituição de 1873-76 confirmava o cesaropapismo ministerial e parlamentar.

Tomando muito a sério o seu papel de delegado do *summus episcopus*, Bismarck opôs-se à «Associação protestante», fundada por professores liberais e racionalistas, mas encorajou a criação da *Aliança Evangélica*, em que todas as Igrejas protestantes se uniam numa frente comum contra o catolicismo. O *Kulturkampf*[17], a grande ofensiva contra Roma, pareceu selar solenemente o empreendimento bismarckiano. Na realidade, se é certo que encantou as massas protestantes, a operação inquietou os mais lúcidos dos pastores luteranos, já que a laicização estabelecida pelas «Leis de Maio» era tão prejudicial às Igrejas protestantes como à Igreja Católica. Nos últimos anos do domínio bismarckiano, deram-se sinais inequívocos de novas tendências: proclamação de teólogos e parlamentares a favor de maior independência da Igreja luterana, artigos de imprensa contra a doutrina oficial da devoção ao Rei e ao Estado, tida como o primeiro dever do cristão... Iria dar-se uma evolução?

Pelo menos não sob *Guilherme II* (1888-1918). O imperador de ambições sem limites não era homem para renunciar a qualquer instrumento de poder. Gostava de se afirmar protestante crente, embora nunca tenha sido possível fazer uma ideia precisa do seu pensamento religioso. O luteranismo estava tão identificado com a grande tradição alemã que era inconcebível que ele não se pusesse à sua testa. O pangermanismo, caro aos seus sonhos, era, afinal, o termo de uma evolução normal que, depois de ter afastado os cristãos da concepção de uma Igreja universal, substituída por uma Igreja nacional, levava à noção de um universalismo germânico — o qual, sob Hitler, viria a eliminar todo e qualquer elemento cristão.

Guilherme II comportou-se, pois, como césar-papa, tal como os seus antecessores. Proclamou que, angustiado com a crescente descrença do seu povo, iria combater a irreligião «a golpes de alvenaria», ou seja, construindo igrejas. Interveio, em 1903, a favor da Comissão Central das Igrejas Evangélicas da Alemanha e tomou partido contra os liberais Naumann e Troeltsch, que desejariam ver instaurada na Igreja uma constituição mais democrática e menos clerical. As suas relações com o célebre pregador da corte Stöcker revelaram claramente o seu autoritarismo em matéria religiosa: depois de ter aprovado veementemente o jovem movimento do protestantismo social, na época em que se gabava de ser mais socialista do que os socialistas, o instável imperador mudou subitamente de posição quando lhe pareceu que se configurava uma ameaça contra a ordem; e o infeliz Stöcker foi votado às gemônias, ao opróbrio público[18]. Até a guerra de 1914, nada de substancial se alterou na Igreja luterana alemã integrada no Estado.

É evidente que essa submissão da Igreja ao Estado não foi favorável a uma vida religiosa profunda nem ativa. As Igrejas oficiais, com o seu clero «funcionarizado», eram com muita frequência corpos sem alma, e a sua aparatosa fachada mal escondia a sua diluição interna. Os fiéis percebiam-no; era corrente ler, aqui ou além, ataques contra essas Igrejas «que trabalham pela salvação do trono e pela segurança dos cofres-fortes» mais do que pelas almas. Daí resultou uma descristianização que, ainda por cima, se viu acelerada pelo movimento das ideias.

Com efeito, a Alemanha oitocentista foi o espaço por onde circularam livremente as doutrinas mais hostis à religião. Foi de alemães como Hegel, Marx, Feuerbach e Nietzsche que saíram as correntes mais vivas do humanismo ateu. O subjetivismo puro e simples a que levavam as teses de Schleiermacher, e que exerceu uma grande influência sobre o pensamento religioso da Alemanha, não era senão uma *«Schwebetheologie»*, uma teologia flutuante, incapaz de conservar as almas numa duradoura fidelidade à fé. A essa religião do coração, a Escola crítica opunha o «Jesus da História». E David Strauss, Harnack, Christian Baur foram muito longe na discussão, até à negação das grandes verdades dogmáticas. O protestantismo liberal, que achou na Alemanha um terreno de eleição, exauria o sobrenatural e tendia cada vez mais para um simples moralismo. Para qualquer lado que se dirigisse o olhar, dir-se-ia que as forças favoráveis à descristianização iam vencer.

São numerosos os testemunhos sobre essa descristianização. Frederico Guilherme IV, debruçado à janela do seu palácio de Sans-Souci, chorava a impiedade do seu povo; Guilherme II indignava-se com os progressos da irreligião. Mas já em 1818 o piedoso barão de Kottwitz falava do «poderoso paganismo» dos seus compatriotas. Em 1827, Hengotenberg observava que «a massa estava inerte». Em 1830, um pastor de Hamburgo denunciava a «miséria das almas pagãs». Pagãs se iam tornando as grandes cidades. Em Berlim, por volta de 1880, 59% dos casamentos e 80% dos enterros eram civis. Não chegavam a 10% os fiéis que se davam ao incômodo de votar nas eleições para os Consistórios. O protestantismo já só era vigoroso na nobreza rural e entre os camponeses, e isso principalmente nas regiões em que os católicos eram numerosos, pois era preciso fazer-lhes oposição.

Por outro lado, seria injusto supor que os luteranos sinceros não reagiram. Aos defensores da crítica bíblica radical, opuseram-se os «ortodoxos», que tiveram em Klaus Harms um dos melhores porta-vozes. Houve Igrejas «professantes» que tentaram instaurar-se fora das Igrejas oficiais e territoriais. A corrente pietista voltou ao de cima e a «missão interior», lançada por Wichern, fez um trabalho sério. A partir de mais ou menos 1830, os progressos das seitas e das formações religiosas dissidentes exprimiram também essa reação das almas — quer seitas e formações vindas do estrangeiro[19]: metodistas, darbyistas, quer nascidas do velho solo alemão, como os batistas. Pouco antes da Primeira Guerra Mundial, anunciava-se o desejo de uma restauração teológica[20].

A queda do Império trouxe consigo um declínio do luteranismo. A Igreja evangélica estivera demasiado ligada ao regime dinástico para que a ruína deste não a afetasse. A concorrência do calvinismo, a que pertencia o maior teólogo da época, Karl Barth, suíço que se instalara em Bonn; como também a do catolicismo, cujos progressos eram sensíveis havia um século[21]; e ainda a das seitas, nomeadamente das novas (e mais ativas) — essa concorrência foi para ele mais danosa do que o deslizar das suas elites para a indiferença e o livre-pensamento. Apesar de tudo, foi feito um esforço para pôr remédio à divisão. Havia nessa altura vinte e oito Igrejas luteranas, nove das quais na Prússia, além de cerca de dez outras confissões. Criou-se, pois, em 1922, a *Federação Alemã das Igrejas*, em que ficou representado todo o protestantismo alemão, mas cada Igreja conservava plena autonomia.

A instauração da República de Weimar permitiu, no entanto, estabelecer no conjunto do Reich regras uniformes tanto para a vida da Igreja como para as suas relações com o Estado. Não se chegou à separação; mas as Igrejas tornaram-se «corporações oficiais», reconhecidas e protegidas pelos poderes públicos, os seus pastores continuaram a ser assimilados a funcionários, e os fiéis obrigados ao imposto eclesiástico recebido pelo fisco... Estariam as Igrejas muito mais livres e muito mais unidas do que com Bismarck? Eram, talvez, um pouco mais fortes para a defesa dos seus direitos, designadamente em matéria de ensino, sobretudo por terem diante delas um governo que não estava interessado em submetê-las. Mas o pluralismo e a dependência em relação ao Estado continuavam a ser causas de grave fraqueza e preparavam-nas mal para fazer face, se necessário, a um inimigo mais temível.

A tomada do poder por Hitler, em 1933, abriu para todas as Igrejas protestantes alemãs uma crise dramática, seguramente a mais grave que alguma vez chegaram a atravessar. Ao contrário do catolicismo, em certa medida protegido pela Concordata assinada nos primeiros meses do regime e pela autoridade mundial do papa Pio XI, essas Igrejas estavam desunidas e isoladas quando o ditador as enfrentou. A princípio, numerosos bons protestantes alemães viram no nacional-socialismo uma fisionomia agradável. O «cristianismo positivo» que Hitler queria estabelecer, fundado sobre o «sangue» e o «solo» alemães — *Blut und Boden!* —, sobre a comunidade de destino e a fraternidade social, nada pareciam ter de inaceitável. O patriotismo de que se gloriava o chefe dos Camisas Castanhas, a sua ambição de repor a Alemanha *«über alles»*, não podiam deixar de agradar a um povo que não se conformara com a derrota de 1918. Quanto ao antissemitismo hitlerista, não estava longe de encontrar coniventes em muitas consciências. O amor pela disciplina e pelo *zusammenmarchieren* [«marchar em uníssono»] acabaram por atrair as massas protestantes para o regime da cruz gamada.

Os nacional-socialistas tiraram imediatamente partido dessa situação favorável e aproveitaram-na para enquadrar o estatuto do protestantismo no âmbito do novo Estado. Logo em julho de 1933, um sínodo reunido em Wittemberg lançou as bases de uma fusão de todas as Igrejas na *Deutsche Evangelische Kirche*, a Igreja Alemã Evangélica. Ludwig Müller foi eleito «bispo do Reich», e o *Führer* nomeou-o seu representante junto da Igreja, encarregado de «insuflar vida nova no mundo morto do velho cristianismo». Tomou-se por palavra de ordem: «Um Estado, um povo, uma Igreja». E bem depressa começou uma subordinação das Igrejas protestantes, a expulsão de tudo o que nelas pudesse recordar os judeus (por exemplo, foi suprimida a Sociedade para as Pesquisas Bíblicas), enquanto o teórico do nazismo, Alfred Rosenberg, ele próprio luterano, criticava os luteranos por não serem fiéis a Lutero. Nas Igrejas, o *Horst-Wessel Lied*, hino do partido, alternava com o tradicional coral escrito por Lutero *Eine Feste Burg ist unser Gott* [«O nosso Deus é uma cidadela firme»].

Esse trabalho de domesticação não assumiu contornos de perseguição aberta, como sucedeu com tentativa análoga feita quanto aos católicos, o que explica que a maior parte dos alemães protestantes não tivessem visto que havia aí uma ameaça para a sua fé. No entanto, alguns pastores e alguns intelectuais perceberam imediatamente a incompatibilidade absoluta que existia entre a doutrina nacional-socialista e o cristianismo. À frente deles, encontrava-se *Karl Barth*[22], que terá sempre como título de glória histórico, além de ter sido o renovador da teologia protestante, o fato de ter sido o primeiro, no campo da Reforma, a erguer-se contra a heresia nacional-socialista. Em contraposição aos «cristãos alemães», constituiu-se o grupo dos «Pastores em perigo» (*Pfarrernotbund*). De dezoito mil pastores, sete mil aderiram a esse agrupamento e, reunidos em Barmen, a 31 de maio de 1934, formaram a «Igreja Confessante Alemã» (*Bekennende Kirche*). A «confissão», preparada por Karl Barth e aprovada por unanimidade, pode ser colocada ao lado da encíclica *Mit brennender Sorge*, pela qual Pio XI condenou o nacional-socialismo. Declarava nomeadamente «rejeitar a falsa doutrina segundo a qual a Igreja deveria admitir, como fonte de revelação, ao lado e para além da Palavra de Deus, outras pretensas verdades». O movimento tomou tal amplitude que o «bispo do Reich» Müller pediu demissão.

Começaram as prisões, multiplicaram-se os internamentos e as execuções. *Martin Niemöller*, antigo comandante de submarinos, agora pastor do subúrbio berlinense de Dalhem, que se afirmara como um dos chefes da Igreja Confessante, foi detido em 1937 e lançado num campo de concentração, donde não sairia senão no fim da Segunda Guerra Mundial. Durante sete anos, os melhores elementos do protestantismo alemão viveram numa semiclandestinidade, resistindo ao domínio nazista, mas pouco seguidos pela massa. Outros pastores se distinguiram nessa luta, como Heinrich Vogel e Wilhelm Niesel. Essa Igreja clandestina teve os seus mártires, o mais admirável dos quais é certamente *Dietrich Bonhoeffer* (1905-45). Tendo regressado voluntariamente da América à Alemanha para travar o combate, foi pastor nos bairros populares, diretor de um seminário, autor espiritual de alta qualidade e sobretudo uma personalidade irradiante, a tal ponto que, na prisão onde foi metido em 1943, os próprios guardas o levavam para dar conforto aos seus companheiros mais angustiados. Morreu, enforcado, em 9 de abril de 1945, porque alguns membros da sua família estavam implicados, como outros fiéis da Igreja confessante (o bispo Hans Lilje e o médico Gerstenmeyer), na conspiração dos generais contra Hitler.

Após a queda do regime nacional-socialista, a Igreja confessante, aureolada pela glória dos seus heróis e dos seus mártires, tentou organizar em novas bases todo o protestantismo alemão, ou seja, harmonizar as Igrejas luteranas, as Igrejas reformadas, a Igreja unida da Reforma de 1817 e as seitas. Constituiu-se uma *Igreja Evangélica na Alemanha*. No papel... Pois as tendências pluralistas foram mais fortes. As Igrejas luteranas «livres» ficaram de fora de um organismo que lhes parecia demasiado administrativo. A maior parte das Igrejas territoriais luteranas formou uma associação; mas as seitas repeliram qualquer união. Apesar de tudo, a Igreja evangélica na Alemanha — a EKD — continuou, e ultimamente tende a ganhar importância. Nesse intervalo, o Dr. Von Thadden Trieglaff, retomando a fórmula do *Katholikentag*, criava o *Kirchentag*, em que, cada ano, a maioria das comunidades protestantes reúne representantes para o estudo de problemas mais vastos e para a oração comum.

Mas, desde 1945, o protestantismo alemão debate-se com outros problemas, mais graves. A divisão da Alemanha em duas afeta-o diretamente, visto que são terras secularmente luteranas — nomeadamente a Prússia — que estão do outro lado da Cortina de Ferro. Sobre a situação exata dos protestantes da Alemanha Oriental, as informações que chegam são contraditórias: tão depressa se fala de perseguições, como se diz que está em preparação uma Concordata. Mas na Alemanha Ocidental o problema é bem outro: católicos e protestantes passaram a partilhar quase por igual os efetivos cristãos; o protestantismo perdeu, portanto, a situação majoritária que ocupava no Estado alemão. E, depois de terem lutado em conjunto contra Hitler, e de terem levado a cabo uma ação comum no campo do cristianismo democrata, as duas confissões viram, por volta de 1958, aumentar entre elas uma tensão que não se explicava apenas pela presença no governo de um chanceler e de numerosos ministros católicos.

No plano propriamente religioso, dir-se-ia que, após a Segunda Guerra Mundial, o protestantismo alemão tem passado por uma renovação cujo estilo recorda de algum modo o do catolicismo francês. Há pastores-operários; há um movimento de renascença litúrgica e faz-se um grande esforço pastoral. O *World Christian Handbook*, que dava, em 1962, como estatística do protestantismo na Alemanha, 10.576.885 (?) «responsáveis» e 45.968.401 «simpatizantes», traduz verdadeiramente a realidade? É difícil dizê-lo. O que pelo menos se vê é uma atividade propriamente espiritual, que se reflete numa reaparição do neoluteranismo, em discussões calorosas entre teólogos de tendências opostas: fiéis de Barth contra discípulos de Bultmann. A participação no movimento ecumênico, desde há vinte anos, não denota menos a sua vitalidade.

Dois microcosmos protestantes: os Cantões helvéticos e os Países Baixos

Juntamente com a Alemanha, os dois países onde, desde o início, a Reforma tinha estabelecido mais solidamente as suas bases eram a Suíça e a Holanda. Na época contemporânea, o protestantismo continuou a marcá-los com o seu selo. Mas também lá surgiram os problemas que se apresentaram em toda a parte às Igrejas saídas da Reforma: o das relações da Igreja com o Estado, o do *establishment* eclesiástico, o das divergências doutrinais, de tal maneira que os dois países são mais ou menos como uns microcosmos onde é possível observar de um modo bastante completo o fenômeno protestante.

A Suíça atravessou a crise revolucionária sem grandes perturbações. Convertida durante algum tempo em República «irmã» da francesa, submetida, durante o Império, à vigilância de Napoleão, não sofreu no plano religioso consequências danosas dessa situação de fato. Em Genebra, por exemplo, o protestantismo não foi abalado. A revolução de dezembro de 1792, copiada de Paris, tentou estabelecer a igualdade entre todos os crentes e descrentes; mas uma «votação» impediu-o e, no texto constitucional de 1796, foi recordado que não era permitido na República «nenhum ato público de religião diferente da protestante ou da reformada». Anexada em 1798 à França, sob o nome de departamento de Montblanc, Genebra teve mesmo a honra de ser proclamada a primeira cidade protestante da «Grande Nação», o que deu ao seu delegado eclesiástico, Martin-Gourgas, o direito de discursar diante do imperador em nome dos protestantes franceses. Este foi, aliás, o único papel dos genebrinos calvinistas na sua nova pátria, pois não tardou a manifestar-se entre eles e os franceses uma desconfiança recíproca.

Quando o parêntese revolucionário e imperial se fechou, a Suíça retomou sem dificuldade o curso dos seus destinos. O protestantismo, herdado de Zwinglio não menos que de Calvino, representava perto de três quintos da população. Zurique e Genebra continuavam a ser os dois focos protestantes. Mas a partilha entre as confissões traduziu-se, no plano político, pela especificação dos cantões, uns dos quais eram oficialmente protestantes e os outros oficialmente católicos. Daí uma tensão, a princípio pouco aberta, mas que, a partir de cerca de 1830, por motivos aliás mais políticos que religiosos, foi em aumento.

Discutiu-se a propósito da instalação de um núncio da Santa Sé em Lucerna, da nomeação de David Strauss para uma cadeira de teologia (Strauss era demasiado conhecido pelas suas teses sobre Cristo), como também dos incidentes revolucionários de 1842 em Genebra ou, mais tarde, sobre a fundação da *União Protestante*, explicitamente orientada contra os católicos, ou ainda, sobre a expulsão de Genebra do pároco Marilley e do regresso dos jesuítas a Lucerna. Por fim, em 1845, os sete cantões católicos constituíram uma associação de defesa, o *Sonderbund* — imitada, aliás, do «Siebenbund» radical —, que a Dieta Federal declarou ilegal, ao mesmo tempo que decidia a expulsão dos jesuítas de todos os cantões.

Daí resultou uma guerra civil, a última das guerras de religião da história, que terminou em pouco tempo pela derrota das tropas católicas de Salis-Solio, esmagadas diante de Lucerna pelo coronel Dufour. A Constituição de 1848 proclamou a igualdade de culto. Na verdade, porém, os governos dos cantões protestantes iriam mostrar frequentemente aos católicos o peso da sua autoridade, e, apesar dos esforços de alguns nobres espíritos, como Alexandre Vinet, a desconfiança entre protestantes e católicos não viria a cessar até aos nossos dias.

Em conjunto, o protestantismo suíço conservou, das suas origens — mais radicais do que as do luteranismo —, um aspecto severo, a simplicidade nua das cerimônias litúrgicas, a austeridade aparente das atitudes, uma rigidez moral afetada, e essa reserva altiva e fria que por longo tempo foi considerada marca distintiva dos huguenotes. Sob esses traços comuns, porém, as diferenças são múltiplas, e a lei da divisão trabalha em cheio.

A Suíça foi um dos países em que se produziu com mais força o movimento de «despertar» que percorreu o protestantismo europeu na altura da Restauração[23]. Ainda que não se recorde muito a memória de Mme. Krüdener, que no entanto exerceu uma influência pietista nada desprezível, os cantões (principalmente Genebra e Vaud) tiveram animadores espirituais que marcaram a sua época: Cellerier, Malan, Gausse, e sobretudo *Alexandre Vinet*. As Igrejas estabelecidas, na maior parte dos casos, olharam com antipatia a ação desses apóstolos que lhes censuravam a rotina, a secura, a falta de verdadeira fé. A tensão entre os «despertados» e as autoridades oficiais subiu a tal ponto que se tornou inevitável a ruptura. Em Genebra e, depois, em Lausanne, constituíram-se *Igrejas livres*. A Suíça germânica veio a seguir, com uma «União para o cristianismo livre». E não tardou que, por todo o lado, as Igrejas cantonais se encontrassem duplicadas em «Igrejas livres», às quais depressa se juntaram outras ainda, fundadas por missões estrangeiras — pietistas alemães, batistas, metodistas —, e mais tarde pelos propagandistas das seitas. O «pluralismo» afirmava-se, pois, na Suíça de modo evidente, e a fundação de uma Federação das Igrejas oficiais não lhe trouxe remédio. A comunidade protestante admitia as Igrejas livres e não conformistas de toda a espécie, mas eram como que parentes pobres e não se beneficiavam das liberalidades de várias ordens reservadas pela tutela do Estado às Igrejas oficiais.

Isto quer dizer que o problema do vínculo entre a Igreja e o Estado se apresentava na Suíça tal como na Alemanha ou na Escandinávia. Os conservadores consideravam esse vínculo indispensável. Mas as ideias democráticas eram fortes nos cantões, e o sistema da Igreja-Estado foi sendo cada vez mais criticado. Já em 1848, em Genebra, Turrettini o declarava «diametralmente contrário ao espírito do protestantismo moderno», e pouco depois a Companhia dos Pastores, frequentemente chamada «o papa protestante», perdia o seu poder absoluto em benefício de um Consistório composto por vinte e cinco leigos e apenas seis pastores. Em 1873, foi dado um novo passo: proclamou-se a liberdade total de crença em todas as Igrejas protestantes, o Consistório deixou de poder intervir em matéria de fé e os pastores da Faculdade de Teologia passaram a ser nomeados pelo Conselho de Estado. Finalmente, formou-se em 1905 um partido que reclamou a separação da Igreja e do Estado: obtida em 1907, entrou em vigor dois anos mais tarde. Embora o Estado continuasse a reconhecer as Igrejas e a ajudá-las, já não interviria na vida eclesiástica e os pastores seriam eleitos pelos fiéis inscritos nos respectivos registros.

O que se passou em Genebra não teve influência em todos os outros cantões. Alguns deles, como o da cidade de Basileia, mantiveram o caráter oficial da religião reformada, mas concordaram em pagar um salário aos padres católicos, assim como aos pastores. Outros, como Berna, reforçaram a autoridade do Estado sobre a Igreja, a tal ponto que os poderes laicos tomaram partido nas querelas teológicas nascidas do barthismo. Outros ainda aderiram à Constituição de Zurique de 1869, que previa a liberdade dos cultos e a abstenção do Estado em matéria religiosa, mas também a sua intervenção financeira para custear o clero. Pode-se, pois, dizer que os cantões suíços mostram todas as formas possíveis de «desestabelecimento» da Igreja. Até se encontra lá uma «Igreja Livre da Costa das Fadas» (*Côte aux Fées*), fundada em 1848, de tendência pietista, que vive numa independência absoluta e é unicamente leiga.

O pluralismo manifesta-se de maneira impressionante na ordem propriamente religiosa. Desde há século e meio, conseguem-se encontrar no protestantismo suíço todas as opiniões teológicas e todas as atitudes espirituais, todas as aparências formais. O campo é bem largo: estende-se do pastor genebrino Eliseu Gasc, que, por volta de 1800, escandalizava a Faculdade de Montpellier negando a divindade de Cristo, ao pastor Alexandre Vinet, tão comovente nas suas fervorosas meditações sobre a Paixão; dos frios rigores huguenotes dos templos bernenses aos ofícios celebrados pelos jovens pastores romandos de *Igreja e Liturgia*.

O protestantismo liberal teve numerosos defensores nos cantões. Chegou até a seccionar certas Igrejas Livres em duas partes: uma liberal, outra ortodoxa. A reação teológica barthiana foi grande nessa terra natal do grande teólogo. Mas Emil Brunner e Oscar Cullmann exercem bastante influência. E o protestantismo social imprimiu uma forte marca de filantropismo no povo que teve entre os seus filhos um senhor chamado Henri Dunant, que fundou a Cruz Vermelha.

A falta de irradiação das Igrejas oficiais tem sido suprida por movimentos poderosos: em 1830, a Sociedade Evangélica, em 1871 a União Nacional Evangélica, em 1898 a Associação Cristã Evangélica. As seitas não cessam de progredir, e é conhecido o papel que teve a Suíça no desenvolvimento do Rearmamento Moral, que estabeleceu em Caux uma das suas sedes. A fé e a prática têm incontestavelmente declinado nas cidades; mas permanecem como antigamente nos campos, e a aproximação que se tem esboçado entre a Igreja de Estado e as Igrejas livres, em certos cantões como Vaud, só lhes pode ser favorável. No conjunto — e tendo em conta que é cada pastor quem decide sozinho o que há de ensinar —, o protestantismo suíço, bastante próximo do francês, parece orientar-se para um calvinismo razoável, ilustrado, que afasta da doutrina do Reformador as teses excessivas, guardando dela as bases dogmáticas[24], ao mesmo tempo muito evangélico e procurando ser abertamente humano[25].

Se da Suíça passarmos ao outro pequeno bastião do protestantismo ocidental, os Países Baixos, a situação não parece menos complexa. A divisão não tem, contudo, o caráter geográfico e administrativo que lhe confere a repartição em cantões na Confederação Helvética. Se é certo que os católicos são numerosos — 38% em 1958, como em 1789, depois de uma queda para 36% por volta de 1870 —, não se encontram estritamente localizados, mas distribuídos por todo o lado: mais numerosos no interior que na costa, no Sul e no Sudeste mais que no Norte e no Noroeste, e reforçados pelos belgas, de maioria católica, de 1815 a 1830. Mas é no próprio seio do protestantismo que têm ocorrido as divisões. A verdade é que a Holanda tinha sido, desde os inícios da Reforma, um dos pontos em que o luteranismo e o calvinismo se haviam defrontado, em que as correntes divergentes, como o anabatismo e depois o menonitismo, se haviam mostrado poderosas, em que violentas controvérsias tinham oposto gomaristas e arminianos, e em que a fermentação das ideias liberais, e dentro em pouco também das racionalistas, se mostrara mais viva. O terreno estava bem preparado para que, no decorrer do século XIX, se estabelecesse uma grande e confusa agitação, que provocaria muitas cisões e ofereceria às novas Igrejas e às seitas um fácil campo de ação.

No momento em que estalou a crise revolucionária na França, que iria mergulhar os Países Baixos em violentos golpes e contragolpes, existia aí, teoricamente, uma só Igreja oficialmente reconhecida: a «Igreja Reformada dos Países Baixos», regida pela Constituição que lhe dera o sínodo de Dordrecht, de 1618-19, e que, sendo, em princípio, sinodal e presbiteriana, estava, de fato, estreitamente vinculada às autoridades civis. Existia, porém, fora dela, um número bastante grande de comunidades de dimensões muito variáveis, que não lhe reconheciam autoridade. Entre essas, contavam-se as «Igrejas valonas», situadas no Sul, onde se falava francês e se praticava um calvinismo francês que se considerava mais puro que o de Haia.

A intervenção francesa nos Países Baixos, em 1795, seguida da instalação de um governo francês, primeiro republicano, depois monárquico, com Luís, irmão do imperador, trouxe consigo várias consequências para o protestantismo. A Igreja oficial achou-se por algum tempo livre da tutela do Estado, até que, em 1815, o rei (restaurado) Guilherme I a tomou de novo nas mãos, embora lhe respeitasse todos os antigos privilégios. As comunidades não oficiais aproveitaram a liberdade para expandir-se. As Igrejas valonas, por seu lado, depois de haverem esperado que a presença de um francês no trono lhes trouxesse um tratamento de favor, depressa se desiludiram, pois o rei Luís achou melhor agir como um bom neerlandês, a ponto de fazer seus os sentimentos de desconfiança que as Igrejas autóctones alimentavam contra elas: foi suprimido o sínodo dessas Igrejas (1810), e elas vieram a ficar, na realidade, submetidas à Igreja Reformada oficial. Ao mesmo tempo, ou seja, durante os vinte anos que durou a crise (1795-1815), entrou-se num período de agitação constante, em que se difundiam as ideias mais audaciosas, os consistórios tinham ar de clubes, e sociedades mais ou menos secretas, como a de *Christo sacrum*, prestavam ouvidos aos teólogos mais opostos.

Após a Restauração, sob o pulso amável da dinastia de Orange, a Igreja Reformada oficial retomou o curso dos seus destinos: Igreja tradicional, em cujos livros de registro estavam inscritos mais de metade dos crentes e à qual os soberanos se mostravam expressamente fiéis. A sua organização tornara-se realmente sinodal, embora, de fato, os poderes públicos continuassem a exercer algo mais que uma simples vigilância, visto que os pastores eram pagos por eles. Essa situação iria durar até 1848, ano em que foi estabelecida por uma lei a *separação entre a Igreja e o Estado*. Essa separação, aliás, nada tinha a ver com o que por tal se entenderá na França nos anos 1900, pois os pastores continuavam a ser pagos pelo Estado e os cultos a depender de uma administração ministerial. Ao menos, porém, a separação assegurava a liberdade das opiniões e das crenças. É certo que a Igreja oficial não esperara por essa lei para anunciar que a Confissão de fé não era obrigatória para ninguém, para lembrar que cada pastor era livre de pregar como lhe aprouvesse e para admitir no seu seio «tolerantes» de todas as convicções.

Esse estado de coisas era pouco favorável à verdadeira fé. Era-o, sim, ao supranaturalismo, ao racionalismo, ao moralismo, que substituíam pouco a pouco o autêntico cristianismo reformado. A isso se opuseram, pois, os crentes mais exigentes. Uma primeira contraofensiva foi lançada por pastores de Zelândia, que, em 1820, fundaram a «Igreja restaurada de Cristo». Depois, o grande movimento de «despertar» que então abalava todos os protestantismos atingiu os Países Baixos e revelou-se muito forte. Assumiu duas modalidades: a de um despertar «ortodoxo», com o judeu convertido Costa, autor do célebre poema «Guarda, como corre a noite?», e o pastor Molenaar; a outra, de tendências liberais, conduzida por professores, entre os quais Hofstede de Groot, que constituíram a «escola de Gröningen» e que, muito nacionalistas, afirmavam seguir Erasmo e a primeira reforma neerlandesa. As relações entre os partidários de um e outro «despertares» e os defensores da Igreja oficial azedaram-se em pouco tempo. Perseguidos, alguns «despertados» ortodoxos promoveram uma cisão. Os de Gröningen foram alvo de uma queixa dos «sete senhores de Haia», conhecidos ultraconservadores para quem o liberalismo religioso era precursor da revolução. Mas, rejeitada pelos tribunais, essa queixa só teve como resultado aumentar a força dos teólogos de Gröningen e difundir o seu evangelismo singelo, ativo, social, dedicado à ação apostólica, que iria marcar profundamente o protestantismo oficial neerlandês.

Uma quarta vaga do «despertar» não vinha longe, e tomou um cariz mais firme de reação dogmática, de neocalvinismo. Calvinistas convictos levantaram-se contra os liberais, contra os racionalistas e os laicizantes que, depois de terem proclamado (1852) que o Estado se iria desinteressar das coisas da Igreja, suprimiam o ensino religioso nas escolas e, não ousando fechar as faculdades de teologia, proibiam nelas o ensino da dogmática. Já tinha havido, por volta de 1830, a tentativa da «Igreja Cristã Reformada»; mas não ultrapassara quatro mil membros.

A verdadeira restauração calvinista foi obra de *Abraham Kuyper* (1837-1920), espírito aberto, de vasta cultura, não menos escritor que teólogo, homem político tanto como jornalista. Soube dar a um movimento teológico o apoio de um verdadeiro partido de pequenos burgueses e artesãos, de tradições solidamente calvinistas, conduzidos por alguns aristocratas e intelectuais hostis quer ao liberalismo religioso, quer ao liberalismo político. Comandado pelo seu veemente líder, o partido «contrarrevolucionário» ganhou importância. O seu triunfo mais espetacular foi a fundação da Universidade Livre de Amsterdã, que teve Kuyper como seu primeiro reitor, e em que todo o ensino era neocalvinista. Apesar da oposição da Igreja oficial, essa Universidade conseguiu o reconhecimento por parte do Estado dos graus que conferisse. Deu-se pouco depois a ruptura, e a *Gereformeerde Kerk* (por assim dizer «a Igreja re-reformada»), fundada em 1885, tornou-se totalmente independente. Passado pouco tempo, numerosas comunidades se juntaram a ela, para fundarem (1892) as «Igrejas Reformadas dos Países Baixos». Mesmo para além destas, a influência de Kuyper iria ser profunda em todas as formas do protestantismo neerlandês, pelo menos até a Segunda

Guerra Mundial; depois dela, surgiram novas tendências, assim como novos esforços de reagrupamento.

Tudo isto parece bem complicado, e bastante sintomático da grande lei de divisão que sempre e em toda a parte se encontra no protestantismo. Mas ainda temos de acrescentar que existem na Holanda numerosas comunidades de importância numérica muito variável e cujas convicções vão do pietismo mais sólido ao liberalismo filosófico extremo, ao racionalismo ou ao unitarismo, de resto mescladas com comunidades anabatistas, menonitas, batistas, que sobreviveram; sem esquecer as que vão das que foram criadas pelos propagandistas do metodismo e até do quakerismo, às do Exército da Salvação, muito poderosa, ou às derivadas dos antigos jansenistas franceses e dos «Velhos Católicos»[26] hostis à infalibilidade pontifícia; e sem esquecer ainda as das seitas recentes, que, todas elas, têm ramos holandeses: adventistas, pentecostalistas. De resto, o pluralismo religioso teve um resultado excelente: combinado com o liberalismo que os governos dos Países Baixos proclamavam há muito tempo, foi ele que levou o Estado a praticar, também em política, um pluralismo que oferece um alto exemplo de sabedoria e de equidade. Dele beneficiaram os católicos, tal como os outros[27]. Em 1920, foi aprovada uma lei escolar que distribuía as subvenções do Estado às escolas unicamente de acordo com a vontade das famílias. Nenhum país do mundo tem uma lei escolar tão justa. Mais recentemente, uma lei associou todas as grandes confissões à administração da Rádio estatal.

Não vamos concluir, porém, que o protestantismo se tenha tornado menos vigoroso no antigo bastião holandês. Se é bem manifesto que, como em toda a parte, a prática religiosa decaiu, pode-se afirmar que todos os grupos sociais têm em maior ou menor medida a marca do calvinismo. A gravidade da compostura, a notória austeridade (oh!, a lúgubre paz dos domingos holandeses!), o ar reservado, não são apanágio apenas dos protestantes da Igreja oficial nem das «Igrejas Reformadas»; mesmo os católicos, sobretudo no norte do país, adotaram um estilo semelhante, e os socialistas, quando entoam os seus hinos de militância nos comícios, parecem estar a cantar salmos. Mas esse protestantismo, por muito desconfiado que seja e muito decidido a defender os seus direitos, mostra-se também aberto ao mundo e generoso, pelo menos nos seus membros mais esclarecidos. Foi nele que nasceu um dos homens que o ecumenismo protestante reconhece por líder, o médico Visser't Hooft[28], e é nele que se observa, desde 1958, a maior compreensão para com os esforços católicos favoráveis a um ecumenismo autenticamente plenário.

A Inglaterra dos anglicanos e dos «dissenters»

Do outro lado do Mar do Norte e do Canal, as Ilhas Britânicas oferecem também um bom exemplo de um país onde a Reforma imprimiu indiscutivelmente a sua marca. Aí, porém, a complexidade inerente a tudo o que saiu da revolução do século XVI é agravada por dados específicos.

No reino de Sua Majestade, a situação religiosa no limiar da época contemporânea era determinada por três fatos, e cada um deles suscitava uma pergunta. A Igreja era uma Igreja «estabelecida», oficialmente Igreja de Estado, que tinha o Rei por chefe supremo, dotado até de direitos religiosos mais extensos que os dos príncipes alemães de outrora ou os dos soberanos escandinavos: poderia esse cesaropapismo durar para sempre? Por outro lado, essa Igreja oficial não albergava no seu redil a totalidade do rebanho cristão; os batizados pertenciam — pelo menos um terço — a outras confissões, que as autoridades do *establishment* tratavam com desdém ou mesmo hostilidade, e que o *Act of Test* afastava dos cargos públicos: os *dissenters* iriam aceitar por muito mais tempo semelhante destino? Finalmente, a doutrina da Igreja oficial, o anglicanismo, fixara nos séculos XVI e XVII uma espécie de compromisso entre as inovações protestantes e a tradição católica: em que medida o equilíbrio desses dois elementos seria estável?; não viria a ser posto em causa? A história da Inglaterra cristã, de 1789 aos nossos dias, mostra que esses três problemas se foram apresentando um após o outro.

Não é ceder à malícia das comparações fáceis afirmar que, no final do século XVIII, a Igreja anglicana se encontrava numa situação lamentável, bem pior que a da Igreja Católica na França. Se é certo que conservava nas suas fileiras o povo rural, salvo na Escócia e no País de Gales, onde era dissidente, a autoridade que exercia sobre os fiéis era apenas nominal e não impelia ninguém a uma fé viva. Era ainda a época dos robustos *clergymen* apaixonados pela caça à raposa, pela boa comida e bela cerveja, com que se divertiam os romancistas satíricos. O alto clero gozava de bons rendimentos: não era raro que um *bishop* dispusesse de quarenta mil libras por ano, ao passo que a maior parte dos quatro mil curas de paróquia não chegava a receber cinquenta. Essa Igreja anafada, firmemente ligada à ordem estabelecida — que lhe era tão proveitosa —, feroz adversária da reforma eleitoral reclamada pelo proletariado das cidades, inteiramente despreocupada dos problemas sociais, tão débil na teologia como nula no apostolado, perdera a bem dizer toda a capacidade de ação sobre as massas, invadidas por uma indiferença mais ou menos tingida de racionalismo.

Mas nem tudo era desesperante na velha Inglaterra cristã. Quer no seio da Igreja estabelecida, quer nas comunidades não conformistas, permanecia um fundo comum de religião: tinha por características dominantes a veneração pela Bíblia, a preocupação pela vida eterna e pela retribuição no Céu, a austeridade moral, o respeito escrupuloso pelo repouso dominical. Era até possível detectar alguns sinais de renovação. Um deles, o mais claro, aquele de que Wesley (falecido em 1791) acabava de dar testemunho ao fundar o metodismo[29], inscrevia-se no passivo da Igreja oficial, que dentro em pouco os metodistas abandonariam. Mas, precisamente a exemplo dos discípulos de Wesley, desenvolvera-se um movimento no próprio interior do *establishment*: o do *Evangelismo*[30]. Nascido na Universidade de Cambridge, com Isaac Milner e Charles Simeon — depois reforçado por John Venn, vigário de Clapham —, e tendo por animador Zacharias Macaulay, pai do grande historiador, exerceu uma real influência nas classes dirigentes pelo seu moralismo rígido e pela sua filantropia[31], ao mesmo tempo que os seus esforços por difundir a Bíblia e por constituir sociedades missionárias lhe conferiam uma considerável força de irradiação.

A Revolução Francesa tivera como resultado levar os ingleses a uma piedade que o historiador protestante Émile G. Léonard qualifica como «quase obsessiva». Para lutar contra os ímpios franceses, não era inútil buscar o apoio das forças sobrenaturais... Multiplicavam-se as apologias do cristianismo; distribuíam-se bíblias e saltérios aos milhares; nas grandes universidades, davam-se aos estudantes como tema de exame: «Prove experimentalmente que um Estado não pode viver sem religião». Era óbvio que a Sagrada Escritura fornecia a prova peremptória de que a França revolucionária era a encarnação de Satanás. Alguns emigrados, conquistados por esse clima, chegaram a passar para o protestantismo, como foi o caso do limusino Étienne de Grellet (1773-1855), que se fez *quaker* — foi o mesmo que escreveu os saborosíssimos relatos das quatro longas viagens que empreendeu depois pelo continente —, ou o do bretão *Pierre du Pontavice* (1770-1810) que, atingido pela iluminação interior durante uma reunião metodista, regressou à França logo que pôde e conseguiu ser admitido como pastor calvinista, sem no entanto deixar de fazer propaganda pelo método de Wesley. Terminada a crise, os britânicos estavam exaustos, mas cheios de satisfação pelo dever cumprido, e, no plano espiritual, preparados para viver a era de fermentação religiosa que o século XIX ia ser para eles.

Quanto aos evangélicos, que tinham trabalhado tanto durante os anos negros, tiraram partido da situação, e as suas obras tiveram um grande impulso: uma sociedade missionária da Igreja, obras para a evangelização dos judeus, obras para aliviar a sorte dos pobres, uma *Bible Society* fundada em 1804 e reorganizada em 1816, e ainda a obra de «ajuda pastoral às paróquias», muito avançada para o seu tempo. A esse movimento, *William Wilberforce* (1759-1833) deu o apoio daquela incomparável eloquência que lhe valeu o epíteto de «o Rouxinol dos Comuns»; e os eminentes juristas da «Seita de Clapham», o dos seus dotes organizativos. Até por volta de 1870, época em que o movimento deslizou para o conservadorismo e o integrismo, os *Evangelicals* tiveram nas mãos a *Church of England*. E foi análoga a influência que exerceram na Escócia, onde a Igreja oficial, presbiteriana como sabemos[32], não estava menos adormecida, e onde os irmãos Haldane e depois Thomas Chalmers (que reencontraremos daqui a pouco) fizeram o mesmo esforço que Macaulay e Wilbeforce.

Ao mesmo tempo, porém, produzia-se, fora das Igrejas oficiais, um *«despertar»*[33] análogo àqueles que se registravam na Suíça, na Alemanha, na França, nos Estados Unidos, e que, como em toda a parte, tinha um caráter mais emocional e popular. O seu campo de ação privilegiado foi o País de Gales, onde já no século XVIII se assistira a diversos *revivals*. Esse «despertar» teve um teórico: *Charles G. Finney* (1792-1875). Teve também os seus fanáticos, cuja ação levou, não apenas à dissidência, mas ainda à fundação de «novas Igrejas» ou de seitas mais ou menos heterodoxas: foi o caso de *Edward Irving*, o profeta apocalíptico, fundador da «Igreja católica apostólica»[34], e de *John Darby*[35], austero teórico da «apostasia da Igreja», cujos grupos sufocaram não só a Igreja anglicana como as comunidades não conformistas. Tudo isto traduzia um estado de espírito bem diferente daquele que se manifestara no século XVIII: um estado de espírito de autêntica renovação, que não deixa de ter semelhanças com o que se dava então no catolicismo francês, de Joseph de Maistre a Lamennais.

Mas os problemas de base continuavam de pé na Inglaterra, e a própria vitalidade espiritual de que davam mostras os dissidentes contribuía para tornar mais imperioso o seu desejo de novas relações entre eles e a Igreja estabelecida. Diversos incidentes mostraram para que lado pendia a opinião pública. Enquanto as comunidades de *dissenters* viviam quase todas muito pobremente, o voto parlamentar que, por duas vezes (1816-1824), aprovava enormes somas para a construção de igrejas anglicanas, claramente desnecessárias, provocou tempestades de protestos. Para indenizar os não conformistas afastados dos empregos públicos pelo *Act of Test*, foi preciso votar subvenções — uma generosidade de que os católicos foram excluídos. A hierarquia anglicana opunha-se a todas as disposições liberais. O que mais encolerizou os bispos foi a fundação pelos dissidentes de escolas livres e, em seguida, de uma universidade «laica», que não era da *Church of England* como as de Oxford e Cambridge. Em 1828, os metodistas foram expulsos da Comunhão Anglicana.

Porém, o movimento de libertação estava lançado, e os dissidentes protestantes recebiam o apoio vigoroso de aliados inesperados, mas sólidos: os católicos, em especial os da Irlanda. Sabemos já[36] que, dirigidos por *Daniel O'Connell*, os irlandeses desenvolveram por todos os meios uma ação incessante para acabar com as leis que os reduziam à condição de párias na sua própria terra. Em 1829, Wellington, o vencedor de Waterloo, e o seu ministro do Interior, Robert Pell, prepararam, em três etapas sucessivas, a votação da lei que abolia o *Act of Test*. De acordo com a proposta de Lord John Russell, uma simples declaração substituiria o juramento até então prestado sobre uma bíblia anglicana por quem quer que pretendesse um cargo público. A partir de 1833, dissidentes, judeus e católicos puderam ser deputados tanto como os anglicanos.

Apesar de tudo, a situação não se clarificou. Os dissidentes tinham tomado consciência da sua força. Olhavam com olhos cada vez mais severos a Igreja estabelecida, as suas riquezas, o seu estéril conservadorismo. Ora, eles provinham dos elementos mais ativos e mais ricos da nação — burgueses comerciantes e industriais —, e a sua influência só podia crescer. E desencadeou-se uma tremenda campanha contra o *establishment*, tão forte que o historiador anglicano Kilson Clark pôde falar de «um jato de vapor escaldante saindo de uma caldeira». Foram aparecendo artigos, folhetos, «livros negros» que denunciavam essa «espantosa negociata de dinheiro adornada com o nome de cristandade»[37]. Na Igreja anglicana, reinava a inquietação. O célebre educador Thomas Arnold (pai do grande ensaísta Matthew Arnold) exprimia-a nestes termos: «Na sua situação atual, a Igreja não pode ser salva por nenhuma potência humana». E pouco depois publicava os *Princípios de uma Reforma da Igreja*, em que, partindo da certeza de que a existência de uma Igreja nacional era uma bênção para o justo, propunha «constituir uma Igreja verdadeiramente nacional, verdadeiramente unida, verdadeiramente cristã, que admita nela todos aqueles que possuem uma fé comum, se entregam ao mesmo Salvador, creem num mesmo Deus». Mas essa ideia, tão generosa como utópica, foi rejeitada com igual desdém pelos anglicanos e pelos não conformistas.

Não era assim que ficava resolvida a questão do *establishment*; até se pode dizer que a abolição do *Act of Test* vinha complicá-la mais, já que os parlamentares dissidentes, bem como católicos e judeus, podiam intervir nas causas da Igreja anglicana que tivessem de passar pela Câmara dos Comuns. E rebentaram algumas crises. O primeiro aviso veio da Escócia, pela voz de *Thomas Chalmers* (1780-1847), um dos promotores da renovação no seu país, grande inteligência e belo caráter ao serviço dos ideais morais e sociais mais generosos. Ministro da Igreja estabelecida da Escócia, ou seja, da Igreja presbiteriana[38], Chalmers declarou-se por muito tempo partidário decidido do *establishment*; mas quando, homem de fé exigente como era, suspeitou que a Igreja oficial estava minada pelo racionalismo, quando entendeu que os métodos por ela preconizados para resolver a questão social eram inconciliáveis com os princípios cristãos, deu um corte radical e provocou a *disruption* em nome dos «direitos da coroa de Nosso Senhor Jesus Cristo». Seguido por 474 pastores, fundou uma *Igreja Livre da Escócia* (1843), da qual fez o eixo de uma «Aliança Evangélica» que tentou agrupar todas as Igrejas protestantes «livres». O choque produzido por essa cisão foi considerável. O primeiro-ministro Gladstone, que, em 1838, no seu livro *O Estado nas suas relações com a Igreja*, defendia ardentemente o absolutismo anglicano, proclamava-se poucos anos mais tarde partidário do des-*establishment*, que ia trabalhar por pôr em prática na Escócia e no País de Gales.

O ponto mais espinhoso situou-se na Irlanda. Nesse país, o regime parecia bem absurdo e odioso. A Igreja anglicana não contava mais de 12% da população da ilha, mas os seus vinte e dois arcebispos e bispos recebiam dos católicos para cima de cento e cinquenta mil libras de renda! Em 1861, o des-*stablishment* acabou com essa situação absurda.

Só a velha *Church of England* permanecia fiel ao regime do *establishment*. No entanto, mesmo ela se debatia com o problema e empreendeu alguns esforços para diminuir a pressão do Estado. A partir de 1852, conseguiu que as *Convocations* — assembleias do clero previstas desde a época dos trinta e nove Artigos, mas caídas em desuso — voltassem a ser convocadas. Em diversas ocasiões, os bispos protestaram contra as nomeações para as paróquias de pastores doutrinariamente suspeitos, como também protestaram contra a substituição do *Court of Delegation*, tribunal canônico, pela secção judiciária do Conselho privado, órgão laico no qual o soberano delegava os seus poderes.

Mas vários incidentes mostraram até que ponto era forte a vontade do Estado de manter a sua autoridade em matéria religiosa: foi a questão Gorham, em que um candidato a uma paróquia, a quem fora recusado o visto canônico porque negava a regeneração pelo batismo, acabou por ganhar no Conselho privado; e a questão Colenso, em que o mesmo Conselho deu razão a um bispo sul-africano que fora excomungado pelo respectivo arcebispo[39]. Em contrapartida, esse mesmo organismo declarava-se perfeitamente competente para condenar um ministro anglicano que se ajoelhara durante a Consagração e acendera duas velas no altar...

Praticamente, será apenas nos finais do século XIX que há de prevalecer a tendência de deixar a Igreja decidir em questões de fé e de julgar, ao menos em primeira instância, os delitos comuns em matéria de culto. Ao mesmo tempo, o princípio do Estado confessional, sempre reafirmado, cedeu nas suas aplicações: por exemplo, suprimiu-se a contribuição da Igreja anglicana para aqueles que não lhe pertenciam; aboliram-se as regras tradicionais que reservavam aos anglicanos os cargos universitários. Deu-se, pois, uma certa evolução. Mas entre as duas Guerras, os violentos debates acerca da revisão do *Prayer Book*[40] continuariam a mostrar como eram graves os inconvenientes do regime do *establishment*, e como era grande o apego que lhe tinha a maior parte do povo inglês.

A esses debates acerca do des-*establishment*, somaram-se aqueles que se travaram no campo mais precisamente religioso. Por meados do século XIX, deu-se uma nova fermentação espiritual, que se prolongaria até finais do século e mesmo até os começos do seguinte. Essa fermentação abrangeu tanto o anglicanismo como as Igrejas não conformistas — e também o catolicismo, que dela tirou partido. Como reação contra os manifestos progressos do racionalismo científico, e igualmente contra a descristianização do proletariado, levaram-se a cabo numerosas iniciativas que, embora divergentes, contribuíram, no fim de contas, para dar mais vitalidade às Igrejas.

No seio do anglicanismo oficial, o bispo *Samuel Wilberforce* (1805-73) empreendeu um imenso trabalho com o propósito de remodelar o episcopado e o clero em geral, levando-os a uma piedade maior e a um zelo pastoral mais ativo. Organizaram-se missões paroquiais. À imitação dos metodistas, percorreram-se cidades e campos. Reavivou-se a teologia, com o estudo da História Sagrada e da história antiga do cristianismo, campo em que se distinguiu Joseph Barber Lightfoot; o próprio texto da Bíblia foi revisto em quinze anos (a nova tradução surgiu em 1884). A música e a arquitetura religiosas passaram por uma renovação. As missões em terras pagãs tiveram um grande impulso. E iniciou-se uma reforma monástica que foi buscar regras e costumes às mais antigas tradições. Foi também então que se impôs uma corrente social, análoga às que se viam em outros setores do protestantismo, uma corrente de que participaram homens de tendências e crenças bem diversas[41]. E foi ainda a hora em que se expandiu com uma rapidez assombrosa um movimento destinado a ultrapassar dentro em pouco os limites de todas as Igrejas: o da Associação Cristã de Moços, YMCA, fundada por Georges Williams[42].

Essa fermentação teve duas manifestações que iriam marcar o anglicanismo. Uma delas foi obra de *Frederick Denison Maurice* (1805-72), personagem estranha, que alguns contemporâneos consideravam «espírito fantasista e confuso, cujos escritos não tinham nada que valesse a pena ler», mas outros admiravam pelo seu pensamento, «tão vasto em tantos domínios que é impossível resumir». Julgava ele que, no anglicanismo, entre a tendência «Alta Igreja» tradicional, muito episcopaliana, muito estabelecida, e a tendência «Baixa Igreja», muito protestante e popular, havia espaço para uma terceira, mais intelectual, que permitiria à Igreja adaptar-se à evolução das ideias e integrar as achegas do mundo moderno. Desse modo, Maurice fazia lembrar o Lamennais das *Palavras de um crente* e anunciava o modernismo. As suas teses eram tão liberais que confinavam com o latitudinarismo, o que levou a Universidade de Londres a demiti-lo. Mas a «Igreja Larga» (*Broad Church*) conservou partidários, e as ideias de Maurice, mais ou menos tingidas de socialismo cristão pelo seu amigo Charles Kingsley, exerceram alguma influência, por exemplo na Associação dos Industriais Cristãos[43].

A outra expressão desse clima de inquietação e busca espiritual que a Inglaterra oitocentista conheceu é o célebre *Movimento de Oxford*, que, como é sabido, pertence também à história do catolicismo[44], ao qual vários dos seus iniciadores se converteram. Lançado, já em 1833, pelo retumbante sermão de John Keble sobre «a apostasia nacional», como uma espécie de «despertar» no seio da Igreja oficial, e apresentado ao público pelos *Tracts for the times* («Folhetos para o tempo»), o movimento «tractariano» exerceu em pouco tempo uma grande influência no jovem clero inglês. Um homem de gênio, que era também um santo, *John Henry Newman* (1801-90), deu-lhe um ar tão novo e um impulso tão grande, que todo o *establishment* se sentiu abalado. Para renovar a Igreja anglicana, os tractarianos queriam retornar à tradição, situar-se antes da Reforma, próximo dos Padres da Igreja e dos antigos autores espirituais, e eram assim levados a reatar com usos e até dogmas do catolicismo. Enquanto Newman e alguns outros iam até ao fim na lógica da evolução e regressavam ao seio da Igreja Católica Romana, outros pensaram que se devia ficar na *via media* e continuar a agir dentro do anglicanismo. Tal foi a atitude de *Edward Bouverie Pusey* (1800-82), cônego da Christ Church, eminente professor de hebraico, em torno do qual se agruparam aqueles que vieram a ser designados por «ritualistas»[45]. O retorno às fontes e a fidelidade às antigas tradições, que eles ensinavam, exerceram tão profunda influência na Alta Igreja, na sua liturgia, e mesmo em certos elementos da doutrina, que se criou o hábito de falar de um *anglo-catolicismo*. Evolução, de resto, que não deixou de provocar reações bastante vivas nos meios da Baixa Igreja, em que se multiplicaram as denúncias do alto do púlpito, as manifestações aos gritos de *«No popery!»*, as cartas aos jornais. Abriram-se processos contra membros do clero demasiado «ritualista» no entender das autoridades, e houve condenações, pronunciadas até mesmo pelo Conselho secreto. No final do século, a comoção provocada em todo o anglicanismo pela campanha conduzida por Lord Halifax, em favor da «reunião em corpo» com Roma, iria mostrar a força que continuava a ter o sentimento anglicano[46].

Não foi menor a animação religiosa entre os dissidentes. Desde que se decretara a liberdade (em 1829), não tinham cessado de progredir. Multiplicavam escolas, quer presbiterianas, quer metodistas, conseguindo até que o Estado as subsidiasse. Ocupavam em grande número as cátedras universitárias. O *Westminster College*, seminário dos futuros pastores presbiterianos, dava exemplo de dignidade moral e de formação teológica séria. Todas as Igrejas não conformistas rivalizavam entre si e com a *Church of England* no empenho por fundar missões na Ásia e na África.

Em toda a segunda metade do século, o não conformismo teve pregadores de grande talento: o congregacionalista R. W. Dale, de Birmingham, o apóstolo do sacerdócio dos leigos que tinha no seu oratório São Gregório Magno e São Tomás de Aquino ao lado de Lutero, Calvino e Wiclef; *Charles Haddon Spurgeon* (1834-92), filho e neto de pastores batistas, cujo magnetismo e singela eloquência, ágil em boas saídas[47], chegava a reunir multidões de mais de dez mil almas; James Martineau, descendente de um huguenote francês, unitarista místico, professor cuja irradiação foi comparada à de Newman. A fundação do Exército da Salvação, por William Booth[48], vindo do metodismo, é também um claro símbolo dessa animação espiritual que contrasta tão vivamente com os progressos, não menos certos, da indiferença. Ainda nos começos do século XX encontramos sinais disso no novo «despertar» que deu origem no País de Gales aos movimentos de Pentecostes[49]; ou na criação, por William Ward, sob a influência de pastor congregacionalista Blackham, das «Fraternidades» (*Brotherhoods*), simultaneamente círculos de estudos religiosos e organismos de socorros mútuos; ou na atividade de Franck Buchman, luterano norte-americano instalado em Oxford e cujos famosos Grupos iriam dar origem ao Rearmamento Moral[50].

Nas vésperas da Primeira Guerra Mundial, a situação religiosa da Inglaterra mostrava-se, em conjunto, bem melhor que cem anos antes. É verdade que as estatísticas podiam revelar uma queda de frequência na Igreja anglicana, e que os moralistas diriam que, desde o reinado de Eduardo VII, se dera um relaxamento da vida moral, até na Corte! No conjunto, porém, o espírito religioso subsistia, impregnando ainda os costumes, e a descrença agressiva, à maneira ocidental, continuava a ser exceção. A Igreja anglicana continuava a ter o maior número de fiéis, embora estes tivessem diminuído em benefício dos não conformistas e das novas Igrejas e seitas.

O conjunto dos dissidentes representava cerca de 45% dos batizados. De resto, os termos «não conformista» ou dissidente tinham lentamente saído dos usos: falava-se, de preferência, em «Igrejas evangélicas livres». Era sob esse título que, desde 1892, presbiterianos, metodistas, batistas e congregacionalistas constituíam um «Conselho Nacional», enquanto não formavam, como sucederia em 1940, o *Free Church Federal Council*.

Além desses agrupamentos, havia ainda jovens formações — especialmente pentecostais e adventistas — cujo vigor arranhava todas as antigas Igrejas. E, como é óbvio, havia os católicos, que se tinham reforçado numericamente pelo afluxo de imigrantes irlandeses a partir de 1847, o ano da doença da batata e da fome na Ilha. O prestígio dos católicos crescera com as conversões de algumas grandes figuras do Movimento de Oxford. E a instalação da sua catedral londrina em Westminster, perto dos túmulos dos Reis, dir-se-ia um insolente desafio à Igreja nacional.

Foi justamente o que se pode chamar a «questão católica» que se impôs no interior do anglicanismo: quer dizer, a questão do equilíbrio entre as duas correntes, a católica e a protestante. Depois da Primeira Guerra Mundial, a tendência «anglo-católica» continuou a ganhar terreno. O espírito protestante do anglicanismo subsistia, mas o culto assumia uma feição cada vez menos protestante. E os contatos de numerosos combatentes britânicos com os católicos do continente contribuíram para acelerar o movimento. Alguns teólogos foram mais longe: voltaram a falar de transubstanciação, e houve celebrantes que adotaram o hábito católico de «reservar o sacramento», para, por exemplo, levar a Eucaristia a um doente. Ora, o *Prayer Book* de 1662, base do culto anglicano, condena expressamente a transubstanciação e por isso mesmo proíbe a reserva e transporte da Hóstia. Eram, pois, ilegais esses novos usos?

Em 1927, foi apresentado um projeto de reforma do *Prayer Book*, destinado a acolher algumas das inovações anglo-católicas. As *Convocations* aprovaram o novo texto por grande maioria, como também o fez a Câmara dos Lordes. Mas o bispo Barnes, de Manchester, lançou uma terrível campanha contra, e, nos Comuns, o texto revisto foi rejeitado por 217 votos contra 205. Escrutínio que só por si provava bem até que ponto o sistema do *establishment* estava desadaptado, desde que tinham passado a ser admitidos no Parlamento os não anglicanos (dos 217 opositores, 65 eram não conformistas, alguns judeus, alguns agnósticos; os católicos abstiveram-se prudentemente). O primaz de Canterbury, Randall Davidson, remodelou o texto, atenuando o anglo-catolicismo, e, em 1928, o projeto voltou a ser apresentado. A Assembleia da Igreja, criada em 1919 e onde havia leigos e padres, aceitou-o por 396 votos contra 152. Nos Comuns, porém, foi novamente rejeitado, desta vez por 226 votos, já que houve anglo-católicos e mesmo quatro católicos que votaram contra por não o acharem suficientemente romano.

Ficou-se, portanto, com o *Prayer Book* de 1662, ou seja, manteve-se a rejeição de muitas opiniões e práticas anglo-católicas. O que em nada impediu os anglo-católicos de perseverarem no mesmo sentido, nem mesmo alguns bispos de recomendarem aos diocesanos o uso do *Prayer Book* reformado e rejeitado... A Igreja episcopaliana da Escócia fez mais: ignorou a decisão do Parlamento e adotou o novo texto. A confusão foi grande, mas nada lhe pôs fim oficialmente, embora tenha sido tacitamente admitido um *modus vivendi* que permitia a todas as tendências exprimirem-se pela palavra e pelo culto.

Apesar dos aspectos catolicizantes cada vez mais fortes que se observam nas cerimônias do culto[51], seria errado julgar que a Igreja anglicana perdeu o essencial do seu caráter «protestante», e, em especial, que a sua oposição a Roma passou a ser menos categórica: até este momento, nada parece tê-la reduzido. O fracasso das conversações de Malines[52], em que, de 1921 a 1926, Lord Halifax tentou, com o cardeal Mercier, restabelecer o contato com Roma, foi mais uma prova disso. Por essa ocasião, viu-se voltarem a entrar vigorosamente em cena todos os agrupamentos, ligas e associações em defesa da «herança protestante» contra as tentativas de catolicização; tinham à sua testa a *Protestant Alliance* (fundada em 1845 pelo conde de Shaftesbury), grande provedora de histórias sombrias sobre os jesuítas ou sobre as riquezas do Vaticano.

Assim, a Igreja anglicana permanece «estabelecida» na Inglaterra, hoje como no passado, apesar dos projetos de des-*stablishment* que reaparecem de tempos a tempos (veja-se, por exemplo, aquele que o futuro arcebispo William Temple lançou em 1917), e que até agora só deram resultado no País de Gales, onde a Igreja está totalmente separada do Estado desde 1920. Só se pode dizer que, com a criação da *Church Assembly*, a Igreja oficial dá mais atenção aos pareceres dos seus fiéis leigos, o que, em certa medida, contrabalança a ação do Estado. E que, com a constituição da «Comunhão Anglicana»[53] — que, sob a presidência do arcebispo de Canterbury, agrupa todas as Igrejas de todo o mundo que têm por base da sua fé os trinta e nove Artigos e o *Prayer Book* —, e com as reuniões que todos os bispos dessa Comunhão têm regularmente, desde 1867, no palácio londrino de Lambeth, o anglicanismo assumiu um caráter mais elevado que o de uma confissão nacional. Não se esqueça, porém, que, debaixo dessa bela união aparente, mal se consegue ocultar o desacordo quanto aos princípios, alimentado pela independência do temperamento britânico, pelo zelo com que se defende o «livre exame» herdado da Reforma, e talvez também por um certo gosto pela controvérsia teológica: o *Corpus* que foi publicado em 1917, depois de quinze anos de esforços, e por meio do qual o alto clero pretendia definir a sua doutrina, mostrou claramente que, em última instância, cada qual é inteiramente livre de crer no que lhe apraz...

Depois da Segunda Guerra Mundial, a Inglaterra não tem apresentado características muito diversas das que tinha nos anos anteriores. A Igreja estabelecida continua a ser a mais numerosa, ainda que certos observadores pretendam que é ultrapassada pelo conjunto das «Igrejas livres» e das seitas. Mantém com as Igrejas livres relações bem melhores, e até tem empreendido, em combinação com elas, certos esforços de evangelização. Em 1950, reuniram-se em congresso os representantes de todas as grandes Igrejas, e foi publicado um relatório comum sobre as «relações entre as Igrejas na Inglaterra». Em 1952, foi decidido, em princípio, abrir discussões com a Igreja presbiteriana da Escócia, nas quais tomaria parte da Igreja episcopaliana (anglicana) da Escócia. E a interessante experiência da Igreja da Índia do Sul[54], em que foi possível estabelecer a colaboração entre a Igreja anglicana e as Igrejas livres, mostra certamente uma das vias possíveis que se abrem à Inglaterra cristã no futuro.

Quanto ao mais, encontram-se nela os mesmos sintomas que em muitas formações cristãs da nossa época, a começar pela Igreja Católica: atenção mais viva aos grandes problemas do apostolado; esforço por encontrar fórmulas pastorais que correspondam às exigências do tempo (há algumas tentativas de missões operárias, quer no anglicanismo, quer nas Igrejas livres); tendência para a renovação litúrgica, mesmo entre os antigos dissidentes menos entusiasmados com os encantos do «ritualismo»; desenvolvimento no anglicanismo da prática sacramental, tão claro que se pôde falar de um «renascimento da Sagrada Comunhão» e — o que mais surpreende — do regresso à confissão auricular, como se observa em cerca de 60% das Igrejas. Em 1957, o grande quotidiano *News Chronicle* intitulava desta maneira uma série de artigos em que dava os resultados de um longo e minucioso inquérito sobre a fé dos britânicos: «Pagã, a Inglaterra? Que absurdo!» Mesmo que se tenham em conta os respeitos humanos bem conhecidos da raça, essa declaração peremptória não parece inadequada.

Protestantes da França

De todas as comunidades protestantes situadas em países de predomínio católico, a da França é com toda a certeza a mais original, a mais viva, a mais interessante. Não chega a representar 2% da população. É em geral mal conhecida do resto dos franceses, superficialmente julgada, considerada mais ou menos — por alguns — como elemento estrangeiro. Os seus próprios membros experimentam uma forte impressão de estarem à parte, de viverem numa sociedade que, mesmo quando se proclama descrente, conserva muito dos hábitos católicos estranhos à tradição deles. Sentem que pensam de maneira diferente da maioria dos seus compatriotas, e, em contrapartida, julgam-se espiritualmente mais próximos de estrangeiros como os suíços, os alemães, os norte-americanos. É uma diferença que se nota tanto nos costumes como na vida social e política, e que leva a constituir aquilo que André Siegfried, mestre eminente neste tipo de análises, denominava, *cum grano salis*, «uma espécie fisiológica». Mas é precisamente por ter essa plena consciência que a minoria protestante da França tem podido sobreviver e afirmar-se com uma força tão evidente.

A sua história — quem o ignora? — foi por muito tempo a de um clã de perseguidos, e esse fato marcou também, profundamente, a sua psicologia. Desde a revogação do Edito de Nantes por Luís XIV, em 1685, e durante um século, qualquer francês filho da Reforma teve de se considerar um fora-da-lei, ora tolerado, ora perseguido, sempre posto à margem da nação. A violência oficial abateu-se sobre ele em dois períodos: de 1685 a 1715, sob o Rei-Sol, e depois, de 1745 a 1760, numa segunda provação menos conhecida[55], desencadeada por uma reação das autoridades católicas contra a rápida expansão do protestantismo. A partir de 1752 e da proibição das Assembleias do Deserto, o clima de hostilidade agravou-se com as dificuldades da Guerra dos Sete Anos, que tornaram a agitação mais perigosa para o governo: só a prudência de alguns grandes pastores, como *Paul Rabaut* (1718-94), e de alguns administradores reais, como o marechal Mirepoix, impediu que se acabasse totalmente numa revolta geral.

Foi a perseguição que explicou a distribuição do protestantismo tal como se observava nas vésperas da Revolução e como persistiu até perto de 1900, localizando cinco sextos dos filhos da Reforma numa quarta parte do território francês, numa faixa que percorre o país dos Pireneus aos Alpes, concentrando-se sobretudo ao sul do

Maciço Central e incluindo duas pontas-de-lança: para a Alsácia, por um lado, e para as Charentes pelo outro. Foi também a perseguição que determinou, em boa parte, a atitude política dos protestantes, a sua desconfiança para com os regimes autoritários, a sua inclinação pelas ideias ditas liberais, de que a Revolução Francesa se prevaleceu, o seu gosto por todas as formas de resistência às pressões do poder — o que, bem se vê, os distingue dos seus correligionários da Alemanha, da Escandinávia ou da Inglaterra, tão ligados ao Estado. No que tem de mais forte e de mais nobre, o protestantismo francês é uma religião de perseguidos, de mártires por amor de uma fé.

Quando rebentou a Revolução, havia uns trinta anos que cessara a perseguição, e os protestantes já não tinham razões formais para se sentirem *outlaws*. As mentes tendiam para a tolerância. As mulheres huguenotes encerradas na célebre «torre de Constança» tinham sido libertadas pelo príncipe de Beauvau em 1763, e os protestantes condenados a trabalhos forçados e às galés, em 1775. O culto, pouco a pouco, fora-se tornando livre. Como renovação do «deserto» do século XVII, um «segundo deserto» atraía os fiéis. Turgot e depois Malesherbes tinham mostrado a necessidade de resolver por completo a questão protestante. Por fim, fora assinado em novembro de 1788 e promulgado em 1788 um edito de Luís XVI que reconhecia aos não católicos um estado civil legal, independente dos registros do clero.

Os protestantes acolheram a Revolução com o mesmo favor que os outros franceses. Dela esperavam um estatuto definitivo e uma promoção social. Muitos militaram nas formações revolucionárias, e um deles, *Rabaut Saint-Étienne*, pôde mesmo escrever ao pai, Paul Rabaut: «O presidente da Assembleia Constituinte lança-se aos seus pés». A Declaração dos Direitos consagrou o princípio da liberdade de opinião, e a Constituição de 1791 reconheceu a qualquer homem o direito de praticar o culto que preferisse. Mas não tardou que as coisas andassem para trás. Em diversas províncias, deram-se incidentes sangrentos, ou porque os protestantes queriam vingar-se dos seus antigos perseguidores, ou porque os católicos reagiam contra a volta de outros cultos. Logo na primavera de 1790, rebentou uma breve guerra de religião que atingiu as regiões de Montauban, Bordeaux e Nîmes. Em seguida, a questão da Constituição Civil do Clero e a dos Bens Nacionais tornaram a esquentar os ânimos. Em Nîmes, houve motins que causaram cento e trinta e quatro mortos. À medida que a Revolução evoluía para a rigidez e a irreligião, os protestantes iam-se sentindo pouco à vontade. Eram gente provinciana, e pensavam mais como «girondinos» e «federalistas» do que como «montanheses». As leis de laicização, tais como a instauração do calendário revolucionário e o confisco dos bens religiosos, não os escandalizaram menos que aos católicos.

Deve-se dizer, porém, que, no conjunto, os protestantes não opuseram à ofensiva anticristã uma resistência verdadeiramente forte. Por toda a parte, fecharam-se templos, demitiram-se pastores. Em Gard, 51 em 75 votaram pela suspensão do culto e as alfaias litúrgicas foram entregues às autoridades. Houve até pastores, como Rame e Vauver, que se prostraram diante da deusa Razão, enquanto outros, como Marron, versejavam em honra dos piores tiranos. O ex-pastor Jean Bon Saint-André fez parte da Montanha e votou a favor da morte do rei. E na ponta extrema da violência surgiu o protestante Marat — que, aliás, seria assassinado por Charlotte Corday, de origem protestante. Houve exceções: muitos pastores emigraram; outros foram presos por terem protestado contra os atos irreligiosos, como o velho Rabaut, que morreu em consequência dos maus-tratos na prisão, ou o famoso Oberlin, o apóstolo do Ban de la

Roche[56]. Alguns chegaram mesmo a ter a generosidade de esconder padres católicos refratários, ou a coragem de celebrar cultos clandestinos; e uns dez foram decapitados. No conjunto, porém, o que Napoleão veio a encontrar foi um protestantismo átono e desconcertado.

Quando dos seus conflitos com o Papado, o imperador declararia várias vezes que lamentava que a França ou mesmo o mundo inteiro não fossem protestantes. Na verdade, porém, recusou-se a seguir os conselheiros de Estado huguenotes que, durante o Consulado, o incitavam a arvorar «a bandeira protestante». Não desejava — dizia — «reativar a fúria das Guerras de Religião». Mas, quando quis integrar as Igrejas no seu sistema autoritário, não se esqueceu dos protestantes. Os *Artigos Orgânicos*, editados a 8 de abril de 1802, foram aplicados às duas confissões, a reformada e a luterana. Ambas eram oficialmente reconhecidas, mas postas sob tutela. Pagos pelo Estado, os pastores passavam a ser funcionários com um lugar de destaque na vida cívica. Foram bastantes os que receberam a cruz da Legião de Honra logo que essa ordem foi criada. Reconstituídas, a Academia de Genebra e a Faculdade de Teologia de Estrasburgo tornaram-se estatais, e em 1809 foi aberta a Faculdade de Teologia de Montauban. Aparentemente, eram decisões favoráveis à causa protestante. O regime concordatário proporcionava às Igrejas paz e garantia de futuro; e, com efeito, abriram-se templos e seminários.

O único ponto negro, na aparência, foi a organização imposta pelo Império, que exigia seis mil fiéis para formar uma circunscrição capaz de eleger um consistório. Ora, esse requisito — exceto para as quatro grandes cidades de Nîmes, Bordeaux, La Rochelle e Paris — contrariava a concepção fundamental do protestantismo, em que a Igreja local é a base de todo o sistema religioso. Para mais, não se restabelecia o sínodo. E havia algo mais grave: como foi tão claramente observado pelo teólogo francês Louis Dallière[57], a Igreja concordatária era, afinal de contas, diametralmente oposta a essa Igreja perseguida na qual os melhores dos protestantes reconheciam a sua verdadeira mãe. Não se iria introduzir assim «uma grande ruptura» nas tradições da Reforma francesa? Não se iria assistir à instalação de um protestantismo de governo, de um protestantismo aburguesado, mais ou menos conquistado pelo liberalismo e pelo racionalismo? Nos quadros da alta Administração e nos negócios internacionais, efetivamente, o Império teve protestantes notáveis: Boissy d'Anglas, Rabaut-Dupuis, Arnal de Jaucourt. Em todas as províncias, no Ban de La Roche, em Nîmes, em Montauban, entre os camponeses das Cévennes ou na Faculdade de Montpellier, houve pastores zelosos que resistiram com todas as forças a essa tendência, que eles pressentiam ser perigosa.

O protestantismo saiu muito habilmente do parêntese revolucionário e imperial. A Restauração, que, como sabemos, foi fortemente marcada por uma reação católica intransigente, poderia ter-lhe sido fatal. Pelo contrário, foi-lhe favorável. Luís XVIII nada tinha de fanático e não esquecia que devia a coroa à Inglaterra e à Prússia. Reformados como Jaucourt, Boissy d'Anglas, Chabaud-Latour foram logo associados ao regime, e também o jovem *François Guizot* (1787-1874), filho de uma vítima huguenote do Terror, que então começou a sua brilhante carreira, ocupando o secretariado-geral do ministério do Interior. A Carta garantia a liberdade de consciência e de culto, e foi mantido o sistema dos Artigos Orgânicos. Aqui e além, no Sul, em Aveyron, em Hérault e no Gard, o Terror Branco provocou bastantes reações católicas, que deixaram como saldo uma centena de vítimas e uns dez templos incendiados. Tais violências não tardaram a ser acalmadas. Guizot e o pastor Paul Marron, que se retratou dos seus versos em honra dos tiranos, trabalharam pela pacificação dos espíritos. Mesmo sob Carlos X, a situação não se deteriorou: nem a propaganda oficial nem as manobras da Congregação puseram em risco a posição dos protestantes, embora tivessem de sofrer algum vexame, à passagem de uma procissão ou por ocasião de uma missão de grande aparato; mas isso não impediu que sete huguenotes tomassem assento na Câmara dos Pares nem que Guizot e o ilustre sábio Georges Cuvier ocupassem cargos de importância no governo. O velho Oberlin recebeu do rei a cruz da Ordem de Lis e a da Legião de Honra, e o pastor Samuel Vincent pôde prestar pública homenagem à lealdade do soberano.

Nem por isso a grande maioria dos protestantes deixou de seguir o movimento geral da opinião francesa quando a revolução de 1830 derrubou a monarquia legitimista. É certo que Luís Filipe beneficiava de um preconceito muito favorável no meio dos reformados: durante o exílio, tinha tido frequentes encontros com luteranos e um dos seus familiares era o calvinista Chabot-Jarnac. Guizot, Cuvier e Benjamin Constant aderiram imediatamente ao regime orléanista. A satisfação cresceu com três casamentos protestantes da família real: o da princesa Luísa com o luterano Leopoldo I de Saxen-Koburg-Saalefeld; o do duque de Orléans, príncipe herdeiro, com Helena de Mecklemburg-Schwerin; e o da princesa Maria com o duque de Württemberg.

A monarquia burguesa foi, pois, também ela, um período próspero para os protestantes. E deu definitivas possibilidades à alta burguesia. Foi então que começou a constituir-se aquilo que, um pouco depois, se chamaria a HSP, *Haute Societé Protestante* [«Alta Sociedade Protestante»], composta por altos funcionários, universitários e intelectuais de renome, e também por advogados, banqueiros, homens de negócios. Os Delessert, os Vernes, os Mallet, os Hottinguer, os Waddington, os Schlumberger, os Hartmann, os Mirabaut, os Neuflize tiveram nessa altura o começo da riqueza. À frente do governo estava Guizot, protestante, ou mais propriamente, encarnação viva do protestantismo[58]. Tudo isso teria sido bom se se tivesse podido restaurar a organização sinodal tradicional.

Aproveitando uma situação tão favorável em conjunto, os protestantes franceses trabalharam por desenvolver-se, entre 1815 e 1848. Abriram-se numerosos templos, sobretudo antes de 1830, visto que, em seguida, as dissensões no seio das Igrejas protestantes arrefeceram o movimento. Desenvolveram-se as Faculdades de Teologia: a de Montauban passou por uma fase de larga irradiação. Surgiram obras protestantes, a maior parte das quais permanece ainda hoje: Sociedade Bíblica de Estrasburgo (1816), Sociedade de Paris (1818), de Montauban (1817), Sociedade das Missões Evangélicas (1822), Comissão para as Escolas Dominicais (1826), Comissão para Incremento da Instrução (1829), Sociedade dos Livros Religiosos (em Toulouse, 1837), Sociedade Central de Evangelização (1847). Difundiram-se milhares e milhares de bíblias, em alguns casos destinadas ao proselitismo entre os católicos. Evangelizadores e vendedores trabalhavam ativamente nas províncias, distribuindo, além da Sagrada Escritura, folhetos anticatólicos, como por exemplo os do pastor de Rouen, Napoléon Roussel, *Rome et Cie.*; e, se a polícia por vezes os prendia, não era em razão dessa propaganda, mas por achá-los, ora legitimistas, ora republicanos. Em 1841, o pastor Vermeil fundava as «diaconisas», como êmulas das freiras católicas. Talvez Lamennais exagerasse ao escrever, no *Univers* de 4 de dezembro de 1847: «O protestantismo atirou-se aos flancos do catolicismo, para o devorar»; mas havia algo disso...

Entrementes, esse protestantismo que parecia ir tão de vento em popa, era rudemente sacudido por algazarras no seu próprio seio. O aburguesamento da sociedade protestante não podia deixar de inquietar cada vez mais os huguenotes convictos. Tanto mais que, para numerosos desses pesados senhores, a fé se resumia ao que Rabaut Saint-Étienne chamara «um deísmo humanitário», em que «já não havia limites à perfectibilidade da razão». Deu-se, pois, uma reação inicialmente idêntica aos «despertares» que se manifestavam por toda a parte[59]. Houve para tanto duas influências externas: a do «despertar» genebrino, que enviou para a França alguns dos seus homens, como foi Félix Neff, aliás de origem francesa; e a do metodismo, implantado por Pierre du Pontavice já desde 1809, e desenvolvido após 1815 pelo pastor inglês Charles Cook no sul da França, nos Altos-Alpes, na Charante. Esse «despertar» francês desencadeou, como sempre, as resistências das Igrejas demasiado confortáveis, demasiado rotineiras. E deram-se rupturas, criando-se algumas Igrejas livres. O protestantismo francês, mais ainda que o dos outros países, por força do amor que se tem na França pelas ideias lógicas, pelas situações claras, dividiu-se em várias tendências, que só o regime concordatário conseguiu manter associadas, até 1905.

Quando a revolução de fevereiro de 1848 fez soprar sobre a França o seu vento romântico de liberdade e fraternidade, os protestantes julgaram ter soado a sua hora: os pastores benziam as «árvores da liberdade» juntamente com os padres, os clubes abriam as suas tribunas aos oradores protestantes; foi então que o jovem Athanase Coquerel foi eleito deputado. Não teria chegado o momento de voltar a pôr de pé a organização tradicional, presbiteriana e sinodal? Para discutir o assunto, realizaram-se duas assembleias em Paris, uma em maio de 1848, e outra, mais longa, em setembro. Mas a ideia esbarrou logo de entrada com a própria concepção de Igreja, que, no protestantismo, é sempre sinal de contradição. Quem a constitui? Os «professantes», aqueles que professam formalmente uma certa confissão de fé? Ou a massa de todos os que se declaram protestantes? A maioria da Igreja oficial optava pela segunda concepção; mas os «professantes», dirigidos por Fredéric Monod (irmão de Adolphe e professor renomado de teologia)[60] e por Agénor de Gasparin, opunham-se. Deu-se, pois, uma cisão, da qual nasceram «Igrejas reformadas evangélicas», que foram juntar-se a outras, já existentes; em 1873, seriam quarenta e seis.

Já grande, a divisão foi agravada por divergências doutrinais. Veremos[61] como o desenvolvimento de um protestantismo «liberal», que de fato acabou por questionar as bases da Revelação e da fé, provocou vivas reações em todas as Igrejas reformadas do mundo, mas muito especialmente nas da França. As discussões entre «liberais» e «ortodoxos» vieram, pois, sobrepor-se às que já havia entre partidários e adversários das Igrejas estabelecidas. A complicação foi extrema, pois as Igrejas livres nem sempre eram liberais: assim a de Adolphe Monod, que se afirmava ortodoxa, ao passo que a que iria ser fundada por Athanase Coquerel seria liberal. Quanto à esperança de regresso à antiga disciplina, desvaneceu-se com o golpe de Estado de 1851.

À medida que se preparava a ditadura, já os protestantes tinham ido figurando entre os opositores ao «Príncipe-Presidente». O jovem Auguste Nefftzer, jornalista de *La Presse*, tinha sido preso, e vários vendedores e evangelizadores tinham sido detidos. A 2 de dezembro, houve motins em vários cantões protestantes, e soube-se que o único em toda a França a dizer «não» ao plebiscito foi o de Vernoux (Ardéche). Não era coisa que ajudasse Napoleão III a mostrar-se generoso para com os protestantes... Um decreto datado de 26 de março de 1852 estabeleceu autoritariamente o regime das Igrejas protestantes. Era obra de

Charles Read, vice-presidente da Sociedade Bíblica de Paris e um dos fundadores da Sociedade de História do protestantismo francês[62]. É certo que restabelecia a paróquia, suprimida *de facto* desde os Artigos Orgânicos; mas instituía um Conselho central composto por notáveis protestantes escolhidos pelo governo. Nada de sínodos eleitos.

Até o fim, o Império manteve para com os protestantes uma atitude ambígua. Ao mesmo tempo que se punham obstáculos aos esforços de apostolado e os evangelizadores metodistas ou batistas eram frequentemente detidos, não faltavam protestantes ricos em cargos de destaque, como o ministro das Finanças, Achille Fould, judeu convertido tão zeloso que tentou converter o imperador. O Estado ajudava a construir templos, como por exemplo o da rua Roquépine, em Paris. Auguste Nefftzer tinha liberdade para fundar *Le Temps* (1861). Nos campos de batalha, havia capelães protestantes que prestavam assistência aos soldados. Na realidade, o protestantismo conservador era bem visto; o outro, não... À medida que o Império evoluiu, também se foi mostrando mais aberto: em 1859, foram autorizados os «cultos não reconhecidos pelo Estado»: metodistas, batistas e outros. A partir de 1860, embora não cessassem de todo as alfinetadas de administradores demasiado zelosos, a atmosfera foi favorável. Nos meios intelectuais, crescia a simpatia pelo protestantismo entre aqueles que, sendo anticatólicos, não queriam apesar de tudo rejeitar toda e qualquer fé cristã.

O pior era o que se passava dentro das Igrejas protestantes, onde a oposição entre ortodoxos e liberais chegava à fúria. Era o momento em que se difundia na França a hipercrítica de Strauss, em que Renan publicava a sua *Vida de Jesus*... Intelectuais protestantes, como Jean Bon Saint-André ou Félix Pécaut, deslizavam para uma religião sem dogmas ou mesmo para o livre-pensamento. E os ortodoxos reagiam. Em 1864, Athanase Coquerel era riscado da lista dos eleitores do Oratório, e à volta dele agrupavam-se algumas centenas de fervorosos partidários. Na conferência de Nîmes, cento e vinte um pastores entraram em secessão.

Os antagonismos não se pacificaram sob a terceira República. Chegaram até a aumentar, por força das novas circunstâncias em que o regime colocou os protestantes. A queda do Império não os entristeceu muito, e, em 1871, aureolados por um discreto prestígio de resistentes ao tirano, e também da glória de soldados heroicos (como o Coronel Denfert-Rochereau, defensor de Belfort), apressaram-se a tirar proveito da situação. Thiers autorizou a reunião de uma assembleia para estudar o regresso à organização tradicional. A ela foram convidados os cristãos evangélicos de todas as denominações e de todos os credos — tanto os liberais como os ortodoxos. Esse verdadeiro *sínodo* abriu em Paris em junho de 1872: não tinha havido nenhum de verdade desde 1659! Mas a oposição não tardou a manifestar-se. Os ortodoxos, então dirigidos por Guizot, queriam que a assembleia formulasse uma doutrina fundamental, sem a aceitação da qual ninguém poderia dizer-se protestante; foi o que se fez na famosa «Declaração de 1872». Os liberais ripostaram que isso era contrário ao livre exame e que não lhes era possível assinar aquilo em que não acreditavam. No decorrer da sessão, em novembro de 1873, as Igrejas livres fizeram mesmo um cisma. Não pediram, contudo, aos poderes públicos que lhes reconhecessem a autonomia, e organizaram-se provisoriamente. Nem por isso a cisão estava menos consumada.

Essas dissensões, dolorosas para os crentes, não foram no entanto prejudiciais ao desenvolvimento do protestantismo. As circunstâncias é que não pareceram ser-lhe favoráveis. A perda da Alsácia-Lorena fizera cair o seu número de

846 mil para 580 mil, e a única compensação foi a chegada a Paris de elementos protestantes cheios de vigor, como foram os Fallot, os Siegfried, os Boegner. Depois, quando «a ordem moral» reinou na França, sob Mac-Mahon, de resto apoiado pelo «mundo protestante dos Bancos, bêbado de alegria», nas palavras de Pressensé, houve manifestações anti-huguenotes em diversas províncias, nomeadamente no Gard, onde foram violentas. Mas precisamente essa reação acabou por favorecer os filhos da Reforma nos meios da esquerda, na qual André Siegfried havia de ver o *sine qua non* do protestantismo francês. Do centro esquerdo ao radicalismo, e mais tarde ao socialismo, os protestantes constituiriam um teclado político completo de esquerda.

A IIIª República foi, portanto, um período extremamente favorável aos protestantes. Na política, conseguiram logo de entrada um lugar considerável. Na Assembleia de 1871, contavam setenta deputados, ou seja, 10% do total (seria natural terem 6 ou 7...). O primeiro ministério formado por Jules Grévy em 1879 tinha cinco ministros protestantes em nove! Foi então que nasceram dinastias de políticos protestantes, que persistem até hoje, bem como de altos funcionários. A Instrução Pública foi um dos seus campos preferidos: foram protestantes Ferdinand Buisson, Jules Steeg, Félix Pécaut, Charles Wagner, Mme. de Kergomard — que montaram o regime da escola laica, tal como a IIIª República o impôs, preferindo sacrificar-lhe as 1535 escolas que seus pais tinham aberto no decurso do século XIX. As provas de benevolência do Estado republicano para com a Reforma foram numerosas — nomeadamente, em 1877, a instalação em Paris da Faculdade de Teologia de Estrasburgo, que passara a ser cidade alemã. O prestígio do protestantismo nos meios intelectuais aumentou de ano para ano: Renan tendia para ele desde o casamento que fizera com a filha do pintor protestante

Ary Scheffer. Taine confiava ao pastor Hollard a instrução religiosa dos filhos e foi enterrado por ele. Os Goncourt declaravam que o protestantismo era «a religião socialmente desejável». Quinet, Renouvin, Jules Fabre, Prévost-Paradol não escondiam a sua simpatia, assim como, mais tarde, Alphonse Daudet, apesar de o seu *Évangéliste* não ter agradado aos huguenotes. Guizot e depois Droz eram membros da Academia. Fizeram-se ouvir recriminações contra essa importância dada aos protestantes: a do deputado Mahy, a do panfletário Eugène Reynaud, autor do *Péril protestant*. Mas não haveria aí um perigo mais grave? Essa politização, essa oficialização do protestantismo, continuando o aburguesamento que vinha de trás, estariam na linha dos verdadeiros reformados?

E foi assim que, à margem desse protestantismo oficial, governamental, dos Bancos e da Academia, um outro se afirmou, na linha do seu passado. Foi nesse momento que, em Nîmes, Charles Babut fundou a «missão interior», que tinha por modelo as Missões católicas; em que Eugêne Réveillaud lançou a «missão itinerante»; em que, perturbado com o que vira em Paris após a Comuna, o pastor inglês Mac All criou as «salas de evangelização» e a Missão Popular Evangélica, dedicada a abrir *ouvroirs* [«oficinas beneficentes»], dispensários, centros de instrução; em que o Exército da Salvação instalava na França as suas primeiras cabeças-de-ponte, com Catherine Booth, filha do casal fundador[63]. Foi também o momento em que o alsaciano *Tommy Fallot* (1844-1904) se entregou a um apostolado de uma generosidade sem limites, com a Sociedade de Ajuda Fraterna e de Estudos Sociais, que ocupou a primeira linha no combate contra as chagas sociais, como a prostituição. Ou em que, imitando-o, Charles Gide (1847-1932), tio do célebre escritor André, à frente da «École de Nîmes», lançou o *christianisme social*, irmão do catolicismo social[64].

A «Associação Protestante para o estudo das questões sociais» agrupou todas essas boas vontades. A imprensa protestante ganhou nessa altura uma importância inesperada: setenta e cinco publicações, algumas das quais notáveis, como *Le Christianisme au XIXe siécle*, ainda hoje bem vivo. Multiplicaram-se as missões protestantes francesas fora da Europa[65]. E não é de esquecer que as «novas Igrejas» e as seitas começaram a ocupar na vida religiosa da França um lugar relativamente importante: batistas, com Ruben Saillens; menonitas, que se reorganizaram na região de Montbéliard; darbystas, que trabalharam o «Midi» protestante, despertando lá uma piedade austera; adventistas do Sétimo Dia, instalados em Paris desde 1900. A poderosa fermentação que vimos na Igreja Católica durante o último quartel do século XIX, sob o pontificado de Leão XIII, teve o seu homólogo exato entre os protestantes.

Sabe-se que, com o século XX, se abriu uma nova era na vivência religiosa na França. A separação entre as Igrejas e o Estado, votada pelo Parlamento a 9 de dezembro de 1905[66] era válida para os protestantes não menos que para os católicos. Em conjunto, os protestantes aceitaram-na sem dificuldade. É certo que alguns entraram, ao lado dos católicos, na Liga do Ensino Livre, a fim de lutarem contra a laicização das escolas; mas foram exceções. A separação estava na linha do pensamento calvinista; já no sínodo de 1872 vários oradores a tinham pedido. O regime das «associações culturais», que confiava a administração dos bens eclesiásticos a comissões de leigos, foi facilmente admitida. Os fiéis habituaram-se a pagar aos seus pastores. Um protestante, Louis Méjan, secretário de Aristides Briand, passa por haver sido o instigador das disposições apaziguantes que este tomou.

Nada mudou na situação dos protestantes na França nem na boa vontade com que a República os tratava.

Continuaram a ocupar no Parlamento e, por vezes, no governo, sempre inclinados para a esquerda, um lugar mais considerável do que lhes caberia pelo critério numérico da proporcionalidade. Continuaram também a desempenhar um papel de relevo na alta administração da Instrução Pública, das Finanças, das Relações Exteriores. Os Bancos protestantes tiveram um grande crescimento, e o *Temps*, que, sem estar formalmente vinculado ao protestantismo, mantinha estreitos laços com a HSP, passou a ser o jornal mais importante da França, pelo menos o mais prestigioso.

Realmente, ia longe a época em que os filhos da Reforma podiam considerar-se à margem da nação. De resto, em duas ocasiões eles deram provas de saber assumir todas as responsabilidades nacionais: durante a Primeira Guerra Mundial, vinte e cinco pastores perderam a vida, e, entre os mortos huguenotes, houve filhos de emigrados expulsos por Luís XIV que permaneceram fiéis à sua pátria (o pe. Dedieu prestou-lhes uma comovedora homenagem)[67]; durante a Segunda Guerra, numerosos protestantes tomaram parte na Resistência: entre os seus mortos, ergue-se uma figura luminosa, a do jovem pastor Yann Roullet, preso, com seu avô Léonce Vieljeux, prefeito de La Rochelle, e executado no sinistro campo «Noite e Nevoeiro», do Struthof, no momento da derrocada alemã.

Essa presença dos protestantes na França do século XX não se manifestou apenas em participações em governos ou em conselhos de administração. Prova-o a grande atividade intelectual que se desenvolveu: entre as duas Guerras, as edições e a imprensa protestantes passaram até por uma prosperidade que, quanto às editoras, não parece ter sido recuperada depois de 1945. Apareceram novos jornais, como o *Réforme*, que ainda hoje prossegue a sua carreira independente. A utilização do rádio, desde 1939, e depois da televisão, desde 1945, tem permitido a essa «presença protestante» (título de uma das emissões) impor-se por toda a parte. De resto, neste campo, as grandes Igrejas tiveram de enfrentar uma grande concorrência por parte das «Jovens Igrejas» e das seitas.

O surto espiritual que o protestantismo francês experimentou no último quartel do século XIX acentuou-se no século seguinte. É certo que, tal como a Igreja Católica, as Igrejas reformadas sofreram a tremenda ofensiva que parece arrastar o homem para longe das verdades reveladas. A prática religiosa caiu consideravelmente, e o jovem «pastor proponente» candidato Roullet, ao fazer a «descoberta de uma paróquia», inquietava-se à vista dos seus templos tão vazios. Mas, tal como no catolicismo, não têm faltado sintomas que permitem ter esperança. Um dos mais fortes foi a fundação (1910), por François Puaux e Edmond Hugues, a poucos quilômetros de Anduze, na herdade de Soubeyran, do *Musée du Désert*, onde se conservam lembranças do passado *camisard* e onde se reúnem todos os anos, no primeiro domingo de setembro, quinze mil peregrinos. As obras de apostolado protestante reagruparam-se, sobretudo após a Primeira Guerra Mundial: uma delas, *La Cause*, fundada em 1920, não tardou a ganhar um lugar de destaque, mas a velha Sociedade Central de Evangelização, que data de 1833, mantém-se ainda em plena atividade. Em 1946, constituiu-se a Aliança Bíblica francesa, que concentrou todos os seus esforços na difusão da Escritura, em colaboração com a Sociedade Bíblica inglesa. A «missão interior» tem continuado a trabalhar e conta com o apoio de outras formações, designadamente das missões operárias, que, por volta de 1945, quando da tentativa dos padres-operários, adotaram a fórmula de pastores-operários.

Uma das manifestações mais notáveis da fermentação espiritual protestante, paralela à que se vê no catolicismo desde há mais de trinta anos, é o aparecimento da vocação religiosa no seio do mundo reformado. A comunidade de *Taizé*, fundada muito modestamente em 1940 pelo pastor genebrino Roger Schütz, tornou-se, em vinte e cinco anos, um lugar privilegiado do Espírito, mundialmente conhecido; a ela afluem — para fazerem a profissão monástica — jovens vindos de todos os protestantismos, e — para confrontarem as suas esperanças — crentes de qualquer obediência e homens de boa-vontade[68]. Entre os sinais desta fermentação religiosa, seria injusto não referir também os extraordinários progressos das «jovens Igrejas» e seitas — com os adventistas e os pentecostais — que se têm juntado aos outros a partir de 1919, num apostolado cujos métodos são por vezes surpreendentes, mas cuja sinceridade e zelo são inegáveis.

Neste historial do protestantismo francês do século XX, o fato porventura mais saliente e mais interessante é o esforço feito para operar no seu interior uma unidade, ou seja, para pôr um freio ao processo de fragmentação. A verdade, porém, é que, nessa perspectiva, o que se conseguiu parece não ter ido além de um começo. Ao suprimir o regime concordatário, a separação entre a Igreja e o Estado quebrou o vínculo que, com maior ou menor boa vontade, mantinha associados os ortodoxos e os liberais. A Igreja Reformada achou-se cindida em duas uniões, a das «Igrejas reformadas evangélicas», ortodoxas, e a das «Igrejas reformadas», liberais, das quais obviamente ficavam ainda de fora a união das Igrejas livres e a das Igrejas metodistas, sem falar dos luteranos! No entanto, não tardou que se iniciasse um movimento para pôr fim a essa fragmentação tão manifestamente prejudicial. O número de «Igrejas livres» diminuiu de quarenta e nove em 1873 para trinta e cinco em 1935.

O esforço em direção ao ecumenismo, que se manifestou no protestantismo mundial e foi muito poderoso a partir de 1927[69], abalou a consciência dos reformados franceses. Em 1933, começaram os trabalhos para formar uma «disciplina» comum. Esses trabalhos culminaram em 1938 com o nascimento da «Igreja Reformada da França», em que apareceram justapostas Igrejas e paróquias de tendências diversas, incluindo os metodistas. Embora se declarasse que ninguém era obrigado «a aderir à letra das fórmulas», isso não impediu uma pequena minoria de recusar a união, nem dezenove antigas «Igrejas livres» de retomarem o seu nome originário, nem cinco Igrejas metodistas de formarem um grupo à parte, nem a Igreja reformada da Alsácia-Lorena, concordatária, de permanecer também de fora. De qualquer modo, pode-se dizer que, à exceção das duas províncias do Leste, a Igreja Reformada da França agrupa pelo menos 90% dos protestantes calvinistas ou metodistas.

Paralelamente a esse esforço de união interna, teve lugar um outro, destinado a unir todos os protestantes na defesa comum dos seus direitos. Começou em 1903, portanto antes da Lei de Separação, atendendo ao apelo do pastor Wilfred Monod. Em 1905, estavam lançados os alicerces de um vasto agrupamento. Foi possível reunir, em Nîmes, a primeira assembleia plenária da *Federação Protestante da França*. Sucessivamente presidida pelo leigo Edmond Gruner e pelos pastores Élie Morel e Marc Boegner (de 1929 a 1961), nela se reúne praticamente tudo o que tem importância no protestantismo francês. Ficam de fora alguns pequenos grupos e seitas, que não chegam a alcançar cinquenta mil fiéis no total; as duas principais massas são compostas por reformados e luteranos.

É bom não esquecer estes últimos, porque, embora se fale deles menos do que dos reformados, não deixaram de ter um lugar próprio na história do protestantismo na França. Em 1789, eram sobretudo da Alsácia e da Lorena; viam-se algumas pequenas comunidades esparsas em Paris e em certas cidades do interior. O seu número aumentou em 1902, com a recuperação do território de Montbéliard, onde havia também menonitas. Durante o Império, obtiveram de Napoleão a fundação em Paris de uma Igreja consistorial, à qual foi doada a célebre igreja das Billiettes, com o seu deslumbrante campanário. Ao longo de todo o século e até ao nosso tempo, nunca deixaram de manifestar grande vitalidade, e foram frequentemente influenciados por essas correntes pietistas que, desde Spener (século XVIII), têm animado a Alsácia.

Bruscamente interrompida na sua vida normal pela invasão alemã e vendo os seus fiéis franceses caírem para setenta e cinco mil, a Igreja luterana manifestou um notável vigor no seu esforço por sobreviver, criando obras de apostolado e de caridade, revelando no seu seio fortes personalidades. Depois da Primeira Guerra Mundial, achou-se cortada em duas: a Alsácia e a Lorena mantiveram o regime concordatário, ao passo que os restantes luteranos franceses viveram desde 1905 em regime de separação. Há, pois, atualmente, duas Igrejas luteranas: a chamada *Igreja da Confissão de Augsburgo*, concordatária, e a *Igreja Evangélica Luterana*, que resultou da junção, no sínodo de 1872, da Inspeção de Montbéliard com a de Paris. As duas Igrejas têm mantido muitos laços entre elas, designadamente quanto ao recrutamento dos pastores. Fizeram-se diversas tentativas de fusão entre luteranos e reformados; mas, embora fossem tão poucos, os descendentes de Lutero recusaram-se a toda e qualquer fusão. Com o seu culto mais complexo, os seus cânticos mais numerosos, a leitura da Epístola e do Evangelho, uma certa maneira de conceber a religião — mais ampla que a dos calvinistas —, os luteranos, embora pertençam à Federação Protestante da França, têm o sentimento de que são diferentes e de que contribuem para o protestantismo francês com um elemento enriquecedor.

Na França de meados do século XX, os protestantes têm uma grande importância, embora continuem a ser, evidentemente, uma minoria. Quantos serão? Também aqui é bem difícil responder, já que a prática não é para eles, de modo algum, o único critério determinante. Estaremos certamente perto da verdade se calcularmos o seu número num máximo de oitocentos e cinquenta mil almas, das quais quinhentos mil reformados, trezentos mil luteranos, e o resto batistas e membros de «jovens Igrejas». A distribuição geográfica modificou-se sensivelmente em cento e cinquenta anos. Em 1880, cinco sextos dos protestantes encontravam-se numa quarta parte da França; o departamento do Gard abrigava sozinho quase um quarto do protestantismo francês. Desde então, houve uma redistribuição, devido quer à imigração de elementos rurais ou estrangeiros para as grandes cidades, quer à evangelização, especialmente no centro do país. Mas há regiões muito particularmente marcadas pelo protestantismo: a Alsácia, a Lorena, Montbéliard (onde predominam os luteranos), o cinturão calvinista do Maciço Central (sobretudo a Ardéche e o Gard), Paris (onde estão representadas todas as modalidades de protestantismo), a Charente, o Bordelais e, por último, o Norte, onde o desenvolvimento foi mais recente, mas prossegue ativamente.

Não é menos estranha a distribuição pelos estratos sociais. Observa-se, antes de mais, um contraste acentuado entre as comunidades rurais das Cévennes, do Gard, das Charentes, dos Alpes, onde todas as classes se encontram representadas, e as paróquias urbanas, quase exclusivamente burguesas. Outra observação a fazer é que não há, por assim dizer, operários protestantes, exceto na Alsácia e na região de Montbéliard, onde, aliás, o desenvolvimento das fábricas de automóveis Peugeot e o afluxo de mão-de-obra internacional tendem a alterar o caráter tradicionalmente luterano e menonita da região. Por todo o lado, mesmo nas aldeias, os protestantes ocupam posições de destaque: André Siegfried atribuía o fato ao conhecimento da Bíblia, que dá «o equivalente de uma cultura». A verdade é que os pastores receberam durante muito tempo uma formação mais completa que os padres católicos, para o que contribuía, aliás, o meio social de onde procediam. Quanto à burguesia protestante das cidades, ocupa a maior parte das vezes posições de relevo, quer no mundo dos altos negócios, quer nas profissões liberais. Da parisiense Haute Societé Protestante aos grandes negociantes de vinhos dos Chartrons (Bordeaux), aos industriais de Mulhouse e aos moradores das ricas mansões do *quartier* de La Fontaine (Nîmes), não escasseiam exemplos para provar que, em conjunto, os protestantes da França pertencem ao que por muito tempo se chamou as classes dirigentes.

Não é só no âmbito nacional que o protestantismo francês ocupa um lugar bem maior do que aquele que lhe corresponderia pelas regras da proporcionalidade. Certamente, não é no seu seio que se encontram os mestres da atual teologia protestante — um Karl Barth, um Bultmann, um Tillich —, mas não há dúvida de que a sua atividade teológica é considerável, de que o movimento barthiano deveu muito ao fato de ter sido adotado e desenvolvido por pensadores franceses, e de que, em pontos essenciais de doutrina e de história, trabalhos como os de Oscar Cullmann, professor na École des Hautes Études de Paris, renovaram as posições. O protestantismo liberal teve entre os protestantes franceses alguns dos seus elementos mais ativos, e ainda hoje é representado por uma das figuras que mais o notabilizam: o francês *Albert Schweitzer*[70]. Foi na França que nasceu e cresceu Taizé, figura de proa de um movimento de renovação espiritual que conquista grandes parcelas do protestantismo. As missões protestantes francesas representam, pelo número dos que as alimentam em homens e dinheiro, um esforço duas vezes mais notável que o dos protestantes norte-americanos; desde cedo se apelou nelas para o pessoal nativo.

Mas é no movimento ecumênico que os protestantes da França porventura têm dado as maiores provas de espírito de empreendimento e de autoridade. Foram eles, com os pastores Élie Gounelle e Jules Jézéquel, que deram origem à *Alliance Universelle pour L'amitié Internationale par les Églises*, que — coincidência dramática — nasceu no dia em que rebentou a Primeira Guerra Mundial, 2 de agosto de 1914. Tomaram parte nas primeiras conferências que, em Estocolmo (1925) e em Lausanne (1927), prepararam o caminho para o Conselho Ecumênico[71]. Quando se formou esse Conselho, o pastor Marc Boegner foi um dos seis presidentes. E, ao citar este nome, não podemos esquecer que, nos esforços por um ecumenismo total — nos termos em que o papa João XXIII o designou como objetivo para os cristãos de todas as obediências —, uma elite de protestantes franceses teve e tem ainda hoje um lugar eminente[72]. Feitas as contas, um protestantismo vigoroso, rico de possibilidades de futuro, é o que a França apresenta no quadro mundial do cristianismo saído da Reforma.

Minorias em defesa ou expansão

Em todo o resto da Europa, o protestantismo apresenta-se sob a forma de minorias de importância diversa, entre populações católicas ou ortodoxas. Por outro lado, ocupa também um lugar extremamente variável consoante as circunstâncias históricas em que se implantou e a vitalidade dos fiéis. Terão essas minorias estado, durante o século XIX, sob o fogo de uma hostilidade de princípio? E ainda hoje estarão? De tempos a tempos, certas obras com ar requisitório assim o afirmam, incriminando o «totalitarismo» romano[73], sem revelarem sempre uma convicção muito sólida. Mais graves são as perseguições sofridas pelos filhos da Reforma nos países de autêntico totalitarismo marxista — não por serem protestantes, mas por serem cristãos. Em todos esses casos, é impressionante notar que essas atitudes hostis não os impediram não só de sobreviver, mas também de se desenvolver.

A *Espanha* é certamente o único país em que o antiprotestantismo sobreviveu até ao nosso tempo, não apenas como elemento vigoroso de polêmica, mas ainda como doutrina que determinou atitudes oficiais. Praticamente desconhecido do reino hispânico nos finais do século XVIII, o protestantismo esperou encontrar algumas facilidades sob Carlos III (1759-88), o rei que expulsou os jesuítas e chamou colonos alemães e suíços para cultivar a Serra Morena; e, mais tarde, sob José Bonaparte (1808), que, embora mantendo o catolicismo como religião de Estado, pôs em prática as ideias da Revolução.

Ora, precisamente, essa aliança com os franceses foi desfavorável aos protestantes. O regresso de Fernando VII reabriu para eles um período de perseguições, que só cessou com a reação anticlerical de Espartero (1840-43) e com o reinado por algum tempo hesitante de Isabel. Em torno de 1850, o protestantismo fez alguns progressos, graças aos evangelizadores vindos de Gibraltar: em 1860, a prisão de um oficial convertido, o major Matamoros, e a sua condenação às galés marcou a volta da reação. A breve tentativa republicana de 1868, durante a qual Emilio Castelar reclamou direitos para os reformados, acabou em nova perseguição, menos violenta que vexatória. Sem o apoio dos protestantes estrangeiros, em particular do pastor alemão Fliedner, e de uma missão norte-americana, a situação teria sido negra. Tornou-se melhor só com a Constituição de 1876, que permitiu a abertura de igrejas e a venda de bíblias. Metodistas e darbystas entraram em cena.

A tolerância oficial prosseguiu com Afonso XIII (1886--1931). Deu-se por toda a Espanha um enxamear protestante, sobretudo nas grandes cidades, e intelectuais como Miguel de Unamuno não esconderam a sua simpatia. O protestantismo contava então umas doze denominações, agrupadas em quatro categorias. Eram: evangélicos e reformados, uns e outros de tipo praticamente anglicano (animados por Cabrera)[74], batistas e, enfim, seguidores de outras Igrejas e seitas. No total, uns trinta mil «professantes» e menos de cinquenta mil simpatizantes — um rebanho bem pequeno.

A revolução de 1936 alterou de novo a situação: «Os protestantes espanhóis eram republicanos», diz sem disfarce o historiador Léonard; o regime do general Franco, que queria manter incólume a unidade da Espanha, não podia deixar de tratá-los com desconfiança. Oficialmente tolerados, com o seu culto consentido em privado ou em templos devidamente autorizados, mas impossibilitados de se entregar a qualquer proselitismo público; forçados, até data muito recente, a recorrer ao clero católico para as formalidades de registro civil; submetidos, quanto às publicações, à censura católica; vendo encerrar as suas escolas e seminários (os de Madrid, em 1956) — sofreram ainda ataques de certa imprensa católica ou mesmo de certos membros da Hierarquia, que o observador estrangeiro tem tendência a julgar poucos adequados. Houve alguns incidentes, dos quais o mais violento em Sevilha (1952), onde se lançaram coquetéis Molotov durante uma cerimônia religiosa. Só nos anos mais recentes é que a situação evoluiu no «sentido de uma abertura»[75].

Mais numerosos, quer em termos absolutos, quer proporcionalmente ao conjunto da população, os protestantes de *Portugal* (20 mil «professantes», 25 mil simpatizantes) têm sofrido algumas dificuldades nestes últimos anos, mas menos graves que as dos seus vizinhos na Península. Insignificante por volta de 1789, o protestantismo português começou a ganhar raízes sob a influência dos capelães anglicanos e presbiterianos das tropas britânicas que desembarcaram no país para combater Napoleão. Em 1809, pôde criar uma Sociedade Bíblica; e foi-lhe favorável a evolução nitidamente anticatólica da política portuguesa, bem como a influência da franco-maçonaria. Daí o progresso dos três primeiros quartéis do século XIX. Isso graças a elementos estrangeiros, quer episcopalianos, presbiterianos, metodistas, darbystas ou congregacionalistas.

O mais célebre propagandista foi então o médico Kalley, escocês, que começou a trabalhar na Madeira, passou para o Brasil e depois se fixou no continente português. Foi seu êmulo Manuel Vieira, português de raiz, grande apóstolo da Bíblia. Nessa época, uma cisão no catolicismo português, fomentada em duas ocasiões (1840 e 1867) por padres espanhóis suspensos, levou à constituição da *Igreja Lusitana*, que tomou a chefia de todas as denominações: uma Igreja de estilo anglicano, que aliás se vinculou ao anglicanismo por intermédio da Igreja inglesa da Irlanda. Deu-se uma reação em 1886, e a regência de Da. Amélia de Orléans e Bragança (1901) foi assinalada por uma verdadeira perseguição. Já em 1906, porém, a situação melhorava, e a Constituição republicana de 1911 e, no ano seguinte, a lei da Separação entre a Igreja e o Estado voltaram a dar oportunidades ao protestantismo, que as explorou o melhor que pôde durante o período republicano de anarquia. O regime de Oliveira Salazar não lhes pôs em causa a situação legal, nem a difusão da bíblia (financiada pelos americanos), nem a penetração de seitas recentes — adventistas e pentecostais.

País tão católico como a Espanha, a *Itália* não apresenta de modo nenhum a mesma situação no que diz respeito ao protestantismo. O fato é mal conhecido, mas flagrante: a Itália é um dos países da Europa em que a progressão protestante foi, no século XIX, mais rápida e mais forte, e onde ainda hoje continua. A reação católica quinhentista contra a propaganda da Reforma não tinha sido menos viva que na Espanha; mas não conseguira eliminar os heterodoxos anteriores a Lutero, sobreviventes das heresias medievais então ainda chamadas valdenses[76]. Refugiados nos altos vales, próximos da fronteira, constituíam pequenas comunidades que se consideravam, *grosso modo*, protestantes e que praticavam um evangelismo muito patriarcal. Foi dos valdenses que partiu, após a Revolução Francesa, a nova ofensiva protestante. Como Carlos Alberto lhes tivesse concedido, em 1848, a igualdade civil, organizaram-se, criaram uma Faculdade de Teologia, colégios e escolas; enxamearam toda a Península, dotando o protestantismo italiano de bases intelectual e moralmente muito sólidas.

Um segundo ingrediente veio-lhes das pequenas sociedades de pensamento em que, no século XVIII, jansenistas, galicanos, liberais acamaradavam com protestantes de diversas proveniências. Um terceiro fator foram os estrangeiros — anglo-saxões e alemães — que, na época romântica, se estabeleceram na Itália. Já em meados do século XIX se via uma autêntica invasão — ainda modesta nos seus efetivos — de diversos tipos de protestantismo. A tendência antirromana que dominou o movimento de unificação da Itália veio em apoio deles: Garibaldi pensou «protestantizar» a Itália e teve como capelão um pastor. Sem ir tão longe, a monarquia italiana, em más relações com o Papa desde 1870, deu carta branca aos protestantes ingleses e norte-americanos para ajudarem os seus irmãos italianos, e estes, de trinta e dois mil que eram em 1861, passaram para cinquenta e nove mil em 1871 e sessenta e cinco mil em 1901, mas tendo sempre na fragmentação um dos seus traços mais característicos.

Depois da Primeira Guerra Mundial, com o advento do fascismo, contavam oitenta mil fiéis, constituíam cerca de mil comunidades, repartidas por vinte e cinco denominações pelo menos. O regime mussoliniano, no trato com eles, hesitou entre a desconfiança e alguns sorrisos, estes quando se deterioravam as relações com o Vaticano. De resto, a maior parte dos protestantes era pouco favorável ao regime. O término da Segunda Guerra assistiu a uma nova onda protestante, dinamizada sobretudo pelas seitas (adventistas, Testemunhas de Jeová, pentecostais) e, por outro lado, por metodistas e batistas apoiados pelos americanos. O número de pastores passou de 549 em 1945 para 1.071 em 1955; o de templos, de 677 para 1.272; o de fiéis inscritos numa Igreja, de 90 mil para 265 mil. As conversões do catolicismo para o protestantismo atingiram, em 1955, o número de 8.896. Unidas desde 1946 num Conselho Nacional, as principais Igrejas esforçam-se, paralelamente com as jovens Igrejas e com as seitas, por explorar estes êxitos, multiplicando missões e publicações (estas últimas, frequentemente muito violentas para com o catolicismo), criando cursos de religião por correspondência, ou mesmo «ajudando» financeiramente as conversões: uma das iniciativas mais recentes foi a criação de um seminário para «recuperar» os padres católicos saídos da Igreja. Assim se compreende que já se tenha falado em «perigo protestante». E é ainda demasiado cedo para medir as consequências que poderão advir no campo do clima «ecumênico» aberto em 1959[77].

Se, no que diz respeito à *Bélgica*, não se pode falar de «perigo», já que os protestantes não passam de trinta mil, deve-se reconhecer que nesse país a escalada tem sido também notável. Em 1830, quando foi criado o reino, só havia no seu território uma minúscula Igreja reformada (em Bruxelas), mantida por suíços, e umas tantas comunidades de origem holandesa. O primeiro rei dos belgas, Leopoldo I, era luterano — luterano praticante —, do que resultou um impulso inicial, de modo que, em 1839, os protestantes já eram suficientemente numerosos — cerca de dois mil — para constituir uma União das Igrejas Protestantes Evangélicas, que foi reconhecida e «estabelecida» pelo Estado. Mas um pequeno grupo, hostil à tutela estatal, formou uma «Igreja livre», designada por Igreja Cristã Missionária Belga (1848), que se dedicou sobretudo aos mineiros de Borinage e que, passados cinquenta anos, tinha oito mil membros. O caráter tradicional de país de contatos que se reconhece à Bélgica reapareceu no plano religioso. Manifestaram-se influências estrangeiras, francesas, inglesas, holandesas, e nasceu uma Igreja «liberal», comunidades anglicanas (dependentes do bispo de Fulham, da Inglaterra), e agrupamentos *gereformeerde*, à moda neerlandesa[78]. Depois, passada a Primeira Guerra, os americanos implantaram uma «Missão Evangélica» presbiteriana, muito «fundamentalista», e uma Igreja metodista. Em 1924, a necessidade de se reagruparem levou as principais Igrejas a constituir a Federação das Igrejas Protestantes, copiada da francesa. Nesse ínterim, porém, entraram em cena todas as «Jovens Igrejas» e seitas, uma das quais, o movimento dos pentecostais, com tal vigor e uma técnica de apostolado tão bem adaptada aos mais humildes que, já em 1914, se classificava como a terceira das denominações na Bélgica e viria a alcançar, a partir de 1955, o segundo lugar *ex aequo* com a Missão Evangélica; o primeiro lugar continuava a pertencer à Igreja Cristã Missionária. Portanto, progresso e ao mesmo tempo uma fragmentação que não impediu os protestantes belgas de se unirem para financiar uma Faculdade de Teologia e escolas, e de conseguirem o reconhecimento dos seus direitos pelos poderes públicos: demonstrações evidentes de vitalidade.

Mas a prova mais surpreendente, a bem dizer paradoxal, dessa vitalidade protestante foi e ainda é a que se deu na *Rússia*[79]. Implantado no Império dos czares desde o século XVI, o protestantismo não ocupava nesse país, em finais do século XVIII, senão um lugar despiciendo, exceto em algumas regiões periféricas, povoadas por não russos. Sob Alexandre I, o czar místico (1801-25), cuja egéria, Mme. Krüdener, estava em relações com alguns Irmãos Morávios e «revivalistas» suíços, sem falar de teósofos e de muitos outros partidários acérrimos de teorias surpreendentes, aproveitando a confusão geral, certos protestantes muito equilibrados lançaram, com a devida autorização, a Sociedade Bíblica (1812); uma rivalidade entre dois ministros do imperador — um favorável à Bíblia, o outro contra ela — levou ao encerramento da Sociedade. Mas nem por isso a tradução russa do Livro Sagrado deixou de prosseguir: interrompida duas vezes, outras tantas retomada, apareceu por fim (1876), sob os auspícios do Santo Sínodo ortodoxo. Nesse intervalo, porém, criou-se no Império uma atmosfera bastante favorável às Igrejas protestantes. Fizeram-se sentir algumas influências alemãs a favor dos *«stundistes»*, assim chamados por se darem ao estudo da Bíblia em reuniões — *Stunden*, «horas de estudo» ou de aula. A lei de 1832 reconhecia as Igrejas luteranas e reformadas. As províncias bálticas — sobretudo a Lituânia e a Finlândia — tinham o protestantismo em crescimento. E, na maioria dos centros urbanos, as duas grandes confissões protestantes eram representadas por comunidades bem atuantes, que se estendiam até Tomak, na Sibéria. Em 1914, numa população de noventa milhões de habitantes, a Rússia contava perto de quatro milhões de luteranos e calvinistas.

A toda essa atividade, acrescentava-se uma outra, empreendida de modo bem mais anárquico. País de sonho das seitas[80], a Rússia acolheu grande número daquelas que germinaram no protestantismo, e criou outras, que tomaram lugar na encruzilhada do protestantismo e da ortodoxia, quando não de outras correntes menos fáceis de identificar. Por outro lado, sucedeu várias vezes que o governo aceitou comunidades protestantes em dificuldade no respectivo país. Assim os menonitas fundaram colônias, do Volga até à Ásia Central, pondo como condição para se instalarem não ficarem sujeitos ao serviço militar, mas simplesmente a serviços florestais. Batistas e metodistas estabeleceram-se na Ucrânia e na Bielorrússia, no Cáucaso e mesmo em São Petersburgo. Ao mesmo tempo, criou-se nos meios aristocráticos um «movimento evangélico» que teve por animador o coronel Pachkov, da Guarda Imperial, de quem a polícia czarista desconfiou por muito tempo. Entrementes, outros evangélicos, saídos de uma dissidência dos famosos *dukhobors* (dissidentes da Igreja ortodoxa)[81], se espalhavam entre os cossacos do Don.

Este fenômeno das seitas era tão vigoroso que a Revolução de 1917 não lhe pôs fim. Em 1920, os pentecostais expandiam-se por meio de pregadores norte-americanos misturados com as missões de socorro contra a fome (não demorariam a dividir-se em formações rivais); os adventistas do Sétimo Dia, instalados desde finais do século XIX, mas muito pouco numerosos, desenvolveram-se rapidamente; durante a Segunda Guerra Mundial, surgiram por sua vez as Testemunhas de Jeová. Em quanto avaliar os adeptos destes movimentos? Em 1928, uma estatística oficial falava de quatro milhões e quinhentos mil, o que parece exagerado.

O regime comunista não tratou a minoria protestante melhor do que a religião nacional: submeteu-a à mesma alternância de perseguição e de calmaria[82]. As grandes Igrejas foram as primeiras a ser visadas, já que Lutero e Calvino eram oficialmente denunciados como sustentáculos da burguesia. Severamente golpeados em 1928, tiveram os pastores deportados, foram reduzidos ao culto clandestino e à casa de oração, perderam muito da sua seiva. Em 1938, a Igreja luterana russa foi declarada dissolvida. O luteranismo só se manteve sólido na Letônia, Lituânia, Estônia e entre os deportados bálticos e os alemães da Sibéria. A Igreja reformada praticamente só já contava com os húngaros da Igreja subcarpática.

Mas a partida não foi tão bem ganha pelos marxistas no que diz respeito aos movimentos menos estabelecidos e praticamente sem templos nem organização sólida. E não foi por não se terem ocupado deles... Perseguidos já desde 1925, os menonitas emigraram em grande número para os Estados Unidos, mas ficaram os suficientes para atrapalhar o regime, que os expulsou em duas ocasiões; apesar disso, estão bem vivos e há cerca de quarenta e cinco mil no Altai e no Cazaquistão. Também os pentecostais foram perseguidos duas vezes, e, enquanto alguns tentaram emigrar, muitos deles ficaram no país, deslocando-se frequentemente de uma para outra província e exercendo, segundo se diz, certo fascínio sobre a juventude; conseguiram até penetrar nas fileiras do Exército Vermelho. Os adventistas, após um tempo de rápido desenvolvimento (1919-28), e embora dando mostras de lealdade incondicional ao regime, tiveram múltiplos conflitos com as autoridades, nomeadamente a propósito da observância do sábado. Mas nenhum vexame policial os detém no seu apostolado nem na sua esperança extática do próximo fim do mundo[83].

Mas a aventura mais extraordinária é a dos *batistas*. No início do regime soviético, beneficiaram de certa benevolência, porque tinham sido perseguidos pela polícia czarista e porque a sua simplicidade e o seu despojamento pareciam muito próximos da orientação comunista. Foram autorizados a criar *kolkhoses* cristãos, e até uma *Khristomol* (juventude cristã) paralela à Komsomol (juventude comunista). Aproveitaram então para publicar uma bíblia e jornais, e para empreender um vasto apostolado. Em 1929, esse tempo feliz chegou ao fim. Tal como os outros protestantes, os batistas tiveram as suas comunidades decapitadas. Mas já se tinham multiplicado tão bem por toda a União Soviética, que puderam continuar a levar uma existência clandestina, tanto mais facilmente quanto a sua religião dispensa o culto. Quando, durante a Segunda Guerra Mundial, em nome da União Sagrada, voltou a calma religiosa, os batistas estavam bem situados para ficarem à cabeça de um grande movimento. A 29 de outubro de 1944, agruparam-se à volta deles as diversas variedades de evangelistas, protestantes liberais, metodistas e mesmo alguns pentecostais. Essa *União Batista*, administrada por um conselho pan-unionista, lançou-se decididamente a um trabalho de propaganda sistemática. Poupados, em certa medida, pelas autoridades soviéticas, que os autorizaram a retomar a publicação da sua bíblia e a editar várias obras, os batistas multiplicaram os lugares de reunião, organizaram solidamente as comunidades locais sob a direção dos seus «presbíteros» e conseguiram, até às recentíssimas perseguições, celebrar em público festas cristãs, cinco vezes por ano. Os observadores, sejam eles protestantes, ortodoxos ou comunistas, estão de acordo em notar que as suas assembleias de oração atraem multidões, com a afluência de muitos jovens. Calcula-se o seu número entre 4 e 5 milhões, e, periodicamente, a imprensa ateia lamenta tristemente a vitalidade que manifesta esse resquício de obscurantismo.

O primeiro país protestante do mundo: os EUA

Os dois maiores fatos da história do protestantismo contemporâneo não se produziram na Europa. Ambos decorrem de um processo que tinha praticamente parado desde finais do século XVI: a expansão das Igrejas saídas da Reforma. Foi esse processo que recomeçou fora dos quadros do mundo antigo: por um lado, como iremos ver daqui a pouco, pela instalação de missões em terras não cristãs, análogas às missões que os católicos mantinham havia muito; por outro lado — e trata-se de um fato capital —, pela participação na extraordinária ascensão de um país da América, os Estados Unidos, onde estabeleceram uma massa de fiéis de tais proporções que esse país se tornou o primeiro país protestante do mundo.

Como sabemos, as origens dos Estados Unidos foram protestantes[84]. Os americanos de hoje gostam de recordar que a descoberta do seu continente por Cristóvão Colombo (1492) só se deu vinte e cinco anos após a descoberta por Lutero da «verdade» religiosa (1517). Na realidade, os imigrantes que, em princípios do século XVII, foram fundar as «Treze Colônias», núcleo dos futuros Estados Unidos, eram sobretudo calvinistas, e foram esses reformadores da segunda ou da terceira vaga que, opondo-se às Igrejas estabelecidas e em especial ao anglicanismo, deram vida a movimentos religiosos de novo estilo. Sucessivamente, viram-se os anglicanos do capitão John Smith ocuparem a Virgínia, os presbiterianos e congregacionalistas — vindos dos *Pilgrim Fathers*, desembarcados da *Mayflower* —, instalarem-se na Nova Inglaterra e no Massachusetts, enquanto os *quakers* fundavam a Pensilvânia — aberta, em teoria, a toda a espécie de cristãos —, e os evangelistas evangelizavam os Estados do Sul, as duas Carolinas e a Geórgia, onde, um pouco mais tarde, viriam a receber os metodistas, os quais daí irradiariam para todas as colônias. Paralelamente, calvinistas e menonitas holandeses erguiam a cidade que viria a ser Nova York. Uma única exceção nesse vasto enxamear protestante: o Maryland, fundado por um nobre católico do rei Carlos I. Todos esses imigrantes tinham a impressão de que o seu protestantismo lhes dava méritos e lhes impunha deveres. «Deus — dizia um deles — passou as nações pelo crivo, a fim de poderem semear sementes de primeira qualidade nas terras virgens». E, durante toda a «era colonial», em várias das antigas colônias, os direitos dos cidadãos foram estritamente reservados àqueles que dessem provas de ser cristãos reformados exemplares, ou pelo menos tidos por tal.

Essa marca protestante permaneceu muito forte nos Estados Unidos até aos nossos dias. Numa análise do país que se tornou clássica, André Siegfried, em 1926, descrevia o protestantismo como «a única religião nacional» e advertia que «deixar passar este fato em silêncio é ver o país sob um ângulo falso». Ainda em 1953, o historiador católico Theodore Maynard admitia que o protestantismo «deve ser considerado como a religião nacional». A asserção talvez hoje exigisse certas reservas, mas, em linhas gerais, continua válida; seja como for, retratou plenamente a realidade durante o século XIX e no primeiro terço do século XX. «O nosso país é uma república cristã e o nosso cristianismo é de tipo protestante», dizia S.M. Campbell em 1867. E acrescentava amavelmente que se os não cristãos, «esses que se dizem cristãos, mas não são protestantes», achassem «a situação desconfortável», não tinham mais que ir tentar a sorte em algum outro lugar...

Que os Estados Unidos são um «país protestante», provam-no as estatísticas, mas provam-no ainda melhor o clima moral e espiritual, os usos e costumes, as tradições. Em 1953, de 94,8 milhões de norte-americanos com filiação religiosa, 55,8 milhões declaravam-se protestantes, ou seja, cerca de 60%. Mas, na realidade, tal percentagem não exprimia bem o lugar que os protestantes ocupam na vida americana; porque, entre os cidadãos que se descuidavam de filiar-se a determinada religião, a maioria era protestante, ao passo que a quase totalidade dos católicos figurava nos registros eclesiásticos.

Aliás, é o que comprova o espetáculo da vida. O protestantismo marcou com o seu selo os costumes e o pensamento. Foi ele que deu à sociedade uma coloração religiosa evidentemente tirada da paleta genebrina de Calvino. Nas moedas e notas de dinheiro lê-se a inscrição: «*In God we trust*». A grande festa nacional é o dia de ação de graças, *Thanksgiving Day*. O palácio do Congresso tem uma sala especial onde senadores e deputados podem fazer uma hora de meditação espiritual, em silêncio, à maneira dos *silent meetings* dos *quakers*. Nas «convenções» em que democratas e republicanos designam os seus candidatos à Presidência da República, um pastor pronuncia um discurso para invocar as bênçãos divinas sobre o futuro eleito do partido. A Bíblia está presente por todo o lado: nos quartos de hotel, onde a colocam os membros da piedosa Sociedade dos Gideões; ou nos registros civis, onde abundam os Reuben, os Benjamin, as Ruth, as Deborah; ou na nomenclatura geográfica — há *Bethlehems* em seis Estados, como também Jerusaléns, Canaãs, Nazarés, Jericós...; ou nos discursos dos políticos ou nos textos dos jornalistas, onde fervilham, nem sempre mencionadas como tal, citações do texto sagrado... Tudo isso cria uma atmosfera nitidamente protestante e o mais oposto a um clima laicista.

O próprio Estado é religioso, e de clima totalmente protestante. Em quase todos os Estados que constituem a União, a Constituição abre com uma invocação a Deus. O Presidente eleito tem de prestar juramento sobre a Bíblia. Teoricamente, nenhum artigo constitucional proíbe seja quem for de ser Presidente, independentemente das suas convicções religiosas; de fato, porém, trinta e três Presidentes, desde que a República existe, se declararam protestantes, e foi preciso esperar pela nossa época para que o católico Kennedy realizasse essa façanha, embora o vice-presidente, por ele escolhido, e que veio a ser seu sucessor, Johnson, fosse protestante, membro da Igreja dos Discípulos de Cristo. Todos os Presidentes e um número infindável de homens públicos têm invocado a autoridade de Deus para justificarem a sua conduta nos assuntos internos da União e em matéria de política externa. «Sem o protestantismo — observava ainda Siegfried —, Wilson é incompreensível». Mas também é verdade que se tem citado vezes sem conta a Bíblia para justificar a proibição do álcool...

Esse Estado em que Deus é incessantemente invocado e cujos governantes se orgulham de ser membros devotados de uma Igreja, nem por isso deixa de ser um Estado laico. O terreno da religião e o da política são rigorosamente separados, pelo menos em princípio, pois seria fácil citar casos em que o Estado neutro se mostrou singularmente parcial a favor dos protestantes, e é sabido que, em política externa, o sectarismo protestante de Wilson pesou muito nos destinos da Europa de Versalhes. Mas, apesar disso, não é menos verdade que o princípio da liberdade religiosa absoluta e da separação entre Igreja e Estado é um elemento fundamental na vida norte-americana desde as origens da União. Mal a Constituição tinha sido aprovada, já os legisladores, julgando que as liberdades individuais não tinham ficado suficientemente protegidas, procediam a emendas ao texto, reunidas no famoso *Bill of Rights*. Dizia a Iª Emenda: «O Congresso não promulgará nenhuma lei que estabeleça ou proíba o livre exercício de qualquer religião». Daí resultou que, separadas totalmente do Estado, as Igrejas protestantes não tiveram de se preocupar com o problema das suas relações com os poderes públicos (como aconteceu nos países europeus de predomínio protestante). Sentiram-se sempre livres; mas por outro lado, habituaram-se a contar apenas consigo mesmas. Todas as Igrejas saídas da Reforma, e mesmo as seitas mais aberrantes, puderam desenvolver-se nos EUA com plena independência. Foi só no jogo da concorrência que os diversos protestantismos encontraram as suas possibilidades, assim como os seus riscos.

Quatro problemas postos ao protestantismo norte-americano

Os acontecimentos que marcaram o protestantismo norte-americano, e que durante os dois últimos séculos lhe moldaram a fisionomia, são, pois, essencialmente acontecimentos religiosos. Foi assim que, no limiar do período de que tratamos, o mais determinante foi o *«despertar»*[85], herdeiro daquele que se deu no século XVIII e abalou milhões de consciências durante todo o primeiro terço do século XIX. Umas das suas consequências, aliás como em toda a parte, foi fazer surgir novas tendências no seio das Velhas Igrejas, concretizadas por vezes em formações dissidentes, como foi o caso dos *Discípulos de Cristo*, fundados em 1830 por presbiterianos hostis à rigidez do quadro institucional e administrativo da sua Igreja, e por batistas preocupados com princípios de método. Mas além disso, tal como se deu simultaneamente em quase todas as antigas formações protestantes, o «despertar», sem ter em conta as barreiras constituídas pela organização eclesial, contribuiu para dar aos fiéis de umas e outras Igrejas a ideia de que essas barreiras não eram intransponíveis e de que o problema da salvação pessoal não estava ligado ao fato de se pertencer a esta ou àquela confissão. Sob formas um pouco diferentes, o «despertar» tomou a ofensiva em duas ocasiões, provocando também reações análogas. No nosso tempo, há bons observadores que se perguntam se o acontecimento mais promissor do protestantismo norte-americano não será, sob a ação de novos «despertares», o aparecimento e o rápido êxito desses movimentos que alguns, ainda com desdém, denominam «seitas», mas em que a fé, carismática e decididamente «espiritual», está prestes a modificar a fisionomia da vida religiosa[86] [87].

Mas essa fermentação espiritual não foi o único elemento determinante para as Igrejas protestantes da União. Todas elas se viram confrontadas com problemas que, em si, nada tinham de religioso, mas que exigiram, também no plano religioso, soluções novas. E das soluções adotadas derivaram consequências muito importantes para todo o protestantismo norte-americano. O primeiro desses problemas foi aquele a que se chamou a *Fronteira*. Ninguém ignora que, muito pouco tempo depois de terem conquistado a independência, os jovens Estados Unidos, originariamente fixados na costa oriental, ao longo do Atlântico, avançaram para o interior dos territórios, para o Mississipi e seu imenso vale, para o *Far West*, depois para as montanhas Rochosas e o Pacífico: foi a «marcha para o Oeste», que se tornou lendária e é muito cara ao público dos *«westerns»*.

Essa conquista de um continente não foi feita de modo sistemático, menos ainda administrativo, já que a Administração pública se limitava a atribuir parcelas do solo àqueles que quisessem ir ocupá-lo. Foram aventureiros de todas as nacionalidades que se lançaram ao assalto do desconhecido; indivíduos e grupos arrebatados pelo desejo de se instalarem nas terras que então não eram de ninguém, ou, com mais violência ainda, pela fome do ouro a descobrir. Diante deles havia os índios, os célebres «peles-vermelhas» de James Fenimore Cooper, umas vezes irredutivelmente hostis, outras mais ou menos rapidamente dominados e finalmente mesclados com os colonos. O conjunto formou uma raça à parte, a que as condições de vida e o clima deram uma forte originalidade. Móvel, em deslocação para oeste, a fronteira, franja de espuma entre a terra civilizada e o oceano ignoto, varreu durante um século todo o território da União, deixando detrás de si um povo jovem, que ia ser o povo americano.

Os protestantes instalados na costa não demoraram a perceber que, deixada a si mesma, «a Fronteira» regressaria à barbárie, e que era, portanto, indispensável enviar para lá evangelizadores[88]. Em contraste, porém, com os católicos, que, disseminados por toda a União, por menos numerosos que fossem, trabalhavam ativamente na conversão dos indígenas e dos pioneiros, as Igrejas protestantes oficiais, bem estabelecidas, nada tinham feito nesse sentido. O problema da Fronteira pouco lhes interessava. Ir para essas terras baldias, para o meio de gente grosseira e de índios cheios de vícios, e pregar a palavra que Deus reservara aos seus eleitos, era coisa risível aos olhos dos distintos presbiterianos e congregacionalistas de tipo «Mayflower», e não menos dos anglicanos, agora com o nome de «episcopalianos».

Quem se encarregou da empresa foram os batistas e os metodistas. Uns e outros representavam uma religião de pobres e deserdados; pelo menos, não era aos templos de pedra e às instituições eclesiásticas que davam mais importância. A sua fé, que acabava de ser reavivada pelo «despertar», era de tipo pessoal, interior, exigente. Desde a sua fundação, os Discípulos de Cristo preocupavam-se também com levar a Boa-nova aos homens da Fronteira. Foi essa época heroica dos pastores itinerantes, que galopavam de acampamento em acampamento, levando aos aventureiros, aos desbravadores de terra, aos peles-vermelhas, um Evangelho muitas vezes bem rudimentar e pouco teológico, mas que sabia tocar essas populações rudes.

A íntima associação de certas formas de protestantismo com essa América em vias de formação teve resultados muito importantes, que ainda hoje são visíveis na contextura religiosa dos Estados Unidos. Deu-se um deslocamento das forças. No fim do período colonial, os congregacionalistas e os presbiterianos ocupavam, respectivamente, na lista das Igrejas protestantes, o primeiro e o segundo lugares em número e influência. Em 1850, os metodistas iam à cabeça, seguidos pelos batistas, e os Discípulos de Cristo, que não contavam mais de vinte anos de existência, tinham conquistado já um lugar de destaque, à frente dos episcopalianos. O próprio sentido da religião também mudou. Os puritanos concebiam-na como atividade comunitária em que tudo estava sob a mão de Deus. Passou-se a admitir mais facilmente um individualismo teológico em que cada um podia ir para Deus a seu modo. O livre exame retomava, portanto, todos os seus direitos, e as fórmulas oficiais, instituições e liturgia sofreram uma indiscutível desvalorização. Na Fronteira, dava-se maior importância aos atos, à atitude virtuosa, do que aos dogmas e à disciplina eclesiástica. Uma das grandes características do protestantismo norte-americano é esta.

Outra das suas características proveio da solução dada ao segundo dos problemas postos pela história às Igrejas protestantes: o da imigração. Entre 1790 a 1840, chegaram aos Estados Unidos dezoito milhões de europeus, e nove milhões entre 1840 a 1880. Em seguida o fluxo diminuiu, mas continuou a ser expressivo até a Primeira Guerra Mundial; pôs-lhe fim a legislação promulgada entre 1920 e 1930. Essa imigração continuou a ser de maioria protestante por muito tempo; deixou de o ser por volta de 1840, precisamente quando (1845) a doença da batata expulsou os irlandeses da sua pátria às centenas de milhares, e quando a Itália e a Alemanha também enviaram católicos. Esta alteração nas origens dos imigrantes, fazendo subir rapidamente a percentagem de católicos, trouxe pouco a pouco uma modificação do equilíbrio entre as Igrejas, com um recuo numérico dos protestantes em relação aos católicos, atualmente tão evidente.

Ao mesmo tempo, surgiu um problema no interior do protestantismo. Os imigrantes não pertenciam às Igrejas instaladas na América do Norte; ainda que fossem membros de uma ou outra das Igrejas europeias das quais procediam as americanas, tinham características nacionais particulares e procuravam mantê-las na sua nova pátria, permanecendo agrupados. Assim se constituíram núcleos de alemães, de holandeses, de escandinavos, e, ato seguido, Igrejas alemãs, holandesas, escandinavas. Nem o fato de se pertencer a uma determinada confissão religiosa bastava para unir os imigrantes de países diferentes, e ainda menos para os soldar ao resto da massa protestante.

O caso mais chamativo foi o dos alemães, que transpuseram para a América, exatamente como eram, as suas Igrejas nacionais. O sentimento de fidelidade às origens era tão forte que se viu Igrejas reformadas e luteranas de língua alemã pensarem numa eventual união e prepararem-se para criar uma universidade comum, ao mesmo tempo que continuavam separadas das outras Igrejas reformadas ou luteranas. Se essa fragmentação radical tivesse prevalecido, é de perguntar onde teria ido parar a «personalidade moral» dos Estados Unidos.

Na verdade, esse melindroso problema foi resolvido pela própria vida, mais que por decisões humanas. Entre os católicos, pelo contrário, embora o problema fosse muito mais grave, pois ameaçava pôr em risco a unidade da Igreja, foi solucionado mediante a categórica rejeição de qualquer tentativa de seccionamento étnico: a condenação do alemão Cahensly, o esforço paciente do cardeal Gibbons, prepararam os caminhos para a fusão[89]. Entre os protestantes é que não era possível. No entanto, viu-se um pouco por toda a parte que a segunda geração de imigrantes só desejava uma coisa; americanizar-se o mais depressa possível, abandonando a língua e muitos usos ancestrais. Houve quem deixasse as Igrejas nacionais para se filiar em grandes formações, mais americanas e mais prestigiosas.

Em contrapartida, a terceira geração, americanizada na língua e nos costumes, considerou que a fidelidade às origens, à Igreja nacional, seria um modo de se individualizar, de não ser semelhante em tudo a toda a gente. Assim sobreviveram, pois, Igrejas alemãs, holandesas, escandinavas, aparentemente torneadas no mesmo molde e que, no entanto, puseram o acento em mínimas diferenças de dogma ou de liturgia, que eram para eles meios de defesa e de concorrência. Quer dizer, chegou-se ao resultado inverso daquele que determinara o avanço da Fronteira. As velhas Igrejas vindas da Europa tendiam a fracionar-se em pequenas formações estanques, enquanto acontecia que certos movimentos, ainda ontem suspeitos às Igrejas, e olhados mais ou menos como seitas, se tornavam verdadeiras Igrejas.

Por volta de 1860, o protestantismo da América parecia já bastante fixado nos traços essenciais. Foi nesse momento que se lhe apresentaram dois novos problemas, que acabariam por conduzi-lo a transformações ainda mais profundas. Nenhum dos dois foi solucionado até hoje, e ambos pesam sobre os destinos de todas as Igrejas.

A tragédia da Guerra da Secessão (1861-65), em que os Estados Unidos só à custa de muito sangue e muitas lágrimas conseguiram salvar a unidade nacional, revelou bruscamente à opinião norte-americana a existência de uma questão negra, e que essa questão estava ligada a outra, menos nitidamente formulada, mas mais grave, que era a de uma oposição larvada entre o Norte e o Sul da União. A bem dizer, a questão negra apresentava-se virtualmente desde que os descendentes dos escravos africanos, importados para as colônias do Sul para cultivarem a cana de açúcar, tinham proliferado, constituindo uma multidão de gente de cor justaposta à dos brancos. Com esses escravos negros, os diversos Estados tinham-se preocupado muito pouco, e o mesmo fizera (importa dizê-lo com tristeza) a própria Igreja Católica, tão ativa em outros campos de missão. Como iria acontecer com os imigrantes brancos, só ou quase só os batistas, seguidos pelos metodistas, se interessaram seriamente por esses abandonados. E a verdade é que tomaram entre eles um tal lugar que ainda hoje 65% dos negros são batistas, 22% metodistas, e os restantes 13% se distribuem entre as outras denominações, incluindo a católica.

Na era colonial e no começo da Independência, existiam muito poucas Igrejas exclusivamente negras. No Sul, alguns grandes proprietários encorajavam os seus homens a fundá-las, dizendo de si para si que as promessas de felicidade na outra vida os ajudariam a ficar sossegados. Na maior parte das vezes, os trabalhadores negros assistiam ao mesmo culto que os seus senhores, prudentemente acantonados no fundo da igreja. A preocupação de «conservar pura a raça branca» e a de manter as justas hierarquias sociais conjugavam-se para estabelecer essa «segregação interna». Em 1787, em Filadélfia, um incidente mostrou a violência profunda desses sentimentos: um escravo liberto, Richard Allen, célebre pelos seus extraordinários dotes de pregador, tinha sido convidado pelos anciãos da Igreja metodista a falar do púlpito, e fizera-o com um sucesso estrondoso. Um dia, porém, em que viera assistir a um ofício, na mesma igreja em que tinha pregado, tendo-se sentado numa das primeiras filas, alguns brancos atiraram-se a ele, arrancaram-no à oração e puseram-no para fora aos pontapés. Isso decidiu Allen a deixar a Igreja metodista dos brancos e a fundar, em 1816, a «Igreja metodista episcopal africana», hoje muito forte.

Passada a Guerra Civil, a questão tornou-se ainda mais grave. É certo que a escravatura foi abolida (a 30 janeiro de 1865); mas muitos brancos tiveram do dia para a noite a sensação de terem perdido uma salvaguarda. As prescrições constitucionais foram violadas, sobretudo no Sul. Criaram-se organizações de «defesa dos brancos», como o famoso *Ku-Klux-Klan* (1866). E a corrente segregacionista ganhou a força de uma torrente. Para as Igrejas protestantes, as consequências foram graves. Os negros emancipados julgaram-se no dever de criar e organizar Igrejas próprias: metodistas africanos, metodistas de Sião, metodistas de pessoas de cor, batistas do Sul, batistas africanos, etc., etc. O êxito foi considerável: em 1958, mais de 75% dos dezesseis milhões de negros recenseados declararam pertencer a alguma dessas Igrejas. Já nas Igrejas de brancos que admitiam negros, estes não iam além de 1% dos praticantes. Chegou-se, pois, a uma distribuição quase absoluta das Igrejas por raças, apesar dos protestos de muitos dirigentes eclesiásticos, e também dos esforços desenvolvidos por numerosas organizações e movimentos de iniciativa branca: Federação das Igrejas de Cristo, União Cristã da Juventude, Federação dos Estudantes Cristãos.

O zelo manifestado pelos negros em relação às suas Igrejas tinha um significado de certa maneira inquietante. Em si mesma, essa fidelidade é admirável: uma sondagem recente revelou que 96% dos negros filiados a uma Igreja se declaram praticantes e 49% assistem ao culto semanal. Isto porque a Igreja deles representou para esses descendentes de escravos, para esses homens que continuavam a sentir-se desprezados, alguma coisa de único, de insubstituível: o meio em que eles se sentiam verdadeiramente homens, em que tinham o direito de se exprimir e de, em liberdade, olhar de frente o seu Criador. Na Bíblia, no Evangelho, achavam muitos traços que lhes recordavam a sua condição, muitas frases que lhes davam coragem. Os refrãos dos seus cantos — os famosos *nigro spirituals*[90] — repetiam-lhes que um povo oprimido conquistara outrora a Terra Prometida, que Daniel fora arrancado por Deus aos leões devoradores, que Davi vencera Golias.

Tudo isso conduzia a uma esperança sobrenatural: a Terra Prometida era o paraíso onde, como no célebre filme, um Deus paternal guiaria os humildes negros até às suas *verdes pastagens*. Quando viesse o dia em que os milhões de negros ganhassem confiança nas suas forças e exigissem, já não apenas uma liberdade teórica e muitas vezes derrisória, mas uma verdadeira igualdade, bastaria uma pequeníssima modificação para que essa aspiração espiritual se conjugasse com a aspiração política. E havia de se ver as Igrejas negras fornecerem ao movimento antissegregacionista os líderes mais ardorosos, como o célebre pastor batista *Martin Luther King* (Prêmio Nobel), homem de fé, notável condutor de massas, para quem a religião faria um todo com o ideal de justiça que ia reivindicar para os seus.

A questão racial trouxe consequências muito graves para as Igrejas norte-americanas. Não somente acelerou o processo de fragmentação — o que, em si, na perspectiva protestante, tem menos importância —, mas provocou uma espécie de distorção no interior das Igrejas brancas. Algumas delas, como por exemplo as episcopalianas e as metodistas, assumiram uma atitude corajosa contra a segregação; mas as instruções dos seus chefes estão longe de ser obedecidas em toda a parte. No Sul, a maioria dos protestantes brancos continua hostil à integração racial; até os pastores lhe resistem. No Norte, ao contrário, a opinião pública condena a segregação e declara-se decidida a pôr-lhe fim. O grande teólogo protestante Reinhold Niebuhr não hesitou em considerar a atitude assumida perante a «revolução negra»[91] a razão de ser da assombrosa ascensão do catolicismo negro, que passou, em dez anos, de trezentos e cinquenta mil para setecentos mil fiéis. Ao que se deve acrescentar que o pulular entre as populações de cor de seitas de tipo pentecostal — «Santificados», «Fiéis de Deus», «Amigos de Cristo»: são mais de cinquenta — tem essa mesma causa. Finalmente, e aspecto ainda mais grave, continua a ser válida a observação feita por André Siegfried há quarenta anos, e hoje talvez mais pertinente do que então: afirmando-se como «raça superior», manifestando desprezo pelo negro, demasiados cristãos perderam, não só o sentido de valores humanos que os Estados Unidos deram por fundamento à sua vida nacional, mas também o dos preceitos sem os quais deixa propriamente de haver cristianismo.

Esses preceitos cristãos foram, na mesma altura, postos em causa por um outro fato: a transformação social dos Estados Unidos. Antes de 1865, os homens do campo constituíam 85% da população; em 1900, ainda eram 60%; em 1920, não ultrapassavam metade; e hoje dificilmente alcançam a terça parte. Essa rápida urbanização foi, evidentemente, consequência do surto industrial e do prodigioso desenvolvimento econômico por que os Estados Unidos passaram nos últimos cem anos e que as duas Guerras Mundiais aceleraram ainda mais. Com isso, o tecido da sociedade alterou-se: as cidades assistiram ao aparecimento de uma classe operária inteiramente diversa da antiga. A pressão social deixou de pesar sobre os trabalhadores agrícolas do Leste, brancos e negros, e sobre os colonos da Fronteira, para se fazer sentir sobre as massas operárias das cidades, submetidas à lei de bronze imposta pelos *robber barons* (senhores do crime). E assim os Estados Unidos, que tinham desconhecido a revolução política, viram-se confrontados com a revolução técnica. Foi esta que começou por levantar-lhes uma questão social e depois, uma vez resolvida esta pelo enriquecimento geral, uma questão moral provinda dessa mesma prosperidade, com as suas profundas transformações nas consciências.

Assim, as Igrejas viram-se colocadas em condições bem diferentes daquelas em que se tinham constituído. Ontem apoiadas em aldeias e pequenas cidades de poucos milhares de almas, viram-se desde então em face de populações industriais das quais tinham ido desaparecendo todas as estruturas sociais e em que se mesclavam todas as nacionalidades e todas as raças. Este acontecimento foi comparado por Will Herberg[92] ao encontro, meio século antes, com a Fronteira. Mas as Igrejas não estavam bem preparadas para abordar essa «fronteira urbana». As mais antigas, sedimentadas na sua compartimentação social, não faziam muita ideia de como atingir as massas de imigrantes e de camponeses desenraizados que se acumulavam nas cidades tentaculares. Elas próprias, apesar de terem tido êxito na Fronteira, como o metodismo, estavam agora aburguesadas: o pregador itinerante dos acampamentos do *Far West* não teve homólogo nas regiões mineiras. Quanto mais crescia a prosperidade, mais os antigos movimentos se transformavam em Igrejas burguesas, em que se cultivava a piedade individual, sem grande preocupação pela responsabilidade comunitária.

O protestantismo norte-americano ignorou, pois, o problema social tanto como o catolicismo europeu, e poderíamos dizer dele o que Pio XI iria dizer da Igreja Católica: «perdeu a classe operária». Em 1898, um pastor, o rev. Francis Perry, depois de ter interrogado alguns operários sobre as razões por que se afastavam de qualquer Igreja, ouviu como resposta: «porque os meus camaradas e eu tivemos razões para considerar a Igreja e o clero apologistas e defensores do mal que se comete contra os interesses do povo...» e para pensar que «a eloquência dos teólogos se opõe aos esforços práticos dos trabalhadores por sair do atoleiro». Um socialista europeu não teria falado de outra maneira.

A esse perigo manifesto, procuraram as Igrejas protestantes responder pela elaboração de um «protestantismo social»[93], análogo àqueles que então se desenvolveram na Alemanha e na Inglaterra. É curioso observar que esse movimento foi inicialmente obra das Igrejas mais antigamente estabelecidas: presbiterianas, congregacionalistas e episcopalianas; mas não tardou que todas se interessassem, metodistas, batistas. E, quando se fundou (1908) o Conselho Federal das Igrejas, representando vinte e cinco denominações, uma das tarefas essenciais de que o encarregaram foi ocupar-se da questão social. Teóricos como George D. Herron e sobretudo Walter Rauschenbush consagraram-se a adaptar o individualismo protestante a uma mensagem de redenção social. Uma espécie de evangelismo social — o «*social gospel*» — penetrou em medida variável todas as formações religiosas, dando ao protestantismo norte-americano um dos seus traços mais marcantes.

O resultado terá sido suficientemente satisfatório? Paralisou-se o movimento de descristianização das massas urbanas? É de duvidar. As estatísticas mostram que atualmente dois quintos dos americanos vivem fora de qualquer Igreja, e que o fato de pertencer às Igrejas é com frequência meramente nominal. Se, nos nossos dias, a filiação religiosa está em visível progresso, é sem dúvida em grande parte por motivos de puro conformismo, visto que a promoção social do operário convertido em burguês não é completa sem a inscrição no registro de uma «denominação» respeitada. Quanto ao mais, dá a nítida impressão de que todas as Igrejas protestantes se encontram, perante a «fronteira urbano-industrial», em estado de quase-impotência.

Os grandes movimentos que agitam a consciência das massas urbanas não partem das Igrejas organizadas. Os «despertares» que verdadeiramente tiveram eco nas cidades têm sido obra de indivíduos isolados, situados, de fato, fora de quaisquer Igrejas: tempos atrás, Dwight L. Moody; ontem, Billy Graham. E, sobretudo, ainda aqui podemos ver a presença dos batistas, cuja teologia simplicíssima se conforma com as gentes simples; e também dos movimentos «sectários», que nasceram precisamente na América quando a civilização industrial ganhava corpo: adventistas do Sétimo Dia, Testemunhas de Jeová, pentecostais. Também eles se expandem com particular facilidade nos meios pobres das grandes cidades, ao passo que penetram pouco nas classes burguesas, bem instaladas nas suas Igrejas organizadas. Está ainda por dar resposta à quarta pergunta feita ao protestantismo pela esfinge da História.

A religião dos americanos

Ao evocar a evolução histórica do protestantismo norte-americano, pode-se calcular até que ponto tudo contribuiu para levar muito longe o processo da sua fragmentação: as origens, o clima de exigente liberdade em que a União se constituiu e depois cresceu; «despertares», as transformações impostas pela Fronteira, em seguida pelo desenvolvimento industrial, pelas incidências do problema racial e da questão social — tudo jogou a favor das forças de divisão. Foi assim que os Estados Unidos se tornaram o país do mundo em que as «denominações» são mais numerosas e em que, apesar dos repetidos esforços de concentração, se deram incessantemente novas cisões, o que torna improvável que algum outro país possa bater esse recorde.

Em 1930, data em que parece ter-se atingido o ponto mais alto da curva, o número de denominações religiosas recenseadas nos Estados Unidos era de 263, das quais 250 protestantes. Aliás, nem as próprias estatísticas oficiais pretendiam de modo algum dar a lista exata de todas as seitas, de contornos flutuantes e de existência muitas vezes efêmera, que se formavam constantemente entre os negros. Está-se, portanto, em face de um pluralismo religioso exacerbado, deveras chocante para os europeus, mesmo protestantes. São costumes que não parecem levar caminho de perder-se tão cedo: quando, em 1941, foi construída a «cidade atômica» de Oak Ridge, e os habitantes conseguiram a promessa de lhes erguerem lugares de culto, foi feita uma contagem cuidadosa dos que seriam indispensáveis para satisfazer os adeptos de todas as denominações — e o resultado do inquérito foi que, atualmente, para trinta mil fiéis, há 37 templos!

Semelhante divisão não deve iludir: é aqui que convém recordar o que já afirmamos a respeito do fracionamento protestante: que as estatísticas e enumerações oficiais não têm, em si mesmas, grande significado. Há alguma coisa de ridículo em incluir na mesma lista de denominações religiosas a Igreja «católica romana», que, em 1958, contava quarenta milhões de fiéis, e uma certa minúscula seita pentecostal negra que não vai além dos cinco mil... Entre os grupos protestantes, os sete maiores representam só por si perto de nove décimos do protestantismo norte-americano: têm à cabeça os batistas, com 23 milhões de fiéis, seguidos pelos metodistas com 16 milhões, os luteranos com 8 milhões e meio, os presbiterianos com 6 milhões e meio, e, completando a maioria, os episcopalianos, os Discípulos de Cristo e os pentecostais. Observação a que convém acrescentar esta outra, de sentido inverso: a de que alguma designação, como a de «luteranos», abrange, efetivamente, umas onze Igrejas, a de «metodistas» uma boa dúzia, e a de «pentecostais» um número de variedades praticamente desconhecido...

Apesar dessa diversidade — ou talvez por causa dela —, os americanos parecem experimentar cada vez mais a necessidade de pertencer oficialmente a uma ou outra Igreja. A princípio, não era assim. Em 1800, apenas 10% dos cidadãos protestantes da União declaravam na folha de recenseamento a comunidade religiosa em que estavam filiados; em 1900, eram 32%; hoje, 64%; e a percentagem continua a crescer. É que, na sociedade norte-americana moderna, cada vez é mais indispensável pertencer a uma denominação religiosa para situar-se socialmente. Em 1953, quando o general Eisenhower tomou posse na Casa Branca, teve um gesto que não lhe parecera indispensável para comandar as tropas na Europa, mas que passou a sê-lo no momento em que lhe coube governar os Estados Unidos: pediu o batismo e inscreveu-se numa Igreja (presbiteriana). Esta evolução dos costumes correspondeu a uma forte tendência das Igrejas para se institucionalizarem, para se organizarem, e os números provam que são as mais estruturadas as que vêm crescendo. O que leva os movimentos menos favoráveis à organização eclesiástica a armarem-se com uma — até os batistas!

Instaurou-se, pois, uma compartimentação social que se sobrepõe à compartimentação religiosa, como se cada categoria correspondesse a um dado grupo social ou étnico. Já o observara André Siegfried, numa página brilhante, e as coisas não mudaram muito desde 1926. Os batistas continuam a recrutar-se principalmente entre a gente do povo, brancos e negros, dos campos e das cidades de segunda ou terceira ordem; os metodistas, que já não são a gente simples das origens, entre «os comerciantes prósperos, com os negócios abençoados por Deus»; os episcopalianos, entre as camadas ilustres de antiga linhagem, que se orgulham de haver tido nas suas fileiras George Washington e Franklin Roosevelt; os congregacionalistas e os presbiterianos, na aristocracia culta e puritana tipo «Mayflower»; e os *quakers*, entre os homens de negócios da farta opulência. Quer dizer que não há apenas justaposição, mas sobreposição dessas «denominações» consoante a escala social.

No entanto, a essas forças de dissolução têm-se oposto, sobretudo desde o início do século XX, outras forças que trabalham a favor da concentração. No plano prático, o *yankee* concilia o seu individualismo com o gosto pela ação coletiva por meio do federalismo político e da organização dos *trusts*. O mesmo acontece no plano religioso. De resto, é frequente ouvir dizer que, se as Igrejas quiserem ser mais eficazes, devem levar a cabo uma concentração horizontal e vertical, como nos grandes negócios... Esta opção pela eficácia foi até apresentada pelos americanos nas reuniões do Conselho Ecumênico de Lund e de Evanston, para grande estranheza dos protestantes europeus, mais interessados na teologia... A tendência para a união começou, pois, por manifestar-se no seio das grandes denominações[94]. Assim os luteranos, os batistas e os metodistas constituíram federações que, de maneira mais ou menos coesa, agrupam um número maior ou menor de Igrejas. Em certos casos, foi-se até à fusão, tal como sucedeu, em 1939, com três Igrejas metodistas. Ao mesmo tempo, promoveu-se a aproximação entre confissões diferentes.

Em 1908, foi constituído o *Conselho Federal das Igrejas*, em que estão representadas vinte e cinco grandes denominações e que abrangem dois terços do protestantismo norte-americano. Cada vez mais, parece que se procura atingir «já não o *shibboleth* que separa, mas a realidade que une». Antigas organizações, como a Foreign Mission Conference (1893), o House Mission Council (1908), o Missionary Education Movement, e outros ainda, se reagruparam, em 1950, no *Conselho Nacional das Igrejas de Cristo*, ao qual aderiu o Conselho Federal que, na prática, o orienta.

Este federalismo, bem de acordo com o gênio norte-americano, foi considerado insuficiente por alguns setores, e surgiu então um movimento mais radical de fusão inter-Igrejas, como aquele que, em 1960, foi proposto pelo teólogo Eugene Carson Blake às Igrejas presbiterianas, episcopalianas, metodistas e «Igrejas reunidas de Cristo». Este movimento de concentração pode vir a modificar significativamente a feição do protestantismo norte-americano e mesmo mundial. Observam os maliciosos que haveria mais probabilidades de alcançar rapidamente tais objetivos se cada uma das denominações não tivesse um quadro administrativo que faz viver muitos clérigos e também, com frequência, uma hierarquia ciosa dos seus direitos...

Não ficará tudo dito acerca da complexidade do protestantismo norte-americano se não se acrescentar que essa dialética de partilha segundo as organizações eclesiásticas sofre a interferência de uma outra, de ordem mais especificamente espiritual. Porque os Estados Unidos, empenhados como estiveram na corrida para o «mundo moderno», com as suas seduções e perigos, foram terreno de eleição para a grande batalha entre as duas tendências que se manifestaram nas consciências cristãs no século XX: uma favorável à aceitação do pensamento moderno; outra inclinada a recusá-lo. De resto, aquilo a que se chamou modernismo, ou protestantismo liberal, dividiu violentamente os americanos, e essa ruptura subsiste visivelmente até hoje.

De um lado, encontra-se aquilo que, no protestantismo europeu, se costuma chamar ortodoxia, e que passou a ser designado nos Estados Unidos por *fundamentalismo*, «mistura de estrita ortodoxia e pietismo», como diz o pe. Tavard: as suas formulações da fé são radicais, e todos os dogmas da Reforma — ou que se imaginam como tal — são ciosamente mantidos. O fundamentalismo defende «a religião dos pais», rejeita qualquer hipótese da ciência que não se concilie com a letra das Escrituras, proclama que importa ter por verdadeira a mais pequena palavra da Bíblia. Foram os fundamentalistas que, em 1925, se opuseram ao ensino da teoria da evolução nas escolas do Tennessee e de mais quatro Estados. No decorrer do processo que lhes foi movido, o antigo secretário de Estado Bryan, fundamentalista convicto, declarou não ter a menor dúvida de que a baleia tinha mesmo engolido Jonas e o tinha restituído passados três dias.

Em oposição a esse integrismo, o *liberalismo* apresenta-se sob toda a espécie de matizes, que vão desde o desejo de alargar o quadro religioso, para adaptá-lo melhor às exigências do mundo moderno, passando por uma espécie de «modernismo» protestante, até um humanismo espiritualista em que todo e qualquer credo positivo se dissolve. Pode-se observar o fosso entre as duas tendências não só na orla das Igrejas (os batistas, por exemplo, são, no conjunto, fundamentalistas), como no interior das próprias Igrejas, onde corresponde, *grosso modo*, à linha de separação entre Norte e Sul, sendo o Sul mais facilmente fundamentalista, e o Norte mais liberal.

Em face de todas as diferenças e de toda a fragmentação que acabamos de observar, acode ao espírito uma pergunta: «Haverá, apesar de tudo, um protestantismo norte-americano?» Pois bem, a verdade é que há. Pode existir uma enorme distância entre um batista do Sul e um presbiteriano da Nova Inglaterra, que nem por isso deixará de se notar, entre os dois, determinados elementos comuns que ultrapassam todas as dessemelhanças. O mais evidente é a fidelidade à Bíblia, que já sabemos ser essencial ao protestantismo e cuja presença na vida americana também já conhecemos. Mesmo nos meios em que a prática religiosa é a bem dizer nula, subsiste uma devoção quase fetichista pelo Livro Sagrado, que se exprime de mil maneiras. Outro traço comum a todo o protestantismo norte-americano é o seu puritanismo. Vem-lhe das origens, pois a maioria dos pioneiros que fundaram as Igrejas traziam fortemente a marca do puritanismo. Diminuiu no século XX, mas está longe de ter desaparecido. É ele que impõe um moralismo de princípio, a que se têm feito, na prática, imensas derrogações, mas que ainda hoje se manifesta em costumes como o «jantar de Domingo»[95] e em medidas administrativas que espantam um europeu[96].

O protestantismo *yankee* possui a forte convicção de que beneficia da eleição divina e de que é, sob formas diversas, a mais alta expressão do cristianismo e de todas as religiões. Neste plano, não foi esquecido o predestinacionismo calvinista. Encontra-se a sua aplicação mais clara na política: protestantismo e liberdade parecem ser uma e a mesma coisa. Ralph Barton Perry, professor da Universidade de Harvard, dedicou vários anos de aulas e depois um grosso volume a mostrar que *Puritanismo e Democracia*[97] se encontram substancialmente associados. Todos os protestantes dos Estados Unidos estão convencidos de que é à sua fé que devem o fato de terem, segundo palavras do senador La Follete, «o governo mais perfeito que existe à face da terra». Assim como estão certos de que essa fé lhes impõe o dever de «dar o exemplo da devoção aos grandes princípios de justiça que derivam das revelações da Sagrada Escritura», como o repetia com gosto o presidente Wilson. Falhar nesse ponto seria, para esse povo eleito, cometer um pecado mortal. O que é o mesmo que dizer que a fé protestante se conjuga com o brio nacional, que ela apoia e justifica o orgulho de assumir, à custa de grandes sacrifícios, a *leadership* do mundo.

Uma das consequências menos felizes desse gênero de convicção foi, por muito tempo, a declarada hostilidade contra todos os heterodoxos, especialmente os católicos. O anticatolicismo foi, até época bem recente, um dos traços comuns mais vivos de todos os protestantismos norte-americanos. Traduziu-se de diversas maneiras: menos virulento nuns que noutros, mas a ponto de chegar, por vezes, às sevícias[98], ou pelo menos de inspirar a todos um desprezo profundo por tudo o que, de perto ou de longe, fosse católico. Todos os protestantes médios estão de acordo em ser contra o Papa, a quem John Adams, sucessor de Washington na Casa Branca, chamava «tirano eclesiástico»; contra o Vaticano, considerado como o inimigo mais temível da liberdade; contra as «idolatrias» romanas. Não faz tanto tempo assim que a American Legion se opunha à entrada da bandeira estrelada numa igreja católica.

E quando, em 1928, Alfred Smith, católico, quis candidatar-se às eleições presidenciais, ouviu-se um grito de guerra que acariciou os ouvidos dos protestantes: «Não deixeis o Papa entrar na Casa Branca!» É verdade que esse grito foi lançado pelo Grande Feiticeiro Imperial do Ku-Klux-Klan, a associação clandestina que sabemos ter sido fundada em 1866 para «defesa da raça branca» contra os negros, e à qual foi confiada, em 1915, quando voltou a aparecer, entre outros fins, a luta contra os progressos do catolicismo[99].

Tanto ou mais que por alguns dados profundos, o protestantismo americano está unido nos aspectos externos. Estes são até tão constantes que, para um não americano, é praticamente impossível identificar uma denominação pelo seu modo de atuar. Todas elas utilizam os mesmos meios para atrair os fiéis, todas elas anunciam nos jornais, no rádio e na televisão o pregador ilustre que falará na sessão de culto ou o concerto espiritual que servirá de ornamento. Uma espécie de emulação quase comercial opõe assim as Igrejas umas às outras. Todas elas prezam as realizações tangíveis, os lugares de culto confortáveis, as salas de reunião bem equipadas. As denominações poderosas custeiam os gastos de um clero opulento, que se desloca em carros suntuosos; aliás, têm isso como obrigação: se agissem de outro modo, arriscavam-se ao descrédito[100]. Só as seitas recentes têm aparência mais modesta; nas outras confissões, fica-se com a impressão de que as Igrejas se convenceram com excessiva facilidade de que domesticaram Mammon...

Isso não deixa, porém, de ter aspectos muito positivos. Sobretudo a generosidade. Cem milhões de americanos destinam cada um cinquenta dólares por ano às necessidades da sua comunidade religiosa[101]. Dedicam-se verbas enormes à construção de templos: em 1958, alcançavam quinhentos milhões de dólares no total. Em média, há uma igreja para cada quatrocentos fiéis brancos e uma para cada duzentos fiéis negros; constroem-se doze por semana. Logo que a grande prosperidade fabricou os milionários, todos se empenharam em ajudar a sua Igreja: Jay Cooke, Rockefeller, Armour, Vanderbilt... Em 1956, John D. Rockefeller Junior contribuiu com dez milhões para o desenvolvimento dos seminários protestantes em toda a União. A separação total com relação ao Estado força as Igrejas a contar apenas com os seus fiéis, não só para garantir a remuneração do clero, mas ainda para manter seminários, escolas, universidades, hospitais. É uma das glórias dos crentes dos Estados Unidos — não só dos protestantes, mas dos católicos e dos israelitas — quererem financiar amplamente todas essas instituições. As missões protestantes em terras pagãs beneficiam também da mesma generosidade: pelo menos metade de todas as que há no mundo vivem do dinheiro americano; atualmente, desenvolve-se um enorme esforço na América do Sul. Importa ainda acrescentar a este quadro os meios de apostolado que a generosidade dos fiéis põe à disposição das Igrejas. Não há nenhuma Igreja, ainda que mínima, que não tenha a sua imprensa. As grandes denominações controlam e inspiram muitos dos jornais mais lidos. Em 1958, eram para cima de quarenta mil as emissões religiosas do rádio e da televisão. E a *American Bible Society* distribui, pelo mundo inteiro, quinze milhões de bíblias em 228 línguas ou dialetos.

Todos estes resultados devem ser atribuídos a uma qualidade que os americanos, raça de pioneiros e de realizadores, sempre tiveram na mais alta conta: a eficácia. E ninguém pode negar que as Igrejas dos EUA são eficazes. Mas não haverá aqui um certo perigo? Foi o que se manifestou cada vez mais nitidamente à medida que a América se tornava o país das grandes realizações técnicas, da prosperidade, dos grandes rendimentos. O velho protestantismo transformou-se. A nota dominante deixou de ser a piedade, a busca de uma relação com Deus, para passar a ser a ação — os valores de ação[102]. Calvino, aliás, parecia justificar essa evolução, pois a sua doutrina levava a ver no êxito terreno um penhor da eleição divina.

De acordo com essas perspectivas, Cristo deixa de ser a vítima oferecida em redenção dos pecados e se converte no homem de altíssima virtude, no conquistador das almas, no super-homem que deve servir de modelo. «Se queres poder, pede-o a Jesus Cristo!», exclama do púlpito um pastor de

Boston. E Siegfried garante que «a literatura norte-americana se tem comprazido bastantes vezes em apresentar um Cristo *businessman*, um Cristo bem-sucedido, um Cristo jornalista ou sindicalista». E a gente se pergunta o que resta do Deus encarnado para a salvação do mundo, do «varão de dores», vítima redentora, nesse gênero de imagens derrisórias. A angústia do pecador, o sentimento trágico da vida, que são os elementos de menos duvidosa grandeza do pensamento protestante, cedem perante um otimismo mole. Já em 1847, Bushell e Ward Beecher fundamentavam toda a vida religiosa na certeza da imensidade do amor divino; mais tarde, uma seita, a dos «universalistas», ensinava até que todas as almas se salvariam. Por muito tempo, os *revivalistas* pietistas reagiram contra essas deformações da fé; mas, na atualidade, o último da série, o famoso Billy Graham, concorre também para o otimismo: um dos seus sermões intitula-se «A Vida triunfante».

Mas a verdade é que os pietistas, os revivalistas, os próprios fundamentalistas se acharam de acordo com todos ao aceitarem um outro desvio que afastou ainda mais o protestantismo americano dos seus princípios dogmáticos. A consequência lógica dessa espécie de rosseaunianismo era que a verdadeira justificação da religião passava a ser cristianizar a sociedade a fim de que nela se realizasse a bondade natural do homem. Cuidou-se, pois, de pregar o melhoramento da vida da sociedade, a prática das virtudes cívicas, o sentido de responsabilidade para com a comunidade humana. O cristianismo deixava de ser um corpo de doutrina, ou mesmo um código de regulamentos, tal como ainda pensavam os puritanos, para converter-se numa simples atitude de consciência perante os problemas da vida social. Já ninguém escondia a que se reduzia a fé nessas condições. Em 1897, o jornal protestante *Arena* escrevia: «Os credos afundam-se; os atos tomam-lhes o lugar. A religião do futuro insistirá mais na vida que no dogma». Deixavam-lhe, em suma, na batalha pelo êxito, o lugar de árbitro ou de Bom Samaritano. Era o mesmo que dizer que todas as religiões se equivalem. «O nosso governo não tem sentido se não se fundamentar numa fé religiosa profundamente sentida; e pouco importa qual seja essa fé», declarou o general Eisenhower[103].

Desse protestantismo em decomposição, do qual se chegou a dizer[104] que era «mole como manteiga», quem se beneficiou? Não as Igrejas estabelecidas, que parecem intercambiáveis: deixa-se uma para entrar noutra por motivos contingentes, porque esta é mais considerada do que aquela, ou... porque esse lugar de culto fica mais perto da nossa casa[105]. Era o protestantismo em globo que perdia com isso. Todos os observadores estão de acordo em notar que, a partir da década de 1920, houve uma baixa muito sensível, quer nas filiações em Igrejas, quer na assistência ao culto ou na construção de templos. O materialismo concreto, esse que se traduz, não propriamente na recusa de Deus, mas na sua eliminação inconsciente, porém total, da vida, nunca mais deixou de progredir, se bem que tenha sido mil vezes denunciado do alto dos púlpitos[106]. «A fé que vivemos — escrevia o metodista Harvey Seifert[107] — é, muito mais do que o cristianismo, o cientificismo, o racionalismo, o materialismo. Prestamos a nossa verdadeira vassalagem às novas marcas de carros e aos vestidos elegantes, bem mais do que ao Sermão da Montanha». Segundo o lúcido observador Herberg, esse processo teve ainda outra consequência, que assinalou a queda do protestantismo do seu posto exclusivo de religião nacional: para o americano de hoje, o protestantismo, o catolicismo e o judaísmo são «três representações dos mesmos valores espirituais que se consideram próprios da democracia americana»[108].

Contra essa desagregação do protestantismo autêntico, provocada pelo ativismo e pelo civismo burguês, deu-se uma reação análoga à que se registra no protestantismo europeu. Deu-se com atraso — só há pouco tempo é que Karl Barth passou a ser estudado a sério —, mas progride a passos regulares. O protestantismo liberal e o «*social gospel*» ainda conservam alguma importância; mas estão em baixa e há sinais indiscutíveis de um renascer propriamente religioso. Vejamos três.

Desde o fim da Segunda Guerra Mundial, tem-se assistido a uma renovação da teologia, que tende a recuperar no ensino dos seminários o lugar usurpado pela exegese e pela história, além de promover cursos e conferências cada vez mais numerosos para leigos. É uma teologia influenciada por Karl Barth e Kierkegaard, e que tem por mestres Reinhold Niebuhr e Paul Tillich. Deu-se também uma evolução nos conceitos e na prática do culto, particularmente sensível nas Igrejas tradicionais (luteranas, episcopalianas), nas quais a renovação litúrgica é impressionante e leva quase por todo o lado a redescobrir como centro do culto a Santa Ceia, antes deslocada para segundo plano pelo ministério da Palavra e celebrada apenas três ou quatro vezes por ano. Finalmente, assiste-se desde há uns vinte anos a uma evidente retomada do apostolado, com diversas manifestações: um renascimento do evangelismo, que faz lembrar um «despertar» e que insiste mais na transformação interior do que no bom comportamento (tem como principal representante um Billy Graham, apesar da tendência que se lhe conhece para um certo ativismo); uma procura de novos métodos para reconquistar as almas, métodos frequentemente inspirados naqueles que protestantes e católicos experimentam na Europa — paróquias comunitárias e proletárias do East Harlem, de Oak Street em New Haven, de Chicago, de Cleveland —; missões operárias e itinerantes. Sem esquecer a maré impressionante das «Novas Igrejas» ou seitas, de caráter carismático, que conservam como exigência imperiosa o espírito de conquista, associado a sentimentos sinceros de fraternidade; uma ascensão que levou os pentecostais a figurar entre as sete primeiras denominações protestantes.

Após a baixa muito clara que sofreu entre 1920 e 1940, o protestantismo americano refez-se e levantou a cabeça. Durante e após a Segunda Guerra Mundial, experimentou uma renovação religiosa verdadeiramente extraordinária, como aliás também se observou no catolicismo e, em menor medida, no judaísmo. As causas disso são complexas: vão talvez da angústia existencial do homem, perante as ameaças de destruição atômica, até ao desejo já referido de subir na escala social e à maior disponibilidade de tempo livre. Seja como for, o fenômeno é indubitável. Em 1940, 50,7% da população de mais de catorze anos pertenciam a alguma Igreja; em 1958, eram mais de 65%. Em 1958, 251 denominações religiosas anunciavam 109.557.741 fiéis. Uma sondagem «Gallup» indicava que, em determinado domingo, 47% dos adultos tinham assistido a uma cerimônia religiosa, e que 95% declaravam acreditar em Deus. O interesse pelos assuntos religiosos é considerável: prova-o o constante incremento da produção de livros, revistas e jornais religiosos.

É normal que o protestantismo se tenha beneficiado largamente desse movimento; mas a verdade é que passou a ter um forte rival no catolicismo, que conta a seu favor com a serenidade da fé, a duradoura tradição, a transcendência que se opõe à estreiteza dos particularismos, a sua generosa firmeza acerca da questão racial, a sua intransigência em face do comunismo, e que tem ainda por si o prestígio das suas elites intelectuais e políticas. Em 1958, 61.504.669 norte-americanos diziam-se protestantes. O futuro dirá se esse protestantismo sólido, vigoroso, continuará a progredir, espicaçado pela concorrência do catolicismo. Dirá também em que medida ele terá sabido traçar para si mesmo uma rota direta, passível de ser seguida em conjunto pelos filhos das suas inúmeras denominações; ou se continuará cindido em dois, como receia o pastor McLoughlin[109]: o protestantismo ardente dos fundamentalistas, dos pietistas, dos membros das jovens seitas, e essa espécie de civismo moralizador impregnado de um vago desejo de comunicar-se com coisas superiores, que tantos consideram como «a religião dos americanos».

A grande etapa das Missões protestantes

Paralelamente ao seu desenvolvimento em território americano, o protestantismo associou-se à expansão britânica que levaria à formação do Império, hoje a *Commonwealth*. Aí assumiu, com algum matiz, formas que não deixam de recordar *grosso modo* as que conhecemos dentro dos Estados Unidos[110]. Não é, porém, aí que havemos de encontrar o segundo grande fato da expansão do protestantismo, mas no extraordinário desenvolvimento que tiveram durante cento e cinquenta anos as suas missões em territórios não cristãos. Estamos perante um capítulo cujas páginas não poderão ser percorridas sem um sentimento de admiração. Os católicos — que, de resto, conhecem tão mal a sua própria história missionária — ignoram de todo a dos seus irmãos separados. A bem dizer, só ouviram falar dessas missões a propósito de incidentes desagradáveis em que as fraquezas e mediocridades próprias da condição humana tiveram livre curso e chegaram a causar escandalosamente a ruptura entre batizados. Quantos, porém, terão uma ideia da grandeza de alma, da fé autêntica desses pastores que, muitas vezes com uma jovem esposa, se entregaram à aventura da conquista das almas, no meio de perigos e sofrimentos que as terras desconhecidas reservavam aos portadores da Cruz? Olhá-los como concorrentes incômodos, sem neles reconhecer o amor de Cristo, não seria atraiçoar esse mesmo amor?

Os protestantes tinham levado tempo a tomar consciência do dever missionário. Os mestres da Reforma, a começar por Lutero, tinham, em geral, compreendido muito mal a obrigação de «ir e ensinar todas as nações». Tinham até chegado a armar-se antecipadamente de argumentos teológicos para se oporem às missões: a era da expansão apostólica terminara, e ninguém podia pretender reabri-la; Deus, que predestina todos os homens, quis que os pagãos fossem rebeldes. Era preciso — dizia Teodoro de Beza — deixar a evangelização dessa gente «a esses gafanhotos vomitados pelo Inferno, que usam hipocritamente o nome de Jesus». Só Bucer opinara de outro modo na primeira geração. No entanto, no princípio do século XVII, alguns pensadores, sobretudo holandeses, tinham esboçado uma teologia da missão. Tinham-se feito algumas tentativas com os franceses Villegagnon e depois Jean de Ribault, com os holandeses Eduardus e Dorenslaer, com o inglês John Eliot — que seguia os métodos das «reduções» dos jesuítas entre os índios —, com o dinamarquês Hans Egede, herói solitário entre os esquimós. A corrente tinha-se, portanto, invertido, e, no século XVIII, os protestantes já iniciavam seriamente a obra missionária. Os metodistas contavam nas suas fileiras um médico, Coke, êmulo de São Francisco Xavier. O conde de Zinzendorf, exatamente cinco anos depois de ter fundado o centro pietista de Herrnhut, enviava Irmãos Morávios aos países considerados os mais difíceis. E passara a haver missões protestantes na América entre os peles-vermelhas, na Índia, em Ceilão, na Oceania, na China, na Mongólia, na Groelândia e no Labrador, na

África do Sul. Tudo isso era ainda esporádico e mínimo. Não havia nem cinquenta postos missionários ao todo. Também é verdade que, pela mesma altura, as missões católicas estavam longe de ser prósperas...

Mas a grande largada estava próxima. A renovação espiritual que acompanhou em bastantes países cristãos a crise revolucionária traduziu-se, dentro do protestantismo, no aparecimento das *Sociedades Missionárias*. A primeira delas nasceu em 1792, na Índia, e de modo bem comovedor. O pastor batista *William Carey*, cuja nobre figura iremos evocar daqui a pouco, agrupou doze confrades, tão pobres como ele, e fundou a Baptist Missionary Society. Puseram em comum os seus recursos: o capital inicial era de 278 francos! Passados três anos, em 1795, umas centenas de pastores ingleses não conformistas fundavam a London Missionary Society, que teria em Livingstone uma das suas glórias, e que, no ano seguinte, enviava à Índia *Alexander Duff* com trinta missionários. Os anglicanos tiveram de lhes seguir o exemplo: em 1799, fundavam a Church Missionary Society. O movimento estava lançado. E seguiram essa trilha os holandeses em 1797, os americanos em 1810, os suíços de Basileia em 1815, os dinamarqueses em 1821, e ainda os metodistas em 1813 e 1819, os episcopalianos em 1820... Em 1821, uma *Exposição do estado atual das missões evangélicas entre os povos infiéis* citava com satisfação doze sociedades missionárias, 252 postos de missão e 520 missionários.

Que diria o bom genovês que tanto gosto tinha de poder dar esses números, se pudesse adivinhar os que teria a registrar cem anos depois?... De ano para ano, as sociedades missionárias foram-se multiplicando. Multiplicando? Antes, pululando! Todos os países protestantes as viram nascer. Todas as Igrejas oriundas da Reforma, todas as comunidades, todas as seitas quiseram ter as suas. Essa proliferação não tardaria a ter um aspecto excessivo, incoerente, visto que algumas dessas sociedades eram muito pequenas e tinham poucos meios, mas em geral denotavam um zelo muito vivo. Umas eram muito importantes, extremamente promissoras, como a Sociedade das Missões Evangélicas, de Paris, fundada em 1824, ou a Sociedade das Missões de Berlim, ou as grandes Uniões Missionárias dos presbiterianos e dos luteranos. Em 1913, contavam-se 365 sociedades missionárias; em 1925, 380. Certas supressões ou fusões reduziram o número a 360[111], o que ainda hoje é considerável, sobretudo se acrescentarmos, para ter um ideia do esforço realizado, as 398 «sociedade auxiliares» e as 48 «independentes».

Deve-se observar, porém, que esse imenso movimento a favor das missões encontrou resistências dentro do protestantismo, ao contrário do que sucede no catolicismo, em que as críticas nunca tiveram por objeto os princípios, mas somente as diferenças de método. Os argumentos de ordem teológica que tinham sido opostos à missão nos seus começos nunca deixaram de ser repetidos, até aos nossos dias, por «ortodoxos» ou por «fundamentalistas» de mentalidade estreita; desencadearam-se verdadeiras campanhas contra a missão e contra os missionários, campanhas de uma violência que nos deixa desconcertados. Em 1831, o cônego anglicano Sydney Smith, homem generoso e clarividente — foi um dos mais firmes partidários da emancipação dos católicos —, declarava com a ironia que lhe era habitual: «O mais baixo dos estanhadores, se for devoto, é infalivelmente expedido para o Oriente, e a sua ausência é para nós um bem muito maior do que o consolo que as suas prédicas levam aos hindus». Atualmente, o envio de missionários negros para a África provocou protestos veementes na América, e as missões pentecostais, cujos extraordinários êxitos na América do Sul iremos ver[112], são periodicamente objeto de críticas e sarcasmos.

Essas resistências, significativas mas mínimas em si, não têm impedido o esforço missionário protestante de conseguir resultados impressionantes. O número dos postos de missões não cessou de aumentar até ao limiar do século XX; depois, a instituição de «dioceses organizadas» estabilizou esse número, mas o dos missionários continuou a subir: era de dezoito mil em 1900; ultrapassa hoje os trinta mil. Algumas Igrejas protestantes deram exemplo de um devotamento extraordinário à causa do apostolado. Nesse «concurso», é incontestável que o primeiro lugar pertence a uma das mais pequenas formações do protestantismo, os Irmãos Morávios, que, no decurso do século XIX, mantiveram em média dois mil missionários, enviando um por cada grupo de noventa e dois dos seus fiéis, enquanto os luteranos têm 2.770 missionários para 75 milhões de batizados, e as outras Igrejas protestantes têm um missionário por cada cinco mil ou sete mil fiéis! Para servir de base a esses vastos empreendimentos, foi constituída uma sólida organização: seminários especializados (muitos deles interconfessionais), sistema de rotação dos pastores entre as paróquias da Europa e da América, apoio financeiro, imprensa missionária. Assim, a Missão, que era tão pouca coisa em 1789, tornou-se um dos elementos essenciais do protestantismo, exatamente como é na Igreja Católica.

Tal como a católica, a missão protestante beneficiou, em larga medida, durante todo o século XIX, da expansão colonial dos europeus. No rasto dos soldados de Sua Majestade britânica, os missionários anglicanos, presbiterianos e metodistas foram avançando, alargando o seu campo de ação à medida que o Império se dilatava. A própria ideia que as Igrejas protestantes tinham acerca das suas relações com o Estado contribuía para associar a causa da evangelização aos interesses desse Estado. O nacionalismo foi infinitamente mais decisivo entre os missionários protestantes que entre os católicos, tanto mais que alguns governos, como o de Londres, julgaram útil conferir títulos oficiais a missionários, como por exemplo o de cônsules; o mesmo se pôde observar nas possessões holandesas das ilhas de Sonda, nas colônias alemãs da África antes de 1914. Incidentes como a famosa «questão Pritchard»[113] mostraram o perigo desse gênero de ligação; mas, até nos casos em que os missionários protestantes trabalhavam em regiões que politicamente não dependiam do seu país de origem, o fato de estarem oficialmente vinculados a uma nacionalidade criava equívocos. Um missionário católico, seja ele italiano, belga ou francês, está a serviço da Igreja Católica, universal. Pelo contrário, no protestantismo, fala-se com toda a normalidade da missão alemã, da missão sueca, da missão americana. A confusão está patente, por exemplo, na resposta que dava um nativo a um funcionário colonial francês: «Eu não lhe obedeço! Sou americano!» Tinha sido batizado por um missionário americano. No decorrer destes últimos anos, na América do Sul, o sentimento de hostilidade para com os Estados Unidos refreia os progressos das missões protestantes, que são acusadas de estar mancomunadas com o «neocolonialismo» e o capitalismo *yankee*.

AS SOCIEDADES MISSIONÁRIAS PROTESTANTES

1792	Baptist Missionary Society (W. Carey)
1795	London Missionary Society (Livingstone)
1797	Sociedade Neerlandesa das Missões para a Propagação do Cristianismo entre os Pagãos
1799	Church Missionary Society for Africa and the East
1810	American Board of Commissionners for Foreign Missions
1813	Wesleyan Methodist Missionary Society (os Metodistas já tinham, desde 1786, missionários na Antilhas)

1814	American Baptist Foreign Mission Society
1815	Société des Missions de Bâle (Basileia)
1819	Board of Foreign Missions of the Methodist Episcopal Church
1820	Domestic and Foreign Missionary Society of the Protestant Episcopal Church in the United States of America
1821	Sociedade Dinamarquesa de Missão
1824	Société des Missions Évangéliques de Paris. Sociedade das Missões de Berlim
1826	Société des Missions Évangéliques de Lausanne (a partir de 1917, Mission Suisse Romande)
1835	Sociedade sueca das Missões
1836	Missão Evangélica Luterana de Leipzig
1837	Board of Foreign Missions of the Presbyterian Church in the United States
1841	Board of Foreign Missions of General Synod of the Evangelical Lutheran Church in the United States of America
1842	Sociedade Norueguesa de Missões
1847	Presbyterian Mission Comittee of the Presbyterian Church of England
1848	Associação para a propagação do Evangelho nas Possessões Holandesas do Ultramar
1856	Free Church of Scotlands Foreign Missions Committee. Sociedade Nacional Evangélica da Suécia
1858	Sociedade das Missões Finlandesas. Associação das Missões Holandesas
1863	Syrian Protestant College (Universidade Americana de Beirute)
1865	China Inland Mission
1878	União Missionária Sueca
1881	North Africa Mission
1894	American Friend's Board of Foreign Missions
1897	Christian and Missionary Alliance (U.S.A.)
1903	Société Belge des Missions Protestantes au Congo

Eis, pois, uma contrapartida da insigne generosidade com que os protestantes cuidam das suas missões. É fora de dúvida que, em conjunto, as missões protestantes dispuseram por muito tempo — e continuam a dispor — de meios financeiros muito mais abundantes que os dos católicos. Que o país mais rico do mundo tenha sido também o primeiro país protestante foi uma grande coisa para as missões protestantes, tanto mais que, nesse mesmo país, a maior parte dos milionários são protestantes. Para ajudar a expansão missionária, não tardaram a proliferar as sociedades auxiliares, mais depressa até do que as sociedades missionárias, e elas desempenham um papel análogo ao que desempenham a *Propaganda Fide* e a Santa Infância entre os católicos. O número atual de 398 não significa que não haja outras. São inumeráveis os «*friends*» desta ou daquela Igreja, e, além disso, muitas dessas sociedades recusam-se a estar a serviço de uma determinada Igreja e ajudam todas as missões: a *General Eldership of the Church of God* e algumas outras proclamam em voz alta esse desígnio. A estatística é eloquente: em 1925, o conjunto das missões protestantes dispôs de perto de dois bilhões e meio de francos-ouro; em 1955, de três bilhões e meio, metade dos quais fornecidos pelos Estados Unidos.

Os meios de ação utilizados não são todos idênticos aos dos católicos. O pastor missionário protestante não tem o mesmo comportamento que o missionário católico, ao menos em geral, porque a verdade é que, de confissão para confissão, há diferenças sensíveis entre os missionários protestantes; por exemplo, entre um anglicano ou presbiteriano e um batista. O missionário católico apresenta-se e aparece aos olhos dos indígenas como um homem consagrado. O próprio isolamento derivado do seu celibato mostra que é diferente das outras pessoas. Por outro lado, o que ensina é uma religião dogmática, de credo imperativo, com ritos que impressionam o nativo e uma solenidade que seduz. O missionário protestante não pode, sem trair a sua fé, fazer de conta que é um homem sagrado. Em contrapartida, beneficia de uma ajuda preciosa na pessoa de sua esposa, que pode estabelecer mais facilmente contato com as mulheres indígenas, ao mesmo tempo que o seu lar pode dar exemplo de família cristã. De modo que o missionário protestante surge de preferência como um irmão claramente mais velho, um guia para tarefas naturais e sobrenaturais, e não tanto como um padre, e isso tem um lado bom e outro mau. Certas atitudes propriamente sacrificiais de muitos missionários católicos têm causado espanto entre os seus confrades protestantes: é típico o caso do Padre Damião, que foi por muito tempo criticado e desprezado pelos pastores das ilhas vizinhas de Molokai; só quem acreditar na comunhão dos santos pode fazer-se voluntariamente «leproso entre os leprosos». E o grande meio de ação utilizado pelos missionários protestantes — a distribuição das bíblias que as sociedades bíblicas lhes fornecem inesgotavelmente em todas as línguas — é um meio cômodo, visto que se pode distribuir Bíblias longe do centro onde o pastor trabalha, mas não deixa de levantar problemas. Se já é difícil a um europeu ou americano médio compreender sem ajuda o texto sagrado, é de perguntar que substância realmente assimilável poderá encontrar nele o negro da floresta africana.... O livre-exame parece pouco adequado neste caso; e, no fim das contas, como veremos[114], tem tido por vezes consequências bem estranhas. Muitos protestantes admitem hoje que houve precipitação em considerar cristãos fetichistas a quem, sem grande preparação, se conferira o batismo e se entregara uma Bíblia.

Fora isso, os meios de ação das missões protestantes têm sido análogos aos que a missão católica utilizava há muito tempo, nomeadamente as escolas e os hospitais. Nessas obras que preparam a ação da graça de Deus — a única eficaz em termos definitivos —, a atividade protestante seguiu a rota traçada pelos lazaristas, espiritanos, Padres das Missões Estrangeiras, jesuítas, eudistas, Irmãs da Caridade, Irmãs do Espírito Santo, etc., etc. Mas devemos reconhecer que, no que diz respeito à ação médica e hospitalar, os protestantes têm ido mais depressa e mais longe do que os católicos. Talvez por disporem de recursos maiores, ou talvez também por lhes faltarem outros meios de apostolado. Já em meados do século XIX, os protestantes da Inglaterra, da Alemanha e dos Estados Unidos trabalhavam por garantir sistematicamente a ajuda médica às missões, ao passo que os católicos, apesar de tentativas esporádicas nos finais desse mesmo século, só depois de 1920 é que entraram por esse caminho[115]. Em 1925, eram mil e duzentos os médicos, homens e mulheres, e três mil as enfermeiras e enfermeiros que trabalhavam nas missões protestantes. Muitas mulheres de médicos têm diploma de enfermagem. Fundaram-se institutos protestantes interconfessionais para formar o pessoal dos hospitais em terras de missão: é o caso daquele que abriu as portas no México em 1925, financiado por vinte e sete denominações norte-americanas e cujos alunos se destinam à América do Sul. E é sabido que uma das figuras mais notáveis do protestantismo atual é um médico que é um apóstolo, o doutor *Albert Schweitzer*[116].

Também a escola tem sido considerada pelas missões protestantes como meio de ação apostólica. Podemos dizer que não houve nenhuma circunscrição missionária que, mal o terreno foi desbravado, não tivesse visto surgir os seus centros de ensino. Em numerosos casos, na Índia, em Madagascar, ou no arquipélago das Loyauté (Nova Caledônia), a escola tem servido de trama do tecido da cristandade protestante. Em 1925, uma estatística avaliava em perto de dois milhões e quinhentas mil as crianças que, na Ásia, frequentavam as escolas primárias protestantes. Acima destas, fundaram-se por toda a parte estabelecimentos de ensino secundário e superior, alguns deles de fórmula bastante audaciosa, como o *College*... — ou seja, a universidade — inter-racial que Alexander Duff fundou na Índia, ou o colégio anglo-chinês de Malaca, logo transferido para Xangai. Só na China, os protestantes tinham, em 1900, 1.819 escolas, 138 casas de ensino secundário e 22 de ensino superior, entre as quais o Medical College de Hong-Kong, de que Sun-Yat-Sen foi aluno e onde quis ser batizado. No seu conjunto, tudo isto não difere do que se conhece das missões católicas. Em certos pontos, no entanto, há iniciativas a assinalar. Por exemplo, na Índia, a obra das *zenanas*, fundada pela filha do pastor suíço Lacroix, para estabelecer contato com mulheres nativas e atrair as mocinhas a escolas de trabalhos domésticos; em Uganda, as *casas de leitura* (algo a meio caminho entre a biblioteca pública e a universidade popular), com cursos noturnos. Acrescente-se que paralelamente, foi feito um enorme esforço, sobretudo a partir de 1900, para criar «escolas teológicas e bíblicas», autênticos seminários para a formação de clero indígena. Eram 461 em 1925, com nove mil estudantes, dos quais um terço moças. Mas o espírito de sistema foi talvez levado longe demais, visto que muitas dessas escolas tiveram quadros docentes muito antes de terem algum aluno inscrito.

Se quisermos ter uma ideia do poder, da riqueza, da solidez dos métodos da missão protestante, devemos ir a Mangalore (Índia). Aí, a missão de Basileia constituiu uma verdadeira cidade missionária, que abrange ao mesmo tempo armazéns onde os cristãos da terra encontram tudo mais barato, casas onde podem ficar os catecúmenos e os convertidos recentes, um seminário indígena, escolas de todos os graus, incluindo escolas técnicas e de formação doméstica, e um estabelecimento muito distinto para as filhas dos brâmanes, oficinas de toda a espécie que produzem o indispensável à gente da região — têxteis, tijolos, mobiliário —, uma livraria e uma tipografia poliglotas: todo esse conjunto está rodeado de propriedades pertencentes à missão e que só são alugadas a protestantes de boa marca. Êxito seguro, pois, o das missões protestantes. Porventura demasiado seguro. Há quem se pergunte se uma organização tão perfeita não esconderá muito vazio espiritual. Há já meio século que se esboçou uma reação, a qual, sob o nome de «Nova Cruzada», insistia sobretudo na formação propriamente religiosa do nativo — o que a aproximava das preocupações católicas. Era essa a ideia de Charles Studd, colaborador, na China, do grande missionário Hudson Taylor. Atualmente, as missões pentecostais ou adventistas que trabalham na América do Sul dão muito menos importância à organização, às escolas, aos hospitais, do que à revelação interior do Espírito Santo.

Porque a verdade é que essa organização tão sólida das missões protestantes não deve servir de cortina que impeça de ver os homens cujo espírito de fé, de coragem e de força fizeram a grandeza e asseguraram o êxito dessa tarefa. E eles foram numerosos, e nenhum cristão poderá recusar-lhes a admiração a que têm direito. Se é certo que, em média, proporcionalmente aos efetivos empenhados, as missões protestantes tiveram bem menos mártires do que as católicas, não deixaram, no entanto, de os ter em número considerável, na maior parte dos campos de missão. Do bispo anglicano de Uganda, Hannington, aos pastores franceses Escande e Minault, chacinados em Madagascar, aos ingleses John Williams e John Paton no Pacífico, a lista seria longa e rica em exemplos.

Não tanto, porém, como a dos pioneiros, dos aventureiros de Deus, que implantaram o cristianismo, sob uma ou outra das modalidades que lhe deu a Reforma, nos quatro cantos do mundo. Muitas dessas figuras são quase personagens lendárias na tradição das Igrejas em que surgiram.

Temos *William Carey* (1761-1834), o pobre sapateiro de Nottingham, raquítico, pouco instruído, que, depois de ler o relato das viagens do capitão Cook, decide consagrar-se à conversão dos pagãos. Faz-se pastor batista, funda contra ventos e marés a sua pobre Sociedade Missionária Batista, ajudado pela bondosa Mrs. Walles, e parte para a Índia, onde só consegue licença para residir como plantador de índigo. E eis que ergue nessa terra uma obra colossal, atirando-se a obras de apostolado, traduzindo a Bíblia para o bengali, fundando escolas nas regiões de Calcutá e de Sarampore, e conquistando por fim tal ascendente que obtém do governo inglês a proibição do infanticídio e da queima das viúvas.

Temos *Karl Guntzlaff* (1805-51), o missionário alemão a quem devemos narrativas tão saborosas de viagens e que, após uma tentativa abortada no Sião, se lança ao assalto da China, tira partido da lamentável guerra do ópio (1839-42) para se fixar solidamente em Hong-Kong, e concebe um imenso projeto de luteranização de todo o Império, mais ou menos inspirado nos métodos dos jesuítas de outrora, com grupos de pregadores autóctones. Até que vem a fracassar, apesar do apoio da Sociedade Inglesa para a Evangelização da China, por ele fundada: traído e enganado pelos seus colaboradores chineses, deixou o exemplo de uma dedicação de todos os instantes à causa da China cristã.

Temos *Hudson Taylor* (1832-1905), que deve ser estudado juntamente com a esposa, esse Taylor que já tem sido comparado a São João Bosco pela paixão com que conquistou dedicações para a causa missionária: o apóstolo da China do interior, o fundador da *China Inland Missionary Society*. Desde que, sendo médico em Xangai, tomou consciência da pavorosa miséria material e espiritual em que viviam as massas chinesas, não teve, até a morte, outra finalidade senão ganhar para Deus esses homens e mulheres, oferecer-lhes a caridade de Cristo e, para tanto, mobilizar todas as boas-vontades possíveis. Seiscentos missionários responderam ao seu apelo, bem como setecentas missionárias, não casadas, de algum modo semelhantes às Filhas da Caridade de São Vicente de Paulo (que também desembarcam nesse momento na China), além de cento e noventa médicos. Nada conseguiu parar esse apóstolo na sua empresa: nem as críticas e incompreensões, nem a guerra dos *boxers*. Quando morreu, o protestantismo estava implantado em metade do Império chinês.

Se da Ásia passarmos à África, duas figuras se impõem na primeira fila das copiosas tropas — masculinas, femininas — que o protestantismo lançou ao assalto do continente africano. No limiar do século XIX, temos *Theodorus van der Kemp* (1747-1811), cuja existência é um romance. Alternadamente oficial de cavalaria, médico, especialista em línguas antigas e estrangeiras (conhecia dezessete...), é subitamente arrancado a uma semiindiferença religiosa por um golpe trágico e providencial: no rio Mosa, o barco em que vai naufraga; morrem a mulher e a filha; ele escapa por um triz. É então que, dentro dele, se ergue o filho de pastor, e se decide. Ao serviço da Sociedade das Missões de Londres, é enviado para a África do Sul, onde fora fundada uma pequeníssima comunidade pelos Irmãos Morávios. Van der Kemp atira-se à aventura: primeiro, entre os nativos; depois, entre os hotentotes. Terá lido alguma vez a história das «Reduções» dos jesuítas no Paraguai? Seja como for, é uma verdadeira «redução» que ele constitui sob o nome de Bethelsdorp, uma comunidade em que um milhar de indígenas vive, trabalha e reza, sob a direção do missionário e dos seus auxiliares, que tanto orientam a vida econômica como a vida espiritual das suas ovelhas. Ele, o chefe, vive exatamente como os seus dirigidos, tão pobremente vestido como eles, partilhando as suas refeições. E vai mais longe: casa-se com uma das suas catecúmenas negras, o que provoca grande escândalo entre os brancos, muito rigorosos no *apartheid*. Mas Van der Kemp não quer saber de gritos nem de injúrias. Aos sessenta e quatro anos, está a preparar uma instalação em Madagascar quando morre, deixando aos cristãos da África do Sul um exemplo inesquecível.

Mas, se, dentre os missionários protestantes, se devesse citar um só, decerto seria um outro herói da África do Sul, o «príncipe dos missionários», como dizem os protestantes, um dos mais ilustres dos descobridores da África: *David Livingstone* (1813-73). Admirável destino o desse homem, possuído durante toda a vida pelo único desejo de lutar pela verdadeira caridade de Cristo onde ela estivesse mais ultrajada, e que, ao visar esse fim essencialmente missionário, cumpriu uma obra humana que lhe mereceu a glória e o último repouso na cripta de Westminster.

Era filho de um modesto alfaiate de Blanhyre (Escócia), o primeiro de sete, que aos dez anos teve de começar a trabalhar numa fábrica de fiação. Autodidata, vai estudando à noite latim, História e a espiritualidade que a Bíblia lhe revela. O renome de Guntzlaff na China atrai-o para as missões, e, mal atinge a maturidade, entra ao serviço da Sociedade Missionária de Londres, que o manda para a África do Sul com o encargo de secundar em Kuruman o pastor Robert Moffat, cuja filha desposa. Esse contato com a África é para ele a revelação. A revelação de um mal pavoroso, de uma «úlcera gritante» como ele diz: o tráfico de escravos. O tráfico estava em todo o seu horrível ápice, e Zanzibar era um dos seus grandes centros. Havia trinta anos que as potências europeias falavam de suprimi-lo, mas o que é que se fazia realmente contra o comércio da «madeira de ébano»? Acabar com ele, esse é o objetivo a que Livingstone vai consagrar a vida.

Apercebe-se de que são os próprios negros que fornecem os traficantes. Os makololos entregam aos mambaris oito crianças apanhadas em *razzias* nas tribos inimigas, em troca de um lote de velhas espingardas. É preciso conseguir para os indígenas um comércio honesto que lhes permitia viver, bem como implantar missionários brancos para servirem de guia a todos esses desventurados. Livingstone põe-se a caminho: penetra no coração da África, descobre as quedas do Zambeze e percorre a África meridional do Oceano Atlântico ao Índico. Descoberta, civilização, evangelização: para ele, as três tarefas são uma só.

Interrompendo a sua tarefa, corre a Londres, fala por toda a parte sobre o que viu e sobre o drama que se desenrola no continente das trevas, suplicando aos governos que atuem por fim a sério contra o tráfico. Quando regressa à África, encontra uma situação desoladora: a mulher morrera; os companheiros estavam dizimados pelas febres. Terá de abandonar a obra empreendida, resignar-se? Não. Volta à Inglaterra em busca de reforços.

Mas na Inglaterra o seu destino muda subitamente de orientação. A sua fama de viajante é tão grande que lhe pedem que vá em demanda das fontes do Nilo; ignorá-las é o mesmo que entregar o Egito à mercê da sorte. David Livingstone já passou dos cinquenta anos; está cansado. Mesmo assim, volta a partir e, durante sete anos, desenvolve na África Central e Ocidental a mesma tarefa que cumprira na África do Sul, não descobrindo a nascente do Nilo, mas, sem o saber, a do Congo; e preparando onde lhe é possível o caminho aos missionários.

Por fim, a África acabou por vencer esse homem de aço. Minado pelas febres, com as forças arrasadas, forçado a fazer-se transportar em palanquim, prossegue... Dão-no por desaparecido; Stanley, enviado pelo *New York Herald* para descobrir o seu paradeiro, descobre-o por um acaso numa aldeia às margens do Lago Tanganika, em 1871. Mas o explorador não quer deixar a região e, a 1º de julho de 1873, os transportadores encontram-no pela manhã com a cabeça entre as mãos, diante do seu leito de campanha. Sentindo vir a morte, Livingstone tinha-se ajoelhado e orado[117].

Um exemplo: a Sociedade das Missões Evangélicas de Paris

Entre as inúmeras sociedades missionárias nascidas em século e meio no seio do protestantismo, tem um interesse particular aquela de que se orgulham os protestantes da França. É obra de uma comunidade sem expressão; nunca teve o apoio do Estado; e no entanto deu mostras de uma atividade notável e conseguiu grandes êxitos em vários setores.

A preocupação missionária que noutros tempos o piedoso pastor de Charenton, Charles Drelincourt, procurara despertar entre os protestantes da França, apareceu a seguir à crise revolucionária, no novo clima criado pelos Artigos Orgânicos. Em 1820, alguns tolouseanos agruparam-se numa modesta associação de Amigos das Missões. A iniciativa foi conhecida em Paris, e aí retomada e desenvolvida. A 4 de novembro de 1822 nascia a «Sociedade das Missões Evangélicas entre os povos não cristãos». Os fundadores, de origens geográficas, sociais e eclesiais muito diferentes, tinham tido a ideia de situar o empreendimento fora do quadro de todas as Igrejas, o que era muito avançado para o tempo e lhes suscitou muitas críticas, por parte tanto de luteranos como de calvinistas, de ortodoxos como de liberais. A sociedade nem por isso deixou de aumentar e, já em 1824, abria um seminário, a Casa das Missões. Em 1832, um pedreiro veio oferecer-se como auxiliar dos missionários. Inscreveram-no como estagiário, ao lado de jovens pastores — inovação igualmente feliz, que logo estabeleceu como princípio a colaboração dos leigos na obra. Para interessar os fiéis pela aventura missionária, fundou-se o *Journal des Missions Évangéliques*. O mesmo empenho que levava então os católicos ao apostolado em terras não cristãs animava, pois, também a alma protestante.

Num dado momento, porém, a obra pareceu periclitar, e, no ano conturbado de 1848, a Casa das Missões chegou a ser fechada. Nesse ínterim, contudo, a sociedade enviara para a África os primeiros dos seus missionários, embora inicialmente tivesse pensando em oferecê-los às missões estrangeiras. Ao saber que a Metrópole vacilava, um dos pioneiros do país dos basutos, o pastor Casalis, voltou e reassumiu o empreendimento com tal vigor que, da Casa das Missões, reaberta em 1856, partiram, quase a seguir, pastores para a China, o Taiti, o Senegal, as Ilhas Maurícias. Estava dado o impulso, e nunca mais havia de parar. A Casa das Missões instalou-se solidamente no Boulevard Arago; ficou à sua frente um homem de alma de apóstolo, Alfred Boegner, que lhe ia dar todas as suas dimensões. O recrutamento aumentou, sempre meio clerical, meio leigo. Apesar das perturbações causadas pelas duas Guerras Mundiais, e ajudada durante a primeira por dois ingleses generosos, o capitão G.A.K. Wisely e sua mulher, e, logo após a segunda, pelos americanos, a sociedade nunca deixou de progredir, até hoje[118].

O que acabamos de ver significou que um dos mais importantes capítulos da história missionária da França — a *Missão do Lesoto* — se ligou por intermédio do pastor Casalis às próprias origens dessa obra. Quando, em 1829, a sociedade parisiense decidira que a partir daí teria campos próprios de missão, escolhera para destino dos seus homens a África do Sul, onde viviam huguenotes franceses descendentes daqueles que a revogação do Edito de Nantes exilara. Reatar laços desfeitos entre esses filhos da França e a mãe-pátria seria um belo empreendimento, associado ao do apostolado. De acordo com a Sociedade das Missões Evangélicas de Paris, já instalada no país, três pastores — Bisseux, Rolland e Lemue — desembarcaram no Cabo, onde encontraram os descendentes franceses e lhes confidenciaram os seus projetos. Uma tentativa feita na região dos betchuanas, em Mobito, não resultou; depressa se manifestou a falta de meios. Começou então uma assombrosa aventura.

Em 1832, três jovens enviados como reforço — os pastores Casalis, Arbousset e Gosselin —, ao chegarem a Mobito, ouviram falar de uma história curiosa. Lá para além dos Drakensberg, no meio das tribos de basutos, um chefe negro chamado Mosheh declarara a um caçador branco que estava pronto a pagar várias centenas de cabeças de gado (moeda do país) pela instalação de um missionário cristão nas suas terras. Pensava que dessa maneira ficaria protegido dos seus vizinhos turbulentos. Os três pastores deram ouvidos ao conselho do caçador, que considerava a oferta como perfeitamente séria, e partiram sem hesitar para o país de Mosheh, o *Lesoto*. A instalação no meio dos quarenta mil súditos do bom chefe foi, portanto, fácil, e a evangelização começou. Os missionários deram ao seu primeiro posto o nome de Morija (Epifania). Mas não demoraram a surgir as dificuldades: tanto por causa da monogamia exigida aos seus fiéis pelos pastores, como também por causa da pressão dos *boers*, que, como é sabido, empurrados pelos ingleses, avançavam por sua vez para o interior do país.

Ajudando Mosheh, que mostrou ser um verdadeiro político, os missionários conseguiram proteger o povo do Lesoto dos perigos interno e externo. A agricultura desenvolveu-se, o país enriqueceu, os modernos recursos da medicina venceram as doenças endêmicas. Em quatro gerações, os quarenta mil habitantes passaram para quinhentos mil. É certo que houve momentos penosos, porque os filhos de Mosheh eram menos francos e amigáveis do que ele fora, e a guerra dos Boers abalou duramente a missão. Mas as raízes desta eram já tão fundas que não pôde ser arrancada. Escolas, hospitais e orfanatos — tudo fora já fundado. E a população batizada participava do esforço comum pagando um imposto voluntário, o *kavelo*. Sob o protetorado inglês, a partir de 1884, os missionários franceses prosseguiram a sua obra. Em Morija, fora aberta uma escola de Teologia, para a formação de pastores nativos; em 1890, saía dessa escola o primeiro pastor preto. Em 1898, estava criada a *Seboka*, assembleia semieuropeia, semi-indígena, que geria a Igreja. Passados anos, alguns enviados de um agrupamento político de negros norte-americanos, que vinham fazer propaganda com o *slogan* «a África para os africanos!», foram acolhidos à gargalhada quando diziam aos pastores negros formados pelos franceses: «Vocês serão livres! Hão de ter um talão de cheques!» Porque isso de talão de cheques era coisa que eles tinham há muito, pois cada uma das paróquias dispunha de fundos próprios.

Essa missão fortemente radicada na massa indígena iria desenvolver-se até a atualidade. Em 1932, ao festejar o seu centenário, contava trinta mil fiéis, vinte e oito mil crianças nas escolas, doze mil catecúmenos, divididos em 37 paróquias (26 das quais dirigidas por pastores nativos), 341 anexos, onde trabalhavam perto de mil catequistas e mestres-escolas. Um dos convertidos, que fora aluno de uma dessas escolas, Théodore Moforo, iria mostrar superabundantemente o lugar que o Lesoto assumiria na

África, escrevendo, na sua língua materna, e depois em francês, *Chaka*, romance histórico sobre os conquistadores zulus, que a *Nouvelle Revue Française* publicaria em 1939. «Foi no Lesoto que a missão francesa ganhou forma própria» — escreveu, com razão, o grande missionário Maurice Leenhardt.

Foi no meio dos missionários do Lesoto que nasceu a ideia de ir plantar a Cruz nessas regiões do Alto Zambeze para as quais Livingstone chamara a atenção. Uma tentativa feita pela Sociedade das Missões de Londres a pedido do explorador, não dera resultado. No entanto, um missionário inglês e um régulo cristão da Bechuanalândia (Botswana) garantiam que a evangelização era possível. Um dos pastores franceses do Lesoto decidiu tentar a sorte. Chamava-se *François Coillard* e era obviamente da têmpera dos grandes «africanos». Em 1878, partiu em expedição para reconhecer o terreno, e essa exploração geográfica mereceu-lhe a Grande Medalha de Ouro da Société de Géographie. Teve ele a alegria de ver que o chefe local, Lewanika, desejava receber missionários. Depois de vencer muitas dificuldades, pôs-se a caminho, com a mulher, a sobrinha, o pastor Jeanneret, um artesão e uns tantos evangelistas basutos. Em agosto de 1885, alcançava a meta: estava fundada a missão do Alto Zambeze, no território que viria a ser a Rodésia do Norte ao longo do rio.

Os começos foram prometedores. Cada pastor se encarregou de um posto. Chegaram reforços, incluindo um médico. Infelizmente, a situação não tardou a deteriorar-se. As febres dizimaram o audacioso grupo e os evangelistas, desanimados, traíram e passaram a intrigar junto do rei contra os brancos. O paganismo retomou o seu lugar. Um incêndio não fortuito devastou um dos postos. Os catorze do princípio estavam reduzidos a quatro. Em 1904,

Coillard, o fundador, morria. Como, entrementes, as missões inglesas se tinham instalado ao redor, debateu-se em Paris se não seria melhor ceder-lhes essa missão desventurada. A sociedade recusou e resolveu teimar. Reenviaram-se reforços, criaram-se novos postos de missão, escolas, centros de formação artesanal, dois hospitais. De resto, a abertura da via férrea do Cabo amenizava o isolamento e tornava a situação menos delicada. A energia e a tenacidade revelaram-se compensadoras. Quis a Providência que um jovem príncipe convertido subisse ao trono em 1922, facilitando daí em diante as coisas. Hoje, essa missão que passou por tantas provações é uma das mais vigorosas. E é um pequeno enclave francês no meio das missões britânicas e norte-americanas. Em 1925, o empreendimento contava, confiados a oito pastores, 500 cristãos, outros tantos catecúmenos e 1.700 crianças nas escolas. Em 1955, todas essas cifras registravam um aumento de 50%, e havia quatro pastores nativos que trabalhavam ao lado dos brancos.

Em *Madagascar*, terceiro dos grandes campos de ação da Sociedade das Missões Evangélicas de Paris, os acontecimentos não foram menos difíceis do que no Alto Zambeze, embora por motivos diversos. A instalação do protestantismo na Ilha Vermelha remontava a 1813, data em que dois galeses, David Jones e Thomas Bevan, tinham desembarcado em Tananarive com suas famílias. O clima, mortífero para as mulheres e as crianças, não impediria Jones, embora tivesse ficado só, de continuar a sua tarefa.

Dez anos depois, parecia francamente lançada a sementeira, quando rebentara uma perseguição, desencadeada pela rainha Ranavalona I, que se dizia protestante, mas não passava de uma cínica feroz. Os missionários, de qualquer obediência que fossem, tinham tido de partir; houvera mortes de nativos convertidos. E isso durara vinte e cinco anos. A subida ao trono do filho dessa megera, Radama II, secretamente conquistado pelo cristianismo, permitira aos missionários, protestantes ou católicos, retomar as suas atividades[119]; tinham desembarcado luteranos noruegueses, anglicanos e *quakers*. O protestantismo conseguira um grande triunfo: a conversão da rainha Ranavalona II (1868-83). Construíra-se um templo no próprio palácio, e o ídolo protetor da dinastia fora solenemente queimado. Tudo parecera, pois, ir pelo melhor para o protestantismo, cujos fiéis rapidamente aumentavam, e que tinha formado numa das suas escolas a nova rainha, *Ranavalona III*. Tudo menos a constituição de uma «Igreja do Palácio», inteiramente nas mãos do governo malgache e dos pastores por este nomeados[120].

A instalação do protetorado francês mudou as perspectivas. Já quando, após a primeira das guerras, em 1883, se tratou de que a França se instalasse na ilha, a Sociedade das Missões pensou mudar para lá alguns homens. Em 1895, encarregou os pastores M.H.F. Kruger e M. Luaga de irem estudar o terreno e ver como poderiam substituir os missionários ingleses, noruegueses e outros. Na verdade, nunca as antigas missões aceitariam ceder o lugar por completo aos franceses; e até aos nossos dias iriam continuar em ação, embrulhando estranhamente a situação aos olhos dos nativos, apesar de acordos de partilha que começaram a partir de 1900. Por outro lado, a Missão Evangélica enfrentou um outro problema, bem mais grave: a rápida progressão do catolicismo, reimplantado pelos jesuítas, e que teve um sucesso brilhante[121]. A massa indígena ignorante voltou-se contra os protestantes, de acordo com um raciocínio simplista: «um católico é francês; um protestante, inglês». Travou-se por algum tempo uma autêntica guerrilha de religião, que fez vítimas do lado protestante. Foi portanto em condições bem difíceis que, a partir de 1897, a Sociedade de Paris enviou as suas equipes. A intervenção do general Galliéni, governador da ilha, apaziguou os ânimos. Missionários protestantes e católicos continuaram em paz a evangelização, limitando-se a uma sã emulação no apostolado, e uns e outros tiveram rápidos progressos. A missão francesa, talvez em passos demasiado rápidos, concedia cada vez mais liberdade à comunidade indígena, dando-lhe pastores da sua raça, constituindo-a pouco a pouco em Igreja independente (que era, aliás, o que fazia a missão luterana da Noruega). Chegou até a observar-se no seu seio um «despertar» do tipo mais clássico.

Mas um novo drama interrompeu esse feliz desenvolvimento: por um lado, as medidas estupidamente anticlericais que o governador Augagneur tomou em 1905 com o fim de aplicar as leis «laicas» da Metrópole, e, por outro lado, o propósito abertamente confessado de reduzir os malgaches ao nível de «mão-de-obra». As missões tiveram de fechar as suas escolas e o ritmo de conversões caiu sensivelmente. Os progressos voltaram sobretudo após a Primeira Guerra Mundial. A evangelização protestante conquistou regiões ainda pouco tocadas, como a de Diogo Soares. Fez-se um esforço sério para organizar a formação de pastores nativos; abriram-se numerosos hospitais; o leprosário de Manakavaly foi confiado à Missão Evangélica. A Segunda Guerra Mundial e a ocupação momentânea da ilha pelos ingleses praticamente em nada refreou o movimento para diante. Mas não faltou nessa altura uma dificuldade: a das relações inter-raciais no interior das Igrejas. Após três quartos de século de esforços, a missão francesa conta hoje, em Madagascar, 1.545 igrejas e trezentos e cinquenta mil batizados, em face de seiscentos mil das outras seis missões protestantes e de setecentos e cinquenta mil católicos. Ao lado de treze pastores brancos, trabalham 130 pastores negros e 250 evangelistas nativos.

O Lesoto, o Alto Zambeze e Madagascar são geralmente considerados pelos protestantes franceses como os três florões da sua coroa missionária. Mas a Sociedade das Missões Evangélicas tem ainda outros setores em que prossegue a sua ação. Na África, foi o Senegal, onde se instalou desde 1861 e onde teve um começo brilhante, graças a um convertido autóctone; mas onde foi também duramente atingida pela guerra de 1914, em que caíram numerosos dos seus homens. Mas foi também o Gabão, onde substituiu missionários norte-americanos e depressa implantou um núcleo de cerca de vinte mil fiéis a quem — fato interessante — procurou dar trabalho criando diretamente algumas empresas[122]. E o Daomé, o Togo, os Camarões, onde os missionários franceses substituíram os alemães.

Bem longe da África, foi no Pacífico que a SME teve os melhores resultados: na Nova Caledônia, nas Ilhas Loyauté, e sobretudo no Taiti. Chegados em 1865 no rastro da missão de Londres, que conseguira converter o rei Pomaré II e que (como mostrara a questão Pritchard) concebia o empreendimento apostólico em termos de forte ligação com os interesses de Sua Majestade britânica, os missionários protestantes franceses tiveram grande dificuldade em evitar uma reação anti-inglesa demasiado violenta, e em reerguer depois a Igreja nativa. Conseguiram-no em 1880, e, passados cinco anos, o estabelecimento do protetorado francês permitiu-lhes alargar o campo de atividade e até irradiar para as Ilhas Marquesas. Em emulação com os missionários católicos, os seus três pastores brancos e sessenta nativos obtiveram o belo resultado de nove décimos dos taitianos se dizerem cristãos, dos quais três protestantes e seis católicos.

Assim, a Sociedade das Missões Evangélicas de Paris honra os oitocentos mil protestantes da França que a mantêm viva pela sua generosidade em dinheiro e em homens.

Na consciência do protestantismo francês, a missão assumiu um lugar preeminente. E um católico não pode deixar de admirar o sistema de rotação dos pastores entre a metrópole e os países de missão, aperfeiçoado durante mais de cinquenta anos na SME, segundo o qual vemos um pastor deixar uma paróquia da França e ir para o Marrocos ou para a Nova Caledônia, enquanto o seu sucessor chega do Zambeze. E também não faltam homens cheios de zelo apostólico na velha sociedade animada por Alfred Boegner. Bem recentemente, foi dado um belo exemplo pelo pastor *Maurice Leenhardt*.

Campos e problemas da expansão missionária

Apóstolos do gênero de um Livingstone, de um Taylor, de um Coillard, nunca acharam o mundo demasiado vasto e rude para que a sua fé pudesse ser implantada nele. O grande esforço missionário protestante ainda não cumpriu cento e cinquenta anos, e já o protestantismo tomou pé, solidamente, num importante número de países não cristãos, chegando a ter nos nossos dias uma expansão que, guardadas as devidas proporções, não é inferior à dos católicos, que dispuseram de quase o dobro do tempo. Em 1957, avaliava-se em 37 milhões o número dos fiéis protestantes em terras de missão. É um êxito incontestável, de que os filhos da Reforma podem legitimamente mostrar-se orgulhosos.

Os campos cobertos pelas Missões protestantes estendem-se por toda a parte. Dizia Wesley: «Eu olho para o mundo inteiro como minha paróquia». Num sentido que talvez não seja o que dava a essas palavras o pai do metodismo, todas as Igrejas protestantes subscreveriam essa fórmula. Não há parte nenhuma da terra onde os protestantes não hajam procurado, algum dia, instalar-se. Mas essa expansão universal levantou um problema muito delicado, e até doloroso, que é o problema que vem desde que se deu a ruptura na Igreja de Cristo: o das relações com os católicos. Se a separação entre batizados é em si mesma um escândalo, muito mais o é em terras de missão, diante dos pagãos que importa ganhar para Cristo e a quem tais divergências e cizânias desorientam. Recém-vindos à expansão missionária, os protestantes tiveram frequentemente de intervir em territórios em que as missões católicas já se tinham estabelecido, e demasiadas vezes levaram para lá os mais deploráveis métodos da polêmica antipapista.

Em certos pontos, a rivalidade chegou a desembocar em conflitos, como sucedeu no Taiti em 1842, com a *questão Pritchard*, provocada por intrigas de um traficante inglês, também missionário, contra os religiosos picpucianos, e que desencadeou uma crise diplomática entre Paris e Londres[123]. De resto, em toda a Polinésia, o antagonismo entre missionários protestantes e católicos manifestou-se asperamente, complicado por interesses nacionais e colonialistas. E não foi só no Pacífico. Houve também incidentes, como já vimos, em Madagascar. Houve-os em Uganda, quando os Padres Brancos ali chegaram e encontraram pela frente missionários anglicanos, que gostariam de dispor do território só para eles e até tentaram uma diligência junto do cardeal Lavigerie para que lhes deixasse o terreno livre. Atualmente, é na América do Sul que as missões protestantes, frequentemente conduzidas por seitas muito aguerridas, são abertamente hostis ao catolicismo.

A expansão protestante fez-se em toda a parte mediante o envio de missionários da Europa ou a partir de grupos reformados instalados nos territórios dos Estados Unidos e da Commonwealth. Mas importa registrar também um fato importante: o papel desempenhado nessa expansão pelos nativos convertidos. Desde muito cedo, os missionários protestantes associaram os novos cristãos à responsabilidade pelo crescimento das suas Igrejas, constituindo rapidamente um clero nativo. É verdade que não estavam atados à regra do celibato eclesiástico nem a uma dogmática rígida que, na Igreja Católica, provocou a famosa «Querela dos Ritos»[124]; para eles, todas ou quase todas as acomodações eram possíveis. Houve auxiliares indígenas nas primeiríssimas missões holandesas do século XVII; houve pastores nativos logo no início da grande expansão, nos começos do século XIX. O seu número aumentou em proporções bem extraordinárias durante os últimos cem anos. Olhando só a África (compreendendo Madagáscar), o conjunto dos pastores e evangelistas de raça negra era de 22 mil em 1903 e de 43 mil em 1925. As comunidades foram convidadas a participar das despesas da evangelização, e a contribuição financeira dessas Igrejas missionárias não tardou a tornar-se de certo modo importante. Mais ainda: de acordo com a sua eclesiologia, que vê em cada Igreja nacional ou local a Igreja inteira, o protestantismo, muito mais do que o catolicismo, era levado a constituir Igrejas de cor, que em breve tempo seriam autônomas.

Já em 1864 os anglicanos sagravam bispo para a Nigéria o escravo liberto Samuel Adjai Crowther. Em 1899, o bispo anglicano Hinne escrevia: «O objetivo é a edificação de uma Igreja indígena — indígena no melhor sentido da palavra: a Igreja da gente do país, independente de qualquer influência europeia e adaptada às condições particulares da raça e da região em que vive». Já os luteranos franceses haviam constituído em Madagascar uma Igreja indígena, e foram seguidos, alguns anos depois, pelos presbiterianos, aos quais se juntaram várias outras formações. O movimento prosseguiu na Índia, no Pacífico, na China. Depois de um tempo em que exportaram a tradição confessional das suas Igrejas europeias, os protestantes propuseram-se, pois, fazer germinar, nos países de missão, Igrejas saídas do próprio solo. «Cristianismo em grão», não «cristianismo em panela», segundo a divertida expressão de um protestante da Índia. Talvez um tanto rápida demais, essa política sofreu dissabores, como vamos ver; mas é indubitável que favoreceu a rápida expansão do protestantismo em todos os continentes.

Com efeito, o protestantismo está agora implantado em todos os continentes, mesmo onde por muito tempo se julgou que o terreno lhe era impermeável, como por exemplo na América latina. Seria quase impossível, e com certeza enfadonho, traçar um quadro geográfico completo das missões protestantes: mais enfadonho que o das missões católicas, por força das perpétuas divisões que teríamos de expor entre as diversas sociedades missionárias correspondentes às diversas confissões. Vamos indicar apenas as grandes manchas, explicitando as características gerais.

Se tomarmos por referência o *World Christian Handbook*, a publicação norte-americana mais autorizada, o grupo mais forte de protestantes de raça não europeia encontra-se na *Índia*: dos 8.875.000 adeptos ou simpatizantes recenseados, os brancos não passam praticamente de cem mil. Massa considerável, portanto, à qual se poderá juntar o milhão de praticantes do Ceilão, o milhão e mais qualquer coisa da Birmânia (ao passo que são poucos no Paquistão). A Índia: campo de ação de Carey, de Adoniram Judson, de Alexander Duff, país onde as missões enviadas por umas doze Igrejas e confissões realizaram uma obra social e educativa imensa, nem sempre compreendida pelos administradores ingleses, e onde foram de certa maneira combatidas quando os movimentos nacionalistas ganharam importância, e até ameaçadas de expulsão a partir de 1947, data em que, apesar de tudo, deram forma a um vasto programa de evangelização, a *National Missionary Society*, que tem a ver com o estabelecimento de uma Igreja indiana capaz de unir todos os protestantismos, como se verá na Índia Meridional.

A *Indonésia*, na época holandesa, dera grandes possibilidades ao protestantismo, sobretudo ao calvinismo holandês. A declaração da independência parece não as ter tirado, se nos lembrarmos de que, em 1957, na grande assembleia de Siantar (Sumatra), cento e vinte mil cristãos protestantes se reuniram para proclamar a sua fé, tendo à cabeça o presidente da República, Sukarno.

É no *Japão* que o crescimento do protestantismo pareceu o mais prometedor durante muito tempo. O terreno, desbravado desde 1859 por missionários norte-americanos disfarçados de professores, foi bem cultivado a partir de 1872, data da tolerância oficial, sobretudo mercê de um extraordinário evangelista japonês, Joseph Hardy Neesima, fundador, em Kyoto, do Colégio (depois Universidade) Doshisha e da associação «Aqueles que não têm senão uma meta». Fortemente apoiado pelos milionários norte-americanos, entre os quais Rockefeller, esse protestantismo japonês subiu como uma flecha durante a primeira metade do século XX, passando de oitenta mil fiéis em 1901 para cento e cinquenta e cinco mil em 1925 e quinhentos mil em 1939. A cultura religiosa era alta, e dispunha de personalidades irradiantes, como Kagawa[125], santo apóstolo de um evangelismo social. A Segunda Guerra Mundial deteve brutalmente esse impulso. A bomba de Hiroshima e a ocupação constituem poderosos argumentos de contra-apologética. A *Kyodan* (Igreja Unida do Japão) trabalha as massas operárias; mas, numa população de 86 milhões de almas, os protestantes não passariam, segundo certos observadores, de quatrocentos mil ou, segundo o *Handbook*, de 594 mil.

Como é óbvio, na *China* a situação tornou-se bem mais difícil desde que o comunismo se impôs no antigo Celeste

Império. Mas que admirável trabalho tinham feito lá as missões protestantes! Campo de ação de Morrom, de Taylor, de Guntzlaff, da *China Inland Mission*, da Sociedade Inglesa, irrigada por poderosas torrentes de libras esterlinas e de dólares, a China protestante tinha visto o seu rebanho passar de cento e doze mil para oitocentos mil entre 1900 e 1927, e o número dos seus missionários atingir 6.400, ajudados por 28 mil evangelistas e catequistas. Em inúmeros pontos do território, escolas, colégios, universidades acolhiam milhares de alunos. Jornais, editoras apoiavam poderosamente a propaganda. Depois da Segunda Guerra Mundial, a queda foi rápida. Em 1945, no país ainda livre do comunismo, já não havia mais de 850 missionários protestantes brancos. Mas os protestantes que a China contava na altura do advento de Mao Tsé-tung — um milhão — tinham-se habituado, havia muito, a viver sem ajuda externa, com pastores próprios, evangelistas próprios. O regime comunista perseguiu-os, mas não os fez desaparecer. Constituiu-se uma Igreja nacional, ou melhor, duas, uma das quais mais submissa que a outra ao regime e em que por vezes o cristianismo se mistura estranhamente com o marxismo.

A situação é favorável na *Coreia*, ao menos na metade «protegida» pelos americanos, e na *Formosa*, para onde se mudaram numerosos missionários expulsos da China. O mesmo acontece em todas as parcelas da antiga Indochina francesa que o comunismo ainda poupou.

O mundo do *Pacífico* foi um dos campos de ação favoritos das missões protestantes. Devemos deixar de lado a Austrália e a Nova Zelândia, regiões povoadas por brancos e em que o problema missionário só disse respeito a um número relativamente mínimo de aborígenes. As Ilhas, porém, foram objeto de uma evangelização sistemática, que exigiu rudes esforços e teve os seus mártires, mas que conseguiu resultados impressionantes. No Taiti, nas Loyauté, na Nova

Caledônia, campo de atividade de Maurice Leenhardt, onde trabalha a Sociedade de Paris, assim como numa grande parte dos arquipélagos, feudo dos missionários ingleses e americanos, a evangelização conseguiu instalar verdadeiros centros de protestantismo, e a concorrência com as missões católicas foi dura. Foi uma evangelização, aliás, que teve com frequência características tão pitorescas como a católica, e em que sobressaíram homens de altos méritos: entre outros, Samuel Marsden, o apóstolo dos maoris; John Paton, que implantou a missão nas Novas Hébridas ensinando os nativos a abrir poços; John Hunt, que viveu nas Fidji uma existência tão despojada e tão orante como a do padre Breton nas Tonga; John William, martirizado nas Ilhas da Sociedade... Calcula-se em perto de 9 milhões o número de adeptos de uma ou outras das Igrejas protestantes nas Ilhas do Pacífico, dos quais 2.800.000 praticantes.

Na *África*, onde já vimos trabalhar a generosa Sociedade das Missões Evangélicas de Paris, houve muitas outras que desenvolveram imensos esforços. Não existe um só território do continente negro em que o protestantismo não se tenha estabelecido. Quase insignificante na Somália ou na Líbia, mínimo na Argélia, na Tunísia, no Marrocos, a sua presença é considerável em outros lugares, por exemplo no Congo belga e seus anexos do Ruanda-Burundi, onde conta 765 mil fiéis, ainda que deixemos de lado a União Sul-africana, a Rodésia e a Niassalândia, onde os diversos protestantismos procedem tanto do povoamento branco como do trabalho das missões. Já em 1785 uma colônia de escravos libertos, conduzidos por evangelizadores, fundara Freetown, e a partir daí a penetração protestante teve muitas origens e modalidades. Quando os franceses chegaram ao Gabão, foram encontrar ali presbiterianos norte-americanos estabelecidos desde 1841. A Sociedade Missionária de Londres enviou os seus homens para todos os lados, mas foi ajudada — ou rivalizada — por alemães, holandeses, noruegueses, finlandeses: todas as amostras das grandes denominações vieram a encontrar-se na África. O continente negro foi uma espécie de loteamento em que as diversas sociedades missionárias distribuíram as parcelas entre si. Nos nossos dias, as «manchas» mais significativas estão no Congo Belga; na Tanzânia, onde os luteranos dominam; no Quênia, onde se voltou a trabalhar depois da crise dos «mau-mau»; em Uganda, onde o episcopado anglicano associou habilmente a si auxiliares autóctones; nos Camarões franceses; na Libéria; na Nigéria, cujo arcebispo é negro. De 1925 a 1950, os protestantes da África passaram de 2,5 para 11 milhões, e as diferentes Igrejas e comunidades têm agora tão claro o sentido dos interesses que lhes são comuns, que em 1958 realizaram em Ibadã (Nigéria) uma Conferência pan-africana para estudar em conjunto os seus problemas.

É este, de resto, um dos aspectos mais interessantes da história recente das missões protestantes: o impulso para a união que nelas se observa. Em face dos povos que importava chamar para Cristo, numerosos missionários tomaram consciência do absurdo que era a fragmentação em denominações concorrentes, e compreenderam a necessidade de harmonizar os esforços de todos. Foi assim que nasceu no quadro das «jovens Igrejas» o movimento que viria a designar-se como «ecumênico», muito antes de as Igrejas da Europa e da América terem criado o Conselho Ecumênico. Já em 1872, um número considerável de sociedades missionárias decidia manter uma conferência decenal. Em 1910, em Edimburgo, nascia o *Conselho Internacional das Missões*, ao qual se associaram três quartas partes das obras missionárias e que, desde então, nunca mais deixou de reunir-se regularmente, como verdadeiro órgão coordenador dos esforços de evangelização.

Mas foi a partir de 1947 que o movimento para a união se tornou muito mais rápido. Nesse ano, na Índia meridional, quatro Igrejas nativas — a anglicana, a metodista, a presbiteriana e a congregacionalista — resolveram unir-se, apesar das divergências teológicas e eclesiásticas que pudesse haver entre elas. Violentamente criticada por uns, ardentemente louvada por outros, a iniciativa foi seguida, em dez anos, pelas Igrejas de sete países. Tais uniões não se fazem sem que haja o perigo de equívocos, mas estão incontestavelmente na linha do protestantismo tal como se desenhou nos meados do século XX. Já se pôde dizer que as missões indicaram o caminho às Igrejas[126].

Nem por isso é menos verdade que as missões protestantes enfrentam problemas que não parecem de fácil solução. Muitos deles são os mesmos das missões católicas; outros são específicos: dependem da teologia ou da eclesiologia do protestantismo. Por exemplo, o livre arbítrio e a interpretação pessoal dos dogmas, se é verdade que têm a vantagem de facilitar a propaganda, permitindo bastantes adaptações, arriscam-se a provocar confusões estranhas, sincretismos inaceitáveis. Assim, na Índia, entre 1870 e 1884, um brâmane convertido ao protestantismo, Ram Mohan Moy, amalgamou com o cristianismo elementos tirados do Alcorão e dos Vedas, a fim de que todos os crentes da Índia pudessem ficar satisfeitos! Mais espantoso ainda: esse sincretismo foi aprovado por teólogos brancos — o pastor Leblois, de Estrasburgo, e mais tarde o professor R.E. Hume, de Nova York. Um certo apego demasiado literal à Bíblia também não deixa de ter alguns perigos. Assim, em 1917, nos Camarões, alguns pastores nativos sublevaram-se, em nome da Sagrada Escritura, contra o «dogma europeu» da monogamia, e ensinaram ao seu bom povo, como outrora os mórmons, que o único verdadeiro costume bíblico era a poligamia, e que passavam a autorizá-la daí em diante.

Com esse estranho cisma, o cristianismo esteve a ponto de acabar; e o perigo só cessou quando os missionários católicos tomaram conta da região.

Não são esses, porém, os problemas mais difíceis; outros, que os católicos não conhecem menos, preocupam gravemente as missões protestantes. Apesar das facilidades derivadas do casamento dos pastores, e apesar do sistema de rotação com o clero europeu, os missionários são por toda a parte em número insuficiente. Remedeia-se essa falha multiplicando os evangelistas e os catequistas, cujo papel principal é distribuir bíblias. Alguns métodos novos, em parte copiados do catolicismo, tentam utilizar melhor os pastores, agrupando-os em residências centrais de onde irradiam por determinada região e dirigem uma rede de evangelistas: quem está à cabeça deste movimento — chamado «Fraternidades de mato» — são os anglicanos. Por outro lado, os espetaculares êxitos conseguidos pelas missões protestantes nem sempre têm permitido um trabalho em profundidade, e o cristianismo protestante, mais ainda que o católico, acha-se muito frequentemente perante a persistência dos costumes pagãos, perante uma obstinada recusa em admitir os valores cristãos do casamento (a prática do «dote» na África negra é bem difícil de desarraigar), perante as reaparições periódicas da magia e da feitiçaria.

Mas, principalmente, as missões protestantes, tal como as católicas, vêm sendo ameaçadas, nos últimos trinta ou quarenta anos, pela força do nacionalismo indígena, que, depois da Segunda Guerra Mundial, atingiu a violência que sabemos. A *descolonização*, fenômeno capital do nosso tempo, cria temíveis problemas a todas as Igrejas. Os homens de cor estão cada vez menos dispostos a ter clero europeu. Para o protestantismo, o problema achou solução por si mesmo nas regiões onde as cristandades estavam suficientemente evoluídas para fornecerem um número bastante de pastores autóctones. Mas, fora dessas regiões, qual o lugar do missionário branco? No Congo belga, quando for da grande crise de 1960, os missionários protestantes ver-se-ão mais ameaçados até do que os missionários católicos, porque a sua nacionalidade os levará frequentemente a serem suspeitos de estar a serviço das potências capitalistas anglo-saxônicas. A emancipação de todas as cristandades fundadas pelas missões é já inelutável, e é bastante curioso ver que, na Conferência pan-africana de Ibadã, o tema geral — «O que é a Igreja?» — permitiu aos delegados mostrar que, numa perspectiva teológica, essa emancipação coincidia com o verdadeiro eixo da Reforma. Assim como a Igreja Católica, ontem branca, é hoje chamada a fazer-se substituir por essas «Igrejas de cor» que soube gerar no seu seio, hierarquicamente constituídas, também as Igrejas protestantes devem ter em vista o fim das missões, a entrega aos cristãos negros ou amarelos da plena responsabilidade dos seus destinos.

Por mais sérios que sejam os problemas que nos dias de hoje encontre, a obra missionária protestante não perde a sua grandeza: com os seus 25 a 30 milhões de adeptos, tornou-se uma potência. E é sobretudo parte essencial do protestantismo e por ele concebida como tal. «A missão — escreve o pastor Marc Boegner — não é uma obra ao lado da Igreja, talvez emocionante, talvez entusiasmante, mas independente da Igreja: é a própria Igreja, a Igreja que cumpre a sua primeira vocação, que obedece à lei da sua origem (...)». Talvez os primeiros Reformadores ficassem espantados se lessem estas palavras: não deixam, porém, de exprimir a verdade menos discutível, essa que oferece as bases para o futuro do mundo que nasceu de Lutero e de Calvino.

Uma história assombrosa: o protestantismo na América Latina

Neste esboço geográfico do mundo protestante, devemos tratar à parte um continente, o da América Latina espanhola e portuguesa. Não que a expansão protestante não tenha acontecido aí; pelo contrário, é lá que se observa a mais impressionante das expansões. Mas não foi feita em terras ainda pagãs ou ocupadas por religiões não cristãs; fez-se em detrimento da Igreja Católica e Romana, entre populações católicas, ao menos nominalmente católicas.

Em 1927, alguém tão bem informado como o pe. Dedieu escrevia: «A expansão protestante parece ter fracassado completamente na América Latina» — o que, de resto, era falso quanto ao Brasil, mas verdadeiro nas antigas terras espanholas. Era essa também a opinião da Enciclopédia protestante Lichtenberger, no final do século XIX: passando em revista os protestantes da América espanhola, indicava «nada» em «inúmeros países». Hoje, as estatísticas católicas menos pessimistas reconhecem a presença de milhares de protestantes de todas as confissões em todos os Estados sem exceção, com máximos impressionantes no Chile (oitocentos mil em seis milhões de habitantes) e no Brasil (quatro milhões de adeptos e simpatizantes). O crescimento foi, pois, rápido. No conjunto dos pequenos países da América Central, os protestantes não chegavam a 8.800 em 1900; hoje são 150 mil.

A causa profunda deste fenômeno é bem conhecida: muitos católicos lúcidos a identificaram. Em demasiadas parcelas das duas Américas Latinas, o catolicismo implantado por métodos sumários, ou até discutíveis, não fez mais do que cobrir o substrato pagão de um fino verniz, que acabou por estalar com a passagem dos anos. Em muitos casos, não resta senão uma fé sem verdadeiras raízes, mais ou menos supersticiosa, geralmente em conflito com a moral quotidiana e ineficaz contra os vícios para onde a miséria arrasta as populações. Para recuperar essa gente batizada, seria precisa uma ação apostólica constante, e esta é impossível por causa da insuficiência do clero. Basta uma estatística para dar ideia da gravidade da situação: um terço dos católicos do mundo vive na América Latina, e não dispõe senão de 8% dos padres do mundo... Há padres que têm paróquias do tamanho de um departamento francês. E sabe-se de comunidades cristãs que ficaram privadas da presença de um sacerdote durante trinta ou quarenta anos. É um verdadeiro milagre que ainda se encontrem aí, ao lado de práticas supersticiosas, o desejo vivo do batismo e a fé na Cruz. Mas as conferências da Semana Interamericana (católica) de Lima estariam erradas quando situavam entre 10 e 25% a percentagem dos verdadeiros cristãos entre os milhões de batizados?

Nessas condições, os «evangélicos» têm o terreno livre. É suficiente que uma equipe missionária protestante chegue a uma dessas regiões deserdadas, ou penetre nesses outros setores sociológicos de miséria material e espiritual que são os proletariados das grandes cidades, e que saiba falar de Cristo, do Evangelho, em termos acessíveis a todos, para que ganhe sem grande dificuldade as consciências. Tanto mais que estas não farão uma distinção muito clara entre o novo ensinamento e aquele outro, muito vago, que tinham recebido. A propaganda começou, pois pela ação de evangelistas isolados, sem mandatos. Depois, quando as grandes Igrejas protestantes ouviram falar de alguns êxitos, a Conferência Missionária Internacional, criada em 1910 em Edimburgo, e em seguida a Comissão Latino-Americana, fundada em Nova York em 1913, desencadearam uma verdadeira ofensiva, provida de poderosos meios financeiros, com a construção de seminários e a abertura de escritórios de informação. Em 1938, em Madrasta, os representantes dos quatro quintos das Igrejas protestantes declaravam que a América era desde então o setor missionário da maior importância. E a seguir à Segunda Guerra Mundial, o interesse atribuído pelos Estados Unidos a todos os latino-americanos veio a reforçar ainda mais o movimento.

A expansão não foi feita da mesma forma nos países de língua espanhola e no Brasil. Naqueles, encontrou pela frente, quer disposições constitucionais, quer medidas administrativas (na Argentina, os protestantes só tiveram acesso aos microfones das emissoras de rádio a partir de 1958, e as paróquias eram obrigadas a pedir licença prévia para terem as suas reuniões), quer mesmo a violência explícita, como aquela de que foi vítima o pastor boliviano Menezes (1951), ou como aquelas de que a Colômbia foi teatro várias vezes entre 1948 e 1956[127]. Nessas circunstâncias, a propaganda protestante revestiu-se, em toda a América espanhola, de características muito populares. Está facilmente ligada às reivindicações sociais; muitas vezes abertamente anticatólica, acusa a Igreja de Roma de ser uma potência conservadora e reacionária, incapaz de ajudar o povo nas suas aspirações de justiça. É por isso que, na maior parte dos movimentos políticos de esquerda, se não mesmo de extrema-esquerda, se encontram elementos protestantes. Não quer isto dizer que tenha feito grandes conquistas no proletariado operário: é sobretudo nos meios rurais que avança, e mais ainda entre a pequena burguesia, tão pobre e tão esmagada pelos grandes proprietários de terras.

O proselitismo protestante na América espanhola organizou-se de maneira notável nos últimos trinta anos. As missões têm-se multiplicado, ficando cada uma delas com um setor. Instituíram-se «centros culturais», que, sob aparências tranquilizadoras, eram verdadeiras paróquias protestantes. Os convertidos recebiam ajuda material, frequentemente considerável: por exemplo, as missões garantiam a solvabilidade de quem quisesse adquirir a prestações instrumentos, utensílios, máquinas. Abriram-se seminários: o Instituto protestante da Costa Rica forneceu mestres de categoria. Fato importante dessa arrancada dos protestantes foi que as seitas tomaram a vanguarda, uma vanguarda singularmente agressiva. Num país como o Chile, onde, como vimos, se observam os resultados mais expressivos, um terço dos protestantes pertence a seitas, sobretudo a agrupamentos pentecostais: cento e oitenta mil fiéis.

O sucesso das seitas deriva de múltiplas causas: simplicidade da doutrina; apelo a manifestações espetaculares que impressionam as massas; incontestável caridade entre os membros; caráter exclusivamente autóctone do seu recrutamento pastoral. Porque, se os presbiterianos, os episcopalianos, os metodistas e outros fazem, sem dúvida, um sério esforço de apostolado, demasiadas vezes acontece que os missionários norte-americanos poderosamente organizados fracassam onde o *evangélico*, mestiço e pobre, triunfa. Alguns autores católicos não hesitaram em escrever que os pentecostais formavam, no Chile, «o agrupamento religioso mais nacional e mais dedicado», enquanto o historiador protestante Léonard reconhecia que certa propaganda, feita por missionários yankees que tratavam os futuros catecúmenos como «nativos», só conseguiu «frutos amargos». Pode-se perguntar se o destino do protestantismo na América espanhola não estará ligado ao destino das seitas, e sobretudo qual será o futuro dessas comunidades quando, passadas uma ou duas gerações, os seus membros, por ela erguidos, exijam uma religião menos simplista[128].

No Brasil, a situação é muito outra. De todo o continente, foi aí que o protestantismo cresceu mais depressa e é aí que conta maiores massas. No princípio do século XIX, não havia um só reformado no vasto Império governado pelos portugueses. Das implantações esporádicas feitas no século XVI e depois no seguinte por franceses e holandeses, nada restava. A primeira colonização protestante foi, por volta de 1824, a de alemães luteranos, instalados no Sul: não teve qualquer irradiação. Aliás, as Igrejas locais foram perturbadas durante longo tempo pelo conflito entre pregadores espontaneamente saídos do povo e pastores enviados depois, da Europa. São as que hoje formam a Igreja Luterana do Brasil, que vive bastante à margem.

Nesse ínterim, o protestantismo germinou quase espontaneamente em diversos pontos, nas longínquas *fazendas* onde poucas vezes apareciam padres católicos, e onde, no entanto, podia sobreviver uma piedade autêntica: constituía-se um círculo em torno de um pai de família ou, talvez, de um escravo negro. Era uma piedade puramente laical que perdia rapidamente contato com a Igreja. Uma outra circunstância favorável surgiu pela ação do estranho padre Feijó, a quem, em 1871, o imperador Pedro I confiou a regência quando teve de ir reinar em Lisboa.

Esse Feijó, liberal-jansenista, «cripto-protestante», diríamos, falou de reformar a Igreja católica brasileira, inspirando-se nas ideias dos primeiros Reformadores. Pensou também em chamar os Irmãos Morávios para evangelizar os índios e, em qualquer caso, deixou instalar-se no país uma missão metodista norte-americana. O conflito larvado que opôs o imperador Pedro II à Hierarquia católica e aquele que, mais tarde, prosseguiu sob a República foram muito favoráveis à fixação do protestantismo, que se desenvolveu apesar de algumas oposições esporádicas e temporárias. Apareceram outros missionários norte-americanos, sobretudo presbiterianos, que empreenderam com certo êxito uma evangelização sistemática — «estratégica», diziam eles —, apoiada no dólar. A entrada em cena de um homem extraordinário, um antigo padre católico que passou para o protestantismo, mas conservou o nome que tinha como religioso católico — *José Manuel da Conceição* — orientou a evangelização para o povo de condição modesta. Sozinho, comandando uma imensa tarefa de apostolado nas regiões mais abandonadas, ensinando um cristianismo puramente evangélico, muito simples, adaptado aos humildes, José Manuel da Conceição iria deixar, ao morrer exausto, a recordação de uma generosidade sem limites, mas também uma longa cadeia de comunidades católicas apóstatas.

A partir da década de 1870 e nas seguintes, o protestantismo brasileiro cresceu regularmente e a passos rápidos, com características bastante complicadas. Por um lado, aproveitando a liberdade que lhes era reconhecida, muitas sociedades missionárias enviaram representantes ao Brasil: metodistas, presbiterianos, morávios, batistas, episcopalianos — o leque não tardou a ser completo. Mas essa diversidade fragmentada acentuou-se ainda mais com as disputas teológicas que se multiplicaram. Assim, Miguel Vieira Ferreira, que estava com dificuldades na sua Igreja, fundou uma «Igreja Evangélica Brasileira», de tendências bastante iluministas. A tutela exercida pelos missionários norte-americanos provocou reações, por vezes muito vivas, principalmente aquela que, conduzida pelo pastor Eduardo Carlos Pereira, levou à fundação da «Igreja Presbiteriana Independente». A instalação entre os batistas e os metodistas de norte-americanos sulistas, exilados após a Guerra da Secessão, trouxe resultados análogos. Por último, entraram em jogo e rapidamente ganharam influência as seitas, tanto os grupos saídos das Igrejas protestantes antigas (os Irmãos de Plymouth e os darbystas, entre outros), como os jovens movimentos iluministas, pentecostais, adventistas. A complexidade do protestantismo brasileiro quase atingiu o nível do norte-americano.

Nem por isso a investida diminuiu de ritmo. Em 1922, o conjunto das denominações contava trezentos mil adeptos inscritos; em 1940, mais de um milhão; em 1958, um milhão e meio, o que correspondia a mais de quatro milhões de simpatizantes. Mas na realidade, pode-se dizer que há hoje, no Brasil, dois tipos de protestantismo bem delimitados. Por um lado, o dos burgueses estabelecidos, intelectuais separados da Igreja Católica, que figuram nos registros das Igrejas episcopalianas, congregacionalistas, presbiterianas e metodistas[129]. Do outro lado, o dos batistas, dos pentecostais, dos adventistas, que progride no meio das populações sofredoras da Amazônia, de Minas Gerais, do Mato Grosso, e que tenta penetrar nas favelas das grandes aglomerações. Dois mil pastores[130], formados em doze faculdades de Teologia, não são demais para tal tarefa.

O protestantismo dá-nos, portanto, a impressão de se ter lançado à conquista de toda a América Latina. São mais os aspirantes a pastores do que os candidatos ao sacerdócio. O número de «centros culturais» protestantes está a caminho de ultrapassar o das igrejas paroquiais. Esses progressos irão continuar? Nos anos mais recentes, por diversos indícios, alguns observadores têm podido achar que não. A crescente antipatia que os norte-americanos suscitam em toda a América Latina começa a incomodar as missões protestantes, que a opinião pública pensa estarem ligadas àqueles[131]. Não quer isto dizer que o catolicismo se beneficie necessariamente dessa reação e que o verdadeiro ganhador não seja amanhã Fidel Castro e um marxismo mais ou menos nacionalista. Mas o incontestável esforço empreendido desde há uns vinte anos pela Igreja Católica e que não cessa de aumentar, o heroico devotamento de padres, de bispos, no Rio de Janeiro, nas florestas amazônicas, nas zonas mais deserdadas do Nordeste, vão dando frutos. Muitas vezes se tem observado que uma pequena comunidade batista ou pentecostal retorna quase imediatamente ao catolicismo, se um padre a visita e lhe sabe falar. Uma Igreja Católica renovada, visivelmente dedicada aos humildes, tal como a Hierarquia sul-americana tem reclamado frequentemente e que começa a ser construída por ela, oporia aos progressos do protestantismo uma barreira mais sólida do que os requisitórios mais ou menos caluniosos de ontem.

Protestantismo à dimensão do mundo

Pelo seu enorme crescimento nos Estados Unidos, pela sua expansão missionária, o protestantismo, desde finais do século XVIII, mudou totalmente de aspecto. Antes de mais, pela sua distribuição geográfica. Ao lado da mancha compacta que ele desenhava no mapa da Europa Ocidental, surge agora uma outra, sensivelmente da mesma importância, na América, enquanto em todos os continentes se nota uma multidão de pontos e de círculos de importância variável, mas que em conjunto constituem uma massa tão considerável como as duas primeiras. Quanto ao aspecto material, o protestantismo do século XX tem as dimensões do mundo. Está ao lado do catolicismo, muito mais que a Ortodoxia, cuja área de expansão, como veremos, é mais circunscrita e praticamente se limita a um conjunto de territórios no Oriente e na Rússia.

Pela massa dos seus fiéis, que dele faz uma das mais importantes formações religiosas do mundo — depois do catolicismo, do islamismo e do hinduísmo, mas antes do budismo —, o cristianismo saído da Reforma pesa necessariamente nos destinos da humanidade. Atua, direta ou indiretamente, no plano político e social, no plano moral e intelectual. Instaura um estilo de vida, impregna com o seu espírito a literatura, inspira a música. E esta ação manifesta-se não só nos países onde é numericamente o primeiro, como os Estados Unidos ou a África do Sul, mas também naqueles em que está implantado há menos tempo, como na América Latina. O papel de «sal da terra» que Cristo atribuiu aos seus, pode o protestantismo, sem fanfarronice, pretender que o desempenha.

A expansão do protestantismo fez surgir, por outro lado, analogamente à prova clara do seu poder, uma verdade longamente esquecida. É que ele não era só uma planta da Europa, germinada e aparecida na Alemanha, transplantada e multiplicada na França; antes pelo contrário, o seu espírito podia deitar raízes em todos os países, em todos os povos e civilizações. Repetira-se por muito tempo que a mensagem protestante tinha como terreno de eleição a Europa do Noroeste. Mas então como é que foi recebido com tanto fervor pelos negros dos Estados Unidos e pelos mestiços da América Latina? O protestantismo pode, pois, apresentar-se como plenamente universal, acessível a todos os homens da terra, e tanto mais facilmente quanto a multiplicidade das suas expressões lhe permite adaptar-se, de maneira praticamente ilimitada, a todas as formas de civilização, a todos os níveis de desenvolvimento intelectual e moral, e não está ligado a um organismo hierárquico cujo centro pareça associado a determinado lugar ou a um povo bem definido. Assim e bem mais do que a Ortodoxia, o protestantismo apresenta-se como rival direto do catolicismo, seu concorrente imediato no esforço, que um e outro julgam necessário, de manter viva a mensagem de Cristo num mundo que a nega.

Para acabar com esse debate, e mais ainda para refrear o processo de fragmentação, o protestantismo foi levado a fazer um esforço, já importante, rumo a certas modalidades de união[132]. Bastaria o seu simples interesse para o encaminhar no sentido da união, ainda que não houvesse outras e mais altas exigências.

OS PROTESTANTES DO MUNDO 1958-2008

	década de 1960	% da população	2008	% da população
Europa				
Alemanha	45.000.000	62,50	28.016.000	34,00
Dinamarca	4.200.000	95,45	5.209.800	95,00
Finlândia	4.300.000	96,72	4.326.300	82,50
França	800.000	1,73	1.280.000	2,00
Holanda	4.000.000	35,00	3.329.000	20,00
Hungria	3.000.000	30,00	1.986.000	20,00
Itália	161.000	0,32	1.221.045	2,10
Noruega	3.200.000	89,69	3.993.840	86,00
Reino Unido	33.000.000	63,46	26.205.490	43,00
Romênia	—	—	1.668.525	7,50
Rússia	4.000.000	3,33	2.145.000	1,50
Suécia	7.000.000	93,33	7.869.150	87,00
Suíça	2.841.000	44,92	2.676.093	35,30
Tchecoslováquia	1.800.000	12,61	—	—
República Checa			471.000	4,60
Eslováquia			456.200	8,40
Total Europa	**110.000.000**	**20,00**	**117.868.000**	**16,20**
África				
África do Sul	7.200.000	49,07	33.171.760	68,00
Camarões	500.000	9,62	3.693.600	20,00
Gana	800.000	11,94	9.984.476	42,70

Madagascar	1.400.000	25,93	5.010.500	25,00
Nigéria	1.300.000	3,54	38.757.575	26,50
Quênia	800.000	9,86	17.079.300	45,00
República Democrática do Congo	821.000	5,86	13.302.800	20,00
Ruanda	150.000	4,28	4.471.654	43,90
Tanzânia	800.000	7,80	5.629.820	14,00
Uganda	900.000	13,85	13.174.560	42,00
Total África	**13.700.000**	**12,36**	**160.000.000**	**18,00**
América				
Brasil	4.000.000	5,71	27.916.919	14,24
Canadá	6.200.000	32,63	9.513.462	28,64
Chile	800.000	10,00	2.397.137	14,57
Estados Unidos	118.000.000	66,67	165.653.774	54,67
México	880.000	2,20	6.372.174	5,79
Total América	**77.880.000**	**24,57**	**240.000.000**	**27,00**
Ásia				
Birmânia	1.000.000	3,96	—	—
China	1.500.000	0,22	39.900.000	3,00
Coreia do Sul	2.500.000	10,00	9.530.663	19,70
Filipinas	3.200.000	11,00	8.785.700	10,00
Índia	8.000.000	1,84	8.036.000	0,70
Indonésia	6.000.000	6,32	13.538.184	5,70
Japão	650.000	0,69	636.440	0,50
Total Ásia	**23.000.000**	**1,53**	**62.385.000**	**1,60**
Oceania				
Austrália	5.700.000	60,50	7.634.366	41,00
Nova Zelândia	1.500.000	64,50	1.896.667	41,00
Total Oceania	**7.200.000**	**61,30**	**13.474.000**	**43,00**
Total geral	**98.780.000**	**3,20**	**413.474.000**	**6,10**

Nos países de missão, ao tomarem consciência do escândalo que as suas divergências causavam entre os povos que evangelizavam, as diferentes espécies de protestantismo têm sido levadas a achar modalidades de colaboração e até de união. O movimento «ecumênico», de cuja importância havemos de falar, nasceu de preocupações idênticas em escala mundial. Também aí, porém, os riscos são grandes, e aliás diversamente encarados. Enquanto um protestante — Émile G. Léonard — os vê na uniformidade, à qual opõe «a união na verdade e no amor», outro — o bispo anglicano Barnes — encontra-os na confusão dos valores e no desprezo dos princípios a que, segundo ele, conduzem tentativas como a da união feita na Índia do Sul. Entre esses riscos e essas esperanças, joga-se o futuro do cristianismo saído de Lutero e Calvino.

Notas

[1] Sobre a história do protestantismo antes de 1789, cf. os quatro volumes anteriores da presente coleção.

[2] Cf. vol. IV, cap. VII.

[3] Cf. o cap. I, par. *O mais importante grupo protestante: os luteranos.*

[4] Pelo menos no que diz respeito à história política das Igrejas. Quanto à história espiritual, que será objeto do nosso terceiro capítulo, é mais fácil observar as grandes linhas de uma evolução, que tende, precisamente, a ultrapassar a fragmentação geográfica.

[5] Sabemos que a Noruega pertenceu à Dinamarca até 1814, data em que Carlos XIII da Suécia obteve dos aliados que a ligassem ao seu reino. A separação da Suécia deu-se em 1905.

[6] Hans Martensen, *Situation de l'oecuménisme catholique en Scandinavie*, in *Revue nouvelle*, 1964.

[7] Cf. o cap. III, par. *O grande «despertar» do princípio do século XIX.*

[8] Cf. o cap. III, par. *Um Pascal dinamarquês.*

[9] Palavras do arcebispo de Estocolmo, Yngve Brilloth (1957).

[10] Por Rolf Edberg.

[11] Cf. o vol. VIII, cap. X, par. *Na Europa da Reforma.*

[12] Alta Igreja e Larga Igreja, termos do vocabulário anglicano. Cf. o cap. I, par. *A Comunhão Anglicana.*

[13] Cf. o cap. III, par. *O reflorescimento teológico: Karl Barth.*

[14] Cf. o cap. I, par. *A Reforma: Martinho Lutero.*

[15] Cf. o cap. I, par. *O mais importante grupo protestante: os luteranos*, e o *Índice Analítico* do vol. VII.

[16] Cf. o cap. III, par. *O grande despertar do princípio do século XIX.*

[17] Sobre o *Kulturkampf*, cf. o vol. IX, cap. III, par. «*Kulturkampf*».

[18] Cf. o que ficou dito sobre o protestantismo social, no cap. III, par. *Cristianismo social.*

[19] Só uma, muito extravagante, nasceu na Alemanha, a das *Comunidades do Templo*, fundada por Cristóvão Hoffmann, e cujo primeiro objetivo era ajudar a reinstalação do povo judeu na Palestina. O seu exagerado biblicismo levou-a a uma verdadeira heresia, que fazia de certa maneira lembrar a dos ebionitas: rejeitavam o Novo Testamento e o dogma da Santíssima Trindade, e reclamavam a reconstituição de um judaísmo cristão à volta do Templo de Jerusalém reconstruído.

[20] Cf. o nosso cap. III, todo ele dedicado à vida espiritual do protestantismo.

[21] Cf. o vol. VIII, cap. VII, e o vol. IX, cap. X.

[22] Sobre Karl Barth, cf. o cap. III, par. *O reflorescimento teológico: Karl Barth.*

[23] Cf. o cap. III, par. *Uma revolução espiritual em Genebra.*

[24] Cf. nesse sentido, o tão objetivo *Calvin* do pastor Jean Rilliet (Paris, 1963).

[25] A questão católica ganhou nova atualidade em certos cantões, designadamente no de Genebra. Já não por motivações políticas e administrativas, como no tempo das tensões entre mons. Mermillod e o governo cantonal (Cf. o vol. IX, cap. X, par. *Na Europa da Reforma.*), nem sequer porque o problema da reentrada dos jesuítas na Suíça era ainda objeto de discussão em 1958; mas porque o afluxo de estrangeiros católicos modificou o equilíbrio das confissões. Em 1951, havia cerca de setenta e três mil protestantes contra sessenta mil católicos, e o movimento, que cessara até 1956, parece ter recomeçado. Um empregado de hotel, protestante convicto, falando ao autor destas linhas, profetizava com horror que não tardaria muito a chegar um tempo terrível em que os católicos se tornariam majoritários e não deixariam de expulsar os reformados da catedral onde Calvino pregou...

[26] Sobre a Igreja de Utrech e os «Velhos Católicos», ver o Anexo.

[27] Cf. o vol. IX, cap. X, par. *Na Europa da Reforma.*

[28] Cf. o cap. VI, par. *O Conselho Ecumênico das Igrejas.*

[29] Cf. o cap. I, par. *Um protestantismo sem dogmas: o Metodismo.*

[30] Cf. acima, cap. I, p. 75.

[31] Recorde-se que foram os evangélicos que, juntamente com William Wilberforce, conseguiram, em 1807, a aprovação da lei que abolia o tráfico dos negros.

[32] Cf. o cap. I, par. *A Comunhão Anglicana.*

[33] Sobre o «despertar», cap. III, par. *Uma revolução espiritual em Genebra.*

[34] Sobre Irving, cf. o cap. I, par. *Uma revolução espiritual em Genebra.*

[35] Sobre Darby, cf. o cap. I, par. *Seitas ou novas Igrejas?*

[36] Cf. o vol. VIII, cap. III, par. *Um êxito católico e liberal: a emancipação dos católicos ingleses.*

[37] A expressão é de Edward Miall, pastor congregacionalista (1841).

[38] Cf. o *Índice Analítico.*

[39] Cf. Colenso, no *Índice Analítico.*

[40] Sobre a questão do *Prayer Book*, cf. neste capítulo o par. *A Inglaterra dos anglicanos e dos «dissenters».*

[41] Cf. o cap. III, par. *Os protestantes e as obras de beneficência.*

[42] Sobre as YMCA, cf. o cap. III, par. *Frutos duradouros do «despertar».*

[43] Foi Maurice quem, em 1846, ou seja, muito antes de Marx, falou da religião, «ópio do povo». Sobre outras facetas desta interessante personalidade, cf. o índice do presente livro.

[44] Cf. o vol. VIII, cap. VIII, par. *Na Inglaterra: Newman e o Movimento de Oxford.*

[45] Acerca de Pusey e do ritualismo, cf. o cap. III, par. *Regresso aos sacramentos e à liturgia.*

[46] Cf. o cap. VI, par. *A tentativa de união «em corpo» dos anglicanos a Roma.*

[47] É dele esta frase encantadora: «Cristo disse: "Apascenta os meus cordeiros, apascenta as minhas ovelhas". Mas há pregadores que colocam tão alto o alimento espiritual que se poderia pensar que Cristo disse: "Apascenta as minhas girafas!"»

[48] Cf. o cap. III, par. *William Booth e o Exército da Salvação.*

[49] Cf. o cap. I, par. *Seitas ou novas Igrejas?*

[50] Cf., adiante, cap. III, par. *A renovação evangélica: do País de Gales a Caux, no cantão de Vaud.* Não confundir os Grupos de Oxford com o movimento de Oxford.

[51] Cf. no princípio deste volume a quarta «imagem» que traçamos.

[52] Cf. o cap. VI, par. *A tentativa de união «em corpo» dos anglicanos a Roma.*

[53] Cf. o cap. I, par. *A Comunhão Anglicana.*

[54] Cf. o cap. VI, par. *O caso audacioso da Igreja da Índia meridional.*

[55] Cf. o vol. VII, cap. III, par. *Renasce o protestantismo francês.*

[56] Cf. o cap. III, par. *Os protestantes e as obras de beneficência.*

[57] Louis Dallière, *Le protestantisme de nos jours et la doctrine*, in *Foi et Vie*, 15.11.1930.

[58] Na Argélia, o governo real ajudou a implantar colonos protestantes, quer franceses, quer alemães, e a construir templos protestantes, vários dos quais foram simultaneamente luteranos e calvinistas.

[59] Sobre o Despertar, cf. o cap. III, par. *Uma revolução espiritual em Genebra.*

[60] Os Monod descendem de Jean, professor de teologia (1765-1836). Frédéric (1794-1863) e Adolphe (1802-56) eram seus filhos. Viremos a falar de um neto de Frederico, William, também chamado Wilfred (1867-1943; o nome *Wilfred* deriva de *Wil-fred*, por causa de *Frederico*).

[61] Cf. o cap. III, par. *Do «protestantismo liberal» à crítica «livre».*

[62] E também de *L'Intermédiarie des chercheurs et des curiex* e do Museu Carnavalet.

[63] Sobre o Exército da Salvação, cf. o cap. III, par. *William Booth e o exército da Salvação.*

[64] Sobre o protestantismo social, cf. o cap. III, par. *Os protestantes e as obras de beneficência.*

[65] Cf. neste cap., o par. *A grande etapa das Missões protestantes.*

[66] Caderno das *Présences*, citado nas *Notas bibliográficas.*

[67] Joseph Dedieu, *Instabilité du Protestantisme*, Bloud et Gay, Paris, 1928, p. 183.

[68] Acerca de Taizé, cf. o cap. III, par. *A renovação litúrgica e monástica: Taizé* e o cap. VI, par. *A caminho do «Ecumenismo».*

[69] Sobre o ecumenismo protestante, cf. o cap. VI, par. *O Conselho Ecumênico das Igrejas.*

[70] Cf. o par. *A grande etapa das missões protestantes* e o cap. III, par. *Do «protestantismo liberal» à crítica «livre».*

[71] Cf. o cap. VI, par. *O Conselho Ecumênico das Igrejas.*

[72] O pastor Boegner foi convidado a assistir à terceira sessão do Concílio Vaticano II.

[73] Por exemplo, a dos pastores Hardmeier, Brutusch e Pradervand, *Die Lage der Protestanten in Katholischen Ländern*, Evangelischer Verlag, Zurique, 1953, muito parcial, que pretende apoiar-se em fatos que se teriam dado na Itália, na Espanha, em Portugal e na América Latina.

[74] E ligados ao anglicanismo por intermédio da Igreja lusitana.

[75] Em agosto de 1964, chegou-nos a informação de que, nos termos de um novo estatuto, as Igrejas protestantes seriam reconhecidas legalmente e autorizadas a ser proprietárias, sem necessidade de continuarem a ter os seus bens registrados em nome de pessoas individuais ou de organizações estrangeiras. A nova lei permitiria também aos protestantes administrarem escolas e casas editoras; autorizaria o casamento civil entre protestantes e católicos romanos e libertaria os soldados protestantes da obrigação de assistir a serviços religiosos católicos no exército. Mas continuaria a ser vedado aos protestantes «fazer proselitismo». O Sr. Castiella, ministro das Relações Exteriores, declarava-se certo de ver a Igreja Católica Romana na Espanha agir de modo a facilitar que se tornassem realidade no seu país os princípios formulados na encíclica *Pacem in terris.*

[76] Sobre os valdenses, cf. o vol. III, cap. XIII, par. *Os valdenses.*

[77] Há um documento valioso sobre os progressos do protestantismo na Itália: o inquérito muito bem realizado pela Sociedade São Paulo e cujos resultados foram analisados pela

revista *Le Christ au monde*, vol. III (1958). É curioso notar que, na sua volumosa *Histoire du protestantisme*, Léonard não lhe faz nenhuma alusão e os números que propõe são consideravelmente inferiores, por exemplo, cento e cinquenta mil para o dos fiéis.

[78] Cf. o par. *Dois microcosmos protestantes: Cantões helvéticos e Países Baixos.*

[79] Em toda a Europa central e oriental, existem agrupamentos protestantes, minoritários, de importância variável e cujo destino tem sido condicionado pelos acontecimentos políticos, muitas vezes violentos e também fecundos em mudanças, de que esses países têm sido teatro. No antigo Império Austro-Húngaro, os protestantes eram numerosos: luteranos na Áustria, reformados e luteranos na Hungria, descendentes dos hussitas e de outras confissões na Boêmia. No início do século, passaram frequentemente por graves dificuldades. Em 1830, os habitantes de uma aldeia do Tirol, que se converteram em massa ao protestantismo, foram forçados a emigrar para a Silésia. A partir de 1866, no reinado de Francisco José, a situação melhorou: foi concedida a liberdade de culto e reconhecido o casamento protestante; a presidência do Consistório luterano-reformado, que pertencia a um católico (!), foi dada a um protestante. Nesse regime de tolerância, o protestantismo progrediu, e os únicos casos de importância a assinalar foram veementes disputas sobre a questão dos casamentos mistos. Após a Primeira Guerra Mundial, os Estados sucessores da monarquia dos Habsburgos trataram o protestantismo de modos muito diversos, embora todas as Constituições tivessem proclamado a liberdade de consciência e de culto. Na Áustria, os protestantes foram mais propriamente tolerados e, por várias vezes, houve atritos com o poder público. Na Hungria, muito mutiladas pelo tratado do Trianon, divididas entre luteranos e calvinistas, as comunidades protestantes, que alcançavam pelo menos um milhão e quinhentas mil almas, não tiveram dificuldade em fazer-se respeitar. Na Checoslováquia, atingiram uma rara prosperidade: ultrapassaram um milhão e cem mil fiéis e constituíram, com base na *Confessio Bohemica*, uma Igreja dos Irmãos Checos. Na Polônia, até 1918 dilacerada entre a administração alemã e a austríaca, e rodeada de uma enorme maioria católica, a minoria protestante praticamente não fez mais que sobreviver; na Polônia reconstituída, não teve muito melhor sorte. Na Romênia, onde o regime húngaro fora favorável aos luteranos, o governo nacional, impelido pelos ortodoxos, mostrou-se hesitante. Como é óbvio, tudo foi novamente remexido depois da Segunda Guerra Mundial, com a instalação dos regimes de democracia popular. Se, na Checoslováquia, as Igrejas protestantes, de resto em grande parte ligadas oficialmente ao regime, parecem prósperas, e a prática religiosa dá até a impressão de ter progredido, a situação é menos boa na Polônia e na Romênia, e foi muito má na Hungria até 1957, ano em que se abriram negociações com o governo de Kadar. Por toda a parte, os governos comunistas procuram dominar uma Igreja protestante «nacional», que controlam mais ou menos de perto.

[80] Cf. o cap. IV, par. *Do Raskol às novas seitas.*

[81] Sobre os *dukhobors*, cf. o cap. IV, par. *Do Raskol às novas seitas.*

[82] Sobre a perseguição à Igreja ortodoxa, cf. o cap. IV, par. *A grande provação da Igreja Russa.*

[83] Em 1949, todos os membros adventistas de um *kolkhose* venderam os seus bens, vestiram--se de branco e aguardaram fora de casa, de 25 de maio a 15 de junho, a sua ascensão ao céu.

[84] Cf. o vol. VII, cap. III, par. *As origens protestantes dos Estados Unidos.*

[85] Cf. o cap. III, par. *Uma revolução espiritual em Genebra.*

[86] Sobretudo os adventistas do Sétimo Dia, seitas batistas e «Assembleias de Deus» pentecostais.

[87] Calcula-se em dezessete ou dezoito o número das nações de origem dos pioneiros.

[88] A Igreja Católica compreendeu igualmente bem o seu dever, e, embora fosse então bem pouca coisa nos Estados Unidos, também ela «empurrou» para o Oeste. Sobre esta história e o papel aí desempenhado pelos missionários franceses, cf. o vol. VII, cap. II, par. *A França missionária em ação: 2. Na «Nova França»*, e o vol. VIII, cap. VII, par. *De Valparaíso ao Grande Norte canadense.*

[89] Cf. o vol. IX, cap. X, par. *Estados Unidos: uma Igreja que sobe em flecha.*

[90] Acerca dos *nigro spirituals*, cf. o cap. III, par. *A alma protestante exprime-se: 2. Na música.*

[91] Entre as numerosas obras dedicadas a este doloroso problema, registremos as de Thomas Merton, *Black Revolution: Letters to a White Liberal*, em *Seeds of Destruction*, Farrar, Straus e Giroux, New York, 1965 (*La révolution noire*, Casterman, Tournai, 1964), e de William Brink e Louis Harris, *The Negro Revolution in America*, Simon and Shuster, New York, 1964 (*La Révolution noire aux USA*, Denoël, Paris, 1964).

[92] Na notável obra que consagrou à religião nos Estados Unidos, sob o título de *Protestant, Catholic, Jew: An Essay in American Religious Sociology*, Doubleday, New York, 1955; trad. fr., Paris, 1960). Note-se que o autor é israelita.

[93] Sobre o protestantismo social, cf. o cap. III, par. *Os protestantes e as obras de beneficência.*

[94] Já o vimos a propósito de cada uma, no cap. I.

[95] O repouso dominical exige que se suspenda o comércio de produtos alimentares, mas dá-se um jeito: os restaurantes servem uma só refeição pelo dobro do preço.

[96] Os puritanos Estados Unidos inventaram o *strip-tease*, mas os seus hotéis não admitem casais irregulares...

[97] Nova York, 1952; trad. fr., Paris, 1952.

[98] Cf. os vols. VIII e IX.

[99] Nos nossos dias, o anticatolicismo tem certamente diminuído de virulência, em parte — como se verá a seguir — porque a fé protestante perdeu garra, mas também porque os católicos conquistaram na União um lugar considerável, o que torna difícil desprezá-los. Parece até ter-se dado uma rápida evolução a partir de 1958, porque a figura do papa João XXIII e os seus apelos tão singelamente generosos à fraternidade cristã impressionaram muitas almas nos Estados Unidos. Certas Igrejas parecem a caminho de uma aproximação, designadamente as episcopalianas, que já falam em abolir o adjetivo protestante no título oficial da sua Igreja. Em julho de 1964, celebrou-se em São Luis do Missouri um casamento misto, em que um padre católico e um pastor episcopaliano oficiaram em conjunto, devidamente autorizados pelos respectivos arcebispos. Mas mantém-se ainda um sentimento de nevoenta hostilidade nas massas, sentimento que impede o Departamento de Estado de nomear um embaixador junto do Vaticano.

[100] O mesmo se poderá dizer, ao menos *grosso modo*, do catolicismo norte-americano.

[101] O que representa cerca de 300 francos. Os franceses destinam, em média, 2 a 3...

[102] É sabido que essa tendência também se manifestou no catolicismo norte-americano, sob a forma do *americanismo*. Respondendo a um apelo de Leão XIII, o episcopado americano conseguiu afastar a ameaça desse desvio (cf. o vol. IX, cap. VI.).

[103] Em *The New York Times*, 23.12.1952.

[104] Maynard, op. cit., p. 212.

[105] O rev. Rosewell Bernes, secretário-geral associado ao Conselho nacional das Igrejas de Cristo, declarou que, em cada ano, há 20% das famílias que mudam de obediência religiosa (*Time*, 16 de setembro de 1957).

[106] Entre os católicos também, porque não ameaça o catolicismo menos que as denominações protestantes.

[107] Harvey Seifert, *The Church in Community Action*, Abingdon-Cokesbury Press, New York, 1952, p. 222.

[108] *Op. cit.*, p. 50: O rápido desenvolvimento do catolicismo e, mais ainda, o fato de (a partir de Oreste Brownson) este ter conseguido cada vez mais ser reconhecido como autenticamente americano, surge como confirmação dessa tese.

[109] William G. McLoughlin, *Modern Revivalism: Charles Grandison Finney to Billy Graham*, Wipf & Stock Publishers, New York, 1959, p. 465.

[110] O fato mais saliente da história religiosa das colônias inglesas foi, por muito tempo, a rivalidade entre o anglicanismo, importado pelas autoridades, e o «não conformismo» dos colonos, uma vez que os escoceses e os galeses desempenharam sempre um papel importante na colonização.

Essa rivalidade persistiu nitidamente na Nova Zelândia, o mais britânico dos Domínios, onde, no nosso tempo, um milhão e seiscentos mil protestantes se repartem entre o tipo religioso de Christchurch, anglicano, que constrói igrejas segundo o modelo dos velhos monumentos da Inglaterra, e o de Dunedin, presbiteriano, escocês, puritano. Mas esse esquema tem-se vindo a complicar pela chegada de novas denominações ou pelo aparecimento de seitas; hoje, não são menos de 34, algumas das quais, como os Estudantes da Verdade ou os Imortalistas, são específicos do país.

Na Austrália, 44% dos seis milhões de protestantes pertencem, em princípio, ao anglicanismo, e até uma época muito recente estiveram estreitamente unidos à Igreja da Inglaterra. Foram padres anglicanos quem, nos finais do século XVIII, acompanhou os desventurados «convictos» que constituíram o primeiro povoamento do continente, como o célebre rev. Richard Johnson, que, tendo sido por muito tempo o único homem de Deus no meio dos forçados, tinha de celebrar o culto ao ar livre, à falta de igrejas. Mas os presbiterianos e sobretudo os metodistas souberam utilizar a corrente de colonização provocada pela corrida ao ouro, e atualmente representam juntos 12% da população protestante, enquanto os restantes se distribuem por denominações muito numerosas. A enormidade das distâncias acentua as diferenças, e as múltiplas tentativas de estabelecer uma verdadeira colaboração entre os diversos protestantismos só levaram a algum resultado sério em 1960.

No Canadá, a história do protestantismo recorda ainda mais de perto a dos Estados Unidos. Tal como entre os vizinhos do Sul, as Igrejas estabelecidas, quer a de Inglaterra, quer a presbiteriana escocesa, demasiado tranquilas, demasiado ligadas aos interesses coloniais, não se ocuparam a tempo dos pioneiros e colonos que abriam caminho em direção ao Sul e ao Oeste. Foram os batistas e os metodistas quem lhes tomou o lugar. Depois, produziu-se o habitual fracionamento, com a entrada em cena da maior parte das seitas nascidas na Inglaterra e nos Estados Unidos, desde os irvingianos e os Irmãos de Plymouth aos adventistas, e, com o aparecimento das seitas locais, como a dos «donaldianos», provindos do rev. (presbiteriano) Donald Mac Donald. A urbanização do país, no século XX, levou, por um lado, à descristianização das massas, mas também, por outro lado, ao reagrupamento das forças protestantes em volta dos presbiterianos puritanos que, hoje, com quatro milhões e quinhentos mil fiéis, reúnem metade dos canadenses protestantes; uma parte destes conseguiu, em 1925, agrupar à sua volta metodistas e congregacionalistas e formar a Igreja Unida do Canadá, e atualmente procura unir-se à Igreja Anglicana do Canadá (a única da Comunhão Anglicana a usar este título).

Foi na África do Sul que a história do protestantismo se tornou mais dramática, porque o habitual divisionismo se complicou com os antagonismos nacionais e depois raciais. Sucessivamente, entre os colonos holandeses e franceses — cuja união iria formar a famosa nação dos Boers —, e depois entre os forçados deportados da Inglaterra, entraram em ação os Irmãos Morávios, os batistas, os reformados holandeses, aos quais se juntaram, por volta de 1845, os anglicanos. O mosaico religioso estendeu-se, pois, a todo o país. A guerra dos Boers (1899-1902), em que a Inglaterra firmou o seu domínio sobre o país, e os anglicanos e presbiterianos ingleses se opuseram aos boers calvinistas, teve entre outras consequências a de formar entre os sete milhões de protestantes da União Sul-africana dois blocos religiosos: um anglicano, outro calvinista, com as outras denominações a ligarem-se a uma ou outra, consoante as simpatias. A tensão continua viva entre elas. Em 1955, foi apresentado um projeto de lei para fazer da União um «Estado calvinista», o que provocou uma forte reação, desencadeada pelos anglicanos. A questão racial não cessa de agravar a situação há mais de meio século. Enquanto a Igreja Anglicana é corajosamente hostil ao *apartheid*, seguida com igual firmeza pelos metodistas, a Igreja reformada holandesa reclama a segregação. Mas, no próprio campo calvinista, numerosos fiéis se perguntam se esta será conciliável com os princípios cristãos. Importa acrescentar que esta história das diversas Igrejas das colônias britânicas e domínios é inseparável da história do movimento missionário de que iremos tratar. E também notar que, em conjunto, esses protestantismos «coloniais» foram muito pouco afetados pelo liberalismo e continuam a ser muito «ortodoxos» ou «fundamentalistas». O puritanismo da Nova Zelândia é célebre: chegou a ponto de proibir, em atenção a protestos dos pastores, trens de excursão que circulassem aos domingos! O caso do bispo «herético» Colenso, que tanto agitou a África do Sul anglicana, é uma exceção, e o vigor da reação que desencadeou é significativo.

[111] Evidentemente, é impossível dar uma lista completa. Vamos limitar-nos a registrar as mais importantes (cf. o quadro das Sociedades Missionárias Protestantes).

[112] Cf. o par. *Uma história assombrosa: o protestantismo na América Latina.*

[113] Cf. o par. *Campos e problemas da expansão missionária.*

[114] Cf. mais adiante a história do cisma poligâmico dos Camarões.

[115] Cf. o vol. IX, cap. XI, par. *Ao serviço das Missões.*

[116] Nascido a 14 de janeiro de 1875 em Kaisersberg (Alsácia), filho de pastor luterano, Albert Schweitzer cresceu num clima de piedade profunda e de caridade vivida. Criança extremamente sensível, que se recusava a comer por pensar nas crianças que passavam fome, teve desde cedo a vocação de se dar aos outros. Resolveu, porém, armar-se de uma sólida bagagem antes de se lançar a uma obra. Sucessivamente doutor em História, Filosofia e Teologia, cultivou também os dotes musicais fora de série que tinham despertado nele aos três anos, e afirmou-se como intérprete tão extraordinário de Bach que conseguiu atrair multidões aos seus concertos. Aos trinta anos, em 1905, na sequência, ao que parece, de uma crise espiritual, tirou das suas posições teológicas a conclusão de que a única maneira de provar o seu cristianismo seria dedicar-se de corpo e alma ao sofrimento humano. Partiu, pois, para o Gabão, sob a égide da Sociedade das Missões Protestantes de Paris. Apoiado pela sua admirável mulher, fundou em 1913 um centro hospitalar que financiou com os lucros dos seus concertos: *Lambarené*. Nunca deixou esse posto, a não ser durante a Primeira Guerra Mundial, quando as autoridades militares francesas foram tão tolas que o prenderam como alsaciano de nacionalidade alemã. Lambarené tornou-se uma aldeia-hospital modelo, onde, ajudado por colaboradores europeus, americanos e sobretudo africanos, o Doutor Schweitzer lutava contra todas as doenças do continente africano. Em 1953, foi-lhe atribuído o Prêmio Nobel da Paz. Morreu em 1965, Veja--se cap. III, *A alma e o espírito do protestantismo*, n. 47.

[117] Cf. o que dizemos da «santidade» protestante no cap. III.

[118] De longe a mais importante, a SME não foi a única sociedade missionária que nasceu no seio do protestantismo francês. Existe também uma Sociedade Luterana de Montbéliard, com algumas missões, uma Sociedade Luterana da Alsácia, que ajuda missionários luteranos

alemães, uma Associação Auxiliar das Missões luteranas, que sustenta as missões norueguesas e norte-americanas em Madagascar.

[119] Cf. o vol. VIII, cap. VII, par. *Continente negro.*

[120] Cf. o vol. IX, cap. XI, par. *Balanço provisório; perspectivas de futuro.*

[121] É o que diz claramente Jean-Marie Sédès, *Histoire des Missions françaises*, PUF, Paris, 1950, p. 88.

[122] O famoso hospital de Lambarené, do Doutor Schweitzer, já não depende da Sociedade das Missões Evangélicas.

[123] Cf. o vol. VIII, cap. VII, par. *Nas Ilhas do Pacífico.*

[124] Sobre a Querela dos Ritos, cf. o vol. VII, cap. II, pars. *A deplorável querela dos ritos chineses* e *Na Índia de Nobili e de João de Brito.*

[125] Sobre Kagawa, cf. o cap. III, par. *Um «santo» protestante: Toyohiko Kagawa.*

[126] A união da Índia meridional e as outras serão estudadas no cap. VI, par. *O caso audacioso da Igreja da Índia meridional.*

[127] Em 1955, a Confederação das Igrejas Reformadas da Colômbia chegou a apelar para as Nações Unidas. Daí a falar de «perseguição» vai uma grande distância. Em 1958, um relatório luterano publicado em Bonn negava formalmente qualquer perseguição sistemática.

[128] Outra indicação no mesmo sentido é dada pelo que se passa no Paraguai desde 1945. Havia muito que lá existiam grupos luteranos no meio dos colonos alemães; a atividade religiosa não era muito grande. Chegaram «Irmãos luteranos», uma variedade de luteranos extremamente ortodoxos e piedosos, mais ou menos mesclados com batistas e mennonitas. Em breve tempo, mudaram o clima religioso e não tardaram a dispor de 450 comunidades, muito ativas.

[129] É «elegante» ser protestante ou mostrar simpatia pelo protestantismo. Assim, sem pertencer a uma confissão protestante, o presidente Getúlio Vargas deu aos filhos os nomes de Lutero e Calvino.

[130] Não há mais de sete mil padres católicos...

[131] Quando da viagem à América Latina do Dr. Milton G. Eisenhower, irmão do presidente, várias delegações, em diversos países, acusaram formalmente os Estados Unidos de estarem por trás da ofensiva protestante. No Brasil, saíram livros (*Um brado de alarme*, de S. de Azevedo), cartas pastorais, artigos, segundo os quais o proselitismo protestante é uma forma de imperialismo americano. Sem dúvida..., mas não é só isso.

[132] Cf. o cap. VI, par. *O mundo da Reforma em marcha para a unidade.*

III. A ALMA E O ESPÍRITO DO PROTESTANTISMO

Uma revolução espiritual em Genebra

Que confusão! Que emoção na cidade! Onde já se vira? Um simples estudante, um novato que andava ainda a beber o leite da ama — a Faculdade de Teologia — permitia-se criticar a mais venerável instituição genebrina, a Comissão dos Pastores?! O panfleto, que corria às escondidas (prudentemente, tinha sido impresso fora do país, em Baden), bem podia cobrir-se de um título nobremente teológico — *Considerações sobre a Divindade de Jesus Cristo* —, que o certo é que, se o liam, era exatamente por pôr em causa a mais alta autoridade do país. Encontrava-se nele um sabor a revolta e a escândalo. Uns indignavam-se ruidosamente com tal insolência. Outros pensavam, sem se arriscarem muito a dizê-lo, que esse Henri-Louis Empaytaz não estava muito longe da verdade. E tanto bastava para transtornar seriamente a calma, altiva e satisfeita de si, da cidade de Calvino.

Passava-se isso no fim do ano de 1816. Mas, a bem dizer, havia já seis ou sete anos que as autoridades religiosas e civis de Genebra tinham começado a ouvir falar de uma bizarra agitação no meio acadêmico. Em vez de se contentar com a honesta aprendizagem do ofício de pastor, essa rapaziada entretinha-se a formular problemas. Discutiam entre eles as questões mais espinhosas, aquelas perante as quais vacilavam os teólogos mais renomados. Pior do que isso: punham em causa o regime e a supremacia desses Senhores da Comissão, e até o ensino que lhes era ministrado. A polícia conhecia os promotores dessa jovem «Fronda». Eram: Ami Bost, Empaytaz, Lhuillier, Gonthier, Pyt, Guers, Gaussen. Já tinham sido censurados várias vezes pelas autoridades, mas não se emendavam! A Sociedade dos Amigos agrupava os mais puros do movimento e organizava a propaganda. É claro que as pessoas sensatas não manifestavam senão desprezo por esses desordeiros. Só os encorajavam o prof. Demellayer e os pastores Cellerier e Moulinié; mas todos sabiam que esse Moulinié tinha ideias extravagantes acerca do fim do mundo e que os outros dois eram teologicamente discutíveis. Não se acreditava que um punhado de rapazes pudesse abalar verdadeiramente a ordem estabelecida por Calvino.

Era precisamente isso que Empaytaz, Ami Bost e os seus seguidores contestavam: que a ordem da cidade continuasse a ser moldada pelos princípios do Reformador. Aparentemente, as instituições eram as mesmas que sempre se tinham conhecido. A ocupação francesa e o regime napoleônico não lhes tinham tocado; quando muito, podia-se notar que se haviam clericalizado, visto que a Comissão dos Pastores ganhara autoridade em detrimento do Consistório civil. No entanto, se as aparências continuavam a indicar Genebra como a capital do calvinismo integral, a realidade espiritual já não correspondia a tão bela fachada. Era mais ou menos como uma noz oca, com a casca ainda de bom aspecto, mas sem nada lá dentro.

No povo em geral, a prática religiosa não passava já de mera rotina, e, além do mais, o rigor moral imposto por Calvino sofria muitos entorses. Nas classes dirigentes, o racionalismo do Século das Luzes fizera grandes estragos: oscilava-se entre o ceticismo de Voltaire e o panteísmo emocional de Rousseau, ambos, como se sabe, quase genebrinos. A situação era ainda mais grave naqueles que deviam ser os guardiães da fé, os pastores das paróquias e os professores da velha Academia fundada por Calvino. Os melhores limitavam-se a um deísmo moralizador, que descia de domingo a domingo das alturas do púlpito. A Bíblia caíra em descrédito: era desconhecida dos ouvintes, e, na Faculdade, só abriam o Antigo Testamento para aprender um pouco de hebraico. Quanto ao Novo, um estudante de teologia, Frédéric Monod, confessava que era para ele *terra incognita*.

Que restava, pois, de fé nas consciências? *A liturgia ou maneira de celebrar o serviço divino*, editada em 1807, evitava cuidadosamente chamar Deus a Jesus. As severas palavras de Jean-Jacques Rousseau sobre os pastores continuavam a parecer verdadeiras: «Não se sabe em que eles creem ou em que não creem; nem sequer se sabe em que fingem crer». Ou as de D'Alembert no verbete «Genéve» da *Encyclopédie*: «Vários ministros já não creem na divindade de Cristo»[1]. O catecismo oficial de 1814 dava à pergunta: «Que devemos à pessoa de Jesus Cristo?» esta resposta surpreendente: «Respeito»!

Era contra esse amortecimento — para não dizer mais — que tinham querido reagir os jovens da Sociedade dos Amigos. Tinham-se exercido diversas influências num ou noutro, mas todas elas num sentido pietista. Era a dos pequenos círculos dos Irmãos Morávios, vindos do movimento fundado pelo conde Von Zinzendorf, onde se meditava a Paixão de Cristo com tanta emoção que as lágrimas corriam pelas faces. Era a de Mme. Krüdener, que, durante a sua breve passagem pela Suíça, arrastara o jovem Empaytaz para as alturas místicas. Ou a do escocês Robert Haldane[2], que, no seu país, acabava de fazer estremecer rudemente a Igreja estabelecida. Ou ainda a dos metodistas, que nessa época começavam a infiltrar-se um pouco por todo o lado no protestantismo continental. Esses jovens procuravam beber em todas essas fontes. Sucedia-lhes até ir respirar o incenso católico na paróquia de Saint-Germain ou assistir a alguma reunião de lojas maçônicas, entre os devotos do Ser Supremo.

Tal era, pois, o estranho clima em que, em 1816-17, começou aquilo que os historiadores do protestantismo designam por «o despertar na Suíça». A publicação da brochura de Empaytaz deu o sinal de largada. A partir daí, soube-se em Genebra que os estudantes tidos por desordeiros eram afinal apóstolos de uma renovação espiritual autêntica, queriam arrancar os companheiros à modorra em que as almas vegetavam, pretendiam regressar aos preceitos de Calvino, reclamavam uma teologia mais sólida e mais ortodoxa do que aquela em que se regalava a maior parte dos autores de homilias. E dentro em pouco os fatos provaram que esses jovens não se contentavam com efusões sentimentais caras aos pietistas: criavam uma Escola de Domingo para fazer irradiar a sua fé nos meios populares e comprometiam-se a «socorrer os pobres e os aflitos por todos os meios que o Senhor lhes pusesse à disposição». Um novo sopro atravessava a Igreja genebrina. Ou melhor: uma forte sacudida fazia estremecer nos alicerces o edifício político-religioso da cidade.

Talvez esse abalo se acalmasse e as autoridades do Estado e da Igreja conseguissem que tudo voltasse à ordem estabelecida se um outro homem não tivesse surgido, também ele assediado pelo veemente desejo de «despertar» Genebra: o jovem pastor *César Malan* (1787-1864), descendente de valdenses refugiados na Provença. Esse bisneto de mártires da fé reformada tinha sem dúvida a fibra de um condutor de homens e os dons de um tribuno, ao mesmo tempo que uma segurança e um autoritarismo sem fissuras. Uma experiência inteiramente interior convertera-o de uma religião conformista para uma fé viva, e ele sentiu-se chamado a ser arauto do «despertar». Num sermão que pronunciou no templo da Madeleine, pela Páscoa de 1817, expôs com um rigor então muito esquecido a mais pura doutrina de Calvino acerca da justificação pela fé. Ele próprio confessou ter sido escutado «em silêncio, mas com desagrado». Era evidente que se estava longe do ensino bondosamente moral que os burgueses genebrinos estavam acostumados a deglutir. Os pais e a própria esposa do pregador acharam que ele tinha ido longe demais. Mas houve algumas almas que se sentiram tocadas, e à sua volta formou-se um pequeno grupo, fervoroso, decidido a dar vida nova ao espírito da Reforma. Ao lado, pois, do despertar pietista de Ami Bost, de Empaytaz e dos «amigos», surgiu outro, mais dogmático, estritamente calvinista. Evidentemente, essa divisão não podia contribuir para o êxito das intenções comuns aos dois.

A um e outro, as autoridades opuseram um furor resoluto. Que os Senhores Pastores da Comissão tivessem necessidade de ser «despertados» era coisa que não podiam aceitar. Quanto às teses teológicas, parecia-lhes estar de acordo com o «livre exame» que elas fossem deixadas ao juízo de cada um. É certo que Calvino ensinara a predestinação, a justificação pela fé, a vaidade das obras perante a graça. Mas não é verdade que certas posições radicais dos mestres sempre têm sido atenuadas pelos discípulos para as tornarem mais aceitáveis? É claro que hoje já ninguém oferece a face esquerda a quem lhe deu uma bofetada na direita, nem pregador algum recomendaria a um fiel que furasse os olhos ou se fizesse eunuco para evitar uma ocasião de pecado. Conscientes de estarem com a razão, os Pastores da Comissão editaram portanto, a 3 de maio de 1817, um regulamento em que se exigia dos candidatos ao ministério sagrado o compromisso de nunca virem a pregar: «1º. sobre a maneira como a natureza divina está unida à pessoa de Jesus Cristo; 2º. sobre o pecado original; 3º. sobre a maneira como a graça opera ou sobre a graça eficaz; 4º. sobre a predestinação». Em suma, proibia-se que se ensinasse o que Calvino ensinara, e nem sequer era permitido dizer que Ário fora um herege...

Os jovens do «despertar» não se julgaram obrigados em consciência a obedecer a esse prudente *ucasse*. Os candidatos a pastores recusaram-se a prestar o juramento pedido e alguns ministros adotaram a mesma atitude. César Malan, que recalcitrou, embora proclamasse querer permanecer fiel à Igreja nacional, foi proibido de pregar. Seguiram-se diversos processos nos tribunais, em que a Comissão dos Pastores teve o desgosto de não ver aprovadas as suas teses. O máximo que conseguiu foi que fossem convidados a sair do país os estrangeiros que dessem provas demasiado ativas de simpatia pela gente do «despertar». Mas o problema decisivo ficava por resolver. Os chefes da Igreja nacional agiam assim para evitar uma cisão. E, na verdade, como poderiam eles impor a sua autoridade? Não eram infalíveis!

A repressão obteve o resultado diametralmente oposto ao desejado: deu-se a ruptura, ou melhor, as rupturas, porque foram duas. Os antigos «Amigos» formaram um grupo religioso de «professantes», com tendências pietistas e organização congregacionalista, baseada na autoridade da comunidade inteira. Do bairro onde instalaram o centro do seu culto, receberam o nome de *Igreja de Bourg-de-Four*. César Malan e os seus discípulos, por sua vez, constituíram uma outra, muito dogmaticamente calvinista e de sistema presbiteriano, à qual, sem inútil humildade, chamaram *Igreja do Testemunho*. Os dois movimentos do «despertar» não se entendiam nada bem: cada um deles acusava o outro de não ser suficientemente cristão.

Assim se operou na cidade de Calvino, no limiar desse século XIX que tanto se tem dito ser indiferente aos assuntos religiosos, uma revolução em que alguns homens se defrontaram com as autoridades nacionais unicamente para defenderem os legítimos direitos do Espírito, ou aquilo que consideravam como tal. A batalha entre a Igreja estabelecida e as pequenas formações que dela zombavam continuaria por longos anos. Dezenas, talvez centenas de prospectos e brochuras foram lançadas de parte a parte, como armas percucientes. Houve episódios curiosos que divertiram a galeria, como foi o engano de certos teólogos oficiais que, tendo exigido de candidatos suspeitos uma profissão de fé muito formal, não reconheceram no texto que lhes foi entregue a *Confessio gallicana* (também chamada de La Rochelle), verdadeiro pilar do calvinismo francês, e declararam esse texto excelente para formar pagãos ou bandidos... Chegou a haver atos de violência, e as autoridades guardiãs da ordem tiveram várias vezes de mandar proteger com a tropa os cultos dos professantes de Bourg-de-Four.

Apesar dessas resistências e dessas divisões internas, apesar do pequeno número dos seus verdadeiros protagonistas — umas tantas centenas —, o movimento do «despertar» foi pouco a pouco ganhando terreno. Conheceu mesmo a glória de conversões ruidosas, como a de um jovem militar, filho dedicado da Igreja nacional, Félix Neff, que, mandado para proteger um ato de culto dos «heréticos», tinha anunciado o seu desejo de cravar o sabre na barriga de um deles; mas, subitamente convertido ao ouvi-los, tornou-se um dos melhores propagandistas dessas teses. Até no seio da Igreja oficial as ideias do «despertar» penetraram por osmose. A princípio, os censores tinham inventado um dito bem brincalhão para designar esses agitados: eram os *mômiers*, como se dizia dos comediantes de feira[3]. Mas a história diria que foi só a ação dos Bost, dos Empaytaz, dos Malan e de outros *mômiers*, como daqueles que, pela mesma altura, levaram a cabo feitos semelhantes, que salvou o protestantismo do perigo mortal em que a rotina, a indiferença e o racionalismo o tinham situado.

«Ecclesia reformata semper reformanda»

Com o «despertar», atingimos um dos aspectos mais marcantes da vida espiritual do protestantismo na época contemporânea. O fenômeno procede de uma lei psicológica bem conhecida e que encontra aplicação em outras esferas além da religiosa. Todo e qualquer grande ideal que por um momento eleva a mente humana encarna-se normalmente num sistema de pensamento e em instituições. Uma vez instalado em bases que ninguém discute, tende a degradar-se em rotina, em fórmulas, e esvazia-se de seiva. Como, porém, há no homem fontes secretas sempre prestes a jorrar, acontece por vezes que, do próprio seio dos sistemas fossilizados, emergem individualidades fortes, não conformistas, movidas pelo gênio criador e pelas exigências do Espírito. Ao entrar em ação, põem em causa o antigo *status quo*, fazem surgir obras, movimentos, que vivem de um ideal inteiramente novo. Até ao dia em que, por sua vez, se encontram sob a ameaça dos mesmos perigos que em tempos tinham enfrentado. Tal é a lei da condição humana: ser incessantemente ameaçada por esse mal secreto que Péguy designa com um termo impressionante: o hábito[4]. É o hábito que intervém na ordem da criação artística e literária, como também na vida moral e espiritual. O pai do metodismo explicou o seu mecanismo de maneira tão clara que já se lhe tem chamado «a lei de Wesley».

Em si mesmo, o fenômeno do «despertar», que procede da aplicação à vida religiosa desse princípio dialético, nada tem, pois, de tipicamente protestante. A tradição nascida da Reforma tem usado muitas vezes a fórmula *Ecclesia reformata semper reformanda*; mas essa fórmula vale para todas as religiões. Também a Igreja Católica tem a convicção de que precisa incessantemente de uma renovação, de um despertar, e na realidade a sua história é, em larga medida, a de uma sequência de «despertares» ou de «reformas». Na Idade Média, esses movimentos produziram-se nos meios que tinham a responsabilidade da Igreja: os do clero. Alternadamente, foram-se operando a reforma gregoriana, a cluniacense, a de São Bernardo, depois a das Ordens mendicantes. No século XV, por ter tardado demasiado a reagir contra «o hábito», Roma acabou por ver desencadear-se fora de si mesma uma reforma, antes de empreender a sua própria, através do Concílio de Trento. No século XIX, observaram-se «despertares» de caráter mais limitado, que foram sinais antecipadores daquele que a nossa geração presenciou.

Mas a grande diferença entre as reformas católicas e as que se dão no seio do protestantismo reside na própria essência de uma e outra. Quando um despertar ou reforma se produz na Igreja Católica, sob a ação de algumas personalidades vigorosas, de duas uma: ou essa iniciativa é rejeitada pela autoridade única e infalível, e os seus promotores terão de submeter-se ou sair da Igreja; ou surge com bastante fundamento para ser admitida, e, nesse caso, atua no quadro da Igreja e, em maior ou menor grau, sobre o conjunto dos seus membros. No protestantismo, ao contrário, um «despertar», uma tentativa de reformar os reformados não encontra outros obstáculos que não princípios e usos todos discutíveis, pois nenhum deles se baseia em qualquer autoridade infalível. Vimos já[5] que essa é uma das razões profundas do fracionamento protestante. É também o que explica que todos os movimentos de «despertar» tenham suscitado críticas acerbas, do gênero das que vimos formuladas em Genebra, e que a ação deles tenha sido, no fim de contas, limitada.

Mas o que é que se censura essencialmente aos promotores dos «despertares»? Não, evidentemente, que sacudam hábitos e incomodem rotinas... Mas, sim, que se fundamentem, não em princípios, em textos, na Bíblia em especial, mas numa experiência pessoal. Ao que se pode contrapor que, antes de assentarem princípios e de fundarem a sua doutrina em bases dogmáticas, os grandes Reformadores, e Lutero antes de todos, atravessaram uma crise espiritual e experimentaram pessoalmente uma exigência de Deus. É verdade que todos os movimentos de «despertar» da história protestante, já desde os *quakers* no século XVII e o metodismo no século XVIII, pertencem à religião do Espírito; pode-se dizer que se assemelham bastante à ressurgência da corrente anabatista, menonita ou batista, em terras do luteranismo ou do calvinismo. O que tem o seu lado bom e o seu lado mau. Bom, porque só o imperioso recurso ao Espírito pode fazer frente à força da inércia que puxa para baixo tudo o que é humano. Mau, porque o apelo ao Espírito, quando não é controlado, enquadrado, se arrisca sempre a levar a consciência às experiências mais estranhas e menos sensatas, o que aconteceu muitas vezes.

Os «despertares» que levantaram o protestantismo durante o século XIX foram todos eles suscitados por um sincero e veemente desejo de conduzir novamente os crentes a exigências espirituais mais fortes. Manifestaram-se, porém, em condições extremamente diversas e levaram a resultados bem diferentes. Uns, como o da Suíça, e mais tarde o de Oxford, consistiram na reação de pequenos grupos universitários que se esforçavam por pensar sobre a sua situação no seio da sua Igreja. Outros, por exemplo na Dinamarca e na Suécia, foram devidos a algumas personalidades da Igreja oficial preocupadas com o futuro das suas Igrejas. Noutros casos ainda, o Despertar traduziu-se numa renovação teológica; foi assim na Alemanha. Sucedeu ainda que, em vez de atingir as elites, o Despertar levantou as massas, provocando autênticas marés humanas, varrendo cantões inteiros do Languedoc huguenote, ou congregando enormes multidões nos *Camp Meetings* da América do Norte, mais tarde nos terreiros das minas do País de Gales; ainda mais tarde — nos nossos dias —, em estádios ou velódromos onde falava Billy Graham. Três grandes vagas se sucederam, cada uma delas correspondente a numerosos países: a primeira no começo do século XIX, até cerca de 1830; a segunda, nos últimos anos do século XIX e primeiros do XX; a terceira, nos nossos dias.

Quais os resultados desses grandes movimentos espirituais? Muito variáveis. Uns, operando dentro dos quadros das Igrejas, revitalizaram-nas. Outros, levando mais longe o apelo à liberdade de espírito, constituíram formações à margem das Igrejas — Igrejas livres, ou mesmo seitas. Em ambos os casos, desempenharam um papel importante, quer para lembrar aos responsáveis das antigas formações que nada serve pregar a Lei sem o amor, quer para mostrar que as crises da espiritualidade autêntica arrastam os homens para crenças substitutivas. Duradouros é que esses «despertares» nunca foram (lembremo-nos da lei de Wesley). Mas, ao menos, a maior parte desses movimentos que elevaram a alma protestante fez surgir obras que, essas sim, ficaram. Por exemplo, o «despertar» dos princípios do século XIX contribuiu muito para a fundação e expansão das Sociedades Bíblicas e das Missões, quer nos próprios países, quer em terras pagãs: nasceram, portanto, no mundo saído da Reforma, como manifestação de um espírito de «reforma permanente»[6] que explica, em larga medida, a sua vitalidade e o seu êxito.

O grande «despertar» de princípios do século XIX

Todos os testemunhos e todos os historiadores estão de acordo em reconhecer que, nos começos do século XIX, o protestantismo, sob qualquer das formas que se considere, se encontrava num estado de grave esgotamento. Jacques Courvoisier fala do «bem triste espetáculo» que as Igrejas ofereciam nessa altura. No conjunto, eram organismos sem grande vida espiritual. A ortodoxia, embora lentamente, acabara por não aguentar a ofensiva do espírito das luzes. Onde ainda resistia, estava estereotipada. Permaneciam os quadros, mas praticamente mais nada. O racionalismo ganhara a partida, e, se subsistiam as confissões de fé do século XVI, era já como se fossem peças de museu[7]... Samuel Vincent, um dos mais vigorosos arautos do despertar na França, já se referira a «um repouso profundo, que se assemelhava muito à indiferença» e, numa página célebre, esboçara o quadro da França huguenote logo após o Império: «Os pregadores pregavam; o povo escutava-os; os consistórios reuniam-se; o culto conservava as suas formas. Fora disso, ninguém se interessava; ninguém se preocupava; e a religião estava à margem da vida de toda a gente»[8].

Essa imagem de uma alma «habituada» era ainda mais ensombrada pela evidente queda de qualidade do corpo eclesiástico. Consoante os países, essa decadência assumia caracteres diferentes. No anglicanismo, os ministros passavam por ter pouca gravidade e por se ocuparem demasiado com coisas mundanas. No luteranismo e no calvinismo, parecia triunfar o espírito do século XVIII, juntamente com a crença na «perfectibilidade sem limites da razão humana» de que falava, na tribuna da Assembleia Constituinte, o protestante Rabaut Saint-Étienne. A fraqueza, para dizer pouco, de que tinham dado provas os pastores franceses em face do Terror e da ditadura napoleônica, achava o seu equivalente na docilidade ao poder por parte dos ministros luteranos da Alemanha ou da Escandinávia. Era mais que tempo de fazer soar o clarim do «despertar».

É verdade que já tinha havido alguns sinais precursores durante o século XVIII. Em terra germânica, tinha havido uma renovação por obra do *pietismo*[9], nascido do alsaciano Spener no início desse século, e depois desenvolvido pelo professor de Halle, Francke. Com o pietismo se conjugara então o movimento vindo dos descendentes de João Huss, que formavam os pequenos grupos dos Irmãos Morávios, por fim aprofundado e organizado, por volta de 1750, pela assombrosa figura que foi o conde Von Zinzendorf, fundador da comunidade de Herrnhut, «a guarda do Senhor». Na Inglaterra, eram Wesley e o *metodismo*[10] que tinham desempenhado o papel de despertador das almas. Tentando agir primeiro no seio da Igreja anglicana, mas bem depressa levado a ultrapassar esse marco, Wesley recordara calorosamente aos batizados que o essencial do processo religioso está na demanda de uma experiência direta de Deus. Ao iniciar-se o novo século, o pietismo e o metodismo só tinham conquistado círculos limitados, mas, nos Estados Unidos, o «despertar» tomara aspectos mais impetuosos e cobrira campos mais vastos. O *Great Awakening* começara por volta de 1735 na parte ocidental do Massachusetts, com o ministro congregacionalista Jonathan Edwards. De povoado em povoado, descera todo o vale do Connecticut. Passados cinco anos, a chegada do metodista George Whitefield, companheiro de Wesley, pusera fogo ao paiol. A América era um terreno propício às grandes reuniões ao ar livre, muito ao gosto dos metodistas: o sucesso de

Whitefield fora grande, e o movimento do «despertar» conquistara toda a costa atlântica. Ao terminar o século XVIII, avançara uma terceira vaga: vinha dos Estados fronteiriços do Tennessee e do Kentucky, sob a dupla influência de presbiterianos como James McGready, iniciador dos *Camp Meetings*, e dos pregadores-fazendeiros batistas[11].

Tudo isso não passara de coisa esporádica. Mas durante os primeiros trinta anos do século XIX todos ou quase todos os protestantes europeus tiveram *revivals* impressionantes. Foi um fenômeno perfeitamente análogo ao que se deu no mesmo instante no catolicismo, e até, talvez, mais assombroso, porque as Igrejas protestantes estavam mais deterioradas. Já se tem falado de uma «verdadeira ressurreição espiritual», tanto mais feliz quanto o êxito temporal do protestantismo durante o século, acentuado por uma expansão territorial, teria podido arrastá-lo para o aburguesamento. Contrariamente ao que durante muito tempo os historiadores franceses do protestantismo levaram a crer, o «despertar» não teve como espaço geográfico apenas a França e a Suíça. Deu-se por todo o lado, assumindo formas diversas segundo os países: na Alemanha, interessou-se sobretudo pelos problemas de doutrina; na França e Suíça, por questões de fé; mais tarde, na Inglaterra, pelo culto e pela Igreja. Mas em todos os casos deu mostras do mesmo vigor.

Na Suíça, o impulso dado pelos dois primeiros movimentos continuou a fazer-se sentir duradouramente. As duas «Igrejas livres» — a do Bourg-de-Four e a do Testemunho — decaíram: a primeira, despedaçada por um cisma que deu origem à Igreja da Pélisserie; a segunda, progressivamente abandonada pelos seus melhores elementos, que desanimaram ante o autoritarismo dogmático de César Malan. Nesse ínterim, porém, outra vaga levantou as almas. Alguns fiéis da Igreja nacional, julgando-a demasiado lenta em reagir por outro meio que não as censuras, juntaram-se a simpatizantes do «despertar» que não tinham aderido a nenhuma das duas cisões. Trataram de evitar tanto o individualismo anárquico do Bourg-de-Four como o dogmatismo radical do Testemunho. Assim se criou, em 1831, uma Sociedade evangélica que teve por animadores o pastor Louis Gaussen e o historiador Merle d'Aubigné. Essa Sociedade, que desde cedo teve os seus êmulos em várias partes da Suíça romanda, notabilizou-se pela sua atividade apostólica, pela fundação de missões interiores e em terras pagãs, e pela criação de um jornal — aliás efêmero —, *Le protestant de Genève*, e de uma Escola de Teologia chamada Escola do Oratório.

A Igreja nacional reagiu a esse empreendimento como aos de Empaytaz e de Malan, por censuras, o que levou a Sociedade Evangélica a constituir-se em Igreja autônoma, a *Igreja do Oratório*, que não tardou a receber a adesão da mais alta sociedade de Genebra. Em 1849, congregaram-se à sua volta quase todos os elementos do «despertar», o que restava do Bourg-de-Four, a Igreja da Pélisserie, discípulos de Malan, e assim se formou *a Igreja Evangélica Livre*, que viria a exercer uma profunda influência na vida religiosa de Genebra até os nossos dias. Por seu lado, a Igreja nacional, depois de ter tentado reunir todas as forças protestantes contra o «perigo católico», designadamente quando da celebração do Jubileu da Reforma em 1835, concluía pela necessidade de reanimar a vida espiritual e regressar às fontes. Sob o impulso de James Fazy, ganhava calor, reavivava-se, e em certo sentido também ela «despertava».

O «despertar» suíço não teve apenas Genebra como teatro de ação, e não é na cidade de Calvino que se encontrará a figura mais poderosa desse movimento que, efetivamente, se fez sentir em todos os cantões protestantes: é em Lausanne, onde residia *Alexandre Vinet* (1797-1847). Ninguém mais modesto, mais simples, mais cinzento na aparência que esse universitário distinto que não apaixonava os seus alunos, mas que gozava de muita consideração na cidade, um honesto burguês valdense de atitude um tanto hirta e de expressão reservada. Na sua existência, nada de impressionante, menos ainda de romântico; quando muito, nos seus últimos anos, um conflito com as autoridades cantonais, que o afastaram, primeiro da cadeira de Teologia, depois da de Letras.

Mas, sob esse aspecto fosco, uma alma de fogo, que seria fácil situar na linhagem de Pascal; uma consciência exigente, com fome de santidade; um espírito também amplo, capaz de captar na sua profundidade os verdadeiros problemas; finalmente, um caráter de audácia evidente, disposto a tudo sacrificar às suas convicções. Sainte-Beuve, que foi seu colega na Universidade de Lausanne quando aí ministrou o seu curso sobre Port-Royal, tinha-o por homem de classe. E se, atualmente, o seu ensino é discutido, não há dúvida de que, por muitos anos, o seu pensamento marcou o protestantismo suíço e até influenciou o da França e mais além.

Filho submisso do «despertar», Vinet não quis aderir, nem ao sentimentalismo de Bourg-de-Four, nem ao dogmatismo de Malan. Ultrapassando um e outro, procurou fazer compreender aos seus contemporâneos que o cristianismo vivido atendia às exigências mais imperiosas da sua época; que o Evangelho, sempre atual, era o único que lhes permitia encontrar soluções para os seus problemas. Com efeito, em numerosos problemas dos mais sérios, como o das relações entre a Igreja e o Estado, assumiu posições singularmente avançadas para a época. «Menos reformador que um iniciador em religião», diziam dele. Mas foi talvez mais pela sua experiência religiosa do que por qualquer outra razão que esse homem sincero e atormentado ainda hoje toca as almas. À maneira de Pascal, Vinet mostrou no coração insatisfeito o vazio doloroso que só pode ser preenchido pela revelação do Deus encarnado e sacrificado. Profundamente protestante pelo seu individualismo, pode-se dizer que, em vários pontos, transcendeu o protestantismo, situando-se num plano em que todo o cristão pode sintonizar com ele, no papel, por exemplo, que atribui à santificação pessoal como modo de corresponder à graça. Alexandre Vinet continua a ser um dos exemplos mais acabados do tipo de homem grave e profundo que o protestantismo tem suscitado nos seus melhores elementos.

Um dos pastores de Bourg-de-Four, Guers, contou certo dia que tinha visto em sonhos uma estrela extraordinariamente brilhante, que se desdobrava em feixes de luz, cada um dos quais iluminava um pedaço da terra. E acrescentou que esse sonho lhe parecera simbolizar o «despertar». A imagem é bastante exata. Bem longe de ficar confinado na cidade de Calvino, o movimento de renovação espiritual foi sentido em muitos países. Cada *revival* nacional estava em maior ou menor ligação com o dos outros, numa espécie de Internacional do «despertar».

A França foi um dos países de predileção do «despertar». Vimos que a situação espiritual do protestantismo era aí bastante ruim. Decerto que, ao sair da crise revolucionária, havia ainda, sobretudo nos campos, núcleos de verdadeiros crentes: pequenos grupos de *quakers* na região de Nîmes, chamados *gounflaires*, «beguinos» de Saint-Étienne, descendentes de valdenses nos Alpes e na Provença, longínquos adeptos dos Irmãos Morávios[12], paróquias reformadas em que persistiam teimosamente pastores como Gachon de Marsillargues, Gonthier de Nîmes, André Blanc em Mens (Trièves). Mas a renovação só começou quando intervieram movimentos vindos de fora.

Em primeiro lugar, os metodistas ingleses, que, a partir de 1820, passaram a trabalhar seriamente na França.

Como os pastores ainda não desconfiavam deles, foi-lhes possível, durante dez anos, reunir e pregar livremente; e um deles, Charles Cook (1787-1858), iria deixar grandes recordações de Congéniez a Niort, de Nîmes a Paris.

Pela mesma altura, entraram em campo equipes suíças. Em Genebra, tinha-se constituído uma Sociedade Nacional com a finalidade de levar o facho para fora da Helvécia. Cumprindo o seu sonho, o pastor Guers encarregou-se do setor francês. Uma dúzia pelo menos de apóstolos consagrou-se à tarefa de ir sacudir as almas de paróquia em paróquia, em missões semelhantes às dos católicos. Alguns deles tiveram destinos singulares. Ami Bost, um dos iniciadores do «despertar» genebrino, expulso de Estrasburgo pelo clero luterano, dedicou-se por algum tempo ao apostolado entre os forçados, como um *enfant terrible* da vida espiritual. Félix Neff, o antigo militar convertido em Genebra, gastou durante vários anos as suas forças em campanhas a pé através dos Alpes, nomeadamente no Queyras[13]. Foram esses missionários itinerantes que restabeleceram a prática das «vigílias de oração», em que os camponeses eram convidados para casas particulares após as fainas diárias, uma prática que ainda dura nas Cévennes e nos Alpes.

Esse primeiro «despertar» viu-se reforçado por um outro, de origem mais intelectual e burguesa, que partiu simultaneamente do «Midi» languedociano e da Alsácia, e depois atingiu Paris. No primeiro setor, teve por animadores os meios universitários de Montpellier, aos quais um mestre eminente, *Daniel Encontre* (1762-1818), o antigo resistente da época revolucionária, mostrara o caminho, e que foram apoiados por grandes industriais e ricos comerciantes de vinhos. Na Alsácia, onde, mesmo nas vésperas da Revolução, um homem admirável, o pastor Oberlin[14], de Ban de La Roche, unificara pessoalmente a ação social e o apostolado, foram também os meios da grande indústria que passaram por um «despertar» pietista. O movimento alcançou Paris por volta de 1825, sob influências múltiplas, como a de um rico clérigo inglês, o reverendo Marc Wilks, cujas piedosas recepções no solar de Bellevue atraíram inúmeros ouvintes; e a de um suíço de Neuchâtel, o pastor Grandpierre, tão bom orador que ficou conhecido como «o Bourdaloue do despertar». Em 1830, foi fundada uma capela independente, aonde vieram pregar todos os condutores do «despertar», como César Malan, e onde afluíam grandes nomes protestantes dos negócios e da aristocracia: a duquesa de Broglie, filha de Mme. de Staël, os Chabaud-Latour, os Pressensé. Uma das assistentes, Mme. Jules Malet, louvava um pouco ingenuamente o «*charme* especial criado pelo encontro da elegância do mundo com a alegria da piedade».

Mais sério do que levariam a pensar essas palavras de tom frívolo, o «despertar» aristocrático e burguês operou incontestavelmente uma renovação em meios que, desde então, quiseram pregar com o exemplo, gastaram grandes somas em obras e missões, e deram vida ao primeiro protestantismo social[15]. Mas nem em toda a parte o movimento de renovação se rodeou de tanta sensatez e beneficência. Em Lyon, foi marcado pela passagem fulgurante de um homem sobre o qual, passado um século, os protestantes ainda continuam a interrogar-se[16]: *Adolphe Monod* (1802-56).

Filho de um pastor, ele próprio «despertado» por uma conversão súbita, eleito para dirigir a Igreja de Lyon aos trinta anos, Monod pôs na renovação do seu rebanho um zelo certamente meritório, mas nem sempre prudente e medido. Orador, ao que parece, extraordinário, comparado pelos seus ouvintes a Bossuet, embora parecesse ser demasiado romântico para se equiparar à Águia de Meaux, teve a princípio um grande sucesso. A sua estrela baixou quando acusou os industriais da sua paróquia de «abusarem das necessidades dos pobres», e eclipsou-se de todo quando se recusou a distribuir a comunhão a fiéis que achava indignos dela. Destituído pelo Consistório, juntou os seus adeptos numa Igreja evangélica livre e acabou por ir ensinar na Faculdade de Montauban.

Essas múltiplas iniciativas deram os seus frutos, mesmo quando, como a de Monod, pareceram fracassar. Muitos milhares de protestantes franceses se sentiram tocados. E não somente os partidários de uma estrita ortodoxia, mas também os que se ligavam à corrente liberal, como o pastor Samuel Vincent, cabeça pensante do protestantismo liberal francês[17], que desempenhou em Nîmes um incontestável papel de «despertador».

Essa penetração não se deu sem provocar, por parte das Igrejas instaladas, solidamente apoiadas no regime concordatário, reações análogas às que se viram em Genebra, por parte da Comissão dos Pastores. Enquanto circulavam panfletos pela França, como eram as *Lettres méthodistes*, que não visavam apenas os sequazes de Wesley, mas todos os «despertados»[18], choviam protestos do alto das cátedras contra a concorrência desses novos apóstolos que semeavam inquietação nas almas. Em 1848, as assembleias que tentaram pôr fim a essa tensão e por outro lado disciplinar a atitude do protestantismo para com o Estado, não levaram senão a fazer nascer Igrejas «livres». Mas o impulso dado pelo «despertar» iria persistir até nós em todo o protestantismo francês.

Esse impulso foi ainda mais forte nas Ilhas Britânicas. No limiar do século XIX, dois grupos estavam a postos para pregar o movimento: os metodistas, cujo prestigioso chefe, Wesley, acabava de morrer (1791) e cujos herdeiros continuavam a sua obra ardorosamente, à margem das Igrejas; e os evangélicos, que, com Sydney Smith, Charles Simeon, mais tarde *William Wilberforce* (1759-1833) e Henry Thorton, atuavam num nível social mais alto. A sua ação veio a ser completada e diversificada pela de numerosos apóstolos que trabalhavam em todos os setores religiosos do Reino.

O movimento mais vigoroso deu-se na Escócia, na presbiteriana e puritana Escócia, cuja Igreja David Hume garantira ter-se tornado deísta e não cristã. Ali se destacaram algumas personalidades vigorosas: os irmãos *Haldane*, Robert (1764-1842) e James Alexander (1773-1851), que lançaram a «Missão Interior da Escócia», fundaram a Sociedade Continental, que veio a ser adaptada e desenvolvida pelos genebrinos, multiplicando as escolas, pregando uma fé muito calvinista, seca e ardente, a vastas assembleias a que chamavam «Tabernáculos»; e o bispo *Thomas Chalmers* (1780-1847), que fez literalmente explodir a Igreja presbiteriana oficial, levando-a a abrir-se às questões sociais, e foi o apóstolo dos miseráveis de Glasgow e o protagonista também de um vasto programa de educação da juventude, tendo finalmente rompido com a sua Igreja e fundado a Igreja presbiteriana livre.

O «despertar» conquistou a seguir toda a Inglaterra, onde não se deu somente uma renovação religiosa, mas um vasto trabalho de conversões em massa, que apelava para a excitação emocional mais do que para o raciocínio, segundo uma técnica bastante próxima da do metodismo. O grande homem desse movimento foi o reverendo *Charles G. Finney* (1792-1875), cuja longa vida se passou a pregar infatigavelmente um *revival* permanente. A terra preferida foi o País de Gales, onde, sobre as pegadas dos despertadores metodistas do século XVIII, se lançaram, num entusiasmo frequentemente um pouco descontrolado, o ministro anglicano Daniel Rowlands, a quem chamavam o «gentleman selado», e os leigos Pantycelyn e David Jones, cujos salmos em gaélico ainda hoje alegram os galeses. Essa agitação multiforme levou a algumas cisões e à formação de seitas mais ou menos bizarras, como a «Igreja Católica Apostólica», fundada por Edward Irving[19], que tinha como eixo a expectativa da Parusia; ou, mais tarde, a dos *Irmãos de Plymouth* e a de *Nelson Darby*, que protestava austeramente contra a apostasia generalizada[20].

A própria Alta Igreja Anglicana, que era a mais conformista no seio da Igreja estabelecida, se deixou abalar por todas essas forças postas em ação. E assim se formou, a partir dos anos 30, nos meios universitários de Oxford, sob a influência do rev. John Keble (1792-1866) e depois do jovem *Newman*, o célebre «movimento» que, depois de ter tentado renovar a *High Church*, se rompeu em dois grupos, um dos quais passou para o catolicismo e o outro permaneceu no anglicanismo, com Pusey[21].

Esses vigorosos abalos, que o Reino britânico sofreu em todas as suas formações religiosas, foram sentidos praticamente em toda a parte onde se falava inglês, até mesmo nas colônias mais distantes. Os jovens Estados Unidos não ficaram atrás. A nova onda de *revival*, partida da «fronteira», agitou-os a partir de 1800 e, do levante ao poente, fez-se sentir durante perto de quarenta anos, lançada por homens de fé como James B. Finley, Peter Cartwright e o cego William H. Milburn. Passaram a ser frequentes os *Camp Meetings* de vinte e cinco mil fiéis. Os pregadores metodistas e batistas, por vezes tão extravagantes no vestuário como nas palavras, dedicaram-se a percorrer as estradas com um zelo sem limites. Já vimos[22] o que a alma protestante americana deveu a essa vasta agitação.

O «despertar» não teve em toda a parte as formas espetaculares que alcançou nos países anglo-saxões, nem o ar de revolução espiritual como em Genebra ou Lyon. Na Alemanha, apresentou-se com aspectos mais intelectuais, quase diríamos professorais, próprios de uma das características da respectiva raça, traduzindo-se num regresso ao estudo da teologia, da Bíblia, ao mesmo tempo que se fazia acompanhar de um movimento literário de inspiração cristã — que não deixa de lembrar aquele que se deu no catolicismo, de Joseph de Maistre a Chateaubriand e a Lamennais — na linha de Klopstock, Novalis e Stilling, mestres que não estavam muito preocupados com a ortodoxia.

No momento em que o século XIX ia nascer, morria o primeiro dos grandes despertadores religiosos germânicos: *Johann Gottfried Herder* (1744-1803). Após uma existência bastante complexa, Herder acabou na pele de um superintendente eclesiástico luterano. Filósofo de segundo plano, mas espírito sintético que compreendeu bem como a vida intelectual se devia aliar à religião, exerceu uma séria influência em muitas inteligências, não tanto pelos seus ambiciosos trabalhos de «metacrítica» antikantiana e de filosofia da História, como pelas suas cartas pastorais, em que se enunciava uma teologia direta e sensível: «Ganhar o sentido de Deus e das coisas divinas — dizia —, eis o único verdadeiro fim do estudo da teologia». A sua campanha para que a Bíblia fosse lida «por homens como um livro de homem» preparou o retorno a um conhecimento menos estereotipado da Sagrada Escritura. No momento em que Fichte se perdia num misticismo panteísta, e Hegel subordinava a religião à filosofia, e o jovem Schelling confundia fé e gnose, a sabedoria do pastor Herder aparecia como fermento que levedaria a massa do luteranismo alemão.

Depois dele, numerosos professores e pastores, entre eles Heinrich Gottlieb Tzschirner, se opuseram às correntes em voga e, ao mesmo tempo, a uma certa apologética pela estética e pela utilidade, tão prezada pelo autor do *Gênio do Cristianismo*. Jakob Friedrich Frics propôs o argumento do coração, um pouco à maneira de Pascal. Um outro, G.M. Leberecht de Wette (1780-1849), antigo aluno do muito criticado Paulus, de cuja influência escapou, alma reta para quem também a demanda de Deus era «uma questão de coração», estabeleceu o «despertar» intelectual sobre fundamentos sólidos, renovando os estudos bíblicos e voltando ao pensamento direto de Lutero, cuja correspondência publicou.

Do meio dessas equipes universitárias e pastorais e, mais globalmente, de tudo o que contava no campo dos intelectuais cristãos, emergiu o único pensador alemão verdadeiramente crente que se podia opor aos mestres da irreligião: *Daniel-Ernest Schleiermacher* (1768-1834). Filho e neto de pastores, viu na infância o seu pai, que era um pregador da fé, oscilar entre o racionalismo kantiano e o supernaturalismo, antes de achar a paz do coração entre os Irmãos Morávios, que as Igrejas oficiais não olhavam sem suspeita. Já adolescente, ele próprio teria caído no hipercriticismo se não fosse a influência da mãe, mulher admirável e de sólida piedade morávia. Depois de uma crise religiosa violenta, começou uma caminhada mais segura quando redescobriu a grande ideia pascaliana de que «é o coração que sente Deus, e não a razão».

Pastor em Berlim (1790), capelão da «Caridade», pregador da Corte, ao mesmo tempo que adquiria uma imensa cultura literária, filosófica e teológica, Schleiermacher exprimiu a sua doutrina em livros que tiveram grande repercussão. Desde o *Discurso sobre a religião* (1795) até a *Fé Cristã segundo os princípios da Igreja Evangélica* (1821), desenvolveu, numa produção regular, a ideia fundamental descoberta no princípio da sua juventude: «A minha religião é toda ela religião do coração». Para exprimir essa ideia, encontrou numerosas fórmulas incisivas, persuasivas, em que exaltava a experiência religiosa como função essencial do homem, e foi buscar aos grandes místicos de antes da Reforma muitos matizes, justificando de mil modos o desprezo pela dogmática que recomendava, no seu propósito de conduzir as almas ao elemento essencial: o impulso vital para Deus. A sua teologia «peitoral», como diziam os seus adversários, levou a resultados bastante estranhos, conforme veremos mais adiante[23], mas é indubitável que, aderindo a uma das mais vivas correntes do pensamento da Reforma — o da experiência pessoal de Deus —, Schleiermacher se situou como adversário declarado de todo o racionalismo ameaçador. Dele procederam quer as copiosas tropas do protestantismo liberal, quer os jovens neoluteranos, como Klaus Harms, que procuraram revivescer o exemplo do Reformador. Hoje ultrapassado aos olhos dos discípulos de Karl Barth, permanece como o homem que deu ao protestantismo do século XIX o impulso mais decisivo.

Em que medida esse pensamento renovado penetrou no grande público e operou um autêntico «despertar»? É certo que os *Sermões*, que Schleiermacher pronunciou em Berlim ao longo de muitos anos, tiveram real influência sobre os ouvintes e depois sobre os leitores. Mas foi uma ação interior, difusa, que não pode ser comparada à dos grandes «revivalistas» anglo-saxões, nem sequer à que tiveram os elementos do «despertar» genebrino e francês. Não há dúvida, porém, de que contribuiu para o aparecimento das Igrejas livres que se constituíram nessa altura por outras razões[24]. Quando mais tarde, por volta de 1840, a ação de Frederico Guilherme IV[25] der ao «despertar» um caráter quase oficial, os herdeiros espirituais de Schleiermacher não estarão muito de acordo com esse «Ezequias» que pretenderá levar o seu povo à fé por meio de regulamentos. Mas, na própria consciência do sincero monarca, não será o apelo à religião do coração que lhe dará tão boas intenções?

Deste modo se vê quão singularmente extenso, rico e variado foi o mapa dos «despertares» no mundo protestante. Até países que a língua ou a situação geográfica pareciam dever afastar das grandes correntes mundiais dessa renovação religiosa não deixaram de fazer a experiência direta. Na Holanda, por exemplo, deram-se dois desses movimentos: um, de tendência ortodoxa, com Bilderdijk, Isaac da Costa, judeu convertido a um calvinismo estrito, Groen van Prinsterer, Henrique de Cook; outro, liberal e bastante próximo de Schleiermacher, protagonizado por Hofstede de Groot e pela escola de Groninga. Um e outro, porém, contribuíram seriamente para reanimar uma fé que definhava.

Na Escandinávia, onde a experiência religiosa é frequentemente elevada a um misticismo extremo (pensemos em Swedenborg), o «despertar» assumiu formas múltiplas: pietista na Noruega, com Hans Nielsen Hauge; científico na Suécia, com os «leitores da Bíblia»; rigorosa e ortodoxa na Dinamarca, com os bispos Balle, Münter e Mynster, enquanto não surgiu o homem, que não só rematou o «despertar» religioso, mas transformou o seu país, de Estado feudal e militar, na nação exemplar que é agora: Nicolau Grundtvig (1783-1872). Mas, mais alto ainda — dominando não apenas o seu povo, mas todos os «despertares» do protestantismo, para se elevar ao plano desses «faróis» de que fala Baudelaire e que mostram à humanidade o seu caminho —, alguém viveu, sofreu, pensou, criou e deu testemunho, alguém que o nosso tempo reconhece como um dos seus precursores eleitos: *Søren Kierkegaard*.

Um Pascal dinamarquês

O pregador subiu ao púlpito e todos os olhos se fixaram nele. Era uma grande assistência, que enchia até às paredes a casa de Deus. Estavam presentes o rei e a rainha, ministros e cortesãos, toda a gente ilustre do paço e da cidade. Porque ia falar um teólogo e orador de renome. Nesse dia, porém, o pregador parecia estranho. Num longo silêncio, percorreu o vasto auditório e, quando começou o sermão, viu-se que a sua voz estava carregada ao mesmo tempo de decisão e de angústia. E o que disse surpreendeu, chocou, magoou e acabou por encher de cólera todos aqueles senhores e todas aquelas damas endomingadas.

Seriam eles cristãos?... Seriam verdadeiros cristãos? — Não! — respondia a voz impiedosa. Não! O cristianismo não era isso, esse culto mundano num templo engalanado. Não era essa sociedade contente de si mesma, enquadrada por pastores pagos a ouro. O Evangelho era traído! Cristo era cuspido! E eis que, imediatamente, ouvindo essas insultantes verdades, a assistência rompeu num grito unânime: Abaixo! Fora daqui! Mas o pregador prosseguiu com mais vigor ainda, e a sua voz era a voz do trovão: «Diante de Deus, eu vos declaro responsáveis. Acuso-vos! Porque é a Verdade que anuncio». E foi então que passou por sobre as centenas de ouvintes transtornados o vento do «despertar»...

O autor dessa narrativa (porque se tratava de uma obra de imaginação, publicada sob o título de *Situation*) era um escritor então mal conhecido, exceto pelas suas polêmicas com um ou outro jornalista; alguém que Copenhague não tomava muito a sério, até por causa das fantasias a que se entregava no modo de vestir. Que não tinha grande figura era coisa evidente: magro, insignificante, um tanto curvado, dando a impressão de corcunda, tinha de curioso e de pouco atrativo que as suas «patas dianteiras» (como ele próprio dizia) eram ridiculamente curtas, ao passo que as pernas eram muito altas: fazia lembrar um canguru. E, para cúmulo de desgraça, a natureza dotara-o de uma voz patusca, alta e estridente, entrecortada por bruscas mudanças de entonação; em duas palavras, uma voz de eunuco. Nada disso era de molde a impô-lo às turbas. Mas quando se falava com ele na intimidade, era impossível não sofrer o magnetismo dos seus olhos, brilhantes e de grande mobilidade num rosto precocemente envelhecido, e, mais ainda, ninguém podia deixar de adivinhar o gênio nesse borbulhar permanente de ideias fortes e paradoxais, de imagens surpreendentes e também de veementes requisitórios. O homem tinha um temperamento que seria tudo menos fácil. Era sobretudo impossível não ser tocado pela angústia que irradiava de todo o seu ser.

Donde lhe vinha então, a esse *Søren Aabye Kierkegaard*, essa singular mistura de faculdades opostas, por entre as quais ele confessava não se reconhecer, e essa inquietação que não o largava? O seu *Diário* e mais alguns textos — porque cultivava a autobiografia — deram algumas explicações mais ou menos claras. Mas é talvez aventuroso tomar à letra as confissões de um homem que muitas vezes se gabou de ter um pensamento «dialético» para ele próprio incompreensível, e que, mascarando-se com pseudônimos variáveis, frisou expressamente que, mesmo quando empregava o *eu*, não era necessariamente ele quem falava.

O que é mais seguro é que, desde a sua tenra infância (nascera em 1813), cresceu no clima pietista estabelecido pelos Irmãos Morávios em certos meios da Dinamarca, um clima a que o seu pai, Mikael Pedersen, aderira após terríveis debates interiores. Filho mais novo de uma família numerosa, Søren fora educado numa religião austera e seca, que dava pouco espaço às consolações, mas que transmitia a certeza de que nela se vivia em Deus melhor do que o faziam os batizados comuns. A crítica ao cristianismo banal, que poria nos lábios do pregador de *Situation*, tinha-a ele ouvido muita vez dos lábios de seu pai, incluída a própria apóstrofe: «Cristo é cuspido!» Mas Søren recebera também do neurastênico ancião a certeza de que «um cristianismo de onde se retira o pavor não passa de um cristianismo de fantasia».

Fórmula cujo sentido pleno compreendera no dia em que, já adulto, conhecera o segredo do pai e com isso experimentara, como confessa, um verdadeiro «tremor de terra». Certa vez em que errava pelas landes da Jutlândia, ruminando os eternos problemas da vida, da morte, da condição humana, para os quais não achava nenhuma solução aceitável, Mikael Pedersen tinha solenemente amaldiçoado Deus. Ah! Assim se explicava a austeridade penitencial de que a partir de então cercara a sua vida! Como também que ficasse marcada para sempre a consciência de um filho que se tinha por responsável da blasfêmia paterna! E ainda que se revestisse de um significado perturbador o último conselho que ouvira do pai moribundo: «Ama Jesus!»

No entanto, não fora pela fé e pelo impulso espiritual que o mais novo dos Kierkegaard respondera às objurgações do pai e às piedosas súplicas e advertências da mulher simples e santa que era a sua mãe. Adolescente, afastara-se da fé e passara, com a dissipação moral, por um estádio a que mais tarde chamaria «estético», em que tivera por modelos Don Juan e Fausto, e que o levaria a descrever a fraqueza e a covardia cristãs com frases de que Nietzsche haveria de lembrar-se. Depois, cansado dessas decepcionantes experiências, passara ao «estádio moral», em que tentara «portar-se bem», fazendo-se pastor e até noivando com uma virtuosa e cândida ovelhinha, Regina Olsen, com quem, se fosse mais burguês, poderia ter sido feliz e tido muitos filhos... Mas nada disso durara muito tempo. Cedo compreendera que ia por caminho errado, que não nascera para dirigir uma paróquia nem para ter a felicidade em pantufas... «Trazia um espinho na minha carne» — dizia ele, fazendo sua a expressão de São Paulo —, um espinho que nunca conseguiria arrancar. Era uma confidência que, ao invés de vermos nela um significado psicanalítico de «complexo do pai» ou de medo da mulher, ou mesmo, como alguns têm feito, de deficiência física, será melhor entendê-la como o reconhecimento pelo grande ansioso da sua fortíssima angústia, desse tremor íntimo e inaplacável que também se encontra num Santo Agostinho ou num Pascal.

Os dados estavam lançados; a decisão, tomada. Essas ideias bizarras, essa melancolia que, para os outros, eram «extravagâncias, imaginações sombrias», tinha ele compreendido que, para si próprio, eram «credores impiedosos». Nunca havia de conseguir escapar-lhes. Mas, se lhes fosse fiel até o fim, «elas o conduziriam à certeza eterna do infinito». A sua vida encontrara então um sentido: pela angústia, ir até Deus. E nada o afastaria desse caminho. Quase enclausurado, praticamente sem sair da cidade, permitindo-se, quando muito, passeios solitários na lande ou na floresta de Gribskov, aos quais dedicou páginas admiráveis, passou todos os anos — poucos — que lhe restavam de vida a gritar aos seus compatriotas a verdade que descobrira. Aos livros, sucediam-se mais livros: *Conceito da angústia*; *Temor e tremor*; *Tratado do desespero*, entremeados de obras mais ou menos autobiográficas: *Diário de um sedutor*; *Ou bem ou mal*; *O ensaio*. Já nada contava para ele senão o problema do cristianismo e da vida cristã. O mundo era cristão? Era ele próprio cristão? Como tornar-se cristão?

Essa era a sua vocação: propor à humanidade essas perguntas, obrigá-la a escolher a sua escolha. Tal como diria a propósito de Goethe, a sua grandeza estava em «ter visto uma vez, ter sentido uma vez algo de tão incomparavelmente grande que tudo o mais, ao lado disso, parecia nada ser». Esse algo, tão próximo do que Pascal descobrira, designava-o ele como «o devir cristão». Para trás o idealismo filosófico à maneira de Hegel! Para trás o racionalismo em voga! Pois não era verdade que a experiência de Lutero já provara que a relação do homem com Deus não se situa na esfera racional? Para trás o fácil subjetivismo de Schleiermacher, essa «fé rebaixada ao nível do sentimento!»; ele, Søren Kierkegaard, era mais subjetivo que ninguém neste mundo. Analisa-se até às profundezas, vai até ao extremo da subjetividade. Mas é para ali encontrar, não uma consolação sentimental, mas a certeza existencial de Deus, da Redenção, do Amor de Jesus, da Salvação.

É, portanto, a partir da existência, daquilo a que chama «a realidade essencial», que redescobre o cristianismo. Mas não se trata obviamente de um cristianismo simples, feito de fórmulas e rotinas, tal como é costume praticá-lo. A fé nasce do sentimento trágico da vida. Não traz a paz, mas a espada. É uma chamada constante ao Absoluto, ao Eterno, lançada a seres que vivem no relativo, no transitório, no temporal. Eis por que a fé surge como um escândalo, desde que se procure afirmá-la verdadeiramente. Mas afirmá-la verdadeiramente é tão difícil que — interrogava-se Kierkegaard — «terá alguém tido jamais o direito de escrever que tem fé?» Prosseguirá até à morte nesse debate, o mais dramático em que um homem se pode sentir comprometido. O que não o impedirá de esmaltar as suas obras com orações belíssimas, comoventes, que qualquer cristão piedoso pode fazer suas.

Uma tal experiência do cristianismo vai, evidentemente, em sentido contrário ao daquilo que é geralmente admitido. E é o que Kierkegaard proclama ao exclamar: «A minha tarefa consiste em fazer parar o cristianismo». Aquilo que, no protestantismo do seu tempo, se chama *«réveil»*, *«revival»*, *«renouveau»*, toma para ele o ar de uma campanha de tipo profético, veemente, que põe em causa tudo o que os bons luteranos de Copenhague davam por assente. A excelente regularidadezinha com que assistem ao culto dominical (lá se vestiam tão bem!...), o respeito pelo que lhes ensinam do alto do púlpito, até a generosidade com que contribuem para as obras sociais — tudo isso deixa verdadeiramente de ter sentido na perspectiva do cristianismo agônico que o novo profeta proclama. Nem sequer a seriedade com que se vive. Porque «importa ultrapassar o sério para chegar ao trágico». É preciso viver a loucura da cruz.

Não é difícil adivinhar a consequência lógica de tal atitude espiritual: a que adota o pregador de *Situação*. A religião oficial na Dinamarca, ou seja, a Igreja estabelecida, a Igreja luterana de Estado, é aos olhos do terrível polemista apropriada para oferecer aos fiéis boas acomodações para viverem como pagãos. Seguindo Pascal, o que vê na cristandade é «uma sociedade de pessoas que, com a ajuda de alguns sacramentos, se subtraem à exigência primordial, que é amar a Deus».

O conflito estala a propósito da morte do bispo Mynster, que no entanto fez todo o possível para despertar o seu rebanho e publicou muitos livros de piedade. Basta que, diante do seu cadáver, um orador oficial o qualifique de «testemunha da verdade» para que Søren se enfureça. Testemunha da verdade! De que verdade? A desse cristianismo murcho, moribundo, que se pratica por toda a parte?... Que sofreu essa famosa testemunha pela verdade? Não defendeu esse miserável que o cristianismo não consiste em «apagar a natureza humana, mas em enobrecê-la»? É o mesmo que apelar para a sabedoria pagã! E vão saindo os panfletos, fulgurantes, atingindo como um chicote a Igreja, os seus pastores, a sua organização, os seus usos. Não apenas a Igreja, mas o próprio protestantismo; porque esse Søren em quem todos veem um protestante até à raiz dos cabelos, impregnado de Lutero e da sua doutrina, não hesita em escrever que importa revelar «como o protestantismo é absurdo, desonesto, corrupto...». É impossível ir mais longe no paradoxo escandaloso e na invectiva profética.

A batalha em torno da memória do bispo Mynster foi a última que o grande lutador travou. A sua saúde, que fora sempre fraca, deteriorou-se a partir dos trinta e quatro anos. Dominou-o uma espécie de paz espantosa: «Todo o meu ser interior está mudado — escrevia em 1848 —. Já não estou fechado em mim próprio; o selo quebrou-se. Deus todo-poderoso concede-me a graça!» Desejava a morte, porque só ela daria testemunho a seu favor. Se não morresse jovem, teria de continuar indefinidamente essa luta extenuante contra forças de degradação maiores do que a sua própria força. Ao passo que, se morresse solitário, numa oblação suprema, talvez os homens compreendessem, e foi efetivamente solitário que, depois de ter pronunciado palavras estranhamente suaves e misericordiosas, Kierkegaard morreu, no hospital de Copenhague, como um indigente, a 11 de novembro de 1856, aos quarenta e três anos de idade.

De momento, esse prodigioso despertador de almas, esse homem inspirado, cuja voz é a mais forte que brotou do protestantismo, não foi escutada e menos ainda seguida. Mas, tal como ele previra, a sua morte na solidão e no sofrimento, dando testemunho, atraiu-lhe as almas. Pouco a pouco, uma parte da Igreja dinamarquesa foi penetrada por essas ideias e tentou pô-las em prática. Embora modestos, vários círculos kierkegaardianos se constituíram. No entanto, o protestantismo levou tempo a compreender o significado dessa mensagem. Só nos começos do século XX é que se percebeu que esse homem — a quem Rodolfo Kassner qualificou, tão justamente, como «o último grande protestante»— tinha insuflado vida nova na teologia da Reforma. A renovação teológica protestante que assinalou os últimos cinquenta anos deve muito a Søren, como Karl Barth reconheceu, pelo menos nos seus primeiros livros. Mas foi sobretudo no momento em que o mundo inteiro, cercado pelas potências abissais, experimentou até ao tutano a angústia da vida e da morte, que Kierkegaard se tornou ilustre, chegando a ultrapassar os limites do protestantismo. Todo o cristianismo passou a estar atento a essa voz que intima os cristãos a serem fiéis, a deixarem de «cuspir em Cristo». E até pensadores laicos, de Heidegger a Sartre, partiram dessa realidade existencial que ele sentiu tão intensamente para edificar sistemas cujas conclusões certamente o encheriam de um horror sagrado. No quadro de uma história religiosa, esse Hamlet das landes da Jutlândia surge como o homem mais rico de certezas, mais forte no seu impulso para Deus, de todos os que o protestantismo dos tempos modernos produziu.

Frutos duradouros do «despertar»

O «despertar» não foi fogo de palha, não foi um tornado espiritual que tivesse sacudido a alma protestante por vinte ou trinta anos. Se é certo que, como é natural, o belo entusiasmo do começo esmoreceu mais ou menos depressa em numerosos setores, a verdade é que continuou a circular nas profundezas uma corrente que, de tempos a tempos, iria reaparecer e desdobrar-se em novos «despertares» e em movimentos de apostolado. Mas o que mais importa é que, da extraordinária animação dos princípios do século, ficaram frutos duradouros, sob a forma de instituições que iriam ser relevantes até hoje entre os elementos mais vivos das Igrejas vindas da Reforma.

Em primeiro plano, devemos situar as *Sociedades Bíblicas*. Não será demais repetir que a Bíblia está na base de toda a fé reformada. O protestante é o homem da Bíblia. Coisa curiosa, no entanto: nos tempos antigos, não havia grande preocupação por colocar o Livro Sagrado em todas as mãos, incluindo os humildes e os pobres. Podemos ver como uma pré-história do movimento bíblico a atividade do pietismo alemão no seio da *Bibelanstalt* de Halle, fundada em 1710. Nos finais do século XVIII, no anglicanismo, e depois entre os *dissenters* ingleses, mais tarde ainda entre os luteranos alemães, ganhou-se consciência do dever missionário, o que, naturalmente, suscitou o interesse pela Bíblia, visto que, sem ela, é inconcebível qualquer apostolado protestante. De fato, a penúria de bíblias era extrema. Empresas de pouca expressão — como por exemplo a *Religious Tract Society* ou a *Naval and Military Bible Society* — procuravam suprir essa penúria na medida das suas possibilidades.

Foi em 1804 que representantes da Igreja oficial e das Igrejas dissidentes se reuniram em Londres para fundar a *British and Foreign Bible Society*. O objetivo dessa sociedade era difundir a Bíblia a preços baixíssimos em todas as línguas. Decidiu-se que, quanto às nações que tivessem já uma boa tradução da Bíblia, seria essa que se reimprimiria — por exemplo, a tradução de Diodati para a Itália, a de Valera para a Espanha, a de Olivetan (prefaciada por Calvino) para a França —, e que, para os outros países, se traduzisse a «Versão autorizada» inglesa, de Jaime I[26]. Levantou-se nessa altura uma questão que foi logo resolvida: a dos livros «deuterocanônicos», considerados apócrifos pelos judeus e depois pelos grandes Reformadores; estava nesse caso o Livro da *Sabedoria*[27], que, após algumas discussões bastante vivas, se decidiu não imprimir.

O exemplo não tardou a ser seguido. Seis meses mais tarde, fundava-se uma Sociedade Bíblica em Basileia. Vieram depois a de Berlim em 1805, a de Stuttgart em 1812 e, em 1814, as de Estocolmo, Copenhague, Oslo e Holanda. Mas todas essas sociedades eram de pouca monta, comparadas com a sociedade-mãe, de Londres. Em 1816, houve um segundo grande impulso, desta vez dado pela fundação da *American Bible Society* nos Estados Unidos. Vigorosamente dirigida, alcançou rápidos êxitos. Na «Fronteira», os pastores distribuidores, batistas ou metodistas, difundiram o Livro pelos acampamentos de pioneiros. Vendo que, na América Latina, só entravam as traduções católicas, decidiu-se imprimi-las, devidamente munidas do *imprimatur*. A ABS não tardou a desdobrar-se: foi a *American Scripture Gift Mission*, fundada para distribuir gratuitamente o texto sagrado, e hoje substituída pelos «Gideões». A França criou a sua *Société Biblique de Paris* (1818), que veria surgir em oposição a ela, em 1866, a *Société Biblique de France*, constituída por pastores hostis às tendências liberais da primeira. Finalmente, em 1917, foi esboçada e em 1946 realizada (em Amersfoort-Holanda), uma Aliança Bíblica Universal, com sede em Londres.

A obra realizada por todas essas sociedades iria ser gigantesca. Calcula-se em mais de mil o número de línguas em que o Livro Sagrado foi traduzido: só a sociedade de Londres garantiu a tradução em setecentas línguas. Em certos casos, foi necessário criar um alfabeto e forjar uma sintaxe gramatical para possibilitar a tradução. Por vezes, houve que criar palavras novas para reproduzir fielmente o texto em dialetos pouco aptos às precisões teológicas. Os números fornecidos com muita satisfação pelos estatísticos são prodigiosos: mais de 200 milhões de bíblias difundidas em cem anos; outros tantos Evangelhos. Seria, porém, imprudente supor que o Texto sagrado é perfeitamente conhecido, e ainda menos compreendido, por todos aqueles que o recebem, na sua capa de pele preta ou de couro artificial. Porque as bíblias protestantes, até uma época muito recente, não incluíam nenhuma nota, prefácio ou explicação, a fim de deixar a cada leitor o «livre exame» da revelação divina.

Este esforço pela difusão da Bíblia, em si mesmo admirável, decorre de um propósito apostólico que deve ser louvado. Até fins do século XVIII, as grandes Igrejas protestantes tinham usado muito pouco o instrumento de propaganda religiosa que a Igreja Católica possuía desde o século anterior: a *Missão Interior*. Não tinham contado nas suas fileiras com um Vicente de Paulo, um João Eudes, um Luís Grignion de Montfort. É certo que alguns grupos, mais ou menos distantes da obediência oficial — sobretudo os evangélicos ingleses e em especial os metodistas —, tinham ido mostrando a necessidade de desenvolver uma ação favorável à penetração constante da mensagem cristã entre as populações batizadas; mas o «despertar» levou a conceber a necessidade de missões entre os cristãos como não menos urgente que a de enviá-las aos pagãos, que um recente zelo já então cumpria.

As primeiras tentativas manifestaram-se durante o período revolucionário e, coisa curiosa, foram feitas dentro do luteranismo alemão, que passava por só se interessar pela salvação individual. Homens generosos, como Spittler e Zeller, lançaram a ideia, que veio a ser retomada por Falk e pelo cristão modelar que foi o barão de Kottwitz. Era preciso — dizia este último — organizar «uma missão contra o poderoso paganismo contemporâneo; uma missão entre os pagãos da nossa pátria». Era a própria fórmula que os padres Godin e Daniel iriam tornar célebre, cento e cinquenta anos mais tarde, com o seu livro *França, país de missão?* Durante todo o primeiro terço do século, a ideia foi retomada muitas vezes em todos os países onde soprou o espírito do «despertar». E pode-se considerar como suas primeiras realizações as equipes que os jovens de Bourg-de-Four enviavam a pregar nos subúrbios de Genebra, ou as que Félix Neff constituiu nos Altos Alpes, ou as sociedades evangélicas que, por volta de 1830, surgiram em

Genebra, Paris e Lyon, ou ainda as fundações pedagógicas de Grundtvig na Dinamarca.

Houve um homem que, compreendendo a necessidade de garantir ao apostolado quadros fixos e sólidos, uma organização que evitasse improvisações, teve o mérito de dar a todas essas tentativas dispersas uma fórmula de futuro: foi *Johan Heinrich Wichern* (1808-81), uma das mais nobres figuras do moderno protestantismo, alma de luz e de caridade. Menino pobre numa casa de educação, depois estudante universitário à força de empenho, aluno de Schleiermacher na Universidade de Berlim, mais tarde auxiliar de Rautenberg (o pastor dos miseráveis de Hamburgo), começou por consagrar-se a uma ação social e caritativa especialmente a favor da juventude abandonada, de cuja importância havemos de falar[28]: a sua *Rauhe Haus*, «Casa Selvagem», foi uma bela realização. Mas depressa Wichern entendeu — em parte por influência de Rautenberg, que já falara da necessidade da missão; em parte como conclusão da sua experiência pessoal — que não bastava alimentar e vestir os pobres, que se impunha uma ação em profundidade. «Se os proletários já não procuram a Igreja — dizia ele —, é preciso que a Igreja parta à procura dos proletários. E que não se permita nenhum repouso antes de lhes ter levado a palavra da Salvação». A Revolução de 1848 e os motins a que deu lugar acabaram de convencê-lo da urgência da tarefa. E, a 21 de setembro de 1848, no Kirchentag de Wittenberg, conseguiu que os quinhentos delegados aprovassem, entusiasmados, a criação da Missão Interior.

Tinha nascido uma grande obra, à qual Wichern se consagrou de corpo e alma, apoiado pelo rei Frederico Guilherme IV da Prússia. Essa obra iria durar até aos nossos dias, solidamente organizada, com pastores especializados à cabeça de cada secção, dispondo de evangelistas leigos formados por ela e espalhando-se por toda a Alemanha em poucos anos. A missão difundia bíblias, vendia folhetos, difundia obras religiosas, mantinha equipes de pregadores, organizava aos domingos serviços religiosos especiais nas paróquias adormecidas. Em suma, era um trabalho muito parecido com o que faziam as Missões lazaristas. A esse esforço apostólico ficou muito naturalmente associada a obra social de Wichern, com os seus orfanatos, escolas, asilos e obras moralizadoras. E as formações caritativas por ele criadas — a das «diaconisas» e a dos «irmãos» — forneceram frequentemente colaboradores preciosos à missão interna. Houve até quem julgasse que Wichern dava demasiada preferência ao social sobre o apostólico. Contra isso, a missão reagiria mais tarde.

Nos anos 1860, a ideia da «missão interior» penetrava por toda a parte. Nenhuma das grandes Igrejas protestantes deixara de compreender a necessidade do apostolado entre os batizados. E houve mesmo algumas seitas, como a dos darbyistas[29], que viram nesse apostolado o elemento primordial da sua atividade, de modo que a ação das suas equipes, fortemente alicerçada no calvinismo, viria a ter grande influência em regiões como a das Cévennes. A «missão interior» não tardaria a especializar-se, para adaptar os seus métodos a situações particulares: foi o caso da missão urbana de Stoecker e o das Missões operárias norte-americanas de gênero da de Moody. Mas seria sempre a grande ideia de Wichern que continuaria a animar todos esses empreendimentos: tornar Cristo presente entre aqueles que o tinham esquecido.

Do «despertar» saiu ainda uma terceira espécie de realizações apostólicas destinadas a durar até os nossos dias: as que se propuseram enquadrar cristãmente a juventude. Passando em revista as manifestações sociais do protestantismo, nota-se a importância das obras em prol da infância e da adolescência: tanto na Inglaterra como na Alemanha ou na França, a fundação de escolas e de orfanatos foi considerada como uma das tarefas mais importantes da beneficência. Mas agora não se tratava disso. Na Dinamarca, as «escolas populares superiores» de Grundtvig apresentaram-se como escolas de vida, destinadas a fazer os jovens ganharem consciência das dimensões morais e espirituais da vida humana. A mesma finalidade se encontra numa iniciativa que alcançaria uma imensa irradiação e que veria o seu nome tornar-se famoso: a *União Cristã de Jovens*, em inglês *Young Men Christian Association* (YMCA). Em 1955, por ocasião das cerimônias que assinalaram em Paris o centenário da fundação, o pastor Marc Boegner definiu-a com todo o acerto: «Ao passo que as Igrejas se confinavam praticamente ao seu ministério cultural catequético e ao exercício da caridade, as Uniões Cristãs de Jovens tiveram por primeira ambição agrupar os jovens que escapavam quase por completo à ação das Igrejas, na busca de uma autêntica espiritualidade, aliada a um confronto leal com os problemas de toda a ordem que afetam os adolescentes, na idade em que têm de assumir a responsabilidade pela sua vida pessoal. Se se desenvolveram com notável rapidez nos países anglo-saxões e na Europa protestante, também se implantaram em nações católicas e sempre estiveram amplamente abertas aos jovens das diversas confissões. Neste aspecto, foram o primeiro movimento de jovens a ter caráter ecumênico».

Antes de 1855, existiam aqui e acolá agrupamentos protestantes destinados aos jovens, como os do pastor Dürselen na Alemanha (no Wuppertal) e, em Paris, a união fundada por Henri Dunant e onze amigos seus. Mas todas essas iniciativas tinham ficado num âmbito restrito. Houve um homem que conseguiu criar uma obra diferente: *George Williams* (1820-1905). Seus pais, lavradores do Somerset, pertenciam à Igreja anglicana, mas, quando o rapaz foi confiado como aprendiz a um comerciante de panos, este, congregacionalista fervoroso, exigiu que todos os seus empregados fossem assíduos ao culto da sua Igreja... Embaraçado, o pequeno perguntou à mãe a que serviço religioso havia de ir. «Aos dois!», respondeu-lhe a mãe. Essa resposta gravou-lhe no espírito a convicção de que pertencer a uma Igreja ou a outra não tinha lá muita importância...

Empregado depois numa grande empresa londrina, George Williams fez a rude experiência da vida severa a que milhares e milhares de jovens tinham de submeter-se nesse começo da idade vitoriana. Sofreu com o isolamento e o abandono próprio das grandes cidades, e começou a agrupar à sua volta alguns camaradas. Bafejado pela sorte, aproveitou a sua rápida promoção social para assentar a sua obra, fundando uma União de Jovens. A princípio eram doze, mas as adesões foram aumentando de ano para ano e fez-se necessário alugar sedes cada vez mais amplas; importantes negociantes e alguns banqueiros interessaram-se pelo movimento. Em 1845, a União pôde manifestar publicamente a sua experiência, constituindo-se como sociedade e reunindo, no «Exeter Hal», três mil adeptos.

A coisa estava, pois, lançada, e bem. Contava com o apoio de Lord Shaftesbury, conhecido pelas suas ideias sociais, e de alguns deputados da Câmara dos Comuns. Na Exposição Internacional de Londres de 1851, a YMCA teve um stand. Em 1855, estava já tão espalhada pelo continente que pôde celebrar em Paris a sua conferência geral. No entanto, não faltaram dificuldades. Provinham de certos meios patronais que se inquietavam com essas reuniões de gente jovem, e sobretudo das Igrejas, que, quando não hostilizavam a União como concorrente, gostariam de absorvê-la ou pelo menos de controlá-la de perto. A prudência de George Williams, que passara a ser um importante patrão, esteve em não se deixar absorver nem sujeitar. Repetia que a YMCA devia ser «um terreno neutro no qual se pudessem encontrar, na mais inteira fraternidade, os membros de todas as confissões». O objetivo visado pela União era triplo: ajudar ao desenvolvimento intelectual dos jovens por meio do que hoje diríamos «ócios dirigidos»; cuidar da sua formação moral; elevá-los espiritualmente.

A obra de George Williams triunfou para além de todas as expectativas. Tornou-se a bem dizer uma instituição, com edifícios próprios — o Exeter Hall foi adquirido —, com a sua organização e publicações. Quanto a ele, era uma personagem muito considerada, a quem a rainha fez baronete e Londres concedeu a cidadania honorária. Ao morrer, Sir George foi sepultado na cripta de Saint Paul, onde a Inglaterra coloca os seus maiores servidores. Atualmente, a YMCA conta perto de 4 milhões de adeptos, em setenta países. Em 1955, foi eleito como presidente mundial um preto da Libéria. Fiel aos princípios do seu fundador, a União continua a declarar-se pronta a acolher jovens cristãos de qualquer obediência. Abriu mesmo as portas aos não cristãos, por exemplo a budistas e maometanos. Após a Primeira e a Segunda Guerras Mundiais, teve um papel muito notável na beneficência internacional[30].

Regresso aos sacramentos e à liturgia

A renovação de seiva espiritual, cujos múltiplos sintomas acabamos de ver, teve uma consequência menos esperada: o regresso de alguns elementos do protestantismo às duas grandes realidades cristãs de que Lutero e ainda mais Calvino se tinham especialmente afastado: a liturgia e os sacramentos.

Neste domínio, foi a Igreja anglicana que deu o sinal. Foi nela que desabrochou aquilo que viria a ser chamado *ritualismo* e que, expressamente associado no início a uma manifestação do «despertar», se revelou tão vigoroso como os movimentos que vimos na Escócia de Haldane e de Chalmers, e no país de Gales. Mas, enquanto as primeiras correntes «revivalistas» tinham agitado a Igreja presbiteriana e os elementos mais puritanos do Reino, foi no coração da «*Church of England*», na Igreja real, no *Establishment*, que se desenrolaram ruidosamente os episódios daquilo que, no limiar do segundo terço do século, ficou célebre com o nome de *Movimento de Oxford*, dessa cidade de alta cultura onde se formava, juntamente com Cambridge, a elite da nação, a parte mais distinta do clero, foco espiritual de onde surgira no século precedente o metodismo...

Já nos são conhecidos os acontecimentos que assinalaram a explosão — o termo não é demasiado forte — do Movimento de Oxford[31]: o retumbante sermão contra «a Apostasia nacional» pronunciado por *John Keble* no dia 14 de julho de 1833; a campanha dos «*tracts for the times*» [«folhetos para os tempos que correm»], desencadeada algumas semanas depois; a grande celeuma que daí resultou no seio da Church, e a rápida expansão das ideias oxonianas entre o clero jovem. Uma extraordinária equipe de clérigos e de leigos comandou esse movimento, com uma audácia e uma energia só comparáveis ao talento e — nunca será demasiado frisá-lo — a um admirável espírito de fé. Ao lado de Keble, o seu caro amigo, o fascinante *John Henry Newman*, o finíssimo poeta Richard Hurrel Froude, Mathew Arnold — que viria a ser o Saint-Beuve[32] inglês —, Isaac Williams, asceta visionário, e também alguns poderosos simpatizantes, filhos de lordes ou futuros bispos, ou mesmo futuros primeiros-ministros (como Henry Wilberforce e Gladstone). O pilar de todo o grupo era um cônego da «Christ Church» — da «the House», como se dizia em Oxford —, homem maciço, silencioso, prudente, cujas intervenções, longamente meditadas, soavam como pancadas de aríete em muralhas: *Edward Bowerie Pusey* (1800-1882).

A primeira finalidade dos dirigentes do Movimento de Oxford foi incontestavelmente renovar a vida religiosa na Igreja da qual eram filhos fiéis. Viam à sua volta um verdadeiro desmoronamento espiritual: a prática já não passava de mera rotina nessa Igreja funcionarizada; rara era a fé viva. O mau exemplo vinha de cima, dos bispos, dos professores, de todos esses homens de Igreja que, como diziam os audaciosos oxonienses, «procuravam antes de tudo usufruir das benesses do mundo, e só depois servir a Deus». A situação beirava tão claramente o escândalo que o Parlamento, em 1832, empreendera uma reforma séria da Igreja. Mas até essa reforma inquietava os jovens membros do clero, porque parecia caminhar para a secularização da Igreja, ao passo que eles pensavam que uma das mais seguras causas da crise espiritual estava na ligação demasiado estreita entre a Igreja e o Estado.

Para reagir contra as forças de degradação, os oxonienses julgaram, à semelhança de muitos outros reformadores ou «despertadores», que era preciso voltar às fontes. Ao estudarem a Igreja primitiva, os Padres da Igreja, toda a herança de santidade anterior à separação de Roma, encontraram intacta a tradição que o anglicanismo reivindicava, mas deixara estancar. Um certo ascetismo de natureza puritana, uma evocação do humanismo cristão inglês, algumas influências pietistas alemãs misturavam-se, no movimento, com um desejo imperioso de reencontrar o sentido autêntico da Igreja. Foi essa doutrina complexa, mas extremamente sedutora, que os clérigos de Oxford difundiram, primeiro por meio da série de noventa folhetos, *tracts* — donde o nome de «*tractarian*» dado ao movimento —, e depois com os seus sermões e livros, provocando bem depressa reações furiosas da hierarquia estabelecida. Mantendo-se firmes apesar de tudo, ganhando terreno lentamente, acabaram por obrigar os seus correligionários a perguntar-se se ainda continuavam a ser fiéis à Tradição autêntica da sua Igreja, ou se não teriam cedido demasiado à «heresia calvinista».

Foi aprofundando a tradição da sua Igreja que Newman, Pusey e os seus amigos redescobriram a importância e o significado real dos sacramentos e dos ritos litúrgicos. Na suas origens, o anglicanismo não tinha as posições radicais do protestantismo acerca do sentido e do valor dos sacramentos, e nada, nos 39 Artigos nem no *Prayer Book*, se opunha a usos litúrgicos que eram os da antiga Igreja. O Movimento de Oxford voltou, pois, às primitivas concepções e aos velhos usos. Ergueram-se altares de pedra, esculpidos, como aquele que Newman mandou erguer na igreja de Littlemore, em lugar das mesas de madeira que eram os únicos permitidos pelos usos. Voltou-se às toalhas de altar bordadas, às velas de cera, ao incenso, e os paramentos sacerdotais ganharam de novo as suas cores brilhantes. Para distribuir a comunhão, o ministro passou a colocar-se diante do altar, como faziam os católicos, em vez de ficar à cabeceira da mesa, e essa mudança significava que não se tratava de uma refeição, mas sim de um sacrifício. Porque Newman e Pusey ensinavam que o sacrifício eucarístico é essencialmente o sacrifício da Cruz, que o Corpo e o Sangue de Cristo estão misteriosamente presentes no pão e no vinho. Mais espantoso ainda, e escandaloso para todos os membros calvinizantes da *Church of England*: os clérigos de Oxford confessavam-se, exatamente como os padres «papistas».

O que o Movimento de Oxford fez avançar foi, pois, uma larga corrente de doutrinas contrárias ao «rio» protestante, uma corrente que bem se podia chamar filocatólica (em 1841, chegaram a reaparecer as Ordens monásticas, desaparecidas após a Reforma). Compreende-se a cólera da Igreja oficial, fosse ela Alta ou Baixa. Mas as ideias de Oxford ganhavam terreno, e bem depressa. O sermão sobre a Eucaristia que em, 1843, merecera a Pusey uma condenação formal, foi retomado por ele letra a letra em 1853 e agora corria como uma carta de correio...

Mas o Movimento de Oxford atravessou uma crise séria. Indo até ao termo lógico do seu regresso às fontes, Newman — ao cabo de uma longa evolução espiritual, que se acompanha com admiração na sua autobiografia — regressou ao catolicismo em 8 de outubro de 1845. Mais de duzentos clérigos o seguiram, vários deles de renome, como o reverendo *Manning*, então arcediago de Chichester. Por um instante, a Igreja da Inglaterra pareceu tremer nas suas bases. Para deter o fluxo de conversões, todos os meios pareceram bons, até um processo de difamação intentado contra Newman, cuja consequência foi, aliás, tornar o seu nome conhecido de um público mais vasto. Numa dada altura, chegou-se a pensar que toda a elite do anglicanismo ia regressar a Roma.

A verdade é que isso não aconteceu. Depois de um começo espetacular, o movimento de conversões não tardou a arrefecer. A responsabilidade desse meio-fracasso cabe a Pusey e àqueles que, como Keble, se recusaram a abandonar o *clergyman*. De resto, não foi sem dolorosos debates interiores que uma alma tão nobre como Pusey fez a sua opção: falava do «leito de agonia» em que se encontrava. Mas, uma vez feita a opção, esse homem lento e prudente agiu com rapidez e vigor notáveis. Àqueles que o consultavam, demonstrava que a experiência de Newman era um caso particular, que o comum do rebanho não tinha de imitá-lo, que o que era preciso não era deixar a Igreja Anglicana, apesar dos seus defeitos, mas permanecer no seu seio para renová-la e reconduzi-la à sua verdadeira tradição. Não abandonou nenhuma das posições que assumira sobre a liturgia e os sacramentos. E chegou a fundar a *English Church Union*, que qualificou de «ritualista», para que fosse, na Igreja nacional, uma vanguarda que levasse às reformas necessárias. E foi ouvido.

Assim se constituiu o *Ritualismo* anglicano, que, acentuando certas tendências congênitas da High Church, ia fazê-la evoluir, em amplos setores, no sentido daquilo que nos nossos dias se chama o «anglo-catolicismo». O que nem sempre se passou na melhor paz com as autoridades estabelecidas... Os primeiros clérigos que reintroduziram nas suas paróquias os paramentos, as velas e o incenso, à maneira católica, foram frequentemente hostilizados pelos fiéis ou levados aos tribunais, como, por exemplo, os reverendos Lowder e Mackonochie. O rev. Denison foi destituído e ficou cinco anos suspenso por ter ensinado teses «heréticas» sobre a Eucaristia. Contra a *English Church Union*, *Lord Shaftesbury* criou a *Church Association* e denunciou os ritualistas no Parlamento. Foi preciso reunir uma comissão oficial para fixar os princípios nessas delicadas matérias, e o Parlamento aprovou o *Public Worship Regulation Act*, que permitia prender os padres que se entregassem a irregularidades no serviço religioso: efetivamente, cerca de uma dúzia foram presos. Mas quando os bispos acusaram os ritualistas de favorecer «erros que a Igreja anglicana rejeitara», Pusey interveio, com a sua serena coragem. Se o que se pretendia atingir através dos ritualistas eram as suas ideias sobre a Eucaristia, ele aceitaria o desafio, renunciaria ao seu cargo eclesiástico e diria bem alto o que tinha a dizer. A hierarquia não insistiu e a situação distendeu-se pouco a pouco. Um debate parlamentar acerca do direito que tinham os padres anglicanos de confessar, se o julgassem útil, concluiu que essa prática não era ilícita. Quando o velho lutador morreu (1882), o «puseísmo», como muitas vezes se dizia, estava triunfante. Era profunda a sua influência em toda a Alta Igreja, na qual se ia generalizando o regresso aos ritos litúrgicos e à prática sacramental, incluída a confissão.

Outro testemunho ficava ainda da experiência do Movimento de Oxford: as *comunidades religiosas*, reconstituídas à imitação das de outrora. Já em 1839 Pusey tinha exprimido o voto de que houvesse Irmãs da Caridade anglicanas. Newman, antes da sua conversão, declarara até que, em seu entender, a fundação de Ordens religiosas anglicanas era o único meio de manter algumas almas longe do catolicismo. Em 1841, uma jovem de vinte e quatro anos, Maria Rebeca Hughes, pronunciava nas mãos de Pusey os três votos de pobreza, obediência e castidade; mas, como as virgens consagradas dos primeiros tempos, permaneceu em casa até o momento em que, no ano de 1849, agrupou à sua volta uma pequena comunidade: foi o embrião da Sociedade da Santíssima Trindade, próxima das clarissas. A própria filha de Pusey sonhou fazer-se religiosa, mas morreu antes de cumprir o seu propósito. No próprio dia do seu enterro, quatro piedosas moças pediram ao pai da morta que as dirigisse. Daí nasceram as Irmãs de Santa Cruz, que se submeteram a uma ascese muito dura e, além disso, foram tratar dos feridos da guerra da Crimeia.

Apesar da oposição, muitas vezes desagradável, de certos bispos, o movimento iniciado prosseguiu: Irmãs das Mercês em 1848; no mesmo ano, Comunidade da Santíssima Virgem, em Wantage; em 1849, Comunidade de São Tomás-Mártir; em 1851, Comunidade de Todos-os-Santos; em 1852, Comunidade de São João Batista, réplica inglesa do Bom Pastor católico; e em 1848, as Guardas de Doentes de São João Evangelista, que também se notabilizaram na Crimeia. Assim nasceram umas vinte fundações em vinte anos, todas votadas à caridade, aos cuidados hospitalares, ao ensino ou à oração.

Com atraso em relação às mulheres, os homens tiveram de esperar até que Richard Meux Benson fundasse em Cowley, no ano de 1863, a Sociedade de São João Evangelista. Mas o exemplo seria seguido mais tarde e, no fim do século, o movimento de fundações seria considerável.

Nesse ínterim, uma outra grande Igreja saída da Reforma passava também por uma fermentação ritualista e sacramentária análoga à que agitava o anglicanismo: a Igreja luterana da Alemanha. Por volta de 1848, iniciou-se no mundo germânico uma corrente que tomou o nome de *neoluterana* e que se opunha simultaneamente ao racionalismo kantiano, ao pietismo sentimental, à teologia «vaporosa» de Schleiermacher, ou seja, a tudo o que viria a ser o «protestantismo liberal». Os responsáveis desse movimento proclamavam que a Igreja tem um papel primordial na vida da alma, que é ela a guardiã dos dogmas e que a experiência interior deve curvar-se perante a sua autoridade. Isso parecia contrariar a famosa fórmula de Lutero: «sola fides» [somente a fé]. Mas os neoluteranos pensavam que o próprio Lutero se enganara ao desprezar o papel da Igreja e também o dos sacramentos. Para eles, o batismo, ao integrar o homem na Igreja, garante-lhe a fé. Daí o caráter sagrado, consagrado, reconhecido aos ministros que administram o batismo, como mediadores que são entre a alma e o sobrenatural. Subindo do fio à meada, chegaram a reafirmar a importância do Sacrifício do Altar e, em consequência, a fomentar a prática sacramental e a liturgia, que, como se sabe, se tinha empobrecido muito mais no luteranismo alemão do que no escandinavo.

Lançadas por Friedrich Julius Stahl — que, aliás, lhes associava teses muito discutíveis acerca do cristianismo-religião de Estado —, essas ideias foram consideravelmente aprofundadas pelo pastor *Wilhelm Löhe* (1808-1872), homem de fé admirável, assíduo na prática dos sacramentos, que confessava nunca ter recebido os sacramentos da Ceia, depois da sua primeira comunhão, «sem ter a alma cheia de adoração». Nomeado, aos vinte e nove anos, para a pobre aldeia bávara de Neuendettelsau, aí se revelou um apóstolo. Era convidado a falar em toda a região, e a ele acorriam inúmeros penitentes, pois restabelecera a confissão auricular e dava provas de ser um incomparável diretor espiritual. Esse Cura d'Ars luterano, sem sair daquilo a que chamava «o seu buraco», exerceu uma enorme influência. Por meio do seu *Ritual para as comunidades cristãs de confissão luterana*, reconstituiu uma liturgia com base em textos anteriores à Reforma. Dele saiu uma forte corrente liturgista e sacramentária.

Após a sua morte, os seus discípulos foram ainda mais longe no que se pode designar por orientação católica: Delitzch, Munchmeyer — que afirmava que o sacramento é eficaz em si —, Detley Kliefoth, adversário decidido da experiência pessoal e que ensinava que a Igreja tem a autoridade e, por meio dos sacramentos, a oportunidade de garantir a salvação. Um pouco à margem desse grupo, Christian Vilmar não deixava de trabalhar no mesmo sentido. A sua «teologia dos fatos» proclamava que os sacramentos eram superiores à palavra, que a sua objetividade é sempre idêntica a si mesma e a sua administração pressupõe gestos e palavras sagrados, portanto uma liturgia. Essa reação vilmariana — de modo geral, anticalvinista — fez-se sentir em todo o luteranismo.

Por volta de 1870, a corrente liturgista e sacramentária, embora não tivesse tocado as zonas puramente calvinistas, dera aparências novas a algumas grandes formações saídas da Reforma. Alcançara os Estados Unidos, onde os episcopalianos se deixavam de bom grado arrebatar por ela e onde uma parte dos luteranos sofria a influência de Löhe. Desenhava-se à sua frente um futuro que viria a concretizar--se no nosso tempo.

Do «protestantismo liberal» à crítica «livre»

Em substância, o «despertar» foi, sob as suas diversas formas, uma reação ao mesmo tempo contra a rotina mortal que secava a seiva da Reforma e contra todas as modalidades de «escolástica» que, havia dois séculos, tinham conquistado a teologia protestante. O pietismo, que reencontramos mais ou menos em todos os movimentos «revivalistas», desconfiava da especulação e também das instituições demasiado assentadas. O perigo estava em que essa desconfiança abrangesse não apenas os métodos intelectuais e a organização eclesiástica, mas também os dogmas. A escorregadela era fácil: se as Igrejas oficiais não passavam de cemitérios de almas, que sentido tinham ainda os *credos* que ensinavam? Assim, essa renovação incontestável de fervor esteve na origem — ou, para dizer melhor, foi uma das origens — da corrente que iria finalmente afastar o protestantismo não somente do fervor, mas da fé.

Com efeito, essa corrente foi-se encontrar com outra, mais antiga, que se pode ver desde o início do protestantismo. No decorrer dos anos, a herança dos Reformadores fora sendo explorada pelos sucessores de duas maneiras opostas. Uns, apoiando-se no princípio do livre exame e da ação direta do Espírito Santo em cada homem individualmente considerado, tendiam para o subjetivismo, para a anarquia dogmática, identificando o Espírito Santo com a voz da consciência. Outros, fiéis às afirmações dogmáticas dos Reformadores, insistiam, pelo contrário, na soberania e na transcendência de Deus, extraindo daí uma ortodoxia. Havia três séculos que o protestantismo não conseguia escapar ao dilema: ou a liberdade do Espírito, que leva à anarquia; ou a aceitação de uma ortodoxia que, em substância, é contrária ao espírito reformado.

No século XVIII, a corrente liberal fora reforçada pelo espírito do tempo. As «luzes» que se reivindicava deviam tudo à razão e ignoravam a luz da fé. Com isso, minavam-se os dogmas. Um deísmo racionalista impregnava as consciências. É certo que se admitia um Ser supremo, mas era incognoscível, inacessível. A fé tinha de ser considerada fora de todo o intelecto; só existia como fonte de emoção e como satisfação dos sentimentos. Se essa filosofia era inadmissível para um cristão, talvez houvesse alguma possibilidade de conciliar a fé e o racionalismo mediante a interpretação dos dogmas. Aí estava uma segunda fonte daquilo que se viria a chamar o *protestantismo liberal*.

A terceira, menos conhecida, foi o *unitarismo*[33]. Formulada no século XVII pelos ingleses John Preston e William Ames e pelo alemão Johann Koch, essa doutrina baseava toda a experiência religiosa na Aliança — aliança entre Deus e o homem, aliança entre Deus e a Igreja e de homem para homem no seio da Igreja. Essa Aliança operava-se no interior da consciência, e a revelação cristã era a sua manifestação. Para alguém ser plenamente cristão, bastava-lhe viver de acordo com a sua consciência: a luz de Deus o iluminaria. Nenhuma fórmula de fé era, pois, indispensável, como também não o era qualquer disciplina eclesiástica. Pouco numerosos, mas recrutados sobretudo na classe intelectual mais alta, os unitaristas exerceram uma influência mais ou menos secreta, mas considerável, designadamente nos Estados Unidos, onde a teologia da Aliança, identificando esta com o pacto social, contribuiu para situar a fé numa escala puramente humana.

Todas essas tendências, todas essas teorias convergiam, pois, e acabaram por congregar-se para constituir um sistema de pensamento e uma doutrina de vida religiosa a que se veio a dar, embora só a partir de 1875, o nome de protestantismo liberal. Era um sistema tanto mais sedutor quanto a verdade é que permitia achar uma solução para o problema em que se debatia o cristianismo protestante, exatamente como o católico: o das relações com o mundo moderno.

Era um mundo de que os Reformadores tinham desconfiado, se é que não lhe tinham sido francamente hostis: é sabido como o humanismo de Erasmo, doutrina de base do mundo moderno, fora suspeito aos olhos de Lutero e Calvino. Mas depois da crise da Revolução Francesa, à vista do avanço dos conhecimentos e das técnicas, seduzidas pela doutrina do progresso, imbuídas de liberdade, numerosas inteligências protestantes passaram a olhar o mundo moderno com um olhar mais favorável. Um dos mais notáveis pensadores franceses de tendência «liberal», Samuel Vincent, escrevia por volta de 1820 frases como esta: situado em face de si mesmo pela Revelação, o homem tem «o pressentimento de uma religião que há de marchar juntamente com a civilização, sem jamais lhe temer os triunfos; com a indústria, sem jamais se mostrar inquieta com o bem-estar e a felicidade do povo que ela enriquece; com os progressos das instituições sociais, sem querer intervir nelas incessantemente para dificultar e refrear esses progressos»[34]. Era um belo programa, e o protestantismo liberal parecia capaz de o pôr em prática.

Grande número de pensadores, filósofos e teólogos contribuíram para o fazer nascer e crescer. Já Lessing (1729-1781), em modalidade mais poética que filosófica, expusera uma teoria segundo a qual se devia separar a religião de Cristo dos dogmas, pois só aquela era feita de verdadeira piedade pessoal e de aspiração à santidade. Emmanuel Kant (1724-1804), que pela sua desconfiança da razão é de certo modo um Lutero leigo, nem por isso deixara de «reduzir a religião aos limites da mera razão», identificando-a com o imperativo interior da lei moral. Hegel (1770-1831), antigo aluno de teologia no seminário de Tubinga, pretendera salvar o cristianismo esvaziando-o de todo e qualquer conteúdo sobrenatural e baseando a religião unicamente na racionalidade da ideia cristã: «uma fé restaurada ao nível da subjetividade», dizia Kierkegaard com desprezo. Friedrich Schelling (1775-1854), também ele durante um tempo candidato a pastor, anti-hegeliano, via na religião um meio de captar «a alma do mundo» em Cristo, aquele por quem a História tem acesso à interioridade», pelo que Heinrich Heine o acusou de ter «entregue a filosofia à religião».

Foi Schleiermacher[35] quem, mais do que qualquer outro, juntou num feixe todos esses elementos. Sustentava que a religião existe na consciência de todos, como cumprimento do instinto do divino. Importa, pois, partir dela, se queremos dar fundamentos reais aos dogmas. Toda a especulação metafísica é vã: o que conta é «a religião do coração». É pelo coração que descobrimos a verdade, que nos descobrimos a nós próprios e descobrimos Deus: substancialmente, são tudo a mesma coisa. Ideias que lembravam Pascal, se quisermos, mas rebaixado ao nível do sentimento, porque Pascal nunca teria admitido que a religião fosse «simplesmente sentido e gosto do infinito», menos ainda «uma música interior que acompanha o homem em todas as manifestações da sua vida...» Assim concebida, a religião não podia, evidentemente, identificar-se com um sistema, com uma estrita profissão de fé: tinha de seguir as próprias vicissitudes da vida, evoluir com ela, mudar e progredir perpetuamente, e era essa experiência incessantemente retomada que lhe dava o seu verdadeiro sentido.

Nessas perspectivas, qual o lugar da Revelação cristã? Não existe outra revelação senão a da nossa consciência. Mas, quando consideramos Jesus Cristo, quando nos esforçamos por imitá-lo, não é verdade que experimentamos um sentido de plenitude espiritual? Não é verdade que nos elevamos até o divino? Aqui estava a verdadeira prova de que Jesus era divino; as demonstrações históricas eram inúteis. Simplesmente, podia-se notar que, sendo Cristo o mais perfeito dos mestres religiosos, o cristianismo — mais uma religião no meio de outras — era a melhor. Mas os seus dogmas não tinham nenhum valor absoluto. Mudavam, porque correspondiam às aspirações da consciência num tempo dado, às exigências da vida da Igreja num dado momento. Não será necessário observar que, do antigo protestantismo — fundado exclusivamente no texto bíblico, grande pelo trágico face-a-face que impunha entre o homem pecador e o Deus todo-poderoso, nobre no seu rigor dogmático e moral —, só restavam nesse sistema uma teologia «vaporosa», em que tudo se dissolvia.

Os sucessores de Schleiermacher foram numerosos, mas nem todos chegaram tão longe como ele na «vaporização» dos dogmas e da revolução bíblica. *Neander* (1789-1850), o antigo judeu convertido, nobre figura que faz pensar em Vinet, insistia na grande ideia pascaliana de que procurar a Deus é já encontrá-lo, e edificou sobre sólidas bases a história do cristianismo primitivo. Nitzsch tentou harmonizar as teses liberais com a fidelidade à Sagrada Escritura, naquilo a que chamou uma «teologia prática». Ullman opunha-se aos excessos da crítica e foi um dos primeiros a insistir fortemente no estudo do homem-Jesus, da sua psicologia, da sua santidade. Outros, partindo do subjetivismo de Schleiermacher, das suas teses acerca do verdadeiro sentido da Revelação, escolheram a via da crítica das Escrituras, cujo edifício pareceu desabar sob os golpes que lhe desferiram: eram eles

David Strauss, Christian Baur e Adolph Harnack, de cuja ação falaremos daqui a pouco.

Nos anos 1870, *Albert Ritschl* (1822-89), autor de uma vasta obra sobre *A doutrina cristã da justificação e da Redenção*, deu um novo impulso à corrente liberal alemã. O célebre professor da Universidade de Bonn apercebeu-se do perigo de um pensamento exposto ao arbítrio de um subjetivismo sem freio, e insistiu em que o conhecimento real de Deus deve apoiar-se numa religião positiva. Insistiu, muito mais que o seu predecessor, no estudo da Sagrada Escritura, que pretendeu libertar de todos os contributos exteriores, eliminando o que lhe parecia ser inútil ou desmentido pelos fatos, nomeadamente os aspectos «maravilhosos» da vida de Jesus, e centrando tudo na pessoa de Cristo, «revelação de Deus por todo o seu ser». Chegava assim a uma «teologia de Cristo», a única explicação de tudo, o único modelo, «o único fundamento da fé». A Revelação era a resposta sobrenatural às necessidades profundas do homem, às suas aspirações íntimas, uma resposta dada por um Ser tão excepcional que só o epíteto de «divino» lhe era adequado. Em suma, a religião era um instrumento de valorização e de reforço da consciência do Eu.

A corrente liberal alemã teve uma homóloga na França, talvez ainda mais viva e ruidosa. Já no primeiro terço do século XIX, aderiram a essas teses personalidades marcantes do «despertar», como o pastor *Samuel Vincent* (1787-1837), de Nîmes, cuja nobre sentença sobre a atitude que os cristãos devem ter em relação ao mundo moderno já conhecemos; certos dos seus desenvolvimentos sobre o homem como coroamento da Criação, sobre o mundo em marcha para o reino «do Deus santo sobre a terra», fazem lembrar o padre Teilhard de Chardin. Por volta de 1850, o radical Scherer, no seu livro sobre *A autoridade em matéria de fé*, fazia uma espécie de condensação das teses liberais, da qual resultou um verdadeiro partido, sob a égide de pastores de vanguarda — os mesmos que vimos lutar contra as Igrejas estabelecidas —, os Coquerel, Roberty, Astié, Raoul Allier. Em 1892, o pastor Léopard Monod, retomando *O problema da autoridade*, desenvolvia teorias bastante análogas às de Ritschl. Cada vez mais se via no cristianismo um mero princípio de vida prática. Albert Réville apoiava essa ideia numa crítica incisiva dos dogmas e da Escritura, e Cougnard num racionalismo moral.

O grande homem do protestantismo liberal na França, seu verdadeiro chefe, foi *Auguste Sabatier* (1839-1901), cujo *Esquisse d'une philosophie de la religion* (1897) foi saudado pelo pastor Ménegoz como «o maior livro dogmático da teologia protestante desde a *Instituição Cristã* de Calvino»! Na realidade, porém, Sabatier surge mais como vulgarizador das teorias alemãs do que como inovador, e a sua versão, moderando embora os excessos do subjetivismo, conservou o essencial de Schleiermacher e de Ritschl. Opondo a «religião do Espírito» às «religiões da autoridade», encontrava na «confiança do coração que precedeu e produziu todos os dogmas cristãos»[36] um fundamento imune aos ataques da ciência incrédula. Qualquer autoridade externa é ilegítima. A própria Bíblia não é indiscutível, porque, à semelhança de qualquer livro profano, é possível estabelecer a sua gênese atormentada. As Igrejas também não têm uma autoridade infalível, pois a história prova que muitas vezes foram falíveis. Desse modo, a Teologia avizinhava-se da História: limitava-se à gênese e à evolução dos dogmas. Que ficava de seguro, de estável? A fé em Jesus Cristo, manifestação perfeita de Deus no homem, penhor da salvação para quem a possui, isto é, para quem se entrega a Deus, quaisquer que sejam as suas posições teológicas.

São todas estas correntes de pensamento que constituem o *protestantismo liberal*. Não se apresenta, pois, como um sistema lógico e completo, e menos ainda como uma dogmática. «Grave e sábia sinfonia — diz com justeza o pastor Chazel —, mais filosófica que religiosa, a não ser que se defina o protestantismo como espírito de procura, liberdade no fervor». O que aí ocupa o primeiro lugar é sempre a experiência interior de cada homem, na qual se sente «a vibração prolongada da Palavra», na qual se transmite a imagem viva de Cristo. Essa experiência religiosa não deve desaguar em fórmulas inaceitáveis para a inteligência.

O protestantismo liberal estende a mão ao mundo moderno, sem no entanto abandonar as plagas do Evangelho. O seu objetivo — pode-se falar perfeitamente de um racionalismo religioso — consiste em exprimir a mensagem cristã em categorias inteligíveis para o século da ciência e da técnica. A pessoa histórica de Cristo é discutida ou até negada. Aliás — asseguram os mais radicais —, como a fé e a razão não pertencem à mesma ordem, a existência de Jesus não tem importância decisiva para a fé. Admite-se ainda a sua «divindade», ou antes a sua «divinização»; não, porém, a sua «deidade». O Evangelho é reduzido a um corpo de doutrina inteiramente humano: o que ele anuncia não é já a Graça, a manifestação do Onipotente na humanidade pela Encarnação, a remissão adquirida pelo Sangue, mas sim a obrigação moral, a necessidade da ação social, a perfectibilidade da Natureza. Entre Jesus e um simples profeta, qual a diferença?

Está-se evidentemente a grande distância de Lutero e de Calvino, e é bem escorregadia a encosta que desliza para o moralismo e o pragmatismo mais chão, para a crença no mito do progresso, para um humanismo bem próximo do humanismo ateu. Tudo isso fica, vemo-lo bem, bastante perto daquilo que, na Igreja Católica, se chamou o *Modernismo*[37]. Mas tratou-se aqui de um modernismo que, não encontrando pela frente o obstáculo de nenhuma autoridade infalível, pôde desenvolver-se enormemente e chegar a posições de uma audácia extrema.

Se é certo que o protestantismo liberal arrastou o pensamento protestante para caminhos bem perigosos, também é certo que continha alguns elementos positivos, que seria injusto não lhe creditar. Desempenhou um papel incontestável na apologética, ao permitir que espíritos formados nas disciplinas científicas não cortassem as pontes para a religião. Separando radicalmente o domínio da fé e o da razão, ofereceu argumentos a essa espécie de dicotomia espiritual de que dão exemplo outras formações cristãs, sem o quererem admitir. Mais positivamente, contribuiu muito para chamar a atenção para a Bíblia. O estudo crítico que fez da Escritura pareceu um bom ponto de encontro entre a fé e a ciência, um modo de situar cientificamente a Revelação. Veremos que esse trabalho não estava isento de perigo e que, na proliferação de obras sobre as Escrituras, nem tudo foi muito favorável à fé; mas pelo menos deu a esse gênero de estudos uma seriedade e um vigor que iriam suscitar uma renovação impressionante.

Entre os objetos de estudo em que o protestantismo liberal concentrou a atenção, um dos mais constantes foi a pessoa de Cristo. Precisamente porque se interessou mais pelo Homem-Jesus do que pelo Deus encarnado, consagrou à análise do seu perfil humano, da sua psicologia, das suas virtudes, um cuidado e um zelo que os próprios críticos católicos louvaram[38]; aquela espécie de ternura que Renan manifesta por Jesus procede do protestantismo liberal. Finalmente, ao insistir no caráter social das aspirações profundas do homem, ao mostrar o valor atual e prático do cristianismo, a ponto de em alguns casos reduzir o ensinamento evangélico a uma mensagem de valor social, situou-se na fonte — numa das fontes — do movimento que levou todas as Igrejas saídas da Reforma a criar obras filantrópicas; e também esteve na fonte do cristianismo social.

Esses incontestáveis resultados positivos não são bastantes para fazer esquecer que, a despeito da sua intenção de salvaguardar o cristianismo, defendendo-o das forças hostis do mundo moderno, o protestantismo liberal foi, na verdade, por vezes pai e muitas vezes aliado e cúmplice de homens que contribuíram claramente para o êxito da irreligião. Nada mais desedificante, nesta perspectiva, do que a história das biografias de Jesus, gênero que o protestantismo liberal fez prosperar. Um grande número de pensadores, filósofos, teólogos e historiadores que estão na origem da corrente liberal consagraram a Cristo pelo menos uma obra. Ao lado do interesse pela verdade histórica, exprimiam nessa literatura os pressupostos das suas concepções filosóficas[39].

Schleiermacher, fiel à sua teologia do coração, concebeu um Cristo mítico, expressão ou mesmo criação da consciência humana, manifestação sublime das mais nobres aspirações. *David Strauss* (1808-1874) opôs-lhe o «Jesus da História» — a célebre expressão é dele. Aplicando as teses de Hegel segundo as quais «religião e filosofia têm o mesmo conteúdo, uma sob a forma de imagens, a outra sob a forma de ideias», Strauss pretendeu «explicar» a vida de Jesus, os seus milagres, como projeções míticas de anseios fervorosos formulados pelos seus discípulos. Mais rigoroso, *Christian Baur* (1792-1860), mestre eminente da «Escola de Tubinga», cujos trabalhos exegéticos iriam alimentar por muito tempo a crítica universitária, dedicou-se aos textos, propôs-se mostrar que os Evangelhos datam apenas do século II e talvez mesmo do século III, e que o cristianismo nasceu da síntese entre a tese judaica proposta por Jesus e a antítese universalista afirmada por São Paulo. Por sua vez, Ritschl só reteve do Evangelho o que tinha utilidade permanente, transformando Cristo em apóstolo social. *Adolf von Harnack* (1851-1930), depois de ter minado o Novo Testamento como testemunho de uma revelação divina, acabou por não ver em Cristo senão um homem incomparável pelo seu gênio, força de alma e grandeza moral, o que era em substância acolher a heresia de Ário, para quem o homem-Jesus não era Deus. Que confusão! Que baralhada!

Na esteira de Harnack, surgiu uma vasta escola que ensinava as teses da «crítica livre»: Bernard Weiss, Beyschlag, Wellhausen. Na França, é seu aliado Renan, que reduz Cristo às dimensões do «doce profeta galileu». É certo que ainda se há de ir bem mais longe, fora do protestantismo liberal, com um P.L. Couchoud, para quem a própria existência de Cristo deve ser relegada para o campo dos mitos. Mas a ideia típica do movimento, de um Cristo modelo humano, menos Deus encarnado que personagem sublime e «divina», iria durar até a nossa época. Para um Albert Schweitzer, *A procura do Jesus da História* não conduz senão a perder-se em hipóteses. *Cristo, «homem genial»* — dirá Middleton Murray...

Já em 1895, a *Gazeta da Cruz* de Friburgo de Brisgau interrogava-se com inquietação: «Haverá então duas verdades na Igreja evangélica? Aquela que os pastores ensinam e aquela, precisamente inversa, que ensinam os professores?» O que não era verdade apenas quanto ao estudo da vida e da mensagem de Cristo. No fim da caminhada que o protestantismo liberal empreendera, situavam-se perigos ainda mais graves. O próprio Schleiermacher, espírito sinceramente piedoso, escrevera esta frase espantosa: «Uma religião sem Deus pode ser melhor que uma religião com Deus»[40]. Estava aberto o caminho para um cristianismo sem Cristo, uma redenção sem Redentor, em última instância uma religião sem fé.

Racionalismo religioso, o protestantismo liberal viu-se logicamente levado a ser cada vez mais racional, cada vez menos religioso. Na medida em que tendia a tornar-se uma escola de moral, perdia toda a seiva espiritual. E chegaria um momento em que se proclamaria que a verdadeira razão que pode haver para acreditar no cristianismo está em que ele é praticamente muito útil[41]. Deixou de haver verdade cristã intrínseca. Aliás, o estudo comparado das religiões, de que foram ardentes protagonistas os pastores e professores alemães Wilhelm Bousset, Ernest Troeltsch e principalmente o radicalíssimo Hermann Gunkel, não tinha já demonstrado que todas as religiões têm a mesma origem e apelam para os mesmos dados psicológicos?...

É toda a corrente racionalista que impregna esse pensamento protestante abastardado; é o humanismo ateu que triunfa no próprio terreno de uma grande religião. E, afinal, não será significativo que muitos dos seus chefes-de-fila — de Henri Heine a Nietzsche — hajam nascido no protestantismo? À medida que os anos passam, as «duas verdades» com que se inquietava a *Gazeta da Cruz* aliam-se na descrença geral. É do alto dos púlpitos que se chega a ouvir ressoar afirmações ímpias. Compreende-se a tristeza de um protestante crente, Gabriel Monod, quando exclama: «O protestantismo não passa de uma coleção de formas religiosas do livre pensamento»[42].

Não quer isto dizer que não tenha havido resistências vigorosas contra essa corrente. As teses mais ou menos aberrantes sobre a pessoa de Cristo suscitaram — e isso honra o pensamento reformado — reações de esplêndido vigor. Por exemplo, na Alemanha, a de Adolf Schlatter, especialista da crítica neotestamentária; na França, a de Émile de Pressensé, no seu livro *Jésus-Christ, son temps, sa vie, son oeuvre* (Paris, 1866), ou a de Guizot, o célebre homem de Estado, nas suas *Méditations sur l'essence de la religion chrétienne*

(Paris, 1864). Pode-se até observar que, no seio do que consideramos hoje como o protestantismo liberal, houve mais do que matizes. Assim, Ritsch apresentou-se como adversário de Baur, enquanto ele próprio era desmentido pelos seus antigos alunos Karl Keim e Wilhelm Hermann. Este último, que será mestre de Karl Barth, embora, tal como Ritschl, rejeitasse todos os aspectos miraculosos da vida de Jesus, afirmava, contra Ritschl, que o conhecimento histórico e psicológico não é suficiente, que a Revelação tem necessidade da fé.

Os que se opunham ao liberalismo constituíram um verdadeiro partido, mais solidamente estruturado que o dos seus adversários. Esse «partido» utilizou, por vezes, designadamente na França, métodos de ação secreta bastante próximos daqueles que, no catolicismo, viriam a ser censurados nos «integristas». Na Europa, eram eles designados, em geral, por «ortodoxos». Houve-os em todos os países. Na Alemanha, onde a sua ação era não menos política que religiosa, iam de Hengstenben, esse Veuillot luterano, até ao doutrinador Klaus Harms, que proclamava: «Nós consideramos santas até as palavras da nossa religião revelada. Não as consideramos como um vestido que pode ser tirado à religião, mas como seu corpo». Na França, onde a Faculdade de Montauban foi o seu bastião, a ortodoxia teve também vigorosos combatentes: Frédéric Jalaquier, Frédéric Monod, Agénor de Gasparin, Émile Doumergue, Henri Bois, mais tarde Henri Monnier, cuja obra *La Mission historique de Jésus* (1906) fez uma crítica certeira aos excessos da crítica livre. Foi a mesma corrente, embora talvez mais tingida de pietismo, que deu origem ao que nos Estados Unidos se chamou o «fundamentalismo», cujas afirmações ribombantes iriam, até hoje, deixar espantada a opinião pública[43].

A luta entre os dois clãs foi vivíssima, tanto mais que faltava qualquer autoridade que pudesse servir de árbitro.

Na França, onde os conflitos de ideias se tornam facilmente violentos, essa luta sacudiu duramente todo o protestantismo, desde cerca de 1860 até à Primeira Guerra Mundial; pôde-se dizer que a «Igreja se tornou um campo de batalha». Ouviram-se homens como o pastor Ménégoz anunciar com alegria «a agonia da ortodoxia». Houve episódios patéticos que apaixonaram a opinião pública, como o da expulsão do pastor Coquerel Jr., ou o da «traição» de Édouard Scherer, defensor da ortodoxia que se passou para o campo liberal. O conflito não foi menos grave em qualquer dos países protestantes, incluindo a Alemanha e a Holanda. No anglicanismo, levou à fundação da *Broad Church*[44], atacada simultaneamente pelos calvinizantes da Low Church e pelos anglicanos ortodoxos da High Church. História triste, de que nenhum cristão pode rir!

E passamos por alto os inúmeros incidentes que se deram na maior parte das Igrejas protestantes: pastores que tomavam no púlpito posições tão audaciosas que provocavam reclamações dos seus ouvintes; ou chefes de paróquias destituídos pelos sínodos ou consistórios. Alguns episódios chegaram a ter repercussão quase mundial: foi o caso do pastor Charles Byse, que provocou um verdadeiro escândalo na Bélgica; ou o de *J.W. Colenso*, primeiro bispo de Natal, na África do Sul, que, condenado como herege pela maioria dos seus colegas (1863) e privado por eles da sede episcopal, e até interditado em toda a província do Cabo, apelou para o Conselho Privado do Rei, obteve ganho de causa nesse tribunal laico e acabou por criar uma pequena Igreja independente. Incidentes desse gênero — que continuam a produzir-se nos nossos dias — são dolorosos[45].

Compreende-se que espíritos equilibrados tivessem procurado traçar uma *via media* entre as audácias do liberalismo e a rigidez abrupta da ortodoxia. Assim nasceu o *Partido da Conciliação*, em que entraram os alemães

Friedrich Tholuck, «pai do pietismo moderno», e Richard Roth, o suíço Alexander Schweitzer, os alsacianos Édouard Reuss e Colami. Para o fim da vida, Auguste Sabatier, depois de ter atenuado bastante a ousadia das suas teses, aproximou-se desse partido. Mas a influência desta terceira força foi mínima.

Em que medida se poderá dizer que o protestantismo liberal penetrou no conjunto de todos os protestantismos? É difícil responder, visto que as influências se exerceram de maneira discreta e insidiosa. «É como um sopro geral, um contágio funesto», dizia já em 1871 o pastor Maurice Vernes. Oficialmente, as formações protestantes estabelecidas — as Igrejas — não abandonaram os dogmas da Reforma, com exceção de pequenos grupos que se ligavam ao unitarismo. Mas muitos desses dogmas foram simplesmente esquecidos. O conjunto do protestantismo tornou-se um corpo misto em que as crenças tradicionais e as teses liberais coexistiam sem que se tentasse realmente harmonizá-las. Não houve apostasia; houve um compromisso da fé com o pragmatismo, o ativismo, o racionalismo. Foi o espetáculo que vimos ser dado com muita evidência por grande parte do protestantismo norte-americano. Essa confusão durou até o advento da reação teológica de que Karl Barth foi o principal mestre, a seguir à Primeira Guerra Mundial. Compreendeu-se então que a verdadeira via estava para lá da ortodoxia rígida e para lá do liberalismo aventureiro.

Nem por isso o protestantismo liberal desapareceu, embora se tenha tornado habitual dá-lo por morto. Existe mesmo oficialmente, sob a forma de uma *Associação liberal, que tem como presidente o Dr. Albert Schweitzer*[46], a quem André Siegfried aderiu na França, e que teve por animador o pastor Georges Marchal. Dela dependem as Conferências do Oratório e o movimento dos «Lares da alma». Um dos mais completos manifestos da Escola liberal foi escrito em 1945 por Maurice Goguel, conhecido historiador, para o caderno de «Présences», com o título de *Protestantisme français*. E há mais provas da sobrevivência da corrente liberal.

Um dos mais célebres teólogos protestantes, *Rudolf Bultmann*, nascido em 1884[47], ressuscitou o velho sonho dos protestantes liberais de depurar o essencial da fé dos mitos e imagens inúteis. Na América, a teologia social dos Niebuhz e a «teologia da cultura» de Tillich não andam longe disso. E é curioso ouvir retomar, nas declarações «ecumênicas» dos que tentam unir as Igrejas protestantes, tons que parecem pertencer a Ritschl ou a Sabatier[48]. O protestantismo liberal durará enquanto durar a faculdade, tão evidente no pensamento reformado, de acolher contradições no seu seio. Basta comparar Descartes, Pascal, Malebranche, pensadores católicos, com Leibniz, Kant, Hegel, pensadores protestantes... Durará enquanto um cristão protestante puder declarar que crê na Ressurreição de Cristo ao mesmo tempo que nega a historicidade do próprio fato da Ressurreição, como é o caso, por exemplo, de Maurice Goguel e de Bultmann; ou seja, enquanto houver um protestantismo. Nos nossos dias, o protestantismo liberal já não irriga o pensamento e a espiritualidade provenientes da Reforma, mas há de continuar ainda por muito tempo a desempenhar nesses planos um papel importante[49].

Os protestantes e as obras de beneficência

O traço mais visível do protestantismo liberal é a sua obra social. A bem dizer, não foi ele a única fonte da grande corrente que, ao longo do século XIX, impeliu tão vigorosamente o mundo nascido da Reforma para as obras de caridade. O «despertar», que reavivou a seiva espiritual nas

Igrejas, reanimou simultaneamente o sentido da fraternidade; se é certo que os seus protagonistas tinham em vista sobretudo a salvação das almas, a verdade é que não se desinteressaram da miséria do corpo. Mas foi principalmente por ter deslizado para uma religião moral que o protestantismo se tornou religião social. Nas vésperas da Revolução, já numerosos pastores pareciam preocupar-se mais de melhorar as condições de vida material dos seus paroquianos do que de elevá-los ao sobrenatural: está nesse caso, por exemplo, o bom pastor do Languedoc Simon Lombard, que, no seu livro *Le bon ménage*, dava tão judiciosos conselhos sobre a receita do café à turca e sobre a maneira de distinguir um pombo de uma pomba. O desenvolvimento do protestantismo liberal foi acrescentando de ano para ano o interesse pelas questões sociais. Era esse, segundo ele, um dos modos de conseguir a justificação: fazer reinar a justiça social era tornar Deus imanente ao mundo, era manifestar de maneira tangível as mais nobres aspirações da consciência, e era também aplicar integralmente à sociedade os princípios do Evangelho. Um dos sonhos de Ritschl era que o Reino de Deus fosse visível nas relações sociais.

Não seria isso uma novidade no seio do protestantismo, ou melhor, uma mudança? Em 1896, escrevia Hans Gallwitz: «Até esta época, não era possível organizar no âmbito da Igreja as diversas expressões da caridade cristã, porque não se podia estabelecer nenhuma relação de causa para efeito entre a observância da moral cristã e a salvação suprema do cristão»[50]. A situação era totalmente diversa da dos católicos. Para estes, o primado da caridade é uma verdade que *deve* reger a vida; pode-se esquecê-lo, traí-lo, mas continua a ser assim. E as obras que esse primado impõem participam da economia da salvação. Entre os protestantes, a rejeição luterana das obras e a predestinação calvinista iam em sentido contrário. Levar o cristianismo a fazer reinar a justiça sobre a terra não era desnaturar a noção bíblica do Reino, despojá-lo do seu caráter sobrenatural, ou mesmo escatológico, substituir por meios humanos a obra de Deus? Não era, por outro lado, voltar a criar entre os fiéis o sentimento do orgulho pelos méritos? Foi por isso que a corrente liberal encontrou resistências. Antes de mais, das próprias Igrejas, em especial das luteranas, para as quais o pastor devia ater-se a esta única norma: «ensino da Palavra; administração dos sacramentos». A sexta conferência geral luterana, reunida em Hanover (1890), assim o recordou expressamente. Mesmo alguns liberais mostraram reservas, como Adolphe Monod, que, apesar de tão generoso, dizia de Oberlin, figura proeminente do protestantismo social: «É um pastor muito respeitável, mas há que saber se o seu cuidado pelos interesses temporais não terá prejudicado sob certos aspectos o desenvolvimento dos interesses espirituais».

Apesar dessas oposições mais ou menos declaradas, o protestantismo teve um movimento social perfeitamente análogo e paralelo àquele que marcou o catolicismo[51]. Exatamente como entre os católicos, esse movimento começou por ser caritativo, filantrópico, e por mal distinguir a justiça social da beneficência. Depois, enfrentou críticas contra as suas obras, o seu paternalismo, contra o espírito burguês que as animava e a tranquilidade de consciência que davam aos seus animadores. Paralelamente ao «catolicismo social» — e, não o esqueçamos, ao marxismo —, elaborou-se um «cristianismo social» que tinha em vista uma reorganização da sociedade sobre fundamentos cristãos. As duas correntes, misturando, aliás, muitas vezes as suas águas, iriam prosseguir até os nossos dias.

Antes mesmo do sopro do «despertar», o protestantismo social teve um precursor: *Jean-Frédéric Oberlin* (1740-1826), uma das mais belas figuras cristãs do século, um santo do mundo da Reforma. É preciso ler *O médico de aldeia* e o *Pároco de aldeia* de Balzac — que se inspirou nele — para captar alguma coisa da grandeza desse destino e do sabor evangélico da sua obra. Plenamente entregue a Deus aos vinte anos — conservou-se o texto da sua consagração, que é admirável —, Oberlin descobriu a sua vocação apostólica e social quando lhe foi confiada a paróquia do «Steinthal», Le Ban de La Roche (Vosgues), pequeno vale selvagem no sopé do Champ du Feu, terra ingrata, frequentemente batida pelos ásperos ventos do Norte que os camponeses chamavam «o carrasco dos cavalos», e onde era grande a miséria física e moral. Mal se instalou, o pastor Oberlin sentiu-se no dever de dar ao seu pequeno rebanho a felicidade e a vida da alma. Ia ficar ali cinquenta anos, enfrentando o desafio apostólico e o desafio social, que não separava. Reorganizou-se a agricultura; criou-se um artesanato para utilizar em trabalhos de tear os tempos mortos no inverno; abriram-se escolas, asilos, hospícios. A casa paroquial de Wladerbach não tardou a tornar-se célebre, não só na Alsácia, mas muito além. Inúmeros visitantes vieram «*oberliner*» como dizia a duquesa de Orléans. O próprio czar Alexandre falou em ir a Le Ban de La Roche. Houve famílias que mandaram as filhas instruir-se nos «*poêles à tricoter*», oficinas de aprendizagem abertas pelo bom pastor. Pelos seus filhos e filhas — todos pastores ou mulheres de pastores —, Oberlin aumentou ainda mais a sua irradiação. A sua influência haveria de fazer-se sentir profundamente ao longo de todo o século. Veio a suceder-lhe Tommy Fallot, o fundador do cristianismo social.

A grande lição de Oberlin foi retomada, no primeiro quartel do século, por vários outros pastores e evangelistas que participaram do «despertar». O mais marcante foi aquele *Félix Neff* que já vimos, como jovem militar, «converter-se» às novas ideias quando estava ao serviço da

Igreja genebrina oficial. Chamado a Grenoble pelo pastor da cidade, cedo foi enviado para mais longe, para as montanhas, primeiro em Mens (Trièves), onde os seus dotes de propagandista causaram assombro, mais tarde para os Altos Alpes, num vale — o Queyras — tristemente célebre pela perseguição contra os valdenses. Essa região ingrata foi para ele um incomparável campo de ação. Atravessando sem cessar montes e vales para visitar as suas paróquias disseminadas por dez aldeias, subindo em pleno inverno até Saint-Véran, o povoado mais alto da França, trabalhou pela melhoria da vida material das suas ovelhas tanto como das suas almas. A civilização moderna estava bem longe de ter chegado a esses lugares em que as casas não tinham chaminés, onde se cozia o pão duas vezes por ano e os medicamentos eram desconhecidos. Fazendo-se ora arquiteto, ora jardineiro, engenheiro, médico, mestre-escola, o pastor Neff impôs a si próprio a tarefa de civilizar aqueles montanheses. Foi vencido pela tuberculose. Morreu em 1829, com pouco mais de trinta anos. Sabendo que estava muito mal, vários padres católicos de Queyras foram dar-lhe o último adeus.

Oberlin, Félix Neff e alguns outros eram casos isolados. A profunda indiferença pelas exigências da justiça social, que se notava entre a imensa maioria dos católicos[52], não era menor entre os protestantes. Bem poucos imaginavam que pudesse haver algum nexo entre os preceitos da moral cristã e a organização social. Só muito lentamente é que se ganhou consciência de que existia um doloroso estado de coisas e de que era um dever dar-lhe remédio. Pode-se dizer que, até 1848, essa consciência se fez presente apenas em personalidades isoladas, intelectuais, homens de letras, homens de Igreja, que durante muito tempo falaram no deserto. Na Inglaterra, onde era grande a miséria provocada pela revolução industrial, sabe-se como ecoou o grito angustiado de Charles Dickens e a influência que tiveram os seus romances sociais, ao lado da *Canção da Camisa*, de Thomas Hood, e do comovedor poema de Elisabeth Barrett-Browning, *O grito das crianças*. Nos Países Escandinavos, uma voz como a de Andersen contribuiu para inquietar a consciência pacata dos burgueses. Na Alemanha, os primeiros a sentir a necessidade de agir foram os pietistas, especialmente os Irmãos Morávios, que vieram a encontrar-se, nesse terreno da caridade necessária, com os quakers, os metodistas e, em geral, cristãos que não pertenciam às Igrejas estabelecidas. Na França, foram também os meios protestantes burgueses, que já vimos tocados pelo «despertar» e por influências metodistas, os que despertaram para a consciência social: surgiram ali verdadeiras almas de apóstolo, a mais comovente das quais foi Catherine Cuvier, filha do grande sábio, a qual morreu aos vinte e dois anos depois de fundar a *Associação Protestante de Beneficência*.

Esse despertar da sociedade protestante para o dever social traduziu-se imediatamente em obras. As primeiras foram promovidas por alguns industriais, sobretudo no Sul e na Alsácia, que descobriram o que se viria a chamar «paternalismo». O pioneiro nesse campo foi *Daniel Legrand*, proprietário de uma grande indústria têxtil, que, em Rothaue em Saint-Morand, conseguiu fazer da sua empresa como que uma grande família, em que o patrão almoçava com os operários e os filhos do patrão se encarregavam de ensinar os aprendizes infantis — uma espécie de Léon Harmel[53], tão generoso como o apóstolo do Val-des-Bois, mas menos preocupado do que ele em respeitar a liberdade do operário e deixá-lo decidir por si. A sua ação foi imitada, dentro do mesmo espírito, por outros grandes donos de empresa, os Haerrer, os Monnier, os Dieterlen, os Dolfüss, os Steinheil. Ainda se estava longe da ideia de uma justiça social que confere ao operário direitos que a caridade do patrão lhe concede por benevolência. Mas esse paternalismo teve resultados não negligenciáveis quanto à melhoria das condições de vida operária; pelo menos valia mais que a gélida indiferença do liberalismo econômico perante as realidades humanas.

Mas a reação mais impressionante à primeira tomada de consciência da injustiça social deve ser procurada na criação de formações e obras destinadas a terminar com ela. Já no segundo quartel do século XIX, iniciou-se no protestantismo de quase todos os países um movimento que tinha por objetivo fazer nascer empreendimentos caritativos. A história é paralela à do catolicismo social e, por vezes, até estranhamente idêntica; assim, no mesmo ano em que Ozanam fundou as Conferências de São Vicente de Paulo[54], o pastor luterano Louis Meyer, visando os mesmos fins, criava *Os amigos dos pobres*. Mas há que reconhecer que, não podendo contar, como os católicos, com o devotamento e a caridade das Ordens religiosas femininas, os protestantes foram levados a fundar muito mais obras. Em vinte e cinco anos (de 1823 a 48), só o protestantismo francês — cuja fraca relevância numérica não é preciso recordar — fundou não menos de trinta e duas sociedades, comissões, obras de beneficência, que iam do socorro às crianças abandonadas até a readaptação das mulheres saídas das prisões, ou da organização de socorros mútuos até a criação de centros de aprendizagem.

O movimento foi igualmente forte em outros países, nomeadamente na Inglaterra, país tradicionalmente dado a obras de beneficência; um pouco menos na Alemanha, onde a Igreja luterana manteve por muito tempo uma atitude de desconfiança, mas onde, apesar de tudo, já em 1840, nasceu a *Associação Geral de Beneficência*, que viria a ter um grande desenvolvimento. E esse movimento continuou depois com um vigor que não esmoreceu praticamente até à Primeira Guerra Mundial. Pelos finais do século XIX, alcançou os Estados Unidos, onde se deu uma extraordinária floração de obras generosas, bem conhecidas, e que o Estado apoiou indiretamente por um jogo hábil de isenções fiscais. E só depois de 1918 é que a evolução geral dos costumes, os progressos das leis sociais, a criação, em muitos países, da Previdência social, levariam, em todo o protestantismo, ao reagrupamento das grandes obras protestantes e mesmo à supressão de algumas delas.

Não se trata de traçar aqui uma lista, ainda que sumária, das sociedades e das obras que, há cento e cinquenta anos, dão testemunho da caridade protestante, nem uma outra lista das figuras, diversamente exemplares, que as fundaram e fizeram viver. São em extremo variadas e o seu campo de ação cobre toda a extensão da miséria humana. Algumas são até de caráter invulgar ou mesmo insólito, como também certos métodos, conforme veremos ao falar do Exército da Salvação. Figuras fora de série como Mme. Armengaud-Hinsch, fundadora da pequena seita calvinista das «hinschistas»[55], que dedicou grandes esforços a criar uma obra destinada a permitir aos pobres ir tomar banho de mar. Ou como o bom tabelião Gottlieb Hoffmann, pietista alemão convicto, que, vendo muitos dos seus correligionários serem afastados da sua terra pela miséria, se arruinou para dar vida a uma colônia agrícola onde os recolhia. Ou como o barão von Kottwitz, que também gastou toda a sua fortuna com oficinas sociais. Ou ainda como essa grande-burguesa parisiense, Mme. André Walther, que transformou a sua rica propriedade em Versalhes em «Pórtico de Bethesda», onde recebia todos os rapazinhos órfãos ou abandonados e os fazia aprender o ofício de tipógrafo.

Se quiséssemos reter uma só dentre tantas nobres figuras, a escolha recairia certamente em *Johann Wichern* (1808-81). Cristão de escol, de ilimitada bondade, espírito lúcido e por acréscimo organizador, foi levado à descoberta do problema social pelo espetáculo da juventude abandonada e delinquente. Aos vinte e quatro anos, lançou-se à aventura, abrindo *Das Rauhe Haus*, a «Casa Selvagem», nome plenamente justificado porque os quinze malandrinhos que se tornaram seus hóspedes colecionavam um número considerável de condenações... O empreendimento triunfou, a Casa aumentou, foi reconhecida pelos poderes públicos, e, pouco a pouco, Wichern acabou por erguer um belo conjunto de obras, cerca de vinte, umas das quais visavam a proteção da juventude desvalida, outras sustentavam «albergues hospitalares», hospícios, orfanatos, creches, outras ainda lutavam contra a embriaguez e a prostituição ou ajudavam mulheres que saíam das cadeias. Pelo final da vida do fundador, as suas obras eram servidas por vários milhares de «irmãos» e de «diaconisas». O seu amigo, o professor V.M. Huber, expusera numa espécie de cartilha as suas ideias sociais, e o animador da *Rauhe Haus*, passando do plano da assistência para o do apostolado, e unindo-os entre si, era também o apóstolo da *missão interior*[56]. A Alemanha nunca mais esqueceu esse homem exemplar. Ao lado do grande bispo Von Ketteler[57], ele é um dos pioneiros que abriram, não apenas aos compatriotas, mas a todos os cristãos do Ocidente, o campo social.

Neste campo social, nenhum setor deixa de ter a presença sensível de alguma obra protestante, de alguma figura protestante digna de admiração. A infância desvalida, que despertou o zelo do bom Wichern, atraiu também a dedicação de muitos outros. Na França, multiplicaram-se os orfanatos e as casas de educação para crianças difíceis: a Casa da Caridade da Cruz de Ouro, em Montbéliard, fundada antes da Revolução, a Sociedade Lionesa dos Órfãos, a colônia penitenciária de Sainte-Foy foram algumas das obras mais notórias. Na Inglaterra, onde, a acreditarmos em Dickens, as crianças pobres eram especialmente infelizes, muitas almas generosas foram em socorro delas: Lord Shaftesbury (1801-85), «evangélico», que conseguiu do Parlamento a redução para dez horas da jornada de trabalho dos menores de idade, e fundou, homólogas da Rauhen Haus, as *Ragged Schools*, «escolas para os esfarrapados»; o pastor George Muller, alemão instalado em Teighmouth, que, recusando qualquer subsídio oficial, viveu ele próprio e fez viver uma casa de crianças unicamente com os donativos depositados pelos fiéis num tronco de árvore; o médico *Thomas John Barnardo* (1845-1905), fundador em Londres de um asilo para os jovens vagabundos do East End, onde recolheu mais de sessenta mil deles enquanto foi vivo; *Florence Nightingale* (1820-1910), que consagrou a sua considerável fortuna a mitigar todas as dores, preocupando-se tanto pelos órfãos como pelos jovens soldados, e organizando o que desde então se chamou as «nurses».

Os presos, cuja sorte era pouco invejável (estamos lembrados das tristemente célebres *Workhouses*), comoveram muitos corações. Vimos Wichern interessar-se por eles, e o mesmo fez Theodor Fliedner, que conhecemos a propósito das «diaconisas». Mas há neste campo um nome que se destaca por cima de todos os outros: o de *Elizabeth Fry* (1780-1845), um grande coração entre os quakers, que, ao entrar nas prisões como visitadora pela Sociedade dos Amigos, descobriu misérias sem nome. Consagrou-se então à reforma do regime penitenciário, com um zelo sem limites e um raro espírito de organização. A sua ação — reconhecida pelas autoridades britânicas, estendida a seis ou sete países, institucionalizada numa Sociedade para a Reforma das Prisões, que teria como um dos primeiros presidentes Samuel Hoare, avô do estadista — exerceu inegável influência num dos setores mais abandonados.

É óbvio que a obra hospitalar, que sempre constituiu um terreno de eleição da caridade cristã, não foi esquecida pela beneficência protestante. É impossível determinar o número daqueles e daquelas que se consagraram a esse trabalho. Não há nenhum tipo de instituição — hospícios, hospitais, asilos — onde não se encontrem grandes nomes protestantes.

Duas figuras emergem dessas nobres falanges, uma e outra admiráveis: *John Bost* (1790-1864), filho desse Ami que já conhecemos, que chegou à ação social acidentalmente, ao procurar arranjar um pouso para duas menininhas sem lar nem teto: instalado em La Force, perto de Bergerac, viu-se de ano para ano empurrado como que por fatalidade a acrescentar uma obra a outra, e acabou por erguer um conjunto gigantesco, bastante análogo à «cidade» de Cottolengo em Turim[58], onde, da infância abandonada até a velhice, passando pelos epilépticos, pelos dementes, pelos doentes incuráveis, todas as misérias humanas acharam abrigo. E *von Bodelsch Wing* (1831-1910), herdeiro espiritual de Wichern, que, depois de ter trabalhado como evangelista nos bairros pobres de Paris, e de ter sido pastor no Ruhr, se lançou à ação social na sequência do terrível sofrimento que lhe causou a morte dos quatro filhos: ao fim de vinte anos, também ele tinha erguido um conjunto de obras gigantescas, a *Bethelanstalt*, que abrangia até mesmo caixas de poupança e associações para a construção de casas, o que não o impediu de ser ainda um dos animadores de uma sociedade missionária de evangelização da África.

Importa sublinhar, como muito característico da beneficência protestante, de tendência moralizadora, que os dirigentes sociais do protestantismo se preocuparam de lutar contra as chagas sociais tanto quanto contra a miséria e o sofrimento. Nenhum setor do mundo da Reforma deixou de ter «sociedades de temperança», chamadas «da

Cruz Azul», para lutarem contra o alcoolismo. Também a prostituição foi rigorosamente combatida. *Josephine Butler* (1828-1906) celebrizou-se pela campanha que empreendeu contra esse flagelo: multiplicou discursos, artigos, petições; obteve o apoio de Victor Hugo, Garibaldi, Mazzini, e do americano Garrison; criou a Federação abolicionista Internacional. Numa palavra, desencadeou um movimento que, após a Primeira Guerra Mundial, a Sociedade das Nações viria a tomar a seu cargo, contra o «tráfico de brancas». Na França, o pastor Louis Comte foi seu êmulo e amigo[59].

Ao serviço de todas estas obras, e mais especialmente dos hospitais, asilos e orfanatos, o protestantismo criou uma instituição de tipo particular, que iria apoiar poderosamente o desenvolvimento da ação social: *as diaconisas*. Quem haja visitado a Alemanha conhece-as bem. Atualmente, são nesse país cerca de trinta mil. O seu vestuário lembra o das freiras católicas, embora o vestido seja menos comprido e a touca menor e mais simples. Mas não são religiosas. Não proferem votos e a todo o momento podem abandonar as suas funções para se casarem; enquanto as exercem, têm de permanecer solteiras. A ideia desta obra ocorreu ao pastor alemão *Theodor Fliedner* (1800-64), ao estudar as instituições da Igreja primitiva. Em 1836, transformou nesse sentido a pequena escola de professoras primárias que fundara no presbitério de Kaiserswerth, na Prússia renana; comprou uma casa mais ampla e começou a recrutar voluntárias para essa vocação tão nova.

Um dos dirigentes mais ativos do movimento «jovem luterano» de renovação litúrgica e sacramentária[60], *Johann Löhe*, fundou, por seu lado, e com intenções análogas às de Fliedner, uma «diaconia», ou seja, uma obra hospitalar e beneficente, que agrupava mulheres piedosas. Inicialmente, o seu empreendimento não se parecia com uma Ordem, pois as participantes não viviam em comunidade, mas a necessidade de impor uma disciplina e de manter a estabilidade depressa o levou à fórmula das «diaconisas», que teve bastante êxito. Em 1877, Löhe contava com 168 diaconisas e a sua obra tinha-se espalhado pelos Estados Unidos e pela Rússia, tendo sido depois desenvolvida, em 1894, por Karl Friedrich Zimmer, de Elberdelf. Um francês, *Antoine Vermeil*, natural de Nîmes e pastor da igreja francesa de Hamburgo, ouviu falar das ideias de Fliedner e trouxe-as para a França, para Bordeaux, depois para Paris, onde, ajudado por uma diretora de pensionato, Catherine Malvezin, conseguiu, em 1841, abrir o primeiro centro de diaconisas, com grande espanto ou mesmo escândalo de numerosos pastores, tanto liberais como ortodoxos. Em 1877, essas «Irmãs da Caridade protestantes» tinham trinta e duas casas na Alemanha e dezoito fora, das quais sete na França. Conservaram até os nossos dias uma grande importância, sobretudo nos países germânicos ou nórdicos: são sessenta mil e, na França, várias centenas.

Quanto à Inglaterra, onde nasceram modestamente já em 1860, começaram a interessar verdadeiramente a partir da convenção de Lambeth de 1920. Foi aí decidido que as diaconisas recebessem uma consagração. Pensou-se mesmo em conferir-lhes o diaconado canônico, tendo em vista transformá-las em mulheres-padres, ao que uma petição vigorosamente assinada por 55 mil mulheres se opôs... Nas vésperas da Segunda Guerra Mundial, eram cerca de mil, com uma casa de formação em Hindhead, e estavam espalhadas por todas as dioceses anglicanas.

Não se pode deixar de admirar todo este poderoso movimento de beneficência protestante. É evidente que se pode comparar ao que arrebatou o catolicismo na mesma época. Tem, no entanto, características um tanto particulares. Das suas origens, conservou alguns traços paternalistas, ainda bastante claros na beneficência norte-americana. Vimos já que é também de tendência moralizante. E, acima, de tudo, nota-se que tem finalidades apologéticas bem mais nítidas que entre os católicos. As figuras marcantes que vimos no campo social — de Oberlin e Félix Neff a Wichern ou John Bost — são figuras de evangelistas zelosos não menos que de apóstolos da caridade. Poderíamos citar muitas frases em que este ou aquele desses condutores sociais reconhece que o verdadeiro fim é converter as almas, muito mais do que tratar as chagas do corpo. Para Tommy Fallot, por exemplo, que iremos ver à frente do movimento que tentou alargar as bases da ação caritativa e de pensar em termos de justiça o que antes era visto sob o aspecto da caridade, «o cristianismo social é uma resposta de ordem espiritual e moral à inquietação universal». Aparece «como uma manifestação da Reforma». O apóstolo social e o pregador caminham juntos. «Refazer o mundo dos homens para refazê-lo cristão», tal é a fórmula. Nem São Vicente de Paulo nem Ozanam a teriam aprovado sem alguma reserva.

William Booth e o Exército da Salvação

Essa interpenetração do propósito apologético e da ação social em parte alguma é tão nítida como na instituição que, aos olhos do grande público, surge como a mais impressionante manifestação da ação social protestante: o *Exército da Salvação*.

Certa noite de inverno de 1888, um homem chegava a casa, em Londres. E notou, pelos bancos dos cais do Tâmisa, pelas pontes das estradas de ferro, vagabundos estendidos, que, mal ou bem envolvidos em andrajos, dormiam, sob o nevoeiro que subia do rio. Quando reentrou no aconchego do seu lar, não pôde conciliar o sono. Logo de manhã, chamou o filho Brandwell, seu íntimo colaborador no trabalho a que se dedicava havia anos: «— Brandwell — disse-lhe —, sabes que havia esta noite centenas de seres humanos que dormiam ao relento sobre a pedra gelada? — Claro que sei, respondeu o rapaz, mas que podemos nós fazer? — Que podemos fazer!? Queres tu dizer que eles são muitos, que nós não podemos encarregar-nos de todos os miseráveis das ruas? Mas olha que são homens, Brandwell! São irmãos nossos, e nós dormimos em leitos macios. Temos de fazer alguma coisa. — Com certeza, pai. Mas o quê? Os nossos meios não nos permitem... — Basta! Já ouvi mil vezes esse gênero de disparates. Arranjemos um abrigo para eles, um canto para dormirem, um armazém... O abrigo mais miserável será melhor do que nada, quando chove e sopra o vento. Tenta!» E foi dessa conversa que nasceram os célebres refúgios do Exército da Salvação.

O homem que tomava essa decisão chamava-se *William Booth* (1829-1912). De corpo esguio e anguloso, tinha ar pioneiro e de soldado. Em criança, tinha passado na sua Nottingham natal por momentos de uma escassez próxima da miséria, e nunca mais os esquecera. Perdera o pai bem cedo, e a mãe tivera de penar para criar os filhos. No bairro onde ela instalara uma pequena loja, o pequeno William tinha visto viver o subproletariado industrial, então bem desgraçado, e não tardara a interessar-se pelo movimento «cartista», antecessor do trabalhismo, que procurava reorganizar a ordem social. Aos vinte anos, fora sacudido por uma crise religiosa: a Igreja anglicana, que era a do seu batismo, parecera-lhe fria, sem substância espiritual e sem caridade. Tendo encontrado o metodismo, lançara-se a um trabalho de propaganda inspirado em Wesley, com um entusiasmo que os próprios metodistas tinham achado um pouco excessivo, o que o levara a aderir à vanguarda do movimento, os «metodistas reformados». Mas a sua reputação de orador sagrado já se difundira. Pusera-se a pregar, primeiro em Londres e em seguida nas províncias, e descobrira então outras misérias, outros sofrimentos, e em especial os da Inglaterra das minas de carvão, a que chamou «o matadouro da nossa civilização». Casado com alguém — Catarina — que partilhava das suas angústias e das suas esperanças, e que, por sua vez, sabia falar às multidões sobre Cristo e a sua mensagem de justiça social, William Booth era, em 1863, um desses profetas itinerantes que não faltaram ao protestantismo nos tempos do «despertar». Ao passar pelas cidades, atraía multidões. Em Cardiff, para conter os milhares de ouvintes ávidos, o casal Booth alugou um circo...

Bem sabemos como a época era aflitiva do ponto de vista social. Precisamente em 1860 tinha começado a crise econômica, a mesma que Karl Marx, então residente em Londres, estudou no *Capital.* A vocação de William e de Catarina Booth estava agora bem definida. Sem se referirem a nenhuma profissão de fé em particular, sem se dizerem de nenhuma Igreja, o que tinham a fazer era gritar a mensagem de amor humano e de justiça social do Evangelho. E então, pulando de *dancings* suspeitos para teatros duvidosos, de *slums* para botequins, de trailers de feira para bairros de favelados, semearam essa mensagem teimosamente, sem dar atenção aos avisos e censuras que a Igreja estabelecida lançava contra essas reuniões bizarras.

Ao mesmo tempo que falava, o casal Booth agia. E, ao seu apelo, começaram a nascer as obras: armazéns de víveres, sopas populares... Mas pôr em andamento obras de caridade sem ter dinheiro exige uma dedicação sobre-humana. O jovem pastor e a mulher compreenderam que só pessoas totalmente entregues a essa vocação poderiam levar a bom termo uma tal tarefa. Onde ir encontrá-los senão entre os desventurados, os decaídos, os que não tinham nem lar nem teto, mas a quem a palavra de Cristo houvesse tocado? No meio da sua própria decadência, esses chamados seriam apóstolos. Tal foi a ideia-mestra daquilo que, em 1865, depois de romper com a sua Igreja, William Booth designou por «Missão Cristã».

Não tardou, também, a aperceber-se de outra coisa: de que, para chegar a dar vida a esse empreendimento paradoxal, teria de montar um quadro rigoroso. Conhecia e admirava o exército inglês, célebre pela sua disciplina. Por que não transportar essa organização para o plano religioso? E foi assim que a Missão Cristã se tornou o «Exército Aleluia», e que, em 1877, tomou o nome que a tornaria célebre: *Exército da Salvação.*

Pronto. O movimento estava bem lançado. Acorriam homens e mulheres de todas as formações protestantes para pôr-se ao serviço do «general». O seu nome tornara-se famoso. Quando, em 1890, publicou o seu livro sobre a situação do proletariado e as reformas indispensáveis, *Nas trevas da Inglaterra*, venderam-se mais de duzentos mil exemplares em seis meses. Amigos ricos tinham aderido ao Exército, alguns deles deixando-lhe os bens, todos dando com generosidade. E das mãos infatigáveis de William Booth saíam as obras, e saíam, e continuavam a sair: postos de evangelização, hospícios, hospitais, asilos, refúgios, casas para a infância delinquente. O mundo inteiro reclamava a presença do profeta, que causava por toda a parte uma impressão profunda. Nem todos se alegraram com essa imensa ofensiva. Houve opositores que formaram «o Exército do Esqueleto», com o propósito expresso de sabotar as reuniões dos salvacionistas. Nos Estados Unidos, as primeiras mulheres salvacionistas foram açoitadas em praça pública como promotoras de desordens e heréticas, e uma delas, Phoebe Strong, iria conservar por toda a vida as marcas do suplício. Não importava! Quando William Booth morreu, aos oitenta e três anos, a sua obra triunfara visivelmente. Estava presente por todos os cantos do mundo, até a Austrália e a África do Sul. Catarina, filha dos Booth, introduzira-a na França. A paleta infinitamente variegada do protestantismo continha agora uma nova cor[61].

O Exército da Salvação permanece até hoje, tal como o concebeu o «general» Booth. É um exército no sentido mais preciso do termo. A sua organização é perfeitamente militar. Comporta oficiais de ambos os sexos, soldados de ambos os sexos. Tem uniformes, o bem conhecido dólmen azul, copiado das tropas britânicas, para os homens, e, para as mulheres, o vestuário mais discreto de um vestido comprido, azul, e uma touquinha em forma de sino, chamado «chapéu Aleluia». Tem o seu regulamento, manual de manobras e de campanha. O jornal que lhe serve de órgão tem o título de *Grito de guerra*. Usa bandeira, cujo azul simboliza a santidade e o vermelho o sangue de Cristo. A estrela de ouro representa o Espírito Santo. Tem ainda, e talvez sobretudo, as fanfarras, ideia genial de William Booth para atrair as multidões às praças e às ruas, e juntar ouvintes para os pregadores.

Qualquer «convertido» pode fazer parte do Exército da Salvação. Mas, a partir do momento em que passa a vestir o uniforme, deixa de se pertencer, tal como um frade numa Ordem católica. A regra do Exército da Salvação é tão rigorosa como a dos franciscanos ou dos dominicanos; pela ascese espiritual que exige, evoca até a dos jesuítas. O discípulo de Booth não pode nunca beber álcool, ler algum mau livro, ter qualquer interesse financeiro numa indústria ou comércio reprovável, como por exemplo a fabricação ou venda de bebidas alcoólicas. Mesmo no seu trabalho profano, tem de observar regras precisas de humildade e de bondade. Deve entregar ao Exército todo o dinheiro que não lhe seja estritamente indispensável. Não tem o direito de intentar um processo sem prévia autorização dos superiores.

Se se casa, a escolha da esposa é controlada pela organização. Regulamentos, como se vê, extremamente rígidos, e que só se explicam pela qualidade muito especial dos primeiros salvacionistas, que eram na maior parte homens que tinham cumprido pena, bêbados inveterados, mulheres públicas arrependidas. Aqueles e aquelas que não têm essa procedência submetem-se livremente a esses preceitos rigorosos, porque o Exército da Salvação continua a trabalhar nesses meios escusos da sociedade e não podia ter diversos sistemas disciplinares. Semelhante rigor não impede de maneira alguma uma grande liberdade pessoal no exercício do apostolado e da caridade.

Tal como acabamos de defini-lo, pode o Exército da Salvação ser considerado como seita? A maior parte dos autores não protestantes tendem a apresentá-lo como tal. O que não parece exato. Ele próprio se considera como um movimento que transcende os limites de todas as formações protestantes, que aceita no seu seio todo e qualquer cristão — mesmo católico, pelo menos em princípio —, que não impõe nenhum credo particular e não ensina nenhum dogma. Reconhece os dois sacramentos comuns a todos os protestantismos, o Batismo e a Ceia, mas não tem qualquer doutrina sobre eles e não os administra. No entanto, parece incgável que se manifesta uma certa tendência sectária nesse meio fechado, de clima ardente, com fervores propositadamente alimentados e em que cada qual tem a sensação — quanto mais não seja por força do uniforme — de estar à margem dos outros cristãos, e acima deles.

É no campo social que o êxito do Exército da Salvação parece mais brilhante. É aí que traz um testemunho insofismável de caridade cristã vivida. Em 120 países do mundo, os seus dois milhões de soldados de ambos os sexos, comandados por trinta mil oficiais, estão à frente de obras frequentemente impressionantes pela sua amplitude.

Hospitais, asilos, albergues para a noite, sopas populares, armazéns de vestuário — tudo o que é susceptível de aliviar o sofrimento e de combater o isolamento dos mais pobres cabe no âmbito da atividade do Exército da Salvação. William Booth encarava expressamente essa atividade social como um preâmbulo de toda a ação evangelizadora, e pedia — o que nem sempre fizeram os dirigentes de obras protestantes — que não se misturassem as duas finalidades. Num decalque quase idêntico da frase de São Tomás, gostava de repetir: «Não é fácil salvar um homem que tem os pés encharcados». É talvez fácil rir da famosa «trilogia dos salvacionistas»: «Sopa, Sabão, Salvação»... Mas quem tenha visitado um dos asilos salvacionistas, por exemplo a famosa *«péniche»* de Paris[62], sabe muito bem que, por baixo dos seus aspectos insólitos e com uma evidente fraqueza doutrinária, o Exército da Salvação leva a cabo uma obra de caridade autêntica.

Cristianismo social

Todas as obras sociais protestantes, incluindo as do Exército da Salvação, traziam claramente a marca do paternalismo. Algumas delas não se elevavam acima do nível daquilo que os ingleses chamavam o «sopeirismo». Mas o protestantismo não ficou por aí. Os iniciadores dessas obras apoiavam-se nos princípios de um «Evangelho social», cujas relações com o protestantismo liberal são evidentes. De modo muito natural, eles acabaram — exatamente como os católicos Armand de Melun e Albert de Mun — por fazer um exame crítico das injustiças sociais e da ordem estabelecida que as provocava. À noção de dever social acrescentou-se — e mais tarde tendeu a substituí-la — a noção de direito social. No próprio momento em que nascia o «catolicismo social», o protestantismo deu origem no seu seio a uma corrente de ideias que seguia na mesma direção.

Essa corrente social cristã assumiu, nas diversas Igrejas saídas da Reforma, aspectos também diversos, antes de os diferentes percursos terem acabado por confluir, já no século XX, naquilo que se chamaria oficialmente «cristianismo social». Manifestou-se inicialmente na Inglaterra e no quadro do anglicanismo. Foi seu iniciador *J.M. Ludlow*, antigo aluno de um liceu de Paris, que convivera com Fourier, Cabet, Considérant e o católico Buchez, que lera Lamennais e Lacordaire, e que levou para a Grã-Bretanha a ideia de um socialismo que fosse cristão. Na exaltação causada pela notícia da revolução de 1848 na França, essa ideia progrediu. Não sem alguma confusão, devemos dizê-lo. Um pastor fundou uma «Igreja comunista». Uma associação de cristãos vegetarianos proclamou-se socialista. Chegou a haver nudistas cristãos-sociais... Mas dois homens de grande inteligência e coração magnânimo reassumiram a ideia e procuraram fazer dela a base de um sistema: *Frederick Denison Maurice* e *Charles Kingsley*[63]. Um e outro eram amigos daquela «Broad Church», de tendências liberais, que queria situar-se entre a Alta e a Baixa Igreja. Tomaram uma posição categórica contra o liberalismo econômico, tal como o ensinara Adam Smith. E não menos contra a indiferença social dos cristãos acomodados. Foi então que Maurice lançou a fórmula que Karl Marx ia aproveitar e tornar célebre: «Temo-nos servido da Bíblia como se fosse simplesmente um manual de polícia auxiliar, a dose de ópio conveniente para manter tranquilos os animais de trabalho vergados sob as suas cargas esmagadoras».

Nos primeiros momentos, os trabalhos de doutrina social de Denison Maurice e de Charles Kinsley não tiveram grande repercussão. Em profundidade, porém, exerceram uma incontestável influência, mesmo nos meios mais afastados da Broad Church. Por exemplo, o bispo Brook Foss Wescott, fundador da *Christian Social Union*, inspirou-se em larga medida na *Christian Society* de Maurice. As «Trade Unions» impregnaram-se desse pensamento, e o «Labour Party» ficará a dever-lhe, mais tarde, numerosos elementos fundamentais da sua doutrina. Em 1924, a Associação dos Industriais Cristãos não ocultará a sua dívida para com os socialistas cristãos do século anterior, e o mesmo fará, na própria Suécia, a Conferência Internacional sobre a vida e o trabalho, reunida em 1925.

Teses análogas foram também sustentadas nos Estados Unidos. Já no começo do século, William Ellery Channing anunciou, como que profeticamente, a linha de evolução do liberalismo econômico e os seus perigos. George Ripley, que lera Owen e Fourier, afirmou-se como reformador social e chegou a tentar concretizar em fatos os seus princípios, criando uma empresa comunitária, a dos «*Brook Farmers*». Algumas seitas procuraram viver de acordo com os princípios socialistas cristãos: por exemplo, os *shakers*, cujas colônias agrícolas comunistas deram que falar; ou, um tanto fora do cristianismo, os mórmons. Surgiu mesmo uma «Igreja institucional» que, encorajada pelos episcopalianos e os congregacionalistas, se propunha ao mesmo tempo ensinar um cristianismo social e lançar um vasto conjunto de obras sociais. De todas estas correntes veio a constituir-se, num plano menos doutrinário que prático, e impregnando todo o protestantismo norte-americano, esse «*Social Gospel*» que, segundo Charles Hopkins, teve o seu período áureo entre 1865 e 1915[64].

Nesse ínterim, a Alemanha tomara o bastão e dera por sua vez origem a um movimento social cristão. A seguir à vitória de 1870, houve no império acabado de nascer um eclipse da vida religiosa, como se os velhos deuses dos exércitos tivessem substituído Cristo nas consciências. O *Kulturkampf* bismarckiano, teoricamente direcionado apenas contra a Igreja Católica, tendia de fato a laicizar os costumes, mesmo nos meios protestantes. Foi contra essa vaga de «*laisser-aller*» e de irreligião que alguns pastores luteranos procuraram erguer um cristianismo renovado, propondo aos homens um ideal prático de justiça social. No seu livro *O socialismo radical alemão e a sociedade cristã*, Rudolf Todte aplicou-se a demonstrar, digamos que com alguma ingenuidade, que todos os problemas concretos, mesmo os mais pequenos, encontravam a sua solução no Evangelho. Adolfo Wagner traçou um vasto plano de organização da sociedade de acordo com os princípios cristãos, e justificava tudo, mesmo o imposto de renda progressivo, com citações das parábolas. Surgiu então como chefe do movimento *Adolfo Stöcker* (1835-1909). De uma personalidade sob vários aspectos excepcional, esse pregador da Corte, festejado, acarinhado, um belo dia preferiu à sua paz e às suas prebendas a difícil aventura de lutar contra a injustiça social. Era um homem de ferro e fogo, constantemente em ação. Em política, conservador pelos quatro costados, mas socialista no plano econômico. Teocrata, mas antipaternalista. Para mais, antissemita, embora reconhecesse na revelação de Israel a origem da cristandade. Finalmente, nacionalista e inteiramente convencido de que, com a sua ação pessoal, ia fazer triunfar um cristianismo justo, humano e inteiramente alemão.

Obviamente, as ideias do *Movimento Evangélico Alemão* encontraram uma forte oposição. Os chefes da Igreja luterana estabelecida repetiam até à saciedade que não era da sua vocação tratar das questões sociais e que os inovadores falseavam totalmente a imagem do reino de Deus. Sustentados a princípio por Bismarck, os tradicionalistas venceram e a corrente social foi bloqueada. Mas quando Guilherme II subiu ao trono, persuadido como estava de que uma adesão entusiasta às ideias sociais lhe permitiria simultaneamente tornar-se mais popular e fazer concorrência vitoriosa ao socialismo, encorajou vigorosamente a Igreja a «valorizar o pensamento social cristão, demasiado esquecido». Mudando logo de caminho, o Conselho Supremo do luteranismo alemão submeteu-se docilmente a esse augusto desejo, e, em 1891, recomendou a todos os pastores que dessem atenção ao movimento socialista e difundissem a doutrina evangélica sobre a propriedade e o trabalho. Começou-se a ensinar a doutrina social da Igreja nas universidades. Viram-se pastores que se fizeram mineiros. Multiplicaram-se as publicações sobre o evangelismo social. Stöcker triunfava. O seu movimento rivalizava com o catolicismo social da Renânia, então em plena expansão, e ele fundava a Missão Urbana, para converter em apostolado o esforço social empreendido. Deputado à Câmara prussiana do Reichstag, parecia prestes a impor uma vasta política cristã social.

Mas ai! Nunca a Rocha Tarpeia esteve mais perto do Capitólio... O barão von Stumm, a quem chamavam o «Rei do Sarre», senhor incontestável do célebre vale, que se gabava de ser um patrão social e apresentava efetivamente um belo leque de obras de beneficência, ficou exasperado com as críticas de jovens pastores audaciosos. É certo que Stöcker e os seus amigos eram ultrapassados por Paul Göhre — um dos pastores-operários — ou por Friedrich Naumann, que tinham pontos de vista revolucionários. O barão era amigo do imperador Guilherme, e conseguiu levá-lo a mudar de opinião, persuadindo-o de que esses cristãos vermelhos faziam o jogo dos socialistas. Ao mesmo tempo, no Parlamento, atacava o evangelismo social. Assim, em 1895, desautorizando totalmente as ideias que defendera cinco anos antes, o versátil Kaiser proibiu o movimento evangélico social. E até acrescentou, numa dessas fórmulas de que tinha o segredo: «Cristão-social é um contrassenso!» Bem tentaram Stöcker e os seus amigos resistir ao tornado que imediatamente a Igreja oficial, sempre dócil, lançou sobre eles. Sob os diversos nomes de Partido Eclesiástico Social, *Kirchlich-Sozial*, evangélico social, nacional-social, a corrente que nascera do movimento evangélico social sobreviveu modestamente. Viria a reaparecer em 1919 e sobretudo em 1945. Conjuntamente com o catolicismo social, não deixou de animar a política da República de Bonn.

Foi o protestantismo francês que teve o mérito de clarificar e sistematizar as ideias algo confusas enunciadas em outros países. Não foram ignoradas as teorias de Channing (o americano), de Denison Maurice e de Kingsley, de Stöcker e de Naumann; mas os pensadores franceses que deram origem ao «cristianismo social» souberam vincular melhor as doutrinas aos princípios e dar ao movimento bases teológicas mais firmes.

O ponto de partida foi o que veio a receber o nome de «Escola de Nîmes». Não é que não tivessem intervindo outros fatores na elaboração doutrinal: campanhas de Charles Robert pela participação dos operários nos lucros da empresa; ensino do professor belga De Laveleye; trabalhos do suíço Charles Secrétan, exemplo concreto do «Familistério» de Guise, onde funcionava, e muito bem, uma verdadeira comunidade cristã. Também não deixaram de ter influência certas relações com Le Play e alguns católicos-sociais, como Armand de Melun. Mas Nîmes foi durante longos anos a sede do protestantismo social, graças à ação de três homens: Edouard de Boyve, Auguste Fabre e sobretudo *Charles Gide* (1847-1932). Existiam no Gard algumas cooperativas, à imitação de um empreendimento inglês, os «Justos Pioneiros de Rochdale». Fabre, que fizera um estágio em Guise, confrontou com elas a sua experiência. Daí nasceu, em 1885, a Sociedade de Economia

Popular, enquanto se criava uma cooperativa de alimentação, uma tipografia cooperativa, uma escola profissional — a primeira da França — e uma Bolsa do Trabalho. Apoiado nessas experiências, Charles Gide julgou ser o momento de pensar seriamente sobre tais realizações. Com esse desígnio foi criada a *Revue d'Economie politique*, e, para atingir um público mais amplo, um jornal dedicado ao tema, *L'Émancipation*. Formou-se à volta do mestre um bom grupo de jovens pastores: Louis Comte, Élie Gounelle, Wilfred Monod, Louis Gouth (este fundou a *Association protestante pour l'étude des questions sociales*). Estava criado o protestantismo social.

O impulso dado por Nîmes fez-se sentir em toda a França. No departamento do Norte, onde Élie Gounekke se instalou, criava-se a *Solidarité*, ao mesmo tempo obra de socorro e obra evangélica. Em Paris, o pastor Paul Doumergue, fundador de *Foi et vie*, abria uma espécie de Universidade social livre, que convidava como conferencistas Bergson, Henri Poincaré, Émile Boutroux e, como é óbvio, Charles Gide; fundava também uma *Escola do Serviço Social*, donde sairiam as jovens que mais tarde seriam chamadas «assistentes sociais».

Mas a personalidade mais forte e mais irradiante do movimento cristão social foi *Tommy Fallot* (1844-1904), sucessor de Oberlin no Ban de La Roche, que pôs ao serviço da causa social toda a generosidade da sua inteligência e do seu coração. Comovido desde criança pelo que vira da condição proletária (a sua tese de bacharel em teologia, em 1872, tratava da pobreza), Fallot sentiu confirmada a sua vocação social durante os anos que passou como pastor numa paróquia «livre» dos subúrbios de Paris (La Chapelle). Começou por criar a Liga francesa para a elevação da moral pública. Depois, decidiu unificar todos os esforços que se envidavam nos diversos setores do protestantismo francês. Ao seu apelo, Gédéon Chastand criou *La Revue de théologie pratique*, que viria a ser a *Revue du christianisme social*. Adversário de toda a teologia teórica — «uma teologia de soldadinhos de chumbo», como lhe chamava —, queria que o cristianismo se orientasse para uma eficácia visível, consagrando as suas forças à reforma social. Desse modo se chegaria, segundo ele, a um duplo resultado: «converter o protestantismo ao povo, a fim de poder converter o povo ao cristianismo». Utilizando fórmulas perfeitamente análogas às do catolicismo social, Fallot proclamava «a doutrina social do Evangelho» e reclamava para todos os homens «o direito à salvação», que tinha como condição preliminar o direito à justiça social. Em constante atividade, deixando a sua paróquia para jornadas de conferências em que a sua autoridade era grande, não cessou de espalhar anos a fio essas ideias generosas, com uma obstinação invencível. Depois, num belo dia — e o fato acrescenta uma nota comovedora ao seu retrato —, perguntou a si próprio se toda essa atividade teria algum sentido, se haveria alguma possibilidade de salvar as Sodomas e Gomorras do mundo moderno. Retirou-se para Aouste no vale do Drôme, e consagrou o fim da vida a agrupar à sua volta «fraternidades» de cristãos piedosos, dedicados unicamente à tarefa sobrenatural da salvação — meio mosteiros católicos, meio comunidades semelhantes às dos Irmãos Morávios. Mas o rastro que deixou iria ficar visível até aos nossos dias.

O cristianismo social, tal como o definiram um Tommy Fallot e mais ainda um *Élie Gounelle*, insistia na ideia, cara igualmente aos católicos sociais, de que nem o indivíduo nem a sociedade podem salvar-se sozinhos; de que há uma exigência de salvação social — hoje, diríamos de salvação cósmica —, que cada cristão deve sentir. Neste ponto, estava evidentemente bem longe da teologia dos primeiros

Reformadores, para os quais só era verdadeiramente importante o face-a-face da alma pecadora com o Deus que a redime. Para a nova dogmática, o pecado passou a ser tanto coletivo como individual. Segundo o pastor Gounelle, Cristo seria «o homem-tipo, cabeça da humanidade-tipo, que realiza o tipo da espécie humana». O Reino de Deus havia de ser a realização dessa humanidade típica, fosse qual fosse o modo de concebê-la.

Esse «cristianismo social» pedia as reformas necessárias para fundar uma ordem social justa. Apoiando-se na doutrina do Sermão da Montanha, concebia a propriedade como um serviço, opunha-se aos abusos do capitalismo, reclamava a cristianização de todas as relações entre os homens, entre as classes, entre os povos. Não procurava propor soluções práticas. Preferia «inspirar» a comprometer-se — como dizia *Élie Lauriol* — nesta ou naquela direção. E, de fato, as opções em economia e em política dos protestantes sociais iriam do equilibrado cooperativismo de Charles Gide ao socialismo de Élie Gounelle e de Wilfred Monod, socialismo que, bem entendido, considerava a reforma moral como pressuposto indispensável.

Nos nossos dias, o cristianismo social já não tem a importância que teve nos princípios do século XX. A publicação que traz esse nome continua a sair e a defender corajosamente os mesmos princípios. Mas as perspectivas mudaram, e, até na medida em que esses princípios triunfaram e passaram para a consciência de muitos homens, o movimento perdeu impulso — como, de resto, o catolicismo social —, mas a ação das ideias sociais cristãs foi real, quer direta quer indiretamente. Diretamente: quer na Inglaterra, com um Shaftesbury, quer na França, com um Daniel Legrand, onde numerosos cristãos sociais contribuíram no plano legislativo para que se melhorassem as condições do trabalho ou se assegurassem garantias ao trabalhador.

Indiretamente: por meio da influência moral e intelectual que essa ação exerceu em muitos homens.

Nos últimos cinquenta anos, assistiu-se a um reflorescimento do cristianismo social extremamente curioso. Na Suécia, o arcebispo Nathan Söderblom fundou em 1925 o *Instituto Internacional de Cristianismo Social.* Nos EUA, *Walter*, nos seus livros Cristandade e Crise Social (1907) e Teologia para o Evangelho Social (1917), tentou uma síntese das ideias sociais cristãs e das doutrinas econômicas e sociais contemporâneas, chegando a dizer que, em seu entender, «o princípio comunista parece essencialmente cristão»[65]. E os irmãos Reinhold e Richard Niebuhr\, opondo-se à indiferença social de Karl Barth, esforçam-se por fundar uma teologia da ação social capaz de fornecer bases para a corrente evangélica social que atravessa praticamente todo o protestantismo norte-americano.

A crise do protestantismo e a proliferação das seitas

No decorrer do último quartel do século XIX, o protestantismo estava em crise na maior parte dos seus aspectos, uma crise que todos os historiadores têm reconhecido e caracterizado. Mas essa crise não o impediu de ganhar terreno em numerosos espaços geográficos, como são os Estados Unidos e as missões em terras não cristãs. A verdade, porém, é que se verifica quase por toda a parte que as velhas fórmulas estão ultrapassadas pela evolução do mundo, que o protestantismo tradicional se vê obrigado a renovar-se, que as atividades de futuro mais promissor — obras caritativas, grandes movimentos de ação social e de juventude — se afastam da tradição reformada clássica e situam a experiência religiosa num plano inteiramente pessoal. Fica-se com a impressão de que há simultaneamente uma baixa de tônus espiritual e uma animação singular.

As causas dessa crise são evidentes, e a maior parte delas já foi indicada nas páginas precedentes. Entre elas, há uma que é mais essencial e determinante, e que também provoca graves abalos na Igreja Católica: a queda geral do nível da fé, em consequência dos progressos do humanismo ateu e do cientificismo, essa espécie de poderosa corrente, aparentemente irresistível, que desvia e empurra as consciências modernas para longe da religião. Deste ponto de vista, as Igrejas protestantes têm exatamente as mesmas preocupações que a Igreja de Roma: se os meios utilizados no passado para proteger as almas deixaram de ser suficientes, será preciso encontrar outros.

Mas o mundo saído da Reforma tem problemas que lhe são próprios. O êxito do protestantismo liberal contribuiu para afastar as consciências dos dogmas, para desvalorizar a Sagrada Escritura, se é que não ameaçou a própria fé. Quando se reduz a vida religiosa à prática de uma moral pessoal e social, não se esvazia a religião do seu conteúdo espiritual? Eis por que esse protestantismo suscita reações frequentemente vivíssimas, por parte dos ortodoxos e fundamentalistas. E os conflitos que daí resultam — e aos quais nenhuma grande formação protestante escapa — revelam ao olhar dos menos atentos a existência dessa crise. Na França, por exemplo, a violência das discussões atinge um nível espantoso. As polêmicas ultrapassam muitas vezes o plano das ideias para passarem aos ataques pessoais, como foi o caso de Athanase Coquerel Jr., que conturbou muito todo o protestantismo francês durante alguns anos.

Outro fator de crise, que se pode observar sobretudo onde quer que o protestantismo esteja mais solidamente assente e tenha o apoio do Estado, é a corrente de «desestabilização» que, ao percorrermos os espaços geográficos do protestantismo, vimos ser muito geral. Quer nos países luteranos da Alemanha e da Escandinávia, quer no reino de S.M. Britânica, chefe supremo da Igreja, ou até em Genebra — onde, desde Calvino, a Igreja «nacional» rege a comunidade dos cidadãos —, por todo o lado se manifesta a tendência a separar a Igreja do Estado, a fim de a deixar responsável única pelo seu destino. Por todo o lado também, opõem-se a uma religião demasiado conformista as aspirações do espírito. Em muitos pontos, surgem as «Igrejas livres», como expressões mais ou menos duradouras dessas tendências. No termo dessa «desestabilização», o velho protestantismo terá perdido alguns dos seus traços tradicionais mais marcantes.

Um dos sintomas mais impressionantes desse estado de crise é a proliferação das *seitas*. O século XIX é o século *sectário* por excelência, e o fenômeno vai durar até os nossos dias, numa corrente tão forte que se há de falar em «pulular das seitas», em «ofensiva das seitas». Não nos interessa aqui saber as circunstâncias em que nascem[66], a sua orientação — pietista ou milenarista, «espiritual» ou «curandeira» segundo os casos, algumas delas situadas na extremidade fronteiriça do cristianismo, se não mesmo fora dele. O que devemos registrar aqui, como um sinal, é a sua multiplicação. Eram muito poucas as que, tendo surgido antes de 1789, tivessem conservado a sua importância no século XIX; estavam nesse caso as da linhagem batista e duas outras ao mesmo tempo ascéticas e espirituais: os quakers e os metodistas. É impressionante observar que, no decorrer desse século, se vão desenvolvendo, nos Estados Unidos, as diversas formações de batistas e de metodistas, ou seja, grupos religiosos de tipo bem diferente do das Igrejas tradicionais. Nos anos 1820-30, aparecem quase ao mesmo tempo os darbystas ou «Irmãos de Plymouth», com o seu calvinismo reforçado, o seu estrito rigorismo, associado a um milenarismo e um espiritualismo veementes, e os «apostólicos» de Irving, no meio dos quais explodem os carismas, o glossolalismo, as curas milagrosas. É também esse o momento em que as «revelações» de Joseph Smith arrastam os «Santos dos Últimos Dias», mais conhecidos pelo nome de «mórmons», para terrenos que os protestantes irão julgar heréticos.

Desde então, o impulso nunca mais se refreará. Por 1840, William Miller cria, e depois, em 1860, Ellen White organiza os Adventistas do Sétimo Dia, que, desesperando do mundo, esperam como próxima a vinda do Senhor e observam o sábado como dia consagrado. Quinze anos depois, surgem deles, destinadas a um notável desenvolvimento, as Testemunhas de Jeová, as mais violentamente hostis a todo e qualquer organismo religioso. Nesse meio tempo, destacam-se dos «apostólicos» de Irving, sobretudo em terras germânicas, os «neoapostólicos», que, por sua vez, também esperam a vinda de Cristo após um milênio de provações. É também na década de 1860 que surge o Exército da Salvação, sinal extremamente chamativo de ultrapassagem dos quadros eclesiásticos.

Uma singular fermentação agita nesse momento numerosos setores, vários dos quais claramente à margem do protestantismo, tal como a «Christian Science», de Mary Baker Eddy, que nega o mal e pretende curar os corpos ao mesmo tempo que as almas. Sem falar do «Antonismo», seita-curandeira em que o «Pai Antônio» propõe uma mistura de cristianismo e metempsicose, mas também um culto de rasgos quase metodistas. No limiar do século XX, participando simultaneamente do renovar religioso do protestantismo e da corrente sectária, o grande Despertar que partirá do País de Gales dará origem aos mais vigorosos de todos os movimentos espirituais anárquicos: os de Pentecostes.

A crise do protestantismo é, pois, evidente, indiscutível, mas não definitiva. A partir do começo do século XX — ou melhor, já esboçada nos últimos anos do século XIX —, dá-se uma renovação que tomará diferentes aspectos, dogmáticos, apostólicos, litúrgicos, uma renovação paralela à que se observou na Igreja Católica e que se prolonga ainda na nossa época. Assim se dá forma a um protestantismo revitalizado.

O reflorescimento teológico: Karl Barth

Foi no plano da teologia que se produziu a renovação mais impressionante, de importância capital. É uma constante em história religiosa que qualquer Igreja cuja teologia esteja em queda é uma Igreja seriamente ameaçada, e que não há renascimento espiritual sólido senão na medida em que a teologia lhe assegure as bases.

Nos fins do século XIX, a teologia protestante não tinha boa aparência. Não é que faltassem obras teológicas: até pululavam. O protestantismo liberal e seus prolongamentos, saídos dos princípios definidos por Ritschl, tinham dado origem a inúmeros sistemas dogmáticos. Ao «naturalizar» o conceito de Redenção, a teologia tinha-se diluído em sistemas por vezes bem estranhos[67]. Ao fideísmo, ensinado por tantos liberais, alguns opunham uma metafísica racional; Troeltsch, Kaftan, Reischle, Wobber vinculavam a fé à razão filosófica, o que era outra maneira de degradar a teologia. Em meia dúzia de linhas muito acertadas, Jacques Courvoisier[68] fixou perfeitamente essa crise: «A teologia é cada vez menos considerada em si mesma e cada vez mais nas suas relações com as disciplinas humanas, principalmente a filosofia e de modo especial a psicologia. A teologia natural (por oposição à teologia fundamentada na Bíblia) toma um lugar importante no protestantismo. Os Reformadores são mal conhecidos ou, por assim dizer, deixaram de ser conhecidos. É verdadeiramente um protestantismo bem diferente do das origens».

Nos primeiros tempos do século XX — no momento em que o protestantismo liberal parecia triunfar ruidosamente no Congresso de Berlim de 1910 —, esboçou-se contra essa situação ruinosa uma reação que iria ser decisiva[69]. Reatando — para além de tudo o que saíra de Schleiermacher — a experiência dramática de Kierkegaard, alguns pensadores orientaram-se de novo para a teologia do absoluto senhorio de Deus, que era a teologia de Lutero e de Calvino. Nos países escandinavos e na Alemanha, o luteranismo voltou a ganhar atualidade. O mesmo se deu com o calvinismo em diversos países, como por exemplo na Holanda, onde, sob o impulso de Abraham Kuyper, se criou a Igreja neocalvinista, que teve a sua universidade. Numerosos pastores, pouco preocupados com as troças racionalistas, regressaram aos comentários doutrinais da Bíblia, ensinada como Livro inspirado: foi o caso do corajoso pastor Henri Monnier, que declarou, em 1906, preferir o *Jesus* do dominicano Didon a toda a ciência de Loisy. Essa corrente neocalvinista ganhou importância logo após a Primeira Guerra Mundial, sob a influência de alguns veteranos que, desde 1895, preparavam esse retorno ao pensamento reformado: Émile Gautier, Auguste Lecerf, este último autor de uma notável *Introduction à la Dogmatique réformée*, à qual dedicou trinta anos. Meteram ombros ao trabalho novas equipes, com os pastores De Suassure e Pierre Maury em Genebra e na França, Eduardo Thurneysen e Emile Brunner na Suíça alemã. Todos eles foram ultrapassados por *Karl Barth*.

Esse homem, que teve o mérito de fustigar a má consciência dos protestantes, de pôr fim ao que se parecia muito com derrotismo, à aceitação resignada da carência da fé, aquele que, à nossa vista, com uma capacidade e uma presciência quase proféticas, transformou radicalmente o mapa do pensamento reformado — era um homem robusto, equilibrado, de bem com a vida, de olhos garços que riam por trás das grossas lentes; alguém que de nada gostava mais do que de discutir com amigos enquanto ia tirando baforadas do seu cachimbo, e que salpicava com gosto as suas afirmações com esses rápidos golpes de ironia que fazem parte da tradição do seu povo, os filhos de Basileia. Mas era também uma inteligência prodigiosamente rica em recursos humanos: cultura, capacidade de trabalho, simpatia espontânea pelas pessoas, coragem, sensibilidade e dons de artista. Poucos homens do nosso tempo terão dado a impressão de ser tão completos.

Nascido em 1886, em Basileia, onde já o pai ensinava teologia, educado em Berna, cidade cujo pesado conformismo não prezava, Karl formou-se verdadeiramente nas universidades alemãs de Berlim, Tubinga e Marburg, no momento em que Adolf von Harnack estava no apogeu e em que Wilhelm Herrmann, com raro talento pedagógico, levava os estudantes a compenetrarem-se de uma dogmática segundo a qual a experiência religiosa decisiva devia tudo ao encontro com uma personalidade excepcional, aliás historicamente inatingível, mas psicologicamente modelar, que era Jesus Cristo. Jovem pastor, Karl Barth parecia, pois, destinado a permanecer na corrente liberal; aliás, aos vinte e dois anos, colaborava na revista do protestantismo liberal, *Christliche Welt*. Como é que de repente mudou radicalmente de convicções?

Eleito para a paróquia de Safenvill, cantão de Argovie, deu-se aos seus fiéis, na maioria operários, com um zelo que os patrões tacharam de «socialismo». Parecem ter sido a pregação e o pastoreio de almas que o levaram inicialmente a ganhar consciência do que as teses liberais tinham de esterilizante. Um amigo, Thurneysen, pastor de uma paróquia vizinha, exerceu sobre ele uma influência no sentido neocalvinista, e o mesmo se pode dizer de Christoph Blumhardt, o grande pregador, filho do célebre Johann-Christophe, que fundara em Bad-Boll (Wurtemberg) uma casa de retiros espirituais[70]. A Guerra Mundial acabou de esclarecê-lo, e ele interrogou-se: que havia de pregar aos seus paroquianos, e em nome de quê? Chegou assim a medir a insuficiência de qualquer pregação dos valores humanos, mesmo religiosos, como até então ensinara, e compreendeu que o seu único e verdadeiro dever era transmitir a Palavra de Deus. Foi esse o ponto de partida de um total questionamento da mensagem protestante.

Em 1919, a publicação de um extenso comentário, em quinhentas páginas, da *Epístola aos Romanos* mostrava superabundantemente que o antigo liberal mudara por completo. Três anos depois, em 1922, surgia em Göttingen — ou melhor, explodia como uma bomba — o primeiro número da revista fundada por ele e pelos seus amigos Thurneysen e Gogarten: a *Zwischen den Zeiten* [«Entre os tempos»]. O reduto do protestantismo liberal e da crítica livre estremecia nas bases. Nesse primeiro número, o artigo de Barth intitulava-se «Miséria e promessa da pregação cristã».

A partir de então, esse pastor, cuja reputação ultrapassava já em muito as fronteiras dos cantões suíços e mesmo da Alemanha, ia fazer uma carreira com dois aspectos inseparáveis: a de professor de teologia e a de homem de ação. Porque, para ele, a teologia não devia nem podia ser separada da vida: tem por assunto Deus, mas é aos homens que lhe cabe dirigir uma mensagem; importa, pois, que tenha implicações temporais.

Quando jovem pastor, Barth aderira ao Partido social-democrata e apoiara o sindicalismo; vemo-lo agora interessado numa teologia da política. Professor em Münster e depois em Bonn, meteu ombros a um projeto monumental: erguer uma verdadeira «Suma» do pensamento dogmático protestante nos seus princípios e nas suas aplicações ao século XX. Os seus cursos orientaram-se para esse fim. E assim apareceram, em 1927, «Prolegômenos a uma Dogmática Cristã», sob o título de *A Doutrina da Palavra de Deus*. Não era senão um primeiro esboço da grande obra, mas que não tardaria a renegar. Por quê? Porque, influenciado por Kierkegaard e tendo lido muito Dostoievski e Nietzsche — um, amigo; o outro, adversário —, partira da experiência do homem para ir a Deus, quando (depressa o percebeu) não se pode verdadeiramente ir a Deus sem partir de Cristo, nem se «constrói uma teologia sólida senão tendo sem cessar diante dos olhos a pessoa de Jesus Cristo». Foi assim que, de acordo com esse princípio, começou, em 1932, a publicar a sua monumental *Dogmática Eclesial*, que trinta anos e quinze grossos volumes não lhe permitiram concluir.

O mais espantoso é que Karl Barth não vai conseguindo realizar esse trabalho gigantesco no silêncio de um gabinete calafetado aonde não chegam os ruídos do mundo. Estamos em 1933, e o ciclone nacional-socialista desaba sobra a Alemanha. Imediatamente o teólogo de Bonn detecta nas doutrinas hitleristas o ápice da heresia pagã que ele combate, a do homem que se faz Deus. A fundação da «Igreja dos cristãos alemães»[71] esclarece-o plenamente: não se louva a Deus no canto do Horst-Wessel Lied!... Ei-lo, pois, à cabeça dos homens corajosos que decidem lutar contra o nazismo com «a Igreja confessante». E, para esse combate, lança uma nova revista: a *Theologische Existenz Heute* (título que se pode traduzir aproximadamente por «A existência da teologia hoje»). Belo desafio à ideologia da terra e do sangue! É também ele que redige, em 1934, a retumbante declaração de Barmen[72]. A resposta não tarda: a prisão pela Gestapo, a expulsão... E o corajoso profeta dos direitos de Deus prossegue a sua obra em Basileia, sua cidade natal, continuando por meio dos seus escritos a participar do combate que os seus amigos, como Niemoller e Vogel, travam dentro do Terceiro Reich. Finalmente, a queda de Hitler permite-lhe voltar a fixar-se em Bonn (1945), onde prossegue a redação da *Dogmática*. Mas, já agora mundialmente célebre, continua também a servir a causa da justiça de Deus na terra, suplicando que não se lancem os alemães no desespero, tomando posição firme contra as armas nucleares, protestando contra as perseguições de que são vítimas os cristãos na Alemanha do Leste, mas recusando-se a aderir a um certo anticomunismo sumário: surgindo cada vez mais como uma das consciências do seu tempo.

Tal como se exprime na *Dogmática* e na vintena de obras importantes que são seus desenvolvimentos ou concretizações, o pensamento de Karl Barth parece constituir um sistema, mais ou menos como o pensamento de São Tomás de Aquino constitui o tomismo. Mas Barth diz que não. Sobretudo a princípio, apresentou a sua obra como uma espécie de introdução a toda a teologia, uma glosa destinada a restabelecer, sobre todos os pontos, a verdade de uma afirmação radical e decisiva: só Deus é, só Deus age, só Deus salva; a criatura não tem nenhuma eficácia nem na obra da salvação nem na edificação do cristianismo.

Esta soberania de Deus é elevada por Karl Barth até ao limite extremo. Mostrando-se assim protestante típico, radicalmente oposto ao catolicismo escolástico, Barth proclama que Deus é o «inteiramente outro», essencialmente diferente do homem, e que toda e qualquer ideia de uma analogia do ser com Deus, tão cara aos pensadores escolásticos, é «uma invenção do Anticristo». Somente a Encarnação e a fé no Deus Encarnado permitiram ao homem pecador participar da semelhança com Deus. Só elas restabelecem a unidade com Deus no ato criador, perdida depois do pecado.

A teologia de Barth desenrola-se, pois, segundo uma *dialética* do humano e do divino. A relação entre ambos oscila de uma oposição atual a uma unidade que foi e que será. A graça é a potência que permite ao homem reencontrar essa unidade. E é por isso que se tem falado, a este propósito, de uma «teologia dialética» ou ainda de «teologia da crise», porque pressupõe uma perpétua tensão entre as duas postulações contrárias do ser.

Quem diz dialética diz síntese de uma tese e de uma antítese: a tese é Deus, criador e organizador da ordem criada; a antítese é o homem pecador, fautor da pior das desordens; a síntese é Cristo. Entre Deus que fala e o homem que é chamado a ouvi-lo, não pode haver outro mediador senão Jesus Cristo. A teologia dialética é, portanto essencialmente cristológica: todos os artigos da fé são vistos por ela como não tendo significado «senão em Cristo» — tanto aqueles que dizem respeito a Deus, à graça, à predestinação, como aqueles que se referem ao homem, à moral, à salvação.

É admirável a concepção que Karl Barth propõe acerca de Cristo: chave do Cosmos, em vista de quem foram criados os mundos; tipo tão perfeito do homem que, imitando-o, se realizam todas as virtualidades do nosso ser; conclusão única da predestinação cara a Calvino, porque Ele é o único predestinado, aquele por quem tudo ganha sentido, e também o único condenado, visto que assumiu toda a falta, toda a miséria do homem; o único ser que pôde com plena verdade exclamar a Deus: «Por que me abandonaste?» Cristo é tudo isso ao mesmo tempo: é a recapitulação de toda a experiência espiritual do homem. «Cristo desceu a um mundo perdido. Ó cristãos, alegrai-vos!» Para Karl Barth, toda a mensagem cristã cabe nestas palavras.

Bem se vê como aqui se retoma e se renova a mensagem dos grandes Reformadores: é a fé que salva. A «analogia» entre a criatura e Deus só pode ser reencontrada por meio da fé. A intuição filosófica e a penetração intelectual são vãs: o instrumento que abre o campo de todo e qualquer conhecimento não é a ciência, nem o progresso, mas a fé. Já o dissera Santo Anselmo de Cantuária, a quem Karl Barth consagrou páginas notáveis. Exatamente ao contrário da teologia liberal, Barth volta a atribuir à fé o seu valor como meio de conhecimento. As famosas oposições entre ciência e fé, história e fé, parecem-lhe ultrapassadas. A fé em Cristo domina a História; pretender conhecer o «Jesus da História» é condenar-se a jamais o encontrar.

O esforço de Karl Barth conduziu a uma revalorização de todas as teses protestantes fundamentais: a transcendência de Deus, a justificação gratuita do pecador, o culto único da Palavra de Deus, o sentido do pecado. Mas há pontos importantes em que se afastou dos Reformadores: por exemplo, ratificou o abandono prático da doutrina calvinista da predestinação, arredando «o imaginário da predestinação individual para o céu e o inferno», pois considerava que só há um predestinado: Cristo. Mas ao mesmo tempo desacreditava o liberalismo dogmático, carregado de experiência psicológica e que tantas vezes desembocava num puro e simples racionalismo. Orientava os herdeiros da Reforma para uma teologia bem diferente da teologia «vaporosa» ou «peitoral».

Assim se compreende que a sua influência tenha sido considerável. Foi ele que levou a teologia protestante a voltar a conceber-se a partir da Revelação e já não dos postulados filosóficos kantianos ou hegelianos. Foi ele que reorientou os diversos protestantismos para o estudo dos Reformadores, aos quais, nos últimos trinta anos, se consagraram mais estudos do que em dois séculos. Foi ele que afastou a pregação protestante dos argumentos racionalistas ou das efusões sentimentais, para reconduzi-la à Bíblia e à sua mensagem. Foi ele que voltou a ensinar aos protestantes que, entre a religião natural, mesmo plasmada em obras de caridade e sociais nobres em si, e o cristianismo, há uma diferença essencial — a transcendência.

E não foi só no âmbito do protestantismo que Karl Barth exerceu uma influência profunda. Vimos já a sua ação política contra o nacional-socialismo. No seu caso, essa ação não foi improvisada nem empírica, mas antes consequência da sua concepção teológica da liberdade. A sua teoria do *acontecimento*, manifestação da Palavra de Deus, «sobrevindo» ou «intervindo» no mundo, influiu em certos aspectos do existencialismo. Os próprios católicos têm-se mostrado extremamente atentos ao pensamento barthiano, que conta, aliás, entre os seus melhores comentadores, sacerdotes como Bouillard, Hans Küng, Urs von Balthasar. Destes, uns, como Küng, insistem em pontos de acordo profundo, apesar das diferenças de pontos de vista e de vocabulário (por exemplo, sobre o papel da fé e da justificação); outros, como Congar, um dos primeiros introdutores de Barth na França, veem nele «uma certa tendência a não considerar a soberana causalidade de Deus senão no próprio Deus, sem ver o que essa causalidade nos dá de *real* e que vai, finalmente, acabar por dar-nos a capacidade de sermos causa com Deus»[73]. Mas há uma coisa indiscutível: a teologia cristã não pode voltar a ser depois de Barth o que era antes dele[74].

Qualquer que seja a importância de Karl Barth, está-se bem longe de que toda a teologia protestante seja barthiana. O mestre de Bonn foi mesmo combatido, em diferentes terrenos, por adversários não despiciendos. O seu antigo amigo Emil Brünner separou-se dele, mantendo-se mais próximo do liberalismo, por rejeitar a oposição barthiana entre a natureza e a graça. Outro, Friedrich Gogarten, querendo salvaguardar os direitos da imanência em face da imperiosa transcendência de Barth, deixou-se ir até graves complacências para com a heresia nacional-socialista. Outros, como os Niebuhr, censuraram Barth por ignorar o homem social. E outros ainda, como Jean Rilliet, se interrogaram se o existencialismo à maneira de Heidegger não teria obliterado o seu pensamento, ou se a teoria do acontecimento não seria uma transposição teológica da filosofia de Hermann Cohen. Interpretando mal a fórmula «teologia de crise», alguns censuraram a Barth o «seu pessimismo», enquanto outros lamentaram que fosse mais luterano que calvinista. Mas até essas controvérsias provocadas pelo barthismo deixam ver bastante a sua importância decisiva: não há teólogo protestante da nossa época que, de um modo ou de outro, não seja «pós-barthiano».

Paul Tillich (nascido em 1886), alemão que emigrou para os Estados Unidos em 1933 para fugir de Hitler, situa-se bastante longe de Karl Barth, a quem acusa de exaltar demasiado a transcendência divina e de forçar o homem a uma espécie de fideísmo. A sua *Teologia sistemática*, publicada em 1951, acabou por fazer dele um dos teólogos mais escutados da época. Para ele, a experiência religiosa não deve verdadeiramente ser conduzida no âmbito das Igrejas, mas antes no movimento do pensamento, e em especial do pensamento científico: importa, pois, que se faça um esforço no sentido de constituir uma *teologia da cultura* — como ele próprio o fez no substancioso opúsculo desse nome. Dar à humanidade uma religião que atenda às suas aspirações profundas, às interrogações que formula, à angústia que a oprime, é a tarefa primordial desta hora. Fora com as teologias abstratas! É preciso suscitar, de acordo com o vocabulário existencialista, uma teologia «da situação».

Tillich não atribui, pois, grande importância à mensagem da Palavra, à Bíblia, ao ensino religioso e moral. Para ele,

Deus já nem é o que era para Lutero, Calvino ou Barth — uma Pessoa viva, diante de quem o homem se encontra face a face, mas o Ser transpessoal, fundamento de tudo o que é, que penetra o conjunto das estruturas do mundo. Cristo não é tanto o que nos mostram os sinópticos, como o Logos de São João ou o Cristo cósmico de São Paulo. Esta doutrina — que coincide em certos pontos com a de Teilhard de Chardin — goza de grande êxito nos Estados Unidos, onde já se tem comparado Tillich a São Tomás de Aquino. E é evidente que corresponde às aspirações profundas que já tivemos ocasião de mostrar[75].

Nessa corrente, Tillich encontra-se com dois outros teólogos germano-americanos, os irmãos *Niebuhr* (Reinhold, nascido em 1892, e Richard, 1894). Este último é o autor de *O Reino de Deus na América* e de *Fontes sociais das denominações*. Um e outro igualmente renovadores eminentes da teologia norte-americana, propõem-se pensar o evangelismo social do ambiente para apoiá-lo em bases doutrinais estáveis. No entanto, o mais jovem representante da teologia pós-barthiana, Nels Ferré (nascido em 1908), professor no Andover Newton Seminary (Massachussetts), integrou audaciosamente nas teses da Dogmática de Barth uma filosofia existencialista e um certo pietismo. E o professor holandês Dooyeweerd argamassa solidamente um neocalvinismo[76].

Oscar Culmann (nascido em Estrasburgo em 1902), personalidade de primeiro plano no pensamento protestante francês, simultaneamente exegeta, teólogo e historiador, apoia-se na experiência do dado revelado tal como a Igreja o possui. Em *Cristo e o tempo*, o significado da História surge vinculado à Revelação. Culmann insiste numa realidade mal conhecida do protestantismo, a *Tradição*, o que o leva a assumir no problema de *São Pedro* uma atitude que causa espanto entre os seus correligionários.

Sobretudo na sua monumental *Cristologia do Novo Testamento*, molda uma figura de Jesus Cristo tão afastada tanto da que é proposta pela estrita ortodoxia como da mítica e simbólica admitida pelos defensores do neoliberalismo, como Bultmann, a quem ele consagra um livro severo. O seu pensamento desemboca tão claramente no ecumenismo que pareceu normal que, quando o Concílio Vaticano II abriu as portas, Culmann fosse nele o primeiro dos observadores protestantes.

De todos os teólogos que, desde há uns trinta anos, trabalham eficazmente pela renovação das posições protestantes, o último em data e porventura o mais ruidoso é *Rudolf Bultmann* (nascido em 1884, professor em Marburgo). Praticamente desconhecido há vinte e cinco anos, exceto dos exegetas de profissão — embora tivesse escrito importantes trabalhos —, publicou em plena guerra (1941) um artigo que causou sensação: *Novo Testamento e mitologia* — um programa! Desde então, a sua importante *Teologia do Novo Testamento*, e o seu estudo sobre *O cristianismo primitivo no quadro das religiões antigas*, além de outros, desenvolveram teses que, conforme os casos, entusiasmaram ou chocaram as consciências protestantes e levaram numerosos autores católicos, como os jesuítas Malevez e Marlé, a estudá-las atentamente. Já se pôde dizer que, vinte anos após a vaga barthiana, desabava sobre o pensamento da Reforma uma vaga bultmaniana.

Rudolf Bultmann situa-se nitidamente fora da ortodoxia «que faz da confissão de fé um dogma», na qual vê a maior das tentações para a Igreja. Mas também se defende de ser pura e simplesmente um protestante liberal, do gênero daqueles que pretendiam estabelecer o estatuto científico da Revelação bíblica e para quem o cristianismo seria um fenômeno natural, imanente. Para ele, há uma oposição absoluta entre os domínios da ciência e os da Revelação. De um lado, a ordem natural; de outro, a ordem sobrenatural, escatológica. Em caso de conflito entre as duas, é sempre a ciência que tem razão no plano positivo; mas só tem razão nesse plano, que não é o da fé. A Revelação, que é a única que importa para a fé, não tem de se preocupar com a verdade histórica. É uma mensagem, um *kérygma*. Para se exprimir, pode ter assumido formas míticas; mas é só dela que procede a autêntica experiência religiosa. Importa, portanto, «desmiticizar» os textos sagrados, para entender verdadeiramente, para além dos mitos, a palavra autêntica de Deus.

Tal doutrina resolve radicalmente o conflito entre a ciência e a fé, separando-as também radicalmente. Num mundo dessacralizado pela ciência e pela técnica, permite ao cristianismo reencontrar a plena soberania na ordem que lhe pertence. É óbvio que se opõe à concepção católica de um mundo criado e ordenado por Deus e com um lugar próprio na economia da salvação. Neste sentido, Bultmann é exatamente antitético de Teilhard de Chardin. É certo que, se quisermos ser justos, devemos trazer à luz o que Bultmann chama «teologia do acontecimento» (sendo o acontecimento, para ele, ao mesmo tempo real e divino): o acontecimento do encontro com Cristo, da resposta do homem ao apelo de Deus, que coincide com a descoberta pelo homem do seu ser verdadeiro. Mas não é seguro afirmar que os «bultmanianos» não negligenciem este aspecto capital do seu pensamento, acabando por reter apenas a crítica dos mitos e — no desejo de pôr de lado um imaginário que passou de moda — por esvaziar a mensagem da Cruz, por separar a Ressurreição do dogma das duas naturezas em Cristo, e por rejeitar a autoridade da Igreja.

Barth, Bultmann, Tillich, Culmann: a teologia protestante parece estar em diálogo — ou em crise, se preferirmos —, procurando por um lado restaurar a doutrina, mas desconfiando, por outro lado, de uma importância excessiva dada às formas sobre o conteúdo da mensagem. E é aqui que reside o seu grande interesse.

A renovação evangélica: do País de Gales a Caux, no cantão de Vaud

A renovação dogmática é, sob todos os pontos de vista, o sinal mais marcante de uma retomada de vitalidade no protestantismo. Há outros, que denotam também um esforço por rejuvenescer a fé reformada, por tornar as almas mais sensíveis às exigências da sua religião, e ainda por assegurar a eficácia dessa religião num mundo que muda, que sofre e que espera. Num plano que poderemos chamar apostólico, e que os católicos prefeririam designar por «pastoral» e os protestantes qualificariam certamente de «evangélico», esses sinais são talvez menos impressionantes que aqueles que vemos na teologia. Mas a verdade é que não faltam.

Ao findar, o século XIX não conheceu a extraordinária onda do «despertar» que erguera para o céu o seu começo, coisa que teria sido bem oportuna, se pensarmos na crescente descristianização ou mesmo na dessacralização do mundo. Houve, no entanto, numerosos grandes pregadores, surgidos numa ou noutra Igreja, que sacudiram as multidões. Foi o caso do anglicano Charles-Haddon Spurgeon, falecido em 1892, que os britânicos apreciavam tanto pelo seu ar de barbudo bonacheirão e pelo dom irresistível de dar resposta a tudo[77], como pelo seu «magnetismo» pessoal e poder oratório. Foi, na Alemanha, o do generoso Adolfo Stöcker, cuja mensagem evangélico-social assentava numa base sólida de apostolado. Ou, na América do Norte, o de Dwight L. Moody, que, só por si, pregou a cem milhões de ouvintes, ou o de Sam Jones e de Wilbur Chapman. Na França, nos anos que precederam a Primeira

Guerra Mundial, o pastor batista de Nogent-sur-Marne, *Ruben Saillens*, exerceu uma profunda influência, com os seus discursos simples e comovedores, acompanhados de cânticos criados por ele e aos quais a sua bela voz dava um tom patético. Mas a verdade é que nenhum desses tenores da eloquência sacra representava mais que um indivíduo isolado; por mais vasto que fosse o seu campo de irradiação, não se podia comparar ao do imenso *revival* que todo o mundo protestante experimentara quando equipes copiosas tinham trabalhado países inteiros.

Houve, no entanto, uma exceção. E deu-se no *País de Gales*, velha região mística, terra clássica de «despertares». Em 1904, um jovem mineiro, *Robert Evans*, que fizera por conta própria a experiência do contato com Deus, lançou-se num empreendimento de apostolado cuja ambição parecia ultrapassar as forças humanas. Obscuro, sem mandato, havia de fazer regressar a Cristo os seus companheiros, mais interessados em cerveja e em uísque do que em orações. Em breve se formou à sua volta uma pequena equipe. Eram mineiros que iam pelas ruas falar de coisas espirituais aos seus colegas. O que ensinavam era uma fé muito simples, o menos dogmática possível. Punham o acento na caridade fraterna, insistiam na necessidade de confessar os pecados, no dever de proclamar em público a sua fé, e sobretudo na abertura da alma ao sopro do Espírito. Pastores presbiterianos e padres anglicanos olharam esse movimento com simpatia, mas não participaram dele.

O êxito foi espetacular. As conversões chegaram às dezenas e depois centenas de milhares. A venda de bebidas alcoólicas caiu. Alertada, a grande imprensa enviou repórteres, o que alargou o círculo de influência. Os candidatos às eleições legislativas ordenaram aos seus agentes que não organizassem nenhuma reunião onde quer que Evan ou os seus homens falassem: não teriam ninguém!... E houve um deles suficientemente esperto para mandar cantar nas suas reuniões cânticos do «despertar»: chamava-se Lloyd George... A quem aproveitou esse movimento? Numa larga medida, às Igrejas tradicionais. Um representante de uma delas calculou em cento e vinte mil os «regressos» provocados em cinco meses pela pregação do mineiro galês. Mas também houve convertidos que abandonaram toda e qualquer Igreja e entraram na corrente dos «pentecostais», que nasciam então simultaneamente na Austrália com Ruben Torrey, na Escandinávia com Lunde e Barret, e nos Estados Unidos[78].

Seria esse o único «despertar» propriamente dito do século XX até hoje, se excetuarmos uma curiosa tentativa feita de 1922 a 39 por um grupo de jovens pastores franceses, discípulos do piedoso deão Doumergue, a que Paul Eberhard deu o nome de «Brigada da Drôme». Um dos membros da equipe, o pastor Jean Cadier, afirmou que eles se tinham sentido «como que arrebatados contra vontade por uma vaga do Espírito» e tinham presenciado conversões, «profundas transformações de vida». Mas a experiência permaneceu demasiado circunscrita no espaço e no tempo para que se possa dar-lhe mais alcance do que o de um testemunho.

Não se esqueça, porém, que um dos resultados mais felizes do «despertar», a missão interior, se revelou duradouro e teve na segunda metade do século XIX um desenvolvimento notável. Na Alemanha, o impulso dado pelo excelente Wichern fora tão vigoroso que se fez sentir até o momento da subida de Hitler ao poder. Apoiada numa vasta rede de instituições caritativas, servida pelas diaconisas e os «irmãos», a missão foi tão persuasiva que numerosos pastores da Igreja oficial, a princípio extremamente desconfiados em relação a tais iniciativas, adotaram os seus métodos. Uma das concretizações mais interessantes foi a criação de «serviços religiosos especiais», celebrados a horas por vezes insólitas, mas adaptadas às condições de trabalho dos diversos corpos profissionais.

Na Inglaterra, a *Home Mission* foi empreendida ao mesmo tempo pela Alta Igreja e pelos *dissenters*, sem esquecer os metodistas, os batistas e, mais tarde, os pentecostais; estes grupos consideravam-se em toda a parte em estado de missão permanente. Nos Estados Unidos, a *Home Mission* desembocou na fórmula das «Igrejas-instituições», que agrupavam florescentes realizações sociais à volta de um lugar de culto.

Na França, enquanto a Sociedade Central de Evangelização mantinha missões de tipo tradicional, a fórmula americano-germânica era reassumida pela *Missão Popular Evangélica*, mais conhecida por *Mission Mac All*, do nome do pastor presbiteriano escocês que a fundou, logo após a guerra de 1870. A sua originalidade foi a abertura de «salas Mac All» em muitos pontos do território. Sempre situadas numa rua movimentada, serviam ao mesmo tempo de lugar de reunião, lar de acolhimento e até centro médico. Se uma delas não dava resultado, mudava-se de lugar. As reuniões não obedeciam a nenhum programa fixo; cada uma procurava adaptar-se aos gostos do auditório. Os cânticos eram alegres, sem grande relação com a música religiosa, mas escolhidos para ajudar a memória a conservar as verdades de fé. Leituras comentadas e palestras muito curtas completavam esse tipo de culto, muito adequado a um público humilde. As Missões Mac All exerceram em toda a França protestante uma ação profunda, análoga à que tinham tido as missões católicas do século XVII no mundo rural.

Pelos finais do século XIX, as Missões interiores floresciam em todos os países protestantes, poderosamente ajudadas pelas sociedades bíblicas, que continuavam a expandir-se. Sublinhemos um fato: a evolução dessas Missões para a especialização. Foi assim que, na Alemanha, o generoso médico Stöcker deu o impulso inicial à Missão Urbana, especialmente adaptada ao apostolado nos subúrbios das grandes cidades. Na Inglaterra, desenvolveram-se missões especiais entre os marítimos, os mineiros e os operários da indústria têxtil. Durante a Primeira Guerra Mundial, a YMCA desempenhou um papel de missão permanente no meio das tropas. Experimentaram-se novas fórmulas: por exemplo, a «*péniche* evangélica», que se deslocava pelos canais do norte da França até à Holanda, assegurando aos marítimos o culto religioso. No anglicanismo, puseram-se em prática certos métodos de apostolado mais ou menos inspirados no catolicismo, como, por exemplo, logo depois da guerra de 1918, a cruzada da *Fiery Cross* (Cruz Ardente), transportada processionalmente através de toda a Inglaterra e solenemente recebida em cada paróquia com cerimônias religiosas mais fervorosas que as habituais, exatamente como fazem os católicos quando é passeada numa região uma imagem da Santíssima Virgem.

No decurso dos anos recentes, o apostolado protestante tem mantido todo o seu vigor, continuando a procurar adaptar-se às exigências dos diversos meios em que é necessário voltar a semear o Evangelho. No entanto, nunca houve em qualquer das grandes Igrejas nascidas da Reforma o equivalente da Ação Católica[79], ou seja um organismo que abrangesse todas as camadas sociais para nelas fazer progredir a fé. Esta lacuna, por vezes lamentada por alguns pastores, é tanto mais surpreendente quanto a concepção protestante do papel dos leigos na Igreja favorece sobremaneira o apostolado «do semelhante com o semelhante», que foi o lema do padre Cardijn ao lançar a Ação Católica Especializada. Só a edição e a difusão da Bíblia beneficiam da ação orientadora de organismos centrais. Quanto ao mais, pastores, clérigos, diretores de obras, todos conduzem a tarefa do apostolado ao seu modo. A importância alcançada pelas seitas, extremamente ativas, não veio simplificar esse estado de coisas. E as relações entre as missões das Igrejas estabelecidas e as dos adventistas ou dos pentecostais nem sempre são muito pacíficas.

As iniciativas missionárias são, pois, extremamente diversas. Em numerosos casos, fica-se com a impressão de que os seus promotores não ignoram o que se faz no campo católico e sabem aproveitá-lo. Assim se vê que, em muitas Igrejas protestantes — por exemplo, entre os luteranos alemães ou entre os suíços romandos —, a renovação litúrgica desemboca naquilo que os católicos designam por «pastoral litúrgica», isto é, no emprego sistemático da liturgia como meio de enraizar as verdades da fé. As equipes da Sociedade Central de Evangelização, instaladas na França numa centena de «postos de evangelização» (das quais cerca de vinte no meio operário), evoluíram para um tipo que não deixa de lembrar as equipes sacerdotais da Missão da França. Nos Estados Unidos, criou-se uma Capelania das grandes indústrias, que se pode comparar ao que existe na Itália para os operários católicos das grandes empresas. Em Sheffield, o cônego anglicano Wilham, capelão oficial de uma das importantes fundições, constituiu uma verdadeira missão industrial, que faz pensar nas do padre Loew para os trabalhadores das docas. A «paróquia comunitária», tão cara ao padre Michonneau, foi transposta para o protestantismo americano, por exemplo, no Harlem, em New Haven, em bairros de Chicago e de Cleveland.

Em todos esses lugares, nota-se a tendência, tão constante no protestantismo, de regressar ao evangelismo primitivo. E foi também essa tendência que levou pastores ou *clergymen* a tentar por sua vez a experiência dos «padres-operários», como aconteceu na Inglaterra, nos Estados Unidos, na Itália, na Espanha e, com maior sucesso, na

Alemanha, onde três jovens pastores se empregaram como mineiros em Gladbach (Ruhr). Na França, os irmãos de Taizé inscrevem regularmente alguns dos seus membros nas equipes de missão proletárias, nas quais trabalham como operários[80].

Todas estas modalidades de missões atuam na própria massa das cristandades protestantes, utilizando meios geralmente discretos. Mas o protestantismo não renunciou às vastas iniciativas apostólicas destinadas a sacudir as massas. A prova está, por exemplo, no lugar considerável que se dá à propaganda religiosa concebida segundo as técnicas modernas. Nos Estados Unidos, as emissões protestantes de rádio e televisão contam-se atualmente por milhares. Mesmo num país como a França, onde o protestantismo é tão manifestamente minoritário, ganhou importância o culto das manhãs de domingo na Rádio nacional, e, nos postos emissores «periféricos», várias seitas financiam emissões feitas com tal habilidade que é impossível dizer qual a Igreja de que emanam.

Nos últimos trinta anos reapareceu, modernizado, o tipo do grande orador evangélico, que se desloca sem cessar para levar ao mundo a Palavra de Cristo, exercendo nas multidões uma influência magnética e, de resto, sabendo às mil maravilhas servir-se de todos os instrumentos da publicidade. Ganhou também importância um movimento de tipo particular. Os novos grandes pregadores têm tido por terra de eleição os Estados Unidos, onde se fixaram tantos dos seus antecessores. Sem chegarmos a falar dos «profetas» negros, alguns dos quais têm provocado incríveis movimentos de massa — e chegaram por vezes a levar a um cristianismo próprio das divagações do «Father Divine» —, são bastantes aqueles que têm tido uma ação de maneira nenhuma insignificante: ontem Billy Sunday, hoje *Billy Graham*.

Aquele que os locutores de rádio muitas vezes têm qualificado como «o maior evangelizador da época» tinha sonhado na sua juventude em ser jogador de baseball. Mas, conforme ele próprio contou muitas vezes, o próprio Deus o chamou, e ele resolveu fazer-se pastor da Igreja batista: era o ano de 1939; tinha vinte e um anos. Não lhe faltavam dotes para triunfar: uma natural elegância, um belo rosto de olhos claros, que inspirava simpatia, um talento de orador popular incontestável, um entusiasmo comunicativo. Em 1949, em Los Angeles, falando pela primeira vez a um auditório muito vasto, Billy Graham compreendeu, pelo êxito obtido, que era essa a sua vocação. De cidade em cidade, mês após mês, sempre aperfeiçoando a sua técnica, foi alargando o seu campo de ação antes de dirigir-se a Nova York. Foi um triunfo. Por dezesseis semanas, dois milhões de ouvintes se comprimiram para ouvi-lo, e dez cadeias de rádio e televisão transmitiram as suas falas. Um jornalista comparou o Madison Square Garden e a sua imensa arena ao próprio Sinai. Billy Graham estava lançado.

Desde então, não cessou de gastar-se num apostolado cujos aspectos exteriores de publicidade e de «business» não devem iludir-nos. A cruzada do jovem apóstolo foi organizada exatamente como uma campanha de um produto, com anúncios na imprensa e nas ondas sonoras, «acondicionamento» do público por equipes preparatórias. O orçamento anual não tardou a alcançar um milhão de dólares. O coral encarregado dos cânticos e de treinar as multidões veio a contar 1500 membros. Billy Graham passou a receber um ordenado de 15 mil dólares por mês. Mas todo esse esforço rendeu. São habituais auditórios de 60 mil, 80 mil, 100 mil. Em Berlim, foram 65 mil fervorosos os ouvintes desse americano. Em 1954, em Paris, onde o convite se limitou aos pastores, aos dirigentes de obras sociais, aos propagandistas, os 3500 lugares do palácio Chaillot foram tomados de assalto. O fenômeno Billy Graham é daqueles que é impossível ignorar.

Que diz, afinal, esse profeta? Coisas muito simples e verdadeiras. Que o mundo morre de racionalismo e de materialismo, e não é a isso que aspira. Que o Evangelho é a única hipótese de salvação, e que é preciso anunciá-lo incansavelmente a todos, sejam fiéis ou infiéis. Que é preciso ser bom marido, bom pai (Billy Graham fala frequentemente da mulher e dos quatro filhos) e fraternal para com todos os homens. Mas não fica nesse moralismo um tanto simplório. Esforça-se, muitas vezes com habilidade, por levar os seus ouvintes a compreender os grandes mistérios cristãos. Para o conseguir, recorre a episódios, a apólogos. Por exemplo... Enquanto certa vez passeava pelo campo, destruiu involuntariamente um formigueiro. Curvou-se sobre o lugar do desastre: havia mortos, feridos, grandes estragos... Bem quereria ele socorrer aqueles pobres bichinhos apavorados! Não podia: era grande demais. Era preciso ser formiga para ajudar as formigas. E aqui está como se explica o mistério da Encarnação. Em outra ocasião, indo por uma estrada, ultrapassou a velocidade permitida. A polícia mandou-o parar. Um dos agentes reconheceu-o e encheu-o de cumprimentos. O evangelista começou a ver que ia escapar à multa de dez dólares... Nada disso... O policial só conhecia o dever: puxou do talão de multas. Mas também era muito generoso, e foi ele próprio que pagou a multa... Excelente imagem da Redenção.

Que resultados alcançam tais processos? No plano imediato, espetaculares. Quando, no fim do sermão, Billy Graham convida aqueles e aquelas que se sentem tocados por Deus a ir ter com ele ao estrado, levantam-se entre 4% e 5%. O secretariado da empresa mantém um registro das «conversões»: cerca de trezentas mil por ano. As oito mil cartas diárias que o evangelista recebe parecem testemunhar uma influência real. Mas ele próprio se preocupa de tornar duradoura a sua ação, levando os seus ouvintes a criar «Clubes bíblicos» em que se reúnam para repassar e aprofundar as lições que ouviram. Alguns Estados norte-americanos já os têm em grande número: o de Indiana, por exemplo, tem 1.700, cujos membros são sobretudo jovens. A televisão, em que Billy Graham tem um programa semanal que custa sessenta mil dólares, mantém o contato do evangelizador com os seus milhões de fiéis e vai-lhe conquistando novos. Alguns europeus ficam evidentemente um tanto ou quanto espantados de ver o Evangelho «lançado» como se fosse uma pasta dentifrícia ou uma marca de automóvel. Mas seria bastante farisaico escandalizar-se com métodos que, afinal de contas, se adaptam bem a uma civilização de massas.

E será adaptado às elites da nossa sociedade esse movimento do «despertar» de um tipo tão especial que nasceu a seguir à Primeira Guerra Mundial e está tão desenvolvido desde então? O seu primeiro nome foi «Movimento dos Grupos de Oxford», o que, é claro, não deve levar-nos a confundi-lo com o Movimento de Oxford, de Newman e de Pusey. Depois, a partir de 1938, recebeu o nome de *Rearmamento Moral*, hoje famoso. Nasceu da experiência espiritual de um homem, de uma crise de alma que acabou numa conversão.

Frank Buchman (nascido em 1878), americano de origem suíça, era pastor luterano na Pensilvânia (a terra de William Penn, o quaker, não o esqueçamos). Tinha ele trinta anos quando, estando em viagem na Inglaterra, recebeu subitamente o que considerou um apelo de Deus. Entrara por acaso numa Igreja metodista. Viu uma mulher que pregava: falava de Cristo crucificado, salvador dos pecadores, porque resgatou todos os pecados do mundo. Ficou transtornado. O sentimento dilacerante da sua miséria de pecador misturou-se nele com uma esperança irresistível. Por mais cheio de orgulho, de egoísmo, de rancor que estivesse, Cristo chamava por ele, para o salvar. Lançou-se aos pés da cruz e suplicou ao Senhor que o iluminasse sobre o que devia fazer. E veio a resposta interior: pedir perdão a todos aqueles com quem estava em más relações, humilhar-se. Escreveu imediatamente seis cartas àqueles com quem estava malquistado, e sentiu-se bem. Esse gesto de reparação continha em germe todo o movimento que *Frank Buchman* ia fazer surgir. Para ele, era uma vida nova que despontava.

Depois de ter sido por algum tempo capelão da YMCA, numa grande universidade norte-americana, deixou-a em 1919 para se consagrar inteiramente à obra que vislumbrava. Instalado em Oxford para atingir de um golpe a elite intelectual inglesa, conseguiu reunir alguns *fellows*, decididos a fazer juntamente com ele essa experiência de contato direto da alma com Cristo. Pouco a pouco, constituíram-se grupos em diversos pontos da Inglaterra, a seguir da Europa, da América e até da Austrália e da Nova Zelândia. Eram «fraternidades» inspiradas nas da Igreja primitiva. Punha-se tudo em comum: bens materiais, mas também orações e experiência espiritual. A meditação orante desempenhava grande papel nesses grupos, como também, nas sessões públicas, o testemunho, a narração sincera da conversão. A doutrina, muito simples, reduzia-se aos «quatro absolutos»: absoluta honestidade, pureza absoluta, absoluta abnegação, amor absoluto; e abandono total ao Espírito Santo, a quem Buchman chamava «o guia».

Em 1938, o movimento já era suficientemente poderoso para que o seu fundador alargasse ainda mais as perspectivas da sua ação. Aproximava-se o drama mundial. Falava-se de desarmamento e de rearmamento. E Buchmann, um dia em que passeava pela Floresta Negra, teve uma segunda revelação. O Espírito Santo dizia-lhe que o único rearmamento válido era o moral, e que o único meio de salvar a paz era constituir equipes de homens interiormente renovados, decididos a fazer passar para os seus atos um cristianismo vivido. Assim se criou o Rearmamento Moral, o RAM dos iniciados.

A esse empreendimento que tinha por fim reconstituir o mundo em bases de justiça, de honestidade e de amor, a Segunda Guerra Mundial deu um cruel desmentido. Mas, logo que ela terminou, o RAM teve um êxito espantoso. Homens de todos os países, de todas as classes aderiram a ele. Os grupos multiplicaram-se. O movimento já tinha um centro permanente nos Estados Unidos, numa ilha do Michigan. Industriais e banqueiros europeus ofereceram somas imensas para que tivesse também um centro na Europa: foi Caux, perto de Montreux na Suíça, a *Mountain House*, um antigo hotel de arquitetura neomedieval. Desde 1949, ano após ano, todo o verão é ocupado em reuniões, muito semelhantes a retiros, onde homens dos mais diversos tipos vêm passar alguns dias ou semanas, numa atmosfera de amizade fraterna e de alegria. Todos eles se dedicam aos necessários trabalhos domésticos, mas ao mesmo tempo assistem a meditações dirigidas e ouvem as «confissões» deste ou daquele. Em Caux, viram-se dirigentes políticos de primeira plana, como Robert Schuman, homens de negócios multimilionários misturados com operários das docas e com empregados de escritório. A experiência tem sido quase sempre um êxito.

O RAM tem uma espécie de clero, se assim podemos dizer: os 1500 «permanentes», que consagraram a essa obra todos os seus bens e toda a sua vida; dirigem as reuniões, orientam as campanhas de propaganda. Há um vasto arsenal publicitário, com publicações muito numerosas, programas de rádio e televisão, filmes, peças de teatro. O nível intelectual das obras literárias não parece ir além da mediocridade, mas não se pode negar que o calor que as anima é comunicativo. Sabe-se que a intervenção do RAM tem evitado greves em diversas empresas e que chegou a alcançar resultados felizes em certos acontecimentos de ordem internacional. Embora talvez tenha decaído nestes últimos anos, em 1958 estava em plena expansão.

Que representa para o protestantismo o Rearmamento Moral? No seu livro *Refazer o Mundo*, Franck Buchman insiste em que se trata de «uma revolução cristã» e que o seu objetivo é «instaurar um cristianismo vivo». Há quem interprete essas palavras como um apelo a um cristianismo tão amplo, tão acolhedor, que ultrapassaria as fronteiras de todas as Igrejas, tanto da Católica como das protestantes. Mas o que parece haver no buchanismo são elementos especificamente protestantes: a ideia de um contato direto da alma com Deus, sem intervenção de nenhuma autoridade hierárquica; a fidelidade à Bíblia, muito lida nas sessões do RAM; o moralismo típico dos puritanos; o desinteresse pelas fórmulas dogmáticas. Foi, de resto, tudo isso que provocou as expressas reservas formuladas por membros da Hierarquia católica, como por exemplo o cardeal Suenens, ao passo que outros católicos se mostram sensíveis sobretudo ao esforço feito por concretizar um ideal de fraternidade e de equipe. Tal como é, o Rearmamento Moral fornece a prova de que a seiva espiritual que animou um William Fox, um Wesley, um William Booth não secou na velha árvore reformada.

A renovação litúrgica e monástica: Taizé

O terceiro aspecto da renovação no protestantismo contemporâneo é mais singular. Por algumas facetas, procede do movimento ritualista e sacramentário que vimos desenrolar-se[81] na Inglaterra a seguir aos «tractarianos» de Oxford e, na Alemanha, sob o impulso dos neoluteranos. Mas, por outros aspectos, mais essenciais, surge no interior da Reforma como uma inovação assombrosa.

O amor pela liturgia, despertado pelo «puseyísmo», manteve-se vivo na Igreja anglicana. Na sua Alta Igreja, hoje designada por «anglo-catolicismo», reencontraram-se todos os usos litúrgicos de antes da Reforma e até certas posições dogmáticas relativas aos sacramentos. Em que medida é que esse regresso visível às fontes se fez acompanhar de um impulso de renovação interior tal como Pusey ou Newman o quiseram? Em 1933, quando da comemoração do famoso sermão de Keble sobre a apostasia nacional, uns cinquenta *clergymen* assinaram uma declaração em que censuravam os anglo-católicos por não terem mantido o espírito de piedade intensa e de fidelidade à Escritura que caracterizara o primeiro movimento de Oxford. Mas o simples fato de existir a comunidade sacerdotal de Pusey House, apostólica e fervorosa como é, parece bastar para dar resposta a essa censura.

Na Alemanha, a corrente liturgista e neossacramentária perdera um pouco do seu vigor nos dias gloriosos do Reich de Guilherme II. Mas veio a ser relançado a seguir à primeira Grande Guerra, no momento em que a Alemanha, vencida e desequilibrada, procurava realidades espirituais para firmar a sua reconstituição. Um dos pioneiros da ideia pastoral litúrgica foi o pastor *Haussen*, que estudou a ortodoxia russa para utilizar a liturgia como meio de pedagogia religiosa. A seu pedido, alguns ministros luteranos foram também fazer retiros em abadias católicas, para lá estudarem as antigas liturgias. Em Berlim, celebrou-se em língua alemã uma missa completa segundo a liturgia em uso no tempo de Lutero. A *Associação pela Alta Igreja*, de que era presidente o prof. Heiler, e a sua semelhante,

Die Hochkirche [a «Alta Igreja»], tinham igual orientação. Em Iena, um grande erudito protestante, o prof. Hans Litzmann, publicou uma cuidada edição do *Sacramentum gregorianum* — a Missa romana numa das suas formas mais veneráveis —, e declarou que «há poucas coisas no mundo que atraiam e despertem tanta veneração como a Missa romana».

Cortado cerce pelo hitlerismo, o movimento «Alta Igreja» reapareceu após a Segunda Guerra Mundial em modalidades bastante diferentes das originais. Traduz-se em modificações no culto que chegam a fazer pensar nas que se deram no catolicismo, nomeadamente a maior participação dos fiéis e um autêntico desenvolvimento da prática sacramental. Vem, aliás, ao encontro do movimento monástico que, como iremos ver[82], teve na Alemanha um dos seus focos originários. Aproxima-se também de uma vasta corrente de pensamento teológico que insiste em alguns aspectos doutrinais ainda ontem pouco focados no luteranismo, como a devoção à Santíssima Virgem ou a veneração dos santos; a esta última, o pastor Lackmann dedicou um livro fervoroso[83].

Nascido na Alemanha e na Inglaterra, o movimento litúrgico atingiu outros setores do protestantismo[84], particularmente nos Estados Unidos. Quando Löhe fundou uma «Casa das Missões» para formar os futuros pastores segundo o seu modo de ver, o espírito de Neuendettelsau transpôs o Atlântico e influiu nas Igrejas luteranas do Sínodo de Ohio, depois do Missouri, até que acabou por reformar totalmente as do Sínodo de Indiana. O esforço feito para voltar a um cristianismo primitivo purificado traduziu-se numa grande dignidade de vida, no fortalecimento da prática sacramental, ao mesmo tempo que na beleza dos atos de culto. O anglicanismo «episcopaliano», por sua vez, e sob a influência do ritualismo de Pusey, foi-se orientando progressivamente para o anglo-catolicismo — com as suas catedrais magníficas, as suas cerimônias de grande nobreza —, influindo assim nos que censuram os diversos protestantismos pela falta de sentido do mistério e do símbolo; como, além disso, o clero do *High Church Movement* se conta entre os mais ilustres da União, explica-se mais facilmente a sua força. Entre os sinais dessa influência, temos o crescimento do culto da Virgem e o uso, que se vai generalizando, de um *American Missal*. No mesmo sentido, observa-se uma evolução, inesperada, mesmo em Igrejas como as presbiterianas, as metodistas, as batistas. Em certos edifícios religiosos dessas formações, encontram-se cruzes ornamentadas, candelabros e vitrais que muito espantariam os huguenotes das Cévennes. Em plena Nova York, o rev. Fosdyck, pastor batista, construiu uma igreja segundo o modelo da catedral de Chartres! É verdade que as capelas dessa igreja não estão dedicadas a santos, mas a grandes figuras da humanidade...

Nos nossos dias, é indubitável que numerosos setores do protestantismo vêm sendo atravessados pela corrente litúrgica e sacramentária. É uma corrente que se prende a uma concepção mais mística da religião, conforme se vê por numerosos sinais. Caminham nesse sentido práticas tais como a comunhão frequente, ou a oração em capelas mantidas piedosamente, ou as «Quaresmas», inauguradas em 1928 pelo pastor Marc Boegner. Veremos adiante o lugar da liturgia e da vida sacramental nas comunidades de Taizé e em todas as comunidades religiosas de mulheres. No anglicanismo, observa-se atualmente uma renovação que desemboca numa autêntica pastoral litúrgica, na qual se destacam o sapientíssimo Gregory Dix, Gabriel Herbert, W.K.L. Clarke e Charles Harris. Na Igreja Unida Evangélica Luterana Alemã, foi publicado em 1956 um novo ritual que inclui, não só a «missa alemã», mas os ofícios de

Vésperas e Completas. Na Suécia, desenvolve-se um movimento que não hesita em tomar o nome anglicano de «Alta Igreja». Na Igreja reformada, que é a mais calvinista de todas, é possível observar sintomas inequívocos de uma revolução no mesmo sentido. «Regra geral — dizia Adolphe Monod —, não se deve aconselhar o uso de liturgias», pois a única legítima é a palavra de Deus. Essa posição rigorista tende cada vez mais a desaparecer.

Nos finais do século XIX, o pastor Bersier, da Étoile (de Paris), ainda provocava escândalo ao assumir a liderança de um movimento litúrgico, decorando o templo, situando o púlpito de lado a fim de dar o centro à mesa da comunhão. Hoje, isso já não são inovações, como também não as cruzes que reapareceram por trás da mesa da comunhão. Ao passo que durante o século XIX se observara um poderoso movimento favorável ao abandono da batina pelos pastores, hoje mal se vê algum orador subir ao púlpito sem envergar o hábito talar. Pela voz de Raymond Paquier, autor de um *Tratado de Liturgia*, alguns reclamam o regresso a paramentos sacerdotais mais ricos. Tem-se preconizado o emprego da alba ou mesmo da estola. Em 1955, foi sintomática uma discussão que se travou no seio da Igreja reformada da França: como tivesse sido composto um novo ritual, numerosos pastores acharam-no demasiado frio, demasiado seco, e propuseram o que fora redigido por Max Thurian para os Irmãos de Taizé ou então o que fora fixado pelo Dr. Bakhuysen van den Brink, de Leyde. Calcula-se que a Ceia, outrora celebrada quatro vezes por ano, se celebra hoje vinte vezes. O movimento litúrgico e sacramentário é, pois, indiscutível em amplos setores do protestantismo[85]. Mas seria imprudente interpretá-lo como uma aproximação pura e simples das posições católicas. O pastor Hausen, animador do movimento liturgista na Alemanha, declarava-o sem rodeios: «Não é à Igreja romana que o protestantismo deve regressar, mas à própria catolicidade. Não se trata de nos submetermos a irmãos, mas à nossa Mãe Igreja». Não é outra a atitude dos anglos-católicos aparentemente mais próximos do catolicismo.

A renovação «ritualista» inglesa era, como nos recordamos, acompanhada da renovação de um monaquismo anglicano decalcado no católico. Esse movimento arrastara principalmente mulheres. Numerosas congregações femininas surgiram entre 1840 e 1870. Outras vieram ainda a ser criadas, de modo que, atualmente, não são menos de 58, repartidas por 238 casas disseminadas pelo mundo inteiro. Umas adotaram a Regra dita de Santo Agostinho; outras, a de São Bento. Há também as que se declaram franciscanas ou filhas de São Vicente de Paulo; existe até um mosteiro de monjas cistercienses. E todas se habituaram a pronunciar votos.

Quanto aos homens, uma só formação fora criada antes de 1870: a de São João Evangelista. Mas no final do século XIX começou a dar-se uma verdadeira emulação. Em 1891, foi a *Society of Sacred Mission*, fundada por Herbert Kelly, essencialmente ativa; em 1892, a *Comunidade da Ressurreição*, criada em Oxford à volta de Charles Gore; em 1894, a *Sociedade* (franciscana) *da Divina Compaixão*; em 1898, os *Beneditinos* da ilha de Caldey, que tiveram um ramo feminino. O drama espiritual que ocasionou a passagem em bloco para o catolicismo destas duas últimas congregações, sob o impulso de Dom Carlyle, agitou fortemente a Inglaterra, mas, em 1914, formou-se uma outra comunidade, instalada em Nashdom, que permaneceu inteiramente anglicana sob a Regra de São Bento. Existem atualmente cerca de seiscentos religiosos e monges anglicanos, sem contar, evidentemente, os missionários em países não cristãos, os quais não obedecem a uma Regra. De todas essas fundações, uma só é exclusivamente contemplativa e ascética: a dos *Servidores da Vontade de Deus*, que, no fundo de uma floresta de Sussex, levam uma vida análoga à dos trapistas; aliás, são tão mal conhecidos que, em 1952, o bispo anglicano Kirk, de Oxford, exprimia o desejo de que «haja ao menos uma Ordem contemplativa na Inglaterra»...

O renascimento monástico não é muito surpreendente no anglicanismo, que sempre invocou a Tradição, com o mesmo fundamento que a Igreja Católica. Parece bem mais inesperado no mundo luterano e calvinista. É sabido com que violência, no seu tratado *De votis monasticis*, Lutero tomou posição contra os votos, que, em seu entender, se opunham à Palavra de Deus, eram contrários à fé e à liberdade evangélica, desobedeciam aos Mandamentos de Deus, insultavam a razão, e por aí fora... Quanto a Calvino, no seu *Tratado dos escândalos*, formulava assim a sua opinião acerca dos monges: «Todos sabem que claustros, celas e buracos de monjarias não passam de lixeira. E nem falarei dos seus maiores segredos, que são enormes». Se bem que outros textos dos grandes Reformadores deem algum matiz a essas condenações, elas correspondem ainda hoje à opinião mais espalhada no protestantismo. Ainda em 1944 o pastor A.N. Bertrand declarava que «a condenação radical feita pelos Reformadores contra a vida monástica justifica-se do ponto de vista evangélico»[86].

A opinião protestante começou a evoluir após a Primeira Guerra Mundial. Vendo progredir quase por toda a parte um evangelismo social que lhes parecia pobre de conteúdo espiritual, alguns pensadores reformados concluíram que a realização do Reino não se faria sem que, além do plano material, lhe fossem assegurados alicerces espirituais. A obra social tinha de ser completada com uma incessante obra de oração. Essa era, por exemplo, a convicção de Wilfred Monod, um pastor muito social e ao mesmo tempo profundamente místico. Depois de estudar de perto a fórmula católica das Ordens Terceiras, decidiu transpô-la para o protestantismo sob o nome de *Vigilantes*. A organização ganhou vida em 1923, e até à sua morte (1943) Monod consagrou-lhe as suas melhores forças. Tratava-se de agrupar leigos que, vivendo no mundo, estivessem resolvidos a pôr firmemente em prática os princípios cristãos e a dedicar diariamente um certo tempo à oração e à meditação. Sem pronunciarem propriamente votos, os Vigilantes deviam considerar-se vinculados por um compromisso solene.

Em certo sentido, foi esse o primeiro passo dado desde a Reforma no sentido de uma ressurreição do monaquismo dentro do mundo protestante. É de crer que isso correspondia a uma necessidade, pois, nos anos seguintes, apareceram outros indícios. Em 1929, Mlle. Antoinette Butte, que, em Saint-Germain-en-Laye e depois em Paris, dirigia uma casa de retiros, tendo ficado muito impressionada com a experiência dos Vigilantes, agrupou à sua volta um núcleo de almas decididas a tentar a experiência da vida comunitária. Transferida durante a Segunda Guerra Mundial para o sul da França, essa comunidade não tardou a tornar-se bem conhecida sob o nome de «Retiros de Pomeyrol». Pouco depois, em 1931, em *Grandchamp* (perto de Neuchâtel, Suíça), em condições muito semelhantes, três piedosas moças, apoiadas por Mme. Léopold Micheli, constituíam um pequeno grupo que, treze anos mais tarde, seria uma verdadeira comunidade religiosa. Na Alemanha, em *Darmstadt*, em plena ditadura nazista (1936), duas jovens mulheres que davam excelentes cursos de formação bíblica, Klara Schlink e Erika Madauss, tiveram a inspiração de responder à ameaça hitlerista de descristianização agrupando mulheres para uma ação de preces e estudo espiritual. A corrente foi tão forte que, entre as diaconisas (que, como já vimos, não eram formalmente religiosas), algumas casas constituíram-se em comunidades e seguiam uma regra, como foi o caso de «Belém», em Hamburgo. Mas todas essas realizações iam ser imensamente ultrapassadas por aquela que hoje parece encarnar tudo o que há de mais novo na renovação monástica no seio da Reforma: a de *Roger Schütz*, em *Taizé*.

Em agosto de 1940, no momento em que a França acabava de ser derrotada e jazia por terra, angustiada, chegava um jovem a uma aldeia da Borgonha, então ignorada e quase ao abandono, para se instalar, completamente só, num casarão há muito tempo vazio. Era um suíço romando, de ascendência borgonhesa pela mãe, em quem a dupla nacionalidade e as duas hereditariedades se harmonizavam num feliz resultado: circunspecto, comedido e um pouco frio, como se é em Genebra, sabia também mostrar-se aberto, risonho, acessível aos outros, conforme a boa tradição do romance *Nono* de Gaston Roupnel. Os olhos, cinzentos como ardósia, sob a fronte saliente, fixavam intensamente o interlocutor; mas os lábios sorriam e com frequência um fulgor de alegria lhe passava pelas pupilas. Bem depressa Roger Schütz ganhou as simpatias desses camponeses a quem a ocupação alemã tornava ainda mais desconfiados que habitualmente. Taizé estava situada exatamente sobre a famosa «linha de demarcação» entre a zona ocupada e o governo de Vichy, e a antiga residência abandonada tornara-se uma das estações mais frequentadas no difícil caminho seguido pelos viajantes clandestinos que iam de uma «zona» para a outra.

É claro que não foi propriamente para se estabelecer como guia de prisioneiros evadidos que Roger Schütz se instalou em Taizé. Se quis viver na França, foi por pensar que a sua vocação — que era servir Cristo na oração e na ação — se afirmaria e desenvolveria em contato com a desgraça dos homens. Não era uma vocação antiga. Após uma dezena de anos em que tinha vivido fora da fé — da qual o afastara, aos onze anos, um professor de História Natural —, sentira afinal nascer em si, aos vinte anos, certezas contra as quais nada podiam os argumentos de Lamarck ou de Darwin. Filho de pastor, enquadrara a experiência dessa redescoberta, muito naturalmente, no calvinismo a que estivera habituado. Ao mesmo tempo, porém, os acasos da educação tinham-lhe dado a conhecer a realidade católica de modo muito mais direto que a maior parte dos jovens huguenotes: vendo viver a boa gente em cuja casa se tinha hospedado, concluíra no seu foro íntimo que careciam de fundamento as ásperas críticas contra os católicos que ouvia frequentemente. A sua alma procurava, procurava Deus, e isso, segundo Pascal, provava que já o tinha encontrado. E fora precisamente o encontro com Port-Royal, descoberto através de um livro, e sobretudo o encontro com essa alma de fogo que era a Madre Angélica, o que trouxera Roger Schütz ao caminho onde Cristo o espreitava para reconquistá-lo.

Aos vinte anos, de volta à fé tradicional dos seus, aluno estudioso da Faculdade de Teologia de Lausanne, tivera um outro encontro: tocara-o um novo aceno de Deus, de Deus à sua espreita. Ia ele preparar uma tese de licenciatura em teologia, e escolheu como tema São Bento e os começos do monaquismo no Ocidente. Ao meditar essa obra-prima de psicologia e de fé que é a *Regra dos monges*, perguntou-se se as razões contingentes que Lutero e Calvino tinham tido para condenar o monaquismo seriam mais fortes do que a utilidade sobrenatural que havia em agrupar homens na vida de oração. É certo que, nessa época, Roger Schütz não estava ao corrente do renascimento monástico anglicano, assim como ignorava o movimento dos Vigilantes, e só por ouvir dizer conhecia a tentativa, ainda tão modesta, de Grandchamp. Foi portanto só na sua experiência interior que descobriu o ideal a que ia submeter a sua vida: o da vocação monástica reencontrada dentro do protestantismo. Passando logo aos fatos, agrupou à sua volta alguns amigos, em colóquios de estudo e retiros espirituais. Assim constituiu uma espécie de Ordem Terceira, bastante análoga à dos Vigilantes, concebida dezesseis anos antes por Wilfred Monod. Mas quando, por ter rebentado a Guerra Mundial, teve que optar entre a permanência na Suíça e o risco de viver na casa de Taizé na Borgonha, Schultz achou-se só.

Ficou, pois, em Taizé, sozinho, por dois anos. E foi então que nasceu nele a decisão de, uma vez restabelecida a paz, instalar nessa aldeia uma comunidade de homens jovens, dispostos a consagrar a vida «por um serviço comum a Jesus Cristo na Igreja e no mundo». Como pano de fundo dessa intenção, situava-se a vontade, ainda mal expressa mas profunda, de servir também a causa da aproximação entre os cristãos de todas as obediências. Logo em 1941, dois apóstolos da Unidade Cristã vieram visitar o jovem solitário de Taizé: os padres Couturier e Villain.

Forçado em 1942 a deixar a Borgonha, agora completamente ocupada, Roger Schütz fixou-se em Genebra. Aí se encontrou com três estudantes que se entusiasmaram com as suas ideias: Max Thurian, Pierre Souvairan e, um pouco depois, Daniel de Montmollin. Entre todos, alugaram um apartamento para viverem em comunidade, na oração e no apostolado entre os seus colegas de estudos. De manhã e à noite, celebravam um ofício, quer na residência comum, quer numa capela da catedral (calvinista) de São Pedro. E bastou que, durante o outono de 1944, o jovem quarteto fosse reabrir a casa borgonhesa para que nascesse o que ia ser a Comunidade de Taizé: simultaneamente escola e centro de retiros espirituais.

A verdade é que o lançamento foi bastante lento. Durante cinco anos, os primeiros irmãos ficaram sós, continuando a viver tal como tinham pensado, mas utilizando esses anos de vigília de armas para aprofundar nas razões da sua vocação, definir as suas próprias motivações, elaborar os meios de ação. Foi assim que descobriram por si mesmos a necessidade das duas realidades que fazem verdadeiramente o monge: a submissão a uma Regra e o compromisso vitalício pelo tríplice voto de celibato, comunidade de bens e obediência. Só em 1949 é que, com as novas vocações confirmadas, Roger Schütz julgou ter chegado a hora de uma «profissão» solene. Foi celebrada na manhã de Páscoa. Nesse momento, começava verdadeiramente a grande história de Taizé.

Quinze anos se passaram desde então, e o nome sonoro da aldeia borgonhesa passou a ser mundialmente conhecido. Não deve haver nenhum país da terra em que algum jornal não tenha relatado a experiência empreendida pelo prior *Frère Roger* e os seus «irmãos». De ano para ano, as vocações têm vindo a engrossar o pequeno rebanho. Em 1958, contava quarenta membros; em 1964, sessenta e cinco. A aldeia, outrora caída numa letargia próxima da morte, revitalizou-se: os irmãos mantêm oficinas, e uma fazenda-cooperativa é explorada em comum pelos irmãos e por leigos católicos da região. A comunidade compreende agora, além da casa-mãe, uns tantos edifícios que os irmãos utilizam para o seu trabalho ou para acolher hóspedes. Um número inacreditável de visitantes aflui de todos os países para a colina e se acumula sob o portal encimado pelo sinal do *Ichtys* [Peixe], inspirado nos afrescos das Catacumbas. É frequente verem-se ali batinas púrpura de cardeais ou violeta de bispos, hábitos monásticos de diversas cores, barbas de arquimandritas ou de *popes* e as austeras sobrecasacas de pastores protestantes de todas as obediências. Percebe-se visivelmente que se está a abrir ali uma página importante da história do cristianismo. Em todo o protestantismo do século XX, não há com certeza nada que seja mais original, mais rico de promessas que Taizé.

Na sua aparência mais propriamente formal, os Irmãos da Comunidade de Taizé são monges, ou melhor, religiosos que seria fácil situar, dentro de uma classificação geral, relativamente perto dos Irmãozinhos de Jesus instituídos pelo padre Voillaume, à imitação de Charles de Foucauld, ou dos membros de certas Missões operárias — como a do padre Loew, dominicano, criada entre os trabalhadores das docas de Marselha e que se tem conservado ativa em Port le-Bouc —, ou ainda daquela que mons. Ancel fundou em Lyon.

Nas horas normais do dia, vestem roupas correntes de leigos, próprias de quem vai para o trabalho. Porque eles trabalham para ganhar a vida: são ceramistas, tipógrafos, agricultores; há quem faça ícones; há quem se ocupe da cooperativa leiteira. Mas, três vezes ao dia, de manhã, ao meio-dia e à noite, reúnem-se na igreja para o ofício: leitura meditada da Sagrada Escritura, canto dos Salmos, seguidos de orações e cânticos em comum. Uma «Regra» ordena--lhes a existência: é mais propriamente um programa de vida do que um regulamento formal, pois limita-se a indicar «o essencial que permita uma vida comum»; menos uma grade de proteção rígida que tudo circunscreve do que uma incitação permanente ao progresso na experiência espiritual; ou seja, exatamente o que são as grandes Regras das congregações católicas, de São Bento a Santo Inácio de Loyola. A liturgia ocupa um lugar considerável nessas existências regradas, não tanto pela duração como pelo papel que assume ao longo de todo o dia: o trabalho é expressamente concebido como associado à oração — é em si uma manifestação da oração —, e, por outro lado, o ofício tem um caráter direto, pessoal, em que cada qual pode facilmente sentir-se envolvido.

Mas tudo isso — Regra, liturgia — é vivido naquilo que o prior de Taizé designa por uma «dinâmica do provisório». «Em Taizé — diz ele —, temos a convicção de que o que constitui o espírito de família, o que nos particulariza, por exemplo na nossa Regra e na nossa oração litúrgica, tudo isso há de desaparecer um dia. A nossa Regra, a nossa liturgia são tímidos instrumentos para nos permitirem firmar-nos na esperança da unidade. Em certos aspectos, são dados provisórios chamados a desaparecer quando vier a unidade visível.

«Nesse dia da unidade visível, será então bem preciso morrer para si mesmo, e algumas vezes também morrer para aquilo que mais caracterizou a família em que se viveu por um tempo e num lugar. O que então terá de desaparecer serão os particularismos da família, e não os dados comuns a todos, inscritos quer na Regra, quer na liturgia. Porque há uma imutabilidade da vocação, particularmente nos votos. Estes não podem ser postos em causa, porque constituem, não apenas a via do nosso compromisso de seguir Cristo, mas também o arcabouço que nos reuniu no seio de uma mesma família».

Assim, por muitos aspectos da sua experiência, os Irmãos de Taizé surgem como próximos do catolicismo. Mas não devemos iludir-nos: eles continuam a ser totalmente, integralmente, protestantes. O prior *Frère Roger* repete-o em qualquer ocasião: «O apelo particular da Comunidade de Taizé não a impede de modo algum de ser solidária das Igrejas da Reforma. É no meio delas que procura a via da unidade visível dos cristãos». Sublinhemos esta última frase. Com ela se põe em foco aquilo que, no fim de contas, parece a intenção mais profunda dos que conduzem esse empreendimento. Taizé não depende diretamente de nenhuma Igreja protestante particular. Entre os Irmãos, há calvinistas, luteranos, congregacionalistas, metodistas, anglicanos — ao todo, membros de dezoito Igrejas. Taizé mantém relações constantes e fraternais com católicos; tem entre os seus amigos altas personalidades católicas — no primeiro plano das quais, o cardeal Gerlier — e até obteve do bispo de Autun, mons. Lebrun, o direito de utilizar para os seus ofícios litúrgicos a bela igreja românica da paróquia. Mas seria absurdo concluir destes indícios que os Irmãos de Taizé estão a caminho de uma conversão em massa, como em tempos estiveram os beneditinos anglicanos de Caldey. O que a Comunidade quer, o fim que persegue com tanta coragem como generosidade, é experimentar numa atmosfera de amizade o que poderá ser algum dia, se Deus quiser, uma aproximação entre os irmãos cristãos que se julgam tão distantes uns dos outros; é levá-los todos a sentir que a restauração dos laços fraternos é possível e constitui o primeiro passo, indispensável, para a unidade[87].

Foi assim que, mediante uma vocação já bastante diuturna, a Comunidade de Taizé se tornou um centro do ecumenismo, um centro cujo papel se pôs de manifesto ainda mais a partir de 1959, quando o bom papa João, que acabava de lançar a Igreja no caminho do Concílio, deu claras provas da atenção que prestava à experiência de *Frère Roger* e seus companheiros. Reuniões de caráter oficial que se tiveram em Taizé entre bispos católicos e pastores protestantes; colóquios com dignitários da Ortodoxia — tudo confirmou a Comunidade borgonhesa nesse terreno de diálogo entre irmãos separados.

Mas esse papel só pôde ser assumido porque os religiosos de Taizé abasteceram a Comunidade de uma vida espiritual autêntica, inteiramente ordenada para a procura exclusiva do Único necessário. O livro em que *Frère Roger* resumiu a sua experiência mais profunda, *Vivre l'aujourd' hui de Dieu*, prefaciado ao mesmo tempo pelo cardeal Gerlier e pelo pastor Boegner, surge como uma das obras-primas espirituais do século XX. É uma obra que se impõe a qualquer alma religiosa, por cima das barreiras das obediências. E os teólogos católicos sabem o que devem ao principal teólogo de Taizé, o irmão Max Thurian, cujos livros sobre a *Eucaristia*, a *Confissão* ou a *Unidade Visível dos Cristãos e a Tradição* renovaram as posições protestantes acerca dessas matérias. Evocando, certo dia, diante do autor deste livro, essa experiência tão rica de esperança, o papa João XXIII usou esta expressão cheia de simplicidade: «Taizé é uma luz». Disse tudo[88].

Se o êxito de Taizé ultrapassa toda a medida comum, as outras realizações monásticas no protestantismo estão longe de ter desiludido a expectativa daqueles ou daquelas que tomaram a iniciativa. A comunidade de Grandchamp, que encarna agora, para as mulheres, a mesma vocação que Taizé encarna para os homens, tem prosperado sob a direção da sua fundadora (que desde 1936 passou a chamar-se Irmã Genoveva). As vocações afluem: eram trinta em 1958, e o pastor Jean de Saussure e *Frère Roger* ajudam as monjas a desenvolver na sua comunidade a liturgia e o espírito de oração. Uma equipe de religiosas cuida de uma «casa de acolhimento», que é como um posto avançado ao encontro do mundo, no Sonnenhof de Gelterkinder. Os retiros de Grandchamp têm muito sucesso. Com todo o acerto, o pastor Du Pasquier qualificava Grandchamp como «Câmara Alta da Igreja». Importa acrescentar que uma Ordem Terceira chamada «da Unidade» completa a ação de Taizé e de Grandchamp, quer entre os homens, quer entre as mulheres.

Os Retiros de Pomeyrol têm mantido um caráter mais independente. Após um período difícil, durante a guerra e a Libertação, a comunidade reconstituiu-se; é bastante fraca numericamente, mas exerce uma influência considerável como centro de retiros. As religiosas insistem muito na liturgia, que estabeleceram inspirando-se na Igreja primitiva, no anglicanismo, no catolicismo, mas também nos Vigilantes, nos Irmãos Morávios e nos Quakers. A regra que seguem é a de Taizé.

As «Marienschwestern» de Darmstadt atravessaram durante a guerra rudes provações: quando eram apenas «membros do círculo bíblico», tiveram a cidade arrasada pelos bombardeios, as casas incendiadas e, com elas, os livros. Mas viram nisso um sinal do céu. Algumas semanas depois, quinze delas agruparam-se para estudar a possibilidade de uma vida de oração e de penitência. Pouco a pouco, descobriram de novo as grandes exigências da vida monástica, incluído o «capítulo das culpas», em que cada uma abria às outras a sua consciência. Sete delas, das quais as duas iniciadoras (Klara Schlink e Erika Madauss) levaram a experiência até ao fim: pronunciaram votos, estabeleceram uma regra inspirada na de São Bento, insistiram grandemente na oração, na meditação e na liturgia, e restabeleceram até, segundo a tradição pietista de Herrnhut, um costume bem próximo da adoração perpétua católica: a oração permanente, garantida por turnos de duas horas cada. Uma atividade missionária equilibra essa vida contemplativa: escolas dominicais, teatro popular de objetivos apologéticos. As Irmãs de Darmstadt eram setenta em 1958, e só não cresciam mais por falta de espaço.

O exemplo foi imitado, em 1950, por um grupo de moças alemãs que tinham estado entre as dirigentes de escoteiras protestantes antes de Hitler ter suprimido esse movimento. Em 1942, na noite de Páscoa, tinham feito o juramento de criar logo que possível uma comunidade de oração e de formação da juventude. Sem abandonarem a profissão, decidiram constituir aquilo que os católicos designariam por Instituto secular: o *Círculo de Castell*, em que se submetiam aos três votos, mas sem usar o hábito religioso a não ser para os ofícios em comum. Hoje são vinte e cinco, e o seu principal centro de atividades é o solar de Schwanberg, em que reconstituíram as escoteiras protestantes. É já profunda a influência que exercem na juventude feminina. Outras iniciativas análogas se anunciam[89], até na América Latina, em ambientes «morávios».

Ainda modesto em termos numéricos, o movimento de renovação monástica parece indicar que há no protestantismo novas linhas de força. Os trabalhos de Max Thurian têm procedido à justificação teológica do fenômeno, mostrando que, embora pareça contrário a certas posições dos Reformadores, o monaquismo é perfeitamente compatível com os dados espiritualmente mais seguros do protestantismo. E sobretudo com o ensinamento de Jesus Cristo, dos Apóstolos e dos Padres da Igreja. É ainda muito cedo para saber como irá ele confluir com as correntes profundas que dinamizam o protestantismo do nosso tempo. Mas já é seguro que estas experiências de onde transbordam a fé e a caridade constituem uma grande esperança.

A vida da alma no protestantismo

Depois de termos sobrevoado o conjunto do mundo religioso saído da Reforma e procurado seguir o seu desenrolar histórico nos últimos cento e cinquenta anos, é natural que surja a pergunta: que dizer afinal da vida espiritual no protestantismo?, em que nível diremos que se situa a fé? A este gênero de perguntas, é sempre muito importante poder responder, seja qual for a religião que se considere. Afinal de contas, viver de acordo com uma religião não é somente declarar-se membro de uma sociedade humana, como nos declaramos sócios de um sindicato ou filiados a um partido: é viver pela alma segundo os princípios dessa religião. E isto é ainda mais verdade quando se trata do protestantismo, que se define como «uma forma específica de vida cristã, considerada na sua intimidade mais profunda, nas atitudes da alma diante de Deus»[90], ou seja, que tem por secundário o conflito eclesial e dogmático em que as Igrejas reformadas nasceram.

O estudo da prática religiosa só fornece indicações sumárias sobre este ponto capital. Já o observamos a respeito das estatísticas: as Igrejas protestantes, na sua diversidade, não definem toda a prática religiosa pelos mesmos critérios. Algumas só consideram praticantes os adultos que façam expressamente profissão de fé e se associem visivelmente à atividade da sua Igreja local. Outras têm uma concepção próxima da dos católicos, e consideram praticante o fiel que participa um mínimo de vezes por ano do culto eucarístico. Em certas novas Igrejas ou seitas, é obrigatória a assistência às reuniões da comunidade várias vezes por semana. De modo geral, pode-se dizer que há uma ambiguidade fundamental no próprio vocábulo «prática» aplicado a um protestante. É possível uma pessoa sentir-se e ser autenticamente cristã reformada contentando-se com uma adesão pessoal, sem experimentar a necessidade de exprimir essa adesão no seio de uma comunidade: um grande fervor interior pode ir de par — ao menos em teoria — com uma abstenção total de presença no culto dominical e de participação na Ceia. Há até alguns protestantes que, apesar da ênfase tão repetida no «sacerdócio dos leigos», têm a ideia mais ou menos nítida de que as coisas da Igreja, da paróquia, são lá com o pastor, mas pouco têm a ver com a experiência religiosa decisiva, que é a da alma em face de Deus. Um templo protestante vazio não significa necessariamente — repetimos: ao menos em teoria — que a comunidade paroquial tenha apostatado.

É, portanto, tendo presentes estas reservas e observações que importa considerar as informações que podemos juntar sobre a prática religiosa no mundo protestante. Tais informações são, por outro lado, sujeitas a cautela, porque a sociologia religiosa de caráter científico, como Gabriel Le Bras a fixou desde há vinte e cinco anos para o mundo católico, está ainda a começar na maior parte das Igrejas protestantes. Ao longo do século XIX, os dados estatísticos são muito fragmentários. Alguns, no entanto, fornecem certas indicações, de modo geral bastante negativas.

Na Prússia luterana, por volta de 1848, a prática tinha caído tão baixo que o piedoso rei Frederico Guilherme IV — o Ezequias do «despertar» — chorava, pela noite, à janela, pensando nisso[91]. Que diria ele em 1880, quando, em Berlim, 80% dos enterros, 52% dos casamentos, 26% dos nascimentos prescindiam de qualquer ato religioso?!... No anglicanismo, um recenseamento organizado em 1851 (muito avançado para a época) revelava que a participação no Ofício dominical mal atingia 22% dos fiéis inscritos. Em 1955, um Gallup provou que apenas 16% dos que declaravam pertencer à Igreja anglicana ou a uma Igreja dissidente participavam de um culto. Na França, país de protestantismo minoritário, se é certo que a prática era ainda quase universal nas paróquias rurais das Cévennes ou de Triéves, a verdade é que, nas grandes cidades, por volta de 1890, no auge do protestantismo liberal, caía para 25% ou 30%: na região de Nîmes, em 1958, poderíamos citar uma comunidade protestante cujos 600 ou 700 membros pagavam uma taxa para o sustento do pastor, mas só 150 dentre eles se declaravam membros da paróquia, e mesmo estes delegavam em apenas 20 (2 dos quais homens) a participação do culto dominical... Nos Estados Unidos, em numerosas denominações, nem esse nível se alcançava. O fenômeno acentuou-se ainda mais daí por diante. Países como os escandinavos, que foram por longo tempo, e em certo sentido ainda hoje são, bastiões luteranos, apresentam muito frequentemente uma prática fraca, que por vezes não vai além sequer dos 10% dos adultos. Na Finlândia, um inquérito de 1953 revelou que 8% dos batizados assistiam ao ofício de domingo e 15% comungavam uma vez por ano. Na Suécia, se dermos créditos às aparências, a situação é ainda mais grave, a tal ponto que certos viajantes um tanto precipitados, vendo uma catedral vazia certo domingo, concluíram estar perante um exemplo perfeito de uma sociedade totalmente laicizada.

O grande desvio que afastou o mundo moderno da fé cristã arrastou, portanto, todas as formas de protestantismo, tal como fez com o catolicismo. Trata-se de uma verdade que não tem sido bem posta a claro, por estar dissimulada pelo caráter «interior» da religião protestante. Sabem-no bem e não deixam de o dizer aqueles que se encontram confrontados com a realidade humana: onde falta a prática religiosa, a manifestação pública da fé, aí se estiola a vida da alma, e em breve triunfam a rotina e o respeito humano. No preciso momento em que os padres Godin e Daniel chamavam dramaticamente a atenção dos católicos para o mais grave dos problemas, publicando o percuciente *France, pays de mission?*, um jovem candidato a pastor, Yann Roullet, pouco antes de desaparecer em circunstâncias horríveis[92], escrevia um documento espantosamente concorde com esse livro[93]. Enviado para a região de Charente, que outrora tinha sido terra huguenote por excelência, acolhido por esse cartaz afixado à porta de um dos cinco lugares de culto: «Templo à venda; pastor a enforcar», e depois de assim ter feito a *Découverte d'une paroisse*, concluía, angustiado, desolado, que o seu povo voltara a ser pagão e não conservava do cristianismo senão os «ritos de passagem» (batismo e enterro), e já nada sabia de Deus, nem da Bíblia, menos ainda dos Reformadores. Caso único? É certo que nem todos os testemunhos dão a mesma nota; por exemplo, *Le pasteur et son métier*, de Jean Rilliet, ministro da Igreja nacional em Genebra: dificuldades, sim, mas não intransponíveis. E no entanto não serão demasiados os casos em que Yann Rollet disse a verdade?

Um dos sinais da crise religiosa entre os protestantes, como entre os católicos, é a queda das vocações sacerdotais. Algo mais significativo entre os protestantes do que na Igreja de Roma, em que o celibato eclesiástico é encarado como um obstáculo. É certo que todas as Igrejas saídas da Reforma podem gloriar-se de contar no seu seio verdadeiras famílias de pastores, em que, de pai para filho, se transmite a vocação para o serviço de Deus. Esse pastorado hereditário é particularmente frequente entre os batistas (lembremo-nos de Martin Luther King ou de Billy Graham...). Não o é muito menos entre os calvinistas franceses e suíços, entre os quais se podem citar verdadeiras dinastias de pastores, como os Monod, os Bost, os Monnier, os Casalis. Mas essa fidelidade tradicional não basta para encher os seminários e as faculdades de teologia. Na França, já que dela vínhamos falando, com os seus 800 pastores — dos quais 200 jovens — em 1958, as Igrejas protestantes não se sentiam em perigo: um pastor para 850 fiéis estava bem. Mas assistia-se a uma verdadeira fuga ao ministério; os jovens preferiam escrever, dirigir jornais ou obras. Entre 1946 e 1951, em 167 jovens admitidos ao estágio de «pastor-candidato», 29 não pediram a consagração ao ministério. Na Alemanha luterana, a queda de vocações não cessa desde há cento e cinquenta anos; acentuou-se de modo catastrófico durante o hitlerismo, e só há pouco — ao menos na Alemanha Federal — parece ter voltado à normalidade. Nos países escandinavos, tem idêntica gravidade: a admissão das mulheres ao pastorado é um paliativo, mas provocou na Suécia violentas discussões. Nos EUA, para fomentar o recrutamento pastoral e formar melhor os jovens, algumas Igrejas foram levadas a criar serviços comuns, seminários comuns ou faculdades de teologia. Mesmo entre as seitas mais ativas, como os movimentos de Pentecostes, lamenta-se a falta de chefes religiosos qualificados, sobretudo nos países como os da América Latina, onde o protestantismo está em rápido progresso.

Mas a esses sintomas outros se podem opor, que dão testemunho, não de uma queda espiritual no protestantismo, mas, pelo contrário, da sua vitalidade. É evidentemente impossível traçar mapas de «setores de fervor», como aqueles que o cônego Boulard pôde levantar a respeito da França católica. Mas é possível verificar que há parcelas do mundo protestante em que a participação no culto é considerável. No final do século XIX, ao traçar um quadro perfeitamente honesto da Alemanha protestante, Georges Goyau sublinhava que havia uma fé popular ainda extremamente viva, aldeias onde os templos se enchiam todos os domingos e as comunhões eram numerosas. O que não é hoje menos verdadeiro quase por toda a parte. À imagem de uma Escandinávia laicizada, uma testemunha digna de crédito opunha «a multidão recolhida que enchia a vasta igreja de encantadores madeiramentos azuis, em Leksand (Dalecárlia)», multidão em que os turistas se mesclavam com os camponeses e com os sólidos madeireiros que vinham de longe, de barco, atravessando o lago Siljan. Na França, ao quadro traçado por Yann Roullet, com os seus lugares de culto desertos, o autor deste livro pode opor a recordação de uns pequenos templos cheios até transbordar, que viu no Queyras e no Alto-Vivarais, assim como o visível fervor manifestado por alguns fiéis ao receberem na mão o pão da Ceia. E será preciso evocar a afluência, literalmente prodigiosa, desses batistas negros, desses metodistas negros da América do Norte que batem todos os recordes de assistência aos ofícios, alcançando 93 e 95%? Nas seitas e nas novas Igrejas, dá-se o mesmo: interrogada sobre o número de fiéis da sua comunidade que vinham assistir ao culto do sábado, uma propagandista «adventista do 7º Dia» respondeu com simplicidade: «Mas vão todos!...» E não exagerava.

E temos ainda outro sinal de vitalidade do espírito no protestantismo, em todos os protestantismos: a expansão da Bíblia. Nunca devemos perder de vista que «o critério da vida protestante é bíblico, visto que é a Bíblia que gera, determina e qualifica essa vida. A vida espiritual nasce da Bíblia; desabrocha ou definha na medida exata em que se liga à Bíblia ou dela se afasta». No final do século XVIII, um dos indícios mais claros da queda da fé reformada era que cada vez se lia menos a Bíblia. Em cento e cinquenta anos, a situação mudou por completo. O que não foi nada fácil, porque os ataques da «crítica livre» contra a historicidade do Livro Sagrado fizeram crescer durante muito tempo, em certos setores, a desafeição pela Bíblia; na Alemanha luterana, a tradução de Lutero caíra em tal descrédito que o teólogo Paul de Lagarde reconhecia: «Já não é lida, pura e simplesmente». Ao mesmo tempo, porém, o aparecimento e desenvolvimento das sociedades bíblicas trouxe consequências diametralmente opostas.

Vimo-las surgir em numerosos países no princípio do século XIX. O primeiro lugar coube à de Londres, seguida das norte-americanas, todas elas desde então associadas para o esforço comum. Os milhões que elas lançam por todo o mundo ano após ano, em perto de mil línguas, exercem uma influência impossível de enumerar, mas que é grande. Nos territórios de missão, quer em terras não cristãs, quer entre populações nominalmente católicas da América do Sul, a distribuição do Livro Sagrado é muitas vezes o único meio de apostolado que se utiliza. Nos últimos tempos, juntam-se a esse trabalho de difusão as emissões radiofônicas, que explicam a Bíblia aos mais simples. Nos países de alta cultura, as traduções da Sagrada Escritura têm sido inteiramente renovadas, apoiadas num aparato histórico e crítico. Neste ponto, a renovação bíblica que se deu há cinquenta anos no catolicismo teve indiscutível influência no protestantismo, provocando uma fecunda emulação, ou até colaboração, como acontece na França com a «Bíblia de Jerusalém» dos Padres Dominicanos, da qual se prepara uma edição protestante. A Bíblia retomou o seu lugar, todo o seu lugar, na vida espiritual protestante. Os teólogos das novas escolas, quer se trate de Barth, quer de Bultmann, insistem no reconhecimento da autoridade do texto sagrado, mesmo quando propõem interpretações que se afastam muito da letra. E isto ainda não é nada em comparação com a soberania prática que exerce no domínio da vida, nomeadamente em povos como os dos Estados Unidos.

Permanência de uma certa prática, fidelidade à Bíblia..., mas ainda numerosos sinais de verdadeiro fervor. É impossível evocá-los a todos. Na França, podemos citar essas «reuniões de lares» que não saíram dos usos das Cévennes e onde, como no tempo das perseguições, os fiéis se encontram à noite numa casa particular, para rezarem e meditarem em comum, fraternalmente. Muito próximas de um verdadeiro culto, são reuniões em que a dona da casa põe um chapéu ou touca na cabeça, sem sair da sala comum, para frisar que não está em sua casa, e que só Deus é ali o senhor... Ou ainda as «Assembleias do Deserto», ressuscitadas em 1910, que se congregam em volta da casa que foi do *camisard* Rolland, a herdade de Soubeyran (perto de Anduze), ou da que pertenceu à vivarense Marie Durand, a célebre prisioneira da torre de Constance, ou ainda da dos «Pascalet», em Vaunage. Há multidões que vêm assistir a cultos celebrados ao ar livre por uma dezena de pastores, acompanhados de batismo de adultos, e onde, de André Siegfried a André Chamson, numerosos leigos foram chamados a dar testemunho público.

Num plano mundial, quem terá por indícios insignificantes de vitalidade espiritual esses prodigiosos encontros que provoca um Billy Graham? Ou o êxito duradouro do Movimento *Toï I*, fundado e lançado durante a Primeira Guerra Mundial pelo rev. Clayton, um apóstolo, e que continua a manter no anglicanismo uma corrente de autêntica espiritualidade? Não significará nada o fato, na aparência tão simples, de o Exército da Salvação — apesar dos seus uniformes e chapéus próprios para atrair gracejos — continuar a recrutar soldados, oficiais de ambos os sexos?... A YMCA continua florescente, assim como prosperam as inumeráveis obras sociais protestantes.

Mais discreto, uma vez que se trata do contato secreto de uma alma com Deus, não deixa de ser um sinal a multiplicação de casas de retiros espirituais, como as que vimos associadas ao surgir das comunidades religiosas de Taizé, de Grandchamp, de Pomeyrol; ou ainda a que Johann-Christophe Blumhardt fundou em Bad-Boll, lugar onde o jovem Karl Barth encontrou o seu equilíbrio interior; ou aquelas que mons. Hedley fundou entre os anglicanos em 1920, misturando estranhamente o método de Santo Inácio de Loyola com a leitura da Bíblia, e que foram o ponto de partida de um vasto movimento agrupado na *Associação Promotora de Retiros*. Quando André Siegfried pensava poder detectar «uma corrente mística» no protestantismo contemporâneo, não se enganava. E ainda não tinha em conta as seitas e as novas Igrejas, essa vanguarda trepidante em que a corrente assume por vezes o aspecto de uma inundação «espiritual»...

Deveremos ir mais longe, e propor um problema ainda mais decisivo? Porque a verdade é que o fim último de todas as grandes religiões, sobretudo se se afirmam cristãs, é o de elevar o homem acima de si mesmo: fazer santos. O apelo de Cristo é formal: «Sede perfeitos como o vosso Pai celestial é perfeito». Haverá acaso alguma medida mais adequada para calcular o valor espiritual de uma Igreja do que o número e a irradiação dos santos que ela cria? Será que o protestantismo das épocas moderna e contemporânea tem santos? Ainda neste caso, a resposta é difícil. Primeiro, porque, formalmente, não há «santos protestantes», visto que as Igrejas saídas da Reforma ignoram a canonização. Mas principalmente porque «a santidade não é um carisma particular; é um *estado* a que todos são chamados; o que permite São Paulo, por uma como que antecipação comovedora, dirigir-se aos *santos que estão em Éfeso* ou *em Corinto*, empregando o termo como sinônimo de cristãos»[94].

Na estrita perspectiva protestante, é lícito dizer que ninguém é santo exceto Deus, exceto Jesus Cristo, como também que todo o cristão é já um santo se procura viver em Deus — ideia esta que Wesley levou ao máximo ao afirmar que a santificação do homem pode ser concluída já neste mundo. Perguntar, portanto, se na nossa época há «santos protestantes» é apresentar uma fórmula contraditória nos seus termos. Para esclarecê-la, haveria que usar de uma paráfrase do gênero desta: terá havido na época moderna personalidades protestantes cujas virtudes, por analogia, façam pensar naquelas que a Igreja Católica reconhece nos santos por ela canonizados?

Assim formulada a questão, a resposta não suscita a menor dúvida. E é largamente positiva. Dessas personalidades espiritualmente altas e exemplares, encontrou-se um bom número nas páginas precedentes, e um católico não teria qualquer motivo para lhes recusar a sua admiração. Seria uma tarefa derrisória tentar elaborar uma lista exaustiva, tão certo é que elas se acumulam tão numerosas na fidelidade da memória... Apóstolos do «despertar», como Félix Neff e os Darby, tão próximos de São Francisco Régis pela coragem e tenacidade. Vinet, esse novo São Francisco de Sales valdense. Adolphe Monod, tão discutido, mas cujos *Adieux* (1856) marcam um dos cumes da literatura espiritual cristã. Líderes do protestantismo social, do excelente Wichern ao corajoso médico Stöcker, do irradiante Oberlin a Daniel Legrand (esse Léon Harmel protestante), ou a Tommy Fallot, em certos aspectos próximo de Ozanam...

Também não faltam ao protestantismo «santos» místicos e contemplativos: de Cellérier Senior — pastor rural que, ao mesmo tempo que servia admiravelmente a sua paróquia, tinha uma vida intensa de oração — ao jovem Yann Roullet, que vimos já prosseguir uma experiência em tudo análoga nas circunstâncias mais penosas. Ou, ainda, certos iniciadores da renovação monástica: Wilfred Monod, fundador dos *Vigilantes*, autor de muitas páginas capazes de tocar um coração católico; Blumhardt, cujos retiros espirituais elevaram tantas almas; ou a Irmã Genoveva, fundadora de Grandchamp, cuja congregação, se fosse católica, já teria de certeza proposto o seu processo de beatificação. Porque a verdade é que, no protestantismo, as mulheres não são menos numerosas do que os homens na manifestação de altíssimas virtudes. Lembremos Elizabeth Fry, Florence Nightingale, Mathilde Wrede e essa humilde Louise Scheppler, empregada doméstica de Oberlin.

Essas personalidades fora de série, desconcertantes por algumas facetas, não devem porventura ser inscritas na relação daqueles a quem uma coleção de obras protestantes não há muito chamava «os vencedores»? Pensemos no extraordinário William Booth, fundador do Exército da Salvação; em Evans, o mineiro que foi apóstolo do País de Gales; pensemos nesses evangelistas itinerantes da «Fronteira» norte-americana, que deram a Cristo um continente. E, se, entre os seus santos, a Igreja Católica concede um lugar de eleição aos missionários, como esquecer que, entre tantas nobres figuras, o protestantismo conta um Livingstone, cuja vida inteira e morte de joelhos foram igualmente votadas a Cristo? Como não lembrar que, entre os protestantes, são muitos os mortos que devemos autenticamente considerar mártires, pois foi como testemunhas de Cristo que derramaram o seu sangue? E o mundo protestante pode reivindicar também mártires entre as cristandades «de cor» que soube constituir um pouco por toda a parte. Mártires pelo sacrifício total, como esses jovens anglicanos de raça negra que, quando da grande perseguição de Uganda, misturaram o seu sangue com o dos seus irmãos católicos, há pouco elevados aos altares por Paulo VI. Mártires também da caridade, na primeira fila dos quais sobressai a figura certamente mais sublime da nossa época em todo o mundo reformado: *Toyohiko Kagawa* (1888-1960).

Um «santo» protestante: Toyohiko Kagawa

Nenhum cristão, seja qual for a obediência a que pertença, pode falar deste homem sem emoção, sem afeição. Já lhe têm chamado «louco de Cristo», «São Francisco do Japão», e não são fórmulas literárias. Quando se soube da sua morte, nos últimos dias de abril de 1960, houve católicos que se uniram para mandar celebrar uma missa em sua memória. Esse homenzinho sem encanto, de olhos quase cegos por trás de enormes lentes, é um desses seres que, nas horas de trevas, nos consolam de também sermos homens. E é como se, nesses momentos, ouvíssemos a sua voz aguda repetir, num inglês medíocre, as palavras de ordem a que submeteu a sua vida: «Não quero ser senão escravo de Jesus Cristo! O meu Deus é a minha luz! A regra da minha vida é o amor»[95]. Faltaria muito à nossa época se não tivesse sido a época de Kagawa, tal como foi a de Santa Teresa de Lisieux, de Charles de Foucauld ou de Gandhi.

Vejamos esse «filho das lágrimas» chegar à casa dos bons missionários anglicanos de Tokushima, os Myers. Aos onze anos, dir-se-ia que esse pequeno Toyohiko tinha tocado o fundo da miséria humana. Nascido de pai de nobre linhagem, mas de uma concubina de costumes fáceis, sofreu desde criancinha a vergonha de ser chamado «filho da p...». Quando o pai e a mãe morreram, caiu sob o poder da madrasta, a esposa legítima, que lhe fez pagar bem caro a honra de ser o único herdeiro masculino do marido. Confinado numa herdade, vivendo a maior parte do tempo sozinho, frequentemente moído a pancadas pelas servas e pelos pedagogos encarregados de ensinar-lhe os caracteres da escrita e as máximas de Confúcio, só por milagre é que não se tornou neurastênico e misantropo. Mas não: no peito desse rapazinho, havia um sentimento natural, devido sabe-se lá a que ascendência, e que as durezas da vida não tinham abafado: a certeza de que não se deve pagar o mal com o mal e de que, no fim de contas, o grande vencedor é o amor.

Na casa dos Myers, para onde foi mandado a fim de se formar no inglês e na civilização ocidental, encontrou Aquele que era o único que podia responder inteiramente à sua procura instintiva. Ele próprio iria relatar o diálogo patético que teve com o pastor: «— É verdade que homens cruéis perseguiram Jesus, lhe bateram, lhe cuspiram na cara? — É verdade. — É verdade que, quando morreu na Cruz, perdoou a todos os que lhe tinham feito mal? — É verdade». E a conclusão que ele deu a essa conversa: ajoelhou-se, com a fronte por terra, e rezou: «Que eu seja capaz de imitar Jesus Cristo!»

Dito e feito: aos quinze anos, tinha-se tornado cristão. E aos vinte, vencera a suprema etapa: decidira consagrar a vida inteira ao serviço de Deus. Entretanto, porém, fizera uma outra descoberta: descobrira os pobres, descobrira que os pobres eram o próprio Cristo, Cristo sempre conosco. Nos *slums* de Kobe, vendo viver a plebe miserável dos trabalhadores sem trabalho, dos mendigos e das prostitutas, decidira como viver: esfarrapado entre os esfarrapados, como eles alojado numa toca de seis pés quadrados, alimentando-se de uma ração de arroz por dia. A tuberculose esteve quase a interromper-lhe a experiência, como também os estudos de teologia que iniciara numa universidade presbiteriana. Mas, logo que se recompôs como pôde, e já com o título de pastor, retomou a ideia e deu à chamada de Deus a forma que escolhera. E lá foi ele, empurrando um carrinho de mão carregado das suas coisas e dos seus livros, para se instalar como pastor de uma paróquia sufocante, que nenhuma Igreja ousaria criar, uma paróquia feita de dez mil almas perdidas, no meio das favelas e dos *bas-fonds* de Shinkawa.

Shinkawa: experiência sublime. Instalado numa barraca minúscula — seis pés quadrados, nem mais um —, partilhando o leito alternadamente com um sarnento, um piolhoso, um assassino enlouquecido pela angústia do crime cometido — a ponto de não conseguir dormir se não lhe estreitavam a mão —, se não era com certo doente cujo tracoma contagioso lhe fez perder a vista em mais de nove décimos, Toyohiko tornou-se tão inteiramente pobre entre os pobres que nem é possível imaginar maior identificação. Da fortuna paterna, já nada lhe restava; daquilo que recebia, daqui, dacolá, nada conservava. A um mendigo bêbado que lhe gritava: «Tu não és cristão, porque tens uma camisa e não ma dás!», respondia estendendo-lhe a camisa e acrescentando a túnica e as calças.

Esse modo de proceder passa com bastante frequência por provocação. Tanto mais que, em plena guerra, esse não violento recordava que Deus proibira formalmente: «Não matarás!» Ainda por cima, porque denunciava alto e bom som os que traficavam com a prostituição. E porque se permitia ajudar o proletariado miserável a organizar-se contra os exploradores. Legalmente, nada lhe podiam fazer, tanto mais que, doutor em teologia por uma universidade americana, reconhecido oficialmente como pastor, tendo já começado a publicar livros, de êxito garantido pelo seu incontestável talento de romancista, estava a caminho da celebridade. Mas, para detê-lo na sua obra, restavam ainda os golpes de punhal nas ruelas noturnas, as algazarras em que, como por acaso, as pancadas caíam sobre o pastor, ou mesmo os motins, pagos por patrões, em que alguns furiosos o atacavam aos gritos de «Kagawa para o fogo!» A nada o pouparam. Mas ele aguentou.

A resistência que demasiados interesses vis lhe opuseram acabou de lhe dar celebridade. O seu livro *Para lá das fronteiras da morte*, em que evocava o horror da condição proletária por volta dos anos 1920, valeu-lhe ser o chefe da União Operária e em seguida do Partido do Trabalho. Detido por alguns dias sob a acusação de subversivo, libertado por força da opinião pública, compreendeu então que precisava de alargar o seu campo de ação e que, para servir a causa dos pobres, não lhe estava proibido usar da arma política. Antes de se resolver a essa mudança de orientação, como de cada vez que tinha de tomar uma decisão particularmente grave, fez um retiro e, em longas horas de oração, procurou compreender o que Cristo esperava dele.

Começa nesse momento uma segunda etapa da sua existência. Nesse meio tempo, casara-se: Haruko (senhorita Primavera), chefe de oficina na universidade feminina onde Toyohiko dirigia serões espirituais, e a quem por vezes calhara substituir o pastor durante as passagens deste pela prisão, resolveu partilhar inteiramente dessa existência. Desde então, associar-se-á heroicamente a tudo o que o marido empreende. Melhor ainda: filha como é de operários pobres, ajudá-lo-á a manter-se em contato profundo com a sua verdadeira vocação, quando as circunstâncias da vida parecerem levá-lo cada vez mais para as grandes tarefas políticas e sociais, e depois para um apostolado internacional.

Partido Operário, União dos camponeses, Federação dos Cooperadores, todas essas realizações a que Kagawa está associado têm por objetivo promover a classe mais pobre, ajudá-la a sair da miséria. A Segurança Social japonesa vai nascer diretamente das suas iniciativas, enquanto a luta contra a prostituição, o diagnóstico da tuberculose e da sífilis, são também resultado das campanhas de opinião pública por ele assumidas. Como é óbvio, nada disso cresce espontaneamente... Mesmo no seu partido, os extremistas acusam-no de estar vendido ao capitalismo, de fazer o jogo dos ricos, ao passo que a grande burguesia o olha com extrema desconfiança e inveja. Mas não lhe faltam compensações. O imperador quis que ele fosse membro da Comissão Econômica e Social que acabava de ser criada.

Mas Toyohiko sabe muito bem que não vai acabar na pele de um conselheiro dos poderosos, desses que andam de automóvel, de chapéu alto... Posto à testa do departamento de beneficência de Tóquio — então arrasada pelo terremoto e onde a curva do desemprego sobe em flecha —, aproveita para duplicar a sua ação caritativa com uma cruzada de evangelização. A sua existência está cheia até rebentar. Quase cego, o corpo faz-lhe ver que, embora não tenha ainda cinquenta anos, é um tuberculoso mal curado. Que importa!... A alma fala; a carne que vá atrás... Desde moço, nunca passou um só dia sem falar de Cristo, sem pregar o Evangelho, pela palavra e também pela pena, pois os seus livros se sucedem interminavelmente, de tal maneira que, ao morrer, a sua bibliografia contará cento e oitenta títulos. Aos romances sociais, às narrativas autobiográficas, tão comovedoras, como o seu famoso *Arqueiro que dispara para o Sol*, misturam-se obras de pura piedade ou até de natureza mística. Daí em diante, e até ao fim da vida, fará da evangelização a sua principal atividade.

Agora a sua ação evangélica difunde-se no plano mundial. Juntam-se multidões para ouvi-lo na Grã-Bretanha, nos Estados Unidos, na Escandinávia, na Austrália, até na Alemanha, embora não fale senão um inglês defeituoso. Para ele, o socialismo prático e o cristianismo caminham lado a lado. É preciso reformar o mundo, estabelecer a ordem social, distribuir as riquezas, mas é ainda mais necessário modificar o homem, repetindo-lhe as lições do Evangelho, ensinando-o o pagar o mal com o bem e a amar os inimigos. O que diz às multidões que se aglomeram para escutá-lo é muito pouco teológico; há quem afirme que é puramente sentimental. Mas quando fala da loucura da Cruz que temos de viver, do despojamento absoluto que temos de aceitar, a sua voz convence, porque ele próprio fez essa experiência da Cruz e do abandono. Num certo sentido, continua a fazê-la, gastando com os pobres todos os direitos de autor, consideráveis, que lhe rendem os seus livros, e vivendo ele próprio num visível despojamento. Vem-lhe então um sonho: constituir um exército de cinco mil missionários para sacudir, primeiro o Japão, depois o mundo, de cima a baixo. A ideia, demasiado grandiosa, fracassa ao fim de três anos, mas deixa pelo caminho várias dezenas de milhares de conversões que vão durar.

As sucessivas guerras em que a sua pátria se envolve levianamente esmagam o seu coração de apóstolo. Kagawa cala-se, não querendo condenar alto e bom som o país que ama e venera. Cala-se tanto, que Gandhi lhe censura o silêncio... Assina então o manifesto de Gandhi, Tagore,

Einstein e Romain Rolland contra a guerra, e, passando por Xangai, onde um pastor acaba de ser morto por uma bala japonesa, pede publicamente perdão à China, em nome do verdadeiro Japão. Uma nova passagem pela cadeia é o fecho desse episódio.

Mas ele bem sabe que tem razão. Aproxima-se a Segunda Guerra Mundial, e os seus apelos em favor da paz, do amor, da fraternidade humana em Cristo são, de mês para mês, cada vez mais veementes e dilacerantes. É agora um velho. Tem a saúde arruinada, não pode andar sozinho, mas tem a alma intacta. Uma vez mais, em 1940, vai para a cadeia. Uma vez mais é solto, porque não ousam manter cativo um Kagawa na hora em que o Japão joga a sua existência. «Ah! Terra do meu amor — exclama ele em público —. Como os teus pecados me são pesados!» Hiroshima afunda-o na maior amargura, mas não o surpreende. Depois da derrota, o imperador apela para ele, para que ajude o país a superar a catástrofe. O seu partido triunfa na Câmara, mas ele recusara antecipadamente qualquer mandato parlamentar. Dedica todo o seu tempo a ir suplicar aos americanos que sejam misericordiosos com o Japão, em nome de Cristo. A sua viagem pelos Estados Unidos é triunfal. Vai-se fechar o círculo. Pouco a pouco, abandona todas as funções oficiais; só irá intervir em congressos para denunciar a guerra atômica. Mas retoma o cajado de peregrino, de louco de Cristo. Regressa aos bairros populares das grandes cidades: vai falar, ainda e sempre, de Cristo e da lei do amor. «Despojado até à pele, é assim que se anda bem...», diz ele, com o seu maravilhoso sorriso.

Em 1955, corre pela primeira vez o rumor de que o apóstolo do Japão está muito mal. Volta a correr pela segunda vez em 1959. Agora é grave: contraiu uma pneumonia ao ir falar precisamente (secretos desígnios da Providência!) aos pobres de Shikoku, a mesma ilha onde, sessenta anos antes, o bom Dr. Myers lhe dera a conhecer Cristo. Por mais de um ano, ainda luta, mas o coração cede. Ao pastor amigo que lhe segura a mão, ainda tem forças para murmurar: «Pela paz do Japão, pela salvação do mundo...» Era o dia 23 de abril de 1960, pelas nove horas da manhã. Uma sombra mais espessa do que a sombra da noite desceu nesse instante sobre a terra.

A alma protestante exprime-se: 1. Na arquitetura e nas artes plásticas

É uma constante que a alma de um povo orante se exprime nas artes, e que cada uma das grandes criações artísticas que a humanidade fez surgir foi fortemente colorida pela sensibilidade religiosa da sociedade que a viu nascer. A cristandade medieval e o catolicismo do Concílio do Trento tiveram assim a sua expressão típica, aquela na arquitetura das catedrais, o outro no estilo barroco. Em que medida é que o protestantismo manifestou nas criações da arte o que a sua experiência religiosa tinha de original e único?

Quanto à arquitetura e às artes figurativas, a resposta só pode ser dada com a reserva de um dado evidente: o de que os luteranos e os reformados, em muitos casos, não tiveram a liberdade de criar para si uma arte religiosa. Onde foram vencedores, ocuparam pura e simplesmente edifícios católicos que em nada correspondiam aos seus gostos nem às suas aspirações espirituais, mas que não lhes custavam nada: limitaram-se a submeter melhor ou pior a estética àquilo que desejavam. A catedral de São Pedro, em Genebra, ou a de Basileia, com o seu gótico tão alegremente róseo, não combinam de modo algum com a fé huguenote que lá se ensina. E aos parisienses que entram na igreja do Oratório, custa-lhes pensar que essa amável nave barroca é calvinista desde que Napoleão a deu à comunidade protestante, a pedido de Boissy d'Anglais.

Só onde os protestantes tiveram de construir é que o fizeram de acordo com os seus gostos profundos. Aí, sim, puderam ter uma arte sacra realmente representativa da sua fé. Lutero e, mais ainda, Calvino combateram vigorosamente todo e qualquer fausto nas igrejas, e até toda e qualquer procura intrínseca da beleza. Para eles, pinturas e esculturas não passavam de «simulacros», e, segundo o Procurador de Deus em Genebra, só serviam para «enfeitiçar os homens com superstições». Era «impróprio da santidade dos templos» decorá-los, dourá-los, meter lá imagens. Essa atitude severa era, de resto, perfeitamente fundamentada doutrinariamente, visto que não era aceitável nenhum mediador entre o homem e Deus que não fosse a própria palavra de Deus. Aos católicos que viam na beleza expressa pela arte um testemunho do Espírito, um intérprete do Divino, os protestantes respondiam invariavelmente: «Não é possível receber da arte um conhecimento salutar do Deus vivo»[96].

No início, a arquitetura protestante só podia significar uma coisa: a renúncia a toda e qualquer religião sensível. Não se tratava de refletir, por formas apropriadas, os esplendores da criação; mas sim de inspirar, pela nudez, a austeridade exigida pela palavra de Deus. Entre os calvinistas ainda mais que entre os luteranos, o templo limitava-se a ser uma sala de reunião. Não demasiado grande, porque a vastidão das basílicas romanas era sinal de orgulho. Nas paredes nuas, no reboco das quais se liam citações bíblicas, até a cruz veio a ser considerada como excessivamente ornamental... O púlpito ocupava no templo o lugar principal, até por vezes desmedido, enquanto a mesa da comunhão era relegada para o lado, totalmente desprovida de majestade, mesmo quando nela se colocava uma bíblia inteiramente aberta: assim a Palavra se afirmava superior ao sacramento. A arquitetura calvinista permaneceu fiel a essa estética até o limiar do século XX. Que o despojamento não contribuiu para suscitar obras-primas é o que se torna claro quando se visita em Paris o templo da Étoile ou o de Port-Royal, com ar de sala de conferências confortável... Entre os luteranos, o princípio de austeridade foi muito menos seguido, e, na Escandinávia, era até normal a ornamentação das naves com pinturas, esculturas e vitrais. O mesmo aconteceu no anglicanismo, em que a fidelidade a uma tradição anterior ao cisma levou muitas vezes a fazer obras de reconstituição ou pastiches.

Na nossa época, tem-se dado uma reação bem clara contra o excesso de despojamento. Faz já uns quarenta anos que alguns teólogos e estéticos protestantes, sob influência de Ernest Christen, P. Romane-Musculus, Cl. Grosgurin e Éric de Saussure, tentam repensar o problema da arte sacra protestante. Surgiu um movimento análogo àquele que, no catolicismo, levou à renovação da arte sacra que já conhecemos[97], e que, como o católico, deu lugar a discussões muito vivas. Em 1950, certo artigo intitulado «O declínio dos templos nus»[98] provocou uma verdadeira batalha...

Esta evolução está, de resto, ligada a um vasto conjunto de dados dogmáticos e litúrgicos cuja essência já vimos atrás. O movimento litúrgico caminha evidentemente a par de uma evolução da arte religiosa: «Cabe à renovação comunitária — diz Max Thurian, dos Irmãos de Taizé — tornar os fiéis conscientes da natureza da Igreja. Essa natureza possui bases teológicas que conduzem a uma verdadeira psicologia comum e a uma estética litúrgica». Denis de Rougemont, ensaísta protestante de grande autoridade, afirma que «a definição de uma arte protestante está ligada a uma concepção dogmática da fé» e que, por conseguinte, «o renascimento e a depuração dessa arte estarão condicionados por uma renovação doutrinal». Teólogos como Barth e Tillich, alargando o quadro da dogmática protestante, influem, pois, sobre a arte. A queda da arte protestante foi atribuída, sem rebuços, pelo pastor Jean Bosc, convicto barthiano, ao «aparecimento de um certo moralismo que, esquecido da criação e do significado cósmico da Encarnação e da Redenção, representa uma infidelidade ao ensino de Reformadores, e sobretudo da Sagrada Escritura». Eis uma linguagem audaciosa, que abre perspectivas inteiramente novas. E até já pudemos ler, com a assinatura do pastor R. Will, a afirmação de que «a arte deve ajudar a comunidade cristã a viver intensamente o acontecimento capital do culto, o encontro com o Deus vivo». Como também a ideia — tão próxima da tese católica que se confunde com ela — de que «um templo não é apenas um lugar onde se fala, mas deve ser um lugar que fala por si próprio»[99].

Tal é o sentido profundo da evolução que atualmente se registra na nova arte sacra protestante. Enquanto a mesa da comunhão retoma um lugar central e algumas vezes chega até a ser altar, e o púlpito se situa modestamente de lado; enquanto a cruz se mostra bem destacada, ainda nua na imensa maioria dos casos, mas trazendo já, por vezes, o Crucificado, as paredes redescobrem os afrescos e as janelas os seus vitrais. Por aqui e ali, já se começam a ver figuras esculpidas de profetas e de Apóstolos... Será somente a ideia ecumênica? Na igreja de obediência romana onde a comunidade de Taizé celebra os seus ofícios, há dois ícones em evidência, e uma bela imagem da Virgem tem flores todos os dias... Mas como não sublinhar o significado «ecumênico» desta evolução da arte sacra protestante, precisamente no momento em que, como por uma intenção espontânea de convergência, a arte sacra do catolicismo caminha para um despojamento crescente?

Em tudo o que acabamos de dizer, trata-se principalmente da decoração interior dos edifícios do culto. Onde quer que as Igrejas protestantes hajam sidos obrigadas a construir novos templos, os arquitetos foram levados, como os católicos, a repensar a estética das formas em função do material do século XX: o cimento. Na Alemanha, na Suíça, na Holanda, na Inglaterra, mais ainda nos Estados Unidos, onde se multiplicam os templos das diversas denominações, assiste-se a um delírio de tentativas, extraordinariamente diferentes umas das outras, de renovar as formas arquitetônicas. Está-se sem dúvida muito longe das salas de traçado retangular que eram tão prezadas pelos austeros huguenotes de outros tempos. Algumas dessas tentativas pareceram até tão atrevidas que, em 1955, nos EUA, houve pastores de dez grandes denominações que se reuniram com arquitetos para tentar fixar algumas regras. Igrejas redondas, igrejas cúbicas, igrejas em forma de dentes de serra, igrejas triangulares..., cada uma delas ligada evidentemente a um símbolo.

Uma das que deram resultados especialmente felizes foi a que se inspirou no símbolo da tenda, morada do povo de Deus no deserto: adaptando-se admiravelmente ao material, essa forma produziu igrejas esbeltas, geralmente inundadas de luz por uma imensa vidraça triangular situada ao fundo. Estão neste caso a igreja dos congregacionalistas em Spencer (Iowa), concebida por Harold Spitz; ou a dos nitarianos, da autoria de Franck Lloyd Wright, em Madison (Wisconsin); ou a de Hyvinkaä, na Finlândia luterana. Esse mesmo tema deu origem ao extraordinário templo batista de Saint Louis, que evoca um vasto acampamento. Tudo isto é novo, decididamente voltado para o futuro; mesmo quando o arquiteto, como no caso da catedral anglicana de Coventry, edifica o novo templo sobre as ruínas de um templo antigo, integrando-o na sua própria obra! Tudo isto é sinal de um protestantismo que se declara vivo e adaptado às preocupações dos homens do seu tempo.

À parte a arte sacra propriamente dita e o pouco de pintura e de escultura que a arquitetura protestante aceita, poder-se-á dizer que a alma dos filhos da Reforma tenha verdadeiramente produzido mestres? Sem hesitar, o pastor Jean Bosc responde que não. «Se há artistas protestantes — escreve ele[100] —, não se pode dizer, regra geral, que tenham ido buscar com frequência à sua Igreja a inspiração da sua vida ou pelo menos da sua obra». É certo que houve opiniões diferentes, como a do pastor Pierre Chazel[101], para quem grandes pintores como Frédéric Bazille e Van Gogh pintaram «com o espírito da Reforma». Mas, quando se lê, em apoio dessa asserção, que os «traços de família» pelos quais isso se reconhece são «visão certeira, firmeza do toque, solidez dos valores, equilíbrio da construção, sentido da vida interior», pode-se perguntar se tais qualidades serão especificamente reformadas... Seja como for, nem um nem outro desses dois grandes impressionistas foi buscar os seus temas de inspiração à fé que professavam, como fizeram outrora um Durer, um Rembrandt. Não há no protestantismo o equivalente de um Maurice Denis, de um Desvalliéres, de um Rouault[102]...

A alma protestante exprime-se: 2. Na música

É muito mais na música que se pode encontrar o impulso da fé protestante, essa espécie de recurso imperioso à graça de Deus, que é a atitude decisiva dos reformados. Desde que se constituiu à margem da Igreja Católica, o povo protestante quis ser um povo que canta. Decerto porque era preciso substituir por alguma coisa a música litúrgica dos cabidos e dos mosteiros, que praticamente só iria subsistir entre os anglicanos e os luteranos da Escandinávia. E ainda porque o canto coletivo é um instrumento de união comunitária, um vínculo entre os membros da Igreja. Sem esquecer também que a Reforma teve início entre povos germânicos, cujos dons musicais são bem conhecidos. De acordo com a observação do pastor Appel, «no terreno do canto sagrado, a herança das Igrejas luteranas constitui um enriquecimento incontestável para todo o protestantismo»[103].

Nos finais do século XVIII, a música protestante foi dominada por uma obra tão poderosa, tão rica, que não bastaram cento e cinquenta anos para esgotar as suas possibilidades: a de *João Sebastião Bach* (1685-1750). Alma profundamente crente, artista movido pelo desejo de trabalhar incessantemente «*soli Dei gloriae*» [«só para a glória de Deus»], Bach dotou a Igreja luterana de peças para órgão, de corais, de cantatas, em número que se diria ilimitado. No austero *Clavierübung*, por exemplo, exprimiu em vinte e um corais de vastas proporções toda a fé dos discípulos de Lutero. Nas suas cantatas, concebidas como sucessões de coros e de recitativos, evocou de modo insuperável quer as grandes verdades bíblicas, quer a meditação do homem sobre a sua condição e a sua esperança sobrenatural. E as suas grandes *Paixões* correspondiam tão maravilhosamente ao clima espiritual, introduziam tão bem os ouvintes na leitura do Evangelho, que a sua execução situava imediatamente a alma no transcendente. Gênio que, em certo sentido, ultrapassa o âmbito do protestantismo — escreveu também missas católicas —, Bach marcou tão fortemente com o seu selo pessoal a sensibilidade da Reforma que ainda hoje se diria haver um laço entre ele e a expressão que a alma protestante quer dar de si mesma. Não há muito tempo que os católicos souberam encontrar nos temas desse grande crente uma fé à qual a deles não pode permanecer alheia.

Mas a música religiosa de Bach — e a dos seus êmulos e sucessores — era uma música erudita, cuja interpretação permanecia reservada aos especialistas: tocava os corações, sem dúvida, mas o fiel vulgar quase não podia participar dela diretamente. Num outro nível, a grande ideia de Lutero — unir todo o povo fiel, mesmo os mais humildes e os menos educados, na proclamação solene da fé mediante a música — deu origem a uma outra forma de expressão. Assim se desenvolveu nas Igrejas luteranas o *cântico*, que o catolicismo certamente não ignorava, mas de que se fez um uso sistemático na Confissão de Augsburgo. Renovado no século XVII por Paul Gerdhardt, o cântico passou no século XVIII por um desenvolvimento notável, porque Wesley fez dele um dos grandes meios de apostolado dos metodistas, e porque os Irmãos Morávios e os discípulos pietistas de Zinzendorf também cultivaram esse gênero. Eram cantos populares, que a gente requintada acusava de facilidade, de banalidade, de concessão aos efeitos e de falta de novidade, mas muito melhor apreciados por um intelectual como Taine: «Desenrola-se como melopeia viril e apesar disso suave — escreve ele —, sem contradizer nem fazer esquecer as palavras que acompanha. Tudo se harmoniza — o lugar, o canto, o texto — para levar cada homem, em pessoa e sem intermediário, à presença de Deus»[104].

Os calvinistas dedicaram-se muito menos a esse gênero. Na França, preferiram adotar traduções de salmos bíblicos devidas a Marot ou a Théodore de Béze, vazadas em músicas graves, comedidas, solenes. Isso mudou no princípio do século XIX, com o «despertar». Começou com o jovem Fréderic Empaytaz, que, já em 1817, em Genebra, teve a ideia de traduzir e adaptar *Cantiques chrétiens* de diversas origens, em grande número morávios. Foi tal o êxito, que teve de aumentar consideravelmente as edições de 1824 e 1846. César Malan imitou-o em 1824, formando uma verdadeira antologia de cânticos que, em 1836, já contava mais de 300 peças e ficaria com o título de *Chants de Sion*, que se tornaria célebre.

As palavras desses cânticos estavam cheias de fé e eram com frequência extremamente tocantes, mas a música nem sempre era de qualidade. Foi em Paris, por volta de 1834, que, no pequeno círculo «desperto» da rua Taitbout, o casal *Lutteroth* teve a ideia de fazer uma nova recopilação de *Chants chrétiens*, adaptando a música de grandes mestres, como Haydn, Beethoven, Haendel, Mozart. Enquanto o marido, Henri Lutteroth, que tinha muito bom gosto, escolhia poemas de Racine, de Corneille, e também de figuras do «despertar», como Pictet, Félix Neff, Malan, a mulher, que assinava Heinrich Roth, «arranjava» a música. O resultado foi de tal maneira bom que, até hoje, a recopilação dos Lutteroth ficou a ser de uso corrente em todo o protestantismo, quer em países anglo-saxões, onde foi traduzido, quer na França, onde continua a ser utilizado. Há nesse conjunto peças admiráveis, como esse cântico de Adolphe Monod que começa pelos versos

> *«Por que não posso eu, ó Deus que me libertas,*
> *encher dos teus louvores toda a Terra e os Céus?...»*[105],

ou ainda o cântico de Félix Neff, por onde passa um sopro bíblico:

> *«Não te desesperes, Sião, enxuga as lágrimas!*
> *O Eterno é teu Deus: afasta os medos!»*[106]

É também nessa coletânea que se lê este canto devido à alma fervorosa de Vinet:

«Sob o teu véu de ignomínia,
e a tua coroa de dores,
não penses que te renego,
real cabeça do meu Salvador...»[107]

Esta tradição do cântico assinalou tão bem o protestantismo, e corresponde tão claramente à aspiração da alma protestante, que atualmente não há nenhuma Igreja nascida da Reforma, nenhuma denominação, nenhuma seita que não tenha os seus cânticos amorosamente colecionados. A lista seria bem longa: *Elim Chorum*, *Elim Revivals Hymnes*, coleções de evangelistas ingleses, do Exército da Salvação, das novas Igrejas, adventistas e pentecostais, recentemente compostas... O escoteirismo contribuiu para difundir essa prática muito para lá dos limites do protestantismo, por exemplo, tornando mundialmente célebre o cântico de despedida «É só um até logo, meus irmãos...» E quem pensará que as palavras e a música desses cânticos são medíocres se se lembrar de que, no convés do *Titanic* a ponto de afundar-se, houve gente que achou forças para vencer a suprema angústia repetindo o refrão do «cântico cristão»:

«Mais perto de Ti, ó meu Deus!
Este é o grito da minha fé...»[108]

Na nossa época, o cântico protestante encontrou um desenvolvimento e uma renovação numa tradição cultural bem diferente da dos reformados da Europa: a dos negros dos Estados Unidos. Ao trabalharem no *Deep South*, os evangelizadores batistas e metodistas tinham incutido nos catecúmenos o hábito de cantar em coro versículos dos salmos e das orações, único método catequético que lhes parecera adequado para esse meio. Daí veio o costume de pedir a alguns membros da assistência, durante o ofício, não que discorressem sobre um tema religioso, mas que cantassem. Eram muitos os amadores. Os temas eram os da Bíblia, mais ou menos bem compreendidos, ou ainda confissões pessoais, súplicas diretas do cantor a Deus. A música era feita de reminiscências de velhos cânticos vindos da Europa, de temas tradicionais da mais antiga África, por vezes de melopeias populares que estavam na moda. E assegurava-se que todo esse conjunto era diretamente purificado pelo Espírito Santo. Assim nasceram os *nigro spirituals*.

Pouco a pouco, o campo alargou-se: elevando-se do fundo da alma dos escravos, o «espiritual negro» ficou associado à vida deles, ao seu trabalho, às suas penas, às suas esperanças. Do doloroso cantochão dos trabalhadores fatigados que manobravam as barcas do Mississipi, nasceu o célebre *spiritual Deep River* [«Rio profundo»]. Do sentimento dilacerante de se verem excluídos numa terra estranha, brotaram cânticos em que se fala incessantemente de Palestina, do Jordão, de Jericó, do Sinai. E a fé que transfigura a vida, que é a única fonte da esperança, afirma-se nesse poema humilde e sublime que começa por *Nobody but Jesus* [«Ninguém senão Jesus»] ou nesse outro cântico patético:

> *«Indo eu pela estrada longa e plana,*
> *falava-me algum espírito em segredo;*
> *e a minha consciência perguntava:*
> *Homem, por que não rezas?...»*[109]

Tudo isso se revestia de uma espontaneidade, de um frescor de alma, de uma genuína virtude de infância — de tudo o que se encontra no filme *Green Pastures* [«As verdes pastagens»] ou nos deliciosos e divertidos *spirituals All God's*

Children Got Shoes [«Todos os filhos de Deus ganharam sapatos»] ou *Little David, Play on Your Harp* [«Pequeno Davi, toca a tua harpa»]. É uma experiência religiosa autêntica a que se exprime nesse lirismo ingênuo e terno, nessa música de ritmos sedutores.

Apesar de ocupar um imenso lugar na vida religiosa protestante, o cântico não é o único meio de que dispõe a alma protestante para se manifestar pela música. Talvez se possa dizer que há uma relação entre certos grandes dons musicais — ou certos gostos musicais profundos — e a mais alta espiritualidade nascida da Reforma. É sabido que o Dr. Albert Schweitzer é um organista consumado — tem dado muitos recitais — e um compositor de categoria. São incontáveis os pastores que se podem considerar igualmente ótimos organistas. Recordemos que Karl Barth começa cada um dos seus dias ouvindo uma gravação de Mozart. O nexo substancial entre protestantismo e música pôde ficar marcado em obras de mestres que, sem procurarem refazer música de igreja (no sentido que nós, católicos, damos a essa expressão), encontraram na fé e na tradição da Reforma o tema inspirador. Existe há mais de cinquenta anos uma escola de música protestante, que se tem desenvolvido paralelamente à católica. Há quem pretenda incluir nela Wagner; mas a verdade é que o próprio *Parsifal*, o único herói wagneriano que se poderia olhar como formalmente cristão, é bastante suspeito... Foi na França que a escola protestante teve o seu maior desenvolvimento, com um Charles Koechlin, um Cellier, um Georges Migault. O mais poderoso dos seus representantes é *Arthur Honnegger* (1892-1955), cuja inspiração, embora por vezes profana ou, por outro lado, católica e com êxito, como em *Joana na fogueira*, é claramente fruto da Reforma no oratório do *Rei Davi* ou na dramática *Dança dos Mortos*.

A alma protestante exprime-se: 3. Nas Letras

Em que medida existe nos nossos dias uma literatura protestante? A resposta não é simples. Uma coisa é certa: não se pode falar de uma renovação protestante na literatura tal como se fala de uma renovação da literatura católica, por exemplo na França, que tem a assinalá-la os nomes de Villiers de L'Isle-Adam, Huysmans, Bloy, Bourget, Péguy, Bernanos, Claudel. Salta à vista que não há, no conjunto das Igrejas saídas da Reforma, obras comparáveis cuja inspiração seja especificamente protestante.

Mas não deixa de ser verdade que é possível citar um grande número de escritores pertencentes à religião reformada que tiveram um lugar na literatura do século XIX e do século XX. Não é por acaso que os Reformadores foram mestres na arte de escrever: Lutero, iniciador do alemão moderno; Calvino, cuja *Institution chrétienne* é um dos livros-chave do grande estilo francês clássico. Na Inglaterra, é sabido que a tradução anglicana da Bíblia, dita «versão autorizada», é autenticamente uma obra-prima, que moldou a língua inglesa moderna. Mais perto de nós, a testemunha mais eminente do protestantismo, a única que pode ser comparada aos grandes Reformadores — Søren Kierkegaard —, é também um dos mestres da literatura, e a influência do seu estilo é hoje mais decisiva do que nunca. O protestantismo conservou das suas origens um caráter intelectual que lhe infunde expressão literária. São inúmeros, em todas as línguas, os pastores que foram filósofos, poetas, romancistas, historiadores. A relação talvez seja superficial, mas não é menos evidente.

Uma grande parte dessa literatura é «protestante» porque escolhe os seus temas e figuras no universo da Reforma. Propõe-se pintar a sociedade protestante, o homem protestante, ou então evoca episódios da história protestante.

Desde a sueca *Selma Lagerlöf* (1858-1940), desde os noruegueses *Björnson* (1833-1910) e *Hamsun* (1860-1952), até aos franceses *Jean Schlumberg* e *André Chamson*, são muitos os romancistas cuja obra não seria o que é se o material da sua observação não lhes fosse fornecido por formas sociais tipicamente protestantes. O mesmo se diga da Inglaterra: de *Dickens* (1812-1870) a *Galsworthy* (1867-1933), são numerosos os romancistas que se podem dizer anglicanos neste sentido — são pintores de uma sociedade impregnada de anglicanismo. O pastor é um personagem de romance pelo menos tão difundido como o padre católico: se é certo que não suscita os problemas levantados pelo celibato, os romancistas sabem muito bem defrontá-lo com outros, a ele e à família. Alguns desses heróis de romance foram elevados à categoria de tipos sociais, como o inesquecível pastor Vickerath, de *Gérard Hauptmann* (1862-1946). Na Escandinávia, são incontáveis os romances cujos protagonistas são pastores. Na Finlândia, Juhani Aho e Minna Canth escreveram uma dúzia de narrativas de títulos parecidos: *A Mulher do Pastor, A Filha do Pastor, Uma Família de Pastores*... Na França, é de lembrar os pastores retratados por André Gide, Roger Breuil ou Raoul Stephan, etc. Quanto aos grandes episódios da crônica protestante, seria impossível citar as obras literárias neles inspiradas, quer se trate da época dos «camisards», quer da «revolução dos santos» produzida pelos anabatistas em Leyde ou das aventuras metodistas nos Estados Unidos.

É obvio que tudo isso fica no exterior. É perfeitamente possível descrever o mundo e o homem protestantes sem penetrar verdadeiramente na experiência espiritual do protestantismo. *L'Évangéliste*, de Alphonse Daudet, pinta muito bem uma nobre figura apostólica, talvez inspirada em Mme. Hinsch[110], mas a literatura autenticamente protestante, a que traduz o profundo movimento que levou milhões de almas para o cristianismo saído da Reforma, situa-se para além da simples descrição.

Um dos traços mais marcantes dessa literatura é o seu caráter bíblico. O texto sagrado é quase sempre visível, pelo menos como pano de fundo, nas obras escritas por protestantes. Toda a poesia protestante se inspira visivelmente na Bíblia, mais particularmente nos Salmos, quer se trate de Longfellow ou de William Blake, apesar de tão afastados um do outro. Encontram-se por toda a parte citações, alusões, referências implícitas ao texto sagrado; nenhum grande romancista inglês, por exemplo, fica de fora desse campo. A formação bíblica está tão presente que a deixam adivinhar até aqueles que, sendo protestantes de batismo, rejeitam todos os dogmas. O caso de *André Gide* (1869-1951) é revelador. A sua prosa está recheada de fórmulas bíblicas; refere-se constantemente ao magistério da Escritura e gosta de dar aos livros que escreve títulos tirados da Bíblia: *Se o grão de trigo não morre...* ou *A porta estreita*.

Mas não foi só por terem associado toda a revelação da Palavra Divina ao Livro dos Livros que os Reformadores exerceram uma influência sensível na literatura. Nunca será demais dizê-lo: a Reforma foi uma aventura espiritual, antes de se tornar um acontecimento histórico. Foram homens os que suscitaram em termos que lhes eram pessoais os grandes problemas da condição humana e da relação da alma com Deus. E foi essa a experiência que, no seu rastro, outros homens fizeram da mesma forma, ou seja, pondo o acento nos pontos em que Lutero e Calvino tinham insistido: o contato direto com Deus, o sentimento trágico de uma vida obliterada pelo pecado, a necessidade de abandonar-se à graça. São estes grandes dados espirituais que se encontram nos alicerces de toda a literatura protestante de valor. É o que lhe confere uma atmosfera própria.

São numerosas as obras-primas, susceptíveis de serem tidas por obras-primas protestantes, em que se encontra a expressão desse recurso direto a Deus, fundamental nos Reformadores. É o grande apelo que lança um Kierkegaard errante pelas landes da Jutlândia e desesperadamente só, a não ser pela presença de Cristo. É o grito de *Augustus Strindberg* (1849-1912), empurrado para o dilema *Inferno* ou prosternação. É o clamor do rígido *Matthew Arnold* (1822--88) quando escreve o poema *Immortality*; ou o sequioso de aventuras R.L. Stevenson (1850-94), quando a sua fé o conduz à única aventura, aquela de que dá testemunho em *If This Were Faith* [»Se isto fosse fé...»]. Bem perto já de nós, misteriosamente sintonizado com as angústias do homem do século XX, é um poeta anglicano — *T.S. Eliot* — quem, no poema *The Waste Land* [«A terra desolada»], seguramente exprimiu melhor que ninguém a certeza de que, no vazio de uma vida sem sentido nem meta, o homem só tem como refúgio o Deus Salvador.

Onde mais se nota a influência protestante é na situação atribuída ao homem no conflito entre o pecado e a graça no âmbito da literatura. Muitas vezes se tem mostrado que, por vocação, o escritor protestante é um mestre da vida secreta, para quem as realidades interiores contam bem mais que os acontecimentos, e que coloca espontaneamente a sua personagem na luta entre o bem e o mal. Mesmo quando não se faz nenhuma resistência formal às realidades religiosas, há obras que podemos dizer tipicamente protestantes porque não teriam podido nascer fora do clima da Reforma. Por exemplo, o *Judas, o Obscuro*, de *Thomas Hardy* (1840--1928); ou os romances da Nova Inglaterra de Nathaniel Hawthorne; ou, mais ainda, o inesquecível *O morro dos ventos uivantes*, de Emily Brontë (1818-48), no qual, em última análise, só se trata de paixão carnal, mas cuja atmosfera é, no entanto, evidentemente puritana. Nada mais laico, na aparência, do que o teatro de *Ibsen* (1828-1906), todo ele construído sobre conflitos de paixões e de interesses, ou sobre especulações filosóficas de que a fé está ausente; nem por isso é menos evidente que só se capta o verdadeiro sentido dessas peças se tivermos presente que tudo ali se desenrola na Noruega de estrito luteranismo, ou seja, que se trata, antes de tudo, bem no fundo, de um «teatro da alma». E, para descobrir o verdadeiro sentido protestante do pecado em *A dança dos mortos* ou na *Sonata dos espectros*, nem é preciso saber que, depois da crise terrível de *Inferno*, Strindberg se converteu e veio a morrer abraçado à Bíblia.

É por ser uma alma que se analisa que a alma protestante se sente pecadora, e foi por isso que, ao exprimir-se, ela contribuiu poderosamente para fazer nascer a literatura psicológica. Essa origem não é a única: a tradição jansenista e a dos clássicos franceses do Grande Século exerceram também a sua influência. Mas não se deve esquecer que foi o genebrino Jean-Jacques Rousseau, espírito essencialmente protestante, embora indisposto com a Comissão dos Pastores, que, ao criar o diário íntimo e dar nele o exemplo de uma sinceridade total — não isenta de algum cinismo —, orientou uma forte corrente da literatura moderna para esse gênero em que o escritor, ao analisar os movimentos da consciência, se propõe pôr a nu o fundo do ser. Não foi por acaso que um dos grandes iniciadores da literatura psicológica, *Benjamin Constant* (1767-1830), desabrochou na atmosfera de Coppet, em casa de *Mme. de Staël* (1766-1817), nas margens do lago de Genebra; o seu *Adolphe*, ainda mais que a *Corina* da sua hospedeira, tem uma sonoridade quase huguenote, embora a fé não desempenhe nele nenhum papel. Já se tem notado que a própria maneira como Constant expõe as faltas morais do seu herói é inteiramente diversa da do católico Chateaubriand, bastante indulgente para com os «belos pecados» do seu *René*. Daí saiu toda uma corrente de literatura de análise, lúcida e seca, assediada pela preocupação de uma sinceridade completa, a sinceridade que o homem deve ter em face de Deus, e que deu lugar a obras como o *Imoralista*, na qual a justificação pela inteligência substitui a justificação pela graça. Essa literatura «protestante» tem o seu estilo, contido, calculado, avaro em transportes, mas cortante como o bisturi da alma. A que excessos pode levar essa preocupação exclusiva de o homem se analisar, no seu pecado, na sua miséria, bem se pode medi-la considerando *Frédéric Amiel* (1821-81), que deixa a análise da vida devorar a sua vida e que, desse exame de consciência que só um calvinista triturado pela predestinação é capaz de fazer, extrai o prodigioso polipeiro de 18.000 páginas que é o seu *Diário*.

Também seria de perguntar se não terá sido a convicção, essencialmente protestante, de que o «Espírito Santo fala no espírito do homem», o que determinou na literatura protestante a forte corrente que se situa na encruzilhada entre o misticismo cristão, o iluminismo e a gnose. Muitas vezes, essa corrente tem como defensores homens de letras que se julgam distantes de qualquer Igreja da Reforma; nem por isso deixam de ser, lá bem no fundo, protestantes. É o caso de *Novalis*, no limiar do período que estudamos (1773-1801), que se revolta contra a Reforma e chega até a aproximar-se do catolicismo por algum tempo, mas cujo lirismo místico está perto da inspiração das seitas «espirituais» e irá influenciar diretamente Schleiermacher[111]. Ou de um *William Blake* (1757-1827), que, por mais que esteja pronto a repelir tudo quanto é clero, tudo quanto é Igreja, por muito que a sua metafísica satânica sonhe em «casar o céu e o inferno», se mantém protestante, não apenas pelo tom, pelo estilo, pelas imagens, mas sobretudo por essa espécie de abandono ao Sopro que faz dele um parente de William Fox, de Wesley, dos «inspirados» protestantes. É num certo clima protestante que se situam as experiências de um Edgar Poe, fascinado pelo além; as de um Henry James, teimosamente empenhado em desvendar os segredos do foro íntimo; ou as de um *Rainer Maria Rilke* (1875-1926), para quem o divino se capta nos abismos do ser prometido à morte, não menos que nos mistérios do mundo criado.

Ainda poderíamos mencionar a influência direta exercida num vasto setor das letras pela corrente «evangélica social» que vimos nascer e desenrolar-se durante o século XIX. Dickens exprime-a nas suas origens, traduzida nas generosas tiradas de Mrs. Beecher Stowe em defesa do «Uncle Tom», o escravo negro oprimido; e expande-se hoje nos romances de Dreiser ou de Sinclair Lewis, embora aqui intervenham outras influências. De qualquer modo, tudo aquilo que pode ser considerado decisivo no moderno protestantismo, os seus dados fundamentais, as suas contundentes manifestações, os seus desenvolvimentos — tudo isso achou uma expressão literária adequada. E esse é um dos sinais mais claros do vigor de uma fé.

«Hic et nunc»

No termo de um longo e rápido voo sobre o protestantismo tal como se apresenta aos nossos olhos, a conclusão que se impõe com toda a evidência é que, nos seus diferentes aspectos, ele dá mostras de grande vitalidade. Tal como ressoou no final do século XIX, a sinistra profecia de Nietzsche: «Deus morreu!» dirigia-se ao protestantismo tanto ou mais do que ao catolicismo. Parecia que condenava as Igrejas nascidas da Reforma a desaparecer, como coveiros derrisórios. Mas a asserção do profeta dos abismos foi desmentida pelos fatos. Os cristãos que se filiam a Lutero ou a Calvino aceitaram o desafio, como os seus irmãos católicos e os seus irmãos ortodoxos. Para uns e outros, sessenta anos ou mais após a morte do mensageiro de *Zarathustra*, Deus não morreu: continua a ser o Grande Vivo.

A vitalidade do cristianismo saído da Reforma não se manifesta apenas na realidade concreta. Se dizemos que o protestantismo está em plena vitalidade, não é só em razão dos 268 milhões de fiéis que lhe atribui em 1963 o oficioso *World Christian Handbook*, ou da influência política e social que exerce. Nem sequer é porque nos últimos cento e cinquenta anos teve uma expansão ainda hoje incessante. É porque a Reforma, que o fez nascer, continua a ser, para milhões de almas, uma experiência espiritual autêntica, vital, da qual se poderão julgar inadmissíveis os postulados e condenáveis certas conclusões, mas cuja realidade não se pode negar.

Será possível prever para onde se encaminha essa força incontestável e o que traz para a problemática religiosa da humanidade? Um conjunto de tal maneira vasto e complexo como o protestantismo não se deixa reduzir facilmente a um esquema. É evidente que a Reforma não é vivida de igual modo por um protestante liberal do gênero de Albert Schweitzer, por um «fundamentalista» americano do tipo do senador Bryan, ou por um membro de uma «Assembleia de Deus» pentecostal. Igrejas, denominações, seitas são também diferentes quanto às instituições, aspectos e espírito, ainda que um exame atento revele entre elas afinidades substanciais. Uma pergunta como esta: «Para onde vai o protestantismo?» exigiria, antes de receber uma resposta, um grande número de reservas e distinções. Só se podem indicar algumas linhas de força segundo as quais o cristianismo marcado pela Reforma parece preparar o seu futuro, *hic et nunc*, como diriam os discípulos de Karl Barth.

A Reforma — não é preciso repeti-lo — foi uma revolução religiosa feita em nome da liberdade. Na raiz do pensamento dos grandes Reformadores — não será demasiado repeti-lo —, estava a convicção de que qualquer homem é capaz de correr sozinho a aventura espiritual, e de que é livre de o fazer, porque, afinal de contas, tudo se joga no face-a-face da alma com o seu Redentor, na dialética interior do pecado e da graça. Daí se segue que, para receber a mensagem de Deus, o homem não tem necessidade de mediador nem de guia além de Jesus Cristo. E goza de liberdade também para encontrar sozinho, na Escritura que encerra essa mensagem, as regras de vida de que precisa. Tal é o princípio do «livre exame».

Ao longo das páginas precedentes, vimos bem que, desse apelo imperioso à liberdade, resultaram duas consequências que, apesar de hábeis tentativas de justificação, não têm sido muito favoráveis à causa protestante.

A primeira foi no plano da organização eclesial: a multiplicação interminável das Igrejas, denominações, seitas — resultado inelutável do gênio do protestantismo — constitui sem dúvida uma das suas fraquezas. Mas um dos traços característicos do protestantismo na nossa época é precisamente uma reação muito nítida contra uma fragmentação infindável. Essa reação faz-se notar de modo institucional; por exemplo, nas Federações que unem em escala mundial as variedades de protestantismo: Federação Luterana, União Batista, Federação Metodista, ou ainda aquelas que tentam, como na França, agrupar, para uma defesa e uma promoção comuns, todos os protestantes de qualquer profissão de fé.

Essa tentativa traduz-se, por outro lado — e o fato é certamente ainda mais relevante —, no aparecimento de um novo estado de espírito que transcende as divisões tradicionais. Isso porque, às vezes, já não se dá nenhuma importância a esses nomes, como é o caso do norte-americano médio, que muda de «denominação» ao mudar de mulher ou de domicílio. Mas também com frequência porque, para além dos círculos de carácter eclesial, há consciências que querem captar uma essência da Reforma que lhes anime a vida espiritual. É assim que os promotores da renovação teológica — como Barth — se dirigem, não a uma Igreja protestante, mas a todas, e, de fato, exercem influência sobre todas elas. É assim que a corrente neolitúrgica e sacramentária ultrapassa o âmbito de todas as Igrejas. Ou que, em Taizé, os Irmãos provêm de vinte formações protestantes. Ou que nem Billy Graham nem os dirigentes do Rearmamento Moral professam obedecer a qualquer Igreja. Tudo se passa como se o protestantismo, sem renunciar à sua diversidade, procurasse reencontrar uma espécie de unidade informal.

A outra consequência do princípio de liberdade absoluta é ainda mais prejudicial. O livre exame, aplicado sem limite a todos os elementos fundamentais da religião, leva a esvaziar esta da sua substância. Recordemos: nos primeiros anos do século XX, a evolução precipitada do protestantismo para o liberalismo, tão gabada, deu como fruto uma religião sem dogma, que cobria de um verniz evangélico as ideologias humanitárias do tempo. O que daí resultava era espiritualmente tão pobre, que os filhos autênticos de Lutero e de Calvino não podiam sentir-se contentes. Donde a renovação teológica, escriturística, sacramentária e até monástica, cujos diversos aspectos já vimos. Aí está incontestavelmente um dos dados decisivos do protestantismo de hoje: a tomada de consciência de um perigo mortal e a reação multiforme contra os excessos de uma liberdade mal concebida.

Seria decerto exagerado dizer que todos os protestantes compreenderam esse perigo. É até provável que um grande número deles, ou mesmo a maioria, continue a deslizar para uma espécie de evangelismo humanitário e moralizador, tal como o encontramos no «*American way of faith*». E é também provável que haja quem se limite a um biblicismo meramente formal e mecânico, como vemos que sucede entre numerosos batistas. Mas é muito importante que a elite pensante do protestantismo se tenha disposto a deixar que lhe recordem as exigências da transcendência, quer na ordem dogmática, tal como a define Karl Barth, quer no plano dos abismos da Criação explorados pela ciência, como propugna Paul Tillich.

É no ponto de encontro das duas correntes que acabamos de indicar — a que tende a reconstituir uma certa unidade intereclesial, e a que procura reencontrar as raízes da fé reformada — que se situa o movimento mais significativo, mais determinante, do protestantismo *hic et nunc*: o *ecumenismo*. Explicitaremos mais adiante o seu caráter e desenvolvimentos[112]. Nascido no século XX, inspirado de início unicamente no desejo de pôr ordem numa situação confusa, desenvolvido como meio de eficácia, segundo um princípio análogo ao famoso «a união faz a força», o movimento ecumênico evoluiu bem depressa para um objetivo muito mais importante. Um dos grupos mais ativos no aparecimento desse movimento tinha o nome de *Faith and Order*, e propunha-se associar a reposição da ordem ao aprofundamento da fé. Era impossível procurar aproximar as Igrejas sem equacionar o problema da Igreja. Pareceu, pois, indispensável fazer um grande esforço dogmático em função do ecumenismo, paralelo ao que se fazia em outros campos. Assim, os grandes promotores da renovação teológica e espiritual, de Karl Barth a Oscar Cullmann, ficaram ligados ao movimento ecumênico. E Taizé, que nascera de um apelo puramente místico, acabou por tornar-se um santuário do ecumenismo.

É óbvio, por outro lado, que a corrente ecumênica não arrasta todo o protestantismo. Aqui e acolá surgem resistências, larvadas ou confessadas. Os defensores da velha concepção da liberdade das Igrejas estão longe de ter desaparecido e não deixam de argumentar contra o «confusionismo ecumênico». Parece, porém, que o ecumenismo é uma das linhas de força do protestantismo contemporâneo, e que já não será possível voltar atrás quando já foram assumidas tantas posições comuns e, como no caso da Igreja da Índia, há formações novas que encarnam visivelmente a aspiração ecumênica. Este fato tem importância capital, não apenas para o futuro do protestantismo, mas para o de todo o cristianismo. Há, em todos esses movimentos do espírito humano, uma lógica, ou melhor, uma necessidade. Ao aproximarem-se umas das outras, em nome de princípios superiores, as Igrejas protestantes postulam outras aproximações, que se hão de operar em nome de um princípio ainda mais alto, que é a fé no único Salvador: aproximações com as outras Igrejas cristãs que não foram influenciadas pela Reforma. Já nas Assembleias do «Conselho Ecumênico das Igrejas» se viu terem assento representantes das Igrejas ortodoxas do Oriente, e até a elas assistirem padres católicos como observadores. Por outro lado, já no decorrer da Semana da Unidade[113] a oração protestante e a oração católica se unem...

É sem dúvida ainda muito cedo para tirar conclusões daquilo que é apenas uma orientação. Mas não é descabido, numa perspectiva *ecumênica*, perguntar, não já, como tantas vezes se fez, o que é que as cristandades nascidas da Reforma têm de repreensível e de condenável, mas o que é que poderão elas trazer de positivo à Igreja universal. Não será necessário repetir que, para um católico, o protestantismo é e continua a ser uma «opinião divergente», uma heresia, e que, aos seus olhos, a Igreja universal se identifica com aquela a que foi confiado o poder das chaves. Mas também é de fé, visto que a Escritura inspirada o ensina, que o papel dos heréticos é útil na economia da salvação. O protestantismo não tem por que apresentar-se como «a religião do homem moderno», como Taine admitiu, como Bergson esteve tentado a crer na juventude, como Tillich tenta defini-lo nos nossos dias. Mas o protestantismo pode ajudar os cristãos do nosso século a acentuar um certo número de realidades e de verdades que nem todos têm igualmente presentes no seu espírito. Grandeza infinita de Deus; liberdade da graça; papel sempre ativo do Espírito Santo; necessidade de uma certa pobreza visível na Igreja; proclamação do sacerdócio universal, que traz consigo uma maior participação do laicado no ato religioso: estes pontos e alguns outros são postos em foco pelo protestantismo. É verdade que os católicos os encontram todos na sua própria fé, mas não será humilhá-los dizer que nem sempre lhes deram a mesma atenção[114].

Resumindo numa breve frase tudo o que a Reforma quer ser, escreveu Jacques Ellul[115]: «Ela é uma pergunta dirigida à Igreja universal». Seria outra a ideia que São Paulo exprimia no seu famoso: «*Oportet haereses esse*» [»Convém que haja hereges»]?[116].

Notas

[1] Empaytaz declarou ter lido 197 sermões impressos em Genebra desde 1774, e não ter encontrado lá qualquer menção à divindade de Cristo.

[2] Sobre Haldane, cf. o *Índice Analítico*.

[3] Daí o termo *mômerie*, «momice», no sentido de manifestação religiosa excessiva.

[4] «Uma alma pecadora vale mais que uma alma habituada», dirá ele.

[5] Cf. o cap. I.

[6] Tal como os marxistas falam de «revolução permanente».

[7] J. Courvoisier, *Histoire du Protestantisme*, p. 99.

[8] Samuel Vincent, *Du protestantisme en France*, Paris, 1859, p. 456.

[9] Cf. o vol. VII, cap. III, par. *A inteligência crente reage.*

[10] Sobre o Metodismo, cf. o cap. I, par. *Um protestantismo sem dogmas: o Metodismo*; e o vol. VII, cap. III, par. *O «despertar» do pietismo.*

[11] Cf. o cap. II, par. *Quatro problemas postos ao protestantismo norte-americano*, acerca de «Fronteira» e seu papel espiritual».

[12] Em certos cantões do Gard e da Lozére, ainda hoje se diz de uma pessoa piedosa: «É um morávio».

[13] Sobre Félix Neff, cf. o par. *Frutos duradouros do «despertar».*

[14] Sobre Oberlin, cf. o par. *Os protestantes e as obras de beneficência.*

[15] Sobre o protestantismo social, cf. o par. *Os protestantes e as obras de beneficência.*

[16] Émile G. Léonard demoliu-o em duas penadas na *Histoire générale du Protestantisme*, p. 232.

[17] Sobre Samuel Vincent, cf. o par. *Do «protestantismo liberal» à crítica «livre».*

[18] Para o «velho pastor» Réville, o metodismo era um «perigo público».

[19] Sobre Irving, cf. o cap. I, par. *Seitas ou novas igrejas?*

[20] Sobre Darby, cf. o cap. I, par. *Seitas ou novas igrejas?*

[21] Sobre o Movimento de Oxford, cf. o par. *Regresso aos sacramentos e à liturgia*; e o vol. VIII, cap. VIII, par. *Na Inglaterra: Newman e o Movimento de Oxford.*

[22] Cf. o que disse acerca dos EUA, acima.

[23] Sobre Schleiermacher e o protestantismo liberal, cf. o par. *Do «protestantismo liberal» à crítica «livre».*

[24] Cf. o cap. I, par. *«Variações» e rupturas no seio do protestantismo.*

[25] Cf. o par. *O grande «despertar» do princípio do século XIX.*

[26] Em Portugal e no Brasil, foi muito usada, pela qualidade literária, a protestante de J. Ferreira de Almeida.

[27] Cf. Daniel-Rops, *Qu'est-ce que la Bible?*, o capítulo dedicado ao Cânon.

[28] Cf. o par. *Os protestantes e as obras de beneficência.*

[29] Cf. cap. I, p. *Seitas ou novas igrejas?*

[30] Por vezes, aproxima-se da YMCA um outro movimento de juventude, o *Escotismo*, fundado em 1908 por Baden-Powell (1857-1941). Na realidade, se o Escotismo teve influência no próprio estilo das Uniões da juventude protestante, nunca se apresentou com qualquer especificidade religiosa, mas antes como método de formação física e moral dos jovens. Isso permitiu-lhe sair do quadro anglicano e protestante, e experimentar um êxito não menor entre os católicos, os israelistas e mesmo os «neutros».

[31] Cf. o vol. VIII, cap. VIII, par. *Na Inglaterra: Newman e o Movimento de Oxford.*

[32] Mestre francês da critica literária no século XIX (N. do E.).

[33] Cf. o nosso cap. I, par. *Os unitaristas, modernos arianos.*

[34] *Le protestantisme en France*, passim, ideia várias vezes retomada sob diversas formas.

[35] Cf. acima, o que ficou dito sobre Schleiermacher como «despertador».

[36] O que poderia deslizar para o puro sentimentalismo.

[37] Sobre o modernismo, cf. o vol. IX, cap. VI.

[38] Cf. *Jésus en son temps*, Anexo sobre «Jesus e a crítica».

[39] Remetemos o leitor para a longa nota «Jésus et la critique», que figura no fim de *Jésus en son temps*, e também para o vol. VIII, cap. VI, par. *A crítica contra a fé: de Strauss a Renan.*

[40] Cit. por Jacques de Senarclins, *Héritiers de la Réformation*, I, Genebra, 1956, p. 44.

[41] Argumento usado com grande frequência nos EUA por ex., por Douglas C. Macintosh.

[42] *Revue historique*, Março de 1892, p. 103.

[43] Sobre o fundamentalismo, cf. o cap. II, par. *A religião dos americanos.*

[44] Acerca da *Broad Church*, cf. o cap. II, par. *A Inglaterra dos anglicanos e dos «dissenters».*

[45] Rudolf Bultmann foi objeto de um inquérito de caráter oficial da Igreja luterana de Wurtemberg, por causa das suas teses acerca de *desmitização do Evangelho* (cf. o par. *O reflorescimento teológico: Karl Barth.*).

[46] Albert Schweitzer, doutor em História, filosofia e teologia, ocupa pessoalmente um lugar muito importante no protestantismo liberal. Em estudante universitário, dedicou um dos seus primeiros trabalhos a passar em revista toda a história da pesquisa sobre a vida de Jesus, desde David Strauss até Pressensé. Impregnado da convicção «científica» de que o milagre não existe, forjou para si uma metafísica em que Deus, transcendente e imutável, se opunha a qualquer violação das leis naturais, aos milagres. Assim armado, procurou explicar a personalidade de Cristo e a sua mensagem. O seu livro decisivo foi, em 1901, *O segredo da Messianidade e da Paixão*. A ideia fundamental dessa obra é que Jesus acreditou anunciar o seu próximo regresso, a Parusia, e que por conseguinte o cristianismo nasceu de uma convicção escatológica que os fatos desmentiram, de modo que os Evangelhos, narrativas sinceras e entusiastas, foram arranjados *a posteriori*, isto é, quando se tornou patente que o mundo não ia acabar. A religião de Schweitzer não é, pois, a de Cristo Deus, mas a de Cristo herói, exemplar, que se sacrificou por um ideal de fraternidade humana e de justiça. O protestantismo liberal do Dr. Schweitzer desemboca, portanto, num evangelismo de caráter moral e humanitário, em que toda a transcendência desaparece. Recentemente, foi reeditada uma parte do seu livro de 1901 sobre *La Céne eucharistique en ses rapports avec la vie de*

Jésus et l'histoire du Christianisme primitif. Sob o título de *Le secret historique de la vie de Jésus* (1961), essa nova edição tem um prefácio do pastor Babel, que estudou com pertinência *La pensée d'A.S.* (Neuchâtel, 1954).

[47] Faleceu em 1976 (N. do T.).

[48] Por exemplo, comentando em 1926 a «Conferência universal do cristianismo prático», o pastor Wilfred Monod não hesitou em apresentar o movimento ecumênico *Life and Work* como pragmático e liberal. Interpretação que, aliás, foi discutida.

[49] No seu relatório de 1952 sobre a Igreja da Escócia, M.C. Steward Black declarou que o Símbolo dos Apóstolos viria a ser dentro em pouco rejeitado por essa Igreja, «porque contém demasiadas noções controversas que não são essenciais ao cristianismo». Com efeito, em certos templos reformados, na França e na Suíça, o Símbolo é omitido na liturgia.

[50] Hans Gallwitz, *Eine heilige allgemeine Kirche*, Berlim, 1896, p. 25.

[51] Cf. o vol. VIII, cap. VI, par. *A questão social e os socialismos*; e o vol. IX, caps. IV e VIII.

[52] Cf. o vol. VIII, cap. VI, par. *A questão social e os socialismos.*

[53] Cf. o *Índice Analítico* do vol. IX.

[54] Cf. o *Índice Analítico* do vol. VIII.

[55] Sobre o hinschismo, cf. o cap. I, par. *No rastro de Calvino.*

[56] Cf. o par. *Frutos duradouros do Despertar.*

[57] Sobre Mons. von Ketteler, cf. o *Índice analítico* dos vols. VIII e IX.

[58] Cf. o *Índice analítico* do vol. VIII.

[59] Embora não se trate expressamente de uma obra social, convém lembrar também uma outra importantíssima obra que se propôs minorar a dor humana: a *Cruz Vermelha Internacional*, fundada em 1868, em Genebra, pelo calvinista Henry Dunant e pelo luterano Louis Appia, para ir em socorro dos feridos e tentar humanizar a guerra. Não é necessário recordar a importância mundial e a imensa autoridade moral conquistadas num século por essa admirável instituição.

[60] Cf. o par. *O grande despertar do princípio do século XIX.*

[61] No anglicanismo, o *vicar* Wilson Carlile fundou, em concorrência, a *Church Army*, mais tarde designada por *Church Salvation Army.*

[62] Na França, o Exército da Salvação tinha em 1958, como comissário geral, Irene Peyron. O seu jornal chama-se *En Avant*. Está em atividade em todas as grandes cidades, com diversas sortes, aliás. Tem em Chambom-sur-Lignon (Alto Loire), uma espécie de casa de retiros e de formação de quadros, a *Citadelle*. No seu livro *Offensive des sectes*, o pe. Chéry escreve: «Na sua maioria, os oficiais são antigos católicos».

[63] Cf. o cap. II, par. *A Inglaterra dos anglicanos e dos «dissenters»*. Ainda que certos livros de Maurice sejam perfeitamente tradicionais e de modo nenhum liberais.

[64] Charles H. Hopkins, *The rise of the social Gospel in american protestantism* (Yale, 1940).

[65] *Christianity and the Social Crisis*, p. 398. Em 1908, um ministro anglicano retomou a ideia, declarando que o cristianismo é a religião cuja prática é o socialismo.

[66] No nosso cap. I, estudamos as seitas consoante as suas filiações. Cf. também, no fim do volume, o *Repertório das Igrejas, Seitas e Denominações.*

[67] Como o de Wilhelm Herrmann, para o qual o cristianismo era compatível com o panteísmo e o materialismo.

[68] *Op. cit.*, p. 99.

[69] A esse regresso, Karl Barth consagrou um breve mas penetrante estudo, *A Teologia Evangélica no século XIX* (1957). O que sobretudo censura aos teólogos oitocentistas é terem querido entrar «em competição com o século, com os seus progressos supostos ou reais». Barth fixa esse regresso em 1914, data em que Troeltsch, protestante liberal, abandonou a teologia para ocupar uma cadeira de filosofia.

[70] Cf. o par. *A vida da alma no protestantismo.*

[71] Cf. o cap. II, par. *Abalos e dramas do protestantismo alemão.*

[72] Cf. o cap. II, par. *Abalos e dramas do protestantismo alemão.*

[73] *Chrétiens en dialogue*, p. XXI. Recorde-se a palavra do Cardeal de Bérulle: «O homem é um nada, mas um nada capaz de Deus».

[74] Karl Barth faleceu em 1968.

[75] Tillich é ainda muito mal conhecido na França, mas várias das suas obras estão para ser traduzidas por iniciativa do pastor Gabus.

[76] No anglicanismo, a renovação teológica resultou de uma síntese das teses de Pusey com as de Denison Maurice. Esta síntese foi realizada, nos começos do século XX, sobretudo por Charles Gore (cf. os dois cap. do pe. Tavard *in Poursuite de la Catholicité*, Paris, 1965).

[77] Recordemos a palavra de Spurgeon sobre as «girafas».

[78] Acerca da origem dos movimentos de Pentecostes, cf. o cap. I, par. *Seitas ou novas Igrejas?*

[79] Cf. o vol. IX, cap. VIII, par. *Pio XI e a JOC.*

[80] Têm-nos em Lyon, em Montceau-les-Mines, em Marselha, na favelas da Argélia e mesmo na África Negra, como em Abidjã.

[81] Cf. o par. *O grande despertar do princípio do século XIX.*

[82] Cf. o par. *A renovação litúrgica e monástica: Taizé*, acerca das religiosas de Darmstadt.

[83] *L'Église luthérienne et la commémoration des Saints*, trad. fr., Paris, 1963. «O mundo precisa de santos como precisa de Cristo», escreve o pastor Lackmann.

[84] Na Suíça, com o pastor G.P. Glinz e depois o pastor Amiguet, fundador de «*Église et Liturgie*».

[85] Não falta, também, nas Missões. Um missionário do Uganda recomendava à Igreja anglicana desse país que evitasse «o lado protestante e evangélico» e «se aproximasse do modo de ver católico», dando importância à liturgia para mostrar aos nativos que existe uma dimensão sobrenatural».

[86] Caderno de *Présences*, p. 279.

[87] Em 1962, na abertura do Concílio, o prior de Taizé e o seu assistente estavam entre os observadores. Nos períodos das sessões conciliares, abriam a sua pequena fraternidade romana, na via del Plebiscito, onde, em volta da mesa, dia após dia, ao meio-dia e à noite, recebiam cardeais e bispos. O que caracterizou a sua presença no Concílio foi a decisão de se manterem em contato com cada uma das tendências, atentos a todas as opiniões, sem tomarem posição.

[88] O Irmão Roger foi assassinado a facadas em 16 de agosto de 2005, enquanto participava das orações vespertinas da comunidade, como sempre fazia. A assassina, uma desiquilibrada mental romena chamada Luminita Solcan, havia conseguido aproximar-se do religioso infiltrando-se no coro. Várias autoridades civis e religiosas compareceram aos seus funerais e o cardeal Walter Kasper foi um dos concelebrantes da Missa de exéquias (N. do T.).

[89] Entre elas, várias formações não cenobíticas, tais como Villemétrie junto de Senlis, ou Iona, do rev. MacLeov na Escócia, ou Ágape, entre os Valdenses da Itália.

[90] Pastor A.N. Bertrand, *Présences*, p. 265.

[91] Cf. o cap. II, par. *O grande despertar do princípio do século XIX*.

[92] Cf. o cap. II, par. *Protestantes da França*.

[93] Caderno de *Présences*, p. 207.

[94] Suzanne de Dietrich, «La notion de sainteté dans le protestantisme» (Le Semeur, 1928, p. 207).

[95] Esta última máxima forneceu-lhe o título de um dos seus livros mais belos.

[96] Essas palavras são do pastor Romane-Musculus, um dos melhores especialistas destes problemas (escrito em 1928), e exprime uma ideia sobre a qual os protestantes estiveram unanimemente de acordo durante muito tempo.

[97] Cf. o vol. IX, cap. XI, par. *A Ásia aberta a Cristo*.

[98] *Christianisme au XXe siécle*, 17 de janeiro de 1950.

[99] R. Will, «L'Art dans le culte protestant», *Revue d'histoire et de philosophie religieuses*, 1952. Cf. também os *Cahiers de Villemétrie*, publicados em 1958 por um grupo de pastores e de arquitetos.

[100] Caderno de *Présences*, *op. cit.*, p. 251.

[101] *Idem*, p. 105.

[102] Acerca da matéria das páginas precedentes, registremos em particular o excelente artigo de Madeleine Ochsé: «Les Églises protestantes ont leur art sacré», in *Ecclesia*, janeiro de 1962.

[103] André Appel, pastor luterano, in *Positions luthériennes*, abril de 1955, e também *Le protestantisme français d'aujourd'hui* (Paris, 1958), pp. 48 e 55.

[104] Taine, *Histoire de la littérature anglaise* (Paris, 1899), vol. II, p. 321.

[105] No original: «*Que ne puis-je, ô mon Dieu de ma délivrance/ remplir de ta louange et la Terre et les Cieux...*» (N. do T.).

[106] No original: «*Ne te désole point, Sion, séche tes larmes;/ L'Éternel est ton Dieu, ne sois plus en alarmes...*» (N. do T.).

[107] No original: «*Sous ton voile d'ignominie/ Sous ta couronne de douleur/ N'attends pas que je te renie/ Chef auguste de mon Sauveur...*» (N. do T.).

[108] No original: «*Plus près de toi, mon Dieu!/ C'est le cri de ma foi...*» (N. do T.).

[109] No original: «*En allant sur la route large et plate/ Un esprit me parlait en secret;/ Il s'addressait à ma conscience:/ Homme, pourquoi ne pries-tu pas?*» (N. do T.).

[110] Sobre *Madame* Hinsch, cf. o cap. I, par. *No rastro de Calvino.*

[111] Que dele dirá: «um iniciado na morte».

[112] Cf. o cap. VI deste livro.

[113] Sobre todos estes fatos, cf. o nosso cap. VI.

[114] Caderno de *Présences*, p. 257.

[115] Alguns desses pontos, como o papel do laicato e a exigência da pobreza, serão matérias dos trabalhos do Concílio Vaticano II.

[116] Os nossos três capítulos dedicados ao protestantismo foram revistos pelo pe. Tavard, professor do Mount Mercy College, de Pittsburgh, e pelo pastor Marc Boegner, da Academia Francesa, presidente de honra da Federação Protestante Francesa. O autor manifesta os seus calorosos agradecimentos pela preciosa atenção de ambos.

IV. A HERANÇA DE BIZÂNCIO: A IGREJA ORTODOXA

Um dito de Dom Pitra

Durante o ano de 1858, Dom Pitra, o sábio beneditino de Solesmes que, três anos depois, viria a ser cardeal e bibliotecário da Igreja, passou uma longa temporada na Bélgica, mais propriamente em Bruges, como hóspede do seu amigo Mgr. Malou. Este bispo, um dos mais cultos do seu tempo — fora um dos restauradores da Universidade de Lovaina —, era um bizantinólogo eminente, um dos raríssimos membros da Hierarquia católica que conheciam bem os problemas do Oriente cristão. Fora constituindo em casa uma coleção muito rara, a bem dizer única na Europa, com todas as obras e documentos essenciais sobre as Igrejas Orientais e a controvérsia que as separara de Roma. Dom Pitra, a quem essas matérias interessavam muito, passou muitas horas na biblioteca do seu anfitrião. E, como conclusão dessa estada, escreveu ao amigo: «Não é surpreendente que nos tenhamos a bem dizer esquecido dos gregos, ao passo que um imenso trabalho acumulou livros contra a Reforma?»[1]

A observação era pertinente. Por pouco que conhecessem os protestantes e os anglicanos, os católicos pelo menos encontravam-se com eles, conviviam com eles; fossem boas ou más, tinham relações com eles em muitos países. Quanto aos cristãos do Oriente separados de Roma — aqueles que, à maneira do tempo, Dom Pitra chamava «os gregos» —, a situação era inteiramente outra. Era como que um outro mundo, fechado sobre si mesmo, inacessível, acerca do qual o católico médio — e até o católico instruído, a julgarmos as coisas pelo *Du Pape* de Joseph de Maistre — não ultrapassava as ideias mais sumárias. Tratava-se da Igreja russa? Julgava-se que a descreviam falando com desprezo dos «*popes* ignorantes e sujos». Tratava-se do cristianismo grego? Corriam então velhas fábulas absurdas sobre os exageros dos estilitas, dos eremitas reclusos em grutas e desses estranhos místicos cuja oração, segundo se assegurava, exigia a contemplação do umbigo... Mas, apesar de Migne[2], a grande tradição dos Padres gregos estava esquecida, assim como todas as riquezas da liturgia bizantina. Ignorância que iria durar ainda por muito tempo até à nossa época, até esse grande movimento dos povos que se seguiu à Revolução russa de 1917 e depois ao final da Segunda Guerra Mundial, e que, lançando milhares de russos e de cristãos orientais no meio dos católicos e protestantes da Europa Ocidental e da América, provocaria uma compreensão mais próxima da realidade. No século XIX, o desconhecimento era regra, e, devemos dizê-lo, recíproco, confessado por igual em ambos os campos.

É esse desconhecimento que explica o espanto que os católicos manifestaram quando os Papas — que por várias vezes se tinham preocupado com o problema da separação entre o Oriente e o Ocidente cristãos, e tinham feito algumas tentativas de aproximação — foram rudemente repelidos. A 6 de janeiro de 1848, isto é, pouco depois de ter sido eleito, Pio IX enviou às autoridades religiosas gregas a encíclica *In suprema Petri Sede*, cuja intenção era fazer um apelo à unidade. Depois, em 1868, ao convocar o Concílio do Vaticano, dirigiu uma carta a «todos os bispos de rito oriental que não estão em comunhão com a Sé apostólica», convidando-os a participar da Assembleia. Vinte e cinco anos mais tarde, Leão XIII fez outra tentativa, com a encíclica *Praeclara gratulationis*, de 1894, completada no ano seguinte pela encíclica *Orientalium*, por meio da qual assegurava que «os Latinos não querem de modo algum ferir os direitos, os privilégios, as tradições históricas» dos Orientais.

Todas essas tentativas fracassaram. Ao primeiro gesto de abertura de Pio IX, o patriarca de Constantinopla, Antímio VI — com o apoio dos outros três patriarcas orientais, de 29 metropolitas e, segundo parece, do de Moscou —, respondeu com uma verdadeira encíclica, na qual exprimia o voto de que o próprio Papa «se convertesse» à «verdadeira Igreja, católica, apostólica e ortodoxa». Acrescentava ainda, e isso ia ao fundo do problema: «Entre nós, nenhum patriarca, nenhum Concílio pôde alguma vez introduzir novidades, porque o próprio corpo da Igreja, ou seja, o próprio povo, é o guardião da religião». Ao convite para o Concílio, a maioria dos bispos orientais respondeu com um silêncio de desprezo, e alguns com um categórico não. Quanto aos apelos de Leão XIII, apesar de infinitamente mais hábeis, prudentes e generosos, não foram mais bem acolhidos. Nesse ínterim, fora proclamado o dogma da Imaculada Conceição e — o que é ainda mais grave — o da infalibilidade pontifícia. O patriarca Antímio VII não teve qualquer dificuldade em estigmatizar as «inovações romanas», o que fez num tom acerbo.

Esse diálogo de surdos mostrava o desconhecimento que os cristãos dos dois campos tinham sobre o que os separava. Para os latinos, os orientais tinham rompido o laço que os ligava à Igreja, ao recusarem-se a admitir a Hierarquia legítima, tal como Cristo em pessoa a estabelecera.

Consequentemente, a união só era concebível sob a forma de submissão, poeticamente designada como «regresso ao redil das ovelhas desgarradas». Nos seus apelos à reconciliação, os papas falavam muito naturalmente desse regresso. Mas os orientais, muito longe de se sentirem desgarrados, consideravam que eram os romanos quem se tinha afastado das tradições e até do Credo da primitiva Igreja, cujo depósito eles, sim, conservavam intacto. No seu entender, a união só se podia fazer com base na fé indivisa dos primeiros séculos, pela exclusão de tudo o que os acontecimentos tinham levado o catolicismo a precisar e acrescentar, em particular quanto à autoridade do Bispo de Roma. As duas atitudes eram, evidentemente, inconciliáveis. Enquanto cada um dos campos insistisse nas suas posições, como seria possível a mais pequena aproximação?

«Ortodoxia» ou catolicidade

Assim se erguia, tanto em face do catolicismo como do protestantismo — numa oposição talvez menos violenta e agressiva do que aquela que punha em conflito católicos e protestantes, mas não menos decisiva e categórica —, uma outra Igreja, consciente da sua grandeza, da sua força, e que reivindicava para si e para mais ninguém a integridade da fé e da fidelidade aos ensinamentos do passado. Era isso o que ela exprimia com o termo com que se designava a si própria: Igreja «ortodoxa», «Ortodoxia».

O termo só se compreende por referência à História. Ser «ortodoxo» é, segundo a etimologia, estar na verdadeira fé, não cair nessas opiniões particulares — nessas «heresias» — que se manifestaram desde o princípio no seio do cristianismo. Na prática, os fiéis da grande Igreja tinham usado esse título no decurso das violentas disputas sobre a natureza de Cristo que tinham agitado o mundo cristão no século IV e depois no século V, durante a crise do arianismo e, mais tarde, sobretudo durante as crises do nestorianismo e do monofisismo[3]. Com efeito, dizer-se «ortodoxo» era aceitar sem reticências as decisões do Concílio de Calcedônia, de 451, que tinham reconhecido em Cristo uma só pessoa em duas naturezas, unidas «sem se confundirem, nem se modificarem, nem se dividirem, nem se separarem». É óbvio que, nessa perspectiva, os ocidentais não eram menos «ortodoxos» que os orientais. Para uns e outros, eram indiscutíveis os cânones dos sete primeiros Concílios ecumênicos que, de 325 a 784, tinham fixado as regras da fé acerca da Santíssima Trindade e da natureza de Cristo. E o cristianismo oriental não se sentia menos «católico» que o ocidental-católico, isto é, universal, segundo o qualificativo introduzido logo no primeiro século por Santo Inácio de Antioquia e que o símbolo chamado de Niceia fizera entrar na definição da Igreja. Quando muito, era possível dizer que havia uma certa diferença de acento. No Oriente, insistia-se mais na «ortodoxia», ou seja, na fidelidade aos dogmas, talvez porque ela tinha sido frequentemente posta em causa. O Ocidente, para o qual a grande tarefa consistia em converter os bárbaros, prestava maior atenção à universalidade ou «catolicidade»[4]. Mas enquanto as duas partes da Cristandade permaneceram unidas, apesar de muitas tensões, ninguém pensou em opor as duas palavras uma à outra, em fazer dos «ortodoxos» e dos «católicos» irmãos separados e quase inimigos.

Tudo iria mudar após a separação do século XI, que fixou os antagonismos e, pouco a pouco, acabou por dar ao termo «Ortodoxia» o sentido que conhecemos. Essa separação processou-se por motivos em que a teologia da Trindade e a eclesiologia estiveram estreitamente imbricadas com a política e a sociologia. É inexato dizer que o cisma se deu de um só golpe, pela má vontade, orgulho, ambição ou falta de habilidade de alguns homens. Se é certo que, no plano imediato, houve responsáveis, eles foram, em larga medida, empurrados por forças que ultrapassavam em muito as vontades pessoais. Não podemos ignorar que, muito antes, já em meados do século IV e até ao VIII, como consequência das crises que sacudiram a Igreja do Oriente, Constantinopla rompeu com Roma por cinco vezes e dela ficou separada durante cento e cinquenta e dois anos! Na realidade, foi o movimento da vida, o movimento da História, que levou as duas partes da Cristandade a afastarem-se uma da outra. Enquanto os chefes da Igreja puseram em primeiro plano a exigência da unidade, esta foi salvaguardada. Quando as ambições ou os interesses passaram à frente desse cuidado, deu-se a ruptura.

Já no tempo de Diocleciano, a partilha do Império romano em dois grandes domínios, cada um deles confiado ao seu Augusto, deixara antever que, nesse corpo imenso, apesar das precauções jurídicas que se tomaram, estavam em ação fatores de ruptura, e que a unidade do *Imperium* era mais ou menos uma ficção. Ao tomar entre mãos o mundo da romanidade, o cristianismo impôs-lhe uma outra unidade, a do batismo comum, a da pertença a uma única Igreja. Mas era-lhe bem difícil conseguir que as diferentes etnias, a evolução divergente dos costumes, o jogo dos interesses políticos e econômicos, não fizessem nascer dessemelhanças cada vez mais graves. As invasões bárbaras que cobriram o Ocidente, mas ainda poupariam o Oriente por dez séculos, modificaram as estruturas da sociedade romano-cristã.

Ciosos de possuírem uma velha civilização, os orientais tenderam a tratar como bárbaros todos os ocidentais. Estes, por sua vez, apoiados numa fé mais simples e menos propícia a disputas, consideraram com desprezo esse Oriente sempre propenso a questionar as verdades da salvação. Por outro lado, os temperamentos eram opostos: um mais prático, mais ativo, mais jurídico, mais lógico; o outro, mais místico, mais especulativo, mais «irracional» e inclinado a uma concepção sintética da vida. A própria língua falada pelos ocidentais, o baixo-latim, era ridicularizado no Oriente; em 864, o imperador Miguel III qualificava-o de «dialeto cítico». Quanto aos latinos, progressivamente governados, tanto no temporal como no espiritual, por descendentes germanos, mal suspeitavam daquilo que as tradições gregas e orientais tinham trazido à Igreja nos domínios da alta espiritualidade e da especulação teológica.

O conflito tornou-se a bem dizer fatal com o aparecimento do império carolíngio no final do século VIII. Os historiadores ocidentais costumam falar de Carlos Magno como alguém que restaurou em proveito próprio o Império Romano do Ocidente, destruído pelas invasões germânicas. Os orientais não eram dessa opinião. Para eles, o único Império legítimo era aquele que tinha Constantinopla como capital, e o germânico Carlos era um usurpador. Ao mesmo tempo, a crescente importância assumida pelo Papa, que sagrara o imperador e era apoiado por ele, gerou um estado de tensão dentro da própria Igreja. Por motivos de prudência diplomática, Bizâncio reconheceu o recém-vindo, mas com tais reservas e um desdém tão visível que o imperador do Ocidente não pôde deixar de notá-lo. Se Carlos Magno tivesse hesitado em compreender a situação, a recusa da imperatriz Irene de lhe conceder a mão em casamento logo o teria esclarecido. Resolveu então arruinar a autoridade do imperador bizantino. Para o conseguir, e ao mesmo tempo abalar a Igreja oriental que era aliada e sustentáculo desse império, concentrou o ataque no campo da fé. Os *Livros carolinos* acusaram os basileus de serem infiéis à verdadeira doutrina, o que permitia contestar-lhes os direitos à sucessão imperial.

Foi assim que o conflito passou para o plano teológico, com o problema do *Filioque*. O Símbolo de Niceia (325), completado pelas decisões do Concílio de Constantinopla de 381, proclamara, apoiando-se nos próprios termos do Evangelho segundo São João (15, 26), que «o Espírito Santo procede do Pai». Mas o concílio hispânico de Toledo de 589, que tinha de lutar contra o arianismo, considerou que essa fórmula, afastando o Filho da «processão do Espírito Santo», fornecia armas aos hereges que se recusavam a considerá-lo Deus, tão Deus como o Pai. Foi por isso que, antes do verbo *procedit* do Credo, se acrescentaram as palavras *Filioque*: o Espírito Santo procede do Pai e do Filho. Era incontestavelmente uma inovação, ainda que a fórmula interpolada correspondesse perfeitamente à verdade teológica. E os cristãos presos à tradição, como o eram todos os orientais, tinham o direito de se indignar[5]. É lícito supor que a inteligência teológica do imperador teria de se esfalfar um tanto para seguir tais especulações. Mas a verdade é que Carlos Magno viu aí uma arma contra os bizantinos, e, apesar de os papas terem feito expressas reservas, o *Filioque* entrou na liturgia dos países francos, e aí ficou até hoje.

Para que rebentasse um violento conflito, bastava uma ocasião. Por exemplo, a presença simultânea nas sés de Roma e de Constantinopla de dois homens igualmente enérgicos e decididos a defender os respectivos direitos. E então surgiria um outro problema, de ordem eclesiológica: quem é que, na Igreja, havia de ter o comando? A tradição admitia, desde o século V, que a Igreja tivesse cinco chefes regionais, os cinco patriarcas — de Roma, de Constantinopla, de Alexandria, de Antioquia e de Jerusalém. Ao de Roma era reconhecida uma primazia, o que explica que alguns orientais apelassem para a sua autoridade. Mas não se tentara precisar muito bem as coisas. Em meados do século IX, a situação alterou-se.

Em Constantinopla, subiu ao patriarcado um homem sob muitos aspectos notável, um antigo funcionário imperial, ampla inteligência admiravelmente apetrechada, que foi possível situar na linhagem de Demóstenes, de Aristóteles e de Platão: *Fócio*. Esse homem procurou muito naturalmente reforçar a autoridade da sua sé ou pelo menos igualá-la à de Roma. A Igreja da gloriosa Bizâncio não seria, afinal, bem mais venerável e poderosa do que esse Patriarcado do Ocidente bárbaro? Mas, na mesma altura, em Roma, o papa era *São Nicolau I* (858-67), uma das mais fortes personalidades do tempo, que não hesitara em enfrentar o imperador carolíngio Lotário II a propósito do seu divórcio. Como Fócio fora nomeado em condições pouco regulares, o papa, passando por cima das decisões de um concílio oriental, recusou-se a reconhecê-lo. Apoiado pelo seu imperador, Fócio ripostou acusando São Nicolau de «inovações perigosas e pretensões injustificadas», e fazendo com que fosse deposto por um concílio. Assim se caminhava para a ruptura quando as duas personagens desapareceram de cena: o papa morreu e o patriarca foi para um convento, exilado pelo novo senhor de Bizâncio, Basílio I o Macedônio.

Transcorreram dois séculos sem que o conflito se reatasse. Mas, nesse lapso de tempo, as duas metades da Igreja continuaram a afastar-se, cada uma na sua linha. A distância entre elas não cessou de aumentar. O «sentido da Igreja», ou seja, da sua unidade, foi-se apagando cada vez mais nos espíritos. Discutia-se e disputava-se por tudo e por nada. A respeito do *Filioque*, é óbvio; mas também de muitos outros assuntos, como o casamento dos padres, e até de questões menores, como o uso da barba pelo clero ou o cântico do Aleluia na Páscoa[6]. Ocorreram incidentes a propósito de uma intervenção papal nas questões matrimoniais dos Basileus, ou do trabalho dos latinos entre os búlgaros, que hesitavam entre as duas obediências. Todas as relações oficiais entre Roma e Constantinopla cessaram: o nome do papa nunca mais foi pronunciado nas orações oficiais do Oriente; o patriarca nem sequer continuou a informar o papa da sua nomeação. O surto de progresso que Bizâncio experimentou com a dinastia macedônia só veio reforçar o orgulho da Igreja Oriental. Se o Papado não tivesse passado então por um período de declínio, a ruptura teria sido mais que provável; se os bizantinos podiam ignorar o papa, era porque este se encontrava sem forças para defender os seus direitos. E até chegou a parecer normal que Bento VIII concordasse em sagrar o imperador germânico Henrique II segundo o rito franco, ou seja, com o acréscimo do *Filioque*. Era mais uma prova de decadência em que estava o patriarcado de Roma...

Tudo teria podido continuar assim por longo tempo, e a separação entre as duas metades da Igreja consumar-se lentamente, sem crise violenta, se, no século XI, a «Reforma gregoriana» não tivesse restituído o Papado à sua grandeza. Para arrancar a Igreja do Ocidente ao domínio dos feudais, os papas clunicenses reforçaram a sua autoridade sobre os bispos e afirmaram, pela famosa «teoria das duas espadas», o direito que tinham de julgar todos os leigos, ainda que fossem imperadores. Começou-se então a falar da sua infalibilidade doutrinal. Era evidente que esse reforço do poder pontifício excluía a concepção oriental da organização da Igreja.

Estavam preparadas as condições do rompimento. Paradoxalmente, este deu-se em 1054, por ocasião de uma tentativa de reaproximação feita pela Santa Sé para unir as forças das duas metades da Cristandade contra o perigo normando. Surge então um homem a quem cabe uma responsabilidade indiscutível: *Miguel Cerulário*, patrício de alta linhagem, que sonhara reinar mediante uma conjura e que, uma vez convertido e feito patriarca em 1043, professou que a sua função não era inferior «nem à da púrpura nem à do diadema», e de qualquer modo à do patriarca de Roma. Chegou até a propor ao papa a partilha do mundo entre as duas Igrejas, cada uma delas universal na sua esfera. A iniciativa papal de luta contra os normandos deixou-o inquieto. Leão IX tinha conquistado para esse projeto o imperador do Ocidente Henrique IV. Se conseguisse a adesão do basileu Constantino IX, que lugar ocuparia ele, o patriarca, nesse triunvirato? Já via o Papa a intervir no Oriente... Sem se denunciar, montou, pois, uma operação destinada a semear a discórdia: aproveitou todas as ocasiões para despertar as querelas entre Bizâncio e Roma, animou um monge do Studion a publicar um panfleto em que se colecionavam todas as lendas antirromanas, e ele próprio «reformou» brutalmente as igrejas de rito latino que existiam em Constantinopla. Houve arruaças em que se profanaram hóstias consagradas.

Infelizmente, para ativar as negociações diplomáticas e ao mesmo tempo resolver as questões religiosas, o papa enviou a Constantinopla, como seu legado, um loreno rude e teimoso, a coisa mais oposta a um diplomata — o cardeal Humberto de Moyenmoutier. Esse homem do Norte enervou-se com as bandarilhas da polêmica bizantina e imaginou que poderia restabelecer a ordem pelos mesmos meios que tinham permitido ao Papa «reformar» a Igreja do Ocidente. Ameaçou a Igreja do Oriente de não ser tida senão por «um conciliábulo de hereges, um conventículo, uma sinagoga de Satanás», caso não reconhecesse a completa supremacia do Papa. Depois, como o patriarca se recusasse a manter qualquer contato com ele, dirigiu-se pessoalmente a Santa Sofia e depôs lá uma sentença de excomunhão contra Cerulário, gesto que, no melhor dos casos, ultrapassava os seus poderes[7]. Preparada pelo maquiavelismo do patriarca, a ruptura estava consumada pela inabilidade do legado pontifício, de tal maneira que todo o povo bizantino ficou convencido de que a culpa era somente de Roma. Um sínodo anatematizou os legados. O texto da excomunhão foi queimado em público. Miguel Cerulário foi elevado às nuvens...

Este episódio penoso, que se costuma considerar como o início do «cisma grego», não pôs, no entanto, fim a todas as relações entre o Oriente e o Ocidente cristãos. Foram raros aqueles que, como o santo patriarca Pedro de Antioquia ou o monge Jorge o Hagiorita, mediram toda a extensão do desastre. Mas a *communicatio in sacris*[8] continuou vigente para todos os fiéis de uma e outra das Igrejas. Os patriarcas asiáticos permaneceram em contato com Roma, o que, aliás, era indispensável por causa das peregrinações. Houve até imperadores orientais que ajudaram conventos ocidentais, como, por exemplo, Monte Cassino.

Isso não impediu que a polêmica antirromana assumisse em Bizâncio uma amplitude crescente. Às velhas queixas juntaram-se outras novas, não menos burlescas. Sem grande preocupação pela lógica, censuravam-se os ocidentais por comerem carnes sem lhes tirar o sangue, o que era contrário às prescrições da Bíblia; mas também por jejuarem às vezes aos sábados, o que era, visivelmente, continuar o Sábado hebraico! O uso do pão ázimo para a comunhão forneceu também larga matéria para a indignação. Um *Tratado sobre os Francos* chegava a assegurar que, durante a missa, mulheres de má vida vinham divertir-se com os padres...

Mas o que acabou por tornar definitiva a ruptura foram as Cruzadas. Não no começo, pois os primeiros cruzados reconheceram os direitos canônicos dos bispos bizantinos, a quem libertavam do jugo muçulmano, e comungavam das suas mãos; mas pouco a pouco, quando se instalaram no país, os ocidentais substituíram o clero oriental por padres latinos. Que em Jerusalém houvesse um patriarca latino — e nem sempre exemplar — não seria um escândalo? Mas o escândalo foi bem maior quando os soldados da IV Cruzada cercaram e pilharam a santa Bizâncio, expediram para o Ocidente navios carregados de objetos preciosos e de ícones, e instalaram no trono de Fócio e de Cerulário um patriarca veneziano. A partir de 1204, podemos dizer que o antagonismo religioso entre cristãos do Oriente e cristãos do Ocidente foi reforçado por um ódio nacional que havia de levar muito tempo a apagar-se. As tentativas de união, começadas pelos imperadores bizantinos quando a ameaça turca se agravou, bem como a do Concílio de Lyon de 1274, e sobretudo a do Concílio de Florença em 1439, ditadas por preocupações políticas, esbarraram com a feroz recusa da opinião pública bizantina, que parecia preferir o jugo turco à «apostasia» romana. Estavam definidas as posições que os dois campos iriam manter durante séculos. Triste história, da qual o bom papa João XXIII pôde dizer que a responsabilidade era de uns e de outros.

Tal foi a origem da oposição entre o Oriente e o Ocidente cristãos que o tempo não fez mais do que agravar. Como acontece quando dois seres, ontem muito próximos, vivem separados, o próprio jogo da vida foi acentuando de ano para ano as diferenças e aumentando os antagonismos. No século XI, os bizantinos elaboraram o catálogo das suas queixas contra os latinos. O panfleto «Sobre os Francos» enumerava trinta e cinco. Àquelas que vimos, juntavam-se outras, não menos estranhas: afirmava-se que os latinos se recusavam a chamar à Santíssima Virgem «Mãe de Deus» — afirmação que o próprio texto da *Ave-Maria* desmentia —; que vestiam os seus bispos de seda, e não de lã; que não sabiam prostrar-se corretamente, sem dobrar os joelhos; que — mais horrível ainda — comiam animais impuros, tais como tartarugas, corvos, ratos! E não era tudo. De século em século, o número de censuras aumentou: era de cento e quatro nos finais do século XIV e de cento e cinquenta no século XIX. Os novos motivos giravam, na sua grande maioria, em torno de questões insignificantes de liturgia.

A incompreensão não parou, pois, de crescer. O próprio qualificativo de que os orientais se gabavam tomou um novo sentido. Ortodoxos, sentiam eles que o eram, não já apenas por terem resistido às velhas heresias cristológicas, mas também porque, em face dos latinos e das suas perigosas inovações, representavam a imutável fidelidade ao passado. Por muito tempo, o termo foi desconhecido no Ocidente; mas não se sabia bem como designar essa parte da Cristandade separada de Roma. A fórmula «os gregos» utilizada por Dom Pitra não era exata, visto que a grande maioria dos fiéis dessa Igreja passara a ser constituída por russos. Falar de uma «Igreja greco-eslava» não o era tampouco, uma vez que no seu seio havia árabes, sírios, romenos, georgianos. Joseph de Maistre dissera: «Igreja fociana», o que era acertado, mas demasiado erudito. Os documentos oficiais serviam-se de rodeios, como «Igrejas de rito bizantino separadas da Sé Apostólica». Pio IX, na sua carta de convite para o Concílio do Vaticano, falava «dessas Igrejas que se denominam ortodoxas», o que era já muito, pois assim as reconhecia como Igrejas, o que não fazia quanto às protestantes. A bem dizer, só no século XX é que prevaleceu o hábito de chamá-las «ortodoxas», para simplificar e referir-se a um estado de fato, sem ligar ao nome qualquer significação doutrinal. Assim o faria Pio XI.

Podemos deixar de lado o inútil catálogo das censuras dirigidas pelo Oriente ao Ocidente. Depois de oito ou nove séculos de rompimento, se tentarmos fazer a conta dos pontos verdadeiramente sérios sobre os quais as duas Igrejas se opõem, somos levados a considerá-los pouco numerosos.

O que separa os ortodoxos dos católicos é certamente menos importante do que o que os une. Todos os grandes dados da fé lhes são comuns, embora não se apresentem sob a mesma luz. Todos os sacramentos lhes são comuns. Para a Igreja Católica, o batismo ortodoxo é válido, sem a menor dúvida, ainda que a Igreja grega por muito tempo rebatizasse os católicos que quisessem entrar na sua obediência, sob o pretexto de que só era válido o batismo por imersão; a Igreja russa tornava a crismá-los. As ordenações ortodoxas são válidas, já que jamais foi discutida a continuidade da sucessão apostólica. Se um católico não pode comungar numa missa ortodoxa, não é de modo nenhum porque a consagração eucarística não seja válida — é-o incontestavelmente —, mas porque a própria palavra «comunhão» implica a ideia de pertença à mesma comunidade, o que não é o caso.

A pedra de escândalo no caminho da unidade está nisto: as duas Igrejas não constituem uma só e mesma comunidade. Está muito mais aí do que nas discussões dogmáticas, litúrgicas ou disciplinares que foram surgindo no decorrer das épocas. A questão do «*Filioque*» tem ido perdendo importância: no Concílio de Florença, admitiu-se que a fórmula grega «O Espírito Santo procede do Pai *pelo* Filho» era equivalente à fórmula latina; desde há muito que os teólogos gregos deixaram em geral de insistir neste ponto[9]. Existem diferenças mais ou menos graves sobre a doutrina da Imaculada Conceição; sobre os Novíssimos [os fins últimos do homem], pois os ortodoxos não concebem o Purgatório como os católicos; sobre os Livros sagrados, visto que a Ortodoxia venera os «deuterocanônicos»[10] e os utiliza na sua liturgia, mas considera-os inferiores aos outros; sobre o divórcio, que é autorizado no Oriente em vários casos; sobre a disciplina de alguns dos Sacramentos. Mas o fundo do debate não se encontra aí. Tal como no tempo de Fócio e de Cerulário, continua a estar na questão do Primado do Papa, que é, de fato, o problema da própria concepção da Igreja.

Para os ortodoxos, a Igreja não é uma sociedade monárquica dirigida por um homem sobre o qual repousa o Espírito e que representa Cristo na terra. É uma justaposição de Igrejas, cada qual com o seu chefe, mas obedecendo todas elas ao chefe invisível, que é Jesus Cristo. Para eles, todos os Apóstolos receberam os mesmos direitos, e Pedro apenas possuiu uma preeminência honorífica. O sucessor de Pedro, bispo de Roma, não pode, pois, segundo eles, pretender o título de chefe da Igreja universal. *A fortiori*, não goza da infalibilidade, a qual pertence a toda a Igreja, coletivamente, e reside no corpo episcopal tomado em conjunto. São posições evidentemente inaceitáveis para os católicos. Mas, neste ponto, importa compreender que a recusa dos ortodoxos em admitir a autoridade do Papa não é apenas um reflexo do orgulho, determinado pelo sentido agudo da grandeza da sua Igreja e pela fidelidade ao que têm por verdadeira tradição. É uma atitude estreitamente relacionada com a própria ideia que têm da Igreja, da vida religiosa, do Reino de Deus, da fé.

Herdeira de Bizâncio

A Ortodoxia proclama com brio que procede diretamente da Igreja dos primeiros séculos, cujos territórios ocupa. Pois não é verdade que as mais antigas das suas sés são aquelas que já eram gloriosas no tempo dos Apóstolos e dos Mártires? Antioquia, Alexandria — grandes nomes! Na realidade, a sua área geográfica retraiu-se quando largas parcelas das suas massas de fiéis passaram para as heresias do século V, e sobretudo depois, quando a invasão árabe cobriu o Egito e a Ásia mediterrânica. Mas nessa altura a tocha fora transmitida a uma outra Igreja, cuja sede era a capital do Império do Oriente e que, com este, iria permanecer sólida ainda por vários séculos. A herança do cristianismo dos primeiros tempos foi, portanto, recolhida por Bizâncio, que, tanto por dever como por temperamento, iria dedicar-se a conservá-la intacta, não sem, aliás, imprimir-lhe algumas características que lhe eram próprias. E foi essa religião antiga e tradicional, mas repensada por ela, organizada por ela, que Bizâncio difundiu por meio das suas missões quando empreendeu a tarefa de converter a Europa oriental, do Cáucaso aos Cárpatas e até aos confins do Círculo Polar. Por um processo análogo, Roma deu ao cristianismo do Ocidente as suas modalidades próprias, o seu estilo e organização, e alargou o seu campo batizando os bárbaros. Se, substancialmente, e não apenas administrativamente, a Igreja Ocidental é a Igreja *romana*, é legítimo qualificar de *bizantina* a Igreja do Oriente.

Do cristianismo dos primeiros séculos, a Ortodoxia conservou traços marcantes. O mais importante é, sem dúvida, que os fiéis desempenham nela um papel ativo, mais ativo do que no catolicismo, onde no decorrer dos séculos se foi produzindo uma evidente clericalização: primeiro na Idade Média, em consequência das grandes lutas contra a ingerência dos senhores feudais; depois, logo a seguir ao Concílio de Trento, como reação contra o protestantismo. Na Igreja ortodoxa, os leigos têm, mais do que os católicos, o sentimento de pertencerem a uma comunidade. Não somente participam, na prática, da gestão da sua Igreja, como parece normal que intervenham em matéria teológica, a propósito de assuntos que, no Ocidente, desde há muito tempo parecem reservados aos clérigos. Talvez o emprego da língua vulgar na liturgia tenha contribuído para manter essa participação dos leigos na vida religiosa; sobretudo nos povos convertidos, aos quais os missionários bizantinos deram logo no começo uma liturgia na língua desses povos[11]. Em diversas Igrejas ortodoxas, são os leigos que elegem os padres[12]. Como estes são obrigatoriamente casados, estão naturalmente próximos das suas ovelhas, o que tem lados bons e maus. Acima deles, porém, considerados como espiritualmente mais avançados, há os monges, que, esses sim, não se casam e vivem afastados do mundo, de acordo com os usos da primitiva Igreja, na qual o monaquismo nasceu com os Eremitas do Deserto e depois se organizou com São Basílio e São Pacômio.

Todos estes elementos antigos foram enquadrados por Bizâncio no esquema do Império romano do Oriente, em que o espírito jurídico latino teve o seu remate com a elaboração dos Códigos, do Digesto, das Pandectas, mas em que, por outro lado, as múltiplas influências mesopotâmicas, egípcias e persas contribuíram igualmente para revestir o Basileu da pompa hierática dos autocratas orientais. Foi também de Bizâncio que o cristianismo «ortodoxo» recebeu muitos dos seus traços. O mais evidente é essa dignidade, essa solenidade, numa palavra essa majestade que eram as do regime bizantino e que, como veremos, correspondiam à própria concepção do cristianismo ali existente.

Também daí lhe veio a fixidez, o rigoroso tradicionalismo que eram uma das características marcantes desse regime de ordenação minuciosa e de etiqueta. A Ortodoxia gabava-se e ainda hoje se gaba de nada ter inovado desde as origens. Ela é a Igreja dos «sete Concílios ecumênicos», aquela que se mantém vinculada aos cânones que precisaram definitivamente, e de maneira normativa, a mensagem cristológica, o mistério de Cristo, verdadeiro Deus e verdadeiro homem. A própria ideia, tão importante na Igreja do Ocidente, de que há uma «história dos dogmas», isto é, uma evolução normal da dogmática em função das circunstâncias humanas, e de que se pode tornar indispensável formular um ponto de doutrina até o momento apenas implícito, suscita a reprovação absoluta da Igreja ortodoxa. A tal ponto que certas crenças que professava — como, por exemplo, a da Imaculada Conceição da Virgem, de que a poesia bizantina tanto gostava de falar — perderam terreno desde que Roma as erigiu em dogmas[13]. A arte religiosa da Ortodoxia traduz perfeitamente esse duplo ideal de majestade e fixidez, com os seus ícones cuja técnica não variou com o decorrer dos séculos — na Grécia, o *Guia do Pintor* é o do monge Dionísio, e data de 1450 — e que tão evidentemente impõem ao espírito sentimentos de veneração.

É também a Bizâncio que a Ortodoxia deve a sua atitude tão peculiar para com o Estado e a sociedade civil, uma atitude regulada por essa lei de um acordo profundo que se designa por «sinfonia». Essa atitude comporta uma verdadeira imbricação dos dois poderes, que em princípio elimina tanto o risco do cesaropapismo como o das ambições teocráticas, e que garante uma colaboração entre as autoridades civis e religiosas num pé que se quer de igualdade: a intervenção dos governantes na Igreja seria compensada por uma vigilância moral e espiritual da Igreja sobre eles — sistema que Justiniano já previa nas suas *Novelas*. Isso implica uma espécie de identificação da organização temporal com a Igreja, do povo grego ou russo com o Povo de Deus, e exalta o sentimento nacionalista — o que nem sempre foi benéfico para a Igreja ortodoxa, que se viu cada vez mais seccionada — e também um messianismo nacional que tem na Rússia o exemplo mais flagrante.

A fé que rege essa Igreja é, sem dúvida, fundamentalmente a mesma que a dos católicos e dos protestantes. Não tem outras raízes senão os Evangelhos e os outros textos do Novo Testamento. Mas o seu eixo é diferente. Tem-se falado de «cristianismo joânico», ou seja, apoiado sobretudo no quarto Evangelho, o Evangelho do Logos, e no Apocalipse, o livro do mundo que há de vir. É uma fé que põe o acento na esperança sobrenatural, na visão do mundo futuro, na ação do Verbo e na glória de Deus. É também a fé dos Padres gregos, cujo pensamento nunca deixou de alimentar a alma ortodoxa até aos nossos dias — a fé de Santo Atanásio, de Santo Epifânio, dos grandes Capadócios, de São João Crisóstomo. A humanidade de Jesus Cristo — tão cara aos místicos ocidentais da Idade Média, como São Bernardo — é certamente ali venerada, mas parece ter menos lugar do que a sua Divinidade, manifestada no seu poder. A Paixão, objeto de tantas meditações ocidentais do Grande Século, inspira ícones de indizível ternura, mas é talvez menos contemplada do que a Ressurreição. Como se pôde dizer, com Karl Adam, é uma fé da Páscoa, oposta à fé da Sexta-Feira Santa[14]. É a fé proclamada pela célebre fórmula com que os fiéis se saúdam no dia da Páscoa, e que exprime em qualquer circunstância a plenitude da alegria: «— Cristo ressuscitou! — Sim, ressuscitou verdadeiramente!»

Essa fé comporta um outro elemento, não menos fundamental. Entre os ortodoxos, o Espírito Santo ocupa um lugar que não detém no Ocidente cristão. «Não é verdade que o Verbo assumiu a carne para que nós recebêssemos o Espírito Santo?», diz Santo Atanásio. E São Basílio, o grande Capadócio, repete várias vezes: «O Espírito está inteiramente presente em cada um dos homens e em toda a parte». Eis por que, logo depois do Batismo, se confere ao novo cristão o *myron*, o sacramento da Crisma, análogo ao da Confirmação ocidental, designado por «a grande unção do Espírito». É esse sacramento que faz penetrar o Espírito até as profundezas do ser e permite a cada cristão adquirir a semelhança com a imagem que o Batismo nele restaurou.

Todo o cristão é, pois, «portador do Espírito», depositário de uma parcela do poder divino cuja guarda está confiada à

Igreja. Isto explica que qualquer cristão, ainda que um simples leigo, esteja também habilitado a administrar a Igreja, a estudar e ensinar teologia, e mesmo a pregar do púlpito. Os carismas, entre eles o milagre e a profecia, que a Igreja do Ocidente considera raros e que vigia estreitamente, são tidos pela Ortodoxia por tão normais hoje como o eram na Igreja primitiva: são manifestações do Espírito Santo, que está sempre em ação. E os sacramentos são muito menos instrumentos sobrenaturais de aperfeiçoamento espiritual próprios para alcançar a salvação — como o são para os católicos — do que meios para que o homem se divinize com o Verbo encarnado, mediante o Espírito que tudo rege.

Para a Ortodoxia, é, pois, fundamental a ideia de que o Espírito Santo age sem cessar e fala espiritualmente ao homem. Mas importa sublinhar que a sua ação não se faz sentir e a sua palavra não se faz ouvir em qualquer circunstância, e que o homem não goza da liberdade de as interpretar a seu modo. É por aqui que passa a linha de demarcação mais nítida entre a Ortodoxia e o protestantismo, particularmente o das seitas recentes. Durante a reunião do Conselho Ecumênico das Igrejas, em Evanston (1954), os delegados ortodoxos sublinharam bem claramente este aspecto: «A Igreja ortodoxa não pode aceitar a ideia de que o Espírito Santo só nos fala na Bíblia. O Espírito Santo reside e dá testemunho na totalidade da vida e da experiência da Igreja. A Bíblia é-nos dada no contexto da Tradição apostólica, e é nela que possuímos também a interpretação e a explicação autênticas da palavra de Deus». São proposições que um católico pode subscrever plenamente.

É esta concepção propriamente espiritual da religião que explica alguns aspectos particulares da Ortodoxia: a sua organização eclesial, o papel considerável que nela tem o monaquismo, a devoção aos ícones, e sobretudo a importância primordial que dá à liturgia.

Para um cristão oriental, e na perspectiva que acabamos de indicar, o mundo presente é imagem do mundo divino, o que, de resto, está perfeitamente na linha do pensamento grego, da tradição platônica. A Igreja, que congrega os homens que vivem no mundo presente, é portanto concebida como uma manifestação, uma prefiguração do mundo divino. Segundo uma expressão muitas vezes citada do pe. Sérgio Bulgakov, a Igreja é «o céu descido à terra». Pelos sacramentos, ela faz entrar o homem na vida divina, de tal modo que já se chegou a dizer que ela própria é «um imenso sacramento» ou ainda «o sacramento dos sacramentos». Desta concepção resultam duas grandes consequências.

Uma, que as instituições eclesiais têm pouca importância quando comparadas com o impulso divino que conduz à divinização do homem, e que ao mesmo tempo eleva a Igreja inteira para o Espírito. Enquanto um católico tende com frequência a representar espontaneamente a Igreja, a sua Igreja, através das instituições, e centrada num homem [o Papa] sobre o qual repousa o Espírito e que tem a responsabilidade por todos os batizados, um ortodoxo verá antes essa expressão perfeita numa comunidade monástica como a do Monte Athos, radicalmente separada do mundo e vivendo exclusivamente em Deus. Quanto mais a Igreja Católica, para resistir aos assaltos do protestantismo, se muniu de uma organização rígida, mais se alargou o fosso entre ela e a sua irmã do Oriente. Tanto mais que essa organização é centralizada e hierárquica, o que está igualmente distante das concepções orientais.

A outra é que a Ortodoxia — pelo menos, via de regra —, tomando à letra a fórmula de São Paulo «a Igreja de Cristo que está em Corinto...», ou em Roma, ou em Éfeso, considera que a Igreja inteira está completamente presente na mais pequena Igreja local ou nacional, e que não é útil dotá-la de uma unidade visível, pois tem um chefe invisível, que é

Cristo[15]. Dupla diferença de interpretação da doutrina do Corpo Místico, que, pelo menos na opinião da maioria, leva a justificar a recusa da autoridade do Papa e o sistema dos Patriarcados e das «autocefalias», tão diverso do sistema católico romano.

O monaquismo, como acabamos de ver, representa para os ortodoxos o tipo perfeito da vida cristã. Alheio às coisas do mundo, o monge vive já em Deus, com uma existência quase angélica. A verdadeira santidade consiste nisso, no desprendimento absoluto, no isolamento, na contemplação. O Ocidente admite e admira a santidade pela ação, empenhada nas tarefas quotidianas e na luta por promover o advento do Reino de Deus pelo exercício da caridade. A Ortodoxia não a ignora inteiramente, mas tem-na por excepcional, na medida em que não corresponde ao ideal corrente. O monge é o aristocrata da Igreja, e também o seu elemento mais ativo e resoluto. Aliás, o monaquismo sempre desempenhou ao longo dos tempos o papel de cidadela espiritual, contra as pretensões do poder, contra os erros doutrinais — por exemplo, na época da querela iconoclasta —, contra as tendências secularizantes. É no seu seio que se procuram os candidatos ao episcopado, não no clero. O monge não é clérigo. A sua função é mais alta do que a de administrar os sacramentos; mas sucede com frequência que é o guia de inúmeras almas: pensemos nos *gerontes* na Grécia antiga, nos *startsi* na Rússia.

No próprio interior do monaquismo, há, de resto, diferenças, graus, se bem que exista uma só «ordem monástica», ou melhor, uma única «sociedade monástica». Uma das tendências é para o cenobitismo, ou seja, para a vida religiosa agrupada, ordenada, bastante análoga à dos nossos beneditinos, consagrada essencialmente à oração litúrgica e submetida, *grosso modo*, à Regra de São Basílio, codificada no século IX por São Teodoro Estudita. A outra tendência é para o eremitismo absoluto, para a vida totalmente isolada e reclusa, inspirada na dos solitários do deserto nos primeiros séculos. Entre as duas, existem muitas outras modalidades: vida em pequenos grupos de quatro ou cinco, ou «idioritmia», ou seja, vida numa comunidade numerosa, mas no seio de mínimas formações dirigidas por um pai espiritual. O eremetismo absoluto é considerado o grau mais alto do monaquismo, aquele que permite elevar-se mais alto na escala espiritual. Pode ter por cenário uma cabana, uma gruta ou até o cimo de uma coluna, já que os «estilitas» só desapareceram da Síria há menos de cento e cinquenta anos.

É a estas formas superiores que se prende uma prática religiosa que representa igualmente uma das características mais marcantes da Ortodoxia: a «oração pura», também chamada «oração do coração» ou «oração de Jesus». Este modo de orar entrou na Igreja ortodoxa como reação contra um monaquismo demasiado acomodado, para não dizer suntuoso. Quando certos elementos violentos romperam praticamente com esse monaquismo tradicional, algumas almas zelosas propuseram operar uma reforma para trazer de volta os revoltados. O meio utilizado foi a «oração de Jesus». Nascida no convento do Sinai em tempos remotos, antes mesmo de São João Clímaco, veio a ser sistematizada por Simeão o Novo Teólogo, por volta do ano mil, e mais tarde por São Gregório o Sinaíta (1265-1346). Foi imposta a uma parte dos monges do Monte Athos por uma campanha vigorosa dirigida pelo terrível São Máximo Capsocaviles — o «incendiário de cabanas» —, apoiada pelo patriarca Atanásio I, e teologicamente pensada por uma inteligência excepcional, *São Gregório Palamas* (1296-1359), e em seguida pelo seu herdeiro espiritual, Nicolau Capovillas. A Rússia recebeu-a por meio de São Nils Sorski (1433-1508). A escola espiritual que a preconizou é conhecida sob a designação de *hesicasmo*, ou seja, escola da *hesyche* (palavra grega que encerra a ideia de calma, de silêncio, de contemplação), e exerceu sempre uma profunda ação no seio da Ortodoxia.

A «oração pura» liga-se estreitamente à concepção da religião segundo o Oriente bizantino, isto é, ao papel que nela tem o Espírito Santo. O objetivo da vida — dizia São Gregório o Sinaíta — é «tornar real o Espírito Santo». Cada homem deve ser «templo do Espírito Santo e seu pontífice». O coração deve ser «movido pelo Espírito Santo». Para tanto, importa entregar o ser inteiro a essa aspiração profunda que o leva a subir no Espírito. Não é a inteligência sozinha que ali há de chegar, mas antes o recurso humilde, constante, permanente, a essa «memória de Deus» que cada qual traz dentro de si. O meio para isso é recorrer à oração, que é relação pessoal do homem com Deus, a única que pode restabelecer a verdadeira natureza humana. Uma oração muito simples, mas que, repetida indefinidamente, se apossará da alma. Por exemplo: «Senhor Jesus Cristo, Filho do Deus vivo, tende piedade de mim!» Esta oração deve identificar-se com a aspiração da alma que converge para Deus: é «colar o nome de Jesus à respiração», nas palavras de São João Clímaco.

Coisa que parece fácil, mas que, na verdade, exige uma perfeita arte, a que não se chega senão depois de anos de experiência espiritual. Pressupõe um perfeito domínio, não apenas das paixões, mas também dos pensamentos — uma autêntica ciência da vida, que se estende desde a «memória da morte», experiência da angústia existencial, até à alegria que «confirma o coração num amor firme e num sentimento de plenitude indubitável». Comporta até uma disciplina na respiração e nos gestos, que não deixa de lembrar longinquamente o ioga[16]. Foi esta «oração de Jesus» que os espirituais ortodoxos mais sublimes praticaram no decurso dos séculos e que, nos nossos dias, contribui para renovar a Ortodoxia nos seus melhores elementos.

O hesicasmo é conhecido apenas daqueles que têm noções acima das sumárias sobre a Ortodoxia. Já o culto dos ícones é um dos traços que mais impressionam o ocidental quando se encontra em face do cristianismo oriental. Ao ver nas igrejas e mosteiros o imenso número dessas imagens que se diria parecerem-se todas umas com as outras; ao verificar que elas fazem parte integrante da liturgia, a tal ponto que a celebração exige que se exponha no meio da nave o ícone que lhe corresponde; ao medir a profundidade dos sinais de respeito de que se rodeiam as mais célebres — as «miraculosas» —, o católico (e mais ainda o protestante!) fica admirado[17].

Já se tem falado a este propósito de «culto das imagens», o que é falso. O VII Concílio ecumênico, que, em 787, pôs fim à crise «iconoclasta» e consagrou a derrota daqueles que queriam destruir os ícones, esclareceu com toda a precisão que se trata de uma veneração, não de um culto ou «latria». Esta veneração dirige-se a representações de Cristo — nunca de Deus Pai, e o Espírito Santo é apenas representado sob a forma da pomba —, da Santíssima Virgem, dos santos. O que a justifica não é somente essa devoção, por vezes bastante supersticiosa, que rodeia certas estátuas no Ocidente — o que não significa que não haja também devoção e superstição no Oriente! —, mas um dado teológico, ligado à concepção espiritual da religião. «Já que o Invisível — escreve São João Damasceno — se revestiu de carne e se fez visível, deve-se representar a imagem dAquele que se mostrou». O ícone é como que uma afirmação da Encarnação. Venerar um ícone é aderir por meio do sensível ao invisível que está representado. É participar da santificação que ele comunica; é, de acordo com o ideal constante da espiritualidade oriental, trabalhar para a divinização da pessoa.

Mas trabalhar para isso é sobretudo participar da liturgia. A liturgia! Ela está no centro da piedade ortodoxa. É a mais viva realidade religiosa, a mais constantemente presente para um fiel oriental. «O céu desceu à terra»: é pela liturgia que o fiel o descobre, nos imensos ofícios litúrgicos, sempre solenes, a que assistem multidões; é aí que ele encontra o alimento da sua vida espiritual. Muito mais rica, muito mais desenvolvida que as liturgias ocidentais, nela reside a verdadeira pedagogia religiosa — nos últimos cinco anos, só ela tem assegurado a formação dos fiéis na Rússia Soviética —, e é por isso que faz ler toda a Bíblia dentro de cada ano, e os quatro Evangelhos durante os três primeiros dias da Semana Santa. Cada um dos ciclos litúrgicos, análogos aos do Ocidente, beneficia-se da excepcional riqueza de numerosíssimos hinos, muitos deles de grande beleza. Com as suas «grandes entradas» pelas «portas santas»; com a aparência quase esotérica de alguns dos seus momentos litúrgicos, quando a cerimônia se desenrola por trás da iconóstase[18]; com o diálogo do diácono, do leitor e do cantor, e do povo que responde; com a sua música de oito tons graves, muitas vezes quase dolorosa — com tudo isso, essa liturgia reveste-se de um caráter dramático que já tem feito pensar num prolongamento do teatro antigo.

Bizantina nas suas vestes, pompas, desfiles e incensamentos, ela dá a impressão de ser ao mesmo tempo mais hierática do que a católica, mas também mais popular. Porque o povo participa dela estreitamente, mediante as suas possantes aclamações, pelo canto unânime de muitas das orações, sobretudo do *Trisagion*[19], e pelas suas «metanias», as grandes e pequenas prosternações que, executadas em conjunto, têm qualquer coisa de alucinante. De resto, o povo compreende as palavras litúrgicas, recitadas por vezes em língua vulgar, mesmo na Rússia, onde o emprego do russo antigo ou eslavo não impede o praticante atento de seguir os ofícios.

Celebrada quase unanimemente segundo o rito bizantino, é a liturgia que constitui o vínculo entre todas essas Igrejas nacionais, cada uma das quais tem a sua língua: é ela que permite a todas compreenderem-se, como se todas tivessem o dom de línguas que foi concedido aos Apóstolos no dia de Pentecostes. E o símbolo dessa união é oferecido todos os anos, durante a noite pascal, pela leitura do Prólogo do quarto Evangelho no maior número possível de línguas. Porque é na Páscoa que a liturgia atinge o seu ponto culminante, como é natural que seja, visto que a Páscoa é a festa da glória de Cristo, da esperança suprema, da vitória da vida sobre a morte, do homem salvo e divinizado pela Redenção.

A estes elementos positivos da religião ortodoxa, que asseguraram a sua sobrevivência nas circunstâncias mais difíceis, deve-se acrescentar uma circunstância negativa. Por ser popular e pouco intelectual, por ter estado submetida ao jugo dos turcos ou dos czares e mais ou menos isolada do mundo, a Ortodoxia passou muito pouco pelas grandes crises do Espírito que tanto perturbaram as Igrejas do Ocidente, quer a católica, quer a protestante. Não quer isto dizer que tenha sido imune à corrente de irreligião, à imensa tendência para o ateísmo que caracteriza o mundo moderno. Houve descrentes na *intelligentsia* russa e nas elites da Grécia e do Líbano. A influência das filosofias ocidentais, de Augusto Comte a Taine, da crítica histórica à maneira de Strauss ou de Renan, fez-se notar um pouco por todo o lado. A *Vida de Jesus* de Renan foi traduzida para o russo. No Próximo-Oriente, após a Primeira Guerra Mundial, quando a França exerceu o mandato sobre o Líbano e a Inglaterra sobre a Palestina, os elementos mais cultos conheceram o pensamento ocidental mais heterodoxo e sofreram o seu influxo. Insinuou-se um certo «modernismo» nos estudos teológicos, e esta parece ser atualmente uma das questões mais graves que afetam a Ortodoxia. Mas o povo era demasiado ignorante para se deixar perturbar por argumentos acerca da historicidade de Cristo... A ação das ideias perigosas foi real, mas limitada.

Patriarcados e «autocefalias»

Tal como se apresenta nos tempos modernos, a Igreja ortodoxa permanece fiel às concepções que fixaram a sua estrutura há quinze séculos. O sistema dos Patriarcados continua em vigor. A «pentarquia» já não existe, uma vez que o patriarcado romano foi condenado ao ostracismo, mas os outros quatro persistem: o de Constantinopla, constituído quase unicamente por gregos, e os três do Oriente cristão, onde o elemento grego é dominado pelos descendentes dos sírios e árabes convertidos nos primeiros séculos, que permaneceram fiéis à obediência da Igreja bizantina, o que lhes valeu, por parte dos seus inimigos heréticos, o sobrenome de «melquitas», ou seja, «monárquicos», «realistas». Nos patriarcados, aliás, o Patriarca está longe de ser o senhor: a sua autoridade nada tem a ver com a do Papa na Igreja Católica; se é certo que beneficia de privilégios e honras, o «primeiro bispo» não passa de um *primus inter pares*. Desde a reforma de 1639, o verdadeiro poder pertence a uma assembleia de bispos, cujo modo de recrutamento varia de país para país, e que tem o nome de *Santo Sínodo*. É o sínodo que elege, aconselha e vigia o patriarca, e que, na prática, o proíbe de tomar uma decisão importante sem o seu assentimento.

Esta divisão geográfica da Igreja não ficou por aí. Uma vez que certos territórios possuíam um chefe próprio, era normal que o mesmo privilégio fosse reivindicado por todos. Antes mesmo de o sistema ter sido fixado canonicamente, já uma Igreja conseguira ser reconhecida como «dotada de chefe próprio» (em grego, *autocéfala*): Chipre, em 431. Quando a Ortodoxia se difundiu entre os eslavos, o método utilizado para a conversão, em si mesmo eficaz, deu necessariamente origem a reivindicações de «autocefalias» nacionais. Os sérvios e os búlgaros procuraram que lhes fosse reconhecida a independência religiosa, isto é, quiseram ter o direito de eleger o seu primaz. Os búlgaros, por exemplo, obtiveram de Roma a autocefalia em 927; perderam-na com os bizantinos em 1020, mas reconquistaram-na em 1024. O exemplo mais notável de uma autocefalia brilhantemente conquistada foi o de *Moscou*. Quando Ivã, o Terrível, tornou sólido e poderoso o império do czar, não pôde tolerar a dependência religiosa de Bizâncio, então submetida aos turcos. Como, por falta de dinheiro, o patriarca bizantino se viu forçado, em 1589, a ir pedir esmola à Rússia, Moscou aproveitou a ocasião para conseguir o reconhecimento do título patriarcal. A partir desse momento, o movimento de multiplicação das Igrejas autocéfalas parou: não lhe eram favoráveis nem o czar nem o patriarca de Constantinopla, que, ajudado pelo sultão, tratava de fazer crescer a sua autoridade centralizadora sobre todos os cristãos dos Balcãs e do Oriente. Foi assim que, em 1767, a Igreja búlgara perdeu toda a autonomia, mesmo litúrgica, e ficou praticamente vinculada à grega.

Mas o movimento foi retomado no século XIX. Uma das consequências do grande impulso revolucionário que levou os povos submetidos a reivindicarem os seus direitos nacionais foi a multiplicação das autocefalias. Cada povo que se libertava do jugo turco apressava-se a reclamar a sua autonomia religiosa. Assim o fizeram sucessivamente os gregos (1833), os romenos (1856), os búlgaros (1870) — não sem duras lutas contra os gregos de Constantinopla —, e os sérvios, pouco a pouco, entre 1831 e 1879. Seguiu-se uma nova onda após a Primeira Guerra Mundial. Enquanto as antigas autocefalias, como a Sérvia e a Romênia, se reorganizavam, os povos que acabavam de obter a independência política exigiam a autocefalia religiosa, como aconteceu na Polônia, na Finlândia, na Estônia, na Lituânia, na Letônia e na Checoslováquia. A própria Grécia veio a tornar-se independente de Constantinopla. A Albânia acabou por conseguir a autonomia religiosa em 1937. A longínqua Geórgia, no Cáucaso, que a Igreja de Moscou tinha absorvido, aproveitou a queda do regime czarista para se proclamar autocéfala. Nem sequer a comunidade ortodoxa constituída na América pelos emigrados russos deixou de querer a sua liberdade. Assim se atingiu o número de *vinte e seis* Igrejas independentes umas das outras[20].

Esta situação é, no entanto, fundamentalmente diferente da que se encontra no protestantismo. Um batista não tem o sentimento de pertencer à mesma Igreja que um metodista ou um *quaker*. Já todos os ortodoxos, por força da sua unidade de fé, têm a certeza de pertencerem a uma só Igreja, una e indivisível. Não glorificam eles o mesmo Pai? Não reconhecem um só e mesmo Jesus Cristo? Não recebem as mesmas graças do Espírito Santo? Isto lhes basta, dados os termos em que, como vimos, concebem a vida religiosa; procurando acima de tudo o aprofundamento espiritual, não cuidam da unidade externa[21].

Oficialmente, os laços entre as diversas Igrejas são muito frouxos. Quando é eleito um novo chefe de Igreja, envia aos outros «cartas *irênicas*», ou seja, de paz, para anunciar a sua nomeação. As Igrejas respondem-lhe ou não lhe respondem. Por outro lado, certas Igrejas recebem de outra os santos óleos para a consagração das igrejas e dos altares. Outrora, Constantinopla estabelecera o seu monopólio na matéria, e enviava os santos óleos a todas as Igrejas. Moscou libertou-se dessa sujeição no século XVII e a Romênia em 1822. Atualmente, só se dirigem a Constantinopla as Igrejas de Alexandria, Jerusalém, Chipre e Grécia. Todas as demais fazem elas mesmas esses santos óleos. Quanto à autoridade «ecumênica» de Constantinopla, é apenas nominal. Por várias vezes, nos séculos XIX e XX, o patriarca tentou dar conselhos a esta ou aquela Igreja onde havia problemas: a verdade é que foi sempre repelido.

Esta falta de unidade não deixa de ter consequências desagradáveis. Por muito que tivesse sido condenado como heresia, nem por isso o «filetismo» — o excesso na vontade de independência — passou a ser menos evidente. Contra o «Fanar» — o Vaticano de Constantinopla —, a resistência foi por vezes muito viva, como na Sérvia e, mais ainda, na Bulgária, onde chegou ao uso das armas. O mesmo se deu na Geórgia, contra o patriarca de Moscou. A história da Ortodoxia, desde o início do século XIX, foi frequentemente agitada por contestações de autoridade que chegaram a conflitos. Constantinopla tratou por muito tempo os búlgaros como cismáticos, porque reclamavam uma autocefalia nacional — não apenas territorial —, que daria ao seu patriarca jurisdição sobre os búlgaros do mundo inteiro. Mas outras Igrejas mantinham relações fraternais com os excluídos. Em 1899, os melquitas de Antioquia elegeram um patriarca de raça síria, e as Igrejas gregas recusaram-se a reconhecê-lo. Em Jerusalém, o caso repetiu-se, por questões de pessoas, se bem que o eleito fosse grego; e o Patriarca de Alexandria demorou vinte e três anos a reconhecê-lo. Em 1931-32, as relações entre os dois patriarcados de Antioquia e de Jerusalém tornaram a entrar em crise. Atualmente, a questão da atitude a tomar para com a Igreja Católica em face da convocação do Concílio Vaticano II levantou discussões que tiveram algum eco público. Contra o patriarca ecumênico Atenágoras, favorável a contatos fraternais, alguns bispos de diversas Igrejas, nomeadamente na Grécia, elevaram protestos.

No entanto, tem-se manifestado, especialmente após a Segunda Guerra Mundial, uma tendência a redescobrir uma comunhão e organizar uma unidade mais visível. Em diversos países, os movimentos de «Jovens Ortodoxos» têm trabalhado nesse sentido, e as Igrejas por trás da Cortina de Ferro deram-se conta de que, em face da pressão marxista, têm necessidade de aliar-se. Após o fim da Primeira Grande Guerra, pensou-se em reunir um Concílio ecumênico da Ortodoxia. Mas o «Congresso pan-ortodoxo», reunido em Constantinopla para os trabalhos preparatórios (1923), só conseguiu juntar os representantes de metade das Igrejas. O «Grande Sínodo» previsto para 1925 não se efetuou. Uma comissão de estudos reuniu-se no Monte Athos em 1930, mas também os seus trabalhos não possibilitaram a convocação. Só em 1952 é que o patriarca Atenágoras retomou a ideia. O que se conseguiu foi a reunião pan-ortodoxa de Rodes (setembro de 1960-outubro de 61), na qual estiveram representadas quase todas as Igrejas, entre elas a russa[22], e que preparou as bases para um futuro «Grande Sínodo».

Nos velhos Patriarcados da Grécia e do Oriente próximo

O dealbar da época contemporânea encontrou a Igreja ortodoxa grega numa situação singular. Todo o seu território estava ocupado pelos turcos, havia mais de três séculos. No entanto, estava bem longe de ter desaparecido. A religião tinha até desempenhado o papel de escudo contra a pressão islâmica; e, se era possível observar um lento declínio, a prática religiosa continuava a ser considerável no «rebanho», como diziam os turcos. Tinha-se mesmo produzido um fenômeno inesperado: o patriarca de Constantinopla, o venerado «patriarca ecumênico», reforçara os seus poderes; tinha jurisdição sobre um imenso território que se estendia dos Cárpatos e do Adriático até às fronteiras da Pérsia, e da Rússia até Creta. Mais ainda: obrigara outros patriarcados do Próximo-Oriente a receberem dele os seus prelados titulares. Em Antioquia, tal como em Jerusalém e em Alexandria, desde meados do século XVIII, nunca mais houvera senão patriarcas gregos. E estes, muitas vezes, preferiam residir em Constantinopla a viver no meio das suas ovelhas.

Esse primado de fato assim consagrado dependia de que se mantivesse a atitude que os turcos tinham adotado para com os cristãos desde o começo do seu domínio. Com efeito, o Islão não recusava aos vencidos o direito de tratar dos seus assuntos internos de acordo com os preceitos da sua religião. Mas o direito corânico tinha-os como nação única — o *millet* —, sem considerar as diferenças entre os povos, línguas e confissões. O sultão queria que essa nação cristã estivesse representada junto dele por um chefe responsável, e esse chefe era, desde Maomé II, o patriarca de Constantinopla, cujos títulos e privilégios o grande conquistador confirmara. Desse modo, o chefe da Ortodoxia grega estava na situação de, na sua qualidade de «millet-bachi» ou «etnarca dos cristãos», desempenhar o papel de uma espécie de Califa. E toda a hierarquia cristã estava assim investida de um poder de fato sobre os fiéis como nunca tivera no tempo dos Basileus. Veio mesmo a criar-se o hábito de saudar o patriarca com títulos imperiais, de confeccionar-lhe uma mitra em forma de coroa, de instalar o seu trono sobre um tapete decorado com águias romanas. No seu palácio do Fanar, construído no Corno de Ouro, o patriarca podia imaginar-se soberano.

Essa prestigiosa situação tinha, porém, os seus inconvenientes. Um deles era que o «millet-bachi» e os seus subordinados participavam do sistema de corrupção que reinava no Império turco. Todas as eleições patriarcais tinham de ser compradas, o que incitava o sultão a fazer com que os patriarcas se sucedessem em rápida cadência: quarenta e oito em setenta e três anos no século XVIII... O outro inconveniente era que o patriarca dava a impressão de ter interesses comuns com os turcos, de aceitar com demasiada facilidade o estado de fato, de se resignar a ver o povo cristão confinado como que num *ghetto*, submetido para sempre à dominação do Islão.

Essa situação tornou-se ainda mais falsa quando, logo a seguir à crise da Revolução Francesa, teve início o grave movimento que iria levar todos os povos balcânicos a sacudir o jugo turco. A renovação da nação helênica, obra sobretudo dos comerciantes — os da Grécia e os da emigração — agrupados na *Filiki Hetairia* («Sociedade dos Amigos»), veio a desembocar numa exaltação do sentimento patriótico que se julgou irresistível. Em 1821, deu-se a explosão e desenrolou-se a primeira guerra da Independência. Como terminou? Por um fracasso, que só a intervenção das potências ocidentais transformou num brilhante êxito — a constituição do Reino da Grécia, em 1830.

Perante a insurreição de todo o seu povo contra os turcos, a Igreja ortodoxa não podia, como é evidente, manter-se na indiferença. Os seus sentimentos mais profundos não admitiam dúvida. Ao mesmo tempo, contudo, era-lhe impossível renunciar ao papel que os sultões lhe haviam confiado e sem o qual a condição dos cristãos teria perdido qualquer fundamento legal. Os horrores que acompanharam a guerra da Independência, dos quais as «chacinas de Chios» são o exemplo mais conhecido, acabaram de tornar insustentável a situação. E o patriarca ecumênico pagou muito cara a autoridade que os sultões lhe tinham conferido. Em represália pela insurreição, no domingo de Páscoa de 1821, Gregório V, que acabara de celebrar a missa solene, foi preso pelos janísaros e enforcado à porta da cocheira do Fanar — que, em memória do seu martírio, desde então ficou fechada[23].

As guerras libertadoras tiveram como consequência que o sultão modificasse o estatuto dos seus súditos cristãos, dos cristãos que lhe restavam. Assim, em 1839, a «Carta de Galhani» admitia, em princípio, a liberdade civil; em 1856, a própria igualdade política foi, teoricamente, reconhecida pelo edito de reforma Hatti-Humayun. Mas isso em nada alterou a situação paradoxal ocupada pelo patriarca, a qual iria continuar até à queda do regime imperial, ou seja, até ao fim da Primeira Guerra Mundial. Por um lado, o patriarca ecumênico parecia ter interesses comuns com o sultão: todo e qualquer recuo dos turcos trazia consigo uma diminuição do seu domínio territorial e da sua autoridade pelo aparecimento das «autocefalias». Por outro lado, porém, todos os acontecimentos que assinalaram a marcha da Grécia para a independência total ocasionaram medidas contra o Fanar e criaram-lhe problemas. Desse modo, as guerras balcânicas originaram uma tensão entre o patriarcado e o regime turco, assim como atos de violência contra os cristãos.

Não foi o que se passou com a guerra ítalo-turca: como o inimigo era um «latino», a Igreja ortodoxa achou-se à vontade para apoiar a causa nacional. Mas viu-se num grande embaraço durante a Primeira Guerra Mundial, porque os adversários eram, ao mesmo tempo, «latinos», anglicanos, protestantes e ainda os grandes irmãos na fé, os russos. O patriarca Germano V optou por uma atitude de fidelidade sem reserva aos turcos — na altura, os «Jovens Turcos» —, o que lhe valeu, após a derrota, ser deposto como vulgar colaboracionista.

O último ato de enfrentamento greco-turco, a seguir à Primeira Guerra Mundial — a campanha da Ásia Menor empreendida por Atenas com tanta leviandade —, acabou de romper o laço que unia o patriarca aos turcos. Melethios dissimulou tão pouco a sua simpatia pelos gregos, que, ao produzir-se o desastre de 1922, a sua vida e a dos seus fiéis correram perigo. O patriarca só se salvou devido à presença em Constantinopla das tropas aliadas, que lhe permitiram embarcar para a Grécia, onde, aliás, foi demitido do cargo. A derrota grega e o êxodo das populações imposto pelos turcos consagraram o declínio material do patriarcado ecumênico, que perdeu toda a Ásia Menor e toda a Trácia. O seu domínio ficou reduzido a oito pequenas dioceses: quatro na Turquia e quatro nas ilhas e na Trácia ocidental, pobres restos do antigo esplendor. A essas dioceses acrescenta-se a autoridade sobre o Monte Athos e, mais nominalmente ainda, aquela que a Grécia a deixa exercer sobre as dioceses setentrionais do seu território; também a Igreja autônoma de Creta lhe reconhece a autoridade, mas muito por alto. Este recuo teve lugar no meio de grandes sofrimentos: calculou-se em quatro milhões o número de cristãos, quase unicamente ortodoxos e fiéis do patriarcado de Constantinopla, que, de 1914 a 1924, desapareceram da Ásia Menor em consequência das chacinas e das deportações.

Ao mesmo tempo, porém, a queda do regime imperial turco e a instalação de um regime laico — e até laicista — com *Mustafá Kemal*, em 1923, trouxeram consigo uma mudança radical na situação da Igreja e na do patriarca ecumênico. A nova Turquia já não tinha razões para manter os privilégios e os encargos que os sultões tinham dado ao «etnarca dos cristãos». A nova capital, Ankara, meramente administrativa e laica, substituiu a venerável Constantinopla, capital da fé cristã. Para Kemal Ataturk, o patriarca passou a ser apenas um chefe religioso à frente de uma população estrangeira, da qual era legítimo desconfiar. No começo, as relações foram bastantes medíocres. O governo chegou até a apoiar a tentativa de um certo *Papa Efthim*, padre ortodoxo turco, de criar uma Igreja ortodoxa nacional, em que a liturgia seria celebrada em turco. Em 1947, as relações entre gregos e turcos melhoraram: essa Igreja-fantasma desapareceu e os poucos edifícios de culto que tinha usurpado foram restituídos à Igreja grega.

Mas as relações entre gregos e turcos, nos pontos em que há um contato direto, estão longe de ser invariavelmente boas. Por vezes, degeneram até em conflitos violentos, em que a «grande massa» dos gregos se opõe ao nacionalismo otomano. Quem paga as consequências são os cristãos, o clero e as igrejas: bastam como prova os constantes incidentes que têm agitado a ilha de Chipre desde o fim da Segunda Guerra Mundial[24]. Entre as vítimas, são numerosos os padres e os monges. Em setembro de 1955, rebentaram em Istambul motins anti-helênicos durante os quais a multidão turca incendiou trinta igrejas ou mosteiros e pilhou outros tantos.

Destacada do patriarcado de Constantinopla e reconhecida como autocéfala pelo Fanar em 1850, a Igreja grega não tem tido uma história sem abalos. O problema que teve de enfrentar logo de entrada — e que ainda está por resolver — foi o das relações com o poder laico. Nascida com a monarquia e devendo a sua independência àquela que os políticos tinham conquistado, não podia sentir-se livre em face da monarquia. O sistema adotado na origem para fixar as relações entre a Igreja e o Estado inspirava-se diretamente no

Regulamento redigido por Pedro o Grande para organizar a sua Igreja, e não é preciso dizer mais... A tutela do Estado era pesada. Ao lado do metropolita, havia um Santo Sínodo permanente, cujos membros eram escolhidos pelo governo; e um procurador do rei assistia às reuniões. De modo que a influência da política se manifestou muitas vezes no comportamento da Igreja. Em 1917, o Sínodo anatematizou solenemente Venizelos, cuja ação se opunha à diplomacia germanófila do rei Constantino I. Quando este foi deposto pelos aliados e Venizelos tomou o poder, o Sínodo associou-se tranquilamente à mudança, não sem se desembaraçar do metropolita, que tinha tomado a iniciativa do lamentável anátema. Em 1923, foi feita uma tentativa para pôr remédio a essa situação, substituindo o Santo Sínodo pela Assembleia Plenária dos Bispos; mas, passados dois anos, o governo restabeleceu o antigo sistema. A Constituição de 1938 confirmou a Igreja ortodoxa no seu monopólio draconiano. A partir da Segunda Guerra Mundial, há, no entanto, uma tendência muito clara para deixar liberdade à Igreja, o que não impede que, em situações de crise, o Estado não hesite em intervir, como se viu em 1959, ano em que rebentou um conflito interno no episcopado.

Não foi esta, aliás, a única questão a agitar a Igreja da Grécia. Os poderes públicos foram desde o início hostis aos monges, talvez por considerarem que estes detinham um poder demasiado grande. Começou-se por suprimir todos os pequenos conventos e ordenar que os seus monges fossem recebidos pelos maiores. De 593 em 1830, o número dos conventos caiu para 85, e o dos monges, de três mil para mil e oitocentos. A mesma medida foi aplicada, em 1931, aos territórios vinculados ao metropolita de Atenas, na sequência da vitória de 1912. Ao todo, há atualmente na Grécia cento e cinquenta conventos, com mil e trezentos monges e seiscentas e cinquenta monjas, o que é pouco se nos lembrarmos do papel do monaquismo na vida espiritual ortodoxa. Ao mesmo tempo, sucessivos confiscos tiraram aos conventos as propriedades que possuíam, frequentemente consideráveis; os últimos e mais radicais desses confiscos deram-se após a derrota de 1922 e o afluxo em massa dos refugiados da Ásia Menor: as terras confiscadas serviram para instalá-los. Não faltaram então, na imprensa, artigos contra a «inutilidade» dos monges, num estilo bem conhecido na França... A esses escritos, alguns mosteiros reagiram cuidando de obras de beneficência e abrindo escolas para a formação do clero. Mas é frequente que lhes faltem meios materiais.

Assim, esta Igreja da Grécia tem passado por destinos bem longe de serem sempre agradáveis. Pelo final do período de que tratamos, chegou mesmo a atravessar uma séria provação. Com efeito, a Segunda Guerra Mundial infligiu à Grécia pesados sofrimentos. Primeiro, por causa da ocupação alemã; depois, e sobretudo, durante as perturbações que acompanharam a «libertação». Eclodiu uma espécie de guerra civil, que levou bandos comunistas a atacarem particularmente o clero: foram mortos 402 padres e diáconos, vários no meio de atrozes torturas, em que não foram raras as crucifixões. Batismo de sangue que, como sempre, ia ser eficaz e que não é alheio à renovação que esta Igreja experimenta nos dias de hoje.

Quanto aos patriarcados «melquitas» da Síria, da Palestina e do Egito, a sua importância está longe de corresponder ao prestígio que cerca os seus títulos. Sinal disso é certamente o estado em que se encontra atualmente Antioquia, «cidade de Deus, da Cilícia, da Ibéria, da Síria, da Arábia, e de todo o Oriente», outrora a terceira cidade do Império romano, hoje grande aldeia à borda do Oriente, em território turco. Na realidade, os três patriarcados orientais nunca se refizeram da amputação sofrida no século V, quando as massas nativas, por ódio aos bizantinos, passaram para as heresias de Nestório ou do monofisismo. Tiveram depois que sofrer o domínio turco, muito mais doloroso nas províncias distantes do que na capital. Os seus povos sofreram várias vezes verdadeiras perseguições e chacinas, como as de 1860, em que, sob os golpes dos drusos, caíram ortodoxos como os maronitas; ou aquelas que se deram durante e após a Primeira Guerra Mundial. Outras dificuldades lhes vieram, conforme vimos, da parte dos gregos, desejosos de manter a autoridade de Constantinopla sobre os patriarcados orientais e ajudados nesse objetivo pela Sublime Porta [Império otomano]. Todo o século XIX conheceu a luta dos «arabófonos» contra os «helenófonos». Na verdade, a situação só veio a melhorar quando o Egito, a Palestina e a Síria passaram a estar sob a tutela ocidental. Mas essa tutela nem sempre permitiu aos cristãos autóctones o exercício dos seus direitos.

O patriarcado de Antioquia, que abrange a Síria e o Líbano, conta cerca de trezentos mil fiéis: é a maior massa de árabes cristãos. A eles há que acrescentar duzentos mil emigrados, a maioria dos quais reside na América, mas mantém laços afetivos e caritativos com a sua comunidade de origem. Desde 1899, esses patriarcas já não são gregos: procedem das suas próprias etnias. Não têm a acompanhá-los um sínodo permanente, mas uma sessão sinodal anual de quinze dias e uma assembleia plenária dos bispos que se reúne de quatro em quatro anos. Existem tendências diversas no patriarcado. Em 1937, o arcebispo de Homs tentou criar uma Igreja independente.

O verdadeiro problema para «Sua Beatitude» é o das vocações sacerdotais e, mais ainda, como em toda a parte, o da formação do clero. Uma escola eclesiástica aberta em 1904 não durou mais que oito anos. Os mosteiros são apenas catorze, e os monges mal atingem a centena. A Rússia czarista tinha começado a agir no patriarcado sírio, nomeadamente pela abertura de escolas. O governo soviético retomou essa política, aceitando que o patriarca de Antioquia tivesse um representante (foi-lhe atribuída uma igreja em Moscou) e pagando-lhe até uma indenização anual para compensar as terras que confiscara na Rússia. A partir de 1950, várias visitas de prelados antioquenhos à Rússia e de prelados russos a Antioquia foram estreitando ainda mais esses vínculos. Mas é mercê de influências ocidentais que as cristandades ortodoxas sírias e libanesas se vêm renovando atualmente.

Se Jerusalém manteve toda a sua glória, não o deveu ao patriarcado ortodoxo. O seu rebanho foi-se reduzindo, de século em século, a ponto de já não contar muito mais que cinquenta mil almas. A sua razão de ser está na guarda dos Lugares Santos, à qual se consagra com um ardor que, durante o século XIX e mesmo no nosso, se mostrou várias vezes extremamente combativo: chegou a haver escaramuças entre ortodoxos e católicos. A verdadeira autoridade pertence à Confraria do Santo Sepulcro, que é muito antiga, mas, na sua forma atual, foi organizada no século XVI. É no seu seio que é escolhido o patriarca; possui dezessete mosteiros em Jerusalém e dezoito no resto da Palestina. Só fica à parte o célebre mosteiro de São Sabas, o mais antigo da Palestina, isolado no deserto de Judá, onde os monges vivem como ascetas. Velha de dezesseis séculos, a Confraria suscitou um problema grave: os seus membros são quase exclusivamente gregos, o que provocou a irritação dos fiéis árabes, descontentes por serem governados por essa pequeníssima minoria. O Alto Comissariado inglês teve de intervir em duas ocasiões. A questão não estava ainda resolvida quando a guerra entre árabes e judeus, seguida do êxodo de parte dos árabes cristãos ortodoxos, trouxe novos problemas.

Em Alexandria, a situação, sem ser idêntica, é de certa maneira análoga, por força da abundante imigração, desde a instalação dos ingleses (1822), de elementos gregos e sírios, que, sendo mais ricos e mais ativos, relegaram para segundo plano os elementos autóctones, que são os coptas melquitas. No início do século XIX, o patriarca nem sequer podia residir no Egito e era de Constantinopla que governava o seu pequenino núcleo de fiéis. A situação melhorou em 1846, sob Mehemet Ali, graças a quem tornou a haver um patriarca em Alexandria. Por duas vezes, a sé patriarcal foi ocupada por homens enérgicos e inteligentes: dois gregos, Fócio e Mataxatis, que procuraram, de 1899 a 1935, reorganizar a Igreja, modernizá-la, dotá-la de escolas e mesmo resolver a questão das relações com os autóctones, nomeando alguns destes para certas dioceses. A questão está longe de uma solução definitiva. Os gregos tentaram subtrair-se à autoridade patriarcal, ao que o governo se opôs em 1954, reconhecendo o patriarca como chefe único da Igreja. Empreendeu-se um notável esforço de renovação, devido em larga medida à ação dos leigos, que são particularmente influentes na Igreja egípcia: a assembleia que propõe os três candidatos entre os quais será escolhido o patriarca compreende setenta e dois leigos e apenas trinta e seis eclesiásticos, e tem-se destacado um escol de teólogos leigos cujo papel vai em aumento.

História agitada, pois, a da Ortodoxia grega. Em contraste, isolada do mundo, uma minúscula Igreja cuja independência foi reafirmada em 1782 prossegue desde há séculos a sua existência na paz da solidão e da prece: é o mosteiro de Santa Catarina do Monte Sinai, cujo higúmeno — que reside a maior parte do tempo em Alexandria — tem a dignidade de arcebispo e não depende de ninguém. Os seus vinte monges continuam as mais antigas tradições espirituais da Ortodoxia. A sua biblioteca encerra uma coleção única de manuscritos de valor incalculável.

Dois bastiões da fé: o Athos e a Filocália

É para admirar que, no meio de tantas dificuldades, em condições que poderiam levá-la a uma lenta aniquilação, a fé ortodoxa tenha sobrevivido e chegado até, durante a época que aqui nos ocupa, a manifestar uma evidente renovação. Deveu-se a causas diversas: à instinta fidelidade do povo cristão à sua religião como escudo contra o islamismo; às próprias características dessa religião, tal como as pudemos ver: religião essencialmente espiritual, em que a vida litúrgica e sacramental, pouco exposta aos golpes de um ocupante, detém um papel decisivo, mas que ao mesmo tempo dá pouca importância às atividades externas, às obras pastorais, catequéticas, sociais ou mesmo intelectuais. É esta religião do Espírito que foi salvaguardada pelos dois bastiões que vemos erguerem-se no coração da Ortodoxia grega, rodeados de um prestígio incomparável em toda a Igreja do Oriente: o *Monte Athos* e a *Filocália dos Santos*.

O Athos! A Santa Montanha! A terra sagrada onde, desde há séculos, há homens que vêm passar a vida inteira a fim de que se opere neles a difícil metamorfose do «corpo de morte», de que fala São Paulo, em «corpo espiritual». Que cristão do Oriente não se terá sentido cheio de uma profunda emoção ao pronunciar esse nome? Que cristão do Oriente, ao evocar as memórias de uma longa história, não sabe o que essas duas sílabas significam de amor sobrenatural e de sacrifício, de esperança e de fidelidade? O que Roma é para os católicos, é-o o Monte Athos, de maneira diferente, para os ortodoxos: imagem visível da Igreja, a forma mais exemplar sob a qual ela se apresenta, o lugar onde se sente bater o coração.

A nordeste da Grécia, a península da Calcídica avança pelas águas de jacinto do Mar Egeu em três promontórios de terra rochosa que fazem lembrar três dedos. O mais setentrional é também o mais fino: tem quarenta e cinco quilômetros de comprimento, mas menos de dois no istmo mais estreito. É uma sucessão de relevos confusos, que culminam a dois mil metros, lá para a extremidade oriental da península: uma alternância de florestas, bosques e socalcos em que a terra vermelha, bem orvalhada, está semeada de oliveiras e plantações. Mas não lhe faltam os espaços selvagens, o caos rochoso, os matos baixos, as falésias escavadas por grutas que dominam o mar chicoteado pelos ventos. Tal é o Athos, que há mais de mil anos assiste à vida da mais assombrosa república que a Europa já conheceu — uma sociedade cujos membros são todos monges e cujas cidades são conventos.

Foi por volta de 962 que Santo Atanásio, o místico de Trebizonda, antigo capelão da frota imperial, retirado para esses lugares com alguns discípulos, lá construiu por suas mãos e organizou o primeiro mosteiro, «a Grande Laura», ao qual não tardaram a acorrer os eremitas que, desde há muito tempo atrás, vinham em demanda de Deus nessas solidões. Cedo se edificaram outros conventos. Vocações cada vez mais numerosas afluíram a essa terra onde, segundo se dizia, Nossa Senhora quisera viver antes da Assunção. O fogo que os monges acendiam no cume do monte, pela festa da Transfiguração, parecia fazer sinal a todas as almas que sonhavam com uma purificação total, com uma subida definitiva para a luz. Era como se o estado de santidade, para o qual todo o homem deve tender, em parte nenhuma pudesse ser alcançado como no Athos. A Santa Montanha era a antecâmara visível da invisível morada.

Assim, durante um milênio, o Athos desempenhou um papel de relevo nos destinos da Igreja do Oriente. No tempo dos Basileus, quantos desses autocratas não vieram, entre duas batalhas, fazer aí um retiro de penitência? Quantas imperatrizes não encheram os mosteiros de ícones, de manuscritos, de tesouros? Todos os povos convertidos à fé por Bizâncio quiseram ter, nas ladeiras da Santa Montanha, casas em que os melhores dos seus filhos pudessem vir tomar parte na oração sem fim que dali se eleva... E é por isso que, ao lado dos gregos, ali se veem monges russos, sérvios, romenos, búlgaros ou georgianos. Todas as grandes fundações monásticas da Ortodoxia, nomeadamente as da Rússia, têm reproduzido as do Monte Athos. Todos ou quase todos os espirituais que deixaram marcas na tradição da sua Igreja viveram um tempo no Athos antes de se lançarem às aventuras da ascese ou da ação. De Santo Hilarião o Solitário e Santo Antão de Petchersk, que fizeram a grandeza de Kiev no século IX, até Paisius Velichkovsky[25], pai do movimento *staretz* do século XVIII, passando por São Nilo Sorski e tantos outros, levaria tempo a enumerar esses homens de Deus que semearam os campos da Ortodoxia com o espírito do Monte Athos. De século em século, viram-se filas de peregrinos caminharem, em jornadas penosas, com a trouxa às costas, para irem pedir à Montanha a paz da alma. A Igreja Ortodoxa não seria o que é se não tivesse existido o Athos.

E o mais extraordinário é que essa sociedade, cuja existência parece um paradoxo incessantemente renovado, atravessou os séculos sem que nada viesse perturbar duradouramente o curso dos seus destinos. Os próprios turcos respeitaram a República dos Monges. Foi preciso o grande movimento que levantou a Grécia inteira em 1821, para que, após a adesão dos jovens monges à causa comum dos patriotas, o sultão mandasse as suas tropas ocuparem a Montanha Sagrada; mas essa mancha durou apenas nove anos: de 1821 a 1830. O reino da Grécia, ao tomar posse, em 1913, das terras a que pertence o Athos, nada fez por introduzir na república monástica medidas que teriam parecido uma ingerência imprudente. O próprio regulamento estabelecido em 1924 deixa ao conjunto das comunidades uma autonomia quase total, visto que o prefeito delegado por Atenas como governador se esforça por ser o mais discreto possível, e os seus agentes se limitam a vigiar visitantes e comerciantes que desembarcam nos pequenos portos da península. O poder efetivo pertence aos vinte grandes mosteiros, cujos representantes, reunidos regularmente em Karyes, formam a «Santa Epistasia», governo temporal e espiritual do conjunto. O patriarca ecumênico, sob cuja autoridade nominal se encontra o Monte Athos, não intervém praticamente em nada. Nenhum mosteiro ou Ordem do Ocidente experimentou tamanha independência.

No fim do século XIX, no entanto, o Athos já não era bem o que fora na sua idade de ouro, entre os séculos XIV e XV, quando chegou a ter quinze mil monges, ou mesmo, segundo certos cálculos, trinta mil. Os séculos XVII e XVIII presenciaram um declínio que se poderia supor definitivo. A população monástica caiu para uns dois mil. A Grande Laura, que chegara a ter setecentos monges, não tinha mais que cinco. Contudo, a partir do século XIX, deu-se uma renovação, ligada ao renascimento nacional do povo helênico e também à evolução espiritual da Rússia. Em 1913, um recenseamento rigoroso dava a cifra de 6345 monges, dos quais 3243 gregos e 1914 russos. Se a revolução de 1917 pôs fim à rivalidade, nem sempre pacífica, entre monges gregos e russos, a verdade é que fez cessar por completo o afluxo destes. E depois da Segunda Guerra Mundial, a instauração das democracias populares acabou de erguer uma barreira. O «Russikon» caiu de 1800 monges em 1917 para 68 em 1958, todos eles de bastante idade. Atualmente, parece que o conjunto dos monges de todos os gêneros alcança o número de 7500, o que é em si considerável. Parece também que se observam indícios de renovação.

É ao Athos que importa ir para tomar verdadeiramente consciência do que vem a ser a Ortodoxia e para penetrar um pouco na mensagem espiritual que a sua Igreja quer dirigir ao mundo. Quem quer que tenha passado um tempo na Santa Montanha não pode ter ficado insensível à atmosfera de maravilha divina que ali se respira. A natureza tem algo de paradisíaco. Esses bosques com ar de parque abandonado, essas solidões em que o silêncio só é perturbado pelo murmúrio dos ramos ao serem tocados pelas velozes corças, ou pelo canto modulado de um pássaro!.. Aquedutos de pedra, velhos de muitos séculos, transportam a água das torrentes para os mosteiros; e há um sussurro alegre, semelhante ao da oração hesicasta, a marcar a presença dessa água por baixo das lages separadas, entre as quais, vez por outra, uma grande cobra verde desliza para ir beber. Até os homens fogem de ferir esse silêncio sobrenatural. Durante horas e horas, nos conventos mais povoados, nesses edifícios comprimidos, apinhados, que deixam entre eles apenas estreitos corredores e pequenos pátios, como que se desconhece a presença dos monges; porque aqueles que se divisam nas galerias de madeira, ou agachados pelos cantos sombrios, rezam numa voz tão baixa que a mais suave brisa marítima a cobre ou a leva...

Só as horas dos ofícios rompem a paz divina, mas é para suscitar outras preces. Um jovem monge passa pelos claustros, levando debaixo do braço a «simandra» — longa placa de madeira de ciprestes em forma de hélice, que faz vibrar vigorosamente. É então que se vê dirigirem-se para o *catholikon*, que é a igreja central, as filas de monges barbudos, de longas cabeleiras a luzir sob o alto capacete cilíndrico, e o largo manto litúrgico flutuando ao ritmo dos seus passos. E, passando a porta aberta do santuário, ouve-se subir um canto de muitas vozes, ritmado, com súbitas pausas e recomeços. E dir-se-ia que esse canto quer menos romper o silêncio do que prolongá-lo, num só intuito de consagração.

O Athos nada mais é do que isso: uma metrópole da oração, um lugar em que tudo se ordena para a consagração da vida. Bem diferentes dos nossos trapistas ou dos nossos mosteiros beneditinos, que chegam a dar a impressão de vastas colmeias, os grandes conventos *athônicos* só concedem ao labor um lugar modesto. O trabalho intelectual nunca aí foi tido, como no Ocidente, por benéfico e necessário; talvez até seja olhado com certa desconfiança. Durante muito tempo, as admiráveis bibliotecas de manuscritos raríssimos só tiveram por hóspedes um ou outro visitante de passagem[26]. Mas a oração é ali constante, universal, e assume todos os aspectos que tem tido na tradição do Oriente cristão. Todas as formas de vida religiosa da Ortodoxia se encontram também no Athos: o cenobitismo, bastante próximo do modo de existência dos beneditinos ou dos cistercienses; a «idioritmia», que vimos agrupar os monges em famílias formadas ao redor de chefes religiosos, cada uma das quais se comporta livremente, quanto ao temporal e ao espiritual, mas todas elas assemelhando-se pelos ofícios litúrgicos; finalmente, o eremitismo, de numerosos graus, que vão da vida a três ou quatro numa *calyba* até ao isolamento completo no coração da floresta ou nas grutas da falésia marinha, às quais só se chega atado a uma corda, e de onde, ainda ontem, só se saía já morto.

Foi por esse papel de reservatório da oração, mantido até hoje, que o Monte Athos pôde ser o bastião da fé contra o qual nem o tempo nem os acontecimentos prevaleceram. Tal como os edifícios dos seus conventos, que nunca mudaram no decurso dos séculos, nem na arquitetura, nem na decoração exterior, de cores brilhantes, ou na interior, de afrescos solenes, assim a prece do Athos é ainda hoje o que ela foi há trezentos anos, há quinhentos anos..., há mil anos. A devoção a Nossa Senhora, a *Panágia*, a *Theótokos*, continua a ser igualmente viva. Pois não se dá ao Athos o sobrenome de «Jardim da Mãe de Deus»? E o selo que autentica os diplomas oficiais não traz a sua imagem?

Desde a reforma empreendida em meados do século XVIII pelo higúmeno de Vatopedi, Eugênio Bulgaris, a vida de oração teve alguns progressos. Nos anos mais recentes, formou-se uma viva corrente de interesse pela oração hesicasta, por estudá-la no seu desenvolvimento histórico e no seu significado espiritual. Tanto é verdade que, apesar das perdas sofridas, a despeito dos assaltos das forças da irreligião, a República dos Monges conserva a sua razão de ser e permanece fiel à sua missão.

E foi precisamente no Monte Athos, no seio de uma das suas comunidades, que se edificou o outro bastião da fé, aquele de onde, durante o século XIX, iria partir o grande movimento de renovação que ergueu a Ortodoxia, não apenas na Grécia, mas em toda a parte: bastião de gênero bem diferente, não composto de conventos e eremitérios amontoados nos flancos de uma montanha, mas feito de papel e tinta. Sabemos muito bem que, na história do cristianismo, houve livros que desempenharam essa função de cidadelas: no Ocidente, estão nesse caso a *Cidade de Deus* de Santo Agostinho, a *Suma* de São Tomás de Aquino e, mais tarde, a *Instituição Cristã* de Calvino.

Pelos finais do século XVIII, vivia no mosteiro athoniano de Dionysiu um monge singular que, aos méritos de asceta, juntava qualidades intelectuais bastante raras entre os seus congêneres, e que se destacava por uma curiosidade apaixonada por todas as formas literárias da espiritualidade, incluídas as do Ocidente. Interessava-se, por exemplo, pelos *Exercícios espirituais* de Santo Inácio de Loyola e pelo famoso *Combate espiritual* de Scupoli, dos quais faria várias adaptações em grego, embora sem indicar os autores. Chamava-se *Nicodemos o Hagiorita* e viveu de 1748 a 1809. Aprofundando a sua cultura em matéria de espiritualidade — as bibliotecas do Monte Athos ofereciam uma vasta documentação patrística aos raros monges eruditos que se interessavam pelo tema —, e estudando particularmente as origens e o sentido da «oração pura», ocorreu-lhe a ideia de agrupar os textos dos Padres da Igreja e dos grandes espirituais que pudessem enriquecer as almas e ajudá-las nos seus esforços por sobrenaturalizar-se. Confidenciou a ideia ao seu amigo Macário, bispo de Corinto, também ele bom letrado, que se pôs a colaborar. Em 1782, aparecia em Veneza, em língua grega, a *Filocália*, imensa coletânea em que os dois amigos tinham reunido, sem aliás se preocuparem muito com o trabalho crítico, os textos que lhes pareceram «os mais belos». Era a *Filocália dos Santos*[27].

O conjunto é, efetivamente, belo. E é, além disso, um impressionante documento de fé, numa altura em que, no Ocidente, parecia triunfar o espírito dos Enciclopedistas e de Voltaire. Partindo dos Padres do Deserto e de Evágrio o Pôntico (século IV), a *Filocália* vai até aos monges hesicastas anônimos dos séculos XIV e XV, passando por São João Clímaco e São Máximo o Confessor (século VII), e Heséfios (século VIII), como também por Calixto II, que foi patriarca de Constantinopla no século XIV, e sobretudo pelos dois grandes protagonistas da oração pura, da «oração do coração», São Gregório Palamas e São Gregório o Sinaíta.

O objetivo dessa «sequência infalível da contemplação», nas palavras de Nicodemos, era indicar o caminho mais curto e mais fácil para a oração perfeita, considerada como chave e meio de regresso ao «Reino interior». Os textos encontravam-se ordenados segundo essa intenção. A primeira parte correspondia à fase preparatória, à regra de vida, que permite ao homem conduzir-se corretamente sob o olhar de Deus. A segunda propunha textos que tinham em vista uma «psicotécnica», ou seja, uma disciplina espiritual, e incluíam também a oração simplificada, «mono-ideica», e a prática sacramental. Nicodemos e Macário eram partidários decididos da comunhão frequente. Finalmente, os últimos textos introduziam na experiência «teúrgica», isto é, na prática da oração pura, da oração-jaculatória, combinada com a disciplina respiratória e a concentração de todas as potências da alma, a fim de levar o ser inteiro a aderir a Deus[28].

Foi grande o êxito da *Filocália*. A começar pela Igreja grega, onde se fizeram numerosas edições, aliás diferentes, pois alguns editores acrescentaram ou suprimiram textos conforme o que entendiam serem as necessidades espirituais do seu público. Um monge russo de Athos leu-a e encheu-se de entusiasmo. Era exatamente Paisius Velichkovsky (1722-94), o renovador dos *starzi* na Rússia e fundador do Mosteiro do Profeta Elias que é ainda hoje um dos três grandes centros do monaquismo russo[29]. Em 1793, editou-a em russo, não sem a ter completado com alguns textos importantes omitidos por Nicodemos, sobretudo de São George Palamas.

A obra espalhou-se enormemente: as edições multiplicaram-se. Nas famosas *Narrativas de um peregrino russo*, vemos o narrador anônimo comprar a *Filocália* por dois rublos e com ela alimentar avidamente a alma. E no célebre mosteiro de Optina, caro a Tolstoi e Dostoievski, o *staretz* Ambrósio aconselhava a leitura do livro aos seus dirigidos. Seguiram-se traduções em búlgaro, em romeno, em todas as línguas da Ortodoxia. Em 1884, o bispo de Tambov, que se tornou Teófano o Recluso, publicou uma edição ampliada, que é até hoje o alimento espiritual dos monges russos, quase tanto como o Evangelho. Atualmente, observa-se uma verdadeira renascença filocálica, quer na Romênia, onde se prepara uma grande edição da obra, quer na Grécia, onde a Confraria *I Zoi* [«A Vida»] a ela se refere constantemente. Por meio da *Filocália*, o mais vivo presente se liga ao passado, e esse «retorno às fontes» de que fala a Igreja Católica de hoje opera-se com grande naturalidade. À semelhança do Athos, a grande coletânea elaborada pelo santo monge Nicodemos contribuiu muito para conservar a Ortodoxia na linha das suas fidelidades.

Problemas graves. Promessas de renovação

Em que medida se pode considerar que essas grandes realidades espirituais que são ainda hoje o monaquismo, a *Filocália* e a «oração de Jesus» bastam para assegurar o futuro da Ortodoxia grega e oriental? Não há dúvida de que, sem querer pintar o quadro de preto, o clero, no seu conjunto, não se encontra à altura da sua missão. Um dos melhores especialistas dos cristãos do Oriente, o pe. Rondot, falou dele de maneira severa: «O clero greco-ortodoxo, e em especial o alto clero, está tanto menos isento de crítica quanto é certo que os representantes dos fiéis participam na designação do patriarca. Os méritos dos metropolitas são amplamente discutidos entre o público, e a imprensa também não foge ao tema. A muitos (padres) censura-se, em primeiro lugar, a ignorância: alguns seriam maus conhecedores do árabe, a maior parte ignora o grego e as línguas orientais. Certas críticas mais ásperas atingem os seus costumes, por vezes com alguma verossimilhança. Não faltam os que passam por filiados na maçonaria. Enfim, as prevaricações, as violências e as indelicadezas que o inquérito Bulever atribuía à hierarquia ortodoxa, em 1860, parecem perpetuar-se ainda hoje em inúmeras ocasiões»[30].

Este juízo, que teria sido ainda mais justificado há cem anos, não deve, contudo, ser aplicado sem reserva a todas as cristandades ortodoxas da Grécia e do Oriente. Não se deve ignorar que, mesmo então, havia ainda tesouros de vitalidade religiosa na velha Igreja saída de Bizâncio, quer nos elementos sãos do clero, quer no povo, no qual a fé era viva. Sobretudo não se devem esquecer os sinais de renovação que a Ortodoxia tem mostrado em diversos pontos desde há muito tempo.

Bem mais do que se supõe no Ocidente, sempre houve na Ortodoxia, mesmo nas horas mais cinzentas da sua história, homens que reagiram contra a indiferença ou a resignação dos seus correligionários. Assim, por volta de 1820-1830, no momento em que os cristãos da Grécia só queriam saber da libertação política, houve um apóstolo que se ergueu do meio deles: *Apostolos Makrakis*. Reencontrando com insigne vigor o sentido da pregação, Makrakis apresentou Cristo, em palavras de fogo, como «Palavra católica» (no sentido de universal), verdade católica, laço entre Deus e o mundo, centro do qual tudo depende, e repetiu sem descanso que a independência nada seria se as almas continuassem a permanecer na inércia, ou mesmo na dúvida e na impiedade.

O impulso dado por Makrakis não se perdeu. Pelo menos, durante as últimas décadas, os sinais têm-se multiplicado. Nota-se a renovação em quase todas as partes da Igreja ortodoxa grega e melquita, e, se é certo que ainda não se iguala em vigor à que se observa na Igreja Católica de um século para cá, a verdade é que já tem conseguido bons resultados. Opera-se sob duas influências ou, se quisermos, segundo duas linhas de força.

Por um lado, existe uma vontade de regresso às fontes: é regressando às suas mais sólidas tradições — a da *Filocália*, a da «oração pura», a da religião segundo o espírito — que os mais avisados dos cristãos ortodoxos pensam voltar a dar à sua Igreja toda a antiga vitalidade. Podem-se ver as provas deste regresso às fontes no interesse com que se lê a *Filocália*, cada vez mais reeditada e comentada, com que se reza o hesicasmo[31], no neobizantinismo iconográfico, e ainda na retomada das vocações monásticas — e isto não apenas entre o povo, mas também na burguesia e entre os intelectuais.

Por outro lado, a Igreja ortodoxa tem incontestavelmente prestado atenção aos esforços empreendidos no seio do catolicismo e do protestantismo, e, adaptando-os ao seu modo de ser próprio, tem tirado partido dos resultados adquiridos nesses campos. A canonização de Gregório, o Hagiorita, em 1955, consagrou o interesse da Igreja oficial por essas novas orientações.

Nessa renovação da Ortodoxia, houve um movimento que desempenhou um papel pioneiro: o da confraria *I Zoi* [«A Vida»], na Grécia. Em 1906, cinco amigos preocupados com a situação em que viam a sua Igreja e lembrados da lição de Makrakis, decidiram agrupar-se e reagir. Eram três padres e dois leigos, um dos quais professor na Universidade de Atenas. Constituíram uma comunidade que em breve se transformou em «Fraternidade», título que designaria oficialmente o movimento. Começaram por estudar cuidadosamente, durante vários anos, os problemas que se apresentavam à Igreja helênica. Em 1909, trataram de publicar as suas reflexões e os seus projetos numa revista — *Anaplassis* [«Reforma»] —, da qual eram os únicos redatores. Dois anos mais tarde, em 1911, sentiram-se preparados para abordar o grande público e lançaram um semanário, *I Zoi*. Foi um êxito. O jornal alcançou uma tiragem de 145 mil exemplares, número assombroso para um país tão pequeno como a Grécia e cuja população rural, além disso, quase não lê. *A Vida* difundiu-se para lá das fronteiras do Reino. Estava lançado o movimento.

Tal como a tinha concebido o mais notável dos seus fundadores, o pe. *Eusébio Mathopoulos* (1849-1929), a confraria apresentava-se quase como uma ordem monástica. Os seus membros não pronunciavam propriamente votos, mas promessas de castidade e de obediência. Para serem admitidos na Fraternidade, tinham obrigatoriamente de ter feito estudos superiores e conhecer um mínimo de teologia. Os padres e demais clérigos não deveriam ter um lugar de destaque no movimento: em 1958, de cerca de cento e quarenta membros, apenas trinta e cinco eram clérigos, que aliás se comprometiam a não aceitar a dignidade episcopal. Os Irmãos não passariam senão um mês por ano na comunidade, para uma espécie de retiro espiritual. No resto do tempo, estariam ocupados nas mais diversas tarefas de apostolado. Mais tarde, os fundadores lançaram um ramo feminino, designado por *Eusebeía* [«A Piedade»], aonde dentro em pouco afluíram estudantes universitárias, que foram encarregadas das obras catequéticas. Este ramo foi depois completado por um outro, a *Associação Santa Eunice*, que forneceria enfermeiras para os hospitais.

A seguir à Primeira Guerra Mundial, a Fraternidade da Vida estava em plena expansão. O seu principal fundador, falecido em 1929, teve um sucessor condigno, o arquimandrita Papacostas. Estava alcançado o fim visado pelos fundadores: constituir em toda a Grécia um fermento de vida autenticamente cristã. Neste momento, a Fraternidade exerce uma influência considerável, tanto pelas inúmeras amizades que tem por todo o país, em todas as classes, em todas as profissões e no clero, como pelas obras que não cessa de multiplicar. Por todos os meios que a técnica põe à disposição do homem, os Irmãos promovem a renovação da liturgia, a generalização da prática sacramental, a formação religiosa dos fiéis, o estudo mais aprofundado da Sagrada Escritura. Graças a eles, o velho ideal monástico adaptou-se a um apostolado que não deixa de lembrar o da Ação Católica, ou o da Companhia de São Paulo, do cardeal Ferrari, e da «*Pro Civitate Christiana*», de Don Rossi, na Itália[32].

Os irmãos de *A Vida* são essencialmente pregadores, e muitos deles, com efeito, falam nas igrejas, de acordo com a praxe ortodoxa que autoriza os leigos a subir ao púlpito. Mas as pregações são acompanhadas por uma imensa obra pedagógica e cultural. *I Zoi* abriu escolas catequéticas quase por toda a Grécia e no Chipre; são hoje perto de sete mil e quinhentas. Organiza cursos de religião em acampamentos e colônias de férias. Criou uma Escola superior de pregadores. Multiplica as bibliotecas populares. Ajuda por meio de bolsas de estudo os alunos pobres da Faculdade de Teologia. Vasta parcela da sua atividade é dedicada à atividade editorial. Tem tipografia própria, publica diários, semanários, revistas, quer para crianças, quer para os intelectuais. Tem feito um enorme esforço para difundir a Sagrada Escritura; a sua edição do Novo Testamento em formato de bolso alcançou uma tiragem de seiscentos e cinquenta mil exemplares. Anima e supervisiona grande número de movimentos: a União Cristã dos Estudantes, a União Cristã dos Jovens Trabalhadores (análoga à JOC), e sobretudo a União Cristã dos Intelectuais, que fundou uma Escola de Engenharia e tem uma editora que publica as obras-primas da literatura cristã da atualidade e uma revista *Aktines* [«Raio de Luz»], de alta categoria, além de ter algumas iniciativas de considerável ressonância, mesmo no Ocidente[33].

A essa ação direta, *I Zoi* acrescenta o que se pode chamar ação indireta. Porque a hierarquia, que por muito tempo não deixou de olhar com alguma suspeita os movimentos cuja organização não depende diretamente dela, encheu-se de emulação perante os resultados obtidos. Patrocinou, pois, desde 1946, um *Apostoliki Diakonia* — Serviço Apostólico —, fundado por Basílio Vellar e que não deixa de lembrar a Ação Católica. A *Apostoliki Diakonia* criou um Círculo Universitário, um Seminário Maior e Escolas de Catecismo nas principais cidades. O movimento dispõe de edições próprias, tem jornais e uma revista, a *Ekklesia*. A tensão entre os leigos e a hierarquia atenuou-se, pois, para maior proveito do movimento de renovação.

Deste modo, depois de um longo eclipse, reapareceu em Atenas a ideia missionária. Em 1936, no I Congresso de Teologia Ortodoxa, um dos principais assuntos tratados foram as Missões. Apresentaram-se relatórios elaborados por leigos, um dos quais pertencia ao movimento *I Zoi*. Criou-se uma comissão destinada a promover missões, e um orador romeno pediu a fundação de um verdadeiro Instituto Missionário ortodoxo. Passados vinte anos, a ideia foi retomada pelos gregos dos Estados Unidos, e fundou-se em Brooklyn uma Sociedade Missionária da Santa Cruz, com a calorosa aprovação do patriarca ecumênico Atenágoras. Desde 1948, têm-se convidado estudantes da África Negra, da Etiópia e da Coreia a matricular-se nas universidades e seminários da Grécia. Trata-se de uma sacudidela, da qual se podem esperar bons resultados.

A Igreja grega, embora esteja visivelmente na vanguarda do conjunto do Oriente cristão, não é a única a dar sinais de renovação. No Monte Athos, onde vem aumentando o número de monges[34] e o interesse intelectual pelas riquezas das bibliotecas é um fato novo, foi aberta em 1953, no convento russo de Santo André, uma Escola de Teologia — *Athonias* — que começou com cerca de cinquenta alunos.

No patriarcado de Antioquia, ainda pouco antes tão decrépito, nasceu um movimento que não deixa de fazer pensar no *I Zoi* da Grécia, embora não tenha havido influência direta de uma sobre a outra. Durante o verão de 1941, rapazes muito novos, alunos universitários ou dos últimos anos das escolas católicas mantidas pelos Irmãos das Escolas Cristãs, após longas meditações e discussões, chegaram a uma decisão. Ortodoxos de fé sólida, andavam inquietos ao verem a sua Igreja, outrora ilustre — a Igreja de João Crisóstomo, de Romano o Melódio, de Simeão o Estilita, de Efrém o Sírio, de João Damasceno —, reduzida a um corpo social, de existência administrativa, mas desprovida de seiva religiosa, ressequida pela rotina, pela ignorância, aparentemente moribunda. Disseram então uns aos outros que, em vez de gritar contra a hierarquia e o clero, fariam melhor se começassem por eles mesmos a reforma indispensável e refizessem imediatamente uma comunidade cristã, tornando-se eles próprios cristãos. Os dois principais promotores dessa ideia chamavam-se Jorge Khodr e Alberto Laham e viviam em Trípoli (Líbano). Mas, quase ao mesmo tempo, em Lattaquié (Síria), dois outros jovens, Marcelo Marcos e Gabriel Sahadé, pensaram e disseram coisas idênticas. Os dois grupos, que se desconheciam, encontraram-se, e da sua conjunção nasceu em Beirute, a 16 de março de 1942, o *Movimento da Juventude Ortodoxa*, reconhecido em 1945 pelo Santo Sínodo do Patriarcado.

O crescimento desse jovem movimento não deixa de lembrar o da Ação Católica especializada. O mesmo entusiasmo, expresso de modo quase igual. O hino dos jovens ortodoxos poderia perfeitamente ser da JOC: «Conosco reverdece a primavera,/ a primavera da renovação,/ porque realizamos aos vinte anos/ o mais belo dos nossos sonhos». Bem depressa se constituíram centros do movimento por todo o Líbano e pela Síria, compostos, a princípio, sobretudo por moços intelectuais, mas logo secundados por empregados e artesãos. Abriram-se círculos de estudo, onde se estuda a Palavra de Deus, os Padres da Igreja, as riquezas da liturgia. Esses jovens cultivam a prática dos sacramentos e — mais um traço comum com a JOC de Cardijn — procuram mostrar-se verdadeiras testemunhas de Deus em toda a sua existência. Surgiu uma revista de qualidade, *An-Nur* [A Luz], bem como boletins destinados às classes populares e, mais tarde, uma casa editorial. O movimento organizou-se em seis centros, cinquenta delegações, um congresso bienal, um secretariado geral. A célula-base é a equipe, constituída por dez membros. Todos se reúnem periodicamente, para vigílias de oração e retiros anuais.

O movimento chegou a ter dois mil adeptos. Promove numerosas realizações: umas de caráter educativo, como colégios e escolas sociais, dispensários e serviços de assistentes sociais; outras, artísticas, para a formação de jovens cantores nas igrejas. Mas sobretudo não cessa de levar a cabo uma ação propriamente religiosa. Os seus membros empreendem autênticas missões nas aldeias. É a este movimento que se deve o renascimento do monaquismo sírio, que tinha desaparecido totalmente do Líbano. Foi fundado um mosteiro feminino em São Tiago de Trípoli, cujas monjas se consagram principalmente à educação religiosa no meio rural, e igualmente um mosteiro masculino em São Jorge El Harf, nos arredores de Beirute. Alguns dos iniciadores do movimento fizeram-se sacerdotes e exercem grande influência na sua Igreja. Em 1952, foi criado em Atenas um organismo central, o *Syndosmos*, destinado a associar o movimento libanês ao de *I Zoi* e ao dos Jovens Estudantes Ortodoxos da emigração ocidental. É indiscutível que o MJO está chamado a desempenhar na Ortodoxia greco-oriental um papel de fermento.

Os indícios de renovação são menos claros em outros lugares. No entanto, podem-se ver alguns em Jerusalém e em Alexandria, com o aparecimento de jornais e revistas: em

Jerusalém, a *Nova Sião*; em Alexandria, o *Farol Eclesiástico*. Mas o sopro de graça que varre a Igreja copta monofisita[35] parece agir também sobre a Igreja melquita ortodoxa do Egito, que, desde há alguns anos, reafirma preocupações missionárias e chegou a criar metrópoles em Accra, na África central e oriental.

Deve-se, pois, rever a imagem que se tem da Igreja ortodoxa grega em descalabro. É uma Igreja que, pelo menos quanto aos seus membros mais conscientes, procura ser mais aberta e acolhedora do que no passado. Empreendeu-se um grande esforço para estreitar os vínculos pan-ortodoxos: a Conferência de Rodes deu provas disso. Mas tem havido também numerosas relações entre os patriarcados, incluído o russo. O homem que encarna essa vontade de abertura e renovação é Atenágoras I, patriarca ecumênico desde 1948, animador do Seminário Maior de Istambul e da revista *Ortodoxia*. A longa temporada que passou nos Estados Unidos, à frente da Igreja ortodoxa americana, deu-lhe uma visão mais ampla dos problemas religiosos, e as suas reflexões bem como as suas relações com os ocidentais, cujo delegado apostólico era mons. Roncalli, levaram-no a concluir pela necessidade de uma aproximação com a Igreja Católica. O seu encontro com o papa Paulo VI, em Jerusalém, em janeiro de 1964, iria dar o mais esplêndido testemunho dos sentimentos que animam este homem de Deus.

Moscou no tempo do Grande Sínodo

A coroação do czar Paulo I em Moscou, no ano de 1796, foi ocasião de um extraordinário espetáculo de pompa. No meio de uma profusão inédita de uniformes agaloados e vestes cintilantes de pedras preciosas, o imperador avançou, usando, por debaixo do grande manto de pano dourado revestido de arminho, a dalmática de veludo púrpura dos Basileus de Bizâncio. O metropolita Platão, primaz, ungiu-o com os santos óleos. Em seguida, convidou-o a depor a espada antes de se aproximar da Sagrada Mesa e do altar, para ali ser coroado. Mas Paulo, antecipando-se ao gesto do prelado, tomou a coroa imperial e colocou-a sobre a cabeça; a seguir, tomou outra, mais pequena, e colocou-a sobre a cabeça da esposa[36], enquanto a multidão prorrompia nas aclamações rituais. Um sacerdote leu então atos legislativos de alta importância, cujos pergaminhos foram colocados sobre o altar e confiados à guarda do clero. Entre eles figurava a Carta que regulamentava a sucessão ao trono. Na longa lista de títulos que se seguia ao nome do czar, liam-se estas palavras: «Chefe da Igreja».

Essa estreita associação dos dois poderes, patenteada com tanta clareza, assinalava o caráter fundamental do sistema político-religioso que regia a Rússia havia já muito tempo. A Rússia recebera-a diretamente de Bizâncio — dessa Bizâncio que, no tempo dos santos Cirilo e Metódio, levara a fé aos eslavos, então pagãos e bárbaros[37], que os civilizara e até lhes dera um alfabeto ao mesmo tempo que uma língua litúrgica, e que, durante vários séculos, fornecendo-lhes o alto clero, lhes servira de tutor. O vínculo oficial fora rompido em 1448, por reação contra o Concílio de Florença (1439-40), em que o metropolita Isidoro (um grego), de comum acordo com os patriarcas orientais, aceitara a união com Roma, que aliás não iria durar muito[38]. Desde então, Moscou não cessara de crescer em ambição e prestígio. Não contente com ser «autocéfala», a Igreja russa quisera obter o título patriarcal. Beneficiando-se da falta de dinheiro do patriarcado de Constantinopla, submetido aos turcos, conseguira o reconhecimento desse título em 1589, não sem dar provas de despeito por só haver obtido o quinto lugar na classificação dos patriarcados. A partir daí, Moscou pretendera o papel e a dignidade de «Terceira Roma», rival de Bizâncio, como a única verdadeira depositária da integridade da fé e da grandeza da Igreja.

Na realidade, a separação relativamente a Constantinopla nada retirara às relações da Igreja com o poder público: os direitos da Igreja e os do czar estavam, em princípio, imbricados e equilibrados. Mas, na realidade, era o soberano que dominava. É certo que, no século XVII, o grande patriarca Nikon, o reformador, fizera uma tentativa[39] para pôr fim a essa sujeição. O seu fracasso junto das massas, que se haviam revoltado contra as suas reformas litúrgicas, e depois a sua «desgraça» e deposição tinham marcado o fim das veleidades de independência eclesiástica. No final do século, o jovem e ambiciosíssimo Pedro o Grande, a fim de evitar o regresso a tais errâncias, tomara uma medida radical. Durante vinte e um anos, proibira qualquer eleição patriarcal e, àqueles que lhe perguntavam quem seria o titular da sé de Moscou, respondia: «Eu». Depois, em 1721, por inspiração do misterioso Teófano Prokopovitch, católico apóstata com umas tintas de protestante e de maçom, publicara um *Regulamento espiritual* que suprimia o Patriarca e o substituía por um órgão colegial, o Santo Sínodo. A autoridade nominal passava a pertencer a um grupo de bispos — mais tarde, juntaram-lhe dois ou três padres —, a cujas deliberações assistia um leigo, o procurador imperial, «*ober-procuror*», encarregado, em princípio, de velar pela boa marcha da Igreja, mas efetivamente dotado de todos os poderes.

Nas vésperas da Revolução Francesa, era esse o regime que vigorava e que até se reforçara, no sentido de uma crescente intervenção do poder laico nos assuntos da Igreja. Dominado pelo procurador — a quem se chamava correntemente «o olho do czar» —, o Sínodo, cujos membros tinham de jurar, ao serem nomeados, defender os interesses do Estado em todas as circunstâncias, fora obrigado a aceitar as decisões mais desagradáveis ou prejudiciais para a Igreja: proibição de construir novos lugares de culto, instauração de uma polícia especial encarregada de vigiar os bispos, confisco de grande parte das rendas eclesiásticas, limitação do número de padres e diáconos, a fim de não diminuir o recrutamento militar! Reduzidos à condição de meros funcionários, os padres eram forçados a espiar as suas ovelhas e a denunciar as suas infrações às leis. Pedro III pensara até em confiscar todos os bens da Igreja, medida que Catarina pusera em prática em 1764, não deixando ao clero senão os palácios e casas de verão, enquanto reduzia para seis o número de membros do «Grande» Sínodo, para melhor os dominar. Por ter protestado contra as espoliações, o metropolita de Rostov fora deposto, encarcerado, exilado... A palavra *servidão* é fraca para caracterizar a situação humilhante da Igreja russa quando da subida de Paulo I ao trono.

O século XIX não trouxe nenhuma alteração nos princípios e tampouco nas relações práticas entre a Igreja e o Estado. Em vão, o metropolita Platão redigira um manual de religião destinado ao jovem herdeiro Paulo, para lhe inculcar noções mais justas sobre o seu futuro papel — lembrando-lhe, por exemplo, que «o único verdadeiro chefe da hierarquia é Cristo». Uma vez no trono, Paulo I reivindicou tão nitidamente como os seus antepassados os seus direitos de chefe da Igreja. Foi até publicado um regulamento sobre os bens eclesiásticos em que se repetia que o clero deve «ao seu soberano, na sua condição de chefe designado por Deus, uma fidelidade cheia de submissão e obediência». O jugo não estava em vésperas de se tornar menos pesado.

Uma questão debatida nesse momento mostra bem em que rude escola o clero russo era educado pelos czares. Entre as penas infligidas pelos tribunais figurava a do chicote, considerada como gravemente infamante. Em 1767, o Sínodo proibira-os de condenar os padres a essa pena, e em 1771 essa graça fora estendida aos diáconos. Catarina II tinha concordado, em compensação pelas espoliações dos bens eclesiásticos a que se entregara. Mas os tribunais não faziam caso dessa proibição. Paulo I reiterou-a, depois de o Sínodo ter protestado junto dele. Mas em vão! Os juízes continuaram a mandar usar o *knut* contra padres e diáconos. Em 1801, um novo decreto punha oficialmente termo ao escândalo de se ver um homem consagrado torcer-se, meio nu, sob os golpes dos algozes. Até se isentou desse castigo as famílias dos padres. Mas foi só em 1862, ano da abolição da servidão, que todos os membros do clero puderam estar seguros de que não seriam flagelados.

Os diversos czares que se sucederam durante o século XIX puseram, pois, em prática a mesma política para com a Igreja; ou seja, consideraram-na como uma espécie de circunscrição inserida no regime imperial. Apenas nos princípios do século XX é que se veriam esboçar-se algumas mudanças. O que não quer dizer que o clima fosse sempre o mesmo. Alexandre I (1801-25) — o czar místico que, depois de ter vencido Napoleão, alimentou o sonho de restaurar uma Cristandade ecumênica mediante a Santa Aliança — interveio na Igreja tanto no terreno espiritual como no prático, obrigando os altos dignitários religiosos a ter contatos com a maçonaria. Depois, cansado dos maçons, obrigou esses eclesiásticos a assistir às sessões da «Sociedade bíblica», de inspiração protestante, pela qual se entusiasmara. Chegou até a correr o boato de que comunicara ao papa o seu desejo de abjurar a Ortodoxia e reconduzir os seus povos à fé romana[40].

Menos fabricantes de sonhos do que Alexandre, nem por isso os seus sucessores deixaram de continuar uma política de estreito domínio sobre a Igreja. E esta não só não opôs qualquer resistência, como manifestou a sua concordância em várias ocasiões. Assim, sob Nicolau I (1825-55), o Santo Sínodo felicitou o czar por ter feito reentrar no círculo de Moscou — sabe-se por que meios — milhões de ucranianos e poloneses «uniatas»[41]. Sob Alexandre II (1855-81), o czar que esboçou um programa de reformas políticas, econômicas e sociais, esse acordo entre a Igreja e o Estado teve o seu lado bom. A retumbante decisão de *abolir a servidão* (1861), à qual a nobreza era hostil e que muitos clérigos receavam, foi oficialmente celebrada pelo metropolita Filareto, que prefaciou o «Estatuto do Camponês Liberto» em nome dos princípios cristãos — os mesmos que o revolucionário Herzen invocava ao exclamar, logo a seguir à proclamação do ucasse: «Venceste, Galileu!» Mas a pesada mão sobre a Igreja mostrou-se tão pesada como sempre. Mais liberal em palavras, Alexandre III (1881-94) não deixou de ser tão cesaropapista como os seus antecessores. A máxima de governo continuou a ser aquela que o conde Uvarov formulara tão bem: «Ortodoxia, Autocracia, Nação!»

Deve-se reconhecer, no entanto, que nem tudo foi mau nessa ação autoritária dos czares. O clero russo precisava incontestavelmente de reformas: mas estaria em condições de as fazer sozinho? Forçando-o a isso, o Estado prestou-lhe um serviço. Foi o que sucedeu com o decreto de 1869, que pôs fim à velha praxe de um sacerdócio hereditário em que os filhos e filhas de padres se casavam entre si[42], o que levava a constituir uma casta fechada, alheia ao povo. Foram também felizes as intervenções do poder público no sentido de que se criassem «Academias» destinadas à formação do alto clero.

A situação no começo do século XX mostrava bem até que ponto estavam misturadas as vantagens, ao menos aparentes, que a Ortodoxia extraía da sua submissão, com os prejuízos que sofria. A prática religiosa era obrigatória. Os soldados eram levados à missa em fila e, à noite, os oficiais faziam-nos recitar as orações costumeiras. Ninguém podia apresentar-se a um exame sem o certificado de ter cumprido os seus deveres religiosos. Todas as unidades do Exército e da Marinha tinham capelães, que formavam uma hierarquia especial, diretamente dependente do Santo Sínodo. Todos os membros do clero recebiam do Estado uma remuneração, aliás modesta. Mas, apesar dos sucessivos confiscos, a Igreja — dioceses e mosteiros — tinha conseguido reconstituir bens de raiz que atingiam 2,8 milhões de hectares, avaliados em 130 milhões de francos-ouro. O ensino religioso era obrigatório em todas as escolas, e, além disso, a Igreja tinha as escolas paroquiais. Por lei, os bispos faziam parte do Conselho da província, ao lado do governador, e eram rodeados de todas as formas de respeito. Mas seria que tudo isso bastava para compensar a perda quase total de liberdade — prática, moral e mesmo espiritual —, visto que o czar era definido como «o guardião dos dogmas»?

A partir de começos do século XX, esboçou-se um movimento contra essa situação de fato e a favor de uma libertação da Igreja e de uma verdadeira reforma. As crises políticas que tinham agitado a Rússia czarista durante o século anterior não tinham sido tão violentas que pusessem em risco o equilíbrio interno do Estado autocrático. Já o mesmo não se deu em 1905, quando a severa derrota infligida pelo Japão produziu as primeiras fendas no edifício, prenunciando aquelas que, doze anos mais tarde, o iriam deitar abaixo. Sob a pressão de um vasto movimento popular, Nicolau II (1894-1917) viu-se obrigado a outorgar um simulacro de Constituição e a convocar uma assembleia, a Duma. Tomaram-se medidas em matéria religiosa. Todas as crenças tiveram reconhecida a sua liberdade; um ortodoxo passou a ser livre de se converter a outra fé, o que até então lhe era vedado. Um grande estadista, o conde Witte, formulou muito claramente o problema das relações da Igreja com o poder, preconizando mudanças radicais. O procurador junto do Santo Sínodo, o terrível Pobiedonostsev, feroz partidário do poder autocrático sobre a Igreja, foi constrangido a pedir demissão. Constituiu-se em São Petersburgo uma «Sociedade Religiosa e Filosófica», em que altos prelados e pensadores leigos se encontravam para estudar reformas. A própria Igreja se lançou num exame de consciência. Sessenta e três bispos elaboraram relatórios que, reunidos em cinco grossos volumes, saíram a lume com caráter oficial. Em pleno sínodo, o metropolita de Kiev falou de reformas necessárias. Para prepará-las, foi constituída uma comissão, que concluiu pela necessidade de convocar um concílio de toda a Igreja, e que, por sua vez, publicou em 1912 outros cinco grossos volumes de críticas e projetos.

Este movimento por uma renovação na Igreja, pela sua libertação da tutela do Estado, não deixaria de comportar alguns riscos. O campo adverso apoderou-se da ideia para preconizar a separação da Igreja e do Estado. As discussões em torno dessas ideias e da reforma do Patriarcado provocaram disputas apaixonadas no seio do clero e até nos mosteiros. Como foram autorizados os partidos políticos, os bispos e prelados que eram membros do Santo Sínodo multiplicaram as intrigas, e os mais reacionários chegaram a conseguir que o governo relegasse para os conventos cinco bispos de tendência «conciliar». Falando francamente, a desordem era imensa. Tudo ia à deriva. As estruturas eclesiásticas pareciam tão abaladas como as políticas e as sociais. E, ainda para mais, vinha o escândalo de *Rasputin* (1864-1916), de que se falava por todo o lado. Rasputin, o falso monge, mujique a bem dizer analfabeto, que se considerava «homem de Deus», tinha apoios nas altas esferas eclesiásticas e exercia uma influência nefasta sobre o casal imperial.

A queda do poder imperial e a sua substituição por um governo provisório de socialistas moderados, a 2 de março de 1917, foi acolhida pela Igreja oficial com facilidade. Uma facilidade que pode parecer estranha se pensarmos nos laços várias vezes seculares que existiam entre ela e o regime czarista. O procurador junto do Sínodo, Vladimir Lvov, pediu a todas as paróquias lealdade para com o novo regime. Uma dezena de bispos conhecidos pelo seu temperamento reacionário, bem como prelados que tinham estado ligados a Rasputin, foram depostos. A composição do Santo Sínodo foi modificada. E anunciou-se a próxima convocação do concílio. Os dois metropolitas de Petrogrado e de Moscou foram afastados e substituídos pela eleição de dois homens simples e bons, conhecidos da classe operária: Benjamin Kazanski (que iria morrer mártir em 1921) e *Tikhon de Vilno*, futuro patriarca. O concílio reuniu-se a 15 de agosto; era a primeira vez desde 1696 que se juntava toda a Igreja russa. Estavam presentes 564 delegados, mais da metade dos quais eram leigos. Prudentemente, o concílio rejeitou as moções de tendência política, mas, a 28 de outubro de 1917, votou por unanimidade o restabelecimento do Patriarcado. O novo procurador do Sínodo, Kartachev, que substituíra Lvov, assumiu o título de ministro dos cultos. Estabelecia-se na Rússia um novo regime, que punha termo a dois séculos de domínio czarista sobre a Igreja.

Mas a 25 de outubro deu-se o golpe de força dos «bolcheviques» contra os «mencheviques» moderados, de Kerensky. E quando, a 5 de novembro, Tikhon, designado simultaneamente por eleição e por sorteio, foi proclamado patriarca, Lenin estava bem perto de começar a ser o senhor absoluto da Rússia. A 7 de novembro, ia começar a ditadura comunista.

A verdadeira força da Igreja

No momento em que a queda do regime czarista ia abrir para a Igreja russa a era da grande provação, essa Igreja apresentava exteriormente uma força imponente. Contava cerca de cem milhões de fiéis, 57 mil padres, 16 mil diáconos, 21 mil monges, 73 mil monjas. As dioceses eram talvez muito poucas: 67 — a administração pública fazia economias nas subvenções ao episcopado — e, portanto, demasiado extensas; mas os metropolitas eram coadjuvados por mais de oitenta bispos auxiliares. Havia perto de 55 mil igrejas e 26 mil capelas, onde se celebrava o culto regularmente. E os mosteiros eram mil e quinhentos, um número verdadeiramente admirável.

Tudo isso impressiona. E ainda será preciso acrescentar que a Igreja ortodoxa russa, tal como a Igreja Católica do Ocidente na Idade Média, reforçara notavelmente a sua ação sobre o seu rebanho, constituindo-se em sua educadora. Sobretudo a partir do século XVIII, multiplicara as escolas paroquiais, que eram as únicas que ministravam instrução ao povo: instrução decerto bem rudimentar, mas que, estreitamente ligada à educação religiosa, contribuía muito para enraizar a fé nas massas populares. Em 1914, as escolas paroquiais não eram menos de 37 mil, e a elas se acrescentavam cerca de três mil estabelecimentos, também mantidos pela Igreja, que ministravam uma instrução de nível mais alto, na qual se incluía o ensino secundário.

Ao considerarmos estes resultados, temos de reconhecer que ficamos muito longe da imagem, demasiado aceita no Ocidente, do *pope* bêbado e muitas vezes devasso, incapaz de se impor aos fiéis porque vive tal como eles, tanto no melhor como no pior. É bem verdade que o tipo do padre medíocre existia e nem sequer era raro, como testemunha a literatura russa. Mas havia também, nesse clero «branco»[43], homens singelamente convencidos da dignidade da sua missão, e que, por viverem bem próximos das suas ovelhas, estavam em condições de melhor compreendê-las nas suas penas e preocupações.

Aliás, nem todo o clero era desse tipo modestamente popular. Desde fins do século XVII, tinham começado a fundar-se seminários maiores, então chamados Academias: a de Moscou começou em 1697. Mais tarde, no decurso do século XIX, o termo «Academia» aplicou-se a Escolas superiores de teologia, enquanto se iam multiplicando os seminários. Em 1914, contavam-se quatro Academias; ao lado da de Moscou, a de São Petersburgo (1809), a de Kiev (1819) e a de Kasan (1842). Os seminários maiores eram então 58 e neles estudavam vinte mil alunos, metade dos quais recebia a ordenação. Inicialmente, o ensino nesses diversos estabelecimentos foi decalcado no do Ocidente, a tal ponto que os futuros clérigos da Igreja russa estudavam em latim, em manuais concebidos segundo os melhores métodos da Escolástica latina. O sistema foi modificado em 1808, mas só desapareceu inteiramente por volta de 1870.

A verdade é que não deixou de ter resultados felizes, pois acostumou os membros mais cultos do clero a confrontar a teologia ocidental com a sua tradição. Foi assim que, se o metropolita Macário publicou, em 1853, os cinco volumes da sua *Teologia Dogmática Ortodoxa* ainda decalcada nos manuais ocidentais, a *Teologia Ortodoxa* do metropolita Filareto, arcebispo de Chernigov, editada em 1866, constituiu um esforço sério para repensar os dados dogmáticos segundo as tradições russas, e opôs com vigor as certezas da velha fé às hipóteses críticas da exegese alemã. Mesmo os trabalhos do leigo *Khomiakov* (1804-63), por mais nebulosas e desvanecidas pela ideologia «eslavófila» que fossem as suas teses, contribuíram para uma certa renovação teológica. A partir daí, as Academias e escolas eclesiásticas produziram um número apreciável de teólogos, historiadores, liturgistas, cujos trabalhos, infelizmente, iriam ficar ignorados do Ocidente. Assim, de todas as línguas europeias, o russo era, em 1914, aquela em que se encontrava o maior número de textos patrísticos, sobretudo gregos. Mas quem o sabia?

A verdadeira força da Igreja estava, porém, no povo, mais ainda que no clero. O próprio caráter da Ortodoxia, que é, como se viu[44], associar estreitamente os leigos à vida eclesial, não contribuía pouco para manter o sentido das responsabilidades. É certo que importa matizar o juízo e não pôr no mesmo plano o mujique e o burguês e o nobre. Desde o século XVIII, as classes superiores, mais ou menos imbuídas de espírito ocidental, tinham-se deixado dominar pelas ideias «filosóficas» de Voltaire e dos enciclopedistas, às quais Catarina II dera uma atenção tão simpática. No século XIX, foram o positivismo e o socialismo que conquistaram as classes cultas; dois filhos de padres, Dobroliubov e Chernycheski, ganharam renome, o primeiro na crítica positivista, e o segundo na exposição de um materialismo radical. Os que tinham fome de justiça, irritados com uma ordem social que a Igreja avalizava, voltaram-se para a ação revolucionária. Mas esta corrente irreligiosa — que, de resto, como veremos, estava longe de ser geral[45] — só correspondia a um número bem pequeno de indivíduos, em comparação com a enorme massa popular que conservava a fé.

É um lugar comum dizer que o povo russo é essencialmente religioso, mas este truísmo exprime uma verdade. É conhecida a frase de Nietzsche: «Na Rússia, até um ateu é crente». Não deixa de ser significativo que, em russo, o nome do homem da terra seja *krestianin*, deformação de «cristão», ao passo que, em francês, «*paysan*» vem de «*paganus*», «pagão». A expressão corrente, cara ao mais humilde dos russos para designar o seu país — «Santa

Rússia» —, não procede de um movimento de orgulho e não pretende formular um juízo de valor, mas traduz um dado fundamental da vocação nacional, uma das profundas aspirações da raça: a aspiração à santidade, de que tantos escritores deram testemunho, e que Dostoievski mostrou estar tão viva nas almas mais manchadas. A fé cristã tem raízes tão profundas e tão vigorosas na consciência da Rússia, que mais de meio século de regime «sem Deus» não conseguiu arrancá-las.

Esta religião popular não deixa de apresentar aspectos criticáveis. Nela se misturam certos elementos de superstição, nos quais os etnólogos reconhecem traços dos velhos tabus primitivos e de práticas de algum modo mágicas. O tradicionalismo chega ao exagero e, enxertado na mais grosseira ignorância, tomou por vezes formas grotescas: foi o que se viu claramente nos dias em que rebentou o cisma, o *raskol*[46]. Com demasiada frequência, uma fé assim tem influído muito pouco na conduta moral. A embriaguez e a libertinagem andam de mãos dadas com todas as práticas exteriores de culto. Perder a cabeça pela vodca e pelas mulheres não impede que se beijem devotamente os ícones, que se façam muitas *metanias*[47], ou até que se observem estritamente os jejuns. No folclore popular, acha-se saboroso contar a fábula do bêbado que chega ao paraíso e que vai reduzindo ao silêncio os Apóstolos que lhe querem proibir a entrada, dizendo a São Pedro que, se é certo que bebeu muito, ao menos nunca renegou Jesus Cristo; a São Tomé, que nunca duvidou; a São João, que, segundo a sua própria doutrina, todo o pecador tem direito à misericórdia. «É a fé que salva!»: nada exprime melhor o sentimento religioso dos russos do que este velho ditado dos camponeses da França.

É claro que essa religião é muito pouco teológica. A instrução catequética reduz-se ao mínimo. Como o analfabetismo estava muito espalhado na Rússia czarista, a gente mais simples apenas é capaz de recitar de cor duas ou três orações, e sobretudo de repetir a simples e tocante doxologia da «oração do coração»: «Senhor Jesus, Filho do Deus vivo, tende piedade de mim!» De resto, não ensinam os teólogos, de acordo com a mais segura tradição ortodoxa, que os dogmas são a expressão de uma experiência vital, de uma iluminação decisiva pelo Espírito Santo, e que essa iluminação jamais é recusada àquele que crê com toda a alma, e é mesmo prometida aos pequenos, aos humildes de coração? O perigo está em que essa religião arraste a uma excessiva insistência na sensibilidade. «O desenrolar da ação litúrgica, o sábio jogo de luzes e sombras, o aroma do incenso, a suavidade dos cânticos, oferecem o risco de levar os espíritos a atribuir demasiada importância ao fato de a pessoa se *sentir* perdoada, reconciliada com Deus, regenerada pelo contato com as realidades celestes[48]. Uma certa ternura por si próprio, embora acompanhada pelo sentido do pecado e do arrependimento, está mais próxima do quietismo do que de uma fé exigente; ou pelo menos, não tem ação sobre a vontade.

A liturgia ocupa nessa religião popular um lugar de destaque: o primeiro. Como vimos[49], esse é um dos traços característicos da Ortodoxia, particularmente acentuado na Rússia. Para o humilde cristão, a liturgia é a fé vivida, simultaneamente fundamento da experiência espiritual e pedagogia religiosa daqueles que não podem aprender a sua religião. Tem um espaço privilegiado na vida diária. O mais pobre lar possui o seu ícone, por vezes uma simples reprodução em cromo diante da qual o pai de família faz uma oração duas vezes ao dia. Mas é principalmente na igreja, durante os longos ofícios solenes, que a alma popular dos russos se volta para Deus e, através da suntuosa liturgia, «torna real» a misteriosa Presença. É verdade que as lentas e longas cerimônias — com tudo o que comportam de magnificência e também de propositado arcaísmo — não são compreensíveis ao comum dos fiéis, e é de duvidar que muitos tenham lido alguma vez o próprio texto do Cânon ou o do rito da «proscomídia» (a preparação das oblatas). Mas não é menos verdade que, nas três modalidades hoje utilizadas — a de São Basílio, a de São João Crisóstomo e sobretudo a dos chamados «pré-santificados» —, a liturgia russa constitui um conjunto de uma beleza e de uma riqueza tão grandes que o mais simples dos fiéis tira dela muito proveito. Quando, numa catedral cheia até transbordar, entre a luz dos círios e os fumos do incenso, explode, repetido por toda a assembleia, o célebre hino *Nyne sily* — «Neste instante, as potências invisíveis do Céu unem as suas preces às nossas...» —, é impossível que o fiel não se sinta associado a esse fervor imenso, e não experimente a certeza grandiosa de pertencer a uma comunidade fiel e de, com ela, ser chamado à Salvação.

Por este aspecto, a fé russa é verdadeiramente a herdeira da fé de Bizâncio, feita substancialmente de absoluta confiança no poder do Espírito Santo e na infinita bondade de Cristo Salvador (lembremo-nos de que «o Salvador» é o nome mais corrente que se dá a Jesus Cristo). É uma fé que, tal como a bizantina, concede pouco à terra e se orienta mais para os últimos fins do homem, dominada pela perspectiva do além e pelo desejo do paraíso. O menos ascético dos russos sabe e crê que o seu verdadeiro destino não está neste mundo, e que só encontrará o seu significado quando transpuser as portas da morte. É também por isso que, como em todos os ortodoxos[50], mas talvez com maior vigor ainda, a fé russa se apoia na crença total na Ressurreição. É preciso ter visto dois russos saudarem-se no dia da Páscoa com o famoso diálogo *«Kristos voskrigie!»*... («— Cristo ressuscitou! — Sim, ressuscitou verdadeiramente!») — para medir toda a alegria, todo o fervor e toda a esperança que o primeiro dos dogmas cristãos significa para eles.

Bizantino sob tantos aspectos, o cristianismo russo tem, contudo, características particulares. A tradição ortodoxa encarnou-se num povo, enraizou-se numa terra, ambos com traços bem definidos. Por isso se revestiu de aspectos que o leitor dos escritores russos conhece bem. Nicolau Berdiaev foi ao ponto de sustentar que o tipo do cristão russo não somente é superior ao de Bizâncio, mas nada lhe deve. Na alma religiosa do povo russo, há efetivamente uma humildade, uma doçura e uma santa simplicidade que são alheias ao modo de ser religioso de Bizâncio: pensemos em Aliocha ou no príncipe Michkin, personagens de Dostoievski. Os santos russos, na sua maioria vindos do povo, revelam um frescor e uma poesia tão espontâneos que não os poderemos aparentar com os grandes e terríveis ascetas da Grécia e do Oriente cristão.

A piedade tem um amplo espaço nesta religião: é a piedade que o homem pede a Deus na famosa «oração de Jesus»: «Tem piedade de nós!»; como também é a piedade que cada homem deve ter para com os outros homens, seus irmãos, para se assemelhar à bondade onipresente de Deus. Piedade a que Tolstoi acaba por reduzir o cristianismo... É ela que contribui para tornar a religião profundamente comunitária, na terra como no céu, segundo o dogma da comunhão dos santos. E é também ela que explica um dos traços mais profundos da alma religiosa russa: o sentido do universal, do cósmico, de uma missão a desempenhar neste mundo. O crente russo sabe que pertence a um povo escolhido por Deus para «assumir a responsabilidade da salvação do mundo»: ideia grandiosa que o comunismo há de inscrever no seu programa, desviando-a do seu fim sobrenatural, mas utilizando o poder de sugestão que ela conserva sobre o povo russo, e o seu impulso.

Viajantes na terra e peregrinos a caminho do céu

A demanda do Absoluto divino, tão característica da alma religiosa russa, leva a suscitar tipos humanos muito diferentes. Porque é possível procurá-la em toda a sua interioridade, e então nada mais propício que o silêncio de um convento ou, melhor ainda, de um ermitério perdido no fundo das florestas. Mas também pode suceder que essa sede de Deus, não deixando jamais a alma em repouso, provoque uma verdadeira febre e acabe por lançar o homem por ela devorado a percorrer incessantemente os caminhos do mundo em busca da água viva que lhe estanque a sede.

É assim típico da mentalidade russa *o peregrino*, o eterno caçador do absoluto, verdadeiro «viajante na terra». A Igreja da Santa Rússia oferece inumeráveis exemplos dessa figura. Já os ascetas do cristianismo primitivo se entregavam a caminhadas voluntárias, a marchas sem destino e extenuantes, a exílios para bem longe da família e da pátria, a fim de poderem experimentar o sentimento de não estarem nunca em casa neste baixo mundo, de não terem «uma pedra onde repousar a cabeça», como Jesus Cristo. Esse exemplo foi seguido abundantemente e em todos os tempos pelos cristãos da Rússia. Por longe que se remonte nas crônicas, veremos marchar pelas estradas um número incalculável de gente piedosa que lá se vai, de sacola ao ombro, com o naco de pão e o bloco de sal misturados com o Evangelho e a chaleira. Lá se vai, para rezar diante de um ícone muito venerado, num convento onde vive alguma santa personagem, ou quem sabe se até ao Monte Athos ou aos Lugares Santos da Palestina. No século XIX e nos começos do nosso, a raça destes peregrinos não se extinguira ainda, e podemos conjecturar que ainda hoje não desapareceu.

Alguns desses andarilhos revelam um caráter tão estranho que, aos olhos das pessoas acomodadas e «prudentes», se assemelham muito a desequilibrados mentais. Quanto ao *strannik*, ainda passa — incessantemente a caminho, sem parar em lugar nenhum, na verdade sem outro destino preciso senão o de demandar por toda a parte os vestígios de Deus... Mas que dizer do *yurodivi*, o «louco de Deus», que lá vai através do mundo, vestindo-se e comportando-se voluntariamente da maneira mais insólita, a fim de atrair para si as troças, as humilhações e os escarros, tudo para imitar Cristo? Esse tipo humano singular agrada à alma russa. Foi *yurodivi* esse «João do grande boné» que Puchkin nos mostra em *Boris Godunov*, ou o bom Gricha de que fala Tolstoi nas *Recordações de infância*. Não é um tipo desconhecido do Ocidente católico: lembremo-nos de Jacopone da Todi, ou de certos traços bizarros do comportamento de São Francisco de Assis, ou de São Bento Labre a viver na imundície e nos piolhos, ou da originalidade de São Filipe Neri. Na Rússia, porém, tudo isso parece simples, normal... Uma das mais belas basílicas de Moscou é dedicada a um yurodivi, Vassili o Bem-aventurado, e, em Petrogrado, conserva-se a memória da grande *yurodivaia* Xênia, cujas virtudes e comportamento tinham sido, no século XVIII, objeto de um espanto cheio de admiração.

Sem ir até os excessos dos «loucos de Deus», podemos dizer que numerosos russos trazem em si o secreto desejo, ou a nostalgia, dessa condição de «viajantes na terra». A literatura do século XIX apresenta um grande número desses peregrinos em demanda de Deus, e sempre do modo mais simpático. Lembremo-nos daqueles que Dostoievski pintou: o peregrino Macário de *O Adolescente*, o Stephan Trofimovich dos *Possessos*, esse Stephan que caminha e caminha em busca de Deus até que chegue a morte. Há mesmo escritores que sofreram o fascínio dessa existência errante: Leontiev, que foi bater à porta de tantos conventos; Soloviev, que almejou não ser mais que um peregrino em busca da mensagem única que a Rússia trazia ao mundo. E temos presente a morte de Tolstoi, que abandona a família e parte pelas estradas, errante, diz Kologrivov, «como um leão ferido à procura de uma toca para se esconder e morrer em paz»[51]. Célebres ou anônimos, são todos parecidos, quanto à fé e à esperança, com esses peregrinos da Santa Rússia. E quem os tenha visto nos Lugares Santos, diante do Santo Sepulcro ou da estrela de Belém, pode avaliar a força dessa fé que os anima ou a ternura da sua piedade.

Há um livro que nos conservou a lembrança direta dessa experiência espiritual: *As narrativas de um peregrino*[52]. Apesar da extrema liberdade — ou talvez por causa dela... — com que o narrador confessa os seus mais vergonhosos pecados da carne, é uma obra admirável de sinceridade, toda ela iluminada pela fé da qual os Evangelhos dizem ser capaz de transportar montanhas, uma fé que não se detém nem desanima diante de nenhum obstáculo e que sabe instintivamente, segundo a célebre fórmula de Léon Bloy, que «tudo o que acontece é adorável». Publicado pela primeira vez em Kazan, em 1865, esse livrinho só passou a ser verdadeiramente famoso nos começos do século XX. O autor é inteiramente desconhecido. Apresenta-se como um simples camponês, de trinta e três anos, que peregrina pela Rússia afora e pela Sibéria, pouco depois da Guerra da Crimeia e antes da abolição da servidão (por volta, pois, de 1856-61). Dotado de uma inteligência viva, de uma certa cultura religiosa, domina-o sobretudo um desejo imenso de salvação. Talvez tivesse narrado as suas andanças a um monge, quer de Athos, quer de Optina, que as teria reduzido a escrito. Em termos literários, estamos diante de uma obra-prima. Nas suas páginas, evoca-se uma sociedade inteira, desde o príncipe que expia como recluso a sua existência de libertinagem e violência, até aos forçados que avançam, em grilhetas, para os trabalhos forçados da Sibéria, passando pelo pequeno burocrata que quer passar por livre-pensador, ou pelo correio do *trakt* apaixonado pelo seu ofício, ou ainda pelo estalajadeiro da mala-posta, bêbado perdido... Em todas as suas páginas está presente a velha terra russa — a planície imensa, a floresta deserta em que rondam os lobos, as estalagens nas encruzilhadas, as igrejas em forma de bulbo e pintalgadas. Mas o essencial reside no testemunho espiritual que o Peregrino oferece com toda a simplicidade e grande humildade. Lá vai ele, com o saco do pão e do sal, a bíblia e o velho exemplar da *Filocália* que comprou por dois rublos a um sacristão qualquer. Lá vai rezando sem cessar; sem cessar se esforça por estar na presença de Deus. Nada do que vê o espanta, porque tudo é, para ele, mensagem divina, divina expectativa. É impossível fechar estas páginas sem sentir um afeto fraterno por esse humilde de coração, por esse pecador a quem visivelmente foi prometido o Reino, e pelo povo que lhe deu vida.

Mas, diametralmente oposto quanto às aparências, o outro tipo significativo da religião russa é o *monge*, o homem vestido de negro, que usa boné e véu negros; e, embora menos célebre, mas talvez não menos venerada, a monja de função idêntica: rezar a Deus sempre, sempre... Os números que vimos[53] mostram suficientemente a importância do monaquismo na vida religiosa russa, importância maior do que no Ocidente pelo próprio modo como a Ortodoxia concebe a experiência religiosa. Uma vez que se admita, como diz Dostoievski, que «o cristianismo não é para este mundo, não para os homens cá de baixo», nada melhor há a fazer do que retirar-se do mundo, encerrar-se num santo retiro e rezar, à espera de que chegue o fim do tempo. A concepção do monaquismo como oposto à vida real, que vimos já ser fundamental na Ortodoxia, consequência lógica da sua recusa de todo e qualquer compromisso temporal, em parte nenhuma teve expressão mais consciente e radical do que na Rússia. Leontiev, Rosanov e tantos outros pensadores religiosos o repetiram: «O cristianismo só encontra a sua realização integral no mosteiro. A sociedade cristã, a família cristã são problemas. O mosteiro é um fato. Fora do mosteiro, o cristianismo é caótico. Ele só é em nós».

Os monges são, pois, essencialmente contemplativos. O tipo ocidental do «frade mendicante» franciscano ou dominicano, ou do religioso à maneira oratoriana ou jesuíta, segundo diversos métodos de abordar as tarefas apostólicas, não existe na Rússia. Os monges não têm outra função — em princípio — que não seja rezar; e é consoante a perfeição e a profundidade do seu estado de oração que se podem diferenciar uns dos outros. Tal como na Ortodoxia grega, os eremitas são considerados de qualidade superior aos cenobitas. Bastante decaído no século XVIII, o monaquismo fez progressos sensíveis durante o século XIX. A seleção dos candidatos melhorou; os abades, escolhidos pelo Santo Sínodo, passaram a ser de melhor nível e a observância das regras mais cuidada, sobretudo nos grandes conventos, de onde os monges repreensíveis foram afastados e enviados para solidões distantes.

Mas é sobretudo no interior das almas que se opera essa renovação. Também aqui se faz sentir a influência do livro que tanta importância teve em toda a vida religiosa da Ortodoxia contemporânea, o mesmo de que vimos o Peregrino alimentar-se avidamente: a *Filocália dos Santos*, a caríssima *Dobrotoliubié*, publicada em 1794 em Moscou, em tradução de Paisius Velichkovski, e que não tardou a ser o livro-chave da piedade monástica. Foi por meio dele que se reanimou a prática da oração perpétua, dessa «oração do coração» ou «oração de Jesus» que, nas grandes épocas, sustentara a fé dos humildes e exaltara os místicos. O regresso ao hesicasmo[54] é um dos traços mais marcantes da renovação espiritual que o monaquismo levou a cabo.

Essa renovação trouxe consequências para todo o conjunto da Igreja russa. Uma vez que o mosteiro, considerado como uma espécie de modelo do Reino de Deus, era realmente habitado por homens que podiam ser venerados e imitados, a força do exemplo começou a produzir os seus frutos. Os simples fiéis já podiam ir pedir aos conventos lições e conselhos. O monaquismo já podia desempenhar um papel de fermento na massa. E foi o que fez.

O homem que iniciou o movimento de renovação da vida religiosa pelo monaquismo por sua vez renovado, morreu no limiar do período que estudamos, em 1794. Mas o impulso que deu prosseguiu até os nossos dias. Foi aquele *Paisius Velichkovski*, intelectual ucraniano que, desiludido da sabedoria pagã, cansado da teologia rotineira, partiu e foi viver na solidão do Monte Athos, onde ganhou renome e influência consideráveis, quer pelo seu saber, quer pelos carismas de que beneficiou e pelos dons proféticos. Foi ele que reformou os próprios métodos da vida de oração, servindo-se da *Filocália* e do hesicasmo, e, regressando à Rússia, fundou conventos de acordo com as suas novas ideias, dando origem a uma linhagem inteira de grandes espirituais e de santos.

É em ligação com o trabalho de Paisius que devemos situar o desenvolvimento de um tipo de homem que a Rússia conhecia há muito tempo, mas que, no século XIX, teve um papel notável na sua vida religiosa: o *staretz*. Em princípio, o *staretz* é apenas um velho monge, como os outros. Nem sempre ocupa um posto hierárquico no seu mosteiro; não é necessariamente abade. Mas a sua santidade de vida, a sabedoria do seu espírito, por vezes os dons carismáticos de que goza, são de tal maneira evidentes, que se impõe a todos os que o rodeiam. Os jovens monges confiam-se a ele como um pai espiritual. Alguns *startsi* gostam de comentar, diante da comunidade reunida ao serão, os textos dos grandes mestres, como fazia Paisius Velichkovski em Sekuel ou em Niamets. Outros praticam sobretudo a conversa privada, a direção de consciência.

E não tarda que a reputação do *staretz* se espalhe. Vêm de longe vê-lo, escutá-lo, confessar-lhe os pecados, receber dele a palavra que curará as feridas da alma. Faz-nos pensar no nosso Cura d'Ars... Depois da conversa, o santo homem abençoa o visitante, dá-lhe o ósculo da paz e despede-se com a saudação pascal: «Cristo ressuscitou! Para ti a minha alegria!» Qual será o penitente que não se retire em lágrimas?

O renascimento e o desenvolvimento do *starchestvo* no século XIX são incontestavelmente um dos fatos dominantes da vida da Igreja russa. A maior parte dos homens cuja santidade iria ser oficialmente reconhecida foram *startsi*, e passaram a vida a desempenhar a função que acabamos de definir. A literatura russa dá a conhecer este tipo religioso tão característico. Lembremo-nos, em *Os irmãos Karamazov* de Dostoievski, do *staretz* Zózima, essa alma luminosa que, em face da fé atormentada e contraditória de Dmitri e do racionalismo negativo de Ivã, representa tão bem a verdadeira religião na sua perfeita harmonia — o bom monge de quem Aliocha Karamazov é discípulo e reflexo. Essa celebridade e essa irradiação não deixaram de atrair para os startsi críticas por vezes acerbas. Se os bispos que realmente queriam as reformas apoiavam o starchestvo — Gabriel de Petrogrado, Filatere de Moscou e Filatere de Kiev, ou o célebre Platão de Moscou —, os outros, os mais numerosos, olhavam desconfiados para esses homens cuja influência lhes parecia excessiva. «Por causa deles —

diziam —, o pastor fica sem ovelhas!» E acrescentavam que o afluxo dos visitantes perturbava a paz monástica. Os maiores startsi tiveram conflitos frequentes com o bispo da respectiva diocese. A começar, precisamente, pelos mais célebres: os do mosteiro de Optina.

Optina! Optina pustin! Haveria algum russo que, ao ouvir pronunciar esse nome, não pensasse que designava algo de muito grande, de muito santo, que tinha o valor de um símbolo? Situado no distrito de Kaluga, não longe da cidade de Kozelsk, numa região tão pouco povoada que se poderia falar de «deserto» não só no sentido espiritual como temporal, esse convento decaíra tanto no final do século XVIII que já só abrigava três monges, um dos quais cego. Materialmente refeito por ordem do metropolita Platão de Moscou, assumido por um discípulo de Macário, que o fora de Paisius Velichkovski, reconstituiu-se espiritualmente pela aplicação dos métodos do grande *staretz*. Ao longo do século XIX, e até à Revolução, Optina iria ser o centro mais vivo, mais atuante e também o mais célebre da renovação religiosa na Rússia.

A sorte de Optina foi ter tido à cabeça, durante todo o século, homens de alta espiritualidade. O primeiro foi Teófano, antigo militar que, a partir de 1800, reconstruiu o mosteiro em ruínas. Depois, inaugurando lá o *starchestvo*, foi Leonid Nagolkin (1763-1841), uma espécie de «louco de Cristo» que, mesmo recluído entre os muros de um convento, nunca perdeu a sede devoradora de absoluto, nem também um pouco da agitação dos seus congêneres. A seguir, Macário Ivanov (1788-1860), de caráter bem diferente, homem de estudo, com a cela abarrotada de livros, que lia e comentava incessantemente a *Filocália* e os Padres da Igreja, que falava lentamente, pausadamente, mas cuja voz tremia de emoção quando celebrava a santa liturgia — o seu rosto inundava-se de lágrimas — e cuja irradiação começou a atrair para

Optina, além de inúmeros penitentes do povo, intelectuais de alto nível, como Gogol e esse grão-duque Constantino que assinava modestamente as suas poesias com um K.R. E foi, acima de todos, a partir de 1860, aquele de quem se pôde dizer[55] que era «a personagem mais importante da história russa da sua época», Alexandre Grenkov (1812-91), o *staretz Ambrósio*, personalidade excepcional, que os biógrafos representam cumulado de carismas, cuja experiência espiritual foi decerto uma das mais ricas da Ortodoxia e cuja irradiação foi imensa[56].

Eram inúmeros os que iam a Optina consultar o ilustre *staretz*. Grandes ou pequenos, todos tinham o mesmo direito de ser recebidos por ele, ouvidos por ele. O senador do Império e a velha camponesa, o professor universitário e a mundana de Moscou — quando não de Paris! —, todos e todas, iguais aos seus olhos, eram apenas almas sofredoras, a quem ele confortava o melhor que podia. Foi para esse homem de Deus que se voltaram, desejosas de obter ajuda e conselho, algumas das personalidades mais marcantes da *intelligentsia*. Khomiakov, o maior dos teólogos leigos, foi um dos seus íntimos. Foi Optina que viu viver e morrer Leontiev, depois da sua conversão, dominado pelo desejo não saciado de vida monástica. Foi a Optina e a Ambrósio que Dostoievski se dirigiu, por duas vezes, em busca de resposta para as torturantes interrogações da sua fé. Foi a Optina ainda que, acompanhando o velho mestre dos *Karamazov* e dos *Possessos*, recorreu o jovem Soloviev em 1878, então em busca da sua unidade interior e de uma síntese intelectual. E foi no deserto de Optina, ao dirigir-se para o convento feminino de Khamordino, onde a sua irmã era monja, que Tolstoi morreu, na pequena estação de Astapovo.

A santidade austera e serena do *staretz* Ambrósio dominou a vida espiritual da Rússia contemporânea. Ele é a expressão mais viva daquilo que a Ortodoxia tem de mais venerável[57].

Três santos da Santa Rússia

Temos, pois, que essa Igreja, que havíamos encontrado no fim do século XVIII tão anêmica, tão fossilizada e tão reduzida a uma espécie de burocracia, veio a revelar-se durante o século XIX — em condições que não pareciam nada favoráveis — plena de vitalidade. Acabamos de referir diversos indícios dessa renovação. Ora, o que mais a comprova, aliás como em todos os casos, só pode ser a presença da santidade. Uma das convicções mais firmes que os cristãos ortodoxos têm em comum com os católicos é precisamente que a santidade é a pedra de toque de qualquer religião. E que a história de uma Igreja é, antes de mais nada e acima de tudo, a história da sua santidade. E quem poderá negar, qualquer que seja o sentido que se dê canonicamente a este termo, que a Rússia dos tempos contemporâneos ofereceu numerosos santos?

Esses santos da Santa Rússia são, na sua maioria, monges, fundadores de mosteiros, *startzi*, visto que, como sabemos, a vida religiosa mais exemplar é a do monge retirado do mundo que busca a Deus na solidão. Isto equivale a dizer que não pode haver grande variedade na galeria dos santos russos, ao menos quanto aos aspectos externos. São raros, raríssimos, os santos da Ortodoxia que se possam aproximar dos «místicos da ação» do Ocidente católico, os êmulos de São Vicente de Paulo: João de Kronstadt é quase a única exceção. Mas essa pouca variedade não impede que, para além da austera semelhança das aparências, se observe uma real diversidade. Tanto é assim que cada alma tem o seu modo pessoal de responder ao apelo do Salvador e de traçar a sua rota para a salvação.

Precisamente no limiar do século em que Marx e Nietzsche anunciaram a morte de Deus, a destruição dialeticamente certa de todas as religiões, eis que surge essa alma de luz que parece ter querido recapitular na experiência da sua vida mortal tudo o que a tradição cristã contém de mais impressionante como testemunho de fé: *São Serafim de Sarov* (1759-1833), porventura o santo mais caro à piedade das massas russas, uma espécie de São Francisco de Assis em que houvesse ao mesmo tempo algo de Santo Antão do Deserto e algo também dos maiores missionários do Evangelho, personagem sob todos os aspectos fora de série, e que, apesar de tão perto de nós pelo tempo, vem rodeado de uma aura de *Lenda dourada*.

Monge de Sarov, misteriosamente advertido por uma longa e inexplicável doença a procurar o seu caminho por outras vias bem diferentes, lá vai ele viver, depois de curado, como eremita nas florestas da região. Ali fica longos anos, em absoluta solidão, não tendo como visitantes senão as aves do céu e os animais ferozes — como o urso que vinha comer o pão da sua mão. Mas essa vida de renúncia não lhe basta. Quando o mundo treme nos seus alicerces e os exércitos napoleônicos parecem prestes a reduzir a Santa Rússia à servidão, adota práticas ainda mais penitentes, e, ressuscitando os costumes dos velhos estilitas, passa mil dias e mil noites ajoelhado sobre uma pedra, no meio de todas as intempéries. Depois, subitamente, esse gigante da ascese, por ordem da Santíssima Virgem, que o honra com as suas graças, renuncia à sua vida eremítica e transforma-se em porta-voz de Cristo.

Passa a acolher as multidões que vêm de muito longe bater-lhe à porta. Encontra-se incessantemente com inúmeras almas. E todas ficam marcadas pela sua doçura infinita, pela sua piedade sempre aberta a todas as misérias, e, mais ainda, pela elevação espiritual que dimana da sua simples presença. Toda a gente é acolhida por ele, consolada por ele. «Meu tesouro; minha alegria; minha ternura...» É assim que ele chama os seus penitentes. A todos repete: «O Reino de Deus é interior. Vivei no Espírito Santo, e tudo será para vós graça. Cristo ressuscita para nós em cada dia». Depois, quando as misteriosas presenças que o acompanharam ao longo da vida lhe dão a entender que chegou o momento de mudar-se para o lugar onde o espera o anjo do último repouso, volta a encerrar-se numa cela, num silêncio absoluto, numa prece que só terminará no céu. Os que com ele vivem irão encontrá-lo morto, ajoelhado diante da sua queridíssima «Virgem da Ternura», de rosto ainda iluminado pela derradeira visão durante a qual o Senhor o chamara pelo seu nome.

Teófano o Recluso (1815-94) é, espiritualmente, irmão e discípulo de Serafim de Sarov. Professa a mesma doutrina de abandono nas mãos de Deus, de confiança no Espírito Santo, de graça universal. Mas é diferente o modo como a aplica, tal como foi diferente o seu destino terrestre, aliás não menos estranhamente dividido em partes contrastantes do que o do santo de Sarov. O brilhante aluno da Academia eclesiástica de Kiev parecia ter o rumo bem traçado. Uma vez monge e terminados os estudos, é por demais evidente que tem o estofo de que se talham os bispos... Sucessivamente inspetor religioso, reitor da Escola eclesiástica de Moscou, função na qual se revela um eminente educador, passa uma temporada em Jerusalém, onde se ocupa dos peregrinos russos dos Lugares Santos, e depois é nomeado bispo de Wladimir e a seguir de Tambov. Destaca-se como pastor exemplar, devotado às suas ovelhas, pródigo em levar apoio aos sinistrados durante os tempos de uma grande seca, pronto a ajudar pessoalmente, sem qualquer hesitação, o carpinteiro na sua oficina ou o oleiro na sua olaria. Mas, em 1866, resigna subitamente das suas funções e vai encerrar-se no eremitério de Vysun, numa solidão que lhe valerá o sobrenome de «Recluso». Permanece assim durante vinte e dois anos, aparentemente cortado do mundo. Aparentemente, porque a sua imensa correspondência prova que esteve atento às preocupações e misérias de muitos, multiplicando conselhos e encorajamentos, e até dirigindo numerosos *starzi* que o consultavam. Foi então que escreveu as suas obras, trabalhos de exegese, comentários às Epístolas de São Paulo e aos Salmos, e sobretudo *O caminho da salvação* e o trabalho *Que é a vida espiritual?*

Há nele alguma coisa de São Francisco de Sales: é um guia simples, direto, profundamente humano, a quem uma longa experiência pastoral deu a conhecer preocupações reais das almas. A teologia e a espiritualidade da Ortodoxia são postas por ele ao alcance do fiel de boa vontade, e a orientação ascética que imprime permite avançar do primeiro despertar da consciência até à mais alta realidade espiritual. A «oração do coração» torna-se, com ele, um meio que qualquer pessoa pode pôr em prática. Quando morre, depois de vários anos gravemente doente e cego, é o clamor de toda a gente que o vai canonizar.

Com *João de Kronstadt* (1829-1908), o ideal ortodoxo da santidade dá um novo passo fora das paredes dos mosteiros e dos eremitérios. Quase diríamos que se aproxima da do Ocidente. Mas as raízes da sua espiritualidade não deixam de ser as mesmas: tal como Serafim ou o recluso Teófano, o santo não tem para ele outra finalidade senão fazer reinar a luz do Espírito Santo na terra, identificar a vida humana com a graça que inundou os três Apóstolos quando, no Monte Tabor, assistiram à Transfiguração. Mas vê que o meio de aderir a Deus não está apenas na solidão e no silêncio. Conhece-os, pratica-os, mas uma e outro deixam lugar ao amor mais ativo e eficaz, e a sua contemplação associa-se à ação.

Filho de um padre muito pobre, com experiência da miséria e da fome, podemos dizer que está no seu clima quando, simples clérigos — eis um santo que não é monge! —, é colocado aos vinte e sete anos na paróquia de Kronstadt, nas margens do Báltico. A população é composta de carregadores, artesãos humildes e paupérrimos, sem falar dos banidos e outros deportados, já que Kronstadt abriga uma colônia penal. As casas meio-trogloditas dessa triste fauna parecem tocas de animais. E é no meio de todos esses rebotalhos de humanidade que o pároco se dá sem medida. Em breve a sua generosidade se torna proverbial. Embora casado, distribui tão generosamente salário, vestuário, alimentos e louça que os seus confrades intervêm para que seja a sua mulher quem receba o ordenado mensal pago pelo Estado. Que lhe importa! Em 1882, abre a «Casa do Trabalho», verdadeira cidade dentro da cidade, onde vinte e cinco mil homens e mulheres podem encontrar alojamento, refeitório, hospital, escola. Vem-nos à memória a aventura de São José Cottolengo, com a sua prodigiosa *piccola casa* de Turim[58]. Pensamos também em Dom Bosco[59], em Dom Orione[60], em William Booth, o fundador do Exército da Salvação[61].

João de Kronstadt torna-se famoso. Perde-se a conta dos seus atos taumatúrgicos. Escrevem-lhe do mundo inteiro. O arcebispo de Canterbury faz-lhe uma visita. Maravilhosamente suave, sempre acolhedor, esse homenzinho magro, de aspecto insignificante, parece encarnar o que o cristianismo tem de mais fraternal e tocante; e todos os seus contemporâneos concordam em dizer que há nos seus olhos uma luz incomparável. Quando morrer, a sua popularidade será tão imensa que, dez anos depois, os bolchevistas mandarão desenterrar o seu corpo e fazê-lo desaparecer. Mas o que não conseguiram foi que a sua memória não sobrevivesse nas almas e nesse livrinho em que, com a maior simplicidade, sem nada de literário, esse antecessor das missões proletárias narrara a sua *Vida em Cristo*.

A «intelligentsia» perante Deus

No período de que tratamos, o cristianismo russo não teve apenas santos, *starzi* ou místicos como testemunhas e arautos. Um dos fatos mais importantes que se podem destacar na sua história é a completa reviravolta que se deu na atitude religiosa de uma grande parte dos meios intelectuais, da *intelligentsia*, como então se dizia. Precedendo o movimento que, no Ocidente, reconduziu parcialmente a alta literatura à fé católica, uma forte corrente de conversão atravessou a literatura russa a partir do momento em que ela alcançou a maturidade. Escritores cada vez mais numerosos acharam o critério da sua inspiração na velha fé ortodoxa e na tradição espiritual. A alma religiosa russa passou a ser retratada pelos mestres menos discutíveis; e isso não faria pouco para torná-la conhecida fora da sua pátria.

Como todas as grandes correntes que atravessam a sensibilidade criadora de um povo, esta também tem fontes obscuras. Por que razão a *intelligentsia* que, no século XVIII, quase que fora totalmente conquistada pelas ideias francesas, por Voltaire e os enciclopedistas, reencontrou no século XIX as suas raízes cristãs? Hegelianos ou marxistas talvez vissem neste caso a aplicação do princípio dialético. Nicolau Berdiaev, uma das últimas testemunhas dessa renovação espiritual das letras russas, via a causa do fenômeno na intuição da catástrofe em que estava para se afundar a

Santa Rússia da tradição. E sublinhava que já em 1830 Lermontov anunciara a grande subversão. Assim, teria sido o sentimento agudo de pertencer a um mundo condenado, a uma sociedade sem perspectivas de futuro, que teria determinado esse desejo de enraizamento em realidades sólidas, de reatamento do contato com forças que tinham assegurado a grandeza e a força da antiga Rússia. Ao mesmo tempo, essa angústia perante o futuro explicaria a sensibilidade religiosa tão especial que vemos em quase todos os grandes escritores cristãos da época, uma sensibilidade voltada para o fim dos tempos e do mundo, e secretamente desgarrada entre postulados contraditórios: basta lembrar a sensibilidade religiosa de um Dostoievski.

Convém ter presente que essa corrente religiosa vinha confluir com outra, de ordem diferente, que não procedia diretamente da fé, mas de uma certa concepção histórica. Tendo saído vitoriosa da terrível provação que fora para ela a invasão napoleônica, tendo conseguido garantir a derrota do déspota, filho da ateia Revolução Francesa, que pretendera governar a Europa, a Rússia aspirava a assumir um papel de guia dos povos, esse papel que o czar Alexandre I tentara fazê-la desempenhar por meio da Santa Aliança. O messianismo racial que havia séculos habitava as profundezas da consciência russa descobriu aí a sua fórmula. A Rússia tinha uma vocação especial. Só das suas profundezas é que ela podia arrancar a sua moral, os seus modos de viver e de pensar. Herdeira de Bizâncio, não somente devia reivindicar o papel próprio dos Basileus, mas ainda juntar todos os «irmãos de sangue e de fé» e constituir-se sua protetora, com exclusão dos poloneses, esses renegados...

Nascido de uma reação contra as ideias revolucionárias francesas, o movimento que a si mesmo se chamava *eslavófilo* era necessariamente cristão, e cristão ortodoxo.

O sonho messiânico nacional fundia-se com as grandiosas ideias acerca da «Terceira Roma»[62] que corriam desde que o Patriarcado fora estabelecido em Moscou. Era preciso reconstituir a Santa Rússia e, segundo alguns, ir mais longe do que as reformas laicizantes de Pedro o Grande! Porventura o povo russo, depositário predestinado da verdadeira fé, não oferecia na vida comunitária das suas aldeias, do *sobornost*, o exemplo da existência fraternal do espírito evangélico? Porventura os monges, os peregrinos, os loucos de Deus não eram os mensageiros do cristianismo autêntico?... Tudo isso era bastante confuso, e de resto havia tendências diversas na *eslavofilia*; mas exaltava os espíritos e era próprio para seduzir as massas. Depois de *Ivan Kireevski*, o fundador da Escola, numerosos pensadores e escritores iriam entrar no movimento.

À corrente eslavófila opunha-se a escola «ocidental», que não era senão um anexo dos movimentos racionalistas do Ocidente. O idealismo alemão teve nela grande influência, como depois o socialismo e o marxismo, o qual, aliás, saberia utilizar muito bem para os seus fins a profunda aspiração messiânica da alma russa. O agnosticismo e o ateísmo não tardaram a reinar como senhores entre os «ocidentais». Ivã Karamazov, *esprit fort*, é o seu tipo acabado.

Foi nesse conflito entre a religião e a antirreligião que os grandes escritores russos se concentraram. Não que todos eles fossem «eslavófilos» no preciso sentido do termo. *Nicolau Gogol* (1809-52), o grande satírico de *Almas mortas*, que foi também uma alma mística, um eterno peregrino de Jerusalém, opunha-se, tanto como aos racionalistas, a uma certa concepção «eslavófila» da religião nacional, frequentemente isolada de toda e qualquer concepção cristã da vida pessoal e social, o que desencadeou contra ele grandes furores e polêmicas em que foi acusado de estar vendido a Roma. E *Mikhail Lermontov* (1814-41), o outro fundador da prosa russa, cuja vida ardente e louca iria terminar, aos vinte e sete anos, num duelo, recusava a concepção eslavófila da Santa Rússia, defendida pelos seus autocratas, e sentia-se dilacerado entre tendências místicas e intuições catastrofistas[63], que fazem dele o precursor de Nietzsche.

A partir de meados do século XIX, a corrente religiosa e nacional parece triunfar. É nesse momento que *Fiodor Tutchev* (1803-73) escreve o hino à terra russa que todos os russos saberão de cor: «Estas pobres aldeolas, esta natureza pouco pródiga, és tu, querido país das longas paciências, a pátria do povo russo! Nunca o orgulhoso olhar do estrangeiro pôde compreender e penetrar o que misteriosamente brilha debaixo do teu humilde despojamento. Curvado sob o fardo da Cruz, por baixo do aspecto desprezado de um escravo, foi o Rei dos Céus que te percorreu, ó meu país, e que te abençoou!» É também o momento em que *Alexis Khomiakov* (1804-60), nobre e pura imagem de cristão, trabalha por estabelecer a teologia do movimento eslavófilo: irrompe como violento adversário do catolicismo, mas ao mesmo tempo propõe uma fórmula mística da liberdade do homem em Deus, do Amor vivo olhado como meio de conhecimento, que um católico não pode deixar de admirar. Foi ele que influenciou diretamente vários mestres da literatura: o Dostoievski da *Lenda do Grande Inquisidor*, Soloviev — que lhe deve o regresso à fé —, e mesmo Tolstoi, que, ao lê-lo, esteve quase para voltar à Igreja, à qual censurava — como ele próprio disse pela boca de Levine, em *Ana Karenina* — precisamente a falta de amor. Daí em diante, vai ser uma legião de grandes escritores que ficará fascinada pelo problema religioso e lhe dará, consoante os seus temperamentos, respostas contraditórias.

Os dois maiores, que dominam toda a literatura russa e que são também os dois mais famosos, são *Dostoievski*

(1821-81) e *Tolstoi* (1828-1910). Serão eles verdadeiramente representativos da fé russa, da religião confiante e fiel do povo russo? É o que se tem discutido, e, quanto a Tolstoi pelo menos, parece que a resposta terá de ser negativa. Seja como for, ambos são testemunhas irrecusáveis desse imperioso desejo de Absoluto, desse tormento de Deus que tantos russos trazem consigo — o mesmo que lança pelas estradas os «loucos de Deus» ou atira os penitentes aos pés dos startsi.

Um cristão, seja qual for a sua Igreja, não pode falar de Dostoievski sem emoção. Sabe o que lhe deve quanto ao conhecimento dos seus próprios abismos, quanto à consolação que extrai do espetáculo de tantas contradições por fim dominadas. Esse homem desventurado, assaltado pela pouca sorte e pela miséria, de macilenta fácies barbuda que inquietava os empregados dos bancos e dos montepios aonde ia pedir um empréstimo, trouxe em si — com tal violência que o revestimento de carne muitas vezes estalou — o drama mais terrível que um homem pode viver: o da opção entre «crer e não crer», da qual dizia Goethe que a ela se reduz toda a história das ideias, sabendo bem que, dessa opção, depende a própria existência e todo o comportamento humano.

Tal como os heróis dos seus romances, o que tortura Dostoievski não é a epilepsia, não mais que os cuidados com o dia de amanhã, menos ainda a maldade dos outros: é Deus. No fundo, todos os seus livros tratam de um único assunto; e não é o das relações entre os seres, ou entre o indivíduo e a sociedade, mas o das relações do homem com Deus. Essas relações, para ele, não são simples; não são regidas pela «fé do carvoeiro». Situam-se num clima de fogo, num ciclone perpétuo em que tudo, a todo o instante, pode ser posto em causa. De si próprio diz: «Não é como uma criança que eu creio em Cristo e o confesso: o meu hosana passou pelo crisol da dúvida». Carregou em si todas as aspirações mais contraditórias. Mergulha no mais profundo misticismo russo, mas, ao mesmo tempo, reflete as aspirações niilistas e ateias da *intelligentsia* «ocidentalizada».

O seu cristianismo é um cristianismo feito de conflitos, trágico, agônico, talvez maniqueísta em certas facetas. A oposição entre as suas personagens traduz as suas próprias oposições interiores. Não há, em toda a literatura universal, homens espiritualmente superiores ao peregrino Macário Dolgoruki em *O adolescente*, ao arcebispo Tikhom em *Os demônios*, ao *staretz* Zózima e seu discípulo Aliocha em *Os irmãos Karamazov*, ao príncipe Michkin em *O idiota*. Ao mesmo tempo, é impossível encontrar mais decididos assassinos de Deus do que um Ivã Karamazov, um Kirilov, um Stavroguin. Ninguém mais que Dostoievski sofreu a realidade do ateísmo radical, nem sequer Nietzsche, que aliás o admirava.

Mas, de todos esses conflitos, de todas essas solicitações opostas, dessa dilacerante tomada de consciência da «miséria do homem sem Deus», brota um cântico de fé de tal maneira forte, tão sublime, que não é possível ouvi-lo sem que a alma se comova. No fim de tudo, é um grande crente que se afirma, um cristão ortodoxo, «eslavófilo» sem dúvida, convencido de que «toda a Rússia está na Ortodoxia e de que toda a luz vem da Ortodoxia»; violentamente antirromano — recorde-se a *Lenda do Grande Inquisidor*, nos *Karamazov* —, e, no entanto, porta-voz de um cristianismo novo, universal, em que o amor fraterno sairá dos mosteiros russos onde rezam os místicos para irradiar sobre o mundo. Dostoievski — um Nietzsche resgatado pelo sangue de Cristo...

Em Léon Tolstoi, o Ocidente quis ver por muito tempo um representante típico do cristianismo russo. Na verdade, porém, só reflete um dos aspectos da religiosidade popular, um certo espírito comunitário, e também uma tendência para o sectarismo, mais ou menos racionalista. De todos os grandes pensadores russos, Tolstoi é certamente o mais afastado da espiritualidade ortodoxa, o mais desprovido de sentido místico. E, todavia, também ele foi assediado pelo problema de Deus, sobretudo a partir da idade madura, quando, em plena glória, a seguir ao êxito do seu grande romance *Guerra e Paz*, descobriu subitamente a realidade da morte e o absurdo da vida. «Não posso viver — exclama o seu herói, em *Ana Karenina* — sem saber o que sou e para que fim existo!» Questão a que ele dá uma resposta pela boca de um humilde mujique: «Não devemos viver para nós, mas para Deus».

Porém, esse Deus de quem sente necessidade, Tolstoi não o sabe procurar com a humildade e a simplicidade de coração que lhe permitiriam encontrá-lo. Escritor celebrado, tenta despojar-se de tudo, fazer de mendigo, imitar os loucos de Deus lançando-se pelos caminhos: a verdade é que não consegue vencer a falta de uma autêntica experiência da miséria, do sofrimento e da prisão que Dostoievski teve sem os ter desejado. Acaba por recusar tudo: a Igreja estabelecida, a sociedade burguesa, a literatura, a arte. Substitui os dogmas que rejeita por uma espécie de modernismo que não o leva ao repouso nem à certeza. Sofre por não poder renunciar totalmente a si mesmo para correr para a luz, transtornado como está pelo apelo interior que escuta e que as suas demonstrações racionalistas não podem abafar.

Tal é o drama de Tolstoi. Não quer seguir Jesus, com medo de se renegar. Mas admira a mensagem de Cristo e quereria fazer dela uma regra de vida universal. Assim acaba por chegar a um evangelismo sem Cristo, a uma posição de qualquer modo insustentável: admirado pelos racionalistas que despreza, precursor do comunismo pelo que nega e ao mesmo tempo seu inimigo pelo que afirma. A sua morte, quando vagueava desesperadamente de alma insatisfeita, parece apor o derradeiro selo a um destino que o crente só pode considerar com infinita pena. Mas, para além de todas as suas insuficiências, fica esse grande grito de amor sincero pela humanidade, esse grito que sobe de toda a sua obra e que, embora sem clara consciência, converge para a caridade de Cristo.

Se Dostoievski e Tolstoi, pelo seu gênio e glória, propuseram à atenção do mundo imagens mais ou menos deformadas do cristianismo russo, foi a escritores não tão famosos — ao menos fora da Rússia — que coube dar o verdadeiro testemunho. O mais significativo de todos é *Konstantin Leontiev* (1831-91), em quem os ortodoxos mais tradicionais viam o mais autêntico representante da fé. Natureza ardente, ávido de vida, ora oficial, ora diplomata, grande viajante, funcionário, é arrancado ao agnosticismo por uma dura crise de alma, e põe em seguida tanta violência em correr para Deus quanta a que pusera em fugir-lhe... Peregrino do Monte Athos, onde os monges lhe recusam o hábito, faz-se penitente do famoso *staretz* Ambrósio, depois noviço e monge em Optina, onde morre.

É Leontiev quem encarna o cristianismo russo no que este tem de mais absoluto. Odeia o mundo moderno, o progresso, as ideias sociais e igualitárias. O seu pensamento é o oposto do de Tolstoi ou de Dostoievski. Para ele, a verdade está toda ela na tradição escrupulosamente respeitada, no hieratismo de uma religião irredutivelmente hostil ao humanitarismo e ao liberalismo, em que a luta ascética contra o pecado corre parelhas com a que se tem de travar contra todas as inovações capazes de ferir as santas observâncias. Há neste grande espírito algo de um monge fechado, que no entanto soube louvar a beleza e a força com acentos quase nietzchianos. Nenhum representante da *intelligentsia* dá como ele a impressão de ser um bizantino transposto para a época moderna.

Em *Wladimir Soloviev* (1853-1900) vemos traduzido o outro aspecto da fé religiosa russa: o aspecto comunitário e universalista, aquele que encontramos simultaneamente nos sonhos de grandeza dos «eslavófilos» e dos «paneslavistas» e nas aspirações místicas do povo a uma fraternidade universal. Admirável e comovedora figura a deste homem magro e pálido, de longos cabelos encaracolados, olhos de luz e de mistério, «que poderia — diziam os amigos — servir de modelo a um Cristo ícone». Foi ele que inspirou a Dostoievski a personagem de Aliocha. Ao mesmo tempo dialeta e poeta, prodigiosamente culto, capaz de compreender profundamente tanto a índole da sua querida Rússia como a do Ocidente, Soloviev ocupa um lugar único nas letras cristãs russas.

Separado da fé na primeira mocidade, pela leitura de Strauss e de Renan, regressa a ela aos vinte anos, depois de uma viagem espiritual que, pela sua rapidez, recorda a de Rimbaud. A partir desse momento, passa a consagrar toda a vida (que não foi longa) a descobrir *Os fundamentos espirituais da vida*, ou seja, a reencontrar os instrumentos da perfeita unidade interior. A princípio eslavófilo, rompe com o movimento quando, tendo aprendido a conhecer o Ocidente, conclui que, se a Rússia há de assumir uma missão universal, não poderá ser mediante uma oposição estéril. A Igreja ortodoxa parece-lhe então demasiado limitada nas suas perspectivas: perfeita como «Igreja orante», ineficaz como «Igreja atuante». À espiritualidade russa sonha ele acrescentar a ação social, a caridade em ato, o que, aliás, põe admiravelmente em prática. E chega um dia em que, para reencontrar a unidade plena da alma cristã, lhe parece evidente que importa reconciliar os cristãos, refazer a unidade da Igreja. Reconhece então em Roma o elemento unificador por excelência e converte-se ao catolicismo, sem deixar por isso de ser profundamente cristão oriental, ortodoxo no sentido primitivo do termo, nem de se considerar mensageiro da reconciliação entre o Oriente e o Ocidente, ambos igualmente fiéis a Cristo[64].

Com Soloviev e o fim do século XIX, não se encerra a lista dos escritores assediados pelo problema de Deus. Essa lista continuará até aos nossos dias. Mas os sucessores dos grandes mestres do século XIX pertencem a uma sociedade ameaçada, em que a consciência religiosa estremece com a aproximação do grande cataclismo que tantos adivinham estar perto. Dessa angústia há muitos testemunhos, e as ideias adquirem tons de um misticismo apocalíptico que, de resto, não é alheio à mentalidade religiosa dos russos.

Temos *Vassili Rozanov* (1856-1919), «genial místico e palrador», nas palavras de Berdiaev, uma espécie de Léon Bloy da Ortodoxia, mas um Léon Bloy que se apresentasse como veemente adversário de Cristo, embora comportando-se como crente praticante. Estranha personagem constantemente em conflito com o mundo e consigo próprio e que acabou os seus dias na maior miséria, a apanhar pontas de cigarro: transportado para o convento em que a filha era monja, confortado com os sacramentos, morreu num grande ato de fé[65]. Ou *Dmitri Merejkowski* (1866-1941), outro profeta apocalíptico, que não deixa de lembrar Ernest Hello. Ei-lo que celebra a vinda do Paráclito, como espírito crente, cristão sincero, mas com tendência a ignorar as verdadeiras hierarquias. Pensa descobrir um Cristo mais autêntico através dos Evangelhos apócrifos; apaixona-se por Juliano o Apóstata, ou pelo mito do Anticristo, quando não pelo da Atlântida, e assim dá bastante testemunho de uma sociedade minada pela dúvida e fascinada pelo esoterismo suspeito. Ou ainda *Ivan Bunin* (1870-1953), que evoca fervorosamente, em poesia e em prosa, a terra russa, o povo russo, as fidelidades ancestrais, todo esse patrimônio sagrado que levou no coração quando a Revolução o expulsou da pátria. No exílio, continuou a servir essa herança com uma sinceridade e uma força que o Prêmio Nobel consagrou.

A própria Revolução não rompeu a cadeia desta literatura cristã. Pouco antes de ela rebentar, deu-se um renascimento religioso entre os jovens escritores, análogo ao que se passava na França de Bergson. Marxistas convictos, começaram por converter-se ao idealismo kantiano e depois ao cristianismo. Petr B. Struve, Bulgakov e Berdiaev foram os mais marcantes. Foram eles que, na emigração, continuaram a dar testemunho do cristianismo russo tal como a *intelligentsia* o tinha feito antes deles. *Petr Berngardovich Struve* (1870-1944), espírito enciclopédico, ao mesmo tempo político, historiador, filósofo, filólogo e crítico, exerceu uma influência que já foi comparada à do célebre crítico Bielinski no século XIX, e continuou depois a exercê-la em Paris, para onde emigrou em 1918 e onde morreria em 1944, depois de ter passado pelas prisões nazistas. *Serge Bulgakov* (1874-1944), professor de economia política, fez-se padre em 1918 para protestar contra os ataques do ateísmo triunfante, e depois, em Paris, foi autor de uma extensa obra literária — aliás discutida — sobre mariologia, bem como sobre São João Batista, os anjos, a Sabedoria incriada e o mistério da Encarnação[66]. *Nicolau Berdiaev* (1874-1948), persuasivo promotor de uma *Nova Idade Média*, ou seja, de uma cristandade repensada segundo os dados do nosso tempo, analista profundo do comunismo e do seu papel de «juiz» de uma sociedade insuficientemente cristã, influiu em numerosos pensadores franceses, de Jacques Maritain a Emmanuel Mounier[67].

Todos eles foram testemunhas de Cristo e da Santa Rússia, enquanto o materialismo marxista parecia ter imposto a sua lei. Testemunhas das quais se pode pensar que continuaram a ter irmãos ou êmulos na URSS, se pensarmos que o último Prêmio Nobel russo, Boris Pasternak, ia ser um cristão[68].

As missões da Ortodoxia Russa

«O único povo da terra que é portador de Deus é o povo russo!», exclamara Dostoievski. Para falar com franqueza, essa vocação missionária da Santa Rússia não parecia ter muito peso no seu tempo... Mas afirmara-se, sim, em tempos distantes. À medida que os príncipes de Moscou tinham ido estendendo o seu território, os missionários haviam-nos seguido. Nos séculos XV e XVI, os progressos tinham-se feito notar com a tomada de Kazã (1552), de Astrakã (1556), e a progressiva penetração na Sibéria. A Igreja russa canonizara vários dentre eles: G. Gurij, apóstolo dos países tártaros, São Barsánofo, Santa Guirassima de Perm e São Pitirim. No século XVII, o metropolita Filoteu enviara de Tobolsk os seus homens até ao Kamchatka e Iakutsk, na Sibéria oriental. São Tryphon de Pechnega fizera-se apóstolo dos lapões. Na própria China, onde alguns cossacos, nomeados guardas pessoais do Imperador Celeste, tinham lançado as sementes do cristianismo, instalara-se uma missão perto de Pequim. Mas todo esse belo esforço tinha-se amortecido consideravelmente em finais do século XVIII, e as missões estiolavam, tal como as católicas. O movimento revigorizou-se no século XIX, sob o impulso simultâneo das ambições colonizadoras do Império e das grandes ideias, de que acabamos de ver Dostoievski tornar-se intérprete, acerca da vocação do povo russo para levar Deus ao mundo.

O homem que despertou essa vocação foi um leigo, *Nicolau Ilminski*, extraordinário poliglota, que conhecia todas as línguas da Ásia Central e que, inquieto por ver o Islão expandir-se, organizou em Kazã um verdadeiro centro de estudos e formação para os futuros missionários. Criou uma biblioteca ortodoxa para uso dos tártaros e dos iacutos, mas também dos samoiedos e dos quirguizes, e adaptou a liturgia a mais de vinte línguas autóctones. Pensando, exatamente como a Igreja Católica, que, para implantar solidamente o cristianismo, era necessário constituir Igrejas autóctones, com clero próprio, começou a formar padres asiáticos, apoiados pela «Fraternidade São Gurij»: em 1899, por exemplo, já havia na diocese de Samara 47 padres, doze diáconos e vinte leitores de origem cuvache. As iniciativas de Ilminski foram repetidas pelas do bispo Inocente Veliaminov, que criou dioceses missionárias na Sibéria, no Kamchatka e nas ilhas Aleutas, e que, já como metropolita de Moscou, fundou em 1870 a *Sociedade Missionária Ortodoxa*.

A expansão missionária foi feita em todas as direções. Primeiro, como é óbvio, na Sibéria e na Ásia Central, territórios em que a penetração russa se exercia mais ativamente, ajudada pelo governo. Em 1830, o arquimandrita Macário fundou a missão do Altai, que, trinta anos depois, contaria vinte e cinco mil cristãos. Na Sibéria Oriental, o trabalho foi conduzido pelo padre Veniaminov, de quem acabamos de falar, mas agora com o nome episcopal de Inocente de Moscou. Infatigável, o metropolita enviou missões a toda a parte, até às regiões mais inóspitas, e a ele se pode atribuir legitimamente a conversão de 125 mil pagãos. Assim se penetrou no Alasca, para além do estreito de Behring e mesmo de uma parte do Canadá, na costa do Pacífico, onde o bispo católico de Yukon, mons. Coudert, registrava com desgosto a presença de missionários russos.

Que não faltaram dificuldades a esses portadores da Palavra em lugares pouco hospitaleiros, é fácil supô-lo lendo o curioso relato *Nos confins do mundo*, em que Nicolau Leskov relatou as recordações, bastante amargas, de um bispo siberiano. Mas que também houve, nesses homens de Deus, um sentido bem alto da vocação missionária e das suas exigências, é o que se vê perfeitamente quando se leem as *Recordações das nossas Missões na Sibéria*, em que o monge Spiridon conta saborosamente as aventuras da sua evangelização entre os habitantes autóctones e os desterrados.

Na China, a missão que, em dois séculos ou mais, apenas conseguira agrupar algumas centenas de fiéis, ganhou novo vigor a partir do momento em que os czares passaram a interessar-se pelo Império do Meio. Originariamente dependente do sínodo de Karlovitsi[69], essa missão foi assumida pelo patriarca de Moscou e o país dividido em cinco «aparquias», dirigidas por um «exarca» residente em Pequim. A missão possuía importantes dependências e umas vinte escolas para cerca de dez mil cristãos. Após a Revolução de 1917, a imigração para a China de numerosos russos exilados veio reforçar a Ortodoxia. A vitória do comunismo teve para ela as mesmas consequências que para as missões católicas: todo o pessoal russo foi obrigado a partir, mas ficou uma Igreja chinesa autônoma, com clero chinês e nomeadamente bispos em Xangai e em Pequim (as três outras dioceses não tinham titulares). Ainda hoje, dois mosteiros ortodoxos e uma escola catequística continuam a ser admitidos pelas autoridades de Mao Tsé-tung.

Na Coreia, a missão ortodoxa, fundada em 1897, não prosperou muito. Em 1912, contava 820 fiéis, repartidos por nove postos. Afundou-se após a Revolução russa, mas veio a ser restaurada, depois da Segunda Guerra Mundial, pela diocese grega da América, com dois padres coreanos.

No Japão, os resultados foram melhores. A missão fundada em 1853 recebeu um grande impulso a partir de 1870, por ação do padre — mais tarde arcebispo — *Nicolau Kasatkin*, que converteu mais de vinte mil japoneses em vinte anos. O seu primeiro cuidado foi o de traduzir para o japonês a liturgia. Em seguida, logo que pôde, tratou de ordenar autóctones. No fim do século XIX, erguiam-se no Japão 219 igrejas ortodoxas, entre as quais a majestosa catedral de Tóquio, que ficou a ser até ao nosso tempo o mais célebre edifício religioso da capital; ainda hoje os japoneses lhe dão o nome de «Nicolai Do», a Casa de Nicolau[70]. Em 1940, foi sagrado o primeiro bispo japonês, e são nipônicos setenta padres que se dedicam ao serviço de quarenta e cinco mil fiéis.

Foram também feitos esforços na direção do Sul: a Pérsia, o Próximo Oriente e mesmo a Etiópia. Uma missão fundada em Urmiah para tentar trazer os nestorianos da Pérsia ao seio da Igreja foi destruída em 1918 pelos turcos; restabelecida em 1922, não tem obtido grandes resultados. Na Palestina, a Ortodoxia russa instalou uma missão, conventos, albergues para peregrinos — ao todo, 112 em 1912 —, que, desde 1882, eram sustentados pela *Sociedade da Palestina*. Após a Revolução, a queda foi rápida, e já só restam dois mosteiros e algumas hospedarias, diretamente ajudadas pelo governo soviético.

Mas a aventura mais curiosa da missão ortodoxa teve por cenário a Etiópia e por herói o arquimandrita Paisius, um antigo cossaco. Após numerosas campanhas na Ásia Central, Paisius fez-se monge em 1862, fundou um albergue para os peregrinos em Constantinopla, e veio a ser encarregado pelo patriarcado de Moscou de acompanhar à Etiópia o atamã Achinov, que pretendia, com o apoio do negus João, fundar uma colônia cossaca não longe de Adis--Abeba. A missão foi tão bem dirigida que sobreviveu à tentativa dos cavaleiros das estepes de se estabelecerem nos grandes planaltos abissínios. Ainda hoje existem na Etiópia umas centenas de cristãos ortodoxos.

Toda esta história das Missões ortodoxas contribui para desmentir a ideia bastante difundida de uma Igreja «sinodal» submetida ao czares e inerte nas suas mãos. Ainda neste campo, não lhe pode ser negada a vitalidade que a vimos manifestar na ordem espiritual, assim como aquela de que deram testemunho os mestres da *intelligentsia*. Com o regime soviético, as missões iriam sofrer as consequências da política geral, com os seus altos e baixos, ora perseguidas, ora ignoradas, ora aceitas ou mesmo ajudadas. Em 1945, foi reconstituída a Sociedade Missionária. As missões esforçaram-se por «ortodoxizar», ou seja, russificar as populações católicas anexadas a seguir à Segunda Grande Guerra, quer no Báltico, quer na Ucrânia, onde parece claro que foram utilizados os mesmo métodos que tempos atrás asseguravam o regresso dos «uniatas» à Ortodoxia... A política de implantação das Igrejas autóctones prosseguiu, e as Repúblicas soviéticas da Tchuváquia, da Baquíria, da Iacútia puderam eleger o seu clero indígena e o seu bispo. Hoje, os russos que emigraram para os Estados Unidos interessam-se ativamente pela obra missionária, sobretudo na Coreia e na Palestina. Seja qual for o futuro do cristianismo russo sob o regime soviético, esta página está longe de ser virada.

Do Raskol às novas seitas

Seria impossível traçar um esboço da vida religiosa russa na época contemporânea sem abrir um espaço à história, estranha e bastante confusa, das *seitas*. Porque, embora por motivos diametralmente opostos, produziu-se na Ortodoxia russa um fenômeno análogo àquele que se observa no protestantismo. As Igrejas e seitas protestantes nasceram da liberdade que está na origem do princípio protestante — liberdade de crença, liberdade em face de qualquer obediência. Na Rússia, pelo contrário, as seitas apareceram como reações contra o autoritarismo e o conformismo de uma Igreja apoiada pelo poder. Aos indivíduos que se sentiam perdidos, mergulhados na massa, condenados a uma vida religiosa demasiado disciplinada e passiva, elas ofereceram o que as seitas oferecem sempre: a dupla satisfação de contatos mais fraternos e de uma liberdade espiritual mais ampla. É o que explica que a Ortodoxia — que nunca foi verdadeiramente dilacerada na sua carne por qualquer das graves crises do Ocidente católico: crise do Renascimento e da Reforma, crise da Revolução Francesa, do liberalismo e do modernismo — haja sofrido, no vaso estanque onde vivera desde Pedro o Grande, desvios que lhe foram próprios e cujo caráter arcaico permite dizer que pertencem à tradição russa. Isto não significa, aliás, que tenham sido pouco relevantes, já que, nas vésperas da Revolução de 1917, se avaliava em 20 milhões o número dos sectários de todos os gêneros.

A mais importante das seitas que, a bem dizer, mais que como seita, surge como uma autêntica Igreja, separada da Igreja, com a sua Hierarquia e edifícios próprios, é a dos *Velhos Crentes*[71], saída do *Raskol*, ou seja, do cisma desencadeado em meados do século XVII pelo *«protopope»* Avvakum, em protesto contra as reformas litúrgicas do patriarca Níkon. Antes disso, a Rússia não conhecera senão heresias de pouco relevo — a dos *strigolniki* (ou *barbeiros*), no século XIII, espécie de cátaros quanto à austeridade de costumes e à hostilidade contra o clero corrupto; ou a dos *judaizantes*, no século XV, nascida na região de Novgorod, mas disseminada um pouco por todo o lado, até no círculo do grão-duque Ivã III, e que se baseava numa interpretação demasiado estreita dos textos bíblicos. Quanto ao *Raskol*, foi originariamente apenas um cisma que resultou da rejeição da Igreja estabelecida, acusada de ser infiel à verdadeira tradição em matéria litúrgica; sabemos da importância que a liturgia tem em todo o campo ortodoxo. Os Velhos Crentes continuaram a seguir as antigas regras no que diz respeito à maneira de abençoar com dois dedos, a cantar o Aleluia duas vezes e não três durante a Quaresma, a proibir aos membros do clero o uso do espelho; por maioria de razão, rejeitavam as mínimas alterações introduzidas por Níkon no Símbolo dos Apóstolos. Considerados como refratários pelas autoridades imperiais, sofreram as perseguições heroicamente, com Avvakum à testa, indo ao ponto de se suicidarem coletivamente pelo fogo, de preferência a ceder. Incessantemente perseguidos, ao longo de todo o século XVIII — um só czar lhes foi favorável: Pedro III, o infeliz marido da Catarina II —, os Raskolniki sobreviveram e até cresceram em número. As suas incontestáveis virtudes acabaram por fazer deles uma classe de burgueses ricos, comerciantes, armadores dos grandes rios.

O problema do recrutamento sacerdotal, que se apresenta sempre a sectários que abandonam uma Igreja, conduziu-os a cisões. Assim surgiram os *bespopovtsy*, ou sem padres; os *popovsky*, que elegiam o seu clero à moda presbiteriana ou entre os padres trânsfugas; e, oriundas de grandes correntes, uma multidão de variedades: Velhos Crentes da Transfiguração; Velhos Crentes do «*niet*», que recusam todo e qualquer contato com o mundo; Velhos Crentes de Filipe, de Dionísio, de Jó, assim chamados do nome do «profeta» que lhes deu origem; Velhos Crentes da *dyra* [buraco], que datam das origens do cisma e que, não tendo já ícones santos, fazem um buraco no teto das suas isbas e rezam diante desse pedacinho de céu. Foi só em 1905 que, na sequência das reformas que se seguiram à derrota na guerra contra o Japão, esses inofensivos sectários foram oficialmente admitidos. Reconstituída em 1923, após as horas negras da Revolução, e tendo conseguido reagrupar os elementos mais valiosos, a «Igreja Ortodoxa velho-crente» parece ter recuperado a sua importância de outrora, com qualquer coisa como 20 milhões de fiéis. Em fevereiro de 1961, ainda pôde eleger muito oficialmente o seu patriarca.

À margem desse movimento, que, apesar de alguns excessos, merece respeito, os tempos antigos deram origem a seitas mínimas, de caráter mais insólito; e nem os anos nem as perseguições as fizeram desaparecer. A revista *Kommunist* pôde espantar-se de que, após mais de quarenta anos de esforços para educar as mentes, o regime marxista não tivesse conseguido fazê-las desaparecer. São, por exemplo, os *klysty*, que odeiam tudo o que é carnal, que consideram como «pequenos cristos» as crianças nascidas fora da lei do casamento, que se flagelam com exemplar violência e não comem batatas, «frutos do diabo». Ou os *skakuny* [«saltadores»], fundados cerca de 1810 por Luciano Petrov, que praticam a dança sagrada um pouco à maneira dos dervixes dançarinos. Ou ainda os *subbotniki* [sabatistas], que retomam as tendências judaizantes dos sectários do século XV. Ou, mais estranhos ainda, os *skoptsy* (castrados), que, tomando à letra uma parábola de Cristo, praticam a castração para evitar o risco de pecado (o que, segundo se diz, nem sempre é suficiente para atingir o resultado desejado...) Apesar de terrivelmente perseguida pelos czares e depois pelos sovietes, em 1930, esta seita continua a existir, a acreditar na *Grande Enciclopédia Soviética* de 1948.

Com os «cristãos espirituais» ou «lutadores do Espírito» — em russo, *dukbobords* —, chegamos a um gênero de sectários diferentes dos Velhos Crentes. Os primeiros apareceram na Ucrânia por volta de 1750, mas a doutrina depressa ganhou o conjunto do Império sob influência de um erudito, Silvano Kolesnikov. «Nós não adoramos um Cristo pintado — diziam eles —, mas Cristo em espírito, aquele que está no fundo dos nossos corações». Destruíam, portanto, os ícones e recusavam-se a frequentar as igrejas. Vendo neles uma variedade desses «jacobinos» que odiava, Paulo I fez-lhes a vida dura; mas Alexandre I interessou-se por eles e permitiu-lhes que se agrupassem para viverem de acordo com a sua fé. Em 1820-26, instalaram-se nas margens do Molotchnaia, perto do Mar Negro, sob a direção de um antigo cabo, Kapustin, que possuía o dom da organização. O próprio czar foi de visita a essa pequena república agrícola, antecessora dos *kolkhozes*, e uma delegação de quakers foi observar diretamente as belezas desse regime. Mas os *dukhobors* tinham entre os seus princípios o da não violência e recusavam-se a ser soldados. Isso levou Nicolau I a deportá-los para a Transcaucásia, na região de Batum e de Kars, onde o príncipe de Mingrélia, compadecido, lhes concedeu terras (1887). Entretanto, 2.400 fugiram e foram instalar-se no Canadá, encorajados por Tolstoi e amparados financeiramente pelos quakers. A seita sobreviveu, pois, praticando a simplicidade, a igualdade, a fraternidade[72], segundo modalidades que efetivamente podiam ser apreciadas pelos quakers. Houve mesmo entre eles uma espécie de puritanismo[73], o dos *molokanes* (bebedores de leite), nome que deriva de declararem alimentar-se desse «leite espiritual» de que fala São Paulo na I Epístola aos Coríntios (3, 2).

Terrivelmente maltratados pelos comunistas durante a grande perseguição de 1930, os *dukhobors* não deixaram de sobreviver, aceitando com indiferença qualquer regime — «o Estado — diziam — é um mal necessário» —, escapando o melhor que podiam à coletivização, multiplicando «casas de oração» ilegais e clandestinas, muitas das quais no Azerbaijão ou na Caucásia. Ficaremos com uma ideia da sua espiritualidade, que não é insignificante, lendo os escritos de um *dukhobor* ilustre, *Veriguine,* doutrinador comovente da não violência absoluta, cujo *leitmotiv* era: «Deus é o amor sem limites. Amar o próximo é realizar Deus no seu amor. O homem é templo de Deus que é amor».

Nos anos que precederam a Revolução, e no seio dessa fermentação espiritual que vimos trabalhar a Rússia toda, surgiram outras seitas. E assistiu-se também ao ressurgimento de velhas seitas que se podia julgar mortas. Ressurgiram os *beguny* (fugitivos), uma espécie de «loucos de Deus» pela sua eterna errância, mas também anarquistas absolutos, inimigos de quaisquer regras sociais, que praticavam oficialmente o roubo, a violação, o assassinato... e até, por vezes, se entregavam a sacrilégios nas igrejas. Ressurgiram também os *nemoliaki* (não orantes), fundados pelo cossaco Zimine e mais tarde impulsionados pelo camponês Aretiev, que levavam ao absurdo a exigência de desprendimento que conhecemos nos «lutadores do Espírito». Pouco antes da Primeira Guerra Mundial, surgiram os *Glorificadores do Nome*, vindos de uma heresia nascida nos mosteiros russos do Monte Athos, de onde tinham sido expulsos por exagero desmedido na prática da oração hesicasta; heresia que teve adeptos entre os oficiais do czar e que, tendo-se afundado por volta de 1920, acabou por sobreviver até ao nosso tempo, no Cáucaso. E os *joanitas*, admiradores fanáticos do santo padre João de Kronstadt[74], em quem viam uma reencarnação de Cristo; cruelmente perseguidos, continuaram tão vivos que o governo soviético teve necessidade de usar um filme contra eles e o seu chefe, o «pai Mitrófano». Ou os *innokentiertsi*, fundados na Moldávia, por volta de 1908, pelo monge Inocente Levizor, que se apresentava como encarnação do Espírito Santo e invocava o arcanjo São Miguel, continuamente presente ao seu lado, segundo dizia; seita bem misteriosa, que a propaganda oficial acusa, sem provas, de praticar sacrifícios humanos e o suicídio ritual por sepultamento.

Que todas estas seitas tenham podido sobreviver à ditadura soviética diz bastante da sua vitalidade. Mas há algo mais extraordinário ainda. Depois de 1927, foram nascendo muitas outras, mais ou menos ligadas à Ortodoxia; isto sem falar das protestantes[75]. As perseguições religiosas e as grandes perturbações sociais costumam ser favoráveis à multiplicação das seitas. Foram tantas as que pulularam desde a Revolução que é difícil fazer-lhes a conta. Só na Ucrânia, por volta de 1939, havia uma boa dúzia delas! E não se pode negar que têm uma certa importância, pois a imprensa oficial costuma atacá-las regularmente. Essa imprensa denunciou, por exemplo, os *churikovski*, designação que vem do nome do seu profeta Churikov, o qual, pelos anos 20, anunciava a próxima instauração do Reino dos Céus e pregava uma moral austera, antialcoólica, ao mesmo tempo que o perfeito abandono em Deus. Os *Zeladores do Dragão vermelho*, violentamente hostis ao comunismo, no qual veem o Anticristo, o «dragão do Apocalipse», e que têm um ramo, os *Fiéis de Cristo Negro*, que recusa qualquer contato com as autoridades do Estado e com a Igreja Ortodoxa, acusada por eles de estar submetida ao regime. Durante a Segunda Guerra, nasceram os *Verdadeiros cristãos ortodoxos*, que têm por centro a região de Tambor: negam ser uma Igreja, vivem numa exaltação mística a expectativa do fim do mundo, proclamam-se monárquicos e tradicionalistas, fiéis a hipotéticos sobreviventes da família imperial chacinada em Iekaterinemburgo, decididos adversários de todas as formas de comunismo, especialmente o *kolkhoze*; são estes «verdadeiros cristãos» que alguns viajantes têm visto debruçados sobre um espelho de água, esperando ver refletir-se nele o rosto de Nossa Senhora Consoladora. Em 1949, apareceram os *Ascensionistas*, que esperavam ser muito em breve transportados para o Céu e por isso rejeitavam qualquer trabalho e nem queriam comer.

Severamente perseguidos, todos os sectários continuam, porém, a levar uma vida secreta, na qual as provações exaltam uma fé mais comovedora do que sensata. São eles o derradeiro testemunho das reações que a fé da Santa Rússia suscitou durante a terrível provação a que foi submetida desde há mais de cinquenta anos[76].

A grande provação da Igreja Russa

Na noite de 25 de outubro de 1917, Petrogrado, capital administrativa do Império dos Czares, caiu nas mãos de um punhado de homens decididos, conduzidos por Trotsky e Lenin. Chamavam-lhes *bolcheviques*, ou seja, maioritários, porque, desde 1903, detinham a maioria no Partido Socialista Revolucionário. Minuciosamente preparado, o golpe de Estado triunfou admiravelmente. As minúsculas tropas de Trotsky — mil homens ao todo — ocuparam quase sem disparar um tiro as estações ferroviárias, as centrais telefônicas, as usinas de eletricidade, enquanto o governo liberal e menchevique («minoritário» no partido) mandava pôr guarda nos ministérios. No dia seguinte, ao grito de «Acabou a guerra!», os marinheiros e a maior parte dos regimentos aderiam ao novo regime. Abria-se um novo capítulo na história da Rússia e do mundo.

Desde então, decorreu meio século. O frágil regime bolchevique, cujo rápido desmoronamento os seus adversários liberais capitalistas se compraziam ano após ano em predizer, não só sobreviveu e durou, mas deu à Rússia uma situação política muito mais importante do que qualquer outra que tivesse conhecido até então. Essa reviravolta deveu-se à presença à frente do regime de homens ao mesmo tempo notáveis e impiedosos, que se puseram a aplicar as teses marxistas mais duras com tanta energia como habilidade, com tanta inteligência como maquiavelismo. Foram eles: *Lenin* (1870-1924), «o homenzinho» com ar de bedel, que teve a genialidade de renovar as teses de Marx inserindo-as no contexto dos acontecimentos; e *Stalin* (1879-1953), temível felino da política, cujo cinismo orgulhoso e cruel se aliava a um sentido agudo da oportunidade e a um conhecimento profundo dos interesses russos. Depois deles, Khrushev (nascido em 1894 e afastado do poder em 1964) soube conjugar o realismo rústico com a sutileza de um diplomata, e a inflexibilidade doutrinária com uma sorridente e por vezes divertida aparência de temperada sensatez.

A história deste meio século não passou sem abalos graves e terríveis sofrimentos. 1918 — O regime soviético tem de aceitar a desastrosa paz de Brest-Litovsk. As suas tentativas de estender a Revolução à Alemanha, à Hungria, aos Balcãs, fracassam. Ameaçado de todos os lados, o bolchevismo é compelido a lançar mão da ditadura do terror. 1919 — As intervenções dos «Brancos» são derrotadas e os sovietes reconquistam a Rússia. 1920-21 — A economia está arruinada e a produção paralisada. O país é assolado pela fome, uma fome que faz cinco milhões de vítimas. No meio de uma imensa desordem, o regime soviético tem de reorganizar o Estado, estabilizar a posição externa e atenuar o rigor contra os proprietários pequeno-burgueses e camponeses: é a NEP, a nova política econômica. 1922 — A doença de Lenin e a sua morte em 1924 abrem uma crise no regime. Liquidados os últimos mencheviques, Trotsky reclama o fim da NEP, que aburguesa a Revolução. Após uma luta de morte, Stalin, secretário-geral do Partido Comunista, triunfa. Enquanto é votada uma Constituição, que organiza o regime federativo das Repúblicas Socialistas Unidas, bem como a organização piramidal dos «sovietes» de operários e camponeses, o Partido Comunista acaba de firmar a sua autoridade e, através dele, a de Stalin, apoiada na polícia política (a GPU, depois a NKVD). Lentamente, a situação econômica e diplomática melhora. 1927 — Stalin, onipotente, exila Trotsky, que finalmente se instala no México, onde será assassinado.

A ditadura stalinista sobrepõe ao coletivismo um estatismo autoritário, embora mitigado pelo sistema cooperativo dos *kolkhozes*, pelo restabelecimento da pequena propriedade e pelo lucro individual. Os planos quinquenais (1927-33) procuram fazer progredir a economia. 1934 — Ameaçado ou julgando-se ameaçado, Stalin procede a «expurgos» terríveis no seio do Partido; os mais antigos colaboradores de Lenin são executados. 1936 — O Congresso dos Sovietes vota a nova Constituição, que encerra a fase revolucionária e se declara democrática... 1937 — Voltando a ser uma grande potência tanto pelo número dos seus habitantes (170 milhões) como pela sua economia — quer europeia, quer siberiana —, a URSS está resolvida a desempenhar um papel de primeiro plano na política mundial, e forja uma nova classe dirigente capaz de assumi-lo. 1938 — Para ter as mãos completamente livres, Stalin procede a um novo «expurgo» sangrento; entre os condenados, está Jagoda, o próprio chefe da GPU! 1939 — A Guerra Mundial oferece a Stalin a ocasião com que sonha: empurra Hitler para a aventura, partilha com ele a Polônia, anexa os países bálticos. Depois, julgando o nacional-socialismo demasiado poderoso, prepara-se para intervir, quando, em junho de 1941, é vencido em velocidade e sofre a invasão alemã. 1943 — Vitoriosa em Stalingrado, a URSS passa a ser um dos «Três Grandes». Em Yalta (janeiro de 1945), Stalin obtém da fraqueza de Roosevelt uma partilha do mundo que lhe satisfaz as ambições. A República Democrática Alemã, a Polônia, a Hungria, a Checoslováquia, a Romênia e a Bulgária tornam-se satélites da URSS. Malquistado com o Ocidente, Stalin faz descer a simbólica «Cortina de Ferro». 1950 — A Rússia reconstrói-se à margem de qualquer colaboração com o Ocidente. O regime, que renunciou a muitos princípios marxistas, está sólido, mas a ditadura de Stalin faz-se cada vez mais despótica e arbitrária, provocando uma surda resistência. 1953 — A 6 de março, morre Stalin, que é substituído por Malenkov e quatro (depois três) vice-presidentes, um dos quais é Khrushev. Dão-se violentos golpes internos e novos expurgos. Os «reformistas» vencem os «stalinistas», entre os quais o chefe da polícia, Beria, que é executado. O povo aspira a melhorias materiais e os mais inteligentes preconizam a coexistência pacífica com os países capitalistas. Mas, como os ocidentais constituíram a OTAN — organização militar das potências atlânticas —, os «reformistas» são por sua vez postos fora e executados, em dezembro de 1954. Sob a muito teórica presidência do marechal Bulganin, Nikita Khrushev torna-se o verdadeiro senhor da URSS e dos seus destinos.

É esta sequência de acontecimentos, de ritmo terrivelmente sacudido, que importa ter presente para compreender as flutuações da política religiosa dos sovietes. Cada uma das grandes crises repercutiu nas relações do Estado comunista com a Igreja. No começo, essas relações só podiam ser regidas por sentimentos de hostilidade. Como se sabe, o marxismo é fundamentalmente materialista e ateu; portanto, inimigo de toda e qualquer religião[77]. «O marxismo é um materialismo — escrevia Lenin —; como tal, não tolera a religião». Para ele, como para Marx, «a religião é o ópio do povo». Era uma espécie de aguardente espiritual em que «os escravos do capital afogam o seu ser humano e as suas justas reivindicações de uma vida digna do homem». Mas, desse princípio, poderiam decorrer duas atitudes. Uma, sustentada por Marx, Feuerbach, Engels, e até por vezes pelo próprio Lenin, situava no primeiro plano das preocupações a construção da sociedade comunista perfeita, na qual seria impossível a «alienação» do homem e, por conseguinte, a religião desapareceria automaticamente. «Nada de *Kulturkampf*!» — dizia Engels —; nada de perseguições! Por outro lado, porém, «o marxismo — era ainda Lenin a escrevê-lo — considera todas as religiões como órgãos da reação capitalista que servem para justificar a exploração do proletário». Eis por que devem ser combatidas por todos os meios. As flutuações da política religiosa dos sovietes, as suas aparentes contradições explicam-se por semelhante dialética.

De 1917 a 1958, assiste-se a uma alternância de perseguições, mais ou menos violentas, e de períodos de acalmia relativa[78]. A primeira crise rebentou logo após a tomada do poder pelos bolchevistas; por força das terríveis condições em que o regime se encontrava, assumiu uma feição dramática e só veio a acalmar-se em 1923. Poucos dias depois da Revolução, no começo de dezembro de 1918, deram-se incidentes graves. Enquanto as escolas religiosas e as propriedades agrícolas eram nacionalizadas, alguns bandos armados tentaram pilhar os mosteiros. Na Laura Alexandre Nevski, um velho arcipreste foi morto e a polícia dispersou à metralhadora os fiéis que correram a defender os monges. Houve execuções sumárias em numerosos locais. Período, pois, de violência e blasfêmias.

Foi então que Alexander Blok escreveu o famoso poema *Os Doze*, onde dizia: «Avança, camarada, não sintas o fígado! Pega na espingarda! Metamos uma bala na Santa Rússia! Nada de cruzes! Nada de cruzes!» Corajosamente, o patriarca Tikhon lançou o anátema contra essas infâmias.

A separação entre a Igreja e o Estado que se seguiu — o decreto é de 20 de janeiro de 1918 — não se limitou a acabar radicalmente com a colaboração tradicional entre os dois poderes, retirando, por exemplo, à Igreja os registros dos nascimentos, casamentos e óbitos: proibiu o direito de propriedade a toda e qualquer sociedade religiosa, suprimiu o ensino da religião em todas as escolas, mesmo privadas, procurou desencorajar os fiéis de ajudar financeiramente a Igreja. Esse decreto, que nunca foi formalmente revogado, veio a ser completado por outros que proibiram o ensino religioso mesmo do alto dos púlpitos, limitaram a três os filhos de qualquer família autorizados a seguir cursos de instrução religiosa... Ao mesmo tempo, prosseguiam os atos de violência selvagem. Em Kiev, o velho metropolita Vladimir foi assassinado à entrada da Laura das Criptas. Violências a que a fé ripostou com igual coragem. O patriarca Tikhon estigmatizou «a natureza tenebrosa, asfixiante e horrível» do bolchevismo. Houve intelectuais que se fizeram sacerdotes, como foi o caso do professor Sérgio Bulgakov[79] e do poeta Sérgio Soloviev, sobrinho do escritor.

Pelos finais de 1918, pareceu estabelecer-se uma certa acalmia. Atacado de todos os lados, o regime aliviou a mão. O comissário do povo para a Justiça condenou as exações. Mas, logo na primavera de 1919, o clima voltou a ser de violência. O mesmo comissário mandou abrir os túmulos e os relicários dos santos e levar para os museus o que tivessem de valor. Amplas ações policiais impediram os protestos contra esses sacrilégios. Nesse ínterim, esperando evitar o pior, o patriarca Tikhon recusava-se a abençoar os exércitos «brancos» que, dominavam o território russo no Sul.

Vãs esperanças! À medida que se foi sentindo mais estável, o governo bolchevista agravou as medidas antirreligiosas. Desencadeou-se a perseguição administrativa, multiplicaram-se as disposições vexatórias. Para ajudar a combater a fome que afligia todo o país, o patriarca lançara um apelo à caridade, mas os bolchevistas apossaram-se dos fundos recolhidos para que a Igreja não pudesse ser vista pelas massas populares com olhos agradecidos por tão nobre papel. Depois, um decreto de fevereiro de 1922 ordenou, em favor dos esfaimados, o confisco de todas as pedras e metais preciosos que houvesse nas igrejas. O patriarca Tikhon autorizou a entregar os objetos não consagrados, mas proibiu que se entregassem os vasos litúrgicos. Os bolchevistas viram aí um excelente meio de propaganda: a Igreja recusava-se a participar da luta contra a fome! Em numerosíssimas cidades, houve violentos confrontos entre os fiéis e a polícia. Disposto a dar um grande golpe, o governo inventou processos públicos contra cristãos de renome, tidos por responsáveis. Em Moscou, instaurou-se o «processo dos 44», em que foram condenados e fuzilados nove padres e três leigos. O patriarca Tikhon, que foi testemunha, teve decretada a prisão domiciliar e, daí em diante, deixou de poder exercer as suas funções.

Pela mesma altura, a fim de tentar dividir a Igreja, os bolchevistas iniciaram a manobra que a partir de então iriam repetir em tantos países: suscitaram um cisma. Apoiado em dois bispos ambiciosos, o padre Vedenski criou a *Igreja Viva*, que se declarou fiel ao poder. Os membros da Hierarquia que protestaram foram imediatamente castigados. O velho metropolita Agatângelo, que representava em Moscou o patriarca encarcerado, foi exilado para o extremo Norte. Em Petrogrado, abriu-se um processo iníquo contra oitenta e sete cristãos, entre os quais o metropolita Benjamin, que, no entanto, tinha dado constantes provas de fina caridade para com os adversários. Fuzilado com três outros fiéis, selou com o seu martírio uma vida muito santa. No final de 1923, estavam presos ou exilados sessenta e seis bispos, e quase por toda a parte se tinham aberto processos análogos ao de Petrogrado. Este quadro de horror era completado por agressões e execuções sumárias. Calculava-se em mais de 8.000 o número de vítimas por motivos religiosos: 2.700 padres, 2.000 monges, mais de 3.000 monjas, além dos leigos, cujo número era desconhecido...

Entrementes, a «Igreja Viva» reunia oficialmente um concílio, que reduzia o Patriarca ao estado laical, admitia o casamento para os bispos e prometia ao governo uma fidelidade incondicional. Na realidade, esse triunfo iria ser efêmero. Em breve cindidos em três «Igrejas» rivais, os «Renovados» compreenderam que não eram seguidos; vários dos seus chefes prestaram submissão à verdadeira Igreja. Era o tempo em que Lenin, com a sua NEP, se propunha suavizar o regime. Parecia que se caminhava para um apaziguamento. Foi então que, na sequência de pressões cujos pormenores não se conhecem, sem dúvida uma alternância de promessas e ameaças, o velho patriarca, que continuava preso e vira o seu secretário ser assassinado, acabou por ceder. Não apenas condenou o «Sínodo da Igreja Russa de além-fronteiras», que patrocinava a cruzada antibolchevista, como, em junho de 1923, concordou — ou se disse ter concordado — em publicar uma declaração em que proclamava «ter deixado de ser inimigo do poder soviético». Era um novo capítulo que se ia abrir nas relações entre a Igreja e o regime comunista.

De momento, essa mudança de atitude não pareceu dar resultado. Sem reatar a violenta perseguição dos anos 1918-23, o regime não deixou de continuar a política de hostilidade para com a Igreja. Tendo morrido o patriarca Tikhon, o regime proibiu a nomeação do que se chamava bizarramente o «*locum tenens* da sé patriarcal». Os três sucessores designados por Tikhon foram por sua vez presos, de modo que, após um interregno de dois anos, foi escolhido o metropolita Sérgio Stragorodsky, de Nijni-Novgorod. Era um homem sob muitos aspectos notável, excelente diplomata, amado pelo povo a ponto de que, quando os bolchevistas o prenderam, os operários da sua cidade fizeram greve pela sua libertação. Durante bastante meses, foi de Nijni-Novgorod que governou a Igreja. Segundo afirmaram diversos membros do laicado, como o professor Popov, e vários dos bispos deportados para o extremo Norte, tentou legalizar a situação, negociando com os sovietes com base na declaração de princípios do patriarca Tikhon, ou seja, renunciando a apresentar-se como adversário do poder soviético.

Assim, em 1927, enquanto o metropolita Sérgio era autorizado a exercer as suas funções em Moscou, surgia uma declaração sua em que aceitava obedecer ao Estado. Não há dúvida de que insistia francamente «nas contradições entre os ortodoxos e os comunistas», e condenava «aqueles que semeiam o ódio a Deus». Porém, situando-se num plano realista, «sem procurar conciliar os inconciliáveis», propunha aos cristãos que não se fechassem numa recusa estéril, mas se comportassem «como cidadãos exemplares», a fim de que «as alegrias e triunfos da União Soviética, sua pátria civil, sejam as suas alegrias e os seus triunfos». Ia mesmo um tanto ou quanto longe, sustentando que havia semelhanças entre a doutrina comunista e o cristianismo: «Se o Estado exige a renúncia à propriedade e a entrega pessoal ao bem comum, não é isso o que a fé ensina aos cristãos?»

Uma tal atitude era defensável. Confiando na fé dos seus fiéis, temperada pela provação, o *locum tenens* apostava em que, numa sociedade comunista em que iria ser aceita, a Igreja saberia preservar o depósito essencial da mensagem de Cristo. Era difícil que uma reviravolta tão audaciosa fosse admitida por todos. De modo que rebentou um cisma de direita, a «Verdadeira Igreja Ortodoxa», hostil a essa vinculação e dirigida pelo metropolita de Petrogrado, José Petrovski. Mas esse cisma só chegou a ser importante numa meia dúzia de dioceses. Teve no entanto os seus mártires, um dos quais o metropolita José, fuzilado em 1937. E continuou a existir até aos nossos dias[80].

Os acontecimentos não pareceram dar razão a Sérgio. Um ano após a declaração de 1927, começava, na era stalinista, uma perseguição sistemática que iria durar oito anos. Dessa vez, não se tratou já de violências com aparência mais ou menos legal, de processos desencadeados por questões fortuitas, de medidas mais ou menos postas em prática: assistiu-se a uma tentativa sistemática de liquidar a Igreja. Compreendeu ao mesmo tempo decisões de natureza legislativa e um vasto conjunto de medidas policiais, tanto mais que Stalin acabava de reorganizar a polícia secreta. Proibiu-se toda e qualquer propaganda religiosa, considerada praticamente como crime contra o Estado. Os padres e as suas famílias, assimilados aos «*kulaks*» — esses odiados pequenos proprietários —, perdiam os direitos civis, ou seja, de um só golpe, os cartões de racionamento e o direito à assistência médica e aos medicamentos. Eram-lhes infligidos impostos esmagadores.

Viu-se então aparecerem pelas ruas, junto das igrejas, padres esfarrapados que estendiam a mão à caridade. Viu-se até um padre subir ao púlpito vestido de roupa interior: tinham-lhe tirado tudo! Inúmeros lugares de culto foram fechados e transformados em museus do ateísmo. Passou pela Rússia soviética uma fúria de destruição semelhante à que varrera a França sob o Terror. Queimaram-se basílicas veneráveis, como, em Moscou, o São Salvador e Nossa Senhora de Kazã, mosteiros com cinco séculos de existência, inúmeras igrejas, ícones, livros religiosos às centenas. Horrorizado com tanto vandalismo, o Comitê Central do Partido Comunista lançou um apelo à calma, mas mal foi ouvido.

Ao mesmo tempo, desencadeou-se uma vasta ofensiva ideológica. Lançado em 1922 para combater a religião, o movimento ateu tivera fracos resultados. Mesmo a publicação de *O Ateu* e do *Sem-Deus no trabalho* não conseguira abalar seriamente a opinião pública. Em 1925, porém, um israelita, Gubelmann, que assinava *Yaroslavsky*, criou a *Sociedade dos Sem-Deus*, que o governo apoiou. O «plano quinquenal dos Sem-Deus» não teve grande êxito; em 1932, a Liga contava entre cinco e seis milhões de adeptos (em vez dos dezessete previstos), mas o seu *Manual do ateísmo* vendia-se bem: oitocentos mil exemplares. Utilizaram-se todos os meios de propaganda moderna para propagar o ateísmo: livros, opúsculos, jornais, filmes, exposições. A juventude era devidamente doutrinada nas escolas. É preciso dizer que os argumentos que inspiravam essa propaganda eram de uma pobreza intelectual espantosa, só digna de *M. Homais*[81]: destilava o cientificismo mais decrépito. Mas, triunfantemente, Yaroslavsky-Gubelmann anunciava que, no final do «segundo plano quinquenal», seriam eliminadas da Rússia renovada as últimas notas de superstição.

Em 1937, foi feito um recenseamento da população. Entre as perguntas, figurava esta, aliás anticonstitucional: «É crente?» Os resultados foram de tal ordem, que o governo nunca se atreveu a publicar os números. Afirmou-se que os crentes chegavam a 70%: seja como for, ultrapassavam metade da população. O fracasso das perseguições e da propaganda «sem Deus» era, pois, flagrante. Neste ponto, Marx tinha-se enganado. Na Santa Rússia, os pilares que sustentavam a Igreja não eram nem a burguesia nem o capital. O cristianismo, longe de ser aliado dos que tinham posses, mergulhava as suas raízes mais vivazes no povo. E, apesar das chacinas — milhares de camponeses, todos eles cristãos, tinham morrido por se recusarem à coletivização —, e até por causa das chacinas, o povo russo, em larguíssima maioria, negava-se a trair a sua fé.

De 1934 a 37, a Igreja passou por um reforço. Stalin tinha necessidade de estabilizar a situação do regime, de pôr ordem no país, para poder lançar-se às vastas operações de política externa que tinha em mente. A Constituição de 1936 deu até direitos civis aos padres. No Congresso dos Sem-Deus de 1935, Yaroslavsky foi forçado a confessar que os partidários do clero aumentavam, que os ateus militantes diminuíam e a campanha antirreligiosa já não apaixonava ninguém. A política do patriarca Sérgio parecia, pois, dar os seus frutos a longo prazo.

Por que razão os anos de 1937 e 1938 viram reaparecer a perseguição nos seus aspectos mais terríveis? Foi então que se deram os grandes «expurgos» stalinistas; um período de pavor, em que, nas palavras de Khrushev, «ninguém estava ao abrigo do arbítrio e da perseguição». Não parece que o ditador do Kremlin tivesse agido por motivos ideológicos; dir-se-ia antes que, sentindo crescer uma oposição larvada ao «culto da personalidade» e à sua pessoa, decidiu golpear a torto e a direito para produzir um efeito de terror. A Igreja esteve entre as suas vítimas. Milhares de edifícios do culto foram encerrados. Centenas de bispos, padres e monges voltaram para a prisão, mas desta vez para só saírem de lá depois de mortos. Todos os motivos eram válidos para abrir processos, dos quais o menos que se pode dizer é que as próprias formas do direito soviético eram pouco respeitadas. Acusava-se este de ter atacado a Igreja «renovada», aquele de ter convidado jovens a ir à missa, aquele outro de ter um confessionário em casa! Executaram-se inúmeras pessoas sem acusá-las de nada. O metropolita Sérgio viu morrer ao seu lado uma irmã sua, uma monja que estava ao seu serviço e o seu secretário. Em toda a Rússia, não passavam de uma centena as igrejas abertas ao culto. Em Rostov, a catedral foi transformada em estábulo.

Nas vésperas da Segunda Guerra Mundial, Stalin compreendeu que, se a URSS se visse um dia envolvida no conflito que se avizinhava, não seria bom que pelo menos metade da população lhe fosse decididamente hostil. Fez concessões. De julho de 1938 a julho de 39, multiplicou medidas de tolerância e sorrisos, e manteve essa política de mansidão durante todas as hostilidades. Mas as estatísticas oficiais publicadas em 1941 bastariam para mostrar o que a Igreja perdera nessa provação de um quarto de século. Em 1917, havia 54 mil paróquias, 57 mil padres, mil e quinhentos conventos, quatro Academias de Teologia, 57 Seminários Maiores, quarenta mil escolas. Em 1941, os números homólogos eram 4.200 paróquias, 5.600 padres, 38 conventos, e, quanto aos restantes, zero...

Uma renovação esplêndida e ameaçada

Saltemos dezessete anos. Situemo-nos em 1958, data em que esta obra termina. Os números não são menos expressivos: 25 a 30 mil igrejas, mais de 35 mil padres, oitenta conventos, duas Academias de Teologia, oito seminários. Com exceção do campo escolar, parece que a Igreja ganhou a batalha, como o metropolita Sérgio o esperara em 1927, ao fazer a sua inquietante aposta.

Esta reviravolta impressionante da situação só tem, na realidade, uma causa: a guerra. Foi a guerra que, forçando

Stalin a mudar de política, permitiu à Igreja levar a cabo essa renovação espetacular. Com as primeiras operações militares, a ocupação pelo Exército Vermelho de territórios bálticos, poloneses e da Bessarábia, onde viviam vários milhões de ortodoxos com as suas Igrejas intactas, trouxe oxigênio à Igreja russa, que asfixiava. Melhor ou pior, o patriarca de Moscou conseguiu trazer essas Igrejas para o seu domínio. E o poder soviético não teve tempo para as domar antes de os acontecimentos bélicos o terem levado a reconsiderar a sua política religiosa.

Quando se desencadeou o ataque alemão, o patriarca — então com setenta e quatro anos — fez uma nova aposta. Chefe de uma Igreja que acabava de ser mortalmente perseguida, poderia ter cedido à tentação de aproveitar o momento para procurar deitar abaixo o regime. Não fez nada disso. Mal começou a invasão, lançou aos seus fiéis um apelo patriótico do mais alto e fervoroso estilo, concitando todos os crentes à luta sagrada contra os agressores, e abençoando a nação em guerra; durante os anos negros, repetiria várias vezes objurgações semelhantes. Os fiéis aglomerados na catedral de Moscou não ficaram pouco surpreendidos no dia em que o arcebispo exclamou, do alto do púlpito, como um capitão de navio em perigo: «Todos à ponte!»

Em momento nenhum, ao longo de toda a guerra, o velho metropolita se desviou dessa atitude de lealdade. Em todas as ocasiões, apoiou as iniciativas do governo, patrocinou coletas de caridade e chegou a oferecer ao Estado, financiada por um peditório-monstro, uma coluna de carros blindados, batizada como «Dimitri Donskoi» e embandeirada com o estandarte da Santa Rússia! Refugiado em Ulianovski (Simbirk) depois da ofensiva alemã em direção a Moscou, continuou a pregar a luta sagrada, enquanto os seus dois mais próximos colaboradores, um na capital e outro na sitiada e esfomeada Leningrado, se mantinham na linha de frente do combate contra o invasor.

O perigo era demasiado grande para que Stalin não apertasse essa mão que lhe estendiam. Por sua vez, lançou um apelo aos «irmãos e irmãs», no melhor estilo do seminarista que fora. E correu pela Rússia um gracejo: quanto faltava para vê-lo numa procissão? Estabeleceram-se contatos com as autoridades religiosas. Um dos primeiros resultados foi a supressão da Sociedade dos Sem-Deus, que se propusera distribuir em 1942 mais de três milhões de livros e folhetos contra a religião, e cuja tipografia foi adjudicada... ao patriarcado de Moscou, para que voltasse a publicar a sua revista. Ao mesmo tempo, o cisma dos «Renovados», que, de resto, já pouco valiam, foi liquidado e todos os edifícios religiosos de que dispunham foram restituídos à Igreja. Recomeçaram por toda a parte os ofícios divinos e foi possível reabrir escolas de teologia. Em atmosfera de união sagrada, esse milagre da reconciliação entusiasmava as almas e fazia esquecer o passado[82].

A 4 de setembro de 1943, acompanhado por Molotov, Stalin recebeu o arcebispo e os dois metropolitas seus amigos, que lhe vinham pedir a normalização das relações entre a Igreja e o Estado. A resposta do ditador foi assombrosa, se não no fundo, ao menos nos termos. Depois de ter prestado homenagem à coragem dos eclesiásticos na frente de combate, declarou: «Dirijo-me ao Santo Sínodo ortodoxo russo, pedindo-lhe que escolha no seu seio o Patriarca de todas as Rússias».

O antigo seminarista ainda conhecia a linguagem da Igreja. Reuniu-se um concílio, apenas com dezoito bispos, visto que alguns estavam retidos nas suas dioceses por força da guerra e outros não tinham ainda sido libertados dos campos de concentração. Assim renascia na URSS a Igreja tradicional, fiel em tudo aos cânones e aos ritos da Ortodoxia. O patriarca Sérgio parecia ter ganho a sua aposta[83].

O patriarca morreu em 15 de maio de 1944, apenas três meses depois de ter recuperado o título. Para suceder-lhe, foi designado por um concílio o metropolita de Leningrado, Aleixo Simanski. Descendente de família nobre próxima da corte, era homem de vasta cultura e diplomara-se pela Escola de Direito antes de cursar teologia e de receber as ordens sagradas. A sua oposição aos «Renovados» tinha-lhe merecido a deportação para Cazaquistão, mas o seu papel na guerra tinha sido impecável.

A atitude do novo patriarca manteve-se na linha exata do patriarca Sérgio. Logo depois da eleição, dirigiu a Stalin uma carta de plena lealdade, recordando o «amor sincero» que o seu predecessor tivera pelo ditador e assegurando que sentia o mesmo afeto. Até hoje não se afastou nem um milímetro dessa posição, mostrando-se sempre o cidadão mais fiel do Estado soviético: não hesitou em publicar a fotografia de Stalin na *Revista do Patriarcado*, acompanhada de comentários mais que laudatórios, e adotou em todas as circunstâncias a atitude pretendida pela propaganda oficial, designadamente a propósito da guerra da Coreia, da intervenção franco-inglesa no Egito e mesmo da questão húngara, em que se limitou a acusar «as forças tenebrosas que provocaram a efusão de sangue». O «Movimento de Paz» não teve mais zeloso propagandista do que ele. E o governo exprimiu-lhe vivamente a sua satisfação, condecorando-o por três vezes com a Ordem da Bandeira Vermelha.

Tal atitude, que o Ocidente tendeu a considerar servil, pode ser compreendida se nos situarmos na perspectiva tradicional da Igreja ortodoxa, estreitamente ligada ao poder. É indubitável que, na mente do patriarca Aleixo e de numerosos membros da hierarquia, o ideal seria uma reconciliação sincera entre o Estado e a Igreja, que permitisse a esta colaborar com aqueles que ocupavam o lugar do czar à cabeça da Santa Rússia. Iremos daqui a pouco perguntar se isso não seria um sonho... Em termos imediatos, porém, não há dúvida de que a aparente submissão ao regime deu bons resultados. Foi graças a ela que o patriarca Aleixo obteve o reconhecimento oficial da liberdade de culto — um artigo do Código Penal pune com seis meses de trabalhos forçados todo aquele que lhe puser obstáculos! — e pôde empreender uma reorganização discreta, mas completa, da sua Igreja. Foi também graças a ela que se tornou possível a extraordinária renovação que vemos refletida nas estatísticas. O fato essencial é que as perspectivas mudaram: o Estado deixou de ignorar a Igreja e uma comissão oficial, presidida por um ministro, tem por encargo ocupar-se das matérias religiosas.

Foi nesta nova atmosfera que se pôde restaurar a administração patriarcal, as dioceses, os seminários, bem como organizar peditórios e venda de velas, de modo a proporcionar ao clero o suficiente para assegurar a sua liberdade financeira; e ainda reabrir as igrejas paroquiais e obter autorização para um certo número de mosteiros. Se é certo que a restauração foi mais ampla nas províncias ocupadas pelos alemães — onde já estava feita durante a guerra e onde não se ousou voltar atrás — do que nos territórios que permaneceram sem interrupção na posse dos sovietes, não deixa de ser certo que esses resultados estiveram longe de ser insignificantes.

Mas ainda subsistiam dificuldades sérias, pontos de fricção, que não demoraram a reaparecer logo após o término da guerra, embora o clima continuasse a ser de muita euforia. Foi assim que a Igreja, à medida que se reorganizava, viu crescer em proporções consideráveis os impostos a que estava sujeita, coisa de que se queixava com frequência. É sabida a importância que a Ortodoxia atribui ao monaquismo: ora, nem todos os mosteiros de outrora tinham sido restabelecidos — bem longe disso! —, e os que subsistiam situavam-se muitas vezes nas regiões anexadas pela URSS em 1945. As autorizações para a abertura de novos conventos eram concedidas com extrema parcimônia. Nesse contexto, surpreende que a imprensa soviética tivesse publicado a notícia de um abaixo-assinado em que uns camponeses solicitavam que lhes fossem devolvidos os seus monges; e até de um mosteiro que se ocultava sob as aparências de um *kolkhoz*...

Mas a reconciliação oficial da Igreja com o poder soviético não impediu que renascesse em 1947 o movimento dos Sem-Deus — sob o nome de «Sociedade para o Desenvolvimento dos Conhecimentos Científicos» —, nem que o governo lhe desse apoio. De resto, em plena guerra, em 1943, Stalin, dirigindo-se aos jovens, explicou-lhes que o abandono da política antirreligiosa era uma imposição das circunstâncias, e suplicava-lhes que não traíssem as suas convicções de ateus militantes. Pouco ativo nos começos, o movimento não cessou de ganhar força durante os oito primeiros anos de paz. Empreendeu-se uma intensa propaganda por meio de jornais, livros, folhetos, revistas, filmes, rádio, exposições, dirigida a todos os níveis culturais. Aos humildes, repetiam-se incansavelmente os velhos argumentos tirados de Strauss acerca da não historicidade de Cristo, assim como os que se iam buscar aos «escândalos» da Igreja. Para os intelectuais, publicavam-se revistas de qualidade, como *Ciência e religião*.

Na opinião dos próprios intelectuais comunistas, essa propaganda era «fraca e ridícula»; mas não recuava diante de nenhum meio. Viram-se prestidigitadores repetirem... os milagres de Jesus, para demonstrar que eram falsos. Viu-se mesmo um comunista fingir-se convertido, conseguir ser admitido num seminário, para depois contar em livro (de sucesso) as coisas torpes que pretendia ter visto lá, e por fim fazer-se propagandista antirreligioso. Nem a morte de Stalin, em 1953, e a instalação no poder de Malenkov, que iniciou uma vasta campanha de «desestalinização», conseguiu amortecer a campanha ateísta. Só em 1954, sob a influência de Khrushev, é que o Comitê central do Partido Comunista deu um golpe decisivo nessa campanha cujos excessos condenou, e prestou homenagem aos padres «que participam ativamente da vida do país e cumprem com perfeita honestidade os seus deveres de cidadãos».

Na verdade, a situação da Igreja Russa permanece extremamente ambígua. No plano doutrinal, o poder soviético nada abandonou das mais rígidas posições materialistas e ateias do marxismo. Não há dirigente comunista que não tenha repetido os célebres aforismos sobre a religião-ópio do povo, ou proclamado que comunismo e religião são inconciliáveis. Poucas semanas depois da declaração moderada do Partido, em 1954, a revista *Kommunist*, muito vinculada ao Partido, publicava um artigo de extrema violência, em que, aludindo ao renascimento religioso, o explicava assim: «A Igreja sempre foi parasita das desgraças humanas». Estamos, pois, perante o extraordinário paradoxo de uma Igreja que se conduz como vassala incondicional de um regime que tem como fim confessado destruí-la...

Mas, afinal, no plano dos fatos, quais foram as consequências dessa política de mão estendida? É muito difícil responder à pergunta. Não há dúvida de que a Igreja não desfruta senão de uma liberdade muito relativa, de que não tem o direito de fazer apostolado, nem de lutar em igualdade de condições contra os Sem-Deus, nem de formar a juventude, nem de manter obras caritativas ou sociais. Mas também é verdade que esta limitação dos seus direitos comporta alguns resultados felizes, porque leva a Igreja a orientar a sua ação para o aprofundamento da tradição espiritual, para um verdadeiro «regresso às fontes», análogo àquele que se registra no catolicismo, para o estudo mais sério da sua história, para uma renovação das melhores práticas litúrgicas. Mas em que medida essa ação é eficaz? Quem o pode dizer verdadeiramente?

Basta ler os testemunhos de viajantes que tenham visitado a URSS desde o fim da Segunda Guerra Mundial para ver até que ponto são contraditórios. Quase todos eles estão de acordo em assegurar que as Igrejas se enchem para as cerimônias dominicais, que a piedade dos assistentes é impressionante, e bem autêntica a participação na liturgia. Mas esses observadores só viram nessas massas orantes homens e mulheres idosos, «uma religião de avozinhos e mãezinhas» — diz um; outros, pelo contrário, avaliam em 12% ou mesmo 15% a proporção de jovens. As próprias estatísticas são inseguras: há em Moscou 33, 49 ou 133 igrejas abertas ao culto? O número de crentes é ainda mais hipotético: há quem calcule que os praticantes são cerca de 33 milhões. Mas quantos serão os batizados e aqueles que praticam em segredo, porque a sua situação oficial, a sua participação em certos grupos ou mesmo no Partido os impedem de manifestar as suas convicções?

Nos próprios textos dos adversários se pode encontrar a prova de que a religião está muito viva na União Soviética. Periodicamente, a imprensa mais oficial faz-se eco de lamentações ou gritos de furor contra as superstições que perduram. Por ela se soube, por exemplo, que, na Bielo-Rússia, se assistia a uma ascensão do cristianismo, que as bíblias e os Evangelhos eram importados clandestinamente. *Kommunist* sentiu a necessidade de realizar um amplo inquérito acerca das «sobrevivências religiosas», e concluiu que a devoção aos ícones estava ainda muito espalhada, que os casamentos na Igreja tendiam a tornar-se moda, assim como os funerais religiosos, e sobretudo que a mais tenaz dessas desoladoras sobrevivências da superstição — o Batismo — estava tão difundida que nem sequer se ousava exprimi-la em números. Quanto à influência profunda dos Sem-Deus, até os dirigentes do movimento reconheciam que há ainda muito a fazer. Um padre renegado que se tornara um dos condutores da cruzada ateísta, Ossipov, deixou escapar esta confissão: «Os clericais são mais inteligentes do que nós supúnhamos!»

Este fracasso e também, certamente, preocupações de natureza política relacionadas com o jogo diplomático da guerra fria explicam que, no fim do ano de 1958 — ou seja, no momento em que esta obra se encerra —, se tenham observado sinais precursores de um novo endurecimento. A importância crescente que um ateu lúcido e decidido, Leonid Ilichev[84], vinha tomando no seio do Comitê Central do Partido, trouxe consigo uma maior rigidez. Apoiando-se, em teoria, numa carta aberta de 11 de novembro de 1954, em que Nikita Khrushev aconselhava a conseguir pela persuasão que os crentes renunciassem às suas superstições, o Partido e o governo desencadearam uma ofensiva, por vagas sucessivas, com o fim último de provocar a ruína da Igreja e a asfixia de toda a fé. Seminários fechados — três dos oito —, mosteiros fechados — 35 dos 67 —, bispos forçados a demitir-se, o Batismo e a Eucaristia denunciados como «prejudiciais à saúde pública» e os ministros desses sacramentos perseguidos... Tal é o espetáculo oferecido pela história mais recente. A grande provação da Igreja Russa não terminou.

À margem de Moscou

À volta da Igreja ortodoxa russa, ou seja, do Patriarcado de Moscou, encontra-se uma vasta série de Igrejas que, em princípio, detêm o título patriarcal ou são simplesmente autocéfalas, e que reivindicam uma independência que, na realidade, nem sempre a geografia e a política lhes consentem.

O caso mais doloroso é o da *Geórgia*. A Igreja georgiana é uma das mais antigas do Oriente. No princípio do século VI, uma mulher-apóstolo, Santa Nino, converteu o rei Miriam, que fez batizar o seu povo. Inicialmente vinculada a Antioquia, depois a Constantinopla, essa Igreja não seguiu os exemplos das suas vizinhas da Pérsia e da Calcedônia, que rejeitaram as deliberações do Concílio de Calcedônia e passaram para o nestorianismo[85]. Sempre firmemente ortodoxa, tornou-se autocéfala no século VIII, passando a eleger o seu próprio *Katholicos*[86]. Protegida pelo Cáucaso, viveu muito tempo uma vida à parte, indiferente às grandes disputas, sem sequer tomar partido na querela que opunha Bizâncio a Roma, e, como já se tem acentuado, sem praticar nenhum ato formal de cisma. Infelizmente, no final do século XIX, essa nação pacífica foi atacada várias vezes pelos persas. Apelou para os russos em 1901 e em pouco tempo se viu anexada pelo Império czarista, que suprimiu a sua autocefalia, exilou o *katholicos* e substituiu-o por um «exarca» enviado de Moscou. Aproveitou a Revolução russa para sacudir o jugo religioso de Moscou, já que não podia sacudir o jugo político. Mas só trinta e sete anos mais tarde é que se viria a reconhecer a sua autonomia.

Parte integrante da União Soviética, a Geórgia sofreu na era revolucionária o mesmo destino trágico que a Igreja russa. O primeiro *katholicos* restabelecido foi assassinado, o segundo aprisionado, e a quase totalidade das igrejas fechada. Diz-se que reapareceram alguns cultos pagãos. A renovação por que passou a Igreja russa parece ter sido menos acentuada na Geórgia: de 2.500 paróquias, só 80 foram reconstituídas. Na capital, Tífilis, as comunidades cristãs verdadeiramente vivas são as dos russos, que possuem três das onze igrejas. Os fiéis de etnia georgiana parecem desinteressar-se da sua Igreja.

Nos Balcãs, outras Igrejas ortodoxas tiveram também destinos dolorosos. Por muito tempo, pesou sobre elas a sombra dos turcos, bem como a do patriarcado grego de Constantinopla, que, segundo vimos[87], procurou obstinadamente, apoiado na Sublime Porta, dominar todas as cristandades balcânicas.

A situação mais complexa foi a da *Igreja sérvia*. Batizados definitivamente no século IX, pelos missionários enviados por Basílio o Macedônio, os sérvios encontraram-se naturalmente na órbita de Constantinopla. Quando, porém, no século XIII, constituíram um reino, sob Estevão I Nemannya[88], aproveitaram habilmente a sua situação geográfica e as relações cordiais que tinham com Roma para distender os laços com Bizâncio; em 1220, por ocasião da tomada de Constantinopla pelos Cruzados (1204), Santo Estevão II, «o primeiro coroado»[89], mandou sagrar seu irmão São Sabas, antigo monge do Monte Athos, como metropolita da Sérvia. Embora se tivessem reaproximado dos gregos após a queda das Cruzadas, chegando a optar pelo cisma ortodoxo e a romper com Roma, o reino sérvio, no auge do seu poder com Estevão Duchan, exigiu em 1346 um patriarca próprio, cuja sede foi fixada em Ipek (ou Petsch). Em vão o Fanar o excomungou. A Igreja sérvia esteve florescente até à conquista turca, mas o desastre de Kosovo (1389), em que a Grande Sérvia se afundou, teve para ela graves consequências: enquanto, durante vários séculos, milhares dos seus fiéis fugiam para se agrupar em território austríaco, à volta de Karlowitz (ou Karlovitsi), os gregos ampliaram o seu predomínio e, em 1766, suprimiram o patriarcado de Ipek. Mas o Fanar não se interessou muito em cuidar dos novos fiéis.

Foi nas regiões submetidas aos turcos que a Igreja se reergueu durante o século XIX. Como se sabe, os sérvios, que foram os primeiros a sacudir o jugo muçulmano, numa luta heroica de vinte e cinco anos (1804-29), conseguiram ver reconhecida a sua independência religiosa em 1832. O primeiro metropolita foi um antigo tambor-mor do exército da independência. Os *maquisards* da Tcherna Gora (Montanha Negra), Montenegro, que, desde Kosovo, resistiam ao turco sob a direção do seu príncipe-bispo, tiveram também um metropolita, que residia em Cetinje. No reino húngaro, os sérvios emigrados constituíram, já desde 1741, a Igreja de Karlowitz, muito ativa, missionária, envolvida em frequentes conflitos com Budapeste, mas pujante. Nas províncias anexadas em 1878 pela Áustria-Hungria, designadas sob o nome de Bósnia-Herzegovina, fundou-se ainda uma outra Igreja, mas nunca chegou a ser plenamente autocéfala em relação a Constantinopla.

Essa divisão terminou depois da Primeira Grande Guerra, quando se constituiu o novo Estado da Iugoslávia. Foi então criada uma Igreja nacional sérvia. Constantinopla reconheceu em 1922 um patriarcado de Belgrado, cuja autoridade se exercia sobre cerca de seis milhões de fiéis, com três mil padres. Essa Igreja mantinha estreitas relações com a de Moscou, da qual recebia os santos óleos. De acordo com a melhor tradição bizantina, a monarquia interessou-se muito intensamente pela vida eclesiástica — o que não deixa de ser um eufemismo... —, e muitas e muitas vezes a Igreja já deu apoio às campanhas «servizantes» dirigidas por Belgrado, em prejuízo dos católicos croatas e dálmatas[90]. Quando se negociou em 1935 uma Concordata entre Belgrado e Roma, para reorganizar o culto católico na Iugoslávia, o Santo Sínodo ortodoxo excomungou antecipadamente os deputados da Skuchina que a aprovassem.

A Segunda Guerra Mundial foi um período dramático para a Igreja ortodoxa sérvia. Ocupada pelos alemães, a Sérvia desencadeou contra eles uma feroz guerra de resistência. O patriarca foi deportado, juntamente com bispos e outros dignitários. Para se vingarem de anos de humilhação, os croatas católicos deixaram que se formassem no seu seio grupos de terroristas, partidários da Croácia independente, sustentados pelas forças de ocupação. Em circunstâncias que mal permitem distinguir as razões políticas das religiosas, presenciaram-se chacinas pavorosas. Em Plaski, foram fuzilados o bispo ortodoxo e cento e trinta e sete padres. Falou-se de um total de 700.000 vítimas. O final da guerra reverteu a situação. Em 1945, o novo regime comunista proclamou a separação entre a Igreja e o Estado. Não houve abertamente perseguições semelhantes às da URSS, e o marechal Tito, sobretudo a partir da ruptura com Moscou, em 1948, adotou uma posição relativamente moderada. Mas a Igreja ortodoxa sérvia, por se ter declarado violentamente hostil ao marxismo, foi tratada como adversária, fortemente vigiada pela polícia e muitas vezes humilhada. O metropolita do Montenegro e alguns bispos foram executados e organizaram-se processos ruidosos contra membros da Hierarquia, alguns dos quais terminaram com penas de trabalhos forçados. Uma «Confraria de Padres», análoga aos «Renovados» da Rússia, tentou quebrar a unidade da Igreja. A situação só melhorou em 1954, com a eleição de um patriarca prudente.

A história da *Igreja búlgara* foi dominada, bem mais claramente do que a da Igreja sérvia, pelo problema das relações com o patriarcado ecumênico. Desde que o czar Boris (852-88) se batizou com o seu povo, a Igreja hesitou entre a jurisdição romana e a bizantina. Vimos já[91] como o antagonismo surdo entre búlgaros e gregos ocasionou conflitos violentos em várias ocasiões. Em 1767, a supressão da sé metropolitana de Ochrida pareceu dar a vitória aos gregos, que se dedicaram a destruir a Igreja búlgara, indo ao ponto de proibir o uso do eslavo na liturgia e de tributar os fiéis em proveito do Fanar. O despertar nacional, desde inícios do século XIX, fez-se acompanhar de uma vontade firme de independência religiosa. Tendo obtido do sultão liberdades civis no ano de 1856, os búlgaros manifestaram essa vontade em 1860, omitindo o nome do patriarca ecumênico no cânon da Missa.

Pensou-se então em vincular a Igreja búlgara a Roma, ao que a diplomacia russa se opôs habilmente. Mas os bispos gregos foram expulsos do país e, em 1870, um decreto do sultão reconhecia a independência da Igreja búlgara. Começou então um longo período de tensões, quase de guerra aberta. Um «concílio» reunido em Constantinopla excomungou todos os búlgaros, mas só os gregos fizeram caso desse ato, obstinando-se em tratar a Igreja búlgara como cismática. Tentou-se uma reconciliação nas vésperas da primeira guerra balcânica, de 1912, mas a segunda guerra, de 1913, em que os búlgaros atacaram os seus aliados da véspera, acentuou ainda mais os ódios. De novo os búlgaros se voltaram para Roma e de novo a Rússia interveio. Só em 1933 é que se entabularam negociações a sério, que só vieram a concluir-se em 1945. Constantinopla aceitou reconhecer como exarca o metropolita de Sofia. O último episódio desta história deu-se em 1953, quando, incentivado por Moscou, o Santo Sínodo búlgaro estabeleceu o patriarcado, sem sequer consultar o Fanar, que não o reconheceu.

Contudo, depois da Segunda Guerra Mundial, surgiu outro problema, mais grave. «Satelizada» pela Rússia, a Bulgária sofreu a perseguição comunista, aliás muito menos violenta do que a russa. Foi decretada a separação entre a Igreja e o Estado, suprimiu-se a educação religiosa nas escolas e fizeram-se algumas prisões de eclesiásticos, entre elas a do bispo Cirilo de Plovsk. Também se laicizaram numerosos conventos, alguns dos quais foram convertidos em hotéis de turismo, e criou-se uma «Associação de padres nacionais» integrada na «Frente Patriótica». O patriarcado de Moscou dá mostras de grande solicitude pela Igreja búlgara e os seus dignitários visitam-na frequentemente. A situação parece ter-se agravado na década de 50. O recrutamento de seminaristas é cada vez mais dificultado. Mas essa Igreja manifesta uma vitalidade que se traduz numa verdadeira renovação. A Academia de São Clemente de Ochrida está muito ativa e os seus mestres em teologia têm boa qualidade. A Bíblia suscita grande interesse. Publicam-se revistas religiosas, uma das quais, o *Anuário da Academia*, é importante. O exarca Estêvão, que foi posto em desgraça em 1948 por ter ousado publicar um livro sobre *O problema social à luz dos Evangelhos*, deixou um rastro profundo. Oficialmente, a Igreja búlgara, seguindo o exemplo da de Moscou, aprova em alta voz as iniciativas diplomáticas dos sovietes e encoraja o movimento dos Partidários da Paz, ao abrigo do qual trabalha o melhor que pode no plano espiritual.

A situação é ainda mais estranha na *Igreja romena*. Os descendentes dos colonos romanos instalados por Trajano, fortemente mesclados depois com eslavos, búlgaros, pecheneques e, mais tarde, com gregos e turcos, começaram por ser batizados por missionários latinos, mas vieram a vincular-se à Ortodoxia bizantina, cuja liturgia adotaram; essa vinculação foi obra do czar Simeão o Grande (893-927). Na realidade, os romenos constituíram ao longo dos séculos uma espécie de prolongamento da Igreja búlgara: dependiam do arcebispo greco-búlgaro de Ochrida, e, tal como os seus vizinhos, tiveram de suportar o jugo, pouco suave, do Fanar.

Nos começos do século XIX, os romenos estavam repartidos por três Igrejas, mais ou menos correspondentes à divisão política da nação entre os turcos, os austro-húngaros e os russos. O movimento de independência nacional fez-se acompanhar, como em todos os Balcãs, de uma firme vontade de autonomia religiosa. Iniciou-se pelo principado da Moldo-Valáquia, que, criado em 1859, já em 1872 se declarava independente do patriarca grego. Depois, teve lugar na Bukovina, onde a autoridade religiosa dos sérvios foi rejeitada em 1873. Em seguida, na Transilvânia, onde a tutela exercida pelo metropolita de Karlowitz cessou em 1879. Constantinopla resignou-se a reconhecer a autocefalia de Bucareste em 1885.

O nascimento da Grande Romênia, no fim da Primeira Guerra Mundial, permitiu unificar as três Igrejas numa só Igreja nacional romena, à qual ficaram ligados os ortodoxos da Bessarábia. Com os seus 13 milhões de fiéis, essa Igreja passou a ser a segunda da Ortodoxia, logo a seguir à russa. A partir de 1925, teve o seu patriarca. De acordo com a mais pura tradição bizantina, estava estreitamente ligada ao poder e chegou até a haver um tempo em que o «*Myron*» presidia ao Conselho de Ministros. A queda da monarquia após a Segunda Guerra Mundial infligiu-lhe, pois, um golpe muito grave. Em 1947, o país passou completamente para a dominação comunista. Que iria suceder à sua Igreja?

Foi aqui que se deu o paradoxo. Graças a uma personalidade extraordinária, o *patriarca Justiniano Marina*, diplomata de grande estatura e hábil organizador, o cristianismo não foi varrido juntamente com a monarquia. O novo regime de modo nenhum proclamou a separação entre a Igreja e o Estado. Bem ao contrário: quase se pode dizer que se substituiu à monarquia no seu papel de tutora da Igreja! A lei de 1948, que organizou o «regime geral da religião», eliminou qualquer intervenção eclesiástica no Estado e na educação, mas manteve todos os meios de ação do Estado na Igreja! A Constituição reconheceu «a Igreja unificada da Romênia, com o seu chefe próprio». Foi estabelecido um ministro da Religião, diante do qual os bispos prestam juramento e fidelidade «ao Povo e à República popular». Assim, a política de concórdia sonhada pelo patriarca Sérgio para a Rússia parece ter-se posto em prática na Romênia.

No plano dos fatos, as relações entre os dois poderes nem sempre foram muito boas. No começo do novo regime, houve bispos demitidos. Mais tarde, foram suprimidas algumas dioceses, presos alguns padres e fechados alguns conventos. E soube-se, por informações da imprensa e da rádio russas, que o clero romeno estava longe de manter-se na linha, que os padres omitiam geralmente no púlpito a leitura dos passos das cartas pastorais que continham diretrizes governamentais — 154 foram presos em 1952 por este motivo — e que o «movimento pela paz» encontrava resistências.

No entanto, essa situação não deixou de trazer vantagens para a Igreja ortodoxa. Além de lhe ter permitido absorver compulsoriamente as minorias católicas, valeu-lhe certa liberdade em campos importantes. Assim, por exemplo, pôde conservar parte dos seus bens. Tem dois Institutos de Teologia. Publica cerca de dez periódicos, entre os quais a revista *Studi Teologici*, que é excelente. Consegue que lhe sejam toleradas «escolas de cantores», que são, no fundo, seminários menores camuflados. As suas 8.568 paróquias têm 9.400 padres, ou seja, um para cada 1.500 fiéis. E, principalmente, desde 1948, deu-se um admirável renascimento monástico.

Os conventos foram reabertos e abrigam cerca de dez mil monges. O patriarca Justiniano Marina reorganizou-os em bases bem próximas da Regra beneditina, mas tendo em conta os princípios socialistas. Os monges devem praticar o serviço social, além do trabalho manual e intelectual; devem «participar na transformação da natureza exaltada pelo comunismo, dando-lhe porém o caráter de um trabalho místico de transfiguração da natureza e de deificação»[92]. O convento de Neamt, celebrizado pelo *staretz* Paisius Velichkoski[93], tornou-se um seminário monástico florescente. Os mosteiros femininos são igualmente prósperos; o de Agapia tem trezentas religiosas. A grande edição da *Filocália*[94] é ainda um sintoma não despiciendo de vitalidade. Esta renovação é tão evidente, que, a partir de 1958, em paralelo com a nova perseguição desencadeada na Rússia, o governo comunista começou a reagir, e, logo no ano seguinte, o patriarca iria ser submetido a residência vigiada. Irá o paradoxo romeno durar ainda muito?[95]

A Diáspora da Ortodoxia

No final do século XVIII, não havia quase nenhum grupo importante de ortodoxos fora dos Balcãs, do Próximo Oriente e do Império russo. Nos séculos XIX e XX deu-se uma verdadeira «diáspora» de cristãos orientais: gregos que abandonaram a sua pátria, então sob o jugo turco, e foram para as cidades costeiras do Ocidente e da América do Norte fazer fortuna, frequentemente grande fortuna; búlgaros, sérvios, albaneses, gregos, sírios, libaneses, egípcios e russos, ucranianos e outros ainda, que emigraram para os Estados Unidos por ocasião da grande marcha para o Oeste. Mais tarde, após a Revolução de 1917, foi o êxodo de muito numerosos súditos do czar para países acolhedores da Europa e da América, até para a China. Por fim, após 1945 e a instalação das democracias populares, um novo êxodo, desta vez refreado pelos governos, e menos importante. Existem hoje seguramente entre 6 e

7 milhões de cristãos ortodoxos dispersos pelo mundo e dependentes de diversas Igrejas.

Nos últimos anos do século XIX, existia nos Estados Unidos uma diocese ortodoxa russa que englobava paróquias gregas, sérvias, albanesas e búlgaras. Entre 1890 e 1901, incorporaram-se a essa diocese muitos católicos uniatas, que viviam isolados no meio dos ortodoxos. Em 1908, os gregos separaram-se e colocaram-se sob a jurisdição do Sínodo de Atenas. Depois, em 1922, vincularam-se ao patriarcado ecumênico e formaram uma verdadeira província eclesiástica, com quatro dioceses — ambição excessiva da qual foi necessário recuar em 1931, ano em que ficou propriamente constituído o «arcebispado da América do Norte e do Sul», cujo titular, «Exarca dos oceanos Atlântico e Pacífico», passou a ser ajudado por nove bispos auxiliares. Em 1924, deu-se uma cisão, que durou dez anos; depois, uma outra, em 1933, que ainda não acabou completamente. A utilidade desta Igreja grega demonstrou-se pela fundação de seminários, e tem havido à sua frente personalidades de primeira ordem, como o futuro patriarca Atenágoras[96]. Mas os seus padres queixam-se de que os fiéis se deixam americanizar e laicizar cada vez mais. Ao lado dela, existem uma Igreja melquita (árabe), bispados sérvios, romenos, búlgaros, albaneses... Todos tendem a unir-se em torno da Igreja russa, que é a mais importante.

Efetivamente, são os russos quem, desde 1917, constitui o elemento dominante da diáspora ortodoxa. Calcula-se em 2 milhões o número dos emigrados que abandonaram a Rússia entre 1918 e 21, dos quais pelo menos três quartos eram ortodoxos. Para conferir a essa massa de fiéis uma organização, cerca de vinte prelados reuniram-se em Constantinopla em junho de 1920 e decidiram fundar uma Igreja independente, que se instalou em Karlowitz (Iugoslávia).

Essa decisão não foi aceita nem pelo Fanar nem pela maior parte dos outros bispos emigrados. Em contraposição a essa Igreja sinodal, não tardou a constituir-se uma Igreja patriarcal, cujos chefes — Eulógio em Paris, para a Europa, e Platão para a América — foram designados segundo as regras pelo patriarca de Moscou.

Essa primeira dissenção veio a acentuar-se e complicar-se pelas consequências da política interna da URSS. Enquanto a Igreja sinodal se fechava numa oposição radical ao poder soviético, a Igreja patriarcal tomou uma atitude mais matizada, sobretudo desde que Sérgio, o «locum tenens» do patriarca de Moscou, adotou para com os sovietes a atitude que vimos atrás[97]. Eulógio pensou que podia sair da dificuldade declarando que nem ele nem os seus diocesanos faziam política e que ele permanecia fiel à Igreja nacional. Mas não era tão simples assim. Quando mandou rezar pelos perseguidos da URSS, resultou daí a ruptura com Moscou, e isso levou-o a vincular-se ao patriarca de Constantinopla, que o nomeou exarca de todas as Igrejas russas do Ocidente. Mas essa intrusão de um grego nos assuntos russos provocou um momento de fúria, que chegou a produzir um pequeno cisma.

Após a Segunda Guerra Mundial, no clima novo criado pela «União Sagrada», numerosos emigrados russos, sobretudo os da segunda geração, que admiravam as vitórias russas e a prosperidade econômica da União Soviética, pensaram ser necessário reatar as relações com o patriarcado de Moscou, já então reconhecido pelo poder soviético. O patriarca Aleixo enviou emissários para sondar o terreno e, por morte de Eulógio (1946), tentou nomear-lhe o sucessor. Na realidade, porém, o eleito foi o metropolita Vladimir, designado por Eulógio. Daí nasceu uma nova Igreja patriarcal, aliás mínima, vinculada a Moscou. Assim a emigração russa ficou partilhada entre três Igrejas: a do

Sínodo de Karlowitz, que passou a instalar-se em Manopac (perto de Nova York); a de Vladimir, reconhecido pelo patriarca ecumênico de Constantinopla; e a que se submeteu ao patriarcado de Moscou. E ainda existe uma quarta, nos Estados Unidos, formada pelos antigos emigrantes russos e ucranianos de antes de 1917 e que não reconhece nenhuma das outras três. Cada uma dessas Igrejas procura aumentar o seu poder de irradiação. A mais importante continua a ser a de Vladimir, ou seja, a que adotou uma «via media» entre o anticomunismo veemente e a obediência. O Instituto São Sérgio, em Paris, é um dos focos mais vivos desta Igreja. Nos Estados Unidos, o Seminário São Vladimir de Nova York, fundado em 1938, transformou-se em 1948 em Faculdade de Teologia ligada à Universidade de Columbia.

É uma situação bastante absurda e dolorosa, principalmente para os jovens, que não viveram as horas trágicas da Revolução, que cresceram no Ocidente ou na América e veem os problemas com outros olhos. Para os seus pais, a religião ortodoxa era objeto de um culto apaixonado, como uma relíquia da Santa Pátria perdida. Era corrente ouvir retomarem-se nos meios da emigração as teses «eslavófilas» segundo as quais, à maneira hegeliana, a Rússia era a *tese* da qual o Ocidente era a *antítese*, de modo que a *síntese* havia de resultar de uma fecundação da alma universal pela alma russa. Os jovens têm concepções menos grandiosas e menos nebulosas. É no quadro do mundo ocidental que pretendem agir, a favor de uma fé que, de resto, passa por um forte despertar, sob a dupla influência de um regresso às fontes da Ortodoxia e de um confronto com as realizações pastorais do catolicismo e do protestantismo. O impulso neste sentido deve-se à *Ação cristã dos estudantes russos*, fundada em 1923 no congresso de Pcherov (Checoslováquia).

Primeiro movimento de juventude da Igreja ortodoxa russa, a Ação Cristã foi sustentada por personalidades como Bulgakov e Berdiaev, e surgiu como prolongação do renascimento religioso de inícios do século XX. Sob a influência de um verdadeiro apóstolo, o padre *Basílio Zenkovski* (1881-1962), transformou-se em verdadeira missão do interior, com as suas publicações, grupos de trabalho, congressos anuais, polarizando as forças vivas da Diáspora russa. Antes de 1939, estava implantada em todos os países da Europa, no Canadá, nos Estados Unidos e era particularmente ativa nos países bálticos, na Eslováquia e na França. Este último país é o único da Europa em que a Ação Cristã mantém o seu vigor do tempo anterior à guerra, apesar de vários dos seus membros terem sido internados em campos de concentração alemães ou em prisões soviéticas, como sucedeu com os dirigentes dos países bálticos, onde o movimento assumira caráter de massa e tinha adeptos mesmo entre os camponeses. Hoje, ainda que o seu título se tenha tornado anacrônico — há muito que deixou de ser constituído por estudantes —, representa na França o elemento mais ardente e lúcido da Diáspora. Um dos seus animadores, Nikita Struve, neto de Petr Struve, publicou um excelente livro sobre os cristãos na Rússia. Não é já em função de uma restauração da Santa Rússia que eles veem o futuro da Ortodoxia, mas como um contributo concreto para a construção de um mundo cristão onde, em face do mundo ateu, cada uma das grandes obediências religiosas tenha o seu papel a desempenhar[98].

A Ortodoxia no mundo

Foi mediante a Diáspora que se restabeleceu o contato entre os cristãos ortodoxos e os das outras confissões, quer católicas, quer protestantes. A ignorância de que falava Dom Pitra já não é tão evidente nem tão espessa. Alguns pensadores e teólogos ortodoxos emigrados para o Ocidente têm contribuído fortemente para que a fé da sua Igreja se torne mais conhecida, e alguns deles — como Berdiaev, Bulgakov ou Losski — têm chegado a influir no pensamento ocidental.

O interesse pela Ortodoxia traduz-se no número considerável de publicações que a estudam[99] nos planos teológico, espiritual e biográfico. O movimento patrístico, tão característico da renovação católica, também fez crescer esse interesse, na própria medida em que a Ortodoxia é herdeira direta dos Padres gregos. Trabalhos como os que levam a cabo os dominicanos de *Istina*, ou os beneditinos de *Chévetogne*[100], não só contribuem para tornar mais conhecida a vida espiritual profunda do Oriente cristão, como criam preciosas relações interpessoais. E, depois que as Igrejas ortodoxas decidiram participar do movimento ecumênico e ter representantes nas reuniões do «Conselho Ecumênico»[101], os meios protestantes e anglicanos têm por sua vez manifestado crescente interesse pelo cristianismo oriental, herdeiro de Bizâncio. É indubitável que, em meados do século XX, a situação já não é a de meados do século anterior. O mundo cristão já é capaz de avaliar o lugar da Ortodoxia no seu seio.

Este lugar é, no entanto, difícil de determinar numericamente com precisão. Antes da Revolução de 1917, se contarmos os quatro quintos dos súditos do Czar, podia-se calcular que o conjunto das Igrejas ortodoxas andaria por 130 a 140 milhões de fiéis. Desde a instauração do regime comunista na Rússia e depois nas repúblicas populares, é extremamente difícil avaliar o total de cristãos que ali subsistem. Consoante os critérios escolhidos — prática pública, batismo —, os números variam enormemente.

Mas quem poderá calcular os crentes secretos, os praticantes em família, a fidelidade somente interior? Só quanto à URSS, uns observadores falam de trinta milhões de crentes, e outros de cem milhões. Cinco autores recentes, confrontados, permitem situar a cifra global dos ortodoxos entre os dois limites — um e outro exagerados — de 120 e 200 milhões. A verdade deve situar-se à volta dos 160, o que faz da Ortodoxia o terceiro grupo de cristãos, depois do catolicismo e do mundo protestante, este, aliás, sem a menor pretensão de formar, à maneira ortodoxa, uma só Igreja.

Numericamente importante no seio da Igreja universal, a Ortodoxia é-o ainda mais por tudo o que representa pela sua tradição, o seu pensamento teológico e a sua piedade mística. Tradição, pensamento e piedade que, depois de terem dado por muito tempo a impressão de estar em letargia, passam atualmente, ao menos em certos setores, por um despertar notável. «Como não ver um surto de vida — diz um dos bons comentadores da espiritualidade ortodoxa[102] — na *"dolorosa alegria"* da Igreja russa no seio do mundo comunista, nos movimentos renovadores que a oração faz jorrar do povo cristão na Grécia e no Líbano, nos altos planos do pensamento da "Dispersão" russa e da Igreja romena, no brotar de uma vigorosa ortodoxia norte-americana?»

É uma renovação que, como pudemos registrar nas páginas precedentes, tem um duplo caráter. Por um lado, um regresso às fontes, que é a melhor garantia de que, preparando o futuro, não se cairá nos acasos da improvisação. O interesse pelos Padres e pelos outros mestres do Oriente cristão, da Grécia e da Santa Rússia, assim como por métodos de espiritualidade como o hesicasmo ou a «oração do coração» — ainda ontem olhada com desdém —, é revelador dessa fidelidade à autêntica tradição. Ao mesmo tempo, porém, há um visível esforço, do qual vimos diversas provas, por alargar e renovar os métodos, indo buscar ao cristianismo ocidental o que parece aceitável. A ruptura do velho vínculo bizantino da Igreja com o Estado onipotente é quase universal. «O poder religioso e o poder civil — diria Soloviev — tinham-se unido: tinham dado as mãos um ao outro. Estavam ligados um ao outro por uma ideia comum: a negação do cristianismo enquanto força social e princípio motor do progresso histórico». Foi essa situação que acabou e, com ela, a negação tão bem caracterizada pelo autor de *A Rússia e a Igreja Universal.*

Saindo do seu isolamento, dessa espécie de gueto místico em que se encerrava, a espiritualidade ortodoxa, nos seus elementos mais lúcidos, descobriu a caridade de Cristo traduzida em atos. Vimos alguns sintomas disso no movimento da *Vida* na Grécia, com os «Jovens Ortodoxos» em Antioquia, com a reforma monástica do patriarca Justiniano na Romênia, e, em toda a parte, com a revivescência do espírito missionário. O movimento estendeu-se à própria União Soviética, apesar das enormes dificuldades com que esbarra a mínima veleidade de compromisso cristão na ordem temporal. Em 1962, durante o Congresso do Komsomol realizado em Moscou, ouvir-se-ia Sérgio Pavlov, primeiro secretário da Organização da Juventude Comunista, declarar-se preocupado por ver a Igreja adaptar-se demasiado bem às circunstâncias e procurar, segundo as palavras de um dos seus pregadores, «considerar a sociedade comunista como um trampolim para a perfeição divina». Não são poucas as matérias que se leem na imprensa soviética a propósito dessa nova linguagem da pregação, que não deixa de inquietar os Sem-Deus.

AS IGREJAS ORTODOXAS NO MUNDO 1952-2008

Nome	Jurisdição	1952	2008[103]
Igrejas autocéfalas			
Patriarcado Ecumênico de Constantinopla	Turquia, Grécia (Monte Athos, Creta, Patmos), Américas, Europa Ocidental e Austrália	575.000	3.500.000
Patriarcado de Alexandria	Egito e resto da África	150.000	250.000
Patriarcado de Antioquia	Síria, Líbano, Iraque, Kuwait, Irã, Américas, Austrália, Europa	250.000	750.000
Patriarcado de Jerusalém	Israel, Palestina e Jordânia	45.000	130.000
Igreja Ortodoxa da Rússia	Rússia, Ucrânia, Bielorússia, outros membros da CEI e diáspora	125.000.000	110.000.000
Igreja Ortodoxa da Sérvia	Sérvia e outros países que formavam a antiga Iugoslávia, diáspora	7.500.000	8.000.000
Igreja Ortodoxa da Romênia	Romênia e diáspora	12.000.000	18.820.000
Igreja Ortodoxa da Bulgária	Bulgária	6.000.000	6.500.000
Igreja Ortodoxa da Geórgia	Geórgia	2.000.000	3.500.000

Igreja Ortodoxa da Polônia	Polônia	350.000	600.000
Igreja Ortodoxa da Albânia	Albânia e diáspora	160.000	700.000
Igreja Ortodoxa das Repúblicas Tcheca e Eslovaca	República Tcheca, Eslováquia	150.000	100.000
Igreja Ortodoxa na América	América do Norte	300.000	1.000.000
Igreja Ortodoxa da Grécia	Grécia	7.000.000	10.000.000
Igreja Ortodoxa do Chipre	Chipre	400.000	700.000
Igrejas autônomas			
Igreja Ortodoxa do Monte Sinai	Península do Sinai	100	900
Igreja Ortodoxa da Finlândia	Finlândia	70.000	62.000
Igreja Ortodoxa do Japão	Japão	?	10.000
Igreja Ortodoxa da China	China	?	?
Igreja Ortodoxa Apostólica da Estônia	Estônia	?	18.000
Igrejas canônicas sob a jurisdição de Constantinopla			
Igreja Ortodoxa Carpato-Russa Americana	Estados Unidos e Canadá	?	50.000

Igreja Ortodoxa Ucraniana dos Estados Unidos e da diáspora	Estados Unidos e diáspora	?	150.000
Exarcado Ortodoxo Russo na Europa Ocidental	Europa Ocidental	?	100.000
Diocese Ortodoxa Albanesa na América	Estados Unidos	?	?
Igreja Ortodoxa Ucraniana no Canadá	Canadá	?	50.000
Igrejas em situação irregular			
Velhos Crentes	Rússia	20.000.000	2-2,5 milhões
Igreja Ortodoxa Ucraniana — Patriarcado de Kiev	Ucrânia	?	23.000.000
Igreja Ortodoxa Autocéfala da Ucrânia	Ucrânia	?	3.300.000
Igreja Ortodoxa Autocéfala da Bielorrússia	Europa Ocidental e América	?	?
Igreja Ortodoxa da Macedônia	Macedônia e diáspora	?	1.300.000
Igrejas Ortodoxas de Calendário Antigo	Romênia e Bulgária, principalmente	?	?
Total mundial		**184.950.100**	**250.000.000**

Este alargamento de perspectivas é certamente prometedor. Voltando a ser apostólica, a Ortodoxia pode ganhar terreno. É o que se vê nitidamente nos Estados Unidos. Onde quer que sejam capazes de sair do seu isolamento, os ortodoxos, pela própria força da sua espiritualidade mística e da sua piedade austera e simples, exercem uma ação *a contrario* sobre as almas a quem a vida moderna esgota e desgosta[104]. Assim, na diocese síria dos EUA, dependente do patriarcado de Antioquia, uma terça parte é constituída por pessoas convertidas à Ortodoxia das mais diversas confissões cristãs. E o seminário russo de São Vladimir (Nova York) é frequentado, não apenas por estudantes filiados a todas as Igrejas ortodoxas, mas por muitos outros que procedem de todas as denominações cristãs. As próprias missões ortodoxas, que tinham sido tão afetadas depois de 1917, recomeçaram timidamente, por exemplo no Japão. Mais admirável ainda: surgem Igrejas ortodoxas em ambientes onde até há pouco ninguém pensaria que pudessem deitar raízes.

Em 1932, em plena África negra, um grupo de cristãos de Uganda deixou a obediência anglicana para adotar a da Ortodoxia grega. Dirigido por um homem notável, o padre Spartas, esse grupo cresceu e não tardou a atingir a cifra de vinte mil; o sacerdote foi designado seu primeiro bispo e, quando morreu, outro foi nomeado. Cheia de vitalidade, essa pequena Igreja manda os melhores dos seus filhos fazerem os estudos de teologia no Colégio Patriarcal do Cairo ou na Faculdade de Atenas. Beneficiando-se da total independência com que se conduziu ante o sistema colonial, essa Igreja exerce atualmente uma forte atração sobre os anticolonialistas africanos. No outono de 1958, a organização internacional da juventude ortodoxa *Syndermos* elaborou um vasto plano de ação missionária, apoiada numa teologia que até aqui era praticamente inexistente.

Mesmo nos países ocidentais apareceram Igrejas ortodoxas. Em Londres, existe desde 1920 um exarcado grego ao qual se têm ligado elementos provenientes do anglicanismo ou dos diversos protestantismos. Na França, certos pensadores e teólogos têm procurado suscitar uma «Ortodoxia ocidental» capaz de adaptar ao quadro espiritual do Ocidente a tradição espiritual do Oriente cristão[105]. Assim se explica que exista em Paris, no Mont Sainte-Geneviève, uma igreja ortodoxa vinculada a Moscou, na qual a liturgia é toda ela celebrada em francês. É dirigida pelo pe. Lhuillier; e nela entrou, vindo dos lados do ateísmo, um bom professor e grande conhecedor da Ortodoxia, Olivier Clément. Alguns franceses, como o pe. Léon Gillet, aderiram também à Ortodoxia russa e passaram depois para a grega[106].

Na Inglaterra, há um grupo de espiritualidade ortodoxa dentro do anglicanismo. São os *Fellowships* de Santo Albano e São Sérgio, que participam ativamente do diálogo ecumênico.

Os cristãos de todas as confissões já se apercebem do lugar eminente que a Ortodoxia ocupa no conjunto das confissões cristãs, e de que, sem ela, o cristianismo deixaria de ser o que é. Nem será necessário insistir no papel misteriosamente sacrificial da Igreja russa, cuja resistência persistente às forças inimigas de qualquer fé tem valor simultaneamente de exemplo e de reversão sobrenatural. Católicos e protestantes podem encontrar na Ortodoxia elementos positivos de enriquecimento. Próxima da Igreja primitiva, e com traços que a continuam até hoje, ela reconduz os outros cristãos a uma concepção da fé e da prática mais despojada, mais centrada no essencial, menos jurídica e mais aberta ao sopro do Espírito. «Pense-se — diz mons. Dumont, o grande fundador de *Istina* — no sentido tão profundo e tão autêntico do caráter de mistério da religião cristã que o Oriente conservou; nessa atmosfera de sacramentalidade em que respiram não somente o seu culto, mas a própria expressão da sua fé, e até o exercício do seu governo»[107]. Na prática, os católicos podem estudar talvez com proveito a importância que a Ortodoxia dá à liturgia, ao uso da língua vulgar, ao papel dos leigos no governo — leigos casados — e, sem dúvida acima de tudo, à vontade de transfiguração e de divinização da natureza humana que pode equilibrar uma certa tentação de ativismo de que nem o catolicismo nem os protestantismos estão livres.

No entanto, a Ortodoxia vê-se inibida de desempenhar no universo cristão um papel verdadeiramente eficaz por causa de um tríplice fardo: o imobilismo, o isolamento voluntário e a desunião. Em extensas camadas da sua população crente e do seu clero, confunde-se com demasiada frequência a tradição com a rotina, um certo hieratismo necessário com uma autêntica mumificação. Tal como seus ícones, pintados hoje como há dez séculos e quase completamente ocultados por placas de metal precioso bem escurecido, a Ortodoxia está em grande parte recoberta por usos considerados sagrados pura e simplesmente porque «têm sido seguidos desde há muito tempo». Todas as tentativas de reforma vão embater em resistências violentas. São, aliás, os mesmos meios cristalizados na sacrossanta rotina que levam a conceber a Igreja como um gueto, ou, se preferirmos, como uma fortaleza donde é extremamente perigoso sair.

A aproximação com o movimento ecumênico protestante nunca teve adversários mais vigilantes; e quando, depois de 1958, com João XXIII e Paulo VI, se iniciar uma corrente de aproximação entre ortodoxos e católicos, as reações hão de ser extremamente vivas, a ponto de causarem escândalo[108]. É verdade que as campanhas de imprensa contra Roma, contra o Vaticano, contra as escolas católicas em países ortodoxos, diminuíram de frequência, talvez até de violência — mas não desapareceram. E pode-se ver em certas diferenças de atitude o reconhecimento da profunda desunião da Igreja Ortodoxa, cujos numerosos sinais já conhecemos. Não há dúvida de que se têm feito alguns esforços para dar remédio a esta situação. Os jornais e revistas de muitos meios ortodoxos fazem-se eco do ardente desejo de um número crescente de fiéis de ver chegar ao fim a desunião entre os patriarcados e as autocefalias, que eles consideram um motivo de fraqueza e um escândalo[109].

É aqui que reside incontestavelmente o nó do problema da Ortodoxia e do seu papel no mundo cristão. «É evidente — anota o pe. Le Guillou, comentando uma observação do pe. Schmemann — que as dissenções e desordens que, infelizmente, têm ensombrado a vida da Igreja ortodoxa nestas últimas décadas estão todas elas, de um modo ou de outro, ligadas ao problema do primado, ou antes à ausência de uma concepção precisa e comum a toda a Igreja a respeito da natureza e função desse primado. E, por outro lado, esse problema sempre em suspenso é um obstáculo fortíssimo para um desabrochar positivo e fecundo da vida eclesiástica, nos lugares em que esta não esteja ensombrecida por dissenções abertas»[110].

Poderá a Igreja ortodoxa resolver este problema do primado? Precisamente por ser essencialmente tradicional, ela não pode esquecer que os gloriosos patriarcados dos antigos tempos eram cinco, que a sua lista não se limitava a Constantinopla, Alexandria, Antioquia e Jerusalém, que o primeiro de todos era Roma. É no seio da Igreja universal — aí onde poderia situar as suas riquezas místicas no quadro jurídico providencialmente estabelecido por Roma, e acrescentar o seu impulso profundamente espiritual ao esforço de promoção cristã do mundo empreendido pelos católicos e protestantes — que a Igreja ortodoxa encontraria a solução para o seu tríplice problema da desunião, do isolamento e do imobilismo. A reorganização da Igreja Católica, que o gênio de João XXIII iria propor em 1959 como finalidade do Concílio por ele convocado, poderia com certeza ajudar a Ortodoxia a sentir mais plenamente essa exigência. Não será por acaso que o papa João e depois, seguindo-lhe o exemplo, o seu sucessor Paulo VI, irão prestar ao Oriente uma atenção toda cheia de respeito e de afeição fraternal[111].

Notas

[1] Cf. A Battandier, *Le cardinal Pitra*, p. 361. Sobre Pitra, cf. os *Índices analíticos* dos vols. VIII e IX; sobre Mgr. Malou, cf. o *Índice Analítico* do vol. VIII.

[2] A edição dos escritos dos Padres gregos e latinos, começada pelo sacerdote Jacques-Paul Migne (1800-1875).

[3] Sobre o nestorianismo e o monofisismo, cf. o cap. V.

[4] Para os orientais, a própria palavra *catolicidade* não significa apenas *universalidade*, mas também o que é confessado sempre e em toda a parte, e, por outro lado, o milagre do Espírito Santo que faz com que a mais pequena Igreja local possua a mesma plenitude de carismas e de verdades que a Igreja universal.

[5] Desse pequeno acréscimo litúrgico, certos espíritos sutis puderam, nos nossos dias, extrair consequências sobre o papel que tem, na religião, a instituição eucarística em face da ação do Espírito Santo, base da fé oriental, ou ainda sobre a autoridade do Vigário de Cristo em face da ideia do sacerdócio universal, também muito querida aos orientais...

[6] Acerca do primado de Pedro, verdadeiramente só se começou a discuti-lo a partir do século XII. V. o texto de Nicetas de Nicomédia pelo pe. Le Guillou em *L'Expérience de la collegialité en Orient*, Istina, 1964, I, pp. 120-21.

[7] O texto continha um erro de envergadura: acusava os bizantinos de terem suprimido o *Filioque* do Símbolo de Niceia!

[8] «Comunicação em coisas sagradas», isto é, concretamente a possibilidade de um católico receber os sacramentos numa Igreja Ortodoxa, especialmente a comunhão, e vice-versa (N. do T.).

[9] «Em geral»... A maior parte dos bispos e teólogos ortodoxos consideram que o *Filioque* não é obstáculo de monta entre as duas Igrejas. (Veja-se, por ex., o importante texto do patriarca Sérgio citado pelo pe. Le Guillou in *Mission et Unité*, II, pp. 78-80). Mas temos de reconhecer que, nos nossos dias, sob a influência de Losski, os jovens teólogos ortodoxos se inclinam a considerar outra vez o *Filioque* como uma questão decisiva.

[10] O *cânon* da Sagrada Escritura designa o conjunto dos livros aceitos pela Igreja como revelados. *Deuterocanônicos* — em oposição a *protocanônicos*, os que desde sempre foram aceitos por judeus e católicos sem nenhuma dúvida — são os livros do Antigo Testamento com relação aos quais não houve completa unanimidade nos primeiros séculos, porque apareciam na versão grega do Antigo Testamento, feita em Alexandria, mas não entre os judeus da Palestina. São os livros de *Tobias*, *Judite*, *Sabedoria*, *Eclesiástico*, *Baruc*, *Macabeus* I e II, e partes de *Daniel* e *Ester* (N. do T.).

[11] É sabido que foi por isso que São Cirilo e São Metódio se viram levados a fixar o alfabeto russo. Hoje, porém, nem os russos nem os gregos compreendem verdadeiramente a língua usada na liturgia.

[12] Não na Grécia.

[13] Certos teólogos da Igreja Ortodoxa têm sustentado que, mesmo quando, na sua poesia religiosa, se falava da «Conceição Imaculada» da Virgem, isso não significava que Maria estivesse isenta do pecado original.

[14] Em Jerusalém, a basílica que os ocidentais chamam «do Santo Sepulcro» corresponde àquela que Constantino tinha construído sob o nome de *Anástasis*, «da Ressurreição». Importa observar que, na jovem escola de teologia ortodoxa, se insiste no mistério da Cruz tanto como no da Ressurreição.

[15] O pe. Schmemmann, em *La Primauté de Pierre*, criticou essa concepção do ponto de vista da própria Ortodoxia.

[16] Vejamos, por exemplo, o que ensinava Simeão o Novo Teólogo, no limiar do século XI: «Permanece sentado no silêncio e na solidão; inclina a cabeça, fecha os olhos; respira mais devagar, olha em imaginação para o interior do teu coração; faz com que a tua inteligência, ou seja, o teu pensamento, se unifique e desça da cabeça ao encontro do teu coração. Pronuncia, ao ritmo da respiração, estas palavras: «Senhor Jesus Cristo, tende piedade de mim!» Em voz baixa, ou mesmo sem falar, simplesmente em espírito. Esforça-te por afastar qualquer pensamento, sê paciente e repete muitas vezes este exercício». Lê-se ainda na *Filocália* (cf., adiante, o par. *Dois bastiões da fé: o Athos e a Filocália*): «A oração pura consiste em invocar sem cessar o nome do Senhor. Deve ser perpétua. Sentados ou de pé, à mesa ou no trabalho, é preciso invocar o Senhor». Já alguém disse deste método que é «trans-psicológico». É um método que só tem sentido quando se acredita que a alma pode comunicar-se diretamente com o Espírito Santo e dele receber essa «luz do Tabor» de que fala São Gregório Palamas.

[17] Em 1963, durante as festas comemorativas do milênio do Monte Athos, um navio de guerra grego foi buscar o mais famoso dos ícones venerados na célebre República dos Monges, que é a Virgem de *Axion estis*. Esse ícone foi recebido no Pireu pelo metropolita, por uma imensa multidão e pelos tiros de canhão regulamentares para um Chefe de Estado! A multidão desfilou durante semanas diante da Virgem, quando foi exposta na catedral de Atenas.

[18] Divisória ou biombo encimado por uma arquitrave que separa a nave, onde ficam os fiéis, do presbitério, reservado ao clero (N. do E.).

[19] O *Trisagion* é a oração mais popular em todas as Igrejas orientais (encontra-se em certas liturgias ocidentais, por exemplo na Polônia). Na liturgia romana, é cantado em certas ocasiões. *Trisagion* significa «três vezes Santo», porque a palavra «santo» se repete três vezes na invocação: «Deus santo, santo e forte, santo e imortal, tende piedade de nós!»

[20] O direito de as Igrejas nacionais reclamarem a autocefalia pode sofrer exceções, se necessário. Em 1912, quando os italianos anexaram Rodes e o Dodecaneso, pressionaram os fiéis desses territórios a reclamarem a autocefalia religiosa. No entanto, entendendo que a

manutenção dos laços com o patriarcado de Constantinopla favoreceria a resistência grega, o Conselho Patriarcal recusou, e a Itália nunca conseguiu colocar senão um fantoche sem fiéis no trono patriarcal que fundou.

[21] Segundo uma profunda observação de Khomiakov, a Igreja ortodoxa pensa poder definir-se a si própria por este esquema hegeliano: o Catolicismo é unidade sem liberdade; o Protestantismo é liberdade sem unidade; a Ortodoxia é unidade e liberdade no amor.

[22] A albanesa foi excluída.

[23] A Igreja ortodoxa canonizou São Gregório V.

[24] A Igreja de Chipre é autocéfala.

[25] Para Paisius Velichkovski, cf. o vol. VII, cap. III, par. *A Santa Rússia.*

[26] Depois da Segunda Guerra Mundial, empreenderam-se trabalhos de classificação, efetuados por alguns monges e comissões de leigos enviados de Atenas.

[27] *Philo-Kalos*, «que ama o Belo».

[28] Em francês, foram traduzidos alguns fragmentos em 1953 pelos *Cahiers du Sud*, sob o título de *Petite Philocalie de la prière des coeurs.*

[29] Cf. o par. *Viajantes na terra e peregrinos a caminho do céu.*

[30] *Les Chrétiens d'Orient*, Paris, 1955, p. 204.

[31] Cf., por exemplo, o belo estudo sobre a *Prière de Jésus* assinado por «Um monge da Igreja do Oriente» e publicado, em francês, em Chèvetogne (1958).

[32] Sobre a companhia de São Paulo e a «Pro Civitate Christiana», cf. o vol. VIII, cap. XIII, par. *Do hábito ao jaquetão.*

[33] Pelo Natal de 1946, a União dos Intelectuais publicou um manifesto em que afirmava a vocação cristã da Grécia e o papel do cristianismo na obra de reorganização do mundo. Assinavam-no 181 professores, escritores e cientistas. Alguns ocidentais o apoiaram, entre os quais Henri Bordeaux, André Maurois, Leconte da Nouÿ, Paul Claudel e o autor desta obra. — Infelizmente, importa observar que, após a morte do arquimandrita Papacostas (1954), se deram alguns conflitos no seio da Fraternidade, ou seja, uma tensão entre os elementos tradicionalistas mais exigentes e os elementos mais novos, que tendiam a alargar o movimento diminuindo o rigor originário. Entre 1958 e 1960, isso levou a um rompimento: os mais austeros fundaram uma nova Fraternidade, a *Sotir* [«O Salvador»], dirigida pelo arquimandrita Dimopoulus.

[34] Desde há alguns anos, os iugoslavos têm licença do seu novo governo para irem para o Monte Athos e aí professarem.

[35] Cf. o cap. V, par. *No Egito, os Coptas.*

[36] Foi talvez este exemplo que Napoleão seguiu quando da sua coroação.

[37] Sobre São Cirilo e São Metódio, cf. o vol. II, cap. IX, par. *A conversão dos eslavos.*

[38] Sobre o Concílio de Florença, cf. o *Índice Analítico* do vol. IV.

[39] Sobre o título patriarcal, Nikon e Pedro o Grande, cf. o vol. VII, cap. III, par. *O mundo protestante.*

[40] Donde a lenda segundo a qual o imperador se teria convertido ao catolicismo no leito de morte. Outra lenda pretende que ele não morreu em Taganrog em 1825, mas se retirou para a Sibéria sob o nome de Fedor Kuzmich (falecido em 1864). O que há de misterioso nesta questão é que, quando esse Kuzmich morreu, foi sepultado num mosteiro, como príncipe, e a inscrição sobre o seu túmulo chama-o «grande abençoado», como era próprio dos czares.

[41] Sobre os Uniatas, cf. o vol. IX, cap. X, par. *Um olhar sobre o Oriente.*

[42] O termo *pope* vem do grego *papas*, que, pelo latim, deu também *papa*. Na antiga língua popular, significava «padre», sem nenhum matiz pejorativo. Este matiz apareceu no século XIX, um pouco como, em francês, sucedeu com o termo «*curé*» (ao português «cura» aconteceu o mesmo). No falar soviético, é formalmente injurioso. Por isso é desaconselhável utilizá-lo.

[43] Assim chamado por estar autorizado a usar vestes de cor clara ou mesmo brancas no verão.

[44] Cf. o par. *Herdeira de Bizâncio.*

[45] Cf. o par. *A «Intelligentsia» perante Deus.*

[46] Sobre o Raskol, cf. o par. *Do Raskol às novas seitas.*

[47] Prosternações rituais.

[48] Le Guillou, *L'Espirit de l'Orthodoxie grecque et russe*, Paris, 1961, p. 71.

[49] Cf. o par. *Herdeira de Bizâncio.*

[50] Cf. o par. *Patriarcados e «autocefalias».*

[51] Também em *Boca Calada*, de Ivan Bunin, se lê: «Os peregrinos vão errando, como vagabundos, de uma região para outra, através da Velha Rússia, pelas florestas e landes, impelidos, repelidos pelo vento das estepes... E toda essa gente canta. Cantam o velho cantochão da Igreja eslava, a história de Lázaro, o pustulento, ou de Aleixo, o homem de Deus que, na sua sede de indigência e de martírio, deixa a casa paterna para ir... quem sabe lá para onde...»

[52] *Narrativas de um peregrino russo ao seu pai espiritual*; trad. fr. de Jean Gauvain, Neuchâtel, 1943. O tradutor eliminou todas as passagens mais cruas em que o peregrino confessa os seus pecados sexuais.

[53] Cf. o par. *A verdadeira força da Igreja.*

[54] Cf. o par. *Herdeira de Bizâncio.*

[55] Barsotti, *Le Christianisme russe*, Paris, 1963.

[56] Foi certamente nele que Dostoievski pensou ao pintar o *staretz* Zózima; mas não apenas nele. De resto, os monges de Optina sempre se recusaram a reconhecer o seu mosteiro no quadro traçado pelo grande romancista.

[57] O último grande *staretz* da Rússia foi Aleixo de Zossimova, a quem escolheram para tirar à sorte o nome do primeiro patriarca, em 1917 (cf. acima, o par. *Moscou no tempo do Grande Sínodo.*). Vivia numa solidão absoluta, não se deixava ver por ninguém, exceto aos sábados, dia em que ia à capela e confessava inúmeros penitentes. Só comia pão bento e só bebia água... Como o Cura d'Ars, tinha o dom de ler nos corações, penetrando num só olhar aqueles que via pela primeira vez. Com mais de oitenta anos, ainda continuava a dedicar aos tristes pecadores todas as horas do sábado, prosseguindo até à madrugada de domingo.

Assim atravessou os dramas da Revolução bolchevista e suas sequelas numa total ignorância dos acontecimentos, sobrenaturalmente indiferente a tudo, exceto à busca de Deus. — Mas vivia no Monte Athos um outro *staretz*, que não iria morrer senão em 1936, pouco antes da Segunda Guerra Mundial. Era o *staretz Silvano*, personagem à maneira de Dostoievski, que, depois de ter matado um homem e seduzido uma jovem, fora arrancado ao pecado por uma intervenção da Virgem Maria e correra a fazer penitência no Athos por ordem de João de Kronstadt (cf., adiante, o par. *Três santos da Santa Rússia.*). No convento, levou uma vida extremamente humilde, mas não demorou a manifestar — ele, um simples camponês — uma maturidade espiritual tão assombrosa que se tornou guia de muitos dos seus confrades. Dos textos que deixou, o mais comovedor intitula-se *Lamentação de Adão*. É o grito de arrependimento do homem pecador.

[58] Sobre Cottolengo, cf. o *Índice analítico* do vol. VIII.

[59] Para Dom Bosco, cf. *ibidem*.

[60] Para Dom Orione, cf. o *Índice Analítico* do vol. IX.

[61] Para William Booth, cf. o cap. III, par. *William Booth e o Exército da Salvação*.

[62] Sobre a Terceira Roma, cf. o vol. VII, cap. III, par. *As Igrejas separadas do Oriente*.

[63] Já vimos atrás a observação de Berdiaev a respeito dele.

[64] Sobre o papel de Soloviev na história da unidade, cf. o cap. VI, par. *De Möhler a Leão XIII: teóricos da unidade*.

[65] Foi recentemente editado um conjunto admirável de textos de Rosanov, coligidos por Czapski, com o título de *La Face sombre du Christ*, Paris, 1964???.

[66] Deve-se-lhe uma das melhores exposições de conjunto sobre a Ortodoxia (Cf. o *Índice Bibliográfico*).

[67] Sobre Berdiaev, apareceu há pouco um livro admirável: *Berdiaev, l'homme du huitième jour*, por Marie-Madeleine Daviy (Paris, 1964).

[68] Mais recentemente, revelou-se a enorme figura espiritual de Alexandre Soljetsin, falecido em 2008 (N. do E.).

[69] Cf., adiante, o par. *À margem de Moscou*.

[70] O arcebispo Nicolau conseguiu evitar quaisquer dificuldades durante a guerra russo--japonesa de 1904-1905. Quando os exércitos do Mikado venceram, mandou cantar um *Te Deum* para sublinhar bem que a sua Igreja era verdadeiramente japonesa.

[71] Sobre os Velhos-Crentes e o Raskol, cf. o vol. VII, cap. III, par. *As Igrejas separadas do Oriente*.

[72] Marido e mulher tratam-se por «irmão» e «irmã». Os filhos chamam aos pais «velho» ou «velha», ou tratam-nos pelo nome próprio.

[73] A não ser que se tratasse de uma seita muito próxima; não se sabe lá muito bem.

[74] Sobre João de Kronstadt, cf. atrás o par. *Três santos da Santa Rússia*.

[75] Sobre o protestantismo na Rússia, cf. o cap. II, par. *Minorias em defesa ou expansão*.

[76] Existe na Rússia uma outra seita que tem adeptos entre antigos ortodoxos: os batistas. Mas, formalmente, são protestantes. Cf. o cap. II, par. *Minorias em defesa ou expansão*.

[77] Sobre a irreligião marxista, cf. o vol. VIII, car. I, par. *A ascensão do marxismo*.

[78] Embora de relance, tratou-se das perseguições no vol. IX, cap. IX.

[79] Cf. o par. *A «intelligentsia» perante Deus*.

[80] Que representa exatamente essa «Verdadeira Igreja Ortodoxa» (em russo, IPT)? É muito difícil avaliar exatamente a sua importância ou saber quais os elementos que a constituem; parece que, recrutada por muito tempo unicamente entre os sobreviventes de 1917, chegou a experimentar um certo rejuvenescimento por volta de 1940-1945. É com ela que se deve identificar a «Igreja das Catacumbas» de que se ocuparam a literatura e a imprensa, infelizmente sob uma forma demasiado romanesca. Em fevereiro de 1952, o boletim do «Centro Ortodoxo de Estudos e Informações», publicado em Bellevue, garantiu, sem dar provas: «Existe atualmente na URSS uma Igreja ortodoxa clandestina, que não reconhece o Patriarcado, acusando-o de ter concluído uma aliança com as forças do mal». Em 1958, o boletim *Expulsus*, que se publica em Köenistein (Taunus), chegou a escrever que certos metropolitas oficiais teriam sagrado um bispo da Igreja clandestina (um renomado médico de Moscou) e que todos os esforços feitos para trazer essa hierarquia das Catacumbas à luz do dia, ou seja, à obediência oficial, tinham fracassado.

[81] Personagem do romance *Madame Bovary*, de Gustave Flaubert (N. do E.).

[82] Para uso da propaganda entre os aliados, apareceu um grande e belo livro intitulado *A verdade sobre a religião na U.R.S.S.* Prefaciou-a o patriarca Sérgio, que usou desta expressão hábil a respeito das perseguições: «O que os nossos inimigos chamam perseguições, o nosso povo ortodoxo considera-o simplesmente como um regresso à idade apostólica».

[83] Página estranha deste capítulo da renovação espiritual é a que se escreveu nas províncias de Leningrado, Pskow e Novgorod, quando os alemães as ocuparam. O jovem metropolita Voskresenski colocou-se à frente do clero nos territórios ocupados. Sem renegar a vinculação com o Patriarca de Moscou, obteve dos alemães autorização para reanimar a Igreja. De fato, foi uma ressurreição. As paróquias reorganizaram-se. Os ofícios divinos atraíam multidões. O bispo declarava-se inimigo dos bolchevistas, desconfiava de Stalin e da sua «conversão», mas ao mesmo tempo estava resolvido a enganar os «comedores de salsichas». Posição insustentável. Num dia da primavera de 1944, o corpo do apóstolo da «Missão de Pskow» foi encontrado numa estrada, crivado de balas. Nunca se soube se fora morto pelos *maquisards* comunistas ou pela Gestapo.

[84] No seu relatório de 25 de novembro de 1963, publicado em 27 de janeiro de 1964 em *Kommunist*, Ilichev citou algumas páginas do cap. I do vol. IX desta coleção.

[85] Cf. o cap. V.

[86] Título usado pelos chefes de Igrejas autônomas que se encontravam fora do Império bizantino.

[87] Cf. acima o par. *Nos velhos Patriarcados da Grécia e do Oriente próximo*.

[88] Que se retirou para o Monte Athos e é venerado sob o nome de São Simeão (Cf. o vol. III, cap. XII, par. *A Igreja de Cristo não é somente o Ocidente*.).

[89] Cf. o *Índice Analítico* do cap. III.

[90] Ainda se veem nas paredes da catedral católica de Dubrovnik (Ragusa), os vestígios das balas disparadas pelas tropas sérvias. O assassinato do rei Alexandre, primeiro rei da Iugoslávia, no ano de 1934, em Marselha, foi o contra-golpe dessa perseguição.

[91] Acerca dos episódios anexos do conflito búlgaro, cf. acima.

[92] Uma das mais belas palavras do patriarca Justiniano é esta: «Os monges devem rezar por aqueles que não sabem rezar, por aqueles que não querem rezar, por aqueles que não podem rezar, e, mais ainda, por aqueles que nunca rezaram».

[93] Cf. o par. *Viajantes na terra e peregrinos a caminho do céu.*

[94] Cf., atrás, o par. *Dois bastiões da fé: o Athos e a Filocália.*

[95] Além dos patriarcados da Geórgia, da Sérvia, da Bulgária e da Romênia, podemos ainda referir certo número de Igrejas ortodoxas autocéfalas, de importância numérica variável. Algumas delas, como as dos países bálticos, desapareceram após a Segunda Guerra Mundial.

A Igreja da Albânia, que procurou constituir-se a partir de 1908, formou-se secretamente em 1912, depois da proclamação da independência nacional, e foi proclamada em 1922 graças à ação do pe. Fan (Teófano) Noli. Reconhecida em 1937 pelo Fanar, depois de conflitos férteis em peripécias pitorescas, viu-se submetida em 1944 a um regime comunista «duro», que prendeu o arcebispo e vários bispos e mandou eleger em lugar deles homens favoráveis à ideologia marxista.

Na Finlândia, setenta mil ortodoxos constituem uma pequena Igreja, formada principalmente por carelianos convertidos na Idade Média pelos monges russos de Valamo, às margens do lago Ladoga. Para evitar ser absorvida pelos russos, esta Igreja colocou-se sob a jurisdição direta do patriarca ecumênico de Constantinopla.

A Polônia de antes de 1939 contava 4 milhões de ortodoxos, bielo-russos e ucranianos, com três mil padres; a sua Igreja era autocéfala desde 1924. A absorção de uma grande parte dos seus territórios pela União Soviética em 1939 e em 1945, bem como a recusa do patriarcado de Moscou de reconhecer o Ato de 1924, puseram esta Igreja numa posição dificílima; em 1948, o patriarca Aleixo, patriarca ortodoxo de Moscou, impôs aos bispos ortodoxos poloneses que fizessem penitência diante dele para receberem das suas mãos a autocefalia.

Na Checoslováquia, o nascimento de um novo Estado após a Primeira Guerra Mundial foi acompanhado por movimentos religiosos violentos e confusos. Viram-se padres católicos declararem-se hussitas e ligarem-se à Igreja ortodoxa sérvia, ao passo que os ortodoxos de batismo (nos Cárpatos) constituíam uma Igreja que foi reconhecida em 1923 pelo patriarcado ecumênico. Desde 1945, esta Igreja, que absorveu pela força milhões de católicos, foi-se colocando progressivamente na órbita de Moscou. Em 1950, acabou por agrupar praticamente todos os adeptos da Ortodoxia e em 1951 obteve a autocefalia, não reconhecida por Constantinopla. Os seus chefes são russos.

[96] Cf. atrás o par. *Dois bastiões da fé: o Athos e a Filocália.*

[97] Cf. o par. *A grande provação da Igreja Russa.*

[98] Na Diáspora ortodoxa, importa dar um lugar à parte à pequena «Igreja ortodoxa autocéfala ucraniana», que tem como chefe no exílio o arcebispo Ewhen de Baezyna-Barchynsky. Sabe-se que esta Igreja, muito anterior à moscovita (Moscou começou por ser um simples bispado de Kiev), foi pouco a pouco russificada pela Igreja czarista, sobretudo após 1654 — data em que a Ucrânia foi submetida ao Império —, e perdeu a sua língua, as suas tradições e o seu ritual. Mas alguns dos seus melhores filhos, como Pedro Moghila (século XVII) exerceram um papel notável na renovação da Ortodoxia russa. Em 1917, o clero ucraniano estava confinado em cargos secundários: dos vinte e cinco bispos na Ucrânia, apenas um era autóctone. Após a Revolução, manifestaram-se tendências autonomistas e, em 1921, foi reconstituída uma Igreja autônoma. É escusado dizer que o regime soviético a tratou com severidade. Apesar de tudo, conseguiu viver modestamente na própria pátria, enquanto, na Suíça, alguns ucranianos fundavam um centro que exerce uma propaganda discreta em favor dessa Igreja bem infeliz.

[99] Cf. o *Índice Bibliográfico.*

[100] Cf. o cap. VI, par. *Os católicos e o movimento para a Unidade: III. Uma efervescência criadora.*

[101] Cf. o cap. VI, par. *O Conselho Ecumênico das Igrejas.*

[102] Olivier Clément, *L'Ortodoxie*, p. 31.

[103] Fonte: Ronald Roberson, The Eastern Christian Churches, 6ª edição, Edizioni Orientalia Christianae, Pontifício Istituto Orientale, 1999; disponível no endereço: http://www.cnewa.com/generalpg-verus.aspx?pageID=182.

[104] O caso pode ser aproximado do dos progressos dos trapistas (Cf. o vol. IX, cap. X, par. *«American way of faith».*

[105] Cf. Léon Zander, *L'Orthodoxie occidental*, tradução de Touraille, Paris, 1958. E também as revistas ortodoxas *Contacts* e *Le Messager.*

[106] Existe também uma «Igreja Ortodoxa da França», cujas origens são bastante singulares. Um antigo vigário coadjutor de Saint-Étienne-du-Mont (Paris), antigo professor do Instituto Católico, mons. Winnaert, abandonou em 1820 a Igreja Católica por ter sido acusado (ao que parece, sem muita razão) de tendências modernistas. Começou por integrar-se na Igreja anglicana, depois nos «velhos-católicos» (hostis à infalibilidade pontifícia), e por fim fundou ele próprio uma Igreja, que denominou «Igreja Livre Católica». Após uma tentativa de regressar à Igreja Católica, voltou-se para o patriarcado de Moscou, o qual, após alguma hesitação, o admitiu, em 1937, juntamente com a sua comunidade, sob o nome de «Igreja Católica Ortodoxa Ocidental». Pouco depois, mons. Winnaert morreu. Sucedeu-lhe na chefia um seu colaborador, Eugraphe Kovalevski, russo naturalizado francês, que criou a paróquia de Santo Irineu e o Instituto Ortodoxo Francês. Condenado pelo patriarca de Moscou em 1953, o pe. Kovalevski vinculou-se por algum tempo à Igreja ortodoxa russa da rua Daru, dependente do patriarca de Constantinopla, e depois separou-se dela para se ligar ao Sínodo dos Emigrados. Conservou nessa Igreja uns cem fiéis.

[107] Prefácio ao livro *L'Espirit de l'Orthodoxie grecque et russe*, do pe. Le Guillon.

[108] O Sínodo de Atenas protestou contra o encontro de janeiro de 1964 entre o patriarca Atenágoras e o papa. No entanto, na reunião panortodoxa de Rodes, em novembro do mesmo ano, o clima foi muito mais irênico.

[109] A conferência de Rodes assinalou um primeiro resultado no sentido desejável.

[110] Le Guillou, *L'Espirit de l'Orthodoxie grecque et russe*, p. 116.

[111] Este capítulo sobre a Igreja ortodoxa foi lido pelo pe. Kniazeff, professor de Teologia Ortodoxa no Instituto São Sérgio de Parsi, e pelo pe. Le Guillou OP, do Centro Istina. A um e a outro os nossos calorosos agradecimentos.

V. Os mais antigos separados da Ásia e da África

As rupturas do século V

A Igreja ortodoxa não é a única do Oriente que se declara separada. Para além dela, quer no tempo, quer no espaço, existem outras comunidades cristãs (algumas delas de importância numérica mínima) que reivindicam altivamente uma independência total, tanto em relação a Bizâncio como a Roma.

Nasceram no Oriente bizantino, numa época em que a Igreja era ainda una e universal, mais de seis séculos antes do cisma de Miguel Cerulário, e por razões que não tinham a ver apenas com a disciplina, mas punham gravemente em causa os dados revelados da fé. Consideradas heréticas e cismáticas, essas Igrejas trilharam ao longo dos anos destinos oblíquos que contribuíram para imprimir nelas características que acabaram por isolá-las. Isso apesar de algumas delas não concordarem com as interpretações que a teologia tradicional faz do seu Credo, contestando que mereçam ser tachadas de heréticas[1]. O que não simplifica em nada o quadro que se pode traçar dessas veneráveis e também discutíveis sobrevivências de um passado confuso.

Essas Igrejas orientais, que congregam cerca de 5 milhões de fiéis na Ásia e 9 na África — com um modesto apêndice na América e na Europa ocidental, formado sobretudo por emigrantes egípcios, sírios, libaneses e armênios —, podem ser agrupadas sob dois qualificativos: os *nestorianos* e os *monofisitas*. Estes dois nomes evocam os violentos debates que dilaceraram a Igreja, particularmente a do Oriente, durante o século V, e que foram o prolongamento e até, em certo sentido, a conclusão da terrível crise que a agitara durante o século IV, e à qual iria ficar ligado o nome de *Ário*[2]. Este padre grego do Egito, austero e piedoso, cujo belo rosto macilento e verbo vibrante tinham feito acorrer multidões de Alexandria, propusera, por volta de 320, uma interpretação do mistério da Encarnação que tinha entusiasmado alguns e escandalizado outros.

É certamente impossível ao espírito humano compreender como é que Deus pôde assumir um corpo de carne, e, mais ainda, como é que as duas naturezas, a divina e a humana, se harmonizavam em Jesus Cristo. O que define o mistério é precisamente ser irredutível à análise racional e não se deixar alcançar senão pela alma iluminada pela graça. Partindo de uma noção verdadeira — a da grandeza inefável e sublime de Deus, o Ser, o Poder e a Eternidade absolutos —, Ário fixou como princípio que a ausência de Deus era incomunicável, o que o levava a concluir que, fora de Deus, tudo é criatura. Tudo, mesmo o próprio Cristo. Portanto, Cristo não era essencialmente Deus, mas uma criatura única, excepcional, viva expressão de Sabedoria incriada, em quem o Verbo de Deus pudera residir: um homem, afinal, que, pelas suas virtudes sobrenaturais, provara merecer o título — a que cada homem pode aspirar — de «Filho de Deus».

Condenado no Concílio de Niceia, o arianismo não tardou a perder terreno no Oriente bizantino, aliás minado pelas dissensões, já que o seu espírito especulativo o levava a deliciar-se em desenvolver ou combater as teses do teólogo alexandrino. Mas, além de ter conquistado numerosos povos bárbaros germânicos das fronteiras[3] — que viam nesse cristianismo desnaturado uma exaltação do homem lisonjeira para os seus instintos —, a doutrina continuava a excitar as inteligências, levando os teólogos a debater o problema das relações em Jesus Cristo das suas duas naturezas, que o Concílio de Niceia proclamara tão reais uma como a outra, mas indissoluvelmente unidas. No limiar do século V, as discussões tornaram-se ainda mais vivas porque suscitavam uma rivalidade de escolas entre os dois grandes centros da teologia nessa época — Alexandria e Antioquia.

O problema da união em Cristo das duas naturezas pode ser abordado de duas maneiras. Ou, como nos convida o célebre prólogo do Evangelho segundo São João, partindo do Verbo divino que reside desde toda a eternidade no seio do Pai e, num dado momento do tempo, se apresenta feito homem a fim de levar a cabo a salvação do mundo: era o que ensinava a Escola de Alexandria, onde a metafísica ocupava um lugar de honra. Ou então, partindo da figura adorável que vemos no Evangelho, considerar todos os traços tão comovedores que o aproximam de nós, e ir à descoberta das provas da sua divindade através do seu comportamento e em especial dos seus milagres: e era este o tema preferido pelos mestres de Antioquia, psicólogos e místicos. A verdade total é, evidentemente, que Cristo é simultaneamente o Verbo e o Homem perfeito, o «Filho de Deus» no sentido mais vasto do termo, e Deus feito homem. Mas, quer se desse mais força a um desses dados, quer ao outro, de ambos os modos se caía em erro. E foi nesses erros que caíram, no século V, dois movimentos de ideias que perturbaram muitas consciências: duas heresias «cristológicas», que a História conhece sob os nomes de «nestorianismo» e de «monofisismo». Em suma: no século IV, o debate fora a propósito da divindade de Cristo, negada por Ário; no século V, o combate foi a propósito da sua humanidade.

Já nos anos 360 e seguintes, o virtuoso e sábio Apolinário de Laodiceia — que lutara violentamente contra o arianismo demonstrando que o Verbo era verdadeiramente Deus Encarnado, isto é, que aquele que morreu na cruz era realmente Deus, Filho de Deus — se desviara da sã doutrina, ao sustentar que o Verbo, em Jesus, tomara o lugar da alma, o que em seu entender explicava que nEle não houvesse pecado algum. Como é que — perguntava esse bispo — dois elementos tão radicalmente diferentes como a natureza divina e a natureza humana poderiam unir-se? Duas metades de uma maçã podem tornar a unir-se e formar um fruto completo; não, porém, uma metade de melão e uma metade de maçã. Logo, Cristo não era um homem completo: era uma metade de homem à qual se ligara a divindade do Verbo. Denunciado em diversos sínodos provinciais, o apolinarismo fora definitivamente condenado pelo segundo Concílio de Constantinopla de 381, ou seja, o mesmo que completou as fórmulas do Símbolo de Niceia[4].

Como sucede quase sempre na história das ideias, em que uma tese exagerada provoca uma antítese não menos excessiva, o apolinarismo suscitou veementes protestos e tomadas de posição categóricas. O principal doutor da Escola de Antioquia, Diodoro, que em 378 passou a ser bispo de Tarso da Cilícia — pátria de São Paulo —, afirmou que era preciso distinguir em Cristo entre o «Filho de Deus» que era Deus, e o «filho de David», nascido de Maria. Entre ambos, segundo ele, havia «unidade moral». O seu melhor discípulo, Teodoro, bispo de Mopsuéstia, apaixonou-se pelo que chamaríamos a «psicologia» de Jesus: analisou, aliás com muita lucidez, as excepcionais virtudes do mais perfeito dos modelos, insistiu nas tentações que Ele sofrera e repelira, assim como nos seus sentimentos de ternura ou de cólera, deixando na sombra os aspectos divinos da sua personalidade — tudo isso tão habilmente formulado que ninguém pensou que essa atitude apresentasse qualquer perigo. Quando, porém, as teses de Diodoro e de Teodoro foram retomadas, simplificadas e sistematizadas pelo mais notável dos seus discípulos, *Nestório*[5], chamado em 428 a ocupar a sé de Constantinopla, provocaram escândalo. Para ele e para o seu amigo e auxiliar, o presbítero antioquenho Anastácio, as duas naturezas que se encontravam em Cristo tinham de ser separadas: era preciso distinguir nitidamente o Homem e Deus. Não havia o direito de atribuir a Deus as propriedades, sentimentos e paixões do homem Jesus. E vinha a consequência lógica: não se devia dizer «Deus morreu por nós» ou o «Filho de Deus foi crucificado».

As fórmulas apaziguadoras com que os nestorianos envolviam essas asserções mais que discutíveis em nada mudaram o fundo das coisas. E quando Anastácio, desenvolvendo a sua tese, veio a proclamar solenemente que quem nascera da Virgem Maria não era o Filho de Deus, mas sim um homem, a cuja natureza se juntara a natureza divina, e que, por conseguinte, a Santíssima Virgem não tinha direito ao título de «Mãe de Deus» (*Theotokos*), mas apenas ao de «Mãe de Cristo» (*Christotokos*), a celeuma foi enorme. Houve fiéis que protestaram em plena igreja. Como Nestório protegeu o seu subordinado e tentou arranjar as coisas — aliás, de maneira bem confusa —, ele próprio foi por sua vez publicamente desmentido. Um leigo, Eusébio, que pouco depois seria eleito bispo de Dorileia, denunciou-o publicamente como herege. São Cirilo de Alexandria, poderoso e pugnacíssimo teólogo, atacou-o com violência, talvez contente por censurar um defensor da Escola de Antioquia. Recorreu ao papa e às duas princesas que então governavam em nome do basileu Teodósio II, a mulher deste, Eudóxia, e a irmã do mesmo, Pulquéria. A questão teve rapidamente repercussões políticas, até em Bizâncio, onde o povo era muito devoto da *Theotokos*, da «Mãe de

Deus», e o mesmo se passou na Síria, onde se interpretou o caso como manobra dos alexandrinos e dos gregos para pregar uma partida aos mestres de Antioquia. Houve que reunir um concílio: foi o Concílio de Éfeso, em 431, ao fim do qual São Cirilo e o legado papal foram carregados em triunfo pela multidão, e Nestório expulso. Condenado, foi exilado em Petra e mais tarde no grande oásis do Egito, obstinando-se até à morte nas suas teses.

No entanto, como num movimento pendular, das violentas refutações tinha saído um outro erro, herdado, em substância, do de Apolinário. Muito prudentemente, a fim de evitar empurrar os nestorianos para a secessão, São Cirilo, juntamente com o teólogo João de Antioquia, tentara achar fórmulas que fossem aceitáveis para todos. Dióscoro, um desastrado, declarou que essa moderação era criminosa e cobriu de vexames os antigos amigos de Nestório que se tinham submetido lealmente aos decretos conciliares. Ao mesmo tempo, ele e os seus partidários formularam teses que assumiam exatamente a posição oposta à de Nestório, levando-as ao cúmulo do radicalismo. Assim nasceu o «monofisismo», isto é, a doutrina da «Natureza Única»; ou, para falar com mais precisão, assim nasceram os monofisismos, visto que depressa essa doutrina se subdividiu em múltiplos ramos, que não vale a pena enunciar em pormenor.

Para os monofisitas, havia apenas uma natureza em Jesus Cristo, e não duas naturezas, associadas, segundo a fé, por uma «união hipostática». A humanidade estava absorvida pela divindade, fundida na divindade, como uma gota de água no oceano. A fórmula de São João «O Verbo fez-se carne» significava para eles que «o Verbo se manifestou na carne». Tudo o que há de humano, de pateticamente humano, no mistério da Encarnação, ficava aniquilado, reduzido ao estado de um vago símbolo: podia um Deus sofrer e morrer como um homem? Mostrando, contra os nestorianos, um Cristo, não somente revestido da miserável humanidade, mas iluminado pela glória divina, os monofisitas amputavam a Revelação cristã de metade da sua verdade.

A questão do monofisismo passou do plano da controvérsia teológica para o da disputa pública quando o clã dos partidários da única natureza achou um chefe na pessoa de um monge chamado Eutiques[6], que nem pela sua inteligência nem pela sua ciência estava à altura das suas ambições, mas cujo sobrinho era muito poderoso no palácio, em especial junto de Eudóxia, mulher de Teodósio II. A questão chegou a tomar a feição de uma guerra entre damas, porque Pulquéria, irmã do imperador, furiosa por ver a cunhada dirigir o seu fraco irmão, se declarou antieutiquiana decidida. A luta foi travada pelo mesmo Eusébio de Dorileia que assestara o primeiro golpe em Nestório. Um concílio local reunido em Constantinopla (448) excomungou Eutiques, que apelou simultaneamente para Dióscoro, patriarca de Alexandria — que, obviamente, lhe deu razão — e para o Papa. Este último não era outro senão *São Leão*, o maior pontífice da época, precisamente aquele que fizera Átila recuar[7]. Informado por Flaviano, patriarca de Constantinopla, que se conservara fiel à sã doutrina, o papa formulou a regra de fé num texto que causou enorme impressão e que ficaria célebre com o título de *Tomo a Flaviano*. Não tanta impressão, porém, que bastasse para trazer todos os espíritos à sabedoria!

Reunido em Éfeso um novo concílio (449), a violência atingiu um grau inimaginável: os padres conciliares falaram de se cortarem uns aos outros em pedaços, depuseram-se mutuamente, bateram-se fisicamente. Os monofisitas apelaram para a ralé do porto, que interveio tão bem que o patriarca Flaviano morreu dos maus tratos recebidos, e a história deu a esse penoso episódio o nome de «latrocínio de Éfeso». A que ponto se teria chegado se Pulquéria, dois anos depois, não tivesse assumido o poder, com seu marido Marciano, e ordenado a convocação de um novo concílio? Em Calcedônia (451), seiscentos Padres condenaram o monofisismo e proclamaram: «Confessamos um só Jesus Cristo, Filho Único de Deus, em quem reconhecemos duas naturezas, sem que haja nem confusão, nem absorção, nem divisão, nem separação entre elas»[8].

Em 451, portanto, parecia estar tudo terminado, e assim era realmente, sob o ponto de vista doutrinal. E, no entanto, esse ano assinalou o ponto de partida do processo de ruptura e fragmentação que iria continuar até aos nossos dias. Os teólogos dos dois clãs extremistas insurgiram-se contra a fórmula calcedônia, que uns achavam demasiado nestoriana, outros demasiado próxima do ensino de São Cirilo. Teriam esses dissentimentos doutrinários bastado para provocar cisões, se não tivessem intervindo outras razões? É de duvidar. Não é difícil admitir que os felás das margens do Nilo ou os beduínos da Síria não tivessem senão uma ideia vaga acerca desses torneios de ideias. Por que então essas duas doutrinas desviacionistas arrastaram multidões e conduziram à formação de verdadeiras Igrejas, de Igrejas que iriam durar até hoje? Nesse meio tempo, outras heresias coevas, como o pelagianismo[9], não tardaram a ficar sepultadas nos areais da História, e o próprio arianismo, depois de ter parecido impor-se duradouramente aos germanos conquistadores, foi facilmente vencido pela Igreja do Ocidente.

Acontece que os teólogos encontraram um apoio vigoroso na consciência das massas. Já no século V o Império bizantino vinha sendo minado pelas forças de ruptura que, dois séculos mais tarde, com a invasão árabe, o destruiriam tão depressa. Nas províncias, odiavam-se os gregos, os funcionários altaneiros, os vorazes coletores de impostos, e, pelo menos outro tanto, os prelados impostos por Constantinopla. A rivalidade entre Alexandria e Antioquia de um lado — pois neste ponto eram aliadas —, e do outro lado Bizâncio, acabara por tornar explosiva a situação, porque as duas velhas metrópoles se irritavam com a primazia de que Constantinopla se gloriava, sob o pretexto de que o imperador fizera dela a capital. Assim, as duas heresias foram a tão ansiada oportunidade para que as massas submetidas por Bizâncio sacudissem um pouco o jugo. E um dos sinais imediatos dessa libertação foi, em diversos países do Oriente, o abandono do grego como língua litúrgica.

Desse modo vieram a constituir-se Igrejas monofisitas na Síria e entre os coptas do Egito, tal como se criaram Igrejas nestorianas na Mesopotâmia. Até a Pérsia sassânida, em perpétuo conflito com Bizâncio, fez com que a sua população cristã se separasse da sé de Constantinopla, adotando o nestorianismo. Traço característico desse Próximo Oriente — em que o mapa das religiões iria complicar-se indefinidamente de século em século — foi que cada uma das cristandades passou a apresentar-se cada vez mais como uma comunidade étnica e nacional, com a sua hierarquia, ritos, língua e tribunais; e, na maior parte dos casos, o chefe religioso era o chefe político, o condutor do povo. Todos os esforços feitos pelos Basileus para reconduzir os povos à unidade de fé fracassaram. Não ficaram na grande Igreja senão minorias, desdenhosamente qualificadas de *melquitas*, ou seja, «realistas», «monárquicas». E o Islão, ao estabelecer em todo o seu império, no século VII, uma unidade política que ignorava as divergências religiosas entre os cristãos, iria acabar de solidificá-las. Constituídas no século V, e após quinze séculos de perseguições, de vexames e humilhações, essas comunidades[10] cristãs sobreviveram. Acham-se atualmente espalhadas da Armênia até à Etiópia, do Líbano até à Índia. Dispersas, isoladas, ganharam por isso mesmo aspectos diferentes e por vezes bizarros. Algumas são bem pequenas, bem pobres, bem fracas; outras ostentam riqueza, poder, e estão em plena atividade. Pela profunda convicção que conservam de serem depositárias da mensagem de Cristo, guardiãs da fidelidade, todas permanecem veneráveis.

Tão grandes outrora, tão pouca coisa hoje: os «assírios» nestorianos

Dos dois grandes desvios cristológicos, o que se manteve menos bem é o de Nestório. Os fiéis desta doutrina serão hoje uns oitenta mil, repartidos em diversos grupos que se encontram na Mesopotâmia, nas montanhas curdas e no Líbano, com um anexo nos Estados Unidos e outro, muito mais modesto, na Índia. São os descendentes do antiquíssimo povo caldaico, cuja glória remonta a quatro milênios, ou, melhor dizendo, são os descendentes da pequena minoria de crentes que, no momento da invasão muçulmana, permaneceram fiéis à Cruz de Cristo.

A sua característica mais clara é o rito especial que seguem, o rito caldaico, com usos um pouco diferentes dos de Bizâncio, e cuja língua litúrgica é o caldaico, que o povo comum já não compreende e o clero sofrivelmente. Eles mesmos rejeitam a qualificação de «nestorianos». Durante muito tempo preferiram a de *surayé*, ou seja, «sírios», que lhes recordava a origem da sua Igreja; mas trocaram-na após a Primeira Guerra Mundial pela de «assírios», deixando a de «caldeus» aos seus irmãos de raça que se vincularam a Roma a partir do século XVII. Dispersos pelo território de seis Estados — Iraque, Irã, Síria, Turquia, Líbano e Rússia —, sem falar da América do Norte..., tiveram e continuam a ter dificuldade em salvaguardar a sua unidade.

Só são nestorianos pelos motivos contingentes, de ordem política e administrativa, que evocávamos há um instante. A sua Igreja proclama-se extremamente antiga, nascida da missão do Apóstolo São Tomé e dos seus auxiliares, os santos Aggai e Mari. Seja como for, essa Igreja já existia solidamente no início do século IV, quando o bispo de Selêucia-Ctésifon conseguiu ser reconhecido como primaz com o título de *katholicos*, isto é, de delegado do patriarca de Antioquia. A maioria destes caldeus cristãos vivia então sob a tutela do império persa, senhor da Mesopotâmia. No reinado de Sapor II, foram duramente perseguidos e quase aniquilados pelos fanáticos da velha religião dualista iraniana; mas, no início do século V, um xá, mais tolerante e mais hábil, chegou a um entendimento e, em 424, a Igreja cristã declarou-se independente de Antioquia; era a «Igreja da Pérsia».

Desenvolviam-se nessa altura os episódios da crise nestoriana. Numerosos jovens caldeus frequentavam em território bizantino a célebre Escola de Edessa, cujos mestres se tinham deixado conquistar pelas teses antioquenhas acerca das duas naturezas de Cristo. Quando, em 489, o basileu Zenão, bom ortodoxo, mandou fechar a Escola, a maior parte dos professores e dos alunos emigraram para o império persa, onde o xá, feliz de poder pregar uma peça ao seu adversário de Constantinopla, os acolheu de braços abertos. Foi assim que o nestorianismo veio a ser a doutrina oficial dos cristãos da Pérsia, tendo-se chegado a proibir por lei que alguém perfilhasse outro credo.

Esta imigração foi o ponto de partida de uma extraordinária aventura, que iria desenrolar as suas peripécias ao longo de sete a oito séculos e afetar metade da Ásia. Os edéssios eram intelectuais de categoria, bem formados no pensamento e na ciência dos gregos. Como o império persa tinha falta de quadros, empregou os recém-vindos como funcionários, médicos, financeiros, até conselheiros do xá, e os teólogos cristãos, quer dizer, nestorianos, eram rodeados de respeito. O mais extraordinário é que esses cristãos conseguiram conservar a mesma situação quando a invasão muçulmana acabou com o domínio iraniano. Os califas de Bagdá fizeram deles seus amigos, seus guias, e os cristãos não tiveram pequena parte no brilhante movimento literário, científico e artístico que, da Mesopotâmia, se estendeu até à Hispânia.

A Igreja soube utilizar com muita habilidade o favor de que muitos dos seus fiéis gozavam junto dos califas. Prosperou, cresceu, juntou sob a autoridade do *katholicos* — instalado em Bagdá desde que o califa Almançor ergueu essa capital — a totalidade ou quase dos cristãos. Tinha tal vitalidade que formou missões cujo zelo apostólico não tardou a revelar-se prodigioso[11]. Os curdos do Alto Tigre foram os primeiros a ser evangelizados. Depois, os missionários lançaram-se para o coração da Ásia, partindo com as caravanas ou tornando-se eles próprios caravaneiros e mercadores. Viram-nos chegar — empreendedores, persuasivos — a Tartária, a Mongólia, a China, a Índia e até as ilhas de Sonda. Operaram conversões tão numerosas entre os turcos e entre os mongóis que se constituíram verdadeiras Igrejas. Assim chegaram a ter no século XIII — algo difícil de acreditar! — 230 dioceses agrupadas em 27 províncias. Houve até, de 1281 a 1317, um *katholicos* nestoriano de raça ungute.

Sabe-se que São Luís negociou uma aliança com os mongóis nestorianos para apanhar de flanco os turcos, e que o famoso franciscano Guilherme de Rubrueck[12], ao ser recebido na capital do grão-khan, ali encontrou monges nestorianos que faziam de capelães de uma parte da corte. Até na China se encontraram inscrições deixadas por eles, como é o caso da famosa estela de Si Ngan Fu. E, no Tibete, há quem pense achar traços do seu ensino em certas práticas do budismo tântrico. Foi uma expansão prodigiosa.

No entanto, a ruína, iniciada logo nos começos do século XIV por razões internas, foi consumada no fim do mesmo século com a invasão de Tamerlão. O terrível conquistador das estepes não se interessava muito pelas sutilezas religiosas... A queda do império mongol arrastou consigo os cristãos nestorianos. Os da Mesopotâmia e proximidades sentiram-se cruelmente isolados e por várias vezes voltaram-se para Roma: designadamente em 1552, ano em que se fundou uma primeira Igreja Caldaica Unida, e depois em 1672, quando foi propriamente instituído o catolicismo caldaico, sob a chefia, desde 1681, do patriarca da Babilônia.

Mas a situação, para o conjunto dos cristãos, nestorianos e católicos, foi-se tornando cada vez mais precária. As perseguições, as repetidas guerras entre turcos e persas, levaram os mais enérgicos dos assírios a instalar-se nas impenetráveis montanhas de Hakkiari, ao sul do lago de Van, onde conseguiram subsistir à custa de esforços incríveis e de uma austeridade extrema. Organizaram-se de acordo com velhos costumes tribais, sem nenhuma distinção prática entre o social e o religioso, sob a direção do seu «malik» e do seu patriarca (hereditário). Apesar disso, não deixaram de surgir dissensões nessa Igreja, tendo chegado a haver três patriarcas nestorianos ao mesmo tempo. A sé patriarcal, depois de ter vagueado de Selêucia para Bagdá, de Bagdá para Mossul, acabou por fixar-se num lugar quase inacessível do Curdistão, Kochanés, onde permanece até hoje.

O século XIX achou a Igreja nestoriana em plena decadência. Muitos dos seus fiéis, com medo das perseguições, ou, pelo menos, dos abusos administrativos, tinham-se convertido ao Islã; não restavam mais que uns cem mil. O monaquismo, que noutros tempos alcançara um esplendor extraordinário, estava em ruínas: de duzentos conventos, subsistiam apenas trinta, cada vez menos habitados. E dir-se-ia que coisa alguma poderia impedir esse declínio. Todo o século XIX e grande parte do século XX se caracterizaram para esses desventurados cristãos por uma só palavra: perseguição. E algumas delas foram pavorosas. Em 1843, os curdos atacaram de surpresa os cristãos de todo o seu território e chacinaram milhares deles; depois recomeçaram em 1846, aniquilando o que ainda ficara de uma elite eclesiástica. As sevícias repetiram-se em 1860, enquanto o jugo dos turcos pesava cada vez mais.

A Primeira Guerra Mundial acarretou para os assírios o pior drama da sua história, aliás tão cheia deles. Cansadas do jugo turco, as tribos aceitaram em 1915 a proposta dos Aliados, sobretudo dos russos, de deixarem as suas montanhas e se juntarem a eles. A Inglaterra prometera ao «mais pequeno dos seus aliados», como então se dizia, que a sua nação seria independente após a vitória. Até o patriarca mobilizou os assírios em torno da causa da liberdade. Depois de se terem batido heroicamente, integrados nas *levies* (tropas supletivas britânicas), os assírios sofreram a desilusão de ver a sua pátria, as queridas montanhas de Hakkiari, atribuídas aos turcos pela Sociedade das Nações. Quanto a eles, foram instalados, sabe Deus como, no território do novo Estado do Iraque, sem que se tivesse tomado qualquer precaução séria para os proteger. A tensão foi crescendo de ano para ano, e em 1933 deu-se a explosão. Como o patriarca tivesse sido colocado em residência fixa, um milhar de guerreiros assírios pegou em armas. Uma escaramuça entre eles e as tropas iraquianas na fronteira síria desencadeou represálias atrozes, que chegaram ao que hoje se chama «genocídio»: aldeias inteiras destruídas, incendiadas, os habitantes chacinados, muitas vezes após torturas inomináveis. Alguns milhares refugiaram-se na Síria, então sob pavilhão francês; mas quando se proclamou a independência síria em 1937, pelo menos uns tantos tomaram novamente o caminho do exílio e entraram no Líbano. História atroz, história dolorosa, cujas trágicas consequências se traduzem nas estatísticas: já não existem no Próximo Oriente senão uns 70.000 assírios nestorianos, e cerca de 10.000 estabeleceram-se nos Estados Unidos[13].

Em teoria, a Igreja nestoriana conserva a estrutura do passado. Continua a ter à sua frente um *katholicos*, sob a autoridade do qual cinco bispos dirigem outras tantas dioceses. Na prática, a organização diocesana é tão vaga que é impossível determiná-la com precisão. Quanto ao *katholicos*, «herdeiro do Apóstolo São Tomé», se é verdade que está rodeado de pompa, tem uma atuação inexpressiva. A sua designação obedece a métodos surpreendentes: a função é hereditária na mesma família desde o século XV e, em geral, passa de tio para sobrinho mediante processos sutis. Está estabelecido que só pode ser *katholicos* um homem que jamais tenha comido carne, e é segundo esse regime que se prepara o futuro candidato ao cargo... O que por vezes leva a investir nessas altas funções uma criança de doze anos, como sucedeu em 1920. Todos os *katholicos* se chamam *Simão* — em caldaico, Shimun —, em memória do fundador da dinastia sacerdotal; esse nome próprio é precedido pelo nome do titular e seguido de um número de ordem.

Os *katholicos* mais recentes têm tido destinos agitados. Mar Benjamin Shimun XIX, eleito em 1903 aos dezesseis anos, conhecido por interessar-se mais por cavalos do que por teologia, lançou o seu povo na guerra contra os turcos em 1915 e teve de fugir no momento da derrota russa, vindo a ser assassinado na Pérsia por um curdo. Mar Polus (Paulo) Shimun XX procurou conduzir toda a sua Igreja para o catolicismo e morreu em condições misteriosas, em 1920. Após um interregno ocupado pela irmã do defunto,

Surma Khanem, o filho desta, com doze anos de idade, tomou o título de Mar Eshai (Jessé) Shimun XXI. Não demorou a ver-se em dificuldades com o governo de Bagdá, e, depois de ter estado preso, sentiu-se tão ameaçado que, em 1940, preferiu mudar-se para Chicago, onde permaneceu, embora tenha feito um ato de submissão ao governo iraquiano. Continua a dizer-se «patriarca *katholicos* dos assírios e do Oriente»; mas, no próprio país, a Igreja é governada por um outro *katholicos*, com uma autoridade um tanto discutida.

Apesar de tantas provocações e circunstâncias tão infelizes, o que resta dos assírios nestorianos conserva uma fé que merece respeito. Os ofícios litúrgicos atraem regularmente os fiéis, que participam o melhor que podem da venerável liturgia «caldaica», provinda diretamente da de Antioquia, que, segundo se afirma, é quase idêntica ao grande *Hallel* judaico, à refeição do Cordeiro Pascal. Contém ladainhas especiais e gestos particulares, tais como a «apresentação das mãos a Deus» antes da anáfora (prefácio). É difícil discernir nela o canto da fala, de tal maneira esta, ritmada, se aproxima do recitativo. Mas, a despeito da real suntuosidade das palavras litúrgicas, tudo é pobre na igrejas. Também o é o clero — um clero cujos efetivos nem sequer podem ser avaliados e que não recebe formação em nenhum seminário.

As diferenças dogmáticas entre essa Igreja e as de Roma ou de Bizâncio não parecem muito claras: por exemplo, os padres assírios têm acusado os missionários protestantes de não venerarem bastante a Santíssima Virgem, o que, tratando-se de nestorianos, é algo inesperado. Quanto aos sete sacramentos, modificaram a Penitência e a Extrema-Unção. O monaquismo desapareceu quase por completo: subsistem no Iraque algumas pequeníssimas comunidades, misturadas com grupos de monofisitas, mas o mosteiro mais ilustre, o de Rabban Hormuz, conhecido por «convento vermelho» por causa da cor das paredes, está ocupado por monges caldeus católicos.

Como vemos, é uma situação desoladora. Mas, de há alguns anos para cá, constituiu-se entre os assírios emigrados um movimento — cujos dois centros estão em Chicago e Hasseché (Síria) —, destinado a fazer reviver a velha nação cristã da Assíria. Participam dessa iniciativa vários descendentes das antigas famílias que dirigiam as tribos. Procura-se ajudar material e espiritualmente os irmãos que ficaram no Iraque e países vizinhos, e reclama-se das grandes potências a independência do povo assírio e o seu reagrupamento. Hostil ao patriarca Eschai Shimun XXI, recriminado por se ter naturalizado americano e por tirar daí vantagens pessoais, essa vanguarda fundou em Chicago uma Igreja independente, *The American Assyrian Apostolic Church*, dirigida com muita dignidade por um membro da família patriarcal, o reverendo Sadok de Mar Simão. Nas atuais circunstâncias, estes separados parecem sentir-se atraídos, quer pela Igreja anglicana, quer sobretudo pela Igreja Católica, cujas missões, com as suas escolas e albergues, se revelam infinitamente mais ativas e eficazes do que a sua própria Igreja. É talvez entre estes sobreviventes de um passado ora tão glorioso, ora tão doloroso, que as hipóteses de unidade serão maiores.

Os descendentes de «Tiago o Andrajoso»

O monofisismo conservou uma extensão e uma importância bem maiores do que o nestorianismo. Ou antes, diríamos *os* monofisismos — visto que, como já vimos, o movimento se cindiu desde muito cedo em tendências diversas, que continuaram a subdividir-se ao longo dos séculos.

A mais antiga destas Igrejas dissidentes, a que prolonga de modo mais direto o clã monofisita das origens, tem por quadro geográfico a Síria, com prolongamentos na cadeia do Tauro, alguma coisa na Ásia Menor, mais largamente na Mesopotâmia. As suas comunidades estão tão imbricadas com os nestorianos — e com os melquitas ortodoxos, e com os maronitas, e com os católicos de diversos ritos —, que o visitante nem sempre consegue saber diante de que variedade de religião se encontra. Esta Igreja recebe o nome de *Igreja jacobita*.

Este nome recorda uma página muito curiosa da história do cristianismo oriental. Quando o Concílio de Calcedônia de 451 condenou os erros de Eutiques, a maioria dos padres e monges da Síria recusou-se a aceitar a sentença. Viam nela — sem razão, pensamos hoje — a condenação de São Cirilo. De 451 a 518, sucederam-se na sé de Antioquia patriarcas ortodoxos e patriarcas monofisitas, consoante os imperadores eram «calcedônios» militantes, ou hostis, ou indiferentes. No século VI, dois grandes basileus, Justino e a seguir o seu famoso sobrinho *Justiniano*, tomaram medidas radicais contra os dissidentes e todos os bispos suspeitos de monofisismo foram encerrados em conventos. Mas ninguém ignora que, se Justiniano era poderoso, a sua mulher, a não menos ilustre *Teodora*, o era quase tanto. Ora, ela tinha certas simpatias pelo monofisismo e, sobretudo na política pessoal que desenvolvia à margem da do marido, uma das suas peças era o xeque beduíno dos gassânidas, aliado e mercenário de Bizâncio, em cujos territórios o monofisismo proliferara. Quando Harith ibn Djaballah pediu a Teodora bispos da seita monofisita para os seus súditos, ela acedeu a fornecer-lhes. Foi assim que surgiu no primeiro plano da cena um monge de Constantinopla conquistado para a doutrina condenada, de nome *Tiago Zamalos*.

Era decerto uma personalidade excepcional, alma de fogo, temperamento de um vigor a toda a prova. Sagrado bispo de Edessa em 543 — é a data em que os «jacobitas» fixam a origem da sua Igreja — por ordem de Teodora e em condições não muito claras, Tiago não se deixou ficar na cidade episcopal, onde o xeque Djaballah o protegia, mas preferiu lançar-se numa imensa viagem de propaganda através de toda a Síria bizantina. Como a polícia imperial o procurava, disfarçou-se de mendigo, donde o sobrenome de *Andrajoso* (Tiago Baradai, ou Baradeu). Falava nos conventos, conseguia adeptos, sagrava bispos, alcançava o próprio Egito. Tudo isso no meio de dificuldades que não provinham apenas das medidas policiais tomadas contra ele, mas das dissensões que se produziam na sua própria Igreja, onde alguns opunham ao seu monofisismo uma doutrina «triteísta» cujas especulações não vale a pena estudar. Apesar de tudo, o infatigável andrajoso continuou até à morte a edificar a sua Igreja, não apenas na Síria, onde foi instituída uma vasta hierarquia «jacobita», mas também no Egito, onde instituiu um patriarca, sob as ordens do qual se encontravam setenta bispos. Morreu muito velho, em plena ação e em plena estrada, no decurso de uma missão.

Assim, já nos fins do século VI, os monofisitas tiveram na Síria e nos países próximos uma Igreja exatamente paralela à Igreja oficial, com um patriarca jacobita, bispos, mosteiros e paróquias jacobitas. Como não podia residir em Antioquia, cidade imperial, o patriarca fixou a sua sede, primeiro em Diarbekir, depois em Mardin, fora das fronteiras do Império. A invasão islâmica foi bem acolhida pelos jacobitas por causa do ódio que sentiam pelos gregos ortodoxos. Mas a reconquista da Síria, em 968, pelo basileu Nicéforo Focas foi-lhes nefasta, sem que, no entanto, a Igreja bizantina conseguisse fazê-los voltar ao seu seio. Mantiveram excelentes relações com os Cruzados, pois tudo o que fosse pregar uma partida aos gregos tinha o seu apoio. Esta Igreja durou, portanto, e até cresceu, embora continuasse a sofrer tensões internas, especialmente as que resultavam da rivalidade entre o «patriarca de Antioquia e de todo o Oriente» e o seu representante na Pérsia e na Arábia, o «Mafrião».

A partir do século XVII, a Igreja jacobita achou-se confrontada com outro perigo. Efetivamente, em 1662, uma parte dos seus fiéis separou-se dela para formar uma Igreja católica unida a Roma. Ajudados pelas autoridades turcas, os monofisitas tentaram aniquilá-la em toda a parte onde puderam, mas não o conseguiram. Muitas vezes dizimados, os sírios católicos deram provas de uma extraordinária vitalidade. E a sua presença até aos nossos dias iria causar à Igreja jacobita um grave problema.

Durante o século XIX, a história do monofisismo sírio reduziu-se praticamente a dois fatos: a perseguição e a resistência aos progressos dos católicos. Como todos os cristãos, os jacobitas sofreram as consequências da política do Ocidente cristão contra a Turquia; sofreram as mesmas perseguições que os ortodoxos e os maronitas, os católicos, os nestorianos. As que acompanharam a Primeira Grande Guerra foram particularmente severas: talvez metade dos fiéis tenha morrido entre 1915 e 1923. Os progressos do catolicismo — que o governo turco reconheceu oficialmente em 1830, separando a Igreja católica síria da jacobita — também lhe foram prejudiciais: entre 1831 e 1850, cinco bispos jacobitas vincularam-se a Roma; e entre 1913 e 1923, doze. Personalidades como o erudito patriarca católico Mahmani (1898-1929) e o seu sucessor, o atual cardeal Tapuni, exerceram uma irradiação a que têm sido sensíveis os melhores elementos da Igreja jacobita. Os resultados destes acontecimentos manifestam-se de maneira eloquente nas estatísticas. No tempo do seu esplendor, pelos séculos XI e XII, a Igreja nascida de Tiago Baradai contava pelos menos um milhão de fiéis, agrupados em 163 bispados e vinte metrópoles. Hoje, não terá mais de 120 mil fiéis — dispersos pela Síria e pelo Iraque —, sete metropolitas, três bispos, vários deles sem jurisdição. O patriarca, que reside em Mossul, vê o seu pequeno rebanho diminuir de ano para ano.

Como os assírios nestorianos, a Igreja jacobita conservou o rito originário da Igreja de Antioquia, o mais antigo de toda a história cristã, bem anterior ao de Bizâncio. Apenas substituiu o grego pelo siríaco — isto é, pelo dialeto aramaico ocidental — como língua litúrgica. Na verdade, certas passagens do ofício, como a Epístola e o Evangelho, são lidas em árabe popular, ou em turco, ou ainda em curdo. Fato singular: ao cânon da Missa original, chamado de «São Tiago», acrescentaram-se muitos outros — setenta —, compostos por teólogos atingidos pelo mal da originalidade, que atribuíram a paternidade desses textos a personagens ilustres. A Missa mais comum é a chamada de Santo Eustácio, que é também a mais curta. Quando é solene, a Missa siríaca é acompanhada de uma música extremamente complicada, em que os chantres não dispõem de qualquer pauta musical para ajudar a memória e a gama é de oito tons, como na bizantina. É um canto grave, melancólico, monótono, a que não falta beleza nem poder de sedução.

A vida religiosa dos jacobitas é, como a dos nestorianos, e como a de todos os cristãos do Próximo Oriente, vigorosa e sincera, enraizada na alma por séculos de tormentos corajosamente suportados: tal como os seus irmãos separados, os descendentes de Tiago Baradai souberam morrer pela sua religião. No plano doutrinário, estará ela muito distante da dos ortodoxos e da dos católicos? A fé que proclama é menos a de Eutiques do que a de São Cirilo, e os teólogos consideram hoje que as fórmulas cirilianas são susceptíveis de uma interpretação ortodoxa e que a ruptura se deu por um erro de vocabulário, por motivos políticos, nacionalistas, que já conhecemos. Bastaria bem pouco para que a Igreja jacobita pudesse vincular-se à Ortodoxia grega. A questão é mais problemática com relação ao catolicismo, visto que, tendo sofrido sem dar muito por isso a influência de Bizâncio, rejeita a autoridade do Papa e não admite como chefe supremo senão o Senhor que está nos céus, Jesus Cristo. Um clero muito pobre oficia os atos litúrgicos, e durante muito tempo só celebrava a missa de vez em quando, e não necessariamente aos domingos. É um clero, aliás, pouco instruído, e apenas capaz de ler o ritual. Pode-se receber o subdiaconado aos dez anos, mas só se pode ser diácono aos vinte e cinco e padre aos trinta.

Ao contrário dos nestorianos, os jacobitas têm conseguido salvaguardar um pouco da vida monástica. Claro que já não estão nos tempos em que a Síria, do Tauro à Mesopotâmia, estava sulcada de conventos jacobitas; e já não se veem «estilitas» empoleirados nas suas colunas pela vida toda, para edificação das multidões. Restam, no entanto, uns dez mosteiros, e foi num deles, Dur-Zarafan, perto de Martin, que o patriarca teve por muito tempo a sua sede. De todos, o mais conhecido dos ocidentais é o de São João-Marcos, de Jerusalém, cujos monges têm sob os seus cuidados a pequena e obscura capela situada por trás do túmulo de Cristo, na Basílica do Santo Sepulcro. O mais impressionante é o que se ergue sobre o monte Maklub, não longe de Mossul, e que durante muito tempo se chamou Mar Mattai (de São Mateus) e hoje é conhecido sob a designação de Xeque Mattio: é uma verdadeira fortaleza, construída no extremo rebordo do planalto e protegida por uma muralha e por torres defensivas dignas da cidade de Carcassonne. Constitui o santuário dos mártires jacobitas, a guardiã fiel da memória de Bar Hebracus, esse Pico della Mirandola do monofisismo que viveu no século XIII. Atualmente, só lá restam quatro monges, sob a direção de um abade-bispo. Durante o verão, para lá afluem os peregrinos, e as suas famílias enchem as celas outrora habitadas pelos monges.

Desde há alguns anos, esboçou-se uma renovação nesta Igreja, que parece não ser mais que uma sobrevivência de um passado abolido. Alguns leigos, que tinham estudado na Inglaterra, fundaram em 1914 uma Assembleia Nacional que desde então participa do governo da Igreja, à maneira dos presbiterianos. O atual patriarca construiu um seminário onde os futuros padres passaram a fazer os seus estudos ao longo de pelo menos de três anos. Fundou também escolas religiosas. Entre os monges, sobretudo os da região de Mossul e os de Jerusalém, nasceu um novíssimo interesse pelas questões bíblicas. E essa renovação veio acompanhada de um claro endurecimento de posições para com as outras obediências cristãs, designadamente o catolicismo, cujos progressos continuam a constituir a maior preocupação dos descendentes de Tiago o Andrajoso.

Ensanguentada e viva Armênia

Até para o menor conhecedor das realidades da História, «Armênia» é sinônimo de chacinas. Ao pronunciar este nome, erguem-se na memória imagens de horror: aldeias incendiadas, homens torturados, executados, mulheres e crianças deportadas. Imagens reais, desgraçadamente reais. Esse desventurado povo — um ramo destacado da árvore indo-europeia, plantado cerca do século VII a.C. nas proximidades do Cáucaso, e com uma ramificação no Tauro, foi sucessivamente dominado por poderosos vizinhos: persas, romanos, bizantinos, árabes, turcos, russos, e sem cessar repuxado por uns e outros, perseguido por todos.

Dir-se-ia que um destino hostil se encarniçou contra essa raça nobre, bela, inteligente, disposto a aniquilá-la. E, no entanto, superando tantas provações, a Armênia continua a viver, e os seus filhos, onde quer que possam desenvolver-se livremente, continuam a manifestar qualidades insignes. Oferece o exemplo de um povo tão capaz de fazer frente, heroicamente, às forças conjugadas para o destruir, como para edificar uma nação original, no meio de tantos acontecimentos terríveis.

As estatísticas que se conhecem causam horror — e ainda estamos longe de as conhecer todas. Durante o século XIX, a perseguição devastou a Armênia pelo menos dez vezes. Em 1894-95, assumiu uma feição de tal modo atroz, que o Ocidente se emocionou e dirigiu protestos à Sublime Porta, que pouca atenção lhes prestou. Em 1909, a mortandade repetiu-se, e foi particularmente selvagem em Adana. De 1915 a 1917, e de 1922 a 1923, reacendeu-se de maneira sistemática. E puderam-se calcular num milhão as vítimas, quer assassinadas, quer forçadas a exilar-se. Em 1913, havia dois milhões de armênios na Turquia; em 1924, restavam cem mil.

Esta empresa secular de genocídio, posta em prática sobretudo pelos turcos, dificilmente encontra uma explicação. Porque, como se viu, os sultões otomanos, em outros países, não foram sistematicamente perseguidores e até chegaram a praticar para com os cristãos uma política de colaboração que só se suspendeu quando as ofensivas da política europeia provocaram represálias. É certo que a Armênia teve a infelicidade de se encontrar na confluência das ambições russas, persas, inglesas, o que não podia deixar de irritar os turcos. Devem ter intervindo, além disso, razões contingentes. Os armênios foram sempre muito trabalhadores, excelentes no artesanato, no comércio, na banca, e os seus triunfos despertaram rancores ferozes. Mas não deixa de ser verdade que é antes de tudo e sobretudo por serem cristãos que eles têm sido, desde há séculos, visados e perseguidos.

Cristãos, são-no desde há muito e muito tempo, desde os primórdios da Igreja, a acreditarmos nas narrativas lendárias sobre a evangelização da Armênia pelo Apóstolo São Bartolomeu e o seu coadjuvante São Tadeu. Em qualquer caso, o cristianismo penetrou nessa região pelo menos nos finais do século III, quando *São Gregório o Iluminador*, armênio educado desde a meninice em país grego, conseguiu trazer para a fé o rei Tiridates II[14]. Esta jovem Igreja teve os seus mártires, mas já no limiar do século V era sólida, e, sob um chefe enérgico, Isaac o Grande, que se separou de Bizâncio, organizava-se de maneira autônoma. Tinha liturgia própria, que era, em linhas gerais, a da Capadócia, a mesma que influenciou também a liturgia bizantina. Tinha os seus textos, que, redigidos num alfabeto nacional concebido pelo monge Mesrop, lhe permitia torná-los acessíveis a todos e libertá-la totalmente dos gregos e dos sírios[15].

Foi por desconfiar de Bizâncio, dos seus funcionários e do seu clero, que, em 551, a Igreja armênia aderiu ao monofisismo, no concílio de Dwin, condenando solenemente as decisões do Concílio de Calcedônia. Todos os esforços feitos pela Igreja bizantina e pelos imperadores para reconduzir essas ovelhas ao redil, pela persuasão ou pela força, e muitas vezes de modo desastrado, fracassaram. Em 691, o famoso concílio *In Trullo*[16] aprofundou a ruptura, que, no entanto, só veio a consumar-se nos começos do século XVIII.

Assim se constituiu a «Igreja armênia», ainda hoje chamada «Igreja dos armênios», mas que os seus fiéis preferem chamar «Igreja gregoriana», em memória de São Gregório o Iluminador, o que é, evidentemente, um desafio à verdade histórica, pois foi precisamente em nome da Igreja de Cesareia da Capadócia que o apóstolo converteu a sua pátria, e não movido por um propósito de secessão.

Aliás, a expressão «Igreja armênia» é inexata ainda por outro motivo. O singular é falso: devia-se empregar o plural. De acordo com a mesma concepção que vimos na Ortodoxia[17], não existe uma Igreja armênia institucional, mas várias Igrejas armênias, cada uma com o seu chefe, a sua hierarquia e até certos usos. O *katholicos* de Echmiadzin (também chamado patriarca) goza apenas de um primado de honra e não exerce a sua autoridade fora dos limites da sua diocese patriarcal. A única unidade proclamada é espiritual, e o único chefe reconhecido é Jesus Cristo. Essa fragmentação explica-se pela geografia e pela história. Em verdade, há duas Armênias: a das regiões do Cáucaso, chamada «Grande Armênia», e a da Cilícia, ou seja da região do Tauro, designada por «Pequena Armênia».

No decorrer dos séculos, houve ainda outras razões para a partilha. O *katholicos*, instalado primeiro em Achtichat, teve de emigrar várias vezes durante a Idade Média, e em 1293 fixou-se em Sis da Cilícia. Mas um bispo concorrente fundou um catolicato em Aghtamar, nas margens do lago de Van, e até 1441 foi tido por usurpador. No século XIV, deu-se mais uma divisão, quando os monges armênios de Jerusalém elegeram um patriarca próprio. E veio outra em 1441, quando os bispos da Armênia caucasiana opuseram um rival ao de Sis, que foi o *katholicos* de Echmiadzin. E outra ainda em 1461, quando o sultão Mahmud IV estabeleceu um patriarcado armênio em Constantinopla, com a agravante de que as sés de Constantinopla e de Jerusalém não eram do mesmo nível que a de Echmiadznin. Já nos nossos dias, em consequência das chacinas da Primeira Guerra Mundial, a Igreja armênia de Aghtamar desapareceu e as de Jerusalém e de Constantinopla sofreram uma forte redução. Restam, portanto, apenas os catolicatos de Echmiadzin e de Sis da Cilícia, que já só têm na Turquia uma sé nominal. Dependem do primeiro os armênios da URSS, da Índia, da Pérsia, da Europa e da América; e do segundo, os restantes.

Ao todo, calcula-se em cerca de 3,5 milhões o conjunto dos armênios vinculados à fé pré-calcedoniana, isto é, separados de Bizâncio e de Roma. A maior parte depende do *katholicos* de Echmiadzin, que reside perto do monte Ararat, no célebre convento cujo nome proclama a fidelidade cristã, porque significa «O Filho Único desceu». Dois milhões deles constituem um grupo compacto na Armênia russa e no Azerbaijão. O resto espalha-se em maior número pela Rússia, e depois pela Turquia e pela Pérsia.

As suas relações com os russos foram complicadas. Irritados com os xás da Pérsia que, nos séculos XVII e XVIII, os tinham maltratado, os armênios ajudaram os czares a conquistar o seu país em 1828. Mas foram mal recompensados. Em 1836, Nicolau I, sob o pretexto de reorganizar o *katholicato*, instalou nele um conselho sinodal à maneira moscovita, com um comissário imperial. Os armênios perderam o direito de eleger o seu *katholicos*: cabia-lhes apenas elaborar uma lista de candidatos, entre os quais o czar escolheria um. Os protestos foram tão violentos que o governo russo não ousou aplicar imediatamente o novo regulamento. Corrigiu-o a fundo antes de pô-lo em execução a partir de 1882. Esse regime funcionou até 1917. Mas a preocupação evidente do czarismo foi russificar e ortodoxizar a Armênia. Em 1903, Nicolau II decidiu de uma penada despojar o *katholicos* de todos os seus bens — 300 milhões de francos-ouro —, mas também neste ponto a aplicação da lei foi tão difícil e provocou motins tão sangrentos que teve de ser suspensa. Nem por isso deixou de haver decisões administrativas para domar os armênios:

por exemplo, qualquer padre que se dispusesse a batizar um muçulmano na «confissão armênia» seria preso.

Assim se compreende que, quando rebentou, a Revolução russa tivesse provocado reações na Armênia. Por vontade expressa do presidente Wilson, o tratado de Sévres proclamou o Estado independente da Armênia, em abril de 1920. Isso não impediu que, logo em fins de novembro, o regime soviético se instalasse lá, mas já no ano seguinte teve de abafar uma tentativa de rebelião. De qualquer modo, e por motivos que nunca foram claramente explicados, os sovietes trataram a Armênia com excepcional moderação. Não apenas os armênios puderam conservar o seu alfabeto, e, no plano econômico, o seu país foi um dos mais beneficiados pela URSS, mas a perseguição religiosa foi menos rigorosa. Embora com dificuldades, o *katholicos* pôde continuar a dirigir o seu rebanho da sua residência em Echmiadzin, e os prelados armênios residentes no exterior foram autorizados a participar dos sínodos e das eleições patriarcais.

Em contrapartida, a nação armênia deu ao regime soviético um apoio importante: alguns dos grandes homens do comunismo russo são armênios, como, por exemplo, o político Mikoyan e o seu irmão, o criador do famoso avião Mig. A Igreja armênia pratica uma política de colaboração com o regime, que se tem traduzido em mensagens de adesão enviadas aos senhores de Moscou, uma delas a Stalin, assinada pelo *katholicos* da Armênia russa. Chegou-se até a ver algumas autoridades religiosas da «diáspora» colaborarem com a campanha soviética para que os armênios regressassem ao seu país — a qual não deixou de ter bons resultados. É difícil prever até onde irá esta política, que tende a evoluir agora que a URSS retomou a luta antirreligiosa.

A vitalidade dos cristãos da Armênia não se manifestou apenas pela resistência heroica à opressão no seu país.

Expulsos da pátria pela perseguição, ou exilando-se por espírito de aventura ou em busca de negócios, constituíram uma verdadeira «diáspora», que se estende da Índia aos Estados Unidos da América. Por todo o lado dão provas das mesmas qualidades de seriedade e de aplicação ao trabalho que, aliadas a um autêntico gênio para o comércio e os negócios, fizeram surgir no meio deles as figuras prestigiosas de um Gulbenkian, o «Sr. 5%» do Iraque Petroleum», de um Matosian, magnata dos tabacos orientais. Mas se estes armênios emigrados têm jeito para ganhar dinheiro — que, aliás, destinam em generosa medida a obras da caridade —, exprimem também um eminente sentido de fidelidade ao passado nacional e, por conseguinte, à fé que lhes permitiu continuar a ser o que são.

Alguns dos seus agrupamentos são numericamente importantes. O da Bulgária, que em 1924 contava cerca de vinte e cinco mil fiéis, batalhou pela sua autonomia religiosa e obteve-a em 1928. Há cem mil armênios na Pérsia, dez mil no Iraque, duzentos e cinquenta mil na Síria e no Líbano, dez mil no Egito, alguns milhares na Índia e na Indonésia. Os fiéis do catolicato da Cilícia refugiaram-se na Síria após a tragédia de 1923. Havia quinze mil na Romênia, mas, desde 1947, o governo comunista esforça-se por fazê-los partir e muitos deles tiveram de voltar para a Armênia russa. A Europa Ocidental conta numerosas colônias armênias: são cento e cinquenta mil na França, cerca de mil na Bélgica, dois mil na Inglaterra, alguns na Suíça. As colônias de Manchester, de Marselha e de Paris são as mais vivas. Mas o grande centro da diáspora armênia está na América do Norte, onde se sabe que vivem mais de duzentos mil, especialmente em Nova York, em Boston, em Chicago, na Providence e na Califórnia. São governados por dois bispos, residentes, um em Nova York, outro em Fresno (Califórnia). Têm perto de noventa igrejas. Não lhes falta um historiógrafo, o famoso romancista Saroyan, que os pinta com humor e ternura. Os da América Latina são perto de sessenta mil, a maioria deles na Argentina e no Brasil.

Que representa hoje o monofisismo de todos esses cristãos? Mais ainda que no caso dos jacobitas, pode-se perguntar se não será mais verbal do que real; foi pelo menos o que disse o papa Pio XII na encíclica *Orientalis Ecclesiae*. Depois do século V, nunca mais a doutrina de uma só natureza em Cristo foi teologicamente aprofundada. Ouve-se facilmente a expressão «uma só natureza unida», o que parece significar que se admitem duas e pode ser entendido de um modo perfeitamente ortodoxo. O «Símbolo de Santo Atanásio», que é o da Igreja armênia, em nada difere do de Niceia quanto às crenças profundas. Os pontos de divergência provêm, ao que parece, de influências bizantinas; por exemplo, a respeito da «processão do Espírito Santo», porque alguns doutores e escritores eclesiásticos da Armênia rejeitam o *Filioque*. Os armênios não acreditam no Purgatório, mas admitem um lugar de espera, o que os leva a rezar pelos defuntos. Admitem o divórcio, mas apenas em caso de adultério da mulher. Como se vê, as barreiras que os separam dos ortodoxos, e mesmo dos católicos, não parecem muito altas...

A característica mais saliente do cristianismo armênio é o vigor da fé nas massas populares. Como acontece com todos os perseguidos, essa fé faz bloco com o sentimento nacional. Foi a religião que salvou a alma do povo nas horas mais sombrias: como não lhe estar estreitamente agarrado? Mas qual é exatamente o nível dessa fé? No que diz respeito à parcela da nação armênia que reside em território soviético, a resposta é bem difícil. Parece, contudo, que a prática se mantém viva, que o batismo das crianças é universal; mas o clero diminuiu muito. Fora das fronteiras da Rússia, o nível da fé nunca foi muito alto, devido à mediocridade do clero secular, que não dispunha de qualquer seminário e cuja ciência se limitava a ler o ofício e recitar algumas orações usuais. A liturgia, tal como na Ortodoxia, ocupa um lugar de destaque; é o melhor meio de interessar os fiéis pela vida religiosa e de os formar, já que os sermões e o catecismo são quase inexistentes. O clero regular, de longe superior ao secular, e que durante muito tempo constituiu a força da Igreja armênia, já não é hoje em dia senão uma sombra do que foi. Contam-se pelos dedos da mão os conventos que ainda subsistem e que cuidam da formação dos monges; ao todo, estes não passam de umas poucas centenas. Entre eles, os «vardapetos», ou seja, os doutores — grau especial da hierarquia armênia —, a quem é reservado o direito de pregar de báculo na mão e de pé defronte do altar, representam na atualidade a única forma do monaquismo armênio. É entre eles que são escolhidos os bispos da diáspora e os poucos da Armênia russa.

Se puder registrar-se uma renovação na venerável Igreja armênia separada, ela só poderá vir dos grupos armênios do Próximo Oriente, da Europa e da América. Aliás, é nesses núcleos que, desde há umas dezenas de anos, se vê um esforço por aprofundar a velha fé, estudar o passado da nação, extrair dele o seu significado espiritual. Não há dúvida de que se notam nesses grupos as primícias de um ressurgimento que pode vir a ser importante[18].

Um estranho quebra-cabeças de religiões: o Malabar

Não é nada fácil fazer uma ideia desse Próximo Oriente cristão da Ásia, em que, sob a aparente unidade do manto muçulmano, se discerne o caleidoscópio das obediências rivais, que reivindicam com frequência os mesmos títulos, os mesmos territórios, e cujos usos litúrgicos, para olhos poucos experimentados, se assemelham. Mas isto não é nada ao lado da complexidade que apresenta o sudoeste da Índia cristã, a região a que se chama Malabar.

Nessa região, numa larga faixa de terra que vai do 14° ao 8° paralelo norte, limitada a nascente pela cadeia dos Gates, rebordo do planalto do Decão, vivem há vários séculos bastantes milhões de cristãos, que pertencem a nada menos que cinco confissões. Sem sequer falar dos católicos, que constituem, consoante os seus ritos, a Igreja do Malabar e a dos malencares[19], ali se encontram nestorianos e jacobitas, mas de uma espécie bem curiosa, pois os jacobitas são, na realidade, antigos nestorianos vinculados à Igreja síria, enquanto os nestorianos são antigos monofisitas que aderiram à Igreja caldaica separada! Quer isto dizer que essas separações se deveram menos às questões doutrinárias do que às rivalidades de clãs e de pessoas. Se a isso acrescentarmos que a vizinhança do catolicismo, do anglicanismo e dos protestantismos influiu em certos elementos dessas Igrejas, tem de se reconhecer que o termo «*quebra-cabeças*» se aplica bastante bem à situação religiosa desse país. E semelhante complexidade é tanto mais espantosa quanto a verdade é que o conjunto da população pertence quase por toda a parte à mesma raça, fala geralmente a mesma língua — o malaialã, velho idioma dravídico —, e que todos esses cristãos sabem manifestar, quando necessário, uma certa unidade de opiniões, como se pode verificar pela luta que se trava há dez anos contra o comunismo no Estado de Kerala.

Na maior parte, dizem-se «cristãos de São Tomé»[20], o que significa que julgam descender das antiquíssimas comunidades que o famoso Apóstolo teria fundado logo depois da morte de Cristo, antes de ser martirizado em Meliapur, perto de Madrasta, onde ainda hoje se mostra o seu túmulo. O que é seguro é que, no século IV, existiam nessa região grupos de cristãos de certa importância. Dependiam mais ou menos do patriarcado de Babilônia, e, quando este passou para o nestorianismo, eles também adotaram essa doutrina, sem refletirem muito no caso. No momento da grande expansão nestoriana, alguns elementos vieram reforçar essa Igreja: entre eles, um tal Tomé Caná. Em seguida, declinou, com todo o nestorianismo, e a sua história envolveu-se em sombras até à chegada dos portugueses.

Os portugueses empenharam-se em trazer de novo para a Igreja Católica as comunidades separadas, e em 1599, sob o impulso do arcebispo de Goa, D. Aleixo de Menezes, conseguiram-no. O concílio provincial de Udiamparus (ou Diamper) reuniu nestorianos e católicos, e condenou as teses heréticas. Mas foi-se longe demais nessa reação: lançaram-se ao fogo livros veneráveis e proibiram-se alguns costumes inteiramente legítimos, para dar lugar a usos romanos. O resultado foi uma explosão de cólera. Em 1653, sob a direção do arcediago Tomé Parambil, duzentos mil fiéis abandonaram a Igreja Católica. Missionários carmelitas enviados por Alexandre VII conseguiram reconduzir dois terços deles à unidade, mas os restantes porfiaram no cisma e pediram à Igreja caldaica que os acolhesse, dizendo-se nestorianos como os seus antepassados. Como esta palinódia levou à sua rejeição, voltaram-se para a Igreja jacobita, que os recebeu. Assim se constituiu uma Igreja jacobita do Malabar, que continuou a ensinar as doutrinas de Nestório, embora se mantivesse vinculada à hierarquia provinda de Tiago Baradai.

A história moderna destes cristãos não foi mais simples. Já no século XVIII a sua Igreja foi dilacerada por uma cisão, aliás por um motivo deveras estranho: um patriarca designado recusou-se a pagar as despesas de viagem dos três bispos enviados para ordená-lo, e estes excomungaram-no e escolheram outro, que passou a governar a Igreja no sul do país, enquanto o norte permanecia fiel ao patriarca poupador. No século XIX, o verdadeiro problema foi ter de lutar contra os progressos das ideias protestantes e anglicanas. Mas o perigo não impediu de modo algum os jacobitas — que se declaravam «ortodoxos»[21] para se oporem àqueles que deslizavam para opiniões «reformadas» — de disputarem entre eles sobre questões de disciplina.

Em 1909, rebentou um novo cisma: o patriarca de Antioquia, chefe nominal da Igreja jacobita, indispôs-se com o metropolita a propósito dos bens eclesiásticos, e a discussão converteu-se em conflito entre os «nacionalistas», que queriam libertar a sua Igreja da tutela do patriarca de Antioquia, e os «patriarquistas». Os primeiros conseguiram que um dos seus, Mar Basilios, fosse sagrado *katholicos* por um arcebispo sírio que tinha sido deposto pelo patriarca. Assim ficou a haver duas Igrejas «jacobitas ortodoxas», com a dos nacionalistas centrada em Kottayam. Por vários anos, multiplicaram-se nos tribunais civis os processos entre as duas Igrejas, quanto à posse de lugares de culto e até de cemitérios! Em 1940, os dois campos tinham praticamente o mesmo número de adeptos, cada um com cerca de duzentos e cinquenta mil fiéis. Depois da Segunda Guerra Mundial, alguns grupos de jovens tomaram a iniciativa da reconciliação. Lançaram-se numa campanha espetacular de jejuns públicos, à maneira de Gandhi. E a campanha deu frutos: em 1958, Mar Basilios III teve a felicidade de presidir à cerimônia da reunificação e de ser reconhecido pelo patriarca como chefe único dos jacobitas ortodoxos da Índia.

Atualmente são seiscentos e cinquenta mil, e o movimento desencadeado pelos jovens começa a operar entre eles uma certa renovação. Será esta suficiente para manter a Igreja jacobita independente? Ou não a levará a aproximar-se das grandes obediências? O catolicismo e o protestantismo parecem influir por igual nesta Igreja que, doutrinariamente, parece encontrar-se numa situação equívoca. Em 1913, um padre jacobita, Ghiverghis (Jorge), consciente daquilo que faltava à sua Igreja, fundou duas «fraternidades», uma de homens, outra de mulheres, sob o nome de «Institutos de Imitação de Cristo». Sagrado bispo em 1925 e nomeado metropolita em 1928, sentiu-se cada vez mais atraído pelo catolicismo e, em 1930, juntamente com o seu discípulo Mar Teófilos, decidiu proclamar a união. A fim de evitar a confusão com os católicos do Malabar de rito caldeu, deu-se a esta Igreja católica de rito sírio o nome de Malenkar. Ela exerce uma poderosa atração sobre todos os seus vizinhos.

Nesse meio tempo, também os protestantes e os anglicanos não deixaram de ir trabalhando os espíritos entre os jacobitas da Índia. Entre 1843 e 1875, um padre que estudara bastante bem o anglicanismo, Mar Mateus Atanásio, conseguiu fundar com o apoio dos ingleses uma nova Igreja, designada por «síria reformada», que os jacobitas ortodoxos não têm conseguido conter. Essa Igreja retirava da liturgia o culto de Nossa Senhora e dos santos, a crença no Purgatório e mesmo o dogma da presença real. Nas vésperas da independência da Índia, era de perguntar se a maior parte da Igreja jacobita não iria deslizar para essa forma bastarda em que os padres formados nas universidades ensinavam o protestantismo liberal e até o racionalismo. Atualmente, os «jacobitas reformados» contam trezentas mil almas, mas deixaram de progredir.

Quanto ao terceiro grupo de separados que se encontra no Malabar, é de origem recente e tão paradoxal como a dos jacobitas. Em 1858, um padre católico de rito caldeu — ou seja, católico malabar —, de nome Antônio Thondanat, revoltou-se contra o seu bispo. Após uma primeira tentativa e uma primeira submissão, veio-lhe à cabeça fundar uma

Igreja própria. Como o patriarca de Babilônia, chefe dos caldeus católicos — que não era outro senão mons. Audo, que iria dar que falar no Concílio Vaticano — o tivesse afastado, o rebelde dirigiu-se ao patriarca dos nestorianos, que, muito satisfeito por ver crescer o seu magro rebanho, o aceitou e ordenou bispo.

Thondanat era um homem pouco estável. Pela segunda vez abjurou e voltou ao seio da antiga Igreja. Nesse ínterim, porém, o próprio mons. Audo entrava em conflito com Roma. Em 1874, enviou aos pouquíssimos «nestorianos», a fim de restaurar a seita, um homem da sua confiança chamado Mellus (donde o nome de «mellusiana» que se iria dar à Igreja nestoriana da Índia). Instalado em Trichur, Mellus governou, pois, o pequenino rebanho, até que o seu amigo mons. Audo, tendo regressado em 1883 à obediência romana pela habilidade de Leão XIII, lhe ordenou que se submetesse. Iria então a Igreja nestoriana desaparecer no seio da Igreja Católica?

Não! Porque, pela terceira vez, Thondanat se rebelou e reassumiu um episcopado cismático, mais ou menos herético, embora o seu nestorianismo fosse muito vago. Depois que morreu (1900), o seu rebanho nunca mais parou de diminuir. E ainda teve uma nova crise, quando o sucessor de Thondanat, Mar Ebimilech, desejando reformar a sua Igreja, propôs que o patriarca de todos os nestorianos fosse eleito por um sínodo de todos os bispos. Ora, como vimos[22], a tradição quer que o *katholicos* pertença à família dos «Shimun». A ousada sugestão provocou uma reação tão viva que o culpado foi proibido de residir em qualquer parte do Iraque, e solenemente condenado. O *katholicos* nestoriano, Mar Eshai Shimun XXI, então refugiado nos Estados Unidos, nomeou um metropolita nestoriano para a Índia. Mas nada conseguiu deter o declínio desta pequena Igreja criada de modo tão estranho. Em 1911, contava catorze mil fiéis, e afirma hoje ter dez mil. Há quem diga que não passam de três mil...

No Egito, os coptas

As maiores massas de cristãos que seguem velhas «opiniões particulares» do século V não se encontram na Ásia, mas na África. E a sua presença recorda a verdade histórica que os cristãos do Ocidente têm esquecido muito: que o cristianismo nasceu na charneira de três continentes e que a sua primeira expansão se fez no sentido da África e da Ásia não menos que no da Europa, e que houve até um tempo em que a espiritualidade cristã era africana com Alexandria e asiática com Antioquia, quando ainda quase não existia na Europa ocidental.

Foram precisamente os descendentes desses batizados que fizeram de Alexandria um centro luminoso da inteligência cristã e que ainda hoje constituem a Igreja separada mais poderosa da África — no Egito —, mesmo depois de a Etiópia, outrora seu anexo religioso, ter obtido a autonomia. Chamam-lhes e eles próprios se chamam *coptas*. Nos nossos dias, já não se pensa que esse nome lhes venha de certa cidade de «Coptos», que ficaria no sopé das montanhas róseas das margens esverdeadas do Nilo, a quarenta quilômetros de Tebas, e que, com o nome de Diápolis Magna, teria sido o berço da fé alexandrina. É mais provável que a palavra não seja mais que a deformação do próprio nome que a antiga raça dava ao seu país: «Hagha Ptah» — terra do deus Ptah —, de que os gregos fizeram «Aiguptios» e os árabes, «Kubt», donde veio «Copta». Seja como for, não há dúvida de que se trata do antiquíssimo povo que já ocupava o vale do Nilo nos tempos dos Faraós, dos descendentes dos camponeses e dos funcionários régios que vemos retratados na arte funerária do antigo Egito. A língua que falavam, hoje pouco utilizada, era exatamente o antigo dialeto dos *fellahs*, transformado por quarenta séculos de uso. Os árabes, cuja vaga cobriu todo o país em 641, conseguiram islamizar nove décimos da população; mas, através de inúmeras vicissitudes, o último décimo permaneceu fiel à fé cristã. É a esses sobreviventes pertinazes que se reserva o nome de coptas.

O cristianismo, implantado no Egito desde a primeira evangelização, entrara lá com um ímpeto admirável. Diretamente ligado ao judaísmo mais esclarecido — o de Fílon e seus êmulos —, defrontado com o mais inteligente paganismo, ocupara um lugar de destaque entre todas as comunidades cristãs, como capital do pensamento. O seu chefe, o bispo de Alexandria, pretendia o segundo posto na Igreja, logo atrás do pontífice romano[23]. No século V, dirigia uns dezesseis milhões de fiéis, que lhe reconheciam uma onipotência espiritual absoluta; um exército de quinhentos mil monges, tão piedosos como ignorantes, davam-lhe provas de cega submissão. Nas grandes disputas teológicas dos séculos IV e V, a Igreja egípcia desempenhou um papel de primeiro plano. Ário era egípcio.

A querela cristológica opôs Alexandria a Antioquia[24]. No momento em que Eutiques ensinava em Constantinopla as suas teses errôneas sobre a união das duas naturezas em Cristo, Dióscoro, patriarca de Alexandria, embora não se tivesse solidarizado com o heresiarca, manifestou uma certa tendência para o monofisismo, por uma ligação demasiado estreita às fórmulas, de resto vagas, do seu predecessor São Cirilo. Quando o Concílio de Calcedônia condenou o monofisismo e depôs Dióscoro, os egípcios recusaram-se a aceitar os decretos conciliares, felizes de assim poderem mostrar-se hostis aos bizantinos. As tentativas imperiais de reconduzi-los à ortodoxia fracassaram tristemente. Não tardou que ficassem fiéis à fé oficial somente os duzentos mil funcionários e comerciantes que viviam dessa fidelidade e a quem se dava, tal como na Síria, o nome de «melquitas» ou seja, homens do rei. No século VI, Tiago Baradai, o grande campeão da causa monofisita, veio a dar a esta Igreja uma organização sólida, à maneira «jacobita».

Assim, a invasão árabe encontrou um Egito em que tudo parecia abrir-lhe caminho. Os coptas favoreceram abertamente os conquistadores. Terão chegado ao ponto de entregar aos muçulmanos as praças que guarneciam? É algo que se discute, mas pelo menos não puseram o menor zelo em defendê-las. A *Enciclopédia do Islão* chega a escrever: «Os egípcios acolheram os árabes como libertadores». Não tardariam a lamentá-lo...

A princípio, tudo correu muito bem; as autoridades islâmicas trataram os coptas monofisitas com respeito, reservando as severidades para os melquitas. Mas o atrativo de uma religião que parecia mais fácil e o desejo de ficar do lado dos vencedores levaram numerosos cristãos a fazer-se muçulmanos. Logo no século VII começaram as perseguições: igrejas e conventos pilhados, pesados tributos impostos aos cristãos, massacres após algumas tentativas de insurreição. Foram doze séculos em que a Igreja copta se viu reduzida a uma autêntica escravidão, por vezes perseguida e coberta de sangue, sempre humilhada. Certos períodos, como aqueles em que os mamelucos foram senhores do Egito, foram particularmente penosos. De tempos a tempos, alguma personalidade copta voltava-se para Roma, esperando obter socorro do Ocidente; mas todas as tentativas de completa união das Igrejas fracassaram. O rebanho cristão diminuiu terrivelmente, mesmo quando o domínio turco se mostrou mais tolerante. Em 1789, dos três milhões de egípcios, apenas cento e cinquenta mil eram coptas, de resto desprezados. O visitante francês Volney, autor de *Ruines*, julgava-os «ignorantes e bárbaros». A sua Igreja encontrava-se em plena decadência: o alto clero era venal e submisso aos turcos, os padres mal sabiam ler e os conventos estavam desertos.

A história dos coptas nos séculos XIX e XX é a história de uma extraordinária ressurreição. Basta um número para dar ideia: atualmente, são mais de quatro milhões entre os vinte e três milhões de habitantes do Egito. Reconstituíram a sua Igreja, deram-lhe uma organização, formaram quadros: neste mesmo momento, dão sinais indubitáveis de uma vitalidade criadora. Esta sobrevivência de um povo que tudo parecia condenar a desaparecer, este soerguimento dos humilhados — se tais acontecimentos não fossem esquecidos pela história que os ocidentais escrevem —, deviam ser admirados quase como a resistência dos poloneses após a partilha do seu país. A razão de tudo isto é curiosa e interessante de explicar.

Entre os cristãos, aqueles que melhor haviam resistido à pressão muçulmana tinham sido os mais formados, os mais inteligentes; os humildes *felás* tinham-se feito, em grande parte, muçulmanos. Constituíra-se, pois, uma elite cristã, e a ela tiveram de apelar os senhores do país, a quem faltavam quadros. Desde o escrivão que se via levando à cinta o estojo de cobre como se fosse uma pistola, até ao ministro adjunto do vizir muçulmano, passando pelos funcionários, banqueiros, advogados, médicos, comerciantes — grande número dos homens que dirigiam verdadeiramente o Egito eram coptas. Dizia-se que tinham a arte da intriga. E também a do lucro... E a fortuna que possuíam só aumentava a sua influência. Ora a verdade é que foram esses cristãos, por vezes discutíveis mas sempre judiciosos, que, utilizando muito habilmente as circunstâncias, presidiram ao renascer do seu povo.

Essas circunstâncias favoráveis não se deveram à efêmera ocupação francesa de 1798 a 1801. É sabido que Bonaparte queria ser «muçulmano entre os muçulmanos»: uma das suas primeiras declarações, após o desembarque no Egito, declaração bem abjeta, prometia que se iria esforçar «por abater a cruz». A princípio, embora tratasse os coptas como «canalhas odiados por todo o país», não pôde deixar de os utilizar como coletores de impostos; mas, logo que pôde, dispensou os seus serviços. Desiludidos, os coptas puseram-se na reserva. Foi precisa a segunda revolta do Cairo e a repressão consequente para que Kléber os empregasse de novo. Puderam, então, ocupar numerosos lugares e até conseguiram que os cristãos fossem autorizados a andar a cavalo pelas cidades, o que fora proibido aos muçulmanos. Breve triunfo! Quando o comandante-chefe foi assassinado, o seu sucessor, general Menou, fez-se islamita com o nome de Abdallah Menou e hostilizou os cristãos, que se viram obrigados a pagar enormes impostos e foram impunemente vexados pela polícia. Apesar disso, foi nessa altura (1801) que um intendente copta, admirador fanático do general bonapartista Desaix, propôs que se formasse entre os seus correligionários uma «Legião Copta» que auxiliasse o exército francês a libertar o Egito. Chegou a recrutar 800 homens e obteve o posto de general. Quando, porém, resolveu levar os seus valorosos guerreiros para combaterem na Europa, estes desertaram em massa, e ao pobre general Ya'cub só restou morrer no navio que o levava à França... Contudo, como bom cristão, conseguira das autoridades francesas que assinassem um acordo pelo qual se concediam diversas garantias aos coptas. E não deixava de ter importância para o futuro que o primeiro egípcio a reclamar a independência do Egito tenha sido um copta.

Pouco depois, a situação evoluiu a favor dos coptas. Um oficial albanês, paxá do Cairo, governador do Egito em nome do sultão de Istambul, desembaraçou-se dos mamelucos e veio a revelar-se um chefe extraordinário, um político muito hábil, a ponto de por duas vezes ter surgido como árbitro das decisões do mundo: *Maomé Ali* (1769-1849). Compreendeu ele que só introduzindo a civilização europeia é que se conseguiria a regeneração e o desenvolvimento do Egito. O apoio dos cristãos pareceu-lhe, portanto, indispensável e, bem antes de o sultão Maomé II ter estabelecido, em 1839, a *Carta de Gulhani*, que regularizava a situação dos cristãos, o governador do Egito já tinha tomado decisões generosas. Os coptas, que, a seguir à partida dos franceses, tinham sido gravemente perseguidos (muito injustamente, porque, à parte o general Ya'cub, não tinham ajudado o ocupante), aderiram entusiasticamente a Maomé Ali. Este teve numerosos altos funcionários coptas a seu lado, alguns dos quais receberam o título de «bei», e até foi copta o major general do exército (que infelizmente abjurou o cristianismo). Multiplicaram-se decretos de clemência: permissão dada aos cristãos para se vestirem como quisessem, para irem em peregrinação a Jerusalém, para restaurarem as igrejas arruinadas. Assim se reconstituiu a elite cristã.

Sob os sucessores de Maomé Ali — Said Pachá, seguido de Ismael —, manteve-se a mesma política «europeia» e favorável aos cristãos. Em 1856, foi suprimida a capitação — o imposto infamante a que estava sujeito o rebanho cristão — e decretada a igualdade militar, o que, na altura em que veio, foi pouco apreciado pelos coptas. O «estatuto constitucional» de 1866 aboliu as diferenças entre muçulmanos e coptas. Houve coptas eleitos para a Assembleia; outros, nomeados juízes; o governo chegou a financiar a criação de escolas religiosas coptas. De resto, o homem de confiança de Ismael era um cristão: o armênio Nubar.

Daí em diante, pois, foi completa a igualdade de todos os egípcios perante a lei, de modo que os coptas puderam desenvolver-se livremente. Não faltaram, no entanto, reações mais ou menos violentas, provocadas por muçulmanos fanáticos, uma delas ainda em 1954! Na administração, os coptas ocuparam um espaço cada vez maior. Em 1910, um relatório britânico indicava que 32% dos empregados públicos eram coptas e recebiam 40% do total dos vencimentos. A banca e o grande comércio estavam nas mãos deles. Houve até um copta que foi chefe do governo, em 1908: Butros Ghali Pachá, assassinado dois anos depois em circunstâncias que nunca se explicaram. As reivindicações formuladas em 1910 pelo Congresso dos coptas reunido em Assiut foram, é certo, neutralizadas pelos muçulmanos reunidos em Heliópolis; mas os progressos da comunidade cristã pareciam irresistíveis.

Em 1873, deu-se no plano religioso um fato que iria conferir à Igreja copta um dos seus traços distintivos. A elite intelectual entendia que a Igreja oficial acompanhava mal e de má vontade essa evolução. A fim de dirigir o jogo comunitário e manter a minoria cristã na situação tão particular que vinha conquistando, teria sido precisa uma hierarquia forte e determinada. Ora, a que presidia aos destinos da Igreja copta era tudo menos isso. Então os leigos deram um autêntico «golpe de Estado» contra ela, com o apoio das autoridades muçulmanas. Aproveitando-se das graves dificuldades financeiras em que o patriarcado se encontrava, impuseram a criação do *Migliss-Mili*, um conselho leigo encarregado de administrar os bens da Igreja. De nada valeu ao clero ter-se insurgido durante vinte anos contra essa novidade: o Migliss-Mili institucionalizou-se. A influência dos leigos na Igreja passou a ser tal que a «Grande Assembleia» que elege o patriarca é de maioria leiga: por longo tempo, dos seus 72 membros, só 24 eram bispos. A reforma de 1957 alargou o corpo eleitoral, dando assento aos atuais 29 bispos, a 31 padres diocesanos, aos superiores dos conventos e a 108 leigos que representam cada diocese e as diversas associações.

Podemos, pois, dizer que, desde 1873, os destinos da Igreja copta dependem tanto dos leigos como dos clérigos. À medida que o Egito caminhou para a independência, os coptas, que tinham sido os primeiros a reclamá-la, aliaram-se aos muçulmanos para obtê-la. Todos os movimentos nacionalistas foram apoiados por eles. Em 1919, havia bandeiras em que figuravam lado a lado a Cruz e o Crescente. Quando o *Wafd* iniciou a luta, o grande diário copta *Misr* deu-lhe o seu apoio. Em 1935, por ocasião da invasão italiana da Etiópia, país religiosamente vinculado à Igreja copta, os coptas estiveram na primeira linha da luta antifascista. E, no Egito libertado dos ingleses, tiveram pelo menos uma pasta em cada governo. Sob o regime atual, o coronel Nasser manifesta em todas as ocasiões uma grande deferência pelo patriarca. Se, de tempos a tempos, ocorrem incidentes violentos contra os cristãos, devem-se a extremistas sem representação.

Com os seus 4 milhões, pelo menos, de fiéis, e os seus mil padres, a comunidade copta é incontestavelmente uma potência no Egito. E continua a progredir, não só em número, mas em influência. Extremamente trabalhadores, os coptas frequentam em massa as escolas do Estado, os colégios secundários e as escolas técnicas, as universidades. Há três estudantes universitários coptas para cada cinco muçulmanos, e já é possível prever o dia em que a maioria dos quadros administrativos será copta, como também a maioria dos proprietários, porque os coptas compram terras e abrem empresas.

Estes progressos vão sendo acompanhados por uma certa evolução da mentalidade, que não deixa de inquietar. Para melhor igualar os direitos dos cristãos aos dos muçulmanos, alguns coptas parecem tender para uma certa laicização. Um dos grandes publicistas coptas, Salamé Mussa, louvando o coronel Nasser por ter suprimido os temíveis «Irmãos muçulmanos», exclamou: «Do que precisamos é de um Estado laico!» Mas não é seguro que, se perderem o caráter de uma viva comunidade religiosa, os coptas não venham a dissolver-se na massa, perdendo a sua própria existência como povo.

Foi, portanto, ao preço de esforços seculares que os cristãos coptas conseguiram, não apenas sobreviver, mas fazer respeitar a sua fé. Essa religião, que serviu de escudo a um povo inteiro durante séculos de perseguições, assumiu características bastante peculiares, mas não tanto de ordem teológica. Também aqui o monofisismo parece coisa de palavras: há fórmulas que são, *grosso modo*, as de São Cirilo e todas elas podem ser interpretadas num sentido ortodoxo e católico. Se a cisão se mantém, é sobretudo por força dos hábitos contraídos, de uma velha hostilidade para com Bizâncio, por um lado, e, por outro, para com Roma, considerada como expressão do Ocidente. Uma discussão leal entre teólogos mostraria certamente que os obstáculos à união estão longe de ser intransponíveis.

Fora do seu credo mais ou menos anticalcedônio, a cristandade egípcia tem traços bastante singulares. Certos historiadores e sociólogos julgam encontrar nos seus usos vestígios do velho panteísmo faraônico, batizado nos primórdios do cristianismo. Por exemplo, prefere-se à cruz grega a cruz «ansada», antigo símbolo faraônico da eternidade; alguns santos são representados com atributos de divindades pagãs, como São Jorge, representado com cabeça de falcão, à semelhança do deus Hórus; as cerimônias litúrgicas conservam ainda o tinido pungente dos sistros, como se fazia há trinta séculos para celebrar a morte de Osíris... Outros elementos revelam diretamente influências judaicas. Por exemplo, ainda se pratica a circuncisão nas camadas mais baixas, sob pretexto de higiene, segundo dizem; como continua a respeitar-se a proibição bíblica relativa às carnes sufocadas e às de alguns animais impuros. Certas observâncias minuciosas de pureza ritual procedem de Moisés ou de Maomé? Como saber? Por exemplo, a obrigação de purificar as parteiras após um parto, ou a proibição de fumar e de escarrar antes da comunhão. É seguro que os coptas adotaram a praxe muçulmana de descalçar-se antes de entrar num lugar sagrado. Acrescente-se que conservaram um calendário próprio, em que o ano é de doze meses de trinta dias, completados por cinco ou seis dias suplementares, e começa no mês de Thot, a 10 de setembro, como no tempo dos faraós. E a sua Era é a dos «Mártires», isto é, da grande perseguição de Diocleciano (284). É por todos estes usos que a Igreja copta se diz «ortodoxa» e tem por título oficial o de «Igreja copta ortodoxa», o que, é claro, nada tem a ver com a Ortodoxia de Constantinopla e de Moscou.

A fé é viva no povo, muito mais do que na grande burguesia, onde a indiferença religiosa anda a par dessa desmoralização que foi tão bem pintada pelo romancista inglês Lawrence Durrell. Entre a gente humilde, a prática religiosa é geral, mas também o é a ignorância das verdades da fé, uma ignorância que autoriza muitas superstições. Contudo, o conjunto da comunidade copta manifesta um grande desejo de instrução, e as escolas que se abrem enchem-se desde o primeiro dia. A autoridade religiosa imediata é exercida pelo «*ghomos*», figura que corresponde ao deão da Igreja Católica. O *ghomos* distingue-se pelo capucho negro e pela cruz de ferro que usa ao peito. Dirige várias paróquias, determina as cerimônias, distribui as funções litúrgicas.

A liturgia, que é a de Alexandria, ocupa um grande lugar na vida religiosa, como em todo o Oriente. Graças às suas numerosas leituras, desempenha um eminente papel educativo. As igrejas oferecem um aspecto inteiramente diverso das de Roma ou de Bizâncio: são grandes retângulos divididos em quatro compartimentos, um dos quais, o santuário, só está ligado aos outros por uma única porta aberta na iconóstase, e cujas paredes são perfuradas por três orifícios redondos ordenados à volta de um maior, e todos eles preenchidos por placas de alabastro ou por vitrais que parecem obras de arte abstrata. Os celebrantes usam uma curiosa pequena mitra cônica, o *taylassan*, e a *tunia*, que é uma alba. As cerimônias desenrolam-se prolongadamente, lentamente, ao som de uma música monótona, mas bem ritmada, e são frequentemente interrompidas por exortações dos diáconos à assistência, marcadas por múltiplas prosternações à maneira bizantina, escandidas pela estridência dos sistros e pelos cânticos dos fiéis dirigidos pelo *asif*. O caráter comunitário do ofício é muito nítido. À oração de súplica, todos os assistentes erguem os braços e rezam com voz unânime. A língua litúrgica continua a ser o copta, que já nem todos os fiéis compreendem; mas há algumas orações em grego, e criou-se o hábito de ler, como no Ocidente, a Epístola e o Evangelho em língua vulgar (o árabe); também algumas orações são nesta língua.

A grave falta de que sofre a Igreja copta é, desde há muito, a mediocridade do clero. Em quantidade, é satisfatório, mas foi apenas desde o final do século XIX e sob o impulso dos leigos, que se abriram seminários: hoje existem quatro, mas não é bem certo que todos os padres passem por lá. Escolhidos entre os artesãos, casados, pobres, foram por muito tempo incapazes de cuidar da educação espiritual do seu povo. Os diáconos são em grande número, apesar do cânon que proíbe que sejam mais de seis por igreja. Na vida corrente, nada os distingue dos simples fiéis.

Em tempos remotos, o poder da Igreja copta residia nos seus monges. Vimos já que, antes da invasão árabe, alcançavam o número espantoso de quinhentos mil. No século XIV, após oito séculos de dominação muçulmana, havia ainda oitenta conventos. Tudo isso mudou. No decorrer dos séculos, os mosteiros foram sendo atacados, pilhados, encerrados, de tal modo que a decadência foi irresistível. Hoje, restam oito, os de Santo Antão e São Paulo, perto do Mar Vermelho, quatro no deserto de Nítria e dois no vale do Nilo — Deir el Moharraq, o único vestígio da Tebaida, e um no Alto Egito. Já só têm 390 monges ao todo, entre os quais há ainda alguns eremitas, instalados a pouca distância de algum mosteiro, aonde vão assistir aos ofícios dominicais. Quatro mosteiros femininos abrigam uma centena de monjas.

Estas condições não parecem prometer à Igreja copta um futuro brilhante. E há observadores que se têm interrogado se haverá ainda nela algo mais do que uma fachada prestigiosa, por trás da qual se daria uma desagregação completa. Este juízo parece demasiado severo. O que se pode comprovar desde há uns quinze anos parece autorizar mais otimismo. Sob a ação de elementos leigos esclarecidos, muitos dos quais fizeram estudos na Europa e lá observaram as condições da renovação religiosa, mas desta vez em muito melhores relações com a hierarquia, têm sido tomadas decisões que prenunciam uma restauração. Em 1953, os seminários reorganizaram-se, e passou a ser exigida uma certa cultura para a admissão dos candidatos. Foi aberta uma Faculdade de Teologia, cujos professores têm empreendido trabalhos sobre os dogmas e a história da sua Igreja, ao mesmo tempo que vários deles se incumbem de ensinar nos seminários. Constituiu-se um movimento, a que não faltam algumas semelhanças com a Ação Católica, para promover o renascimento cristão nas massas. Assim, desde 1954, alguns estudantes universitários vêm organizando «escolas dominicais»: vão às paróquias das cidades e aldeias ensinar o catecismo a outros jovens, e contam para o seu trabalho com o apoio de uma revista muito ágil. Do seio destas pequenas falanges de apóstolos, já vão saindo vocações sacerdotais.

Não menos importante é a corrente de vocações monásticas que se vem desenhando. Ao passo que, ainda ontem, os monges quase não passavam de umas boas pessoas, piedosas, com espírito de renúncia e capazes de celebrar dignamente a liturgia e nada mais, vemos agora entrarem no convento rapazes muito mais bem formados, com estudos feitos, e cuja vocação obedece exatamente aos mesmos motivos que impelem um postulante beneditino ou cisterciense da Europa ocidental. Em Deir Suriane — o mosteiro «dos sírios», consagrado à Virgem, e que é um dos quatro do Wadi Natrun —, vivem antigos estudantes universitários, licenciados em Direito ou em Letras. Se esta tendência persistir, substituindo ou aumentando a antiga, que se alimentava sobretudo de camponeses, é de imaginar a profunda transformação que se dará no monaquismo copta. Já foi aberto um seminário especialmente destinado à formação de monges. E assiste-se à recrudescência do interesse pelo glorioso passado dos grandes autores espirituais egípcios, especialmente dos Padres do Deserto.

A Igreja copta até já reconquistou a sua antiga vocação missionária, visto interessar-se pelos africanos que partilham da sua fé, no Sudão, na África do Sul e principalmente na Etiópia. Veem-se estudantes desses países seguirem os cursos da sua Faculdade de Teologia ou mesmo dos seus seminários. E em Jerusalém reorganizou-se a representação dos coptas nos Lugares Santos. Não se pode dizer que os horizontes estejam fechados para a antiga Igreja de São Cirilo[25].

Etiópia, bastião de cristandade

De todas as variegadas comunidades cristãs dispersas pelo mundo, a Igreja da Etiópia é uma das menos conhecidas. Da sua história, que é admirável; da sua fé, que continua viva através de tantas provações; dos méritos da sua fidelidade — que sabem os outros batizados? Talvez por ter vivido num mundo fechado, isolada quer pela natureza quer por um cerco de vizinhos hostis, esta Igreja só é geralmente apresentada sob os seus aspectos mais exteriores, como se os costumes estranhos e pitorescos bastassem para explicar o heroísmo de que deu mostras no decurso dos séculos. Porque a verdade é que a sua história se resume numa resistência constante e pertinaz a todos os conquistadores que tentaram submetê-la. Aconteceu que o seu território foi submergido por invasores, mas no final sempre acabou por reconquistar a liberdade, uma liberdade que teve por fundamento a fé. Não é apenas um mito a célebre lenda do «Reino do Preste João» que, na Idade Média, via a Etiópia como um bastião da fé, firme no meio dos poderes pagãos. Semelhante a essas camadas vulcânicas que dominam, vermelhas e negras, abruptas, os seus planaltos verdejantes a dois mil metros de altitude, a Etiópia cristã representou na História e ainda hoje conserva o significado de uma mole batida pelas vagas, mas que resiste.

A antiguidade desta Igreja é indiscutível, mesmo sem considerar as tradições que remontam a sua evangelização aos Apóstolos, São Bartolomeu e São Mateus, ou a esse eunuco da rainha Candace de que se fala nos Atos dos Apóstolos[26]. Sabe-se pelo historiador Rufino que o cristianismo penetrou na Etiópia por volta do ano 340, graças à aventura dos jovens Frumêncio e Edésio[27], que, criados por piratas, fizeram carreira junto do rei etíope que os comprara, e se portaram como apóstolos zelosos. Foi Frumêncio quem se dirigiu a Alexandria para pedir ao patriarca Atanásio que enviasse um bispo para a Etiópia e ele mesmo foi escolhido para esse posto. A segunda fase da evangelização teve lugar no final do século V, com a chegada de nove monges sírios, «os nove santos», que concluíram o trabalho de atrair para a fé o rei e a corte.

Quer fosse por influência do Egito, quer pela desses monges — que se supôs, alias sem precisão, terem sido uns exilados, expulsos da pátria por hereges —, o certo é que a Etiópia foi conquistada para a causa monofisita, na qual se manteve até hoje. Que significava, que significa esse monofisismo? Também neste caso, é difícil dizê-lo. Parece que a Igreja etíope não esteve muito a par dos debates que se deram à volta da questão cristológica, e que terá sobretudo seguido, nos começos do século VII, um bispo egípcio chamado Kerillos (Cirilo). Era partidária da «natureza única», mas daquele modo especial que vimos nos coptas, ou seja, hostil ao mesmo tempo a Eutiques, o heresiarca, e ao Concílio de Calcedônia que o condenou, porém admiradora de Dióscoro e mais ainda de São Cirilo. A Etiópia passou, pois, da fé tradicional para o monofisismo sem dar por isso; foi só no século XV que tomou clara consciência de estar separada.

É por isso que os juízos acerca da teologia etíope são muito díspares. Os jesuítas dos séculos XVI e XVII não viam nela grande coisa a corrigir. O capuchinho Massaia (1809-89), que passou na Etiópia trinta e cinco anos e acabou a vida como cardeal da Igreja romana, pensava que só havia um erro de vocabulário, porque os conceitos de natureza e de pessoa eram pouco claros para os etíopes. O que parece é que atualmente o monofisismo consciente e deliberado só se encontra em certas comunidades monásticas. Na prática, a fé popular admite a natureza humana de Cristo mais ou menos como os católicos e os ortodoxos. Assim se explica que a Igreja católica da Etiópia tenha adotado a maior parte das preces litúrgicas da Igreja nacional, sem alterar nada de importante.

Não quer isto dizer que a Igreja etíope se incline a fundir-se com uma ou outra das duas maiores Igrejas da cristandade. Houve um tempo em que esteve quase a efetuar-se a fusão com os católicos. Foi no século XVII[28], quando o extraordinário padre Paez, jesuíta espanhol, conseguiu «ganhar» o imperador Susênio Seltan Sadag, que por sua vez pretendeu converter o seu povo à força, o que provocou autênticas guerras de religião. O sucessor de Paez, o padre Mendes, pela sua falta de habilidade e brutalidades, apressou a catástrofe e enterrou definitivamente essas esperanças. Dessa aventura restaram somente as ruínas da catedral erguida por Paez em Gorgora, nas margens do lago Tana, e uma extrema desconfiança para com o catolicismo, que só há pouco começou a desfazer-se.

Quanto à Igreja ortodoxa, que fez sérios esforços durante todo o último quartel do século XIX para pôr monges gregos e russos a trabalhar a Etiópia, não alcançou melhores resultados. Houve vários momentos em que se acreditou que a união estava prestes a concluir-se. Mas o imperador Menelik, considerado como a própria encarnação da pátria etíope depois da sua brilhante vitória de Aduá sobre os italianos, compreendeu que, se a sua Igreja se vinculasse a Constantinopla ou a Moscou, perderia a independência e as suas características originais — e recusou-se a assinar qualquer compromisso formal.

Não foi menos rigorosa a resistência etíope à pressão islâmica. O incremento do poder do Egito contribuiu para reagrupar à volta do trono as forças vivas da nação. Os imperadores portaram-se como defensores da fé, não menos do que como soberanos políticos. Aos ataques dos vizinhos do Norte — um deles semeou o pânico até Gondar —, Teodoro II ripostou, não apenas pelas armas, mas por medidas de natureza religiosa, obrigando os muçulmanos a converter-se ao cristianismo (a liberdade de culto só lhes seria restituída em 1899). Em 1916, a situação esteve a ponto de reverter-se: o negus Lidi Yassu abraçou o islamismo, declarou-se descendente do Profeta, repudiou a sua mulher — cristã —, formou um harém, ordenou a construção de mesquitas e pôs o seu império na dependência religiosa da Turquia. Mas os cristãos salvaram a sua fé. Enquanto a Igreja excomungava o soberano apóstata, as tribos do Choa marchavam sobre Adis-Abeba. A filha de Menelik foi proclamada imperatriz, com o rás Tafari junto dela como regente e herdeiro. Foi este que, subindo ao trono em 1930, veio a tomar o nome da Santíssima Trindade: Hailé Selassié. A Etiópia cristã tinha triunfado mais uma vez.

Também ganhou a partida num outro plano. Desde tempos imemoriais, talvez desde Frumêncio, designado por Santo Atanásio como chefe da Igreja etíope, o *Abuná* era escolhido pelo patriarca copta de Alexandria entre os monges egípcios dos conventos do Mar Vermelho. A Etiópia estava, portanto, na situação bizarra de ter por bispo um estrangeiro que, muitas vezes, não conhecia nem o ge'ez, língua litúrgica, nem o amárico, língua popular. A seguir à Primeira Guerra Mundial, em que a Etiópia entrou mais em contato com o mundo exterior — teve um representante na Sociedade das Nações —, desenvolveu-se uma forte tendência para pôr termo a essa situação. Em 1929, o patriarca viu-se compelido a sagrar quatro bispos autóctones, e em seguida a designar entre os monges etíopes o seu chefe, o *Echeghiê*, superior do grande convento de Debra-Libanos. A invasão italiana acelerou a evolução. Depois de terem tentado em vão trazer para a sua causa o

Abuná, que se refugiou no Cairo, os ocupantes suscitaram um movimento separatista, com a ajuda do Echeghiê, que conseguiu ser proclamado Abuná e sagrou bispos «colaboradores». Um sínodo reunido no Cairo excomungou-os. Mas depois da derrota dos italianos, em 1941, nunca mais se pensou em voltar a colocar a Igreja nacional sob tutela egípcia. O próprio negus Hailé Selassié dirigiu as negociações, que duraram dez anos. Firmou-se um primeiro acordo em 1948, e nele se previa que, pela morte do Abuná, o seu sucessor seria etíope; enquanto não chegasse esse momento, teria um coadjutor também etíope. Em 1951, foi proclamada a completa independência religiosa, ficando para o patriarca copta do Cairo apenas uma primazia moral e espiritual.

Assim, a Igreja etíope faz rigorosamente um só corpo com a nação, o que lembra, de certa maneira, a situação que existia na antiga Bizâncio. Se o Negus, tal como o Basileu, é uma personagem sagrada, o chefe da Igreja, com direito a honras de caráter religioso, e tem de se comportar em todas as circunstâncias como protetor da Igreja, o Abuná é um senhor dotado de um poder incontestável, ao qual os poderes leigos não tentam opor-se. É ele quem sagra o imperador, designa os bispos e goza do direito de absolver e excomungar. Por longos tempos, nenhum Conselho lhe limitava o poder; desde 1948, é assistido por um Sínodo, mas este está bem longe de desempenhar o papel dos Conselhos na Igreja copta do Egito. O único rival sério que o Abuná pode ter — pois não tem o direito de ensinar a religião — é o Echeghiê, que encarna a tradição espiritual e cujo prestígio é grande. Mas, embora por vezes haja tensões internas, o conjunto do clero exerce em uníssono sobre o povo uma tutela facilmente qualificável de medieval.

Isto porque o povo etíope conserva, na sua maioria, uma inabalável fidelidade à fé. Se, na ausência de recenseamentos confiáveis, é difícil avaliar com precisão o rebanho cristão — os números variam entre 4 e 7 milhões —, a verdade é que todos os viajantes que falam da Etiópia são unânimes em referir inúmeras provas de que a fé não parece ter sido atingida pela moderna laicização. Nossa Senhora é venerada como no mais fervoroso dos países católicos. É frequente ver na testa de um crente a tatuagem em forma de cruz outrora imposta por Zara Yacob e que serve para proclamar a fidelidade. As festas religiosas são tão numerosas — mais uma característica medieval — que é impossível passar oito dias na Etiópia sem assistir a uma ou outra. Aos sábados e domingos, veem-se afluir às igrejas coortes imensas de fiéis, quase todos vestidos de uma espécie de alba, o *shemma*. Nenhum etíope passa em frente de uma igreja ou oratório sem fazer uma reverência. Este povo, que praticamente não recebeu nenhuma instrução durante muito tempo, nem por isso deixa de conservar a memória do seu passado cristão. E rodeia de veneração os grandes centros sagrados: Axum, no antigo reino de Tigre, aonde o imperador continua a ir para a sagração; Lalibela, que conserva o nome de um santo rei e é um prodigioso conjunto de capelas escavadas na rocha, esconderijo sagrado cheio de corredores labirínticos, que milhares de peregrinos continuam a visitar; e ainda os conventos veneráveis, uns empoleirados no cume de alguma montanha quase inacessível, outros ciosamente isolados do mundo pelas águas do lago Tana.

Este cristianismo etíope apresenta muitos traços capazes de desconcertar um observador apressado. É extremamente austero, formalista em extremo, rigoroso em impor a mais longa Quaresma que se conhece — cinquenta e cinco dias — e o jejum das terças e sextas-feiras, pelo menos até ao meio-dia, quando não até às três da tarde. Exige também orações, prosternações, cujo número e profunda inclinação recordam as da Igreja grega. Ao mesmo tempo, contudo, não parece grandemente severo quanto à vida moral, em especial quanto à sensualidade. Aliás, abandonou-se a prática da confissão, exceto em artigo de morte, caso em que se sobrepõe a uma extrema-unção que é também uma confirmação.

Um dos traços mais surpreendentes deste cristianismo é que está impregnado de espírito bíblico, de uma extraordinária adesão ao Antigo Testamento, sobretudo aos salmos. Não é em vão que a dinastia etíope reivindica entre os seus antepassados Salomão e a rainha de Sabá: o primeiro rei da Etiópia teria sido filho de ambos, concebido na célebre visita; como não é em vão que o Negus tem nas suas armas o leão de Judá. Os usos mosaicos que vimos terem sido conservados entre os coptas do Egito são ainda mais bem observados na Etiópia, designadamente a circuncisão, que é praticada antes do Batismo. Mantém-se o costume de oferecer ao «Senhor do Universo» as primícias de todos os produtos da terra. Durante muito tempo celebrou-se o sábado tanto como o domingo. Não se come carne de animais sem primeiro os sangrar. Os casamentos desenrolam-se de acordo com o cerimonial bíblico: os «amigos do esposo» escoltam o novo casal e o banquete copia as Bodas de Caná. O irmão continua a dever casar-se com a viúva do primogênito falecido, se ela o pedir, a fim de lhe dar posteridade, segundo o famoso preceito do Levirato. Acrescente-se ainda que, dos preceitos bíblicos sobre a hospitalidade devida aos estrangeiros, sobre a generosidade para com os pobres, os etíopes extraem uma bondade e uma caridade bem reais.

A arquitetura, a arte e a liturgia contribuem também para dar ao cristianismo etíope características sem par e um tanto insólitas. Também aqui, como entre os coptas do Egito, se pode pensar que estamos em presença de numerosos usos herdados de práticas pagãs de há vários milênios, vindas do Egito dos Faraós, ou mesmo do velho fundo autóctone. O costume de celebrar São Miguel, São Jorge, a Natividade e a Assunção uma vez por mês é um resultado evidente de um velho calendário lunar em que cada fase era celebrada religiosamente. O gaês, língua litúrgica, é a do Tigre, e a sua origem é pré-histórica. Quanto ao manuseio do sistro na dança sagrada, é exatamente igual ao que se vê nos afrescos de Tebas ou do Vale dos Reis.

As danças sagradas, a estridência dos sistros, o tilintar das campainhas presas aos incensórios, o lento rolar dos tambores enormes, ou o *kabeno* — canto alternado, em três modos —, as prosternações de toda a assistência, os convites feitos por diáconos e subdiáconos... A liturgia eucarística desenrola-se no meio de um aparato de brocados roçagantes, à luz de círios inumeráveis, entre fumaças de incenso, sob o olhar das figuras de santos pintadas nas paredes, de grandes dimensões e cores vivas, e cujos olhos imensos nos rostos estilizados parecem contemplar o Invisível.

Geralmente rodeadas de belas árvores, as igrejas são de forma redonda ou octogonal; as retangulares, mais frequentes no Norte, denotam influência estrangeira. Algumas são rupestres, como a de Dongollo (no Tigre). E todas se dividem em três partes, uma delas reservada ao imperador e ao clero, a segunda aos cantores-bailadores, a terceira aos fiéis que comungam (os outros ficam do lado de fora). O santuário propriamente dito, de forma antiga, diz-se que recorda a Arca da Aliança.

São muitas as cerimônias que se efetuam ao ar livre, segundo usos próprios da Igreja etíope: por exemplo, no dia da Epifania, toda a assistência mergulha na água, com o clero à frente, em memória do batismo de Cristo. A festa da Exaltação da Santa Cruz é mais importante do que a do Natal e a da Páscoa. Dá ocasião a uma explosão de alegria popular: é o *Masqal*, a velha festa da vegetação renascente, convertida em festa de devoção à Santa Cruz, à qual o imperador não pode deixar de presidir em pessoa, rodeado de todo o clero sem exceção, coberto de capas rutilantes ou de longas vestes brancas com largas faixas de cor à altura dos joelhos. A multidão é encimada por um incrível eriçar de umbrelas de cores berrantes e de cruzes processionais de ouro ou de prata, cujos largos braços têm artísticos ornamentos entrelaçados. Por um bom tempo ouvem-se ressoar cânticos quase dolorosos, cadenciados por «Ale-ale-ale-luia!» E tudo se conclui com um gigantesco desfile atrás dos *tabots*, as placas de madeira dura ungidas para servir de altares, que só os padres têm o direito de tocar; devem estar revestidas de pesadas sedas cor-de-rosa, verdes ou violetas. Depois, quando cai a noite, acendem-se fogueiras de alegria, em torno das quais a mocidade dançará até de madrugada. E no cimo de todos os montes que rodeiam a capital brilham também milhares de fogueiras...

Para conduzir tão vasta comunidade de fiéis, há um clero abundante. Para falar verdade, vários milhares de padres só o são de nome, ou não participam senão de algumas festas solenes. Durante muito tempo, não foi necessário qualquer título, ou mesmo qualquer instrução, para ser padre. Bastava ir ter em grupo desordenado com o Abuná, pagar as taxas previstas — outrora em barras de sal —, receber as ordens, também coletivamente, e depois descobrir uma aldeia que aceitasse os serviços do novo padre... Mas, além destes «clérigos eclesiásticos», houve também desde muito cedo «clérigos leigos», os *dobteras*, muito mais bem formados e até, com frequência, estudantes universitários ou alunos mais adiantados das escolas secundárias, se não mesmo professores. E são esses que, na qualidade de diáconos, instruem o povo durante as cerimônias, e que constituem a corporação dos chantres bailadores e poetas, indispensáveis em qualquer ofício litúrgico de alguma importância. E têm um desprezo proverbial pelos clérigos eclesiásticos.

De qualquer modo, o elemento mais vivo e igualmente mais sólido é formado pelos monges, tal como entre os ortodoxos. O monaquismo parece ser aqui tão antigo como o próprio cristianismo. Foi o Egito, terra clássica dos santos eremitas, que o implantou no país. Os grandes conventos tiveram um papel importante na história nacional: foram verdadeiros bastiões de fé, e ainda hoje continuam a ser centros de vida intelectual e espiritual. O mais célebre, que é o de Debré Libanos, no Choa, fundado no século XIII pelo reformador Tekle Haymanot, preside à Ordem fundada pelo santo, e é o seu abade quem exerce as funções de Echeghiê, chefe reconhecido do monaquismo etíope. Outros conventos seguem a tradição dita de Eustácio e não têm hierarquia.

Existem hoje uns doze conventos de homens e seis de mulheres, com uma população monástica abundante. E a vida neles é de renúncia. Apesar das invasões muçulmanas que devastaram o país, todos eles conservam tesouros tidos por fabulosos, antigos manuscritos que mal se começa a catalogar, ornados de miniaturas de estilo ao mesmo tempo hierático e bárbaro. Foi nos conventos que se deu, de há alguns anos para cá, uma renovação dos estudos teológicos e bíblicos, em ligação com os coptas do Egito e, mais recentemente, com os patriarcados ortodoxos de Constantinopla e de Alexandria, e até com certas confissões protestantes.

O envio de jovens para as universidades e seminários do Egito, da Grécia, de Istambul, representa para a Igreja etíope uma hipótese de futuro. O desenvolvimento de uma comunidade católica etíope, ajudado pela federação da Eritreia com a Etiópia após a Segunda Guerra Mundial, e que se traduz pela abertura de um seminário, de um mosteiro cisterciense, de escolas religiosas, mantidas sobretudo por ursulinas, e, pela criação na própria Roma, em 1919, do Colégio Pontifício Etíope, não deixa de provocar alguma emulação.

É sob estas diversas influências, aliás convergentes, exercidas pelo catolicismo, pela Ortodoxia — nos seus melhores elementos — e pela Igreja copta do Egito em vias de despertar, que a Igreja etíope pode renovar-se. Seria bom que, sem deixar de manter sólidas as suas veneráveis tradições, esta Igreja fizesse esforços para elevar o nível moral e intelectual dos seus padres e dos seus fiéis leigos, a fim de combater práticas suspeitas de magia e de astrologia. O papel de encruzilhada pan-africana, que o imperador Hailé Selassié quer conferir ao seu país, acelera a abertura da Etiópia aos ventos do mundo. E aquele que soprou do Vaticano, ao apelo do papa João XXIII, não deixou insensível a «irmã mais velha» das Igrejas da África, visto que o Abuná quis estar representado no Concílio[29].

Entre o passado e o futuro

Catorze ou quinze milhões de cristãos se filiam, pois, nas velhas Igrejas, separadas tanto de Roma como de Bizâncio, e por outro lado não menos estranhas ao fenômeno protestante. Instalados na Ásia e na África, com anexos na Europa e na América em alguns casos; ignorados da imensa maioria dos batizados, eles continuam a viver. O que é já uma façanha se pensarmos nas condições em que a sua história se desenrolou ao longo de quinze séculos. Porém, não só isso, porque, em diferentes regiões, dão testemunho de uma energia que as provações não têm debilitado, mas fortalecido. Destas Igrejas veneráveis, só podemos falar com respeito e com profunda simpatia.

AS IGREJAS ORIENTAIS ANTIGAS 1952-2008

Nome	1952	2008[30]
Nestorianas		
Igreja Assíria do Oriente	80.000	400.000
Jacobitas ortodoxos do Malabar	2.000	650.000
Monofisitas (jacobitas)		
Igreja Ortodoxa Síria de Antioquia	120.000	1.700.000
Igreja Apostólica Armênia	3.100.000	6.000.000
Igreja Copta Ortodoxa	4.500.000	9.000.000
Igreja Ortodoxa Etíope Tewahido	5.000.000	35.000.000
Igreja Ortodoxa da Eritreia[31]	-	1.470.000
Igreja Ortodoxa Sírio-Malankar	300.000	2.500.000
Total mundial	**14-15 milhões**	**ca. 57.000.000**

Aos olhos do historiador do cristianismo, essas comunidades despertam um interesse muito vivo, enquanto vestígios de um passado medieval que permaneceu quase intacto no meio de nós. Quer se apresentem — e é o caso da Igreja da Etiópia — como um rochedo cristão que resiste às violentas vagas das tempestades; quer se assemelhem a essas ilhas que guardam a memória de algum continente desaparecido, cercadas como estão pelo oceano islâmico — todas elas constituem sobrevivências, no sentido mais forte e mais preciso do termo: vemo-las viver quase como viviam nos tempos em que o Ocidente cristão ainda mal emergia das trevas bárbaras e em que a Cristandade apenas começava a formar-se.

Dos quinze séculos que estas Igrejas têm vivido desde que se estabeleceram, há lições que se extraem e que têm algum valor. Sempre deram provas por toda a parte de uma vitalidade extraordinária, resistindo a perseguições atrozes, forçadas por vezes a exílios doloríssimos, e no entanto conseguindo aproveitar a mais pequena ocasião para se reerguerem, para se reafirmarem.

Importa repeti-lo: a história escrita no Ocidente admira a resistência dos cristãos polacos ou a dos cristãos gregos, dos sérvios ou dos búlgaros em oposição aos turcos. Em todos esses casos, a provação foi muito menos longa do que para os cristãos da Mesopotâmia, da Armênia ou do Egito. E não são pequenas virtudes essa fidelidade quinze vezes secular, essa coragem em face da tortura, da morte e mais ainda dos vexames de toda a espécie — essa vontade invencível de manter incólume a fé. Essa resistência só foi possível pela afirmação, entre os fiéis de uma mesma Igreja, de um sentido comunitário cujas manifestações são concludentes. Antes mesmo de se sentirem cidadãos de um Estado, vinculados a uma pátria, os cristãos orientais sentem-se membros de uma comunidade religiosa cuja existência lhes condiciona a sua própria. Um país como o Líbano criou na atualidade uma fórmula original por meio da qual as comunidades religiosas, incluindo a do Islã, se justapõem. E é indubitável que ninguém pode tentar compreender a história do Oriente, desde a invasão árabe até ao mais imediato presente, sem pensar no papel, muitas vezes obscuro, mas sempre eficaz, que essas comunidades cristãs têm assumido.

Tais como são, enquanto vestígios do passado, essas Igrejas orientais podem oferecer aos cristãos do Ocidente, sejam eles católicos ou protestantes, subsídios bem concretos e de não pouco valor. Tem-se censurado com frequência às suas comunidades o fato de associarem demasiado intimamente o religioso e o social, o que é devido, por um lado, a uma certa influência do Islã e, por outro, às condições em que viveram, visto que a sua existência dependia da sua

Igreja. Mas não se pode duvidar de que nelas se encontra quase por toda a parte um sentido de união entre cristãos, de fraternidade, de comunidade — exatamente o sentido que hoje procura despertar nas almas o movimento que leva à renovação o escol dos católicos e dos protestantes. E, num plano ainda mais estritamente religioso, a renovação litúrgica, tão característica das atuais tendências do catolicismo, tem muito a aprender dessas Igrejas nestorianas ou monofisitas que conservaram até hoje tesouros litúrgicos incomparáveis, nascidos de culturas diversas das dos Ocidente grego e latino[32].

Considerar, porém, as velhas Igrejas como reservatórios ou museus — fósseis veneráveis — e os seus fiéis como medievais que sobreviveram e conseguiram chegar até nós, seria inteiramente injusto. Não podemos imaginar um armênio ou um copta do Egito contentando-se com esse papel mudo. Na revista *Proche-Orient chrétien*, que se edita em Jerusalém, o pe. Edelby escrevia ainda não há muito: «As cristandades do Oriente não são múmias destinadas a satisfazer a curiosidade de arqueólogos ou de estetas ociosos. Não são restos do passado, conservados por algum atavismo de raça e tolerados por condescendência. Não são comunidades fechadas, seladas, estagnadas, incapazes de crescer, votadas à inércia enquanto tudo à sua volta se mexe».

Há nessas frases mais do que a expressão de um desejo: há uma opção de futuro, uma promessa. E é justamente na medida em que as velhas cristandades orientais derem ouvidos a apelos desse gênero que elas poderão fazer frente ao porvir. O verdadeiro desafio é, para elas, continuarem bem presas às raízes das suas tradições, sem cuja seiva não demorariam a ser absorvidas na massa muçulmana que as rodeia. E é ao mesmo tempo caminharem com o seu tempo, num esforço por renovar-se, por sair de um confessionalismo muitas vezes estreitíssimo, por participar das poderosas correntes de vida que revolvem todo o Oriente. Estas duas exigências não podem ser satisfeitas uma sem a outra.

Para se afirmarem, os cristãos do Oriente — e pensamos não só nos monofisitas e nestorianos, mas também nos ortodoxos gregos e nas minorias católicas[33] — beneficiam de um clima bem favorável. Eles têm-se mostrado independentes do Ocidente desde as suas origens, uns opondo-se a Roma, outros separando-se até mesmo de Bizâncio. Nem uns nem outros podem atrair sobre si a suspeita de estarem coligados com a Europa «colonialista». São autenticamente asiáticos ou africanos, e têm perfeitamente o direito de falar em nome dos povos que levantam a cabeça nesses continentes. O seu papel como arautos do «Terceiro Mundo» pode ser importante. É o que pretendem os melhores dos cristãos do Malabar, que, no Estado de Kerala, se encontram na linha de frente no combate contra a fome. Como é também o que bem compreendeu o imperador Hailé Selassié, que se propõe fazer da Etiópia cristã uma encruzilhada em que se encontrem os chefes da África, ou mesmo do Terceiro Mundo, sejam eles muçulmanos ou cristãos.

É precisamente com o Islã que os cristãos orientais podem servir de intermediários. Têm contatos doze vezes seculares com eles. Daí lhes vieram muitos sofrimentos, e não é de excluir que voltem a aparecer: ainda ontem no Egito, na Palestina, na Síria, no Iraque... Não quer isto dizer que não tenham um papel a desempenhar no futuro das relações entre o mundo islâmico e o resto da humanidade. Em primeiro lugar, constituindo-se como testemunhas autênticas do cristianismo em face de um Islã em plena renovação. Aqui mais que nunca, a atitude religiosa condiciona tudo o mais. Não poderiam cristãos verdadeiramente cristãos, armados de uma mensagem de amizade, de fraternidade, tornar-se laços vivos entre dois mundos? Em Bhamdun (Líbano), em 1954, e a seguir em 1955 em Alexandria, houve congressos entre islamitas e cristãos, em que foram consideradas estas perspectivas de futuro (No segundo desses congressos, os coptas tiveram grande importância). Ainda estamos numa fase de exprimir desejos, vagas resoluções..., mas talvez seja assim que venham a forjar-se as primeiras opções para o futuro.

O futuro das Igrejas orientais resultantes das antigas cisões surge ligado ao esforço que elas forem capazes de empreender para se renovarem, para elevarem o nível espiritual e intelectual do seu clero e dos seus leigos, para se abrirem a esse sopro de Pentecostes que — desde há um século cada vez mais forte — atravessa toda a Igreja de Cristo, seja qual for a obediência a que os seus filhos se filiem[34]. Esse sopro do qual não é quimérico esperar que um dia levará todo o rebanho fiel à Cruz, em direção ao aprisco da Unidade[35].

Notas

[1] Cf. a nota no final do presente capítulo.

[2] Cf. o vol. I, cap. X, par. *Ário contra Jesus*.

[3] Cf. o vol. II, caps. III e IV.

[4] Sobre Apolinário, cf. o vol. II, cap. III, par. *Os grandes debates sobre a natureza de Cristo*.

[5] Sobre Nestório, cf. *ibidem*.

[6] Sobre Eutiques, cf. *ibidem*.

[7] Sobre São Leão, cf. o vol. II, cap. II, par. *Leão Magno e o Papado*.

[8] O melhor resumo das teses opostas em todas estas discussões teológicas dos séculos IV e V foi dado por G. Aubourg no artigo *Aux assises de la civilisation occidentale: le Concile de Chalcedoine*, publicado em *Féderation*, jan 1952: «Para ser esse Salvador que deifica, Cristo deve ser Deus ele mesmo, consubstancial a Deus: assim se declara em Niceia, contra Ário (325). Deve ser homem pleno, consubstancial com cada um de nós: assim em Constantinopla contra Apolinário (381). Homem e Deus, deve no entanto ser um só: assim em Éfeso, contra Nestório (431). E no entanto deve subsistir em duas naturezas: assim em Calcedônia, contra Eutiques (451). E ali se fará a síntese no equilíbrio dessas noções.

[9] Sobre Pelágio e sua doutrina, cf. o *Índice Analítico* do vol. II.

[10] Daqui em diante, passamos a utilizar os dois termos — «Comunidade» e «Igreja» — para falar destes agrupamentos de cristãos. O primeiro é mais exato do que o segundo: enquanto este acentua os aspectos religiosos, o primeiro abrange os aspectos religiosos, sociais e políticos, o que corresponde perfeitamente à realidade. Os termos «seita» e «denominação» que se utilizam por vezes são inadequados. Certos autores classificam esses agrupamentos consoante o «rito» da sua liturgia, mas isso leva a englobar comunidades que em tudo se distinguem umas das outras.

[11] Cf. o vol. III, cap. IX, par. *A prodigiosa fecundidade.*

[12] Cf. o *Índice Analítico* do vol. III.

[13] Enquanto a Igreja Caldaica unida a Roma, que em 1913 alcançara 102 mil fiéis, também devastada pela perseguição, já não contava senão 70 mil por volta de 1935; mas, em 1962, subiu para 190 mil.

[14] Cf. o vol. I, cap. XI, par. *São Martinho e a conversão das populações rurais.*

[15] Na época das Cruzadas, a Igreja armênia sofreu influências latinas.

[16] Cf. o vol. II, cap. VI, par. *As dissensões religiosas e i despertar dos nacionalismos.*

[17] Cf. o cap. IV, par. *Patriarcados e «autocefalias».*

[18] Em várias ocasiões os armênios pensaram aproximar-se de Roma. Assim sucedeu na época das Cruzadas, por exemplo, quando se criou o reino da Pequena Armênia: a união foi proclamada em 1198, e durou com altos e baixos até 1375, ano em que esse reino se extinguiu. Em 1740, aderiram a Roma alguns armênios da Síria, que sofreram perseguições ao longo de todo o século XVIII e nos começos do século XIX; foram reconhecidos pelo governo turco em 1831, mas pouco terreno ganharam à Igreja «gregoriana». Mal ultrapassam os 45.000 na Cilícia, na Síria e na Turquia, e a eles se agregam as comunidades da Europa Ocidental, designadamente da França (onde têm um exarca) e da América. Desde 1937, o seu patriarca tem sido mons. Agagianian, feito cardeal em 1946 e atualmente secretário da Congregação para a Propagação da Fé. Se a estes acrescentarmos os armênios católicos do resto da diáspora armênia, nem assim ultrapassam os 100.000 fiéis. (As páginas precedentes foram lidas por mons. Amaduni, exarca apostólico armênio, a quem agradecemos aqui a sua grande benevolência).

[19] Cf. o vol. IX, cap. X, par. *Um olhar sobre o Oriente.*

[20] Acerca dos cristãos de São Tomé, cf. o vol. II, cap. V, pars. *A expansão monástica* e *O combate por Cristo.*

[21] O que, como é óbvio, não tem nenhuma relação com a Ortodoxia, tal como a estudamos no capítulo anterior, ou seja, a de Bizâncio e de Moscou.

[22] Cf., acima, o par. *Tão grandes outrora, tão pouca coisa hoje: os «assírios» nestorianos.*

[23] Cf. o vol. I, cap. XI, par. *Variedade e unidade na Igreja.*

[24] Cf., acima, o par. *As rupturas do século V.*

[25] As páginas sobre a Igreja copta foram lidas pelo pe. S. Chauleur, diretor dos *Cahiers coptes*, a quem manifestamos o nosso profundo agradecimento.

[26] Atos, VIII, 27.

[27] Cf. o vol. I, cap. XI, par. *Onde está implantada a Cruz*.

[28] Cf. o vol. VII, cap. IV, par. *Essas feridas ainda abertas*.

[29] As páginas precedentes, dedicadas à Etiópia, foram lidas pelo pe. Bernard Velat, investigador no CNRS (Centre National de Recherches Scientifiques), professor de etíope no Instituto Católico de Paris, a quem agradecemos por este grande favor.

[30] Fonte: Ronald Roberson, The Eastern Christian Churches, 6ª edição, Edizioni Orientalia Christianae, Pontifício Istituto Orientale, 1999; disponível no endereço: http://www.cnewa.com/generalpg-verus.aspx?pageID=182.

[31] Antes incluída na Te*wahido*.

[32] Uma história da Igreja não pode dar demasiado espaço à história da liturgia, que exige longos desenvolvimentos. Recordemos sobre esta matéria alguns livros que o leitor poderá consultar: *Les liturgies d'Orient*, pelo pe. Dalmais (Paris, 1959) e *Les liturgies orientales*, de H. Lubienska de Lenval (Paris, 1962), entre outros.

[33] É sabido que cada uma das Igrejas separadas do Oriente viu desenvolver-se ao seu lado uma comunidade católica vinculada a Roma. Assim como acontece entre os ortodoxos gregos e eslavos, existem também 150 mil armênios católicos, 75 mil sírios católicos no Levante e outros tantos no Malabar, 170 mil católicos caldeus, 50 mil etíopes católicos. Deles se trata nos vols. VIII e IX desta coleção. Há ainda grupos de protestantes que se constituíram entre essas comunidades cristãs; assim, no Egito, contam-se 75 mil coptas protestantes, pertencentes a uma dúzia de denominações.

[34] Notemos, antecipando-nos um pouco ao nosso próximo tomo, que, em janeiro de 1965, em Adis-Abeba, os responsáveis da maior parte das Igrejas nestorianas e monofisitas se reuniram para estudar «o fato ecumênico» e trabalhar em comum por uma renovação.

[35] Sobre os pontos de cristologia que separam as pequenas Igrejas orientais da fé ortodoxa de Roma e de Bizâncio, citemos a frase de G. de Plinval na *Histoire illustrée de l'Église* (I, V, 377): «Este problema devia ter permanecido no domínio da teologia puramente especulativa». E a do papa Honório, que, consultado a este propósito, respondeu: «Deixemos isso aos gramáticos e aos especialistas, que têm o costume de dar grande importância diante das crianças às palavras que inventaram». Não falta quem garanta que nunca teria havido discussão alguma se a palavra grega *physis* e a palavra latina *natura* fossem exatamente sinônimas, coisa que não são.

VI. A TÚNICA INCONSÚTIL

«Que eles sejam um!»

Na primavera de 1848, as chancelarias ocidentais, que de momento tinham afinal de contas preocupações mais urgentes, receberam um relatório dos seus agentes no Próximo Oriente sobre um incidente apresentado como extremamente grave.

Em Belém, nessa Basílica com ares de fortaleza que se sobrepõe ao lugar considerado pela tradição como o da Natividade, e que está como que embutida no solo onde se localizou a Gruta, brilhava havia muito uma estrela de prata, que refletia as luzes amarelas e trêmulas dos círios e das lamparinas. Ora, essa estrela tinha desaparecido. Roubada! Mas por quem? A resposta impunha-se: a estrela tinha uma inscrição latina, coisa que irritava em extremo o clero grego ortodoxo, chamado a oficiar nesse lugar. Esse furto da estrela emocionou as capitais.

Paris enviou um comissário, exatamente o famoso Eugéne Boré[1], e o inquérito a que ele procedeu não deixou nenhuma dúvida sobre a identidade dos responsáveis. Razão pela qual a Sublime Porta recebeu do general Aupick, embaixador da França, um protesto em boa forma. Mas a Rússia, protetora dos cristãos orientais, não deixou passar o caso sem intervir energicamente, chegando a enviar a Constantinopla uma embaixada tão formidável que parecia a vanguarda de algum exército. Falou-se, discutiu--se, ameaçou-se e fez-se tal celeuma que os maiores interesses das potências foram postos em causa por essa algazarra entre monges. E a conclusão de tudo isso foi nada menos que a guerra da Crimeia.

O incidente não era senão um entre muitos. Desde que orientais e ocidentais se tinham encontrado lado a lado, ajoelhados na Terra Santa para orar ao mesmo Cristo Salvador, a discussão entre as comunidades rivais que pretendiam garantir o ofício sagrado não cessara completamente. Sob o olhar de mofa e de desprezo dos turcos, os cristãos opunham-se uns aos outros em querelas de precedências, de ritos, de calendários e de horários, que seriam risíveis se muitas vezes não tivessem acabado em sangue. Em 1834, por exemplo, a cerimônia ortodoxa do «Fogo Novo» pela Páscoa provocara uma rixa de tal violência com as outras confissões que, segundo se diz, o chão ficara juncado de quatrocentos cadáveres.

No nosso tempo, os antagonismos já não chegam a tais excessos, e nestes últimos anos estabeleceu-se até um *modus vivendi* fraterno. Mas a situação não deixa de ser penosa, para o crente que vai aos Lugares Santos. A Basílica mais sagrada do mundo, o Santo Sepulcro, está partilhada entre confissões rivais — latinos, gregos ortodoxos, armênios, jacobitas da Síria e coptas —, cada uma das quais reivindica duramente o mais pequeno metro quadrado de pavimento, o mais pequeno recanto, e até os varões metálicos onde se fixam as lâmpadas e os bancos sobre os quais as bandejas esperam as ofertas dos peregrinos! Nessa arquitetura de labirinto e caos, entre os ornatos pavorosos, os cromos encaixilhados, as flores artificiais de pacotilha, as rivalidades dos cleros levam ao cúmulo da vergonha um espetáculo em que a fé conta pouco. É preciso ter muita força de alma ou muita humildade de espírito para admitir que, em tal lugar e dessa maneira, quem está presente é o Deus do amor e da fraternidade humana[2].

Quem não se lembra? Na véspera da sua morte, na hora em que ia passar deste mundo para o Pai, ao dar as derradeiras instruções àqueles que deixava como depositários e guardiães da sua mensagem, Jesus insistiu por diversas vezes na necessidade do amor fraterno e da unidade. Começando por dirigir-se aos seus fiéis, disse: «Sereis reconhecidos por todos como meus discípulos pelo amor que tiverdes uns aos outros» (Jo 13, 35). Depois, dirigindo-se ao Pai, nessa sublime oração sacerdotal que contém o mais alto dos seus ensinamentos, acrescentou: «Não é só por eles que peço, mas também por aqueles que pela sua palavra hão de crer em mim [...]. Que todos sejam um, como tu, Pai, o és em mim e eu em ti! Que também eles sejam um em nós!» (Jo 17, 20.24).

Essa exigência de unidade, quantas vezes Jesus não a tinha proclamado no decorrer do seu ensino público? A ela se referiam as mais impressivas das comparações que fizera nas suas parábolas. Por Ele, os discípulos deviam estar ligados uns aos outros como os sarmentos à cepa da vinha. Deviam considerar-se como ovelhas de um mesmo rebanho, submetidas à autoridade vigilante e terna de um mesmo pastor, reunidas todas elas no mesmo aprisco. Mais ainda: deviam formar um só corpo vivo, o próprio Corpo de Cristo, alma desse corpo. De resto, tudo na pequena comunidade por Ele formada tinha trazido na sua própria natureza a marca da unidade: uma idêntica eleição dos membros, um parecido apelo de Deus a cada um, uma igual obediência ao Messias, Senhor Salvador, e igual participação de todos no Pão e no Vinho do sacramento que iria ser o memorial do seu sacrifício. Mais tarde, quando Cristo tivesse deixado a terra, na jovem Igreja desde então iluminada pelo Espírito Santo, havia de revelar-se mais forte ainda a exigência de unidade entre os seus membros, fundamentada numa comum expectativa da segunda vinda em glória, na comum certeza de serem todos eles depositários da mesma Mensagem e da mesma Promessa, na comum resolução de enfrentar novos destinos por amor da causa de Cristo.

Será preciso recordar o que os cristãos fizeram dessa unidade, exigida pelo Mestre como característica primordial da Igreja? Um golpe de vista sobre o espetáculo que oferecem esses Lugares que deviam ser santos basta para dar uma ideia. Mas, mais ainda, basta um rápido voo sobre este mundo que se proclama cristão. Que, de cada três homens que hoje vivem, haja, após vinte séculos de evangelização, apenas um cristão, é já algo estranho e desolador. Mas que o rebanho chamado cristão se divida em Igrejas, em obediências, em denominações, em seitas que se ignoram ou se odeiam, que concorrem entre si ou se combatem — eis um escândalo ainda bem mais grave. Porque é a verdade central do cristianismo que é posta em causa. Neste ponto preciso, a Palavra do Senhor não venceu o mundo e as Portas do Inferno parecem ter prevalecido contra ela. «Vós fazeis Cristo em pedaços!», gritava São Paulo aos seus discípulos de Corinto (cf. Cor 1, 13), porque já então uns se diziam de Paulo, outros de Pedro, enquanto outros pretendiam ser os únicos a falar em nome de Jesus. Desde então, os cristãos têm seguido muitos outros mestres, e o resultado é o mesmo, se não pior: Cristo está esquartejado.

Tal é a meditação dolorosa a que é impossível fugir quando se tenta imaginar o «quebra-cabeças» absurdo que pretende chamar-se Igreja de Cristo, ou se procura seguir ao longo da história o jogo incoerente das imagens no caleidoscópio satânico dos cismas e das secessões. Até um católico, por mais convencido que esteja de pertencer à comunidade que guarda a autêntica mensagem do Senhor, por mais orgulhoso que esteja de ser filho da Igreja que congrega — e de longe — o maior número de batizados, não devia querer aproveitar-se de uma situação que também a ele o fere nas suas mais vivas fidelidades. De todas essas ovelhas que abandonaram o rebanho, não deverá sentir-se responsável? É suficiente formular a pergunta para experimentar até à angústia essa «grande aflição» da desunião que o santo pe. Couturier descreveu em termos inesquecíveis: qual é o cristão digno de tal nome que não a terá sofrido? «Deve-se contar entre os piores males da nossa época — dizia um crente de outrora — que as Igrejas estejam tão separadas umas das outras que mal exista entre nós uma sociedade humana, e menos ainda essa santa comunhão dos membros de Cristo que todos professam de boca, mas que bem poucos cultivam sinceramente na realidade». Quem assim falava vivia no século XVI: chamava-se João Calvino.

A nostalgia da unidade

Esta alusão ao «segundo patriarca da Reforma» é significativa, porque mostra até que ponto foi viva entre os verdadeiros cristãos a nostalgia do Um, e também o sentimento — confessado ou não — de serem, de certa maneira, causadores ou cúmplices da ruptura. Se é possível escrever a história das heresias e dos cismas que quebraram a Unidade, há uma outra história que também deve ser feita: a do pesar manifestado diante dessa situação penosa e a dos esforços feitos para lhe pôr fim.

Já nos primeiríssimos séculos, quando a jovem Igreja se viu — tão cedo! — dilacerada entre tendências diversas — judaizantes e helenistas, docetas, gnósticos, mais tarde marcionistas, arianos —, nunca faltaram grandes espíritos para lembrar aos cristãos que tais disputas eram escandalosas e tinham de acabar. Foi então que apareceu — possivelmente pela primeira vez — em Tertuliano, e à volta do ano 210, no seu tratado contra Marcião, a célebre imagem da *túnica sem costura*, utilizada como símbolo da Igreja que é única e não deve ser despedaçada. Aos pés da Cruz, diz São João (19, 23.24), os verdugos — aos quais cabia, segundo o costume, a roupa do condenado — não quiseram dividir a túnica, por ser tecida num só pano. São Cipriano, Santo Agostinho, São Jerônimo, e a seguir a eles a tradição patrística, viram nessa veste inconsútil que cobrira o corpo de Cristo a imagem dessa outra veste, sobrenatural, que cobre o seu corpo místico, a Igreja, e que as infidelidades dos seus filhos fizeram em farrapos[3].

À medida que as discussões teológicas se foram tornando mais graves, multiplicaram-se os conciliadores, que tentavam explicar mal-entendidos, aplacar queixas, achar fórmulas de compromisso. Até ao dramático ano de 1054, em que se declarou a dissenção entre Bizâncio e Roma, o grande mérito dos sete Concílios ecumênicos, em que os representantes de toda a Cristandade se sentaram lado a lado, consistiu em trabalhar energicamente, incansavelmente, para manter a unidade. Os pontos contestados eram discutidos e uma das soluções tornava-se fórmula oficial; os refratários tinham de aceitá-la ou então sair da Igreja. Alguns dentre eles adotaram esta segunda solução, como foi o caso dos nestorianos e dos monofisitas. Mas não eram senão minorias que não comprometiam seriamente a autoridade da Igreja fiel — minorias que, de resto, por várias vezes e com resultados desiguais, se tentou fazer reentrar no redil.

A grande ruptura de 1054 não deixou a Igreja mais resignada a admitir a situação dolorosa assim criada. Os cristãos do tempo, na sua grande maioria, não se deram conta — como é flagrante para o historiador — de que os erros cometidos nesse processo que desembocou no Cisma foram de parte a parte[4]. Mas pelo menos vários crentes autênticos sentiram a separação como uma ferida bem cruel. Não se pode reler sem emoção a carta que o venerável Pedro de Antioquia escreveu ao seu colega de Constantinopla, Miguel Cerulário, para instá-lo a não levar a contenda até à ruptura, e advertindo-o em termos proféticos dos resultados catastróficos que esta iria ter... Consumado o cisma, houve homens que tiveram a coragem de deplorá-lo bem alto e até de prestar homenagem aos irmãos separados. Tal foi o caso de Jorge o Hagiorita, que, em 1064, ousou dizer que não encontrava qualquer desvio na fé latina. Ou de João II, patriarca de Kiev, que declarou que aquilo que se podia criticar nos latinos nada tinha a ver com os dogmas. Ou, melhor ainda, de Teofilacto, patriarca de Ocrida na Bulgária, que, dedicando aos *Erros dos Latinos* um grosso tratado, concluía que nada nesses erros justificava um cisma e que, no fundo do diferendo, havia sobretudo questões de pessoas ou de raças...

A bem dizer, durante longos anos, e sobretudo no Ocidente, nem sequer se suspeitou que tivesse havido um cisma. Os cavaleiros das primeiras Cruzadas não duvidavam de que os sacramentos que recebiam dos padres orientais eram válidos. Aliás, as relações entre os imperadores de Bizâncio e do Ocidente católico permaneceram constantes. As razões políticas convidavam à aproximação, pelo menos tanto como as religiosas. Uma embaixada especial do Basileu veio felicitar Gregório VII pela sua eleição. Outros imperadores ajudaram com os seus besantes diversos conventos ocidentais, como, por exemplo, o de Monte Cassino. Em 1089, ou seja, trinta e cinco anos após o cisma, um sínodo romano estudava as relações entre Roma e Bizâncio, procurando eliminar as causas da separação. Ao longo das décadas seguintes, foram numerosos os Pontífices cuja voz se ergueu contra a desunião, suplicando aos cristãos que lhe pusessem fim: assim Alexandre II, Pascoal II e, mais tarde, Inocêncio III. Mesmo a desoladora IV Cruzada (1202-1204), assinalada pela tomada de Constantinopla e pela fundação do Império franco do Oriente, que iria aprofundar o fosso entre gregos e latinos, nesse momento não fez calar as vozes pacificadoras. Pouco depois, fazia-se uma tentativa de reconciliação.

Deveu-se ela ao papa São Gregório X, um Visconti contemporâneo de São Luís, a quem afligia o temor — legítimo — de ver os turcos destruírem a muralha bizantina e lançarem-se sobre toda a Europa. Como o basileu Miguel Paleólogo sentia o mesmo temor, foi convocado para 1274 um concílio (o de Lyon) em que, pela primeira vez desde 1054, os representantes da Ortodoxia — dois arcebispos e algumas dezenas de outros prelados — se sentaram ao lado dos bispos católicos, chegando a haver uma missa concelebrada. A atmosfera foi excelente. Mesmo sobre a questão do *Filioque* se achou uma fórmula de acordo. Infelizmente, por pouco tempo! O sucessor de Gregório X, Nicolau III, mostrou-se tão radical como Gregório fora flexível, e o clero grego recebeu muito mal os Padres que lhe anunciaram a reconciliação. O basileu Miguel, unionista coerente, morreu católico; mas o seu filho Andrônico II voltou ao cisma, o que veio a tornar mais dura ainda a atitude dos romanos.

História, portanto, que parece decepcionante. Contudo, mesmo durante o desolador século XIV, em que o avanço dos turcos no Oriente teve como dolorosos equivalentes ocidentais o exílio do Papado em Avinhão, seguido do Grande Cisma em que os pontífices rivais se defrontaram, a nostalgia da União continuou a mover as almas. Houve até um basileu, João Paleólogo, que se fez pessoalmente católico, sem por isso conseguir trazer o povo, e menos ainda o clero, para a causa unitária. Não faltaram, porém, no início do século XV, nos dois campos, homens suficientemente lúcidos para compreender que a salvação do Ocidente reclamava a união, e suficientemente espirituais para reencontrar nas verdadeiras tradições da Igreja os meios de realizá-la. Assim foram o papa Martinho V — que, no Concílio de Constança, saiu vencedor da terrível crise do cisma — e depois o seu sucessor Eugênio IV. E do lado oriental numerosos teólogos, um dos quais, Bessarion, que era tido por uma das maiores esperanças do tempo.

Primeiro em Basileia, depois em Ferrara (1438), em seguida em Florença (1439), reuniu-se um concílio a que veio assistir o próprio imperador bizantino, acompanhado do patriarca e de grande número de arcebispos. Após muitas discussões, chegou-se a um acordo quanto ao *Filioque*, trocaram-se cordiais ósculos da paz, e depois, num entusiasmo extremo, resolveram-se num instante todas as questões pendentes e foi possível proclamar: «Céu, alegra-te! Terra, estremece de alegria! O muro entre a Igreja do Oriente e a do Ocidente acaba de cair!»

Alegria sem dia seguinte... Porque, ao reentrarem nas suas sés, os prelados gregos viram que a opinião pública não os acompanhava. Os monges continuavam tão hostis como dantes aos latinos. Numerosos metropolitas pregavam abertamente a rejeição dos decretos de Florença. Os esforços dos imperadores para manter a união fracassaram, e, em 1452, uma missa celebrada em Santa Sofia por um dos que tinham aderido a Roma — criado cardeal — desencadeou tumultos. A opinião comum dos gregos foi bem expressa pelo almirante Notaras: «Mais vale ver dominar em Constantinopla o turbante dos turcos do que o chapéu dos cardeais latinos». Desejo ou voto que, como é sabido, ia ser escutado um ano depois...

No entanto, apesar do fosso aberto pelas incompreensões e as inabilidades, nunca a separação entre as duas grandes partes da Igreja foi completa, nem totalmente aceita. Em 1583, a propósito da reforma do calendário, de que era promotor, Gregório XIII manteve uma correspondência muito fraterna com o patriarca Jeremias II, e, quando abriu em Roma o seminário grego de Santo Atanásio, que admitiria todos os orientais, o papa recebeu de Bizâncio comovidos agradecimentos. Em 1630, o patriarca Cirilo de Bereia tentou reatar as relações com Roma em vista da união; mas, passados três anos, era deposto por um concílio do Oriente e, pouco depois, foi encontrado com o pescoço misteriosamente apertado por um laço. História dramática a desses homens de boa vontade que, contra uma opinião pública quase toda hostil, lutaram para que a Túnica inconsútil reencontrasse a sua integridade!

Alguns conseguiram-no parcialmente, e assim se constituíram as chamadas Igrejas «uniatas», isto é, vinculadas à Sé romana. Outros persistiram durante toda a vida nos seus esforços, sem cessar decepcionantes, que só tiveram por resultado um testemunho pessoal. Estiveram na primeira linha, por mais diferentes que fossem as suas posições sociais, o padre croata Jorge Krijanich, que, até morrer — em 1688, como capelão das tropas cristãs que defendiam Viena contra os turcos —, consumiu todas as suas forças na preparação dos caminhos para a união de Roma com Moscou; e o czar Aleixo, aluno de um católico apóstata e de um polaco russificado que, assediado pelo problema, enviou a Paris em 1672, para estudar uma solução, o escocês católico Menziés de Pitfodels — homem de excelentes opiniões sobre o assunto, mas que não foi tomado a sério por nenhuma corte europeia, a começar pela de Luís XIV. Até Pedro o Grande se interessou pela união, e, quando da sua viagem a Paris em 1718, tratou dela com professores da Sorbonne.

Nesse momento, aliás, não era com o Oriente que os católicos estavam em condições de pensar nisso: era a hora penosa em que a Reforma tinha transtornado ainda mais diretamente os hábitos e multiplicado as causas e ocasiões de hostilidade entre os cristãos. Tanto mais graves quanto, como nos lembramos, certos interesses temporais se tinham ligado às divergências espirituais para acentuar as dissensões. E, no entanto, também aqui não se pode dizer que a ruptura da Túnica tenha sido aceita sem aflição. A divisão dos cristãos foi dolorosamente sentida por numerosos homens tão lúcidos como generosos. Podemos deixar de lado os esforços feitos para manter a unidade no próprio seio do protestantismo por vários dos primeiros Reformadores — como Bucer, Melanchton, Ecolampádio —, atormentados por verem o seu campo seccionar-se entre luteranos, zwinglianos, calvinistas, anabatistas. (Recorde-se somente que se promoveram numerosos colóquios ou congressos para tentar aproximar os pontos de vista — e que foi esse o ponto de partida do movimento em prol da concentração no seio do protestantismo).

Mas, no que diz respeito às relações entre católicos e protestantes, nem todos admitiram que tudo estivesse perdido para sempre e que não houvesse mais nenhuma possibilidade de reconciliação. Um Erasmo, por exemplo, tão injustamente julgado por tantos católicos, fez tudo o que pôde para restabelecer laços entre a Igreja romana e os utraquistas checos e os Irmãos morávios. Uma notável corrente é a que podemos ver, no campo protestante, com um Jorge Witzel, autor da *Via Regia*; com um Cassender, que adotou a fórmula de São Vicente de Lérins (séc. V): «A fé é aquilo que foi crido, sempre, em toda a parte e por todos». Tal como, entre os católicos, se destacou um Júlio von Pflug, bispo de Nuremberg, que redigiu um verdadeiro formulário de conciliação. E houve esforços realizados com intuitos que não eram unicamente políticos: assim o famoso «Colóquio de Poissy» (1561), decidido por Catarina de Médicis, como também os encontros de Haguenau, Worms e Ratisbona, provocados por Carlos V. Os reformadores foram convidados a participar do Concílio de Trento, e numerosos Padres conciliares conservaram por muito tempo a esperança de conseguir a presença pelo menos dos luteranos.

No pior momento em que a ruptura religiosa se traduziu em crises sangrentas, houve em todos os países, e nos dois clãs, homens de grande coração que tiveram a suficiente energia e audácia para se oporem ao furor quase geral dos príncipes. Foi o caso de Adão de Schwartzenberg, amigo do Eleitor protestante de Brandeburgo, ou de bispos como o polaco Lubienski, ou ainda de simples e santos religiosos. O capuchinho milanês Valeriano Magni, cujo papel na Boêmia, após o esmagamento dos protestantes na batalha de Montanha Branca, foi admirável; ou o beneditino Leandro de Saint-Martin, apóstolo hábil do regresso dos anglicanos — devem ser citados entre os precursores de movimento hoje chamado «ecumenismo». Sem esquecer — por mais inesperado — o famoso «Père Joseph», a eminência parda de Richelieu, autor de algumas frases perfeitas acerca da unidade. Mas, no campo contrário, não podemos deixar de prestar homenagem a um Hugo van Groot (Grócio), que confessava a um amigo: «Toda a minha vida, ardi no desejo de reconciliar o mundo cristão!»; ou a Georg Calixte, que, um tanto ingenuamente, mas de coração sincero, se obstinou em propor «dogmas simplificados», que todos, católicos e protestantes, pudessem aceitar. Em meados do século XVIII, a causa da unidade teve um apóstolo infatigável, Cristóbal de Rojas y Spinola, confessor da corte de Viena, bispo da Dalmácia, que passou anos a visitar as capitais da Europa e as cortes alemãs para preparar a reconciliação e julgou mesmo ter tocado com a mão esse nobre objetivo.

Todos esses esforços, afinal, foram vãos. E no entanto, de meados do século XVI até o fim do século XVIII, chegou-se a um resultado importante[5]. A controvérsia entre católicos e protestantes mudou de natureza. A princípio, era unicamente polêmica, do gênero daquela que tinham mantido o latino Filastro de Bréscia e o grego Caucus de Corfu, ou, um pouco mais tarde, João Eck, na Dieta de Augsburgo, ao encontrar em Lutero nada menos que quatrocentos erros!... É claro que esse gênero nunca desapareceu completamente. Um franciscano, que assinava «Fogo Ardente», chegará a anotar em Calvino mil e quatrocentas monstruosidades teológicas! Menos sectária, mais debruçada sobre os princípios gerais, com Chemmitz ou São Roberto Belarmino, essa polêmica iria continuar a divertir a galeria, alimentada, de resto, por fogos acesos tanto no clã protestante como no católico: provavam-no as *Anatomias da Missa*...

Mas, desde bastante cedo, houve um outro método, com outro espírito: o irênico. Embora continuassem extremamente firmes quanto aos princípios, homens autenticamente espirituais empenharam-se em afastar toda e qualquer violência do seu vocabulário e da sua ação. Assim foi São Pedro Canísio, talvez o primeiro a usar a expressão «irmãos separados»[6], em lugar da de «irmãos extraviados». Ou São Vicente de Paulo, tão firme e simultaneamente tão caridoso para com os protestantes. Ou São João Eudes, que rezava a Nossa Senhora pelos separados. Continuava-se a discutir, mas sem furor. Humberto de Romans mostrava-se compreensivo para com a Ortodoxia. O bom cura de Charenton, François Véron, propusera que se retirasse da controvérsia antiprotestante questões menores derivadas da Escolástica, ataques que ferissem, gracejos, e se decidisse centrá-la no estudo sério dos dogmas. Num estilo bem diferente, Bossuet retomou a ideia de Véron, escreveu com ela a *Exposição da doutrina da Igreja Católica* e, com esse intuito, manteve com Leibniz uma correspondência apaixonada e apaixonante, em que os dois gênios defendiam as suas posições com todos os recursos do saber e da dialética, mas evitando qualquer ataque *ad personam* ou contundente. Outros diálogos semelhantes, como o de Bossuet com Drummond, de Molanus com Spinola, do arcebispo anglicano Wake com o galicano Élie du Pin, que elaborou, de acordo com a Sorbonne, um plano de reunificação; mais tarde, do cardeal de Noailles com o conde von Zinzendorf — todos manifestaram intenções análogas. Na falta de um clima de união, estabeleceu-se um clima de respeito mútuo.

No século XVIII, se parece evidente que todas as tentativas estavam destinadas ao fracasso, não deixava, no entanto, de haver indivíduos, mais ou menos isolados, prontos a prosseguir o sonho. Havia-os também em dois campos: o dos partidários das «Luzes», que pensavam que uma religião mais «esclarecida» eliminaria os antagonismos (era o *Cristianismo Razoável*, de Locke), e dos pietistas, que, insistindo unicamente na piedade pessoal, esperavam retirar dos antagonismos os espinhos. Entre os pietistas, um dos mais comoventes foi o fundador da comunidade de Herrnhut, amigo dos Irmãos Morávios, esse generoso e um pouco cândido conde von Zinzendorf, que declarava «nada lhe interessar senão o coração dos homens, para lhes falar em termos práticos das únicas verdades incontestáveis». Antes dele, porém, o anglicano pietista John Dury pensara a mesma coisa; e Wesley, ao fundar sem o querer a Igreja metodista, não era afinal menos unionista convicto. Entre os outros, menos sentimentais, mais racionais, alguns como o magistrado protestante Rouviére, ou o padre anglicano Dutens, elaboraram planos precisos para uma possível união, declarando um e outro que as censuras feitas a Roma não justificavam um cisma com as suas desgraças. Nesse ínterim, pelos finais do século XVIII, começava a aparecer, com Plank e Marheinecke, a «simbólica» — a comparação entre os diversos «símbolos da fé» ou credos —, que, mais tarde, com Möhler, iria estabelecer as bases do ecumenismo da atualidade.

É uma lista muito incompleta esta que acabamos de esboçar, acerca dos esforços empreendidos, apesar de circunstâncias muitas vezes extremamente desfavoráveis, para manter intacta a esperança de ver um dia todas as ovelhas num só redil...

O século XIX a caminho do ecumenismo

O século XIX representou um patamar decisivo na subida para a nova situação que a nossa época veio a caracterizar com um termo na moda: ecumenismo. Houve para isso múltiplos motivos, alguns profundos, outros contingentes, um ou outro bastante discutível. Desde o início desse século, deu-se uma certa aproximação dos espíritos provocada pela aproximação das pessoas. Por exemplo, é indubitável que, durante a Revolução, a presença de numerosos padres exilados na Inglaterra ou na Alemanha contribuiu para fazer cair preconceitos tenazes acerca do clero católico, e, ao mesmo tempo, para que, entre os emigrados, houvesse católicos que compreendessem melhor as posições protestantes... a ponto de adotá-las, como foi o caso de Du Pontavice, futuro apóstolo do metodismo na França. Em 1810, um historiador católico, Antoine Caillot, publicava uma antologia dos mais belos sermões protestantes, para «pagar a todos os protestantes em geral o tributo do seu particular reconhecimento pelas generosas e heroicas ações para com os eclesiásticos franceses que a perseguição forçou a buscar asilo nos países estrangeiros». Não é comovedor?

Essa época, no que teve de bom, mas talvez também no que teve de menos bom, convidou a uma aproximação entre cristãos. O universo alargou-se. Tendeu-se àquilo a que se chama o «cosmopolitismo». Schleiermacher, um dos mestres do pensamento protestante[7], declarou formalmente que tinha como «noção da verdadeira Igreja a união pacífica e cosmopolita de todas as comunhões existentes, sendo cada uma delas tão perfeita quanto possível no seu gênero». Ideia em que se reconhecia antecipadamente a corrente do «protestantismo liberal» e também a de um certo liberalismo racionalista em que se diluíam os dogmas. Ao mesmo tempo, contudo, e cada vez mais nitidamente à medida que ia correndo a areia do tempo, a vida moderna — social, política, intelectual — revelava uma propensão para a interdependência, para a centralização, para a uniformidade. Seria de estranhar que as comunhões cristãs não seguissem essa tendência.

Tanto mais que, no seu conjunto, o cristianismo experimentou de forma crescente, nesse século, o encontro com «o Outro». O movimento missionário, que passava então por uma fase de tão grande importância quer entre os católicos, quer entre os protestantes, levou os cristãos de todas as obediências a tomar consciência do escândalo da desunião. Corria nos meios missionários a história de um brâmane que, ao informar um cristão do seu abandono da religião hindu e ser convidado a entrar na Igreja de Jesus Cristo, respondeu com um sorriso triste: «Qual delas? Só no meu país são sessenta...» E não eram apenas os povos dos continentes pagãos que faziam aos cristãos uma pergunta tão cruel. Também entre eles mesmos, subindo das profundezas do espírito ocidental, essa pergunta explodia e atingia o ponto mais sensível da alma. A ameaça cada vez maior do humanismo ateu, sob todas as suas formas — nietzscheanismo, marxismo —, não havia de levar os cristãos a cerrar fileiras contra o adversário comum?!

Esse sentido de um interesse comum seria, evidentemente, um fio de linha bem pobre para restituir à Túnica despedaçada a sua integridade. Mas, mais nobres que esse, não faltaram, para reaproximar os crentes das diversas obediências, as correntes de verdadeira piedade que encontramos nuns e noutros durante todo o século XIX; e o mesmo se pode dizer dessa renovação dos estudos bíblicos e da teologia que de dia para dia foi sendo mais poderosa e que iria levar, em tantos casos, a um impressionante rejuvenescimento. Todos esses elementos se conjugaram e completaram. Ao longo de uma série admirável de esforços mais ou menos bem coordenados, ou de tentativas que acabavam em fracasso, o certo é que se fica com a impressão global de que o Espírito Santo estava em ação e começara claramente a soprar.

Essa corrente para a unidade não é fácil de ser captada no seu conjunto e menos ainda de ser definida com precisão. Era um *movimento* que se esboçava e se desenvolvia, com tudo o que esse termo pode encerrar de incerto e de débil. Precisamente porque tinha a sua fonte na profundidade das almas, não obedecia a imperativos simplistas, que permitiriam fixar-lhe facilmente os traços. Em linhas gerais, pode-se dizer que se assinalava pela diminuição da controvérsia polêmica, pelo desejo mútuo de compreender o irmão separado e pela vontade de respeitá-lo na sua crença, pelo cuidado de preservar a caridade, verdadeiro laço dado por Cristo entre todos os cristãos.

Mas seria bem exagerado pensar que esses bons sentimentos estavam universalmente espalhados. Para muitos crentes de uma e outra obediência, o cristão do outro campo continuava a ser o adversário. Um escritor da categoria do espanhol Jaime Balmes, ao publicar, entre 1841 e 1844, o seu volumoso livro *O protestantismo comparado com o catolicismo*, desenvolvia esta tese ingênua: o protestantismo é essencialmente corruptor; destrói todas as virtudes! Uma certa apologética do catolicismo, como a do pe. Audin, pretendia «explicar» a Reforma atribuindo a Lutero e a Calvino os vícios mais grosseiros. Em contrapartida, os preconceitos antirromanos em que se deleitava certa apologética protestante não eram menos absurdos nem menos deploráveis. As fábulas que se encontram — ainda nos nossos dias — em certas folhas protestantes contra o Vaticano, contra a Companhia de Jesus, passam os limites do disparate e caem no âmbito do ignóbil. Mais grave ainda: já se leu numa exposição que serve de fundamento doutrinal aos luteranos norte-americanos do Sínodo do Missouri, a demonstração em boa forma de que «no que concerne ao Anticristo, é de fé admitir que, das profecias da Sagrada Escritura que lhe dizem respeito (2 Tes. 2, 3, 12; 1 Jo 11, 18), as mais abomináveis, as mais horríveis foram cumpridas na pessoa do Papa e da sua esfera de influência».

Por isso mesmo é tão importante saber que, em face desses cristãos iludidos pela paixão e pela rotina, não deixou de haver, durante todo o século, outros cristãos movidos só pelo desejo de recompor a Túnica de Cristo. E eles eram tantos e de tantos gêneros, que seria inteiramente vã qualquer tentativa de os enumerar. Achavam-se em todos os campos: entre os católicos, entre os ortodoxos, entre os protestantes, entre os anglicanos. Vemo-los de todos os gêneros — pensadores ou homens de ação, teólogos ou apóstolos —, de todos os meios e usando de todos os instrumentos. Alguns deixaram belos nomes na história do ecumenismo, como precursores. Outros são a bem dizer desconhecidos e mereceriam não o ser. Certo dia, o papa Pio IX viu surgir na habitual audiência um padre católico inglês que já em 1832 promovera uma cruzada de orações pela conversão dos anglicanos. E ficou um tanto surpreendido ao vê-lo contrariar o protocolo e tomar a iniciativa de lhe dirigir a palavra: vinha suplicar-lhe que se tirasse dos textos oficiais o termo *herético* para designar os anglicanos e outros separados. Foi na sequência dessa intervenção que os documentos romanos passaram a usar somente o termo *acatholici* (não católicos). Esse admirável homem de fé, o pe. Inácio Spencer, quantos cristãos há que saibam dele? E quantos conhecerão o pe. Tolstoi, sacerdote russo, que, cinquenta anos depois, fez a viagem a Roma para declarar a Leão XIII que, fiel ortodoxo, nem por isso deixava de crer em tudo o que ensina a Igreja Católica «una e indivisível», e que, como parte integrante dessa Igreja, pedia que lhe fossem concedidos os mesmos direitos de qualquer padre católico — designadamente o de celebrar missa —, o que obteve?[8]

Retratar, pintar o movimento pela unidade seria, pois, multiplicar as referências a personalidades prodigiosamente diversas, cujo único denominador comum foi justamente o recurso permanente ao anelo de Cristo: «Que eles sejam um!» Na época revolucionária, que haverá de comum entre os mestres da ideologia teocrática — um Maistre e um Bonald — e certos bispos e padres mais ou menos ligados ao regime revolucionário? Contudo, o pensamento que se exprime nos *Serões de São Petersburgo* é bastante consonante com aquele que inspirava o arcebispo Lecoz, de Besançon, antigo bispo-constitucional, ao enviar uma carta aberta aos pastores Marron, Mestrezat e Rabaud-Pomier, com propostas de reunião entre os católicos romanos e os protestantes. E um desses pastores, Marron, tal como o bispo anglicano Davenant, quando fundamentava a reconciliação na «harmonia das mentes e dos corações», não estava longe de um outro unionista, Félicité de Lamennais.

Até no interior mais duro do protestantismo se encontram mentalidades que pensaram na união com a mesma lucidez com que reforçavam a sua fé. A palavra mais extraordinária é a de Vinet, o grande espiritual de Lausanne: «Ninguém se separa senão para se reunir. O protestantismo há de voltar ao catolicismo, como o socialismo à unidade». Mas também em Søren Kierkegaard se encontra esta frase extraordinária: «O catolicismo e o protestantismo estão ligados um ao outro como duas partes de um edifício, que não pode manter-se de pé e ser bem sólido sem que as duas partes se apoiem uma à outra»[9]. E Nicolau Grundtvig, o grande homem do «despertar» protestante da Dinamarca, teve palavras admiráveis sobre «a Igreja, que era, que é, que será, cuja doutrina se manifesta claramente na História, em nome da única, da verdadeira, da histórica Igreja de Cristo». Foi ele que, numa prece ardente, pediu ao Espírito Santo que descesse sobre todos os que, «vivificados pela mesma Esperança, têm um só Senhor, uma só fé, um só batismo, um só Deus que é Pai de todos».

Dir-se-há que foram casos isolados... E, em certo sentido, é verdade. Como foi um caso isolado o do metropolita de Moscou, Filareto, quando, na obra *Conversa entre um indagador e um crente*, se recusava a condenar as Igrejas separadas da Ortodoxia. Como foi um caso isolado e surpreendente o de William Palmer, que, sendo partidário da teoria dos «três ramos», tentou harmonizar numa só fé o Catolicismo, o Anglicanismo e a Ortodoxia. Ou o de mons. Strossmayer, «*enfant terrible*» do Concílio Vaticano I, que durante toda a vida sonhou com o regresso dos Balcãs ortodoxos ao redil romano. Ou o do pe. Guettée, fundador da *União Cristã*. Ou ainda o desse mons. Romain Szeptyckii, galiciano, que, já aos trinta anos de idade, em 1895, considerava sua missão ser uma ponte viva entre o Ocidente e o Oriente ortodoxo, e que iria desempenhá-la ao longo de mais de quarenta anos.

E fiquemos por aqui. Se quisermos classificar, *grosso modo*, esses esforços, nem sempre muito coerentes, pela unidade, parece que se pode distinguir neles três tipos de apóstolos de reconciliação.

Alguns entenderam que o verdadeiro agente da unidade só podia ser o próprio Deus, que era a Ele que importava dirigir-se, ao seu Espírito Santo, a Cristo, que foi quem ensinou a indispensável união. Ao longo do século XIX, essa corrente puramente espiritual manifestou-se por diversas vezes. Vimo-la no pe. Spencer. Vemo-la também num São Vicente Pallotti (por outro lado, fundador da *União missionária do clero*), que, em 1835, consagrava a festa da Epifania à oração pela unidade cristã. Ou no publicista católico alemão Riess, que constituiu uma associação de piedade cujos membros ofereciam os frutos das suas comunhões pelo regresso dos reformados ao seio da Igreja Católica. Tentativas ainda mais amplas se fizeram na Inglaterra, com a *Associação para a promoção da união da Cristandade*, da qual participaram o convertido ao catolicismo Ambrósio Philipps de Lisle e o anglicano Lee, um médico, e à qual eram convidados todos os que quisessem, mediante a oração, trabalhar pela unidade dos cristãos. Mas ainda não tinha chegado a hora, e, em 1864, o Santo Ofício, inquieto com essas relações entre católicos e não católicos, proibiu aos fiéis a participação nessa Associação. De qualquer modo, não parece errado ver nessas tentativas a origem de movimentos perfeitamente admitidos nos dias de hoje, o mais importante dos quais é a «Semana pela Unidade».

Outros crentes pensaram que, de momento, era mais necessário aprender a conhecer-se, por cima das barreiras confessionais; que, atuando em conjunto, se eliminariam as graves questões teológicas. E multiplicaram-se as tomadas de contato em privado, como aconteceu, por exemplo, no salão de Mme. Swetchine, ou, mais oficialmente, na *English Church Union*, ou ainda em agrupamentos de protestantes liberais. Podemos considerá-las como sinais precursores de certos encontros interconfessionais que o nosso tempo viria a conhecer, como, em 1960, o colóquio de bispos e pastores que teve lugar em Taizé. No século XIX, o exemplo mais ressonante — aliás, bastante contestável — desses encontros de homem para homem foi, em 1893, o *Parlamento das Religiões* que se inaugurou em Chicago, cidade onde acabara de ser um êxito a Exposição Universal do ano anterior. Convocou-se um congresso para o qual, alargando o propósito fraterno para além das fronteiras da cristandade, se convidaram representantes de todos os que criam numa realidade sobrenatural, divina. Os dois arcebispos dos EUA, Ireland e Gibbons, aceitaram assistir a algumas sessões do «Parlamento». Foi até o reitor da Universidade católica de Washington quem dirigiu os debates, durante os quais, por dezessete dias, se ouviram, ao lado de pastores de diversas obediências, arquimandritas e mesmo alguns brâmanes. De resto, todos os oradores se abstiveram de abordar os problemas dogmáticos, limitando-se a mostrar como a fé religiosa é útil à humanidade. O que não impediu que, por ter surgido num momento em que a Igreja Católica era minada pelo «americanismo», a iniciativa fosse extremamente suspeita aos olhos de Roma[10].

De Möhler a Leão XIII: teóricos da unidade

Mais importantes ainda do que os esforços feitos, quer para lançar pontes concretas entre as diversas espécies de crentes, quer para os conduzir a todos a orar pela união, foram aqueles que alguns espíritos fizeram para *pensar* verdadeiramente a reconciliação dos cristãos, ou seja, para estabelecer as bases de uma teologia da unidade. Foi muito importante que se tivessem encontrado em todos os campos homens decididos a fazer esses esforços. Foi graças a eles que o espírito de diálogo substituiu o espírito de controvérsia. O ecumenismo dos nossos dias deve-lhes muito.

O primeiro, e na verdade o mais importante, foi *Johann Adam Möhler* (1796-1838), cujas obras abriram uma trilha que é fácil seguir. Bela figura a desse jovem padre alemão, um dos mestres da renovação espiritual do seu país, cuja alma ardente irradiava de um corpo cedo extenuado pelo sofrimento, cuja presença bastava para inflamar auditórios de estudantes e cuja palavra e pena traduziam tão visivelmente o impulso de um espírito em demanda apaixonada da verdade que é Vida. Não é possível reler sem admiração os seus três grandes livros: *A unidade na Igreja*, escrito aos vinte e nove anos, em que se espelha um excepcional conhecimento dos Padres da Igreja dos três primeiros séculos; *Atanásio*, em que, evocando o grande santo de Alexandria envolvido a fundo na crise do arianismo, exprime com força o drama existencial da heresia; e finalmente *A simbólica*, sua obra-prima, em que, analisando em concreto o fato do protestantismo, ultrapassa a oposição da tese e da antítese para destacar a ideia-mestra de cada confissão e mostrar que o cristianismo católico é a síntese. Obra, pois, dominada do princípio ao fim pela preocupação de responder ao apelo de Cristo: «Que eles sejam um!» Obra inteiramente encaminhada a formular uma resposta aos problemas postos pela desunião dos cristãos.

Quando era estudante universitário, Möhler quisera seguir os cursos dos professores protestantes mais reputados de Berlim. Dessa experiência, tirara ao mesmo tempo um grande respeito ou mesmo admiração pelos protestantes verdadeiramente crentes, e uma profunda tristeza diante da barreira que o separava deles. Ao mesmo tempo, como teólogo da História, bem convencido de que tudo nesta se cumpre na luz do Espírito e por vontade do Espírito, perguntou-se pelo significado providencial do fato da ruptura. A sua obra responderia a essas interrogações. A unidade da Igreja apareceu-lhe como propriamente «a Unidade do

Espírito no coração dos cristãos». Católico, não punha em dúvida que a Igreja fosse uma instituição; mas pensava que ela era «antes de tudo um efeito da fé cristã, o resultado do amor vivo dos fiéis reunidos pelo Espírito Santo». A Igreja que ele proclamou não se definia como sociedade fechada, bloco doutrinal parado para sempre, feixe de instituições a que nada pode ser acrescentado. Queria-a viva, «dinâmica», aberta a todos, infinitamente acolhedora e fraterna: a Encarnação do Amor supremo.

Devia então a Igreja tornar-se acessível ao erro? De modo nenhum. Para Möhler, o protestantismo continuava a ser um erro; tinha a pretensão de ser o único a possuir certas verdades que pertencem a toda a Igreja. Mas era preciso saber reconhecer a parte de verdade que o próprio erro contém, e reter o que pode ter de positivo. Assim, um verdadeiro católico devia compreender profundamente um protestante, na sua submissão à Onipotência de Deus, no seu respeito pela Sagrada Escritura e no recurso ao Espírito que conduz o mundo. Dessas certezas, só podia derivar uma atitude fraterna. Em cem e mais que cem anos, que se fez de melhor senão confirmar essas certezas?

Meio século depois de Möhler, outro grande cristão, que o leu, retoma a sua eclesiologia do Espírito Santo e do Amor que o manifesta, transpondo para um outro quadro a questão das relações entre católicos e não católicos. É um russo, um dos mestres da literatura e da espiritualidade russas, *Vladimir Soloviev* (1858-1900)[11]. O seu grande livro, *Os fundamentos espirituais da vida*, surge em 1889. Como é por nascimento cristão ortodoxo e russo, de tendência «eslavófila», Soloviev concebe naturalmente a Igreja como universal: «Ela é o próprio gênero humano unido no amor. Na Igreja, cada um dos crentes deve estar unido a todos os outros pelo amor». E não tarda que se debata com a pergunta sobre a desunião e o problema do regresso à unidade.

Os cristãos reduziram Cristo a farrapos porque foram infiéis ao amor: logo, é num esforço pelo amor fraternal que devem reencontrar-se.

É então que Soloviev se volta para essa parcela da Igreja universal que se levanta diante de todos os ortodoxos como uma interrogação, um juízo ou uma censura: volta-se para Roma. Mas, tal como Möhler não rejeitava integralmente o protestantismo, tampouco ele rejeita a Ortodoxia. Pelo contrário, vê na Igreja romana um valor complementar da Igreja oriental. A primeira teve a coragem de sujar as mãos nas tarefas terrestres, para defender os homens. A segunda salvou o Espírito encerrando-se na meditação. A unidade da Igreja há de realizar-se pela síntese entre a Igreja que reza e a Igreja que age. Numa tal perspectiva, todos os antagonismos são vãos, e o único dever dos cristãos é o de se amarem para se compreenderem: o Espírito Santo fará o resto.

Nesse caminho da união, o próprio Soloviev vai ainda mais longe. Proclama que, como corpo vivo, a Igreja precisa de ter uma unidade manifestada, de possuir necessariamente uma cabeça que comande todo o corpo. «A Cristo, ser e centro de todos os seres, tem de corresponder a Igreja, coletividade que aspire à Unidade perfeita». E conclui que «a verdade universal perfeitamente realizada num só, que é Cristo, atrai a si a fé de todos, determinada infalivelmente por um só, o Papa». Condenado, excomungado pela Igreja ortodoxa, Soloviev filia-se em 1896 ao catolicismo «uniata», mas recusando-se a abjurar a fé do seu batismo. Proclama-se simultaneamente fiel ao Papa e «membro da verdadeira e verídica Igreja ortodoxa» — imagem dolorosa e despedaçada da força de alma que foi necessária a esses precursores do ecumenismo para dar o seu testemunho.

Dois outros teólogos do século XIX tiveram, na questão da Unidade, posições muito avançadas para o seu tempo, ao mesmo tempo que se referiam a noções ou utilizavam fórmulas que um católico não podia aceitar. *Frederick Denison Maurice* (1805-72) — que vimos já desempenhar na Igreja anglicana um papel primordial[12] ou mesmo genial — ocupa com o seu grande livro *O Reino de Deus* um lugar notável no movimento de ideias que impeliu o século XIX para a Unidade. Apaixonadamente convencido de que o anglicanismo era a forma mais completa do cristianismo, nem por isso deixava de declarar que «percebia a importância do princípio protestante e vislumbrava que o seu verdadeiro porto era a Igreja Católica». Para ele, as diversas Igrejas eram «parcelas vivas do Reino divino». Em face dos Irmãos separados, o dever do verdadeiro cristão era «unir a sua fé à fé daqueles que se afastaram, a fim de os levar a ser membros integrantes do Corpo de Cristo». Linguagem que pode parecer bem paradoxal para um católico habituado a considerar qualquer anglicano, sem mais, como um «separado».

Não menos paradoxal é o curioso teólogo *Joseph Ignatius Döllinger* (1799-1890), chefe de fila do clã anti-infalibilista no Concílio Vaticano I[13], promotor da Igreja cismática dos «velhos-católicos» e que, apesar de tudo, teve modos de ver profundos sobre a Unidade, alguns dos quais não são de rejeitar. Procurando pôr o mal a serviço do bem, Döllinger sonhou constituir a sua pequena Igreja como ponto de união de todos os verdadeiros cristãos. O seu livro *A Reunificação das Igrejas*, editado em 1880, condena o cisma como um «erro imenso», suplica «às diversas Igrejas que ponham em comum o seu saber e os seus privilégios, realizando assim, no sentido mais nobre do termo, a comunidade dos bens», apela para uma Igreja que seja herdeira e representante legítima da Igreja primitiva e que receba no seu seio todos os que estão atualmente separados. E conclui: «Onde quer que se encontrem a fé e o amor, a esperança não pode estar ausente».

Depois, passando da doutrina à ação, organiza, em 1874 e 1875, assembleias de que participam anglicanos, luteranos e ortodoxos, ao lado dos velhos-católicos. Causa perplexidade este cismático que misturava tão intimamente erros e verdades. Mas como não reconhecer um lugar de precursor a este cristão que repetia aos seus irmãos: «Aproximai-vos uns dos outros; ajudai-vos uns aos outros, para vos compreenderdes e vos amardes»?

Falta responder a uma última pergunta: diante de tanta agitação multiforme em favor da unidade dos cristãos, qual foi a atitude de Roma? É indubitável que os Papas a desejavam e ansiavam por ela. Mas também não há dúvida de que, conscientes de estarem na posse da Verdade, não podiam concebê-la senão sob a forma que a linguagem tradicional chamava o «regresso». É bem verdade que, de certa maneira, a reconciliação dos batizados devia tomar a forma de um «regresso»; mas seriam as alusões ao filho pródigo, ou mesmo à ovelha perdida — fórmulas evangélicas —, realmente apropriadas para favorecer entre os cristãos separados a causa da unidade? Mesmo quando movida pelo mais sincero desejo de trabalhar pela reunificação, a Igreja Católica não podia renunciar àquilo que constitui a sua razão de ser — a certeza de ter, em face de todas as outras Igrejas, o depósito da verdadeira mensagem de Cristo. Em 1682, a Assembleia do Clero da França dirigira aos reformados um aviso que geralmente se considera ter sido inspirado por Bossuet. Lia-se nele: «A Igreja procura-vos como a filhos extraviados; chama-vos como a ovelha chama as suas crias; esforça-se por reunir-vos sob as suas asas como a galinha faz aos seus pintinhos; convida-vos a tomar o caminho do céu tal como a águia aos seus filhotes». Não se pode duvidar da ternura generosa destas palavras, mas que protestante se disporia a reconhecer que é um filho perdido e que tem uma grande necessidade de que lhe mostrem o caminho para o Céu?

É, pois, neste quadro muito preciso que temos de considerar a atitude dos papas quanto ao problema da união. Os dois maiores do século estiveram decerto atentos à gravidade da questão e desejaram muito sinceramente resolvê-la. Cada um deles trabalhou nesse sentido segundo o seu temperamento.

Antes de convocar o Concílio do Vaticano, Pio IX não manifestou grande atividade em favor da união. Houve dois documentos romanos a esse propósito, mas foi para decidir no sentido da prudência e do rigor: a carta do Santo Ofício que, no outono de 1864, proibia a participação dos católicos ingleses na «Associação promotora da união dos cristãos», e, um ano depois, um outro comunicado do mesmo Santo Ofício. Embora dissessem respeito a situações localizadas, eram resoluções restritivas. No entanto, o papa continuava preocupado com a União, e foi o que se pôde observar quando, ao convocar o Concílio, pela bula *Aeterni Patris*, de 29 de junho de 1868, acrescentou a esse documento outros dois: uma carta a «todos os bispos das Igrejas de rito oriental que não se encontram em comunhão com a Sé apostólica», e, passada uma semana, para marcar as distâncias, uma carta aos protestantes e aos anglicanos, convidando-os a assistir à Assembleia. Essa dupla tentativa fracassou por completo.

Os bispos ortodoxos — já irritados com a bula *Reversus* de 1867, que exprimira a solicitude de Roma para com as Igrejas orientais ligadas a ela[14] — fecharam-se, na sua maioria, num silêncio de desprezo. O patriarca ecumênico de Constantinopla, contestando uma alusão aos Concílios de Lyon e de Florença, respondeu que as decisões desses Concílios tinham sido viciadas «pelo fato, só por si decisivo, de o papa não ter participado deles como simples patriarca igual aos outros».

Quanto aos cristãos procedentes da Reforma, a sua atitude foi matizada. Entre os luteranos, apenas um pastor,

Baumstarck, se declarou favorável, mas a sua voz perdeu-se no ruído das controvérsias. Na França, a tendência conciliatória de Guizot foi largamente vencida pela posição intransigente do pastor Edmond de Pressencé. Na Inglaterra, pareceu esboçar-se uma certa vontade de diálogo: alguns bispos anglicanos, como Cobt e Urquhart, e escoceses, como Forbes, eram bastante favoráveis à participação no Concílio; mas foram bloqueados por Pusey, renovador do anglo-catolicismo, que receava ver toda a Alta Igreja anglicana seguir os passos de Newman a caminho de Roma. O certo é que nenhum «separado» assistiu ao Concílio. E é óbvio que a promulgação do dogma da infalibilidade pontifícia não favoreceu uma atmosfera de «regresso».

Isso não impediu Leão XIII de empreender logo de início e de prosseguir durante todo o seu pontificado uma constante política de aproximação. Nela se refletia a sua tendência, tal como a conhecemos já: orientada para um alargamento das perspectivas, para um contato mais lúcido e menos timorato entre a Igreja e o mundo moderno. A angústia da grande iniquidade que é a desunião apertava visivelmente o coração do grande papa Pecci, tanto como o oprimia uma outra injustiça, a injustiça social, que denunciou tão veementemente na *Rerum Novarum*. Num quarto de século de pontificado, não foram menos de trinta e dois os documentos em que traçou de modo mais ou menos direto as vias da reconciliação.

Leão XIII interessou-se especialmente pela retomada de contato com os cristãos do Oriente, pedindo-lhes que «abandonassem a opinião de que os latinos quereriam aniquilar ou diminuir os seus direitos, os seus privilégios, os seus ritos». Na encíclica *Praeclara gratulationis*, proclamou que, «com exceção de poucos pontos, é tão completo o acordo» entre os católicos e os ortodoxos, que aqueles adotam costumes e ritos das Igrejas orientais e celebram com esplendor a festa de São Cirilo e São Metódio, os grandes santos que batizaram os eslavos. Previu também a existência de Colégios em que fossem admitidos os jovens orientais.

Os seus esforços de conciliação foram bastante mal recompensados. Em outubro de 1895, foi publicado, com a assinatura de doze bispos gregos ortodoxos, um documento dito «encíclica patriarcal», que começava com estas palavras reveladoras: «O diabo inspirou aos Bispos de Roma um orgulho intolerável, de onde têm saído numerosas inovações ímpias»... Calmo, Leão XIII iria perseverar até ao fim da vida no seu irenismo: «Talvez os nossos olhos não vejam realizada a união das Igrejas para a qual tendemos. Mas guardemo-nos de qualificar como vã utopia o fato de aspirarmos a ela sem cessar! Eis, viva no Evangelho, essa doce e irrecusável promessa do Senhor: *Haverá um só rebanho e um só pastor*. E pode alguém querer que o Vigário de Cristo deixe de trabalhar infatigavelmente, amorosamente, para que se cumpra? Deus não o permita!» A «novena de orações» que promoveu em 1895 foi a expressão dessa esperança invencível, formulada na ordem sobrenatural, à espera do dia em que poderá realizar-se em concreto.

É certo que Leão XIII orientou menos os seus esforços no sentido dos protestantes. Mas, logo que ouviu falar de contatos entre padres católicos e personalidades do anglicanismo, felicitou-se por essa iniciativa e encorajou o pe. Portal, o principal agente, a prossegui-la sem descanso. Essa tentativa não iria ter êxito, talvez por ser demasiado avançada para a época, ou talvez por lhe faltarem suficientes bases canônicas e históricas. Quando o papa se viu obrigado a determinar que acabasse, todas as testemunhas estão de acordo em dizer que sofreu um grande desgosto, mas que nem assim desesperou da causa sublime de que se tornara um dos mais admiráveis promotores.

A tentativa de união «em corpo» dos anglicanos a Roma

O inverno é suave na ilha da Madeira. Um sol de Saara esplende quase sem cessar, mas a brisa oceânica atenua-lhe tão bem a ardência que o clima se parece com o da Côte d'Azur francesa ou, melhor ainda, com o dos arquipélagos dálmatas, doce e revigorante. No último quartel do século XIX, os médicos tinham percebido que essa feliz aliança de calor e vento do mar era particularmente benéfica aos pacientes que sofressem do que então se chamava «doença de languidez».

Foi por isso que, nos começos de dezembro de 1889, um casal britânico desembarcou no Funchal, acompanhado dos filhos, magros e pálidos. Depressa se ficou a saber na ilha que se abatera um drama sobre essa família, em golpes repetidos. Dos quatro filhos, dois tinham já morrido «do peito», e um dos sobreviventes, Charlie, sofria de uma pleuresia crônica. Fora-lhe prescrita uma temporada na Madeira.

Fato surpreendente para os bons dos pescadores da ilha, católicos sem complicações: o inglês que diziam ser protestante visitava com frequência as igrejas e os mosteiros, e até rezava ostensivamente. Viram-no, em especial, assistir aos ofícios na capela do hospício Dona Maria, onde deslizavam de um lado para o outro as brancas «*cornettes*» [toucas] das Irmãs de São Vicente de Paulo. Sucedeu estar lá, também por motivos de saúde, um «filho» de Monsieur Vincent, o *pe. Fernão Portal* (1855-1926), na ocasião capelão-auxiliar. Desde que o aristocrata inglês visitou pela primeira vez o hospício, começou entre ele e o lazarista uma amizade espontânea, irresistível, pungente como a febre, uma amizade que não precisava de palavras para se tornar duradoura, para a vida e para a morte.

A bem dizer, para quem os observasse do exterior, podia ser um tanto surpreendente que se houvesse criado entre o padre francês e o visconde uma simpatia tão forte. Charles Lindley Wood, segundo *Lord Halifax* (1839-1934), era um homem magro, esbelto, tipicamente inglês no comportamento, no aspecto, no vestuário. A sua longa face macilenta prolongava-se por uma barba cuidada; mas um nariz muito fino e o olhar claro e vivaz de uns olhos repletos de bondade suavizavam esse aspecto bastante austero. Quanto ao lazarista, era alto e sólido de estatura, de sorriso discreto e voz cantante. Não falava muito, mas era especialista em abrir portas para fazer os outros entrarem. Desde os primeiros encontros, o jovem padre adivinhou que o seu novo amigo, mais velho quinze anos que ele, escondia, debaixo de uma aparente indiferença e de um humor com boas saídas à Oxford, inquietações de alma, quem sabe se uma angústia. E dispôs-se a ajudá-lo, se um dia fosse preciso.

Não eram problemas íntimos de fé ou de conduta que preocupavam Lord Halifax. Anglicano, tinha sido educado como crente e a sua fé era sólida, sem reservas. Rezava diariamente, assistia com frequência aos ofícios, fazia até um retiro anual. A terrível provação que o ferira por duas vezes em nada diminuíra a sua confiança na Providência. A sua verdadeira preocupação era de outra natureza. Desde a mocidade que se sentia assediado pela grande aflição da falta de unidade dos cristãos. Um dos tios apresentara-o a Newman, com quem conversara muitas vezes sobre o problema do possível retorno dos anglicanos à Igreja romana. Sem criticar a conversão do principal dirigente do Movimento de Oxford[15], o jovem Par inglês preferira a atitude do dr. Pusey[16], que, embora criticasse certas faltas da Igreja anglicana, lhe permanecia fiel, afirmando que ela continuava a ser parte integrante da Igreja universal e que era no seu seio que importava trabalhar pela união. Aos vinte e oito anos, Lord Halifax fora eleito presidente da «English Church Union», cujos 35 mil membros (entre os quais trinta bispos) eram «ritualistas», isto é, sentiam-se conquistados pela causa do regresso do anglicanismo a normas catolicizantes[17]. Ele próprio não ocultara que, no seu espírito, o «anglo-catolicismo» poderia ser uma etapa para uma reunificação muito mais ampla. Não trabalhara diretamente para o aparecimento, em 1877, da *Order for Corporate Reunion*, que, retomando as intenções de oração da *Association for the Promotion of the Union of Christendom*, condenada em 1864 pelo papa Pio IX, lhe acrescentara um programa radical de reforma da «*Church of England*». Mas muitas das opiniões desses audaciosos eram também suas.

Em 1889, ao desembarcar no Funchal, as suas ideias acerca dos meios e das potencialidades de uma aproximação entre a Igreja anglicana e a Igreja Católica eram certamente muito precisas, embora mal tivesse tido oportunidade de pô-las em prática. Da última vez que estivera com o cardeal Newman, este dissera-lhe: «É entre os franceses que V. encontrará apoios para empreender uma grande campanha pela reunificação. Não na Inglaterra». As discussões com o pe. Portal, no jardim do hospício Dona Maria ou ao longo dos caminhos em socalcos da ilha da Madeira, confirmaram-no nessa opinião.

Do encontro desses dois homens — um e outro profundamente crentes e que desde o princípio se sentiram muito próximos pela fé, apesar da barreira das obediências que os separava —, ia sair um dos capítulos mais belos da caminhada dos cristãos para a unidade. Desde então, e até à morte, Lord Halifax não havia de viver senão para essa grande ideia, sempre na dianteira, quer pela palavra falada, quer pela escrita, viajando, multiplicando encontros, plantando balizas, ainda que tivesse perdido a esperança de atingir pessoalmente a grande meta. Alguns riam-se dele, como o seu amigo o arcebispo Benson, que o comparava a um jogador de xadrez que, à falta de adversário, movesse alternadamente as peças brancas e as pretas. Mas importa fixar que, se a causa da reunificação dos anglicanos com Roma deu muito que falar em duas ocasiões; se, sob outras modalidades, continuou a interessar muitos espíritos, foi a Lord Halifax que isso se deveu — a ele e à amizade que teve pelo pe. Portal.

O lazarista nada conhecia da Igreja anglicana. Nunca tinha lido o *Prayer Book* antes de o amigo lhe ter posto um exemplar nas mãos; e não seria capaz de dizer qual dos «39 artigos» podia ser tido por herético. Se porventura lhe tivesse vindo à ideia, teoricamente, a possibilidade de uma aproximação com os irmãos separados, decerto que teria pensado nos ortodoxos. Mais uma razão para acreditar facilmente no amigo quando este lhe disse que «a imensa maioria dos bispos anglicanos prefeririam como instância de apelação o papa Leão XIII ao Conselho Privado da Rainha» [Vitória]; ou que a maior parte dos anglicanos não rejeitava a presença *real* de Cristo na Eucaristia, mas a presença *corporal*. O padre católico achou admissível a posição do amigo a respeito do problema da conversão; em vez de pensar em converter os anglicanos um a um, numa espécie de pesca à linha que duraria séculos, seria manifestamente mais eficaz encontrar o meio de persuadir toda a hierarquia inglesa a reconciliar-se em bloco com Roma. Lord Halifax julgava essa reconciliação como o termo natural do anglo-catolicismo. Seria a «reunião em corpo», que aliás a história testemunhava: não fora assim a conversão de Constantino ou a de Clóvis, que tinham tornado cristãos os povos do Império romano e depois os bárbaros? Em sentido inverso, não fora o alto clero alemão ou escandinavo que, passando em bloco para o campo luterano, determinara a protestantização das massas? Pois sim; mas estaríamos ainda na época dos reis e príncipes todo-poderosos, capazes de impor ao seu povo uma conversão em massa?

Fosse como fosse, era preciso levar o clero anglicano — e especialmente os teólogos — a estudar mais de perto as causas e as modalidades da sua ruptura com Roma. Para tanto, devia haver uma campanha de imprensa, escolhendo bem o assunto a pôr sobre a mesa. Os dois amigos sabiam muito bem que o verdadeiro obstáculo a qualquer tentativa de união era e continuaria a ser sempre o do primado do Papa, problema que, após a proclamação do dogma da infalibilidade, já nem sequer era possível debater. Era, pois, necessário abordar a muralha de outra maneira, por outro ângulo.

O pe. Portal pensou que a questão das ordenações anglicanas podia oferecer um excelente terreno de discussão. Era uma questão fácil de formular: «Os bispos ingleses serão verdadeiros bispos? Beneficiam da sucessão apostólica? E, consequentemente, os padres que eles ordenam recebem verdadeiramente as ordens sagradas?» Temos de sublinhá-lo, já que, no fim de contas, se essa questão viria a revelar-se um mau cavalo de batalha, em 1894 podia parecer hábil escolhê-la. Com efeito, foi só dezoito meses mais tarde que o beneditino Dom Gasquet achou e publicou o texto da bula do papa Paulo IV *Praeclara carissimi*, de 20 de junho de 1555, e o «breve declarativo» de 30 de outubro seguinte, *Regimini universalis*, que fechavam a questão dogmaticamente.

O pe. Portal publicou, pois, em 1894, sob o pseudônimo de Dalbus, um opúsculo intitulado *As ordenações anglicanas*, que teve duas edições em poucos meses. Mediante uma análise minuciosa dos documentos e dos fatos históricos, concluía que o rito anglicano da ordenação era com certeza válido, que o bispo Parker, de quem dependiam todas as ordenações anglicanas, dispunha com certeza dos poderes para ordenar, embora subsistisse uma dúvida séria quanto às suas intenções; e que, finalmente, se as ordenações podiam ser declaradas inválidas, era unicamente porque se suprimia na ordenação anglicana um pormenor da cerimônia litúrgica, a *porrectio instrumentorum*, ou seja, a apresentação ao ordenando dos objetos litúrgicos da ordenação, a patena e o cálice, para serem por ele tocados. Vemos onde estava a habilidade: como esse pormenor litúrgico só datava da Idade Média, os bispos anglicanos não tinham suprimido nada de essencial, mas apenas desobedecido a um decreto de Eugênio IV, que outro papa podia revogar.

O opúsculo teve um êxito enorme. Os visitantes afluíam a Cahors, onde o pe. Portal tinha sido colocado como diretor do seminário: toda a gente queria falar-lhe. A segunda edição foi enriquecida com várias cartas de personalidades episcopais, entre as quais o cardeal Bourret e um bispo anglicano, que, embora criticassem certos pontos das teses «dalbusianas», eram atenciosas e simpáticas. O pe. Duchesne, o mais célebre historiador dos primeiros tempos da Igreja, futuro acadêmico, enviou ao autor uma carta calorosa em que ia mais longe que ele, afirmando serem válidas todas as ordenações anglicanas; publicada a primeira vez *no Bulletin Critique*, essa carta foi reproduzida pelos três maiores jornais franceses da época — *Le Temps*, *L'Union* e *L'Univers*. Sentindo-se de vento em popa, o pe. Portal preparou o lançamento de uma revista, para a qual hesitou entre dois títulos: «L'Union des Églises», ou «La Revue anglo-romaine»; ambos promissores.

O verão de 1894 parecia rico em esperanças. Convidado pelo seu amigo, o pe. Portal foi à Inglaterra e visitou paróquias anglicanas, comunidades religiosas anglicanas — era a altura em que se desenvolvia um bom número delas[18] — e até altas figuras da hierarquia anglicana. Todos esses encontros acabaram de convencê-lo de que a reunificação não só era possível, como estava mais próxima do que tinha pensado. Um teólogo anglicano de fama, o rev. Mandell Creighton, afirmou que «ninguém de bom senso pode discutir o primado do Papa». O arcebispo de York confiou-lhe que os mestres do seu pensamento eram São Carlos Borromeu e mons. Dupanloup. O próprio arcebispo de Cantuária, embora insistisse na necessidade da prudência, a fim de não provocar um cisma no seio do anglicanismo, mostrou-se também confiante quanto aos resultados últimos do empreendimento.

Roma tinha sido mantida ao corrente dos esforços do lazarista e do Lord. Convocado ao Vaticano, o pe. Portal encontrou-se primeiro com o cardeal Rampolla, Secretário de Estado, a quem transmitiu as razões precisas da sua esperança. No dia seguinte, Leão XIII recebia-o em audiência. Perscrutou-o demoradamente com os seus olhos vivos e profundos, multiplicou perguntas precisas, mas não escondeu, no fim de contas, que tinha muita esperança... «Com que alegria — exclamou o papa — eu cantaria o meu *Nunc dimittis* [Podeis agora levar-me...], se pudesse fazer a mais pequena coisa para começar uma tal reunificação!» Os ventos sopravam, pois, otimismo. No campo unionista, via-se já chegar a hora gloriosa em que a nobre Igreja anglicana iria transpor, toda inteira, as portas luminosas do aprisco universal...

Era talvez ir um pouco depressa demais! Qual seria a «pequena coisa» que o Pontífice romano poderia fazer para promover a causa da união? Lord Halifax sugeria que fosse uma carta em que se anunciasse oficialmente o interesse de Roma pela questão levantada pelos promotores entusiásticos da reunificação. Pensou-se, a princípio, que essa carta fosse dirigida diretamente aos altos dignitários da Igreja anglicana, como o fora — sem fruto — a carta enviada aos chefes da Ortodoxia[19]. Mas a Cúria vaticana observou que, se a carta do papa fosse acolhida com risos, o fracasso seria demasiado triste. Decidiu-se então que o cardeal Rampolla escrevesse ao pe. Portal uma carta que Lord Halifax comunicaria aos primazes anglicanos [de Cantuária e de York]. Se a reação fosse boa, se eles agradecessem ao papa, este responderia pessoalmente. Era evidente que se andava para trás, e os bispos anglicanos assim o perceberam, tanto mais que certos termos usados pelo cardeal Rampolla sobre Roma, «mãe e mestra de todas as Igrejas», não eram talvez de grande habilidade. A resposta enviada pelo arcebispo de Cantuária a Lord Halifax foi decepcionante. Ir-se-ia, pois, encontrar rigidez nas posições anglicanas tradicionais?

Mas o pe. Portal não desanimou. Nem Leão XIII. A *Church of England* acabava de anunciar que celebraria com todo o esplendor o XIII centenário da conversão da Inglaterra pelos missionários de Santo Agostinho de Cantuária. Não poderia o papa, argumentando com a sua idade muito avançada, antecipar a data oficial para celebrar o acontecimento numa encíclica, recordando que a evangelização da Inglaterra fora essencialmente obra de um pontífice romano, São Gregório Magno? E foi assim que, em 14 de abril de 1895, Leão XIII assinou a admirável carta *Ad Anglos*, um dos textos mais generosos do generoso papa. Dirigindo-se a todos «os ingleses que procuram o Reino de Deus na unidade da fé», Leão XIII convidava-os a todos, fosse qual fosse a sua comunidade ou instituição, a trabalhar pela causa da união. Anunciava também que a questão das ordenações anglicanas ia começar a ser estudada por uma comissão. Do princípio ao fim, o tom era generoso e terno. Muitos corações ingleses ficaram comovidos. Se alguns prelados se mostraram agastados porque o papa se dirigira à opinião pública passando por cima deles, a verdade é que, em conjunto, as reações foram muito boas. Em outubro seguinte, ao abrir, em Norwick, o congresso da Igreja da Inglaterra — para o qual tinham sido convidados os ortodoxos —, o arcebispo de York exclamou: «A união anda no ar... Uma voz vinda de Roma também fala dela, e exala-se dela um espírito de amor paterno». Gladstone, o ilustre homem de Estado que, a seguir ao Concílio do Vaticano, publicara contra Roma um panfleto virulento, saudou com deferência «o primeiro Bispo da Cristandade».

As dificuldades, porém, persistiam. E as mais graves vinham de onde menos seria de esperar: dos católicos ingleses. Eram uma minoria, sem dúvida, mas uma minoria ativa e, depois das ruidosas conversões de Newman e dos seus amigos do Movimento de Oxford, também ambiciosa e decidida a prosseguir a reconquista da Inglaterra. Para eles, a «reunificação em corpo» era algo impossível, porque a Igreja da Inglaterra estava demasiado intimamente associada ao Estado para que pudesse libertar-se da sua tutela. Segundo eles, só contavam as conversões individuais.

Essa hostilidade à tentativa de união encarnava-se no cardeal Vaughan, sucessor de Manning na sé de Westminster. Era um homem abrupto, peremptório, de terrível franqueza, que nunca se preocupara com o sentido dos matizes. Aos seus olhos, a tentativa de reunificação em corpo era pura e simplesmente um empreendimento satânico. Os teólogos que a encorajavam ou mesmo a toleravam — os Duchesne, os Portal, os Gasparri — não eram mais que uns «escrevinhadores desconhecidos e sem mandato». Um relatório feito por ordem sua acusava os unionistas de quererem fazer triunfar a famosa «teoria dos três braços», segundo a qual o Anglicanismo e a Ortodoxia eram apresentados como iguais ao Catolicismo. Donde nascia um tal furor? Havia maliciosos que o atribuíam ao ciúme, ao temor de que, numa Igreja da Inglaterra unida, o seu lugar perdesse importância. A explicação é indigna e pouco adequada ao que se conhece do caráter desse leal lutador. O que é mais provável é que o cardeal, como muitos convertidos ao catolicismo, tivesse um certo desprezo pela Igreja estabelecida da Inglaterra, desunida, submissa ao poder laico e espiritualmente pouco vigorosa.

Enquanto o cardeal partia para Roma, a fim de defender a sua tese, Lord Halifax continuava a sua campanha. Num discurso retumbante feito em Bristol, arrebatava a aprovação dos que ele entendia serem todo o povo inglês e conseguia até encorajamentos de uma dúzia de bispos anglicanos. Mas nada disso resolvia a verdadeira questão, aquela que o opúsculo do pe. Portal formulara, que era a questão da validade das ordenações anglicanas.

Ora, precisamente nesse momento, ocorreu um incidente curioso que fez surgir bizarramente a questão. Um padre cismático espanhol, Cabrera, que tentava desenvolver no seu país uma pequena Igreja protestante[20], conseguiu fazer-se sagrar bispo pelo arcebispo anglicano de Dublin, na Irlanda. Em nome da União da Igreja da Inglaterra, de que ainda era presidente, Lord Halifax protestou. E rebentou uma violenta discussão acerca da validade dessa sagração, debate no qual o cardeal Vaughan interveio com muita felicidade, sublinhando que o arcebispo anglicano aceitara sagrar um protestante, e proclamando que, inglesas ou irlandesas, as ordenações anglicanas eram igualmente nulas. Chegou mesmo a escrever ao cardeal de Toledo uma carta, de que o *Times*, não se sabe como, teve conhecimento, em que tratava Lord Halifax de «chefe de uma seita insignificante» não seguida pela Igreja oficial, e que, de resto, não tinha nenhum direito a dizer-se católico.

O clima mudava em Roma. Friamente acolhido por Leão XIII, o cardeal foi hábil na sua ofensiva. Só uma intervenção do cardeal Rampolla evitou à última hora que o Santo Ofício dirigisse uma admonição ao pe. Portal e ao pe.

Duchesne. O próprio papa perdia entusiasmo. Ouviram-no dizer no seu círculo íntimo: «Esse bom Lord Halifax está enganado: a Igreja é una...» O que não o impediu, aliás, de enviar ao Lord a sua fotografia em formato grande. Em última análise, tudo dependia da opinião que a comissão criada pelo papa formulasse sobre a questão das ordenações. Essa comissão fora composta com o evidente cuidado de assegurar a imparcialidade. Entre os seus membros, fora o presidente, que era o cardeal Mazzella, e o secretário, mons. Merry del Val, dois, o pe. Duchesne e o pe. jesuíta De Augustinis, tinham-se declarado pela validade, e um terceiro, o pe. Seannell, que era inglês, passava por favorável; três outros membros, todos ingleses, eram hostis à validade: o beneditino Dom Gasquet, o franciscano David e o cônego Moyas. Os outros dois membros, mons. Gasparri e o pe. José Calasanz, capuchinho espanhol, não tinham nenhuma ideia preconcebida. A comissão trabalhou, portanto, com perfeita serenidade. Pouco a pouco, porém, foi-se formando uma maioria hostil à validade das ordenações. Tanto mais que Dom Gasquet acabava de descobrir os textos pontifícios do século XVI que resolviam a questão pela negativa.

As coisas estavam nesse pé quando Gladstone retomou a palavra. Considerando-se porta-bandeira do campo «ritualista» ou «anglo-católico», assinou um memorial em que se explicava que o fundamento da verdadeira união de todos os cristãos devia ser procurado na sua afirmação comum das grandes verdades fundamentais do cristianismo, com o fim de opô-las em bloco aos assaltos do ateísmo. Era evidente que Roma não podia aceitar essa espécie de *«basic christianity»*. O papa pôs os pingos nos is: pela encíclica *Satis cognitum*, de 29 de junho de 1896, dedicada à «verdadeira unidade na Igreja», recordou que essa unidade começava por ser unidade de fé; e acrescentou que, para preservar essa unidade de fé e impedir que ela ficasse na dependência de interpretações as mais variadas, Cristo estabelecera um magistério perpétuo e infalível...

Iria a questão das ordenações passar para segundo plano, e a mais grave — a do primado do Pontífice romano — assumir o primeiro e rebentar com as negociações? Em qualquer caso, a concepção tradicional do anglicanismo e a teoria dos três ramos ficavam bastante abaladas. Um artigo do *Times*, que a muitos pareceu ter o cheiro da tinta do cardeal, concluiu: «Já não há desculpa para a ilusão de Lord Halifax e dos seus companheiros de sonho. Sabemos agora que, para Roma, não há reunificação possível sem a aceitação, não apenas do primado do Pontífice romano, mas da sua suprema e absoluta predominância».

Nesse ínterim, a comissão tinha concluído os seus trabalhos. Em condições que ainda hoje se ignoram, por uma maioria que só será conhecida quando se abrirem os arquivos do Vaticano para esse período, o seu veredito tinha sido formulado a 13 de setembro de 1896. E era desfavorável à validade das ordenações anglicanas. Ir-se-ia simplesmente declarar que a comissão não encontrara provas suficientes da validade das ordenações anglicanas para podê-las admitir, ou proceder-se-ia por uma declaração solene? O cardeal Vaughan e os seus amigos «empurraram» para a segunda hipótese, usando do argumento um tanto estranho de que, ao verem a sua Igreja assim desvalorizada, as massas anglicanas se converteriam. E a 18 de setembro de 1896, pela bula *Apostolici Curae*, Leão XIII, «em conformidade com todos os decretos dos meus predecessores e confirmando-os e renovando-os de ciência certa», declarou «absolutamente vãs e inteiramente nulas as ordenações conferidas segundo o rito anglicano».

Lord Halifax, o pe. Portal e todos os partidários da união (em corpo) sofreram cruelmente. Com toda a humildade, o lazarista submeteu-se imediatamente e anunciou a supressão da *Revista anglo-romana*. O cardeal felicitou-se por ver assim fracassada uma manobra que, na sua opinião, não passava de «artimanha do demônio». Entre os anglicanos, a Baixa Igreja aplaudiu com entusiasmo; um dos seus membros mais conhecidos, o rev. Fillingham, escreveu: «Para nós, protestantes, a questão não tem importância; já sabíamos muito bem que as nossas ordens não são católicas!» A Alta Igreja mostrou-se discretamente melindrada. E, de qualquer modo, a tal vaga de conversões individuais não se deu, contra a expectativa do cardeal.

Assim terminava por um fracasso a tentativa de Lord Halifax e do pe. Portal. Um e outro aceitaram-no sem azedume, refugiando-se na oração, na meditação, no trabalho, continuando a manter os laços de uma amizade fraterna, prontos a voltar à cena se as circunstâncias se mostrassem mais favoráveis. Aliás, os seus esforços não foram inteiramente em vão. Os anglicanos mais esclarecidos passaram a formular questões que, ainda pouco antes, lhes escapavam de todo. A atitude leal de Leão XIII impressionou de tal modo o alto clero anglicano que a conferência de Lambeth de 1897, em que se reuniram perto de duzentos prelados, aprovou um texto sobre a Unidade da Igreja que comprometia toda a Igreja inglesa a «trabalhar sem descanso pela unidade visível de todos os cristãos». Esse texto foi enviado a Leão XIII, com uma mensagem em latim em que o tratavam umas vezes por Irmão, outras por Pai. Entre os católicos do continente, o problema da «reunião em corpo» levou a aumentar o interesse pela unificação cristã. Não devemos nem sobrestimar a importância da tentativa fracassada, nem subestimá-la como certo historiador do anglicanismo, que a silencia por completo. Das numerosas correntes de água viva que desde então têm surgido e pouco a pouco convergem para o grande caudal do ecumenismo, não se deve esquecer aquela que teve a sua nascente na ilha da Madeira, em 1889.

O mundo da Reforma em marcha para a unidade

Devemos ao conjunto das Igrejas saídas da Reforma esta homenagem: foi no seu seio que se deram as primeiras realizações práticas da aspiração para a Unidade. E pode-se dizer que, até janeiro de 1959, data em que a situação se transformou ponto por ponto, o «movimento ecumênico» teve coloração protestante e anglicana indiscutível.

É, pois, no âmbito do protestantismo que devemos ver manifestar-se, cada vez mais viva a partir dos começos do século XX, a corrente que levou as Igrejas a aproximarem-se. Ao passo que, até finais do século XVIII, parecia que ia continuar a predominar a tendência para a fragmentação indefinida, típica do gênio protestante — recordemos, por exemplo, que o metodismo se dividiu com a morte, em 1791, de Wesley, seu fundador —, em seguida a tendência reverte, e é já para a concentração das forças protestantes que se orienta a vontade de grande número de Igrejas. Essa concentração manifesta-se de duas maneiras, correspondentes, *grosso modo*, aos dois sentidos que a palavra «Igreja» comporta no protestantismo.

O mundo religioso saído da Reforma aparece como fracionado em «Igrejas» distintas umas das outras por profissões de fé diferentes: neste sentido, pode-se falar de uma «Igreja luterana» ou de uma «Igreja metodista». Mas também no interior de uma comunidade com uma só regra de fé podem existir divisões entre formações igualmente qualificadas de «Igrejas», as quais se acharam separadas umas das outras pelas condições históricas e geográficas em que se constituíram, ou até por algumas opções dogmáticas ou espirituais: assim se falará das «Igrejas luteranas da Alemanha», tal como, no calvinismo, haverá Igrejas oficiais que se afirmarão «Igrejas livres» no seu seio.

A tendência para a concentração manifestou-se tanto num caso como no outro. Foi no interior das grandes formações doutrinárias que se fizeram alianças em meados do século XIX[21]. Já em 1847, a Aliança Evangélica Universal convidara todas as Igrejas protestantes a unirem-se num esforço comum «de testemunho e de intercessão». Mas esse apelo não tivera praticamente nenhum eco, a não ser no seio das grandes formações. Em 1877, os reformados deram o exemplo, convocando os seus delegados para a conferência de Edimburgo, donde sairia a Aliança Universal das Igrejas Reformadas Constituídas Segundo o Sistema Presbiteriano. Em consequência disso, viu-se o movimento conquistar terreno de década em década, pois todas as grandes comunidades cristãs da mesma tradição compreendiam que os pontos de doutrina ou de caráter administrativo que as separavam eram bem menos importantes do que aquilo que as unia. Batistas, congregacionalistas, luteranos, metodistas — as «Igrejas» estabeleceram entre elas «Uniões orgânicas». Em 1911, não eram menos de catorze, quer localizadas, quer tendendo a incluir a totalidade mundial dos crentes ligados pela mesma fé. O movimento iria prosseguir com vigor e obteria resultados notáveis, como foi o aparecimento da Comunhão Anglicana.

Por outro lado, a concentração operou-se também entre formações religiosas que, sem terem as mesmas profissões de fé, se uniram em Federações ou Uniões inter-confessionais para associarem os seus esforços caritativos ou missionários, ou ainda movidas por uma intenção mais espiritual de mútua compreensão. A primeira em data foi a *Federação das Igrejas protestantes da França*, já preparada em 1905-1907, seguida, em 1908 e nos Estados Unidos, pelo *Conselho federal das Igrejas de Cristo*. O exemplo foi abundantemente seguido. Nos nossos dias, as federações ou uniões federais são por volta de vinte e duas; e a corrente parece em plena expansão[22].

Num e noutro caso — concentração intraeclesial ou intereclesial —, verdadeiramente não diremos que se tratou de *ecumenismo*, uma vez que não se tinha em vista o cristianismo universal: estava-se apenas no interior do mundo saído da Reforma. Ouviu-se, no entanto, um primeiro toque favorável quando o Conselho das Igrejas, nos Estados Unidos, admitiu oficialmente, em 1919, os representantes da Ortodoxia. Entrementes, tinha-se dado um passo nesse sentido com o aparecimento de dois movimentos que, sendo ambos protestantes e de origem anglicana, depressa alargariam o quadro para se declararem autenticamente ecumênicos. Dois movimentos cuja fusão daria origem ao *Conselho ecumênico das Igrejas*, que constitui hoje em dia uma das potencialidades da unidade cristã.

A origem desses dois movimentos, ou seja, no fim de contas, a origem do Conselho Ecumênico, é múltipla. Pudemos ver que, no decurso do século XIX, todas as formações saídas da Reforma tinham sido atravessadas por tendências de pensamento não detidas pelas fronteiras das obediências: tal foi o caso do «despertar» ou, mais tarde, do protestantismo liberal. Também no plano prático se estabeleceram colaborações para a ação caritativa ou social, e também aí não se tinham em conta as diferenças dogmáticas ou institucionais. O caráter «supraeclesial» — ecumênico, se quisermos — foi muito nítido nas *Uniões Cristãs de Jovens*, que congregaram milhares de rapazes e moças protestantes. A masculina, fundada em 1844, dotada de um estatuto em Paris (1855), tornou-se mundial sob o nome de YMCA (*Young Men Christian Association*) em 1878 e foi seguida em 1896 pelo movimento feminino correspondente (YWCA). Paralelamente, a *Federação Universal das Associações Cristãs de Estudantes*, fundada em 1895 na Suécia (Vadsten), não tomou em consideração as diferenças de profissão de fé entre os seus membros. O movimento protestante da juventude favoreceu, portanto, a cooperação entre as Igrejas. O grande animador dos estudantes [universitários], o americano John Mott, seria também um dos pioneiros do ecumenismo.

Outra influência decisiva foi a das Missões, que, como já vimos, tiveram um grande impulso no século XIX; aliás, os movimentos de juventude interessaram-se grandemente por elas. Foram os missionários instalados em terras não cristãs que mais sentiram o doloroso erro da divisão. Mesmo onde não se viam em confronto com os missionários católicos — tidos sem mais nem menos por rivais —, encontravam-se em idêntico campo enquanto responsáveis por variadíssimas Igrejas. Em certos pontos do globo, fizeram-se acordos entre missionários de diversas obediências, para acabar com a rivalidade na busca de futuros catecúmenos. Com o fim de generalizar esses acordos, criou-se em 1866 a *Conferência Continental das Missões*, que se estendeu ao plano mundial e veio a ser a *World Missionary Conference*: agrupava mais de 160 sociedades evangélicas. Em 1910, reuniu, em *Edimburgo*, 1.200 delegados.

Foi lá que se ouviu, entre outras comunicações, a de um cristão do Extremo-Oriente que pôs o dedo na chaga: «Os senhores revelaram-nos Jesus Cristo, e estamos agradecidos por isso. Mas também nos trouxeram as suas distinções e divisões: uns pregam o metodismo, outros o luteranismo; outros são congregacionalistas, e outros ainda episcopalianos. O que lhes pedimos é que nos preguem o Evangelho». O choque provocado por essas palavras foi tão violento que o conjunto da assistência decidiu pôr termo ao escândalo denunciado pelo lúcido chinês. Nas palavras de William Temple, arcebispo de Cantuária, essa Assembleia de missionários pareceu ser «o maior acontecimento da vida da Igreja durante uma geração». E, na verdade, daí saiu, para o conjunto do protestantismo, uma série de realizações capitais.

Antes de tudo, no plano missionário: a reunião de Edimburgo teve o seu prolongamento na instituição do *Conselho Internacional das Missões* (*International Missionary Council*), definitivamente constituído em 1921, e que agrupou 173 sociedades evangélicas. Muito solidamente organizado, o Conselho iria estabelecer até os nossos dias um nexo firme entre as diferentes Igrejas, antes ainda de se falar de um «Conselho Ecumênico». Permaneceu em atividade após a fundação deste, com o qual só viria a fundir-se em 1961, em Nova Delhi. As suas reuniões regulares em Jerusalém (1928), Madrasta (1938), Whitby (1947), Willingen (1952) e finalmente em Accra (Gana) (1958), assinalaram alguns progressos no estreitamento dos laços entre as diversas comunidades.

Mas uma das reuniões de Edimburgo tivera resultados bem diferentes. Um bispo episcopaliano das Filipinas, Charles Brent (1882-1929), ficara especialmente emocionado com o que ouvira acerca do escândalo da desunião. «Durante estas jornadas — exclamou ele na sessão de encerramento —, Deus concedeu-nos uma visão nova; mas, quando Ele nos dá uma nova visão, é para nos impor uma nova responsabilidade. Vós e eu vamos deixar esta assembleia com novos deveres a cumprir». Regressando aos Estados Unidos, cumpriu a palavra e multiplicou os contatos, as publicações, as conferências, a fim de comover o mundo protestante, levando-o a sentir a responsabilidade pelo escândalo da desunião. A sua Igreja — protestante episcopaliana, ou seja, o equivalente do anglicanismo nos Estados Unidos — decidiu formar uma comissão permanente encarregada de preparar uma conferência universal para o estudo das questões respeitantes à «Fé e Constituição da Igreja». Estas duas palavras, *Faith and Order*, tiveram largo eco, e desde então qualificaram o movimento iniciado pelo bispo Brent. O seu objetivo era levar todos os protestantes a estudar o que separava uns dos outros, na esperança de que uma melhor compreensão dos pontos de vista acerca da fé preparasse as vias para a unidade. O movimento teve êxito nos Estados Unidos, onde Brent foi fortemente apoiado pelo leigo Robert H. Gardiner. Não tanto em terras luteranas, sobretudo na Alemanha, onde se desconfiava do laxismo anglicano. Certas declarações destes ou daqueles partidários, mais ou menos eivadas de protestantismo liberal, deixavam filtrar a ideia de uma espécie de «pan-cristianismo», o que não inquietava menos os católicos. Mas o corajoso bispo não desanimou: nem a Guerra Mundial o impediu de continuar os seus esforços e mesmo de estabelecer contatos com o papa Bento XV.

Entrementes, surgira em diversos meios protestantes um outro movimento, menos preocupado com as precisões dogmáticas do que com a eficácia: estavam nesse caso os partidários do cristianismo social dos pastores franceses Tommy Fallot e Elie Gounelle, bem como certos elementos luteranos defensores de uma renovação. Nesse momento, houve alguém que encarnou a vontade de «fazer alguma coisa» para unir todas as Igrejas de Cristo numa mesma ação em defesa dos valores cristãos: foi *Nathan Söderblom*, arcebispo de Upsala, primaz da Igreja luterana da Suécia (1866-1931), homem de ação tanto como homem de oração. A retumbante campanha pela paz lançada por ele em novembro de 1914, a convocação para Upsala, em 1917, de uma conferência preparatória da paz, muito criticada nessa altura, deram-lhe uma celebridade mundial e prepararam-lhe o terreno para mais tarde. Em suma, o arcebispo retomava a obra da *Aliança Universal para a Amizade internacional* por meio das Igrejas, a qual, paradoxalmente, nascera a 2 de agosto de 1914, nas pacíficas margens do lago de Constança, e que, embora condenada pela guerra a um silêncio triste, tinha fundadores que não perdiam a esperança.

A atmosfera do imediato pós-guerra foi, evidentemente, muito favorável aos grandes planos de Nathan Söderblom. Constituiu-se, pois, *Life and Work*, «Vida e Trabalho» (na França, chamou-se *Christianisme pratique*). E. desde logo, o movimento situava-se para além dos quadros protestantes, entrando em contato com Bento XV e dirigindo-se ao patriarca ecumênico de Constantinopla, que respondeu em 1920, em nome da Ortodoxia, por meio de uma espécie de encíclica «acerca de uma possível aproximação de todos os que creem no verdadeiro Deus da Trindade».

Quer isto dizer que, em 1920, existiam dois movimentos tendentes à união das Igrejas nascidas da Reforma, um e outro admitindo, ainda vagamente, que o esforço pela unidade ultrapassava os limites do protestantismo. Um deles, *Faith and Order*, preocupava-se sobretudo com encontrar as bases doutrinais da unidade; o outro, *Life and Work*, pensava que era mais simples unir os crentes fazendo-os agir em conjunto. Não havia, portanto, nenhuma barreira intransponível entre os dois; muita gente se interessava por ambos ao mesmo tempo. Apesar disso, iriam ficar independentes até 1948 e cada um seguiria o seu caminho consoante as suas próprias intenções. Mas não deixava de ser verdade que se tinha transposto uma etapa importante na via para a unidade dos cristãos oriundos da Reforma, e até entre estes e os seus irmãos católicos e ortodoxos.

Assim se constituiu, nos seus dois aspectos, o «movimento ecumênico», cuja influência iria ser considerável na aproximação entre as Igrejas. A força positiva desse movimento consistiu em ter à sua frente uma plêiade de homens ao mesmo tempo muito espirituais e empreendedores, que devotaram a vida à causa da Unidade. Os promotores tinham sido personalidades de grande classe, o bispo episcopaliano Charles Brent, sensível e vibrante, o arcebispo de Upsala, Nathan Söderblom, audacioso viking do ecumenismo, que não se deixava abater por nenhum obstáculo, e o fundador da YMCA, John Mott (1865-1955), eminente presidente do Conselho Internacional das Missões, tão eficaz no plano do pensamento como no da ação. Os seus sucessores não foram de menor qualidade: William Temple, arcebispo anglicano de York e a seguir de Cantuária, que, substituindo Brent à frente do *Faith and Order*, se revelou um extraordinário presidente na Assembleia de Edimburgo de 1937, e a quem o sólido bom senso assegurou um ascendente considerável; o bispo Anders Nygren, de Lund, cuja obra *Eros e Agape* sobre as duas formas de amor — o da terra e o do céu — teve grande repercussão; e o arcebispo J.K.A. Bell, de Chichester, que soube não ficar aquém de Söderblom, a quem sucedeu.

Todos esses chefes do movimento para a unidade, devemos sublinhá-lo, pertenciam quer a uma Igreja luterana escandinava, quer à Igreja anglicana, formações que, tanto uma como a outra, e a segunda ainda mais que a primeira, tinham conservado elementos dogmáticos e litúrgicos mais próximos do catolicismo do que os que se encontram no calvinismo. No entanto, dentro do protestantismo francês, depois de Élie Gounelle e de Tommy Fallot — que tinham chegado ao ecumenismo por meio do cristianismo social —, e também ao lado de Wilfred Monod — para quem a unidade era acima de tudo um dever espiritual —, o facho foi erguido por um jovem pastor de origem alsaciana que, em 1914, defendeu a sua tese de licenciatura em teologia sobre *A Unidade da Igreja* (redigida em inglês) e que desde então não cessaria de se consagrar a esta causa: *Marc Boegner*.

Sob o impulso de tais homens, os dois movimentos ganharam força e expressão no período de entre as duas guerras, cada qual visando o objetivo que se propusera desde o princípio. Em conjunto, talvez as intenções se mostrassem menos ambiciosas, mais práticas e fraternas. Nas primeiras reuniões, tratou-se muito da questão do estabelecimento do Reino de Deus na terra. Era o momento em que, no plano político, a Sociedade das Nações, fortemente tingida de protestantismo, suscitava grandes esperanças. Era também a hora em que os protestantes dos EUA começavam a pretender o papel de guias do mundo. Pouco a pouco, foi-se admitindo melhor a ideia de ser preciso sobretudo manifestar esse Reino de Cristo por realizações práticas e também por um trabalho de aproximação das ideias.

Os dois movimentos reuniram grandes assembleias depois da guerra, mal a situação o consentiu: *Life and Work*, em Estocolmo (1925); *Faith and Order*, em Lausanne (1927). Foi nessas duas circunstâncias que um e outro adotaram títulos para se designarem. Em ambos os casos, o êxito foi grande: «um deslumbramento», segundo um delegado na assembleia de Estocolmo. Todos se maravilhavam com o clima de amizade que reinava. E a variedade de vestes eclesiásticas acentuava o pitoresco. Em Estocolmo, onde estiveram 200 delegados como representantes de 31 grandes Igrejas, tratou-se sobretudo dos meios de extrair do Evangelho as regras aplicáveis em política e em sociologia, e de como fazê-los triunfar; há que reconhecer que as conclusões eram muito parecidas com as que tiravam dos seus encontros os participantes das Semanas Sociais Católicas. Em Lausanne, a atmosfera não foi menos entusiástica. Sob a presidência do anglicano Brent, assistido por um congregacionalista, um luterano sueco (o próprio Söderblom), um calvinista francês e — fato sensacional — um ortodoxo, quinhentos representantes da maior parte das grandes Igrejas não romanas — exatamente 90 — estudaram um programa muito extenso, relativo aos sacramentos, aos ministérios, à eclesiologia, analisados na perspectiva da desejada unidade. A moção final continha esta frase que iria ser mil vezes repetida: «Nunca mais poderemos ser o que éramos» — *We can never be the same again.*

Desde então, estavam lançadas duas grandes ideias: por um lado, que todas as Igrejas cristãs tinham de encontrar em conjunto a resposta aos problemas originados pelo materialismo ateu; por outro lado, que as diferenças de profissão de fé não podiam ser obstáculo a uma tarefa tão indispensável. As duas ideias eram, evidentemente, complementares. No entanto, não levaram logo a uma fusão. Cada um dos movimentos constituiu a sua «comissão de continuidade», encarregada ao mesmo tempo de preparar novas reuniões e de organizar a propaganda a favor das ideias «ecumênicas» (a palavra começava a ser usada). E sem esperar que novas assembleias tomassem decisões para o futuro, iam surgindo algumas concretizações imediatas, dentro do mesmo espírito de unidade, como foi o caso do *Instituto Internacional do Cristianismo Social*, fundado por Söderblom.

Dez anos depois, os dois movimentos voltaram a reunir uma Assembleia, cada um por seu lado (1937): *Life and Work* em Oxford; *Faith and Order*, logo a seguir, em Edimburgo. A resistência ao totalitarismo constituiu o pano de fundo de todas as numerosas comunicações de Oxford, enquanto, em Edimburgo, a preocupação maior foi a de justificar doutrinariamente essa resistência. Começava a sentir-se em todo o protestantismo a influência de Karl Barth. O evangelho social voltava a ser «o Evangelho da redenção histórica no Filho de Deus feito Homem». A conjunção dos dois movimentos parecia cada vez mais necessária. Antes de findar o ano de 1937, a fundação, perto de Londres e sob a influência direta de William Temple, de uma Comissão de Ação — que incluía, além dos delegados dos dois movimentos, os da Aliança Internacional para a Amizade por meio das Religiões[23], os da YMCA, da YWCA, dos estudantes cristãos e das Missões — anunciava a caminhada definitiva rumo à fusão.

Os católicos e o movimento para a Unidade: I. Os papas e a doutrina

Perante essa corrente que impelia a olhos vistos o protestantismo para o objetivo supremo da reunião de todos os cristãos, qual foi a atitude da Igreja Católica? Suscitou muitas críticas. A maior parte dos autores protestantes têm acusado os papas de se terem pura e simplesmente oposto ao movimento ecumênico. A coisa não é tão simples como isso.

A atitude oficial da Igreja Católica em face do problema da unidade não podia ser determinada senão pela certeza de ser ela a única Igreja garante e guardiã da Unidade querida por Cristo. Os «irmãos separados» eram, estritamente falando, homens que se tinham voluntariamente *separado*, e portanto só podiam reintegrar-se na unidade fazendo cessar as causas da separação. É este o ponto de vista canônico, que considera as Igrejas separadas como tipos abstratos de cismas ou de heresias, sem que isso signifique necessariamente um juízo condenatório da consciência dos seus membros. A expressão oficial mais comumente utilizada para designar o gesto que conduzisse os irmãos separados à Unidade continuava a ser *o regresso*.

Essa atitude de princípio não excluía, evidentemente, o desejo fervoroso de refazer a unidade, que todos os papas, sucessivamente, afirmaram com energia. Mas é claro que supunha um obstáculo entre a Igreja Católica e os não católicos. E nem se vê como poderia ser de outra maneira: recordar esse ponto doutrinal era, para os papas, muito simplesmente dar provas de honestidade, não deixando que o diálogo se estabelecesse sobre um equívoco. Tal foi o motivo essencial do «rigor», da «incompreensão» dos Sumos Pontífices que, na primeira metade do século XX, tiveram que definir a atitude romana. Razões subsidiárias contribuíram para tornar essa posição bastante rude, o que não quer dizer de modo algum que eles se opusessem à profunda corrente que levava tantas almas cristãs para a Unidade.

Leão XIII lançou os fundamentos de um pensamento católico em matéria de ecumenismo e ressaltou com toda a força qual devia ser a esperança de todos. «Considerar a união das Igrejas como uma utopia — disse ele — seria um sentimento indigno de um cristão». Iniciador do *Oitavário de orações pela unidade*, antes de Pentecostes, artífice ativo da aproximação com o Oriente cristão, encorajou, como vimos, a tentativa de Lord Halifax e do pe. Portal de reunir «em corpo» a Igreja anglicana, e só renunciou a esse grande projeto porque o obstáculo canônico das ordenações inglesas lhe pareceu intransponível.

Pio X esteve pessoalmente atento aos problemas da unidade e chegou até a declarar ao jovem Don Orione[24] que, a seu ver, essa era uma das tarefas da mais alta importância. Mas o seu pontificado foi pouco favorável aos esforços ecumênicos: época de crise, em que surgiram os problemas do Modernismo e da Democracia Cristã, trazendo consigo um endurecimento das posições pontifícias. Sem que tivesse havido propriamente confusão entre o movimento de aproximação dos cristãos e as ideologias suspeitas, houve encontros entre individualidades que criaram uma situação um tanto delicada. Assim se compreende que Pio X não tivesse intervindo diretamente em matéria de unidade. Quando, em 1910, se reuniu em Edimburgo a Conferência das Missões Protestantes, é claro que o Vaticano não se manifestou. No entanto, deu-se aí uma intervenção católica que não deixou de ter alguma importância e contra a qual o papa nada fez. Deveu-se a mons. Bonomelli, o famoso bispo de Cremona[25] que estava sempre na vanguarda. Bonomelli dirigiu à Assembleia uma mensagem — que foi lida por um participante norte-americano — na qual exaltava a necessária união, insistia na unidade de fé para a qual era preciso caminhar, indicava como bases de acordo a fé no mesmo Criador, no mesmo Redentor, no mesmo Deus Encarnado; e saudava a «nobre aspiração que se erguia de diversas Igrejas e denominações para que se realizasse a unidade da Santa Igreja em todos os filhos da Redenção»[26]. Nem uma só palavra dessa mensagem poderia ferir as consciências protestantes. Foi um dos primeiros e mais belos documentos em que uma personalidade católica prestava homenagem à vontade reta dos animadores do movimento protestante para a união.

Seria possível ir mais longe? Pouco antes de rebentar a Primeira Guerra Mundial, um dos fundadores de *Faith and Order*, o norte-americano Robert Gardiner, estabeleceu relações com o cardeal Gasparri, que era favorável à aproximação ecumênica, como vimos a propósito da questão anglicana. Em novembro de 1914, houve troca de correspondência, pois os promotores do movimento desejavam ser recebidos em audiência pelo papa. Com efeito, a 16 de maio de 1919, Bento XV recebeu uma delegação da Igreja protestante episcopaliana dos Estados Unidos, e o encontro desenrolou-se em clima de grande cortesia. O papa declarou que os esforços feitos pelo movimento tinham toda a sua simpatia, mas recordou a doutrina católica, dizendo que rezava para que os participantes do futuro congresso ecumênico «se reúnam ao Chefe visível da Igreja, por quem serão recebidos de braços abertos». E que outra coisa poderia ele dizer? A Secretaria de Estado avisou os primazes (luteranos) dos países escandinavos de que a Igreja Católica não participaria do congresso que se ia reunir em Estocolmo. Uma diligência oficial, feita dois anos depois, recebeu a mesma resposta. Tratava-se, afinal, de uma simples chamada à realidade. Soube-se posteriormente que Bento XV, esse pontífice mal conhecido que quereria trabalhar pela união das almas tal como se esforçava por favorecer a união entre os povos, sofreu por não poder ir mais longe.

E Pio XI poderia? Sabe-se que o pontificado do grande papa Ratti foi para a Igreja um tempo de ampla abertura ao mundo, às preocupações sociais da humanidade, à solicitude, que a ascensão do totalitarismo fazia mais imperioso, pela defesa da pessoa humana e a sua liberdade. Seria inconcebível que a questão da unidade cristã o deixasse indiferente. E, com efeito, puderam-se observar muitos sinais do interesse constante com que Pio XI favoreceu a causa: para com os cristãos orientais, mostrou-se tão acolhedor como lhe foi possível, ajudando à fundação de organismos que trabalhassem por torná-los mais bem conhecidos, encorajando as conversações entre católicos e irmãos separados. Por diversas vezes, insistiu na ideia de que era preciso «abandonar as ideias falsas que o vulgo alimentou no decorrer dos séculos acerca das Igrejas não católicas», e que importava «aprofundar o estudo dos Padres da Igreja a fim de chegar à descoberta de uma fé comum». Numa alocução à juventude, pronunciada em 1927, o papa teve estas palavras carregadas de poesia: «Por acaso sabe-se o que há de bom, de precioso, nesses fragmentos da antiga verdade católica? As parcelas separadas de uma rocha aurífera são também elas auríferas». Formalmente, essa alusão designava as Igrejas orientais, mas a fórmula não valeria para todos os irmãos separados?

Desse modo, Pio XI deu um passo importante para a aceitação dessa doutrina dos «vestígios de Igreja», em que certos teólogos veem uma das potencialidades da unidade. Na prática, era-lhe impossível não seguir os passos dos seus predecessores. Foi por isso que, nas reuniões dos dois movimentos ecumênicos (1925 e 27), nenhum católico foi autorizado pela Santa Sé a participar oficialmente, embora não se tivesse proibido a alguns — como Max Metzger — que o fizessem a título privado. Pio XI foi mais longe: a seguir à conferência de Lausanne, a 6 de janeiro de 1928, publicou uma encíclica, *Mortalium animos*, em que fazia uma crítica, muito calma, mas severa, ao movimento protestante. Em substância, que lhe censurava o papa?

À *Life and Work* observava que falava talvez demasiado de «bases comuns para a vida espiritual», como se se tratasse de estabelecer uma espécie de pan-cristianismo muito pouco dogmático, subentendendo que «todas as religiões são mais ou menos boas e louváveis». À *Faith and Order* perguntava se não se dedicaria demasiado a comparar os aspectos exteriores das profissões de fé, sem cuidar de elaborar o trabalho de aprofundamento doutrinal que o papa tinha por indispensável. A crítica era pertinente; tão pertinente que, nas assembleias de 1937, os participantes dos dois movimentos se afastaram do ativismo no estilo da Sociedade das Nações, e se orientaram para trabalhos mais sólidos. Hoje ultrapassada por força da própria evolução do movimento ecumênico, e conservando como é óbvio todo o alcance doutrinário, a *Mortalium animos* não era dirigida contra o ecumenismo protestante, mas contra certas tendências de que este não estava isento.

Os católicos e o movimento para a Unidade: II. O diálogo que se tornou possível: Malines

Seria inteiramente injusto concluir, dessas admonições pontifícias, que a Igreja Católica não teve senão uma atitude puramente negativa em face do movimento para a Unidade que parecia envolver as comunidades dissidentes. Bem ao contrário. O período que assistiu ao lançamento das bases do ecumenismo protestante coincide, no catolicismo, com anos fecundos, em que se deu uma animação, em que se tomaram iniciativas e se operaram realizações que, no seu conjunto, iriam preparar o clima desse verdadeiro espírito ecumênico que se instaurou nos últimos anos.

Se é certo que os católicos se recusavam a participar das grandes assembleias para as quais os protestantes os convidavam, a verdade é que não fugiam a todo o diálogo com os irmãos separados. Em dois casos precisos, o diálogo foi iniciado de maneira mais que simplesmente oficiosa, e chegou bastante longe. Por um lado, com os ortodoxos. Logo em 1907, ou seja, sob Pio X, pontífice que em geral não passa por muito favorável ao unionismo, houve jornadas de estudos históricos e teológicos que reuniram em Velehard (Boêmia), personalidades eruditas, quer católicas, quer ortodoxas. Esses congressos, cujos participantes nunca foram muito numerosos, realizaram-se mais ou menos regularmente em 1909, 1911, 1924, 1927, 1932 e 1936. Foi por ocasião da sua revitalização após a Primeira Guerra Mundial, em 1924, que Pio XI dirigiu ao bispo Olmuz, personalidade importante da jovem nação checoslovaca, uma das suas mais importantes mensagens sobre a necessidade, para os católicos, «de adquirirem conhecimentos novos acerca dos fatos históricos e das vicissitudes dos povos orientais, seus hábitos e costumes, assim como sobre os respeitáveis ritos e as instituições das suas Igrejas».

Mas foi com os anglicanos que se estabeleceram os contatos mais espetaculares. Tinham passado cerca de vinte e cinco anos desde que Leão XIII se recusara a reconhecer a validade das ordenações anglicanas, o que pusera fim à tentativa de «reunião em corpo» sonhada por Lord Halifax e o pe. Portal. Desde então, tinham surgido em ambos os clãs homens convencidos de que havia de soar a hora em que se poderia tentar de novo uma experiência. Essa hora pareceu anunciar-se em 1920, por iniciativa da Conferência de Lambeth, ou seja, da Assembleia geral dos bispos anglicanos, que se reunia de dez em dez anos desde que se constituíra a Comunhão Anglicana[27].

Por diversas vezes os prelados reunidos no paço do arcebispo de Cantuária tinham formulado votos muito sinceros em favor da união dos cristãos. Em 1888, tinham definido as bases comuns da fé e da estrutura da Igreja sem as quais nenhum esforço pela unidade poderia ser válido: a Bíblia, o Símbolo de Niceia, os dois sacramentos do Batismo e da Sagrada Comunhão, o episcopado como objeto do apelo interior do Espírito Santo. E, depois disso, em diferentes ocasiões, a hierarquia anglicana propusera a diversas Igrejas — luteranos suecos, velhos-católicos[28], não conformistas e mesmo alguns orientais — o estudo de possíveis acordos sobre as bases do chamado *Quadrilátero de Lambeth*. Em 1920, os 252 bispos reunidos deram à expressão desse desejo uma tonalidade ainda mais calorosa do que habitualmente: «Abre-se uma nova era, que reclama um novo comportamento. Importa esquecer o passado e prosseguir o ideal de uma Igreja finalmente una». Não somente foi reafirmado o «Quadrilátero de Lambeth», enquanto fundamento necessário e suficiente da unidade, como se aprovaram certas precisões que podiam ajudar à aproximação. Por exemplo, foi declarado que os «ministros das coisas santas devem, não somente ser interiormente chamados pelo Espírito Santo, mas ainda estar investidos numa missão da Igreja, a qual só pode ser conferida pelos bispos». Melhor ainda: foi proclamado que, nos casos em que a validade das ordens anglicanas não satisfizesse as outras Igrejas, poderia ser imposta aos ministros anglicanos uma forma suplementar de ordenação, se fosse necessário à restauração da Unidade cristã. Estas duas decisões iam visivelmente ao encontro do pensamento católico, embora, ao que parece, os bispos de Lambeth não tivessem em mente a condenação das ordenações anglicanas por Leão XIII, mas certas exigências das Igrejas livres da Inglaterra. Os católicos que continuavam a sonhar com a união viram aí uma abertura. Tanto mais que o arcebispo de Cantuária, Randall Davidson, fez chegar o texto do apelo de Lambeth a numerosos bispos católicos e ao próprio papa.

Os dois grandes homens de fé que, havia um quarto de século, tinham conduzido a tentativa de «reunião em corpo» continuavam vivos: Lord Halifax, octogenário, e o pe. Portal, minado cada vez mais pela doença que o afetava desde a juventude, mas ambos com o antigo entusiasmo, ambos tão decididos como outrora. Uma terceira personalidade veio juntar-se a eles, e tão prestigiosa que iria dar a impressão de assumir por si só a responsabilidade e a glória do novo empreendimento: o *cardeal Mercier* (1851-1926). Nobre figura de padre sábio e prudente, grande espiritual não menos que intelectual de classe, a quem o catolicismo devera, em grande parte, a restauração do tomismo, a renovação das disciplinas intelectuais e ainda o desenvolvimento da doutrina social[29]. Desidério José Mercier, arcebispo de Malines desde 1906, cardeal desde 1907, conquistara, durante a Grande Guerra, uma autoridade moral sem êmulo. Encarnara a vontade do seu heroico e pequeno povo belga de continuar a ser livre e conseguira até impor-se ao ocupante. A sua alta e fina silhueta, o seu rosto de larga fronte, as rugas do asceta, o olhar de limpidez e doçura angélicas eram popularmente conhecidos em todo o mundo civilizado. Quando da morte de Bento XV, haveria quem pensasse nele para a Sé de Pedro.

Lord Halifax e o pe. Portal pensaram que, se uma personalidade do porte de Mercier patrocinasse uma nova tentativa de aproximação entre anglicanos e católicos, as possibilidades de êxito cresceriam consideravelmente. Para tatear o terreno, o pe. Portal enviou ao cardeal um exemplar dedicado do opúsculo que acabava de consagrar às Irmãs da Caridade, acompanhado de uma carta em que recordava a atuação que tivera nos anos 1890, e concluía sublinhando que as declarações de Lambeth constituíam um fato novo. Em resposta, recebeu uma carta calorosa, em que o cardeal prometia «empenhar-se» em apoiar a causa da unidade. Já fizera, aliás, essa promessa ao agradecer ao arcebispo Randall Davidson o envio do texto da declaração. No outono de 1921, Lord Halifax e o pe. Portal, que se encontravam no continente, apresentaram-se no paço episcopal de Malines — ao que parece, de improviso — e foram convidados a almoçar. Depois de várias horas de conversa, acabaram por perguntar ao purpurado se aceitaria respaldar com a sua autoridade alguns encontros de trabalho sério entre católicos e anglicanos. Tal foi a origem das *Conversações de Malines*, que iriam prosseguir durante cinco anos no próprio paço episcopal.

Essas «conversações» vinham acrescentar mais um passo aos que se tinham dado trinta anos atrás. Não seria já unicamente a título privado que os interlocutores debateriam as questões, no intuito de levar as autoridades romanas a pronunciar-se. Também não seria a título oficial, pois nenhum dos participantes era mandatário da Santa Sé. Mas ninguém duvidava do caráter oficioso das conversas, uma vez que lhes estava estreitamente associada uma das mais altas personagens da hierarquia católica, e os nomes dos intervenientes tinham seguramente sido submetidos a Roma. De resto, o cardeal Secretário de Estado, Gasparri, escreveu ao cardeal Mercier: «O Santo Padre autoriza Vossa Eminência a dizer aos anglicanos que encoraja essas conversações e reza de todo o coração ao bom Deus para que as abençoe»[30].

A verdade é que o objetivo em vista não era de modo algum negociar entre Londres e o Vaticano a «reunião em corpo». Todos sabiam que esse projeto demasiado ambicioso era, de momento, irrealizável. Tratava-se apenas de acometer trabalhos de exploração que levassem a uma melhor compreensão mútua; em suma, de determinar bem os pontos em que anglicanos e católicos podiam estar de acordo. «Afastar os obstáculos à União é a nossa tarefa — declarou por várias vezes o cardeal Mercier. — A União em si será obra da graça, na hora que a divina Providência se dignar escolher».

Às duas primeiras reuniões assistiram apenas três anglicanos e três católicos: Lord Halifax era acompanhado por dois membros eminentes da Alta Igreja, o dr. Armitage Robinson, deão do Cabido de Wells, e o superior da comunidade dos «Ressurrecionistas» de Oxford, o dr. Walter Frere, futuro bispo de Truro. O cardeal tinha ao seu lado, além do pe. Portal, o seu erudito vigário-geral (e futuro sucessor), mons. Van Roey. A primeira reunião (dezembro de 1921), foi apenas uma tomada de contato, em que, bastante desordenadamente, se passaram em revista os assuntos a estudar; cortesmente, os anglicanos admitiram a ideia de que o Papado poderia ser o «centro de união». Quinze meses mais tarde, em março de 1923, Lord Halifax — que, nesse meio tempo, sempre cheio de ardor juvenil, pegara de novo no cajado de peregrino da unidade e pronunciara alguns discursos calorosos — chegou a Malines levando consigo um *memorandum* em que previa o que se passaria, na prática, se se chegasse à reunificação. Era, como é evidente, uma hipótese extremamente remota, e não se vê bem como é que uma discussão sobre tais matérias poderia ajudar a aplainar os obstáculos. Ainda que reconhecesse o direito teórico do Papa a uma jurisdição universal, a comunidade anglicana, apoiada na força das suas 368 dioceses, recusava-se a admitir qualquer ingerência estrangeira. E ficou-se por aí, com os católicos firmemente escudados em questões de doutrina, embora declarassem que, em questões de mera disciplina — como a comunhão sob as duas espécies e o casamento dos padres —, era sempre possível encontrar soluções.

Importava ir mais longe do que essas generalidades. Por isso, para a terceira reunião, em novembro de 1923, ambos os campos se reforçaram. Do lado anglicano, compareceram um historiador de categoria, o dr. Beresford Kidd, e sobretudo o rev. *Charles Gore* (1853-1932), teólogo eminente, cujo pensamento sintetizava as posições de Pusey e de Denison Maurice, e em quem o arcebispo de Cantuária depositava plena confiança. Do lado católico, apresentaram-se mons. Pierre Batifoll, célebre historiador da Igreja, e o cônego Hemmer, especialista em patrística. A partir daí, avançou-se no estudo dos problemas.

Nessa reunião de novembro de 1923, tratou-se do lugar ocupado por São Pedro na Igreja primitiva, da aplicação dos textos relativos a Pedro até 461, do repúdio da autoridade de Pedro pela Reforma. Anglicanos e católicos fixaram, cada um pelo seu lado, as conclusões que se podiam tirar dos debates e a seguir confrontaram-nas. Os anglicanos admitiram que a Igreja de Roma fora fundada pelos Apóstolos Pedro e Paulo, e que a única Sé apostólica historicamente conhecida era a que o Papa ocupava presentemente. Como se vê, os resultados eram modestos, mas essa prudência valia certamente mais do que os entusiasmos do século anterior.

Justamente nesse instante, porém, as Conversações de Malines, até então rodeadas de grande discrição, foram levadas ao conhecimento do público. Por ocasião do Natal de 1923, o arcebispo de Cantuária dirigiu ao episcopado da Inglaterra uma mensagem em que mostrava sobretudo que esses encontros eram, em suma, uma resposta ao apelo de Lambeth. Para não ficar atrás, o cardeal Mercier publicou uma carta em que explicava aos seus diocesanos o que eram essas conversações e afirmava que os participantes «trabalhavam de acordo com a autoridade suprema e encorajados por ela», chegando a tomar posição contra os que só acreditavam em conversas individuais. Embora o cardeal tivesse dito que «a hora dos resultados estava ainda no segredo de Deus», já não era possível impedir, nos dois campos, a opinião de que se estava com certeza perto da reunificação, uma vez que se falava em voz tão alta...

No entanto, o quarto encontro, em maio de 1925, manteve-se fiel ao método prudente do terceiro. Analisaram-se vários estudos sobre o episcopado e o Papado do ponto de vista teológico, sobre as suas mútuas relações ao longo da história. Estudou-se em especial o trabalho de Charles Gore sobre «a unidade na diversidade», a que mons. Batiffol respondeu. Todos esses estudos foram extremamente sérios e situavam os problemas com grande precisão. Não tiveram, porém, repercussão comparável à de um pequeno texto lido pelo cardeal Mercier, mas da autoria de um beneditino dedicado à ação ecumênica, Dom Lambert Beauduin[31]. Esse estudo histórico sobre as relações entre Cantuária e Roma antes da Reforma concluía por uma liberdade tacitamente concedida aos ingleses. A fórmula «a Igreja anglicana unida a Roma, mas não absorvida» foi conhecida do público e teve grande êxito.

O mau foi que dois dos grandes condutores do empreendimento desapareceram nessa altura, durante o ano de 1926. O cardeal Mercier morreu em janeiro, devorado por um câncer que suportou com santo heroísmo; o pe. Portal morreu em junho, esgotado. Lord Halifax ficava sozinho, quase nonagenário; sozinho com o anel episcopal que o seu amigo o cardeal lhe legara e que ele usaria ao peito até à morte, antes de por sua vez o legar à catedral de York, para ser engastado num cibório. O sucessor do grande cardeal não tinha a sua autoridade, o seu prestígio, e talvez também não tivesse o seu zelo inquebrável pela causa da unidade.

A atmosfera era agora muito menos favorável. No Parlamento britânico, ia começar o grande debate sobre o *Prayer Book*[32], e, se não havia dúvida de que os anglo-católicos conseguiriam na Câmara dos Lordes uma maioria favorável ao novo texto, remodelado num sentido «catolicizante», sabia-se antecipadamente que o mesmo não aconteceria na Câmara dos Comuns. Era também o momento em que os dois movimentos «ecumênicos» protestantes, *Faith and Order* e *Life and Work*, gozavam de enorme projeção e suscitavam em Roma o difícil problema da eventual participação dos católicos. Tudo isso só podia levar à suspensão dos encontros.

A quinta reunião, em outubro de 1926, limitou-se a fixar, para a história, um balanço das negociações. No ano seguinte, Lord Halifax, ao passar por Roma, ainda foi recebido em audiência por Pio XI, mas mais brevemente do que era habitual; e, ao chegar a Malines, teve o desgosto de saber que, por causa do estado de espírito que reinava na Inglaterra, já não haveria mais conversações. Até lhe pediam que não tornasse públicas as atas das anteriores. Indo longe demais, o *Osservatore Romano* de 15 de fevereiro de 1928 julgava necessário precisar que o papa, «embora tenha acompanhado o desenrolar do assunto, nunca tomou dele conhecimento senão como de um fato que se passava entre pessoas particulares, sem mandato de qualquer espécie». A encíclica *Mortalium animos*, escrita sobretudo para os protestantes, pôs ponto final às tentativas de aproximação — demasiado rápida — com os anglicanos.

Que haveria a reter dessa experiência? Citou-se muito uma palavra pronunciada em 1929, quando da reunião das Igrejas da Escócia, pelo arcebispo de Cantuária, feito Lord Davidson: «Durante muito tempo procuramos a unidade olhando para o catolicismo romano, mas agora acabou: é para os nossos irmãos protestantes que queremos voltar-nos daqui em diante». Esse pessimismo parece exagerado. Era um tanto quimérico pensar que teriam bastado algumas conversas para preencher um fosso cavado havia quatro séculos. Mas essas conversas tinham sido úteis. Tinham, pelo menos, provado que era possível o diálogo entre católicos e anglicanos, que havia homens de boa vontade em ambos os campos e que se podia discutir amigavelmente, lealmente, sobre as questões mais candentes.

Essas conversações, aliás, iriam levar a uma longa série de reuniões mais ou menos secretas que, desde então, se teriam em muitos lugares e que fariam, por sua vez, progredir a causa da unidade. De tempos a tempos, uma manifestação mais cintilante mostraria que o sonho não estava esquecido: assim foi, por exemplo, com a declaração feita em 1932 por cinquenta clérigos anglicanos, por ocasião do 100º aniversário do famoso sermão de John Keble que constituiu o ponto de partida do Movimento de Oxford; nesse documento, proclamaram «a reunião com Roma» como «o fim lógico e supremo, a natural conclusão do movimento». As conversações de Malines não tiveram resultados concretos, tangíveis, mas contribuíram para criar o clima em que outros diálogos se iriam desenrolar. É com emoção que se lê a frase que o cardeal Mercier escreveu no seu *Testamento*:

«Para nos unirmos, temos de amar-nos. Para nos amarmos, temos de conhecer-nos. Para nos conhecermos, temos de caminhar ao encontro um do outro».

Os católicos e o movimento para a Unidade: III. Uma efervescência criadora

O fracasso ou, antes, a falta de resultados concretos das conversações de Malines não nos deve enganar. Estudar a eventualidade de reunião do anglicanismo era, certamente, algo em si mesmo importante. Mas, à margem dessa iniciativa, registrou-se no seio do catolicismo um número relativamente notável de outras tentativas, orientadas em sentidos diversos, mas visando igualmente refazer a unidade.

É um período surpreendente, esse que começa com o século XX e vai terminar na Segunda Guerra Mundial — época de efervescência e de incerteza, em que os pioneiros do que será o Ecumenismo se interrogam constantemente se terão o respaldo — e até que ponto — da hierarquia e se não se arriscam a apanhar algumas «reguadas» nos dedos se forem demasiado longe — o que aconteceu algumas vezes —, se a audácia do seu pensamento será suficientemente matizada pela prudência das fórmulas para que os «integristas», grandes caçadores de heresias, não os transformem em peças de caça do Santo Ofício... Mas, apesar de tudo, período em que se lançam algumas das mais sólidas plataformas de onde hão de partir no nosso tempo os novos pioneiros da Unidade.

Para nos amarmos, temos de conhecer-nos... Para nos conhecermos, temos de ir ao encontro uns dos outros... É a esse anelo do cardeal Mercier que correspondem, em substância, na sua maior parte, as tentativas do período de 1910-1938. Já se tem consciência disso: os cristãos, em todos os campos, desconhecem-se. Desde há séculos que se repetem, aqui e acolá, as mesmas tolices, as mesmas calúnias. Os católicos ignoram a teologia protestante e a espiritualidade ortodoxa, tal como os irmãos separados remoem as mesmas fábulas sobre Roma, o Papa, o Vaticano e os seus costumes. Penetrar, entender o pensamento da Ortodoxia e o da Reforma; compreender intimamente o interlocutor, como se se estivesse em seu lugar, seria dar um imenso passo no caminho da reconciliação fraterna. A isso se dedicam pequenos centros de formação litúrgica e teológica, assim como alguns escritores de temas religiosos, revistas, coleções de obras. O balanço que se pode fazer de todos esses esforços ao longo de trinta anos é impressionante.

Na primeira linha, ergue-se uma figura a que não se tem feito toda a justiça: a do monge beneditino *Dom Lambert Beauduin* (1873-1960), que vimos surgir na retaguarda das conversações de Malines, preparando memórias para o cardeal Mercier, e que já tínhamos encontrado[33] como um dos renovadores da liturgia, promotor de uma liturgia orientada para o apostolado, e que poderíamos ainda associar ao movimento do catolicismo social em razão das experiências que fez, como jovem religioso, nos arrabaldes de Bruxelas. Nome, pelo menos, inseparável de um dos mais vivos focos do ecumenismo católico, o priorado de *Chèvetogne*. Um dos primeiros textos do pontificado de Pio XI foi a Carta apostólica *Equidem Verba*, de 1924, consagrada à reunificação dos cristãos. Essa carta visava especialmente as vagas de emigrantes russos que chegavam ao Ocidente e com quem o antigo núncio em Varsóvia se sentia muito preocupado. O documento concluía com o voto de que alguma instituição monástica se dedicasse inteiramente à tarefa de os conquistar. Dom Lambert Beauduin, monge de Monte-Cesar, estava então em Roma, como professor do Instituto de Santo Anselmo, da sua Ordem. Terá sido nele que Pio XI pensou para a fundação que desejava? Ou terá sido ele quem sugeriu ao papa a iniciativa? Conserva-se em Monte-César um rascunho que nos inclina para a segunda hipótese. Seja como for, a verdade é que, em 1925-1926, Dom Beauduin instalou em Amay-sur-Meuse, perto de Liège, *o mosteiro da União*. O célebre metropolita uniata de Lvov, mons. Szeptyckii, interessou-se muito pelo empreendimento. Não tardou que afluíssem candidatos ao novo priorado, vindos de nações diversas, entre as quais a Inglaterra.

MOSTEIROS BENEDITINOS ESPECIALMENTE ENCARREGADOS DO ECUMENISMO[34]

Alemanha: Abadia de Niederaltach

América do Sul: Abadia del Niño-Dios (Argentina); Abadia da Bahia (Brasil)

Áustria: Abadia de Salzburgo

Bélgica: Mosteiro de Chèvetogne

Espanha: Abadias de Samos e de Monserrat

Estados Unidos: Abadia de São Procópio (para os orientais); priorado de Mount Saviour (para os protestantes)

França: Abadia de Ligugé

Holanda: Abadia de Slangenburgo

Inglaterra: Abadia de Downside

Itália: Abadia de São Jorge (Veneza)

Luxemburgo: Abadia de Claraval (para a Escandinávia)

Próximo Oriente: Abadia da Dormição (Jerusalém)

Suíça: Abadia de Einsiedeln

O objetivo de Dom Lambert não era «converter» imediatamente os russos, mas sim estabelecer entre os ortodoxos e os católicos um terreno em que aprendessem a conhecer-se. A Ordem beneditina estava particularmente qualificada para assumir essa tarefa, pois as suas grandes tradições litúrgicas se harmonizavam com as aspirações mais profundas da fé russa. Amay era já um centro que se podia dizer ecumênico quando se deu uma crise. Dom Beauduin, a quem alguns não perdoavam a sua participação no caso de Malines, teve de afastar-se da sua obra, à qual só regressaria em 1951. Mas nem por isso essa obra deixou de se desenvolver: em 1939, teve de passar para *Chèvetogne*, visto que o seu crescimento exigia mais espaço, e a revista que editava, *Irenikon*, ganhou considerável autoridade em tudo o que dizia respeito à Ortodoxia. Alguns homens eminentes iriam suceder-se à sua frente: Dom Tomás Becquet, Dom Olivier Rousseau. Toda a grande Ordem beneditina seguia os esforços do corajoso mosteiro belga e algumas das suas casas viriam mais tarde a ser especialmente encarregadas de apoiar os seus esforços. Estava implantado um sólido marco na estrada da Unidade.

E outros foram implantados pouco depois. Passado um ano após a fundação de Amay, alguns dominicanos franceses, sob a direção de *pe. Cristophe J. Dumont*, decidiram fundar por sua vez um centro de estudos da Ortodoxia. Tratava-se propriamente de considerar «os problemas que a Rússia suscita aos olhos da Igreja Católica no campo religioso». Foi o centro *Istina*, instalado inicialmente em Lille e depois em Paris, onde a magnífica liturgia eslava atraiu multidões, mas que sobretudo organizou encontros do mais alto interesse. Nas vésperas da Segunda Guerra Mundial, *Istina* orientava-se de preferência para um estudo de conjunto dos problemas ecumênicos, aos quais dedicava quatro revistas, além de muitas outras publicações.

Não era só para os orientais que se dirigiam os olhares dos católicos apaixonados pela Unidade. Na Alemanha, surgiu em 1917, aprovado pela Hierarquia, o *Instituto Johann Adam Möhler* em Paderborn, que reunia todos os anos teólogos de diversas profissões de fé para o estudo em comum das relações do dogma cristão com o pensamento católico. Na Inglaterra, os esforços de reaproximação com os anglicanos foram obra sobretudo dos ex-monges anglicanos de Caldey, exatamente aqueles que, em 1913, tinham passado na sua maioria para o catolicismo e, seguindo Dom Columba Marmion na Ordem Beneditina, tinham reconstituído a sua abadia em Prinknash: o seu boletim *Pax* distinguiu-se logo pelas mais amplas tendências ecumênicas. Nos Estados Unidos, foi a abadia de São Procópio em Lisle (Illinois) que, a partir de 1926, se consagrou sobretudo aos contatos com os ortodoxos, em ligação com o Instituto dos Santos Cirilo e Metódio da diocese católica bizantina de Pittsburgh. Na França, lugar importante no esforço pela unidade coube aos *agostinianos assuncionistas*, que, já desde os seus começos em meados do século XIX, tinham sido orientados pelo seu grande fundador, o pe. D'Alzon, para esse gênero de cuidados. O apostolado desses agostinianos nos Balcãs e no Próximo Oriente tinha-lhes dado a conhecer os problemas concretos da reunificação, e o célebre *Instituto dos Estudos Bizantinos*, fundado em 1897 por mons. Louis Petit, abrira-lhes os campos da espiritualidade ortodoxa. A sua revista, fundada em 1922 com o título de *L'Union des Églises*, depois corrigido para *L'Unité de l'Église*, trabalhou, até 1938, pelo progresso do conhecimento dos cristãos orientais.

De todas estas tentativas para preparar a reconciliação entre os cristãos, a mais comovedora, porque, acabou por ser confirmada pelo sangue, foi a de um padre alemão, *Max Joseph Metzger* (1887-1944), que foi atraído para a causa do ecumenismo pelo seu amor pela Paz. Em plena Guerra

Mundial, em 1916, fundara uma espécie de congregação ou instituto, designado por «Liga da Cruz Branca pela Paz», mais tarde chamada Sociedade de Cristo-Rei. A partir de 1918, fixou como objetivo aos que o seguiam a reconciliação universal, o que pressupunha, como é óbvio, a reconciliação fraterna entre os cristãos. A sua voz teve algum eco, especialmente nos meios universitários de Tubinga e de Munique. Isso mereceu-lhe as iras do regime nazista, que por duas vezes o encarcerou.

Nada porém, conseguia fazer desistir esse padre de aspecto calmo e sorridente que ocultava uma energia de aço sob aparências quase bonacheironas. A partir de 1927, ano em que participou a título privado da Assembleia ecumênica de Lausanne, deu-se de corpo e alma à causa de reconciliação. Na Alemanha, na Suécia, na Holanda, na Suíça, multiplicou os contatos com luteranos, calvinistas, anglicanos e até velhos-católicos. Em 1938, lançou a *Fraternidade Una Sancta*, para canalizar todas as boas vontades dispersas nos dois campos. Cada membro da Fraternidade conservava inteira liberdade confessional, mas comprometia-se a rezar e trabalhar em vista do «Que sejam um!» Em plena Segunda Guerra (1940), o pe. Metzger ousou ainda reunir um congresso em que expôs as suas ideias. A resposta dos hitleristas não se fez esperar. Detido por pacifismo, condenado por traição, o heroico sacerdote foi executado em 17 de agosto de 1944. Da prisão, escrevera ao papa Pio XII uma carta-programa, admirável, em que se acha formulado exatamente aquilo que os «ecumenistas» do nosso tempo têm constantemente na boca.

Assim vemos como foram numerosas as pancadas do relógio da Providência, num tempo em que a grande maioria do mundo cristão em geral e do catolicismo em particular não parecia preocupar-se com aquilo que hoje entendemos por ecumenismo. Desses promotores, que ousaram assumir riscos e fazer ouvir uma linguagem inesperada, desses franco-atiradores isolados da causa ecumênica, não são poucos os que são hoje reconhecidos como tendo cumprido uma tarefa decisiva e levado a Igreja para o caminho em que a vemos.

O mais importante de todos, no sentido de que surge como chefe de fila, é o dominicano *Yves Congar*. Nada, no aspecto desse homem de rosto cheio e róseo, iluminado por uns olhos azuis e risonhos, revela a sua assombrosa audácia, a coragem com que dá testemunho da verdade. Ainda jovem professor em Saulchoir, interessou-se pela causa da unidade, estudando os Padres da Igreja e especialmente a eclesiologia. Em 1937, publicava, com uma capa cinzenta baça, um livro que, lido na perspectiva atual, surge como um dos mais importantes da época: *Chrétiens désunis, principes d'un «oecuménisme» catholique*. Era a primeira vez que um teólogo católico procurava fazer compreender por que razão e em que pontos os cristãos estão desunidos. Renunciando deliberadamente a qualquer polêmica, o pe. Congar analisava as diferenças entre os cristãos no plano dos princípios, da história e na atualidade. Ao mesmo tempo, traçava um programa inteiramente novo da possível união, perscrutando as bases da catolicidade da Igreja e da sua unidade. «Essa unidade — dizia ele — existe presentemente na Igreja. No entanto, a catolicidade desta não está toda atualizada, e há um sentido em que é exato dizer, não só que a catolicidade da Igreja se encontra imperfeitamente explícita, mas ainda que o fato das separações desempenha um papel nessa imperfeição [...]. *Aquilo que os nossos irmãos separados mantêm indevidamente fora da Igreja falta à catolicidade atual desta Igreja*»[35]. A última frase, em particular, era de capital importância. Era como dizer aos «separados» que a Igreja não lhes pedia que renunciassem ao que havia de positivo na sua fé cristã, mas apenas «às negações e aos limites que fazem, desses valores, realidades cismáticas e separadas do todo». Já não se tratava, pois, de exigir um «regresso» puro e simples; as perspectivas eram singularmente alargadas. A reunificação apresentava-se como «um cumprimento na sua plenitude da comunhão e da herança de Cristo».

Que tais teses hajam parecido demasiado audaciosas — é óbvio. No entanto, só haveria uma reação romana muito mais tarde, já depois da Segunda Guerra Mundial[36]. Mas, mesmo assim, elas estiveram na origem de uma vasta corrente. Enquanto uma coleção publicada pelas Éditions du Cerf, sob o título *Unam Sanctam*, reunia grandes livros sobre temas análogos, e se multiplicavam encontros interconfessionais — como os de Juvisy, de que participou Karl Barth —, um número crescente de teólogos manifestava interesse por este gênero de problemas. Foi o caso de um professor de Friburgo, na Suíça, que viria a ser o cardeal Journet. Ou o desse cônego Thil que, na cadeira de ecumenismo de Lovaina, viria a expor abundantemente a rica matéria teológica por ele acumulada sobre o tema da unidade. Ou, na França, o do pe. Henri de Lubac, cujo livro *Catholicisme*, considerando os «aspectos sociais do dogma», convergia por outras vias para a corrente da unidade. Ou ainda o de alguns leigos como Jacques Chevalier e Jean Guitton, um e outro amigos de Lord Halifax e do pe. Portal, que contribuíram para espalhar as ideias «unionistas». Observava-se por toda a parte um fato: o de que havia escritores católicos que se interessavam cada vez mais pelos grandes fundadores da Reforma, especialmente por Lutero, renunciando ao vocabulário sistematicamente crítico, quando não injurioso, até então de moda.

Tudo isso não passava ainda, devemos dizê-lo, de sinais precursores. Não faltavam as resistências nem as hostilidades de princípio. Os pioneiros da Unidade foram todos eles mais ou menos cobertos de lama; o cardeal Mercier recebeu um bom quinhão à sua conta... Mas o mais grave era que o movimento pela unidade não saía de quadros relativamente estreitos: era constituído por padres, teólogos, universitários católicos, em suma, por especialistas. Quantos anos seriam ainda precisos para que a alma cristã se sentisse verdadeiramente revolvida?

A oração pela Unidade

Para que nascesse o dia em que fosse possível avançar por esse caminho, era indispensável a luz do Espírito Santo. E alguns crentes julgaram do seu dever suplicar essa vinda. Tal foi a história da *oração pela Unidade*. História surpreendente, porque temos de ir buscar os seus inícios à Igreja protestante episcopaliana da América e à sua irmã mais velha, a Igreja anglicana. Mas as suas concretizações primordiais são católicas. E ela constituiu a mais admirável manifestação desse «ecumenismo espiritual» cuja ação nunca supervalorizaremos.

«O nosso primeiro gesto não será o de dissertar, discutir, mas sim o de nos ajoelharmos todos juntos aos pés da Cruz do nosso comum Salvador... Nessa atitude de arrependimento, os cristãos purificam-se e descobrem a atmosfera — a única — favorável à Unidade cristã. Essa atmosfera só pode ser a da Oração de Cristo, ou a da sua Agonia, que a prolongará». Estas frases de um grande pioneiro do ecumenismo[37] exprimem uma convicção que hoje é partilhada por todos os cristãos conscientes. Mas, para que essa convicção se impusesse, foi preciso tempo, foram precisos esforços, sofrimentos, a longa paciência de alguns apóstolos. Foi necessário não menos de um terço de século para que a «oração pela Unidade» entrasse nos hábitos, como penhor tangível dos resultados adquiridos e sinal de esperança.

Como nos lembraremos, Leão XIII tinha já instituído em 5 de maio de 1895, por meio da encíclica *Provida Matris*, uma novena — situada entre a Ascensão e o Pentecostes — em que os católicos eram convidados a rezar pelo regresso à Igreja dos seus irmãos separados. Essa iniciativa não tivera grande êxito; é o menos que se pode dizer. E o próprio grande papa, nos seus últimos anos de vida, não parecera ter-se empenhado muito em despertar nas almas essa devoção.

Em 1906, num quadro bem diferente, a ideia foi retomada e simplificada. A iniciativa veio de um ministro da Igreja protestante episcopaliana da América, cujo destino espiritual já se revelara bastante agitado. Filho de um pastor episcopaliano, *Lewis Thomas Wattson* (1863-1940) começara por seguir a carreira paterna, como reitor de uma paróquia do Estado de Nova York, em que ganhara certo renome de pregador. Mas, assediado ao mesmo tempo pelo desejo de viver uma vida religiosa mais exigente e pela angústia da unidade que sofria sempre que falava com algum ministro de uma «denominação» protestante, decidira fundar, à imitação dos filhos do Poverello de Assis, uma comunidade religiosa franciscana, devotada, no anglicanismo, ao trabalho pela unidade. Seguira-se um ramo feminino, depois uma Ordem Terceira, sem que as autoridades da Igreja episcopaliana, de que «o pe. Paul» Watson se considerava filho fiel, levantassem objeções. Embora se fosse convencendo cada vez mais do primado do Papa sobre toda a Igreja, proclamava-se membro da Igreja «católica», mas segundo a teoria dos «três ramos».

Foi portanto, na qualidade de superior dessa comunidade franciscana anglicana, designada como «a Reunião», o *At-one-ment*, que «Paul» Wattson lançou a ideia de que todos os crentes deviam orar pela unidade. Nesse momento, na

Inglaterra, um ministro anglicano de grande cultura, *Spencer Jones*, acabava de publicar um livro retumbante sobre a *Igreja da Inglaterra e a Santa Sé*, prefaciado por Lord Halifax, que o rev. Wattson resenhou em termos extremamente calorosos na imprensa norte-americana. Os dois homens ficaram amigos e, juntos, começaram a propagar a ideia da oração pela Unidade; a isso se dedicou a Sociedade de São Tomás de Aquino, fundada e presidida por Spencer Jones. O inglês propusera um só Dia de Oração, a 29 de junho, festa de São Pedro e São Paulo. Mais ambicioso, o americano conseguiu que se estabelecesse um oitavário, que iria de 18 a 25 de janeiro, ou seja, desde a festa da Cátedra de São Pedro até à da Conversão de São Paulo — o que, simbolicamente, era perfeito. Para difundir a ideia, foi criada uma revista, de que se fizeram eco diversas e autorizadas vozes católicas. Em 1909, o Oitavário era celebrado com fervor em numerosas paróquias católicas e anglicanas, e pouco depois Pio X aprovava-o oficialmente.

A evolução espiritual do pe. Wattson não prejudicou o seu movimento. No entanto, em coerência com as convicções que passara a ter, nomeadamente sobre o primado do Papa, converteu-se ao catolicismo, levando consigo todos os religiosos e religiosas que o tinham seguido a Graymoor. Pio X acolheu-os a todos em bloco. Spencer Jones, porém, permaneceu na Igreja anglicana, continuando embora a rezar para que ela regressasse a Roma. A partir de 1910, portanto, o Oitavário pela Unidade passou a ser celebrado por um grande número de crentes, sempre em aumento. Pio X aprovou-o; Bento XV concedeu-lhe indulgências; Pio XI comprometeu-se a celebrar pessoalmente a missa do 1º dia dessa cruzada pela Túnica Inconsútil.

O simples relato das origens desta Oração explica que, nos seus aspectos de então, tenha sido orientada pura e simplesmente para a conversão, para o «regresso» ao único aprisco de todas as ovelhas desgarradas. Dia após dia, os crentes iam rezando pelo regresso de todos os cristãos dissidentes; depois, designando-os em separado, pelo dos orientais, dos anglicanos, dos luteranos e outros protestantes da Europa e da América, e também pela «conversão» dos muçulmanos, dos pagãos e dos judeus, sem esquecer, o que era de justiça, os maus católicos. É óbvio que protestantes crentes e mesmo anglicanos menos interessados em entrar no caminho de Roma mal poderiam partilhar das intenções de uma oração assim formulada.

Foi então que entrou em cena o homem de Deus que daria à iniciativa de Wattson o seu verdadeiro sentido ecumênico, o *pe. Paul Couturier* (1881-1953). Era um padre, um simples padre da diocese de Lyon, que ensinava matemática e físico-química no colégio dos cartuxos. O aspecto geral era apagado, reservado, mas o seu belo rosto meditativo correspondia bem ao segredo de uma alma profunda, sempre pronta a dar-se aos outros. Nunca encarara o problema da unidade, até que, em 1920, o seu amigo pe. Albert Valensin, jesuíta de personalidade irradiante, o levou a ocupar-se dos cerca de dez mil emigrados russos que a Revolução bolchevista fizera afluir a Lyon. Com esse contato, e especialmente pelo convívio diário com membros do clero ortodoxo, descobriu a vida espiritual que eles tinham, a sua fé, a sua caridade. Formaram-se então preciosas amizades, que orientaram o sacerdote lionês para um destino providencial.

A partir daí, o pe. Couturier sentiu essa «angústia da unidade» que outros já experimentavam. E dedicou-se a fazer com que se rezasse nas paróquias a novena de Leão XIII, o oitavário de pe. Wattson. Mas nada disso lhe parecia suficiente. Tendo sido informado do trabalho realizado na abadia beneditina de Amay-sur-Meuse sob a direção de Dom Lambert Beauduin, Paul Couturier foi lá passar algum tempo, estudou os escritos do fundador sobre «o verdadeiro trabalho pela unidade cristã», meditou as notas do cardeal Mercier e os apelos de Pio XI: «Antes de tudo, é preciso que nos conheçamos e nos amemos». Ao regressar a Lyon, concluído o seu retiro em Amay, estava decidido: iria fazer alguma coisa que alargasse o âmbito do Oitavário do pe. Wattson e permitisse aos não católicos juntarem as suas orações às orações dos católicos. Em 1933, um modesto tríduo; em 1934, um oitavário entre católicos; em 1935, por fim, ainda um oitavário, mas ao qual todos os cristãos pudessem associar-se em plena independência espiritual, e do qual, efetivamente, os ortodoxos de Lyon participaram: tais foram as fases que conduziram à *Semana de Oração Universal pela Unidade*[38].

A ideia decisiva do pe. Couturier parece muito simples aos cristãos de hoje; parece coisa óbvia. Há trinta anos, não lhe faltava audácia, vindo como vinha de um padre católico. O oitavário devia ser universal, a fim de oferecer ao mundo o espetáculo de uma oração unânime de todos os cristãos». Dizia ele: «Nem a oração católica, nem a oração ortodoxa, nem a oração anglicana, nem a oração protestante são bastantes. São precisas todas juntas». Para que assim fosse, era indispensável que, na sua formulação, o apelo à oração comum não chocasse ninguém. Portanto, já não se poria o acento no «regresso», na «conversão», na chamada para o redil às ovelhas desgarradas, mas na «santificação» de todos, na comum responsabilidade dos cristãos pelo escândalo da desunião e na sua fé comum na promessa eterna do Mestre.

O oitavário assentaria em três pilares: um *Confiteor* de todos diante de Cristo, do Senhor que chama todos os seus filhos à unidade; a universalidade da participação na oração; a independência espiritual de cada um dos grupos participantes. Assim se pediria a Deus uma unidade cuja determinação última caberia apenas aos arcanos da Providência e que não seria procurada na discussão, mas na oferenda das almas e na consagração. Só Deus sabia quando e sob que forma se faria essa unidade[39].

Não podemos deixar de sentir a mais alta admiração pela audácia desse humilde padre que, sem mandato algum, envolvia em termos muito precisos a cristandade inteira no sentido em que a vemos hoje avançar. O mais extraordinário é que esse empreendimento triunfou. Mas devemos dizer também que, para isso, o pe. Couturier lhe consagrou toda a vida, até ao extremo das suas forças, até aos últimos dias. Ao constituir-se cruzado da causa, julgou de seu dever visitar todos aqueles que estivessem em condições de compreendê-lo e de participar da sua obra. Tratou com as mais altas autoridades ortodoxas. Na Inglaterra, visitou arcebispos, bispos, teólogos e comunidades anglicanas. O rev. Spencer Jones e o dr. William Temple receberam-no fraternalmente. Entre os protestantes, que a princípio se mostraram mais reservados, a transparente simplicidade do sacerdote de Lyon conseguiu idênticos resultados. Já em 1937 tinha conquistado ministros luteranos suecos. Pastores suíços amigos do célebre pe. Remilleux — o cura «comunitário» de Nossa Senhora de Santo Albano[40] — aceitaram encontrar-se com ele, primeiro em Etlenbach, depois numa sessão de estudos na Trapa de Nossa Senhora de Dombes. Na França, a Federação protestante admitiu a oração logo em 1936.

Nas vésperas da Segunda Guerra Mundial, o movimento pela Semana de Orações adquiria tal impulso que já nada o poderia deter. À volta do pe. Couturier, havia agora um verdadeiro centro ecumênico que funcionava em Lyon, o mesmo que, após a sua morte em 1954, o cardeal Gerlier iria constituir com o nome de *Unidade Cristã*. Colaboradores eminentes — como o pe. Maurice Villain, marista, e o jovem sulpiciano Michalon — tinham-se agregado ao iniciador e iam aprofundar e fazer irradiar o seu pensamento. E, no outono de 1940, o pe. Couturier veria aparecer no seu escritório lionês o extremamente jovem pastor genebrino cuja iniciativa, em Taizé, continuaria e alargaria ainda mais as suas: Roger Schütz.

Assim se constituiu aquilo que, numa admirável fórmula, Couturier chamava o *Mosteiro invisível*: mosteiro formado por todas as almas — só Deus lhes conhece o número — que, em todas as parcelas da família cristã, participam da grande esperança de reencontrar a Unidade[41]. Situado no próprio coração da Igreja, participando do mais profundo mistério da sua união com Cristo, foi ele que deu à corrente ecumênica a sua dimensão *mística*, no duplo sentido em que a Igreja e Péguy tomam este vocábulo. Nunca será demais exaltar a figura daquele que a concebeu — esse padre de olhar profundo, de doloroso e luminoso sorriso, cuja imagem se associa espontaneamente à ideia de santidade.

O Conselho Ecumênico das Igrejas

Entretanto, o impulso ganho pelos protestantes desde a criação dos dois movimentos pela Unidade, *Faith and Order* e *Life and Work*, não diminuíra. O considerável progresso conseguido pelas duas conferências mundiais de 1937, a de Oxford e a de Edimburgo, acabara de os situar no primeiro plano da atualidade protestante. As posições que aí tinham sido assumidas perante o totalitarismo tinham impressionado. Mas, sobretudo, os dois movimentos tinham surgido como complementares um do outro, quer quanto ao recrutamento dos participantes, quer pelos temas de estudo propostos. O *Life and Work* parecia destinado a pôr em prática as teorias elaboradas pelo *Faith and Order*. Estava na lógica das coisas que fossem levados a unir-se.

O primeiro passo foi dado no próprio momento em que se realizavam as reuniões de 1937. Em Wesfield, perto de Londres, os representantes dos sete principais movimentos protestantes, os de importância mundial, estudaram as possibilidades, as dificuldades e os meios de uma eventual fusão do *Faith and Order* e do *Life and Work*. Graças à influência do arcebispo anglicano William Temple, foram afastadas muitas desconfianças e pensou-se que poderia ser criado um organismo único em que os dois movimentos juntariam esforços sem renunciar às suas características próprias. Constituiu-se então uma «Comissão dos Catorze», composta por sete delegados de cada um dos movimentos. Houve certas dificuldades, porque os representantes do *Faith and Order* exigiram precisões sobre a cristologia de algumas Igrejas filiadas ao *Life and Work*.

Na primavera de 1938, reuniu-se em Utrecht a comissão ampliada. Aí se tomaram duas importantes decisões: uma, de caráter doutrinal, em que todos proclamavam que o Símbolo de Niceia era e devia continuar a ser a base da fé de todos os organismos participantes; a outra, de natureza administrativa, mas capital, pela qual se estabelecia que os membros da comissão seriam os delegados «das Igrejas», ou seja, que já não seriam simplesmente personalidades interessadas no problema da unidade, sem terem necessariamente mandato. Equivalia isso a dizer que, se se fizesse a fusão, não seria para fundar um «movimento ecumênico» que agisse fora das Igrejas, as quais não teriam nele responsabilidade direta, mas sim um *Conselho Ecumênico das Igrejas* (a designação foi pronunciada nesse momento), em que cada Igreja protestante estaria comprometida. Em janeiro de 1939, a comissão provisória constituída em

Utrecht efetuou uma segunda sessão plenária, em Saint-Germaine-Laye (perto de Versailles). Nela se discutiram os problemas internacionais que adviriam da união e projetou-se uma carta ao papa, para uma troca não oficial de informações. Decidiu-se também que se teria a primeira Assembleia Geral em agosto de 1941 e nomeou-se um secretário geral, que foi o pastor *W.A. Visser't Hooft*: este residiria em Genebra e teria dois adjuntos, um em Londres, outro em Nova York.

A Guerra Mundial impediu os encontros projetados, mas não impediu o impulso das almas, antes pelo contrário. Em 1945, o bispo norueguês Berggrav diria muito justamente: «Durante estes anos negros, vivemos mais perto uns dos outros do que nas épocas em que as comunicações eram fáceis. Rezamos mais em conjunto. Juntos, prestamos maior atenção à Palavra de Deus e os nossos corações estiveram mais unidos que nunca». E a verdade é que, logo que as hostilidades cessaram, o trabalho ecumênico foi retomado com ardor. A comissão criou um «Departamento de reconstrução e de mútua ajuda», que fez um bom trabalho. Em ligação com o Conselho Internacional Missionário, instituiu Comissões encarregadas de acompanhar a atividade da ONU e dos organismos anexos. Já durante os anos de guerra, um departamento de estudos elaborara um rico material doutrinário. Em Bossey, perto de Genebra, abriu-se um centro em que os estudantes podiam ficar ao corrente dos problemas da Unidade. Em Genebra, em Cambridge, em Buck Hill Falls (EUA), fizeram-se reuniões parciais de representantes das Igrejas. O terreno estava tão bem aplainado que, *a 23 de agosto de 1948, em Amsterdã*, ao abrir a sessão da Assembleia mundial, o pastor Marc Boegner pôde proclamar o nascimento oficial do *Conselho Ecumênico das Igrejas*.

Essa Assembleia de Amsterdã iria ser a mais importante de todas as que o Conselho efetuou até hoje. Não só reuniu delegados de 147 Igrejas, vindos de quarenta e quatro países — perto de 900 representantes, entre os quais ortodoxos e alguns velhos-católicos —, mas lançou as bases do futuro. Preparada com cuidado (cada participante recebera quatro grossos volumes de relatórios preparatórios sobre a questão em estudo), propunha-se considerar «a desordem do Homem e o desígnio de Deus». Nela se aprovaram diversas declarações importantíssimas.

A primeira foi a que definiu que todas as Igrejas-membros reconheciam «Nosso Senhor Jesus Cristo como Deus e Salvador», o que equivalia a afastar definitivamente certos «liberais» excessivos, que contestavam a divindade de Cristo. Estabeleceu-se também que cada Igreja permanecia totalmente livre, mas que o Conselho, como tal, devia situar-se no nível da Igreja unificada e tudo julgar nessa perspectiva. E houve ainda a declaração — aprovada após uma notável intervenção do professor francês Jacques Ellul — segundo a qual se rejeitava a condenação do mundo, desse mundo em desordem que resultara da guerra, e se lembrava ao cristianismo as suas responsabilidades. No entanto, algumas intervenções, como a de John Foster Dulles, famoso estadista e ao mesmo tempo teólogo norte-americano[42], acerca das democracias ocidentais como expressão da lei moral e religiosa em face do ateísmo marxista, foram comentadas com reservas.

Passados quatro anos, em 1952, efetuou-se uma nova reunião em Lund, na Suécia. Situada dentro do quadro do Conselho Ecumênico, essa reunião não foi, no entanto, uma assembleia plenária. Quem se responsabilizou pela sua organização foi o *Faith and Order*, cujos membros consideravam indispensável um esforço de precisão doutrinal. Sob a dupla influência do anglicano Tomkins e do luterano Edmond Schilink, de Heidelberg, estudaram-se três grandes temas: a natureza da Igreja, o culto e os problemas nascidos da intercomunhão. As questões litúrgicas passaram assim a estar incluídas na problemática do ecumenismo, o que trouxe a vantagem de beneficiar o movimento de renovação litúrgica pela unidade, de restaurar o sentido da ação comunitária e de reencontrar, expressos no culto, os valores da Tradição. Mesmo para os católicos, havia aí progressos.

Dois anos mais tarde, durante o verão de 1954, reuniu-se em *Evanston*, nos Estados Unidos, uma Assembleia mundial do Conselho Ecumênico. Essa reunião desenrolou-se numa atmosfera menos irênica do que as precedentes, no meio de uma incrível chuva de informações da imprensa, do rádio e da televisão, no quadro da Northwestern University, conhecida como centro militante do protestantismo ativista. Destacou-se, não só por um ataque veemente a Roma por parte de um bispo metodista da Argentina, Santos Barbieri, mas por alguns dissentimentos entre os próprios membros, a propósito da escolha divina de Israel como povo eleito[43], ou por críticas dirigidas pelos ortodoxos à doutrina do livre-exame. No entanto, essa reunião, que teve como tema geral «Cristo, Esperança do Mundo», assinalou uma nova etapa na marcha do movimento ecumênico para uma verdadeira reforma de acordo com o espírito do Evangelho. O dramático apelo que o Conselho Ecumênico lançou a todas as Igrejas teve inegável ressonância. «A sua Igreja estuda seriamente a relação que tem com as outras Igrejas, à luz da oração do Senhor para que a verdade nos santifique a todos e todos sejamos Um? A sua paróquia, em união com todas as vizinhas, faz tudo o que pode para permitir a todos que ouçam a voz do Único Pastor que chama todos os homens para o único rebanho?» A tônica era incontestavelmente ecumênica e bela.

Era essa a situação no momento em que terminava o período abrangido por este livro. O *Conselho Ecumênico das*

Igrejas era já considerado como uma grande instituição do protestantismo, do anglicanismo ou mesmo da Ortodoxia. É certo que quase não fizera senão estabelecer princípios, lançar bases para uma ação comum. Mas existia, e já não se receava que qualquer contracorrente arrastasse de novo o mundo nascido da Reforma para as divisões sem fim. Neste sentido, o Conselho trabalhava com toda a autenticidade pela reunificação da única Igreja.

Ficava, porém, uma questão: a da existência, fora do Conselho Ecumênico, do Conselho Mundial das Missões, em que as Igrejas reformadas também se encontravam juntas, embora com outras perspectivas e métodos. Muitos dos seus membros desejavam que os dois organismos estabelecessem um acordo que não se limitasse a uma colaboração teórica no seio de uma comissão coordenadora, mas chegasse a uma verdadeira fusão. Ao que outros objetavam, não sem razão, que, como o Conselho *ecumênico* pretendia estar aberto às Igrejas não protestantes, aos ortodoxos e aos velhos-católicos principalmente, era impossível fundi-lo com um organismo cujo propósito era difundir o protestantismo no mundo. Apesar dessas reservas, parecia, em 1958, que a fusão seria inevitável. De uma para outra reunião dos missionários, a corrente ia-se revelando mais forte. Em janeiro de 1958, o Conselho Missionário reunido em *Accra* (Gana) aprovou o princípio da fusão por 58 votos contra 7, e remeteu para o encontro de 1961, em Nova Delhi, a tarefa de torná-la definitiva[44]. O fato foi muito importante, mas houve quem se interrogasse se seria afinal favorável à causa ecumênica: essa unificação não iria levar os ortodoxos e os velhos-católicos a pensar que o Conselho era um organismo de proselitismo protestante? E os próprios anglicanos, ao menos os da tendência anglo-católica, não ficariam incomodados ao verem assim reafirmado e apoiado o que neles havia de protestante?[45]

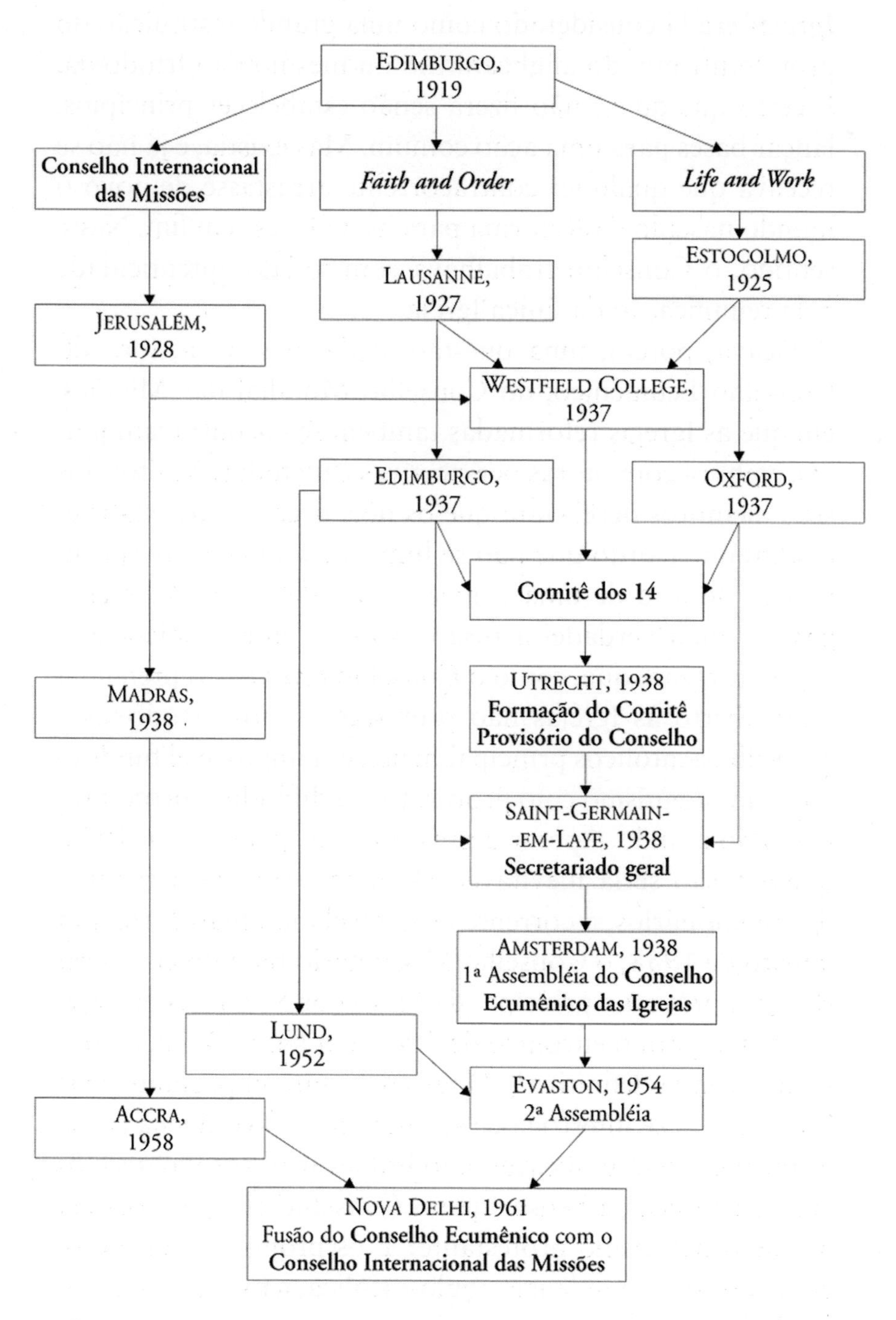

A formação do Conselho Ecumênico das Igrejas.

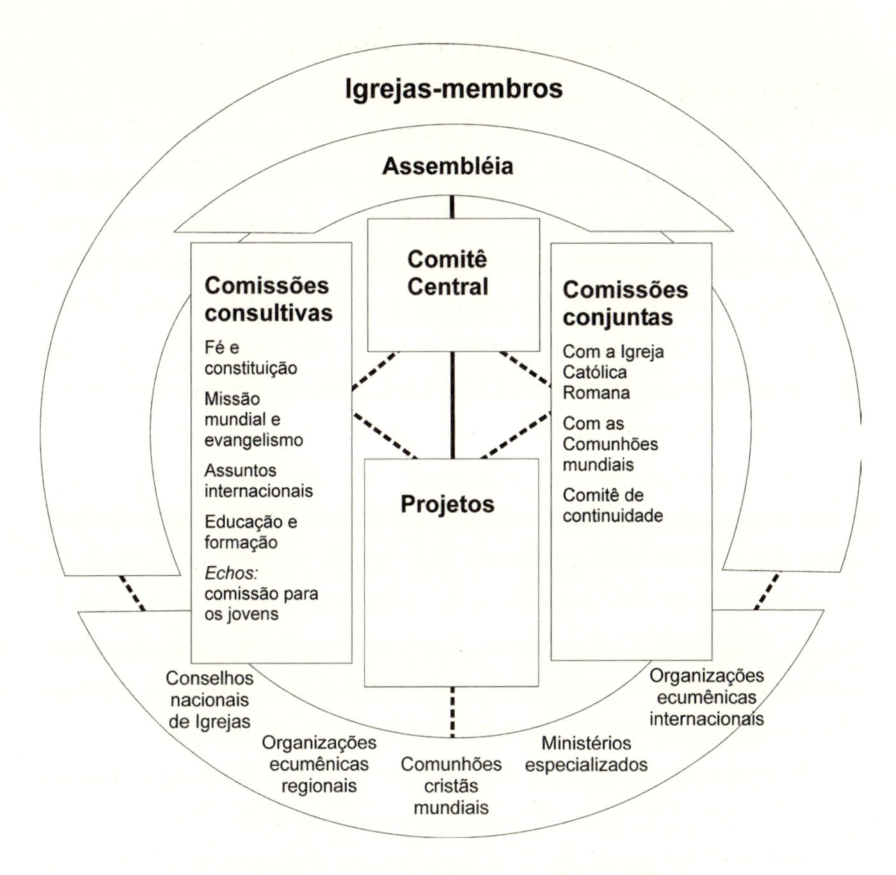

Organização atual (2008) do Conselho Ecumênico.

O que é, pois, desde a sua existência em 1948, o *Conselho Ecumênico das Igrejas*? Antes de mais, é óbvio que não devemos confundi-lo com um *Concílio ecumênico*, reunião plenária da Hierarquia católica, embora a etimologia seja a mesma. É um conselho de *Igrejas*, do qual, portanto, cada um dos membros participa enquanto representante de uma comunidade religiosa. A definição oficial, sob a última forma (1961), é esta: «O Conselho Ecumênico das Igrejas é uma associação fraterna de Igrejas que reconhecem o Senhor Jesus como Deus e Salvador, conforme as Escrituras, e que se esforçam por corresponder juntas à vocação comum para glória do Único Deus, Pai, Filho e Espírito Santo».

A definição da palavra *Igreja* é, de resto, muito lata. Em 1950, em Toronto, a comissão central decidiu que as Igrejas membros «não são obrigadas a considerar as outras Igrejas membros como Igrejas na plena acepção do termo, mas somente a admitir que nelas se podem encontrar elementos da verdadeira Igreja». O que permitiu admitir os movimentos pentecostais. O Conselho Ecumênico — *World Council of Churches* — constitui o organismo central de todas as Igrejas que aderiram ao movimento, mas não é de modo algum uma espécie de Super-Igreja, nem sequer uma administração suprema que possa impor as suas decisões às Igrejas. À custa de uma extrema lentidão na elaboração dos textos, nenhuma decisão é tomada sem ter sido devidamente aprovada por cada uma das Igrejas-membros. Portanto, cada qual é responsável por essa decisão.

Quantas são as Igrejas-membros? Em 1958, enumeravam-se 172. Em 1964, a cifra ultrapassou as 200. A bem dizer, porém, não se trata de 172 confissões diferentes. Na maior parte dos casos, são variedades nacionais de uma só confissão. Por exemplo, as Igrejas da Suécia, da Noruega e da Dinamarca aderiram individualmente ao Conselho, se bem que sejam identicamente luteranas. Aliás, examinada em pormenor, a lista mostra complicações bem singulares. Assim, a Igreja reformada da Alsácia é considerada Igreja-membro por ter a originalidade de ser concordatária, o que a distingue da Igreja reformada da França, também membro do Conselho. Em sentido inverso, a Igreja luterana do Missouri, embora seja membro da Federação Luterana Mundial, um dos pilares do Conselho, sempre se recusou a participar do empreendimento ecumênico.

Estas Igrejas-membros pertencem a um grande número de povos da terra e, *grosso modo*, abarcam todo o campo das confissões não católicas. Os luteranos, calvinistas, anglicanos e metodistas ocupam o maior espaço, juntamente com parte dos batistas; bem atrás destes, os ortodoxos formam o segundo grupo, em que se encontram representados tanto os gregos como os russos; e há também os velhos-católicos, muito valiosos, porque seriam suficientes para se poder continuar a falar de ecumenismo no caso de os ortodoxos virem a abandonar o terreno. Por certo tempo, deu-se a presidência a um cristão «sírio» das Índias, ou seja, a um monofisita; mas era sobretudo para manter um princípio. Nos anos mais recentes, foi admitido o Exército da Salvação, o que é de estranhar, já que não se trata propriamente de uma Igreja, assim como alguns movimentos pentecostais. Mas foram afastados os Mórmons e as Testemunhas de Jeová, cuja fé se baseia numa revelação não exclusivamente bíblica.

A organização do Conselho Ecumênico não deixa de fazer pensar na das Nações Unidas, que se formaram mais ou menos na mesma época e num clima bastante próximo. Lembremo-nos do papel de Foster Dulles numa e noutra. No cume, revestida de todo o poder, encontra-se a *Assembleia* mundial, que terá entre setecentos e mil delegados e se reúne, em princípio, de seis em seis anos, sob o seu emblema, que é a palavra grega *Oikumene* por cima da barca de Cristo vogando sobre as ondas. Para esse período de seis anos, a Assembleia nomeia seis *presidentes* — aos quais se criou o costume de acrescentar um ou vários Presidentes de honra, escolhidos entre as personalidades de maior destaque no movimento — e uma *Comissão Central* de 90 membros (mais tarde 100), para ajudar os Presidentes. Mas o verdadeiro elemento ativo é a *Comissão Executiva*, de 12 membros, que trabalha em ligação com o *Secretariado Geral*, verdadeira abelha-obreira da organização, posto-chave que foi ocupado de fato desde 1938, ou seja desde as origens, pelo muito enérgico holandês Visser Hooft. A sede do Secretariado Geral é em Genebra; mas os dois secretariados gerais adjuntos funcionam um em Nova York e o outro na Ásia Oriental.

Quanto às atividades dos diversos organismos animados e controlados pela autoridade central, dividem-se muito naturalmente em duas grandes secções, correspondentes exatamente, quanto às intenções, aos dois movimentos de que nasceu todo o empreendimento. Assim como outrora o *Faith and Order*, mais ou menos metade dos trabalhos é de ordem intelectual, teológica, religiosa, e depende da secção «Estudos»; a outra metade depende da secção «Ação», que faz lembrar a antiga *Life and Work* e se concentra nos meios de apostolado. Todos os trabalhos efetuados pelas duas secções desembocam no Secretariado Geral, que está encarregado de traduzir em atos as ideias emitidas e as observações feitas. Para tanto, dispõe de uma ampla Administração, repartida em quatro departamentos: Finanças, Comissão dos Negócios Internacionais, Serviço de Mútua Ajuda — que corresponde, *grosso modo*, ao Socorro católico — e Departamento de Informação. O conjunto causa grande impressão. Não há dúvida de que a sua organização é mais racional e lógica do que a da Igreja Católica, tal como a vemos no Vaticano. Mas esse gigantesco ministério funciona muito lentamente, por força até da obrigação, que já vimos, de pôr rigorosamente de acordo todas as Igrejas-membros, e ainda por serem extremamente diversas as origens daqueles que, na prática, cuidam dos assuntos.

Por tudo isto se vê quanto a situação do Conselho ecumênico é delicada. Não sendo uma super-Igreja, não pode mandar nos seus membros. Nem sequer pode legislar, como faz um Concílio ecumênico romano, e só atua na estrita medida em que é comissionado. No catolicismo, uma decisão tomada por um Concílio ecumênico e promulgada pelo Papa constitui a última palavra de uma discussão; uma opinião formulada pelo Conselho ecumênico nunca é senão a primeira palavra, que abre a porta a todos os debates e por isso mesmo suscita outra dificuldade, pois o Conselho tem de manter o equilíbrio entre uma vontade de fidelidade aos verdadeiros princípios cristãos e um desejo de acolhimento fraterno indefinidamente aberto. Finalmente, como todas as assembleias de tipo parlamentar, pode estar sujeito aos acessos de febre, aos movimentos pouco controlados, que foi o que aconteceu em Evanston quando o referido bispo metodista argentino que se fizera notado por um ataque a Roma foi designado para uma das seis presidências — coisa que alguns vieram a lamentar...

O movimento que domina o Conselho Ecumênico parece obedecer mais a uma exigência moral espiritual do que à atração por um objetivo definido. De resto, se esse objetivo fosse lançado, ou seja, se se alcançasse a unidade, não é de concluir que o movimento, o Conselho Ecumênico e as Igrejas-membros tivessem necessariamente de desaparecer. É precisa muita abnegação para aceitar esta perspectiva. Já não é nada mau que certos oradores de uma ou outra Assembleia tenham ousado dizer que era esse o único futuro verdadeiramente desejável. Assim o disse certo pastor «discípulo de Cristo» que, já em 1927, em Lausanne, declarava: «Que a minha Igreja diminua se aos meus olhos se engrandecer a imagem de Cristo!» Ou o rev. O.S. Tomkins, secretário da conferência de Lund e futuro bispo anglicano de Bristol, que afirmou: «O simples fato de nos encontrarmos no terreno em que nos situamos dá testemunho da vontade de vermos desaparecer as nossas respectivas confissões. [...] O Conselho não veio à vida senão para que se desse o golpe mortal».

Mas tão generosas ideias de sacrifício serão compartilhadas por todos os que participam das Assembleias? Nada mais duvidoso. Como é duvidoso que a poderosa corrente que arrasta os associados do movimento ecumênico venha a ser admitida pela totalidade das Igrejas não católicas.

Em primeiro lugar, há o caso dos ortodoxos. Têm delegados em todas as Assembleias, e tem havido presidentes do Conselho Ecumênico escolhidos entre eles. Quererá isto dizer que estão perfeitamente à vontade nessas Assembleias de forte maioria protestante, onde não encontram praticamente nada dos seus usos litúrgicos nem da sua espiritualidade? Devemos notar que nunca são muito numerosos. A Evanston, por exemplo, só foram ortodoxos residentes na América. Mas há qualquer coisa de mais grave: estarão eles de acordo quanto aos próprios princípios em nome dos quais os protestantes querem a unidade? Em cada reunião, sob uma ou outra modalidade, os ortodoxos sempre conseguem manifestar as suas reservas. Assim, em Evanston, todos os delegados da Ortodoxia assinaram a seguinte declaração: «A Igreja ortodoxa não pode aceitar a ideia de que o Espírito Santo só nos fale na Bíblia. O Espírito Santo reside e dá testemunho na totalidade da vida e da experiência da Igreja. A Bíblia é-nos dada no contexto da Tradição, na qual também dispomos da interpretação e da explicação autêntica da Palavra de Deus». Se um católico aprova calorosamente tais frases, não se vê como é que um protestante, seja qual for a obediência a que se filie, poderá subscrevê-las[46].

Mas, dentro do próprio mundo protestante, é incontestável que o movimento ecumênico não consegue um assentimento unânime. É verdade que representa a enorme maioria das Igrejas, mas não a totalidade. São numerosos os sinais que revelam certa reserva para com diversos aspectos do movimento... Alguns, de pouca importância: os protestantes dos países do Sul, em especial da América meridional, não se sentem em casa nessas Assembleias em que dominam os anglo-saxões. Mas outras críticas visam mais ao essencial. Os «ortodoxos» do protestantismo, aqueles que nos Estados Unidos são chamados «fundamentalistas», desconfiam de um movimento que admite por igual os verdadeiros crentes e pessoas que eles mesmos têm por heréticos. Em Amsterdã, na altura em que se efetuava a primeira reunião do Conselho ecumênico, os opositores desse tipo reuniram, por seu lado, um pequeno congresso para criticar duramente essa iniciativa. Existe oficialmente um organismo, intitulado *Conselho Internacional das Igrejas Cristãs*, que não perde ocasião de tomar posição contra o Conselho ecumênico. Censura-o por manter uma grande confusão doutrinal, por atentar contra a independência das Igrejas locais, por preparar uma unidade modelada pela de Roma, por querer restabelecer o clericalismo e o ritualismo, sem deixar ao mesmo tempo de favorecer o modernismo e o comunismo. É muito difícil medir qual é exatamente a importância deste contramovimento, que parece bastante espalhado nos Estados Unidos, mas também se mostra ativo na Escandinávia. Algumas dessas críticas têm sido perfilhadas por outras facções do protestantismo que permaneceram fora do movimento ecumênico, como é o caso da poderosa Convenção Batista do Sul, nos Estados Unidos.

Apesar de tudo, não parece que estas resistências sejam suficientes para perturbar de modo considerável o Conselho ecumênico, nem para refrear muito o seu impulso. Mas existe também no mundo protestante[47] uma outra tendência, que se manifestou recentemente e que pode vir a ultrapassar o prudente Conselho ecumênico. É representada por homens mais preocupados com a unidade prática e imediata do que com a salvaguarda dos valores doutrinais, homens já pouco interessados no difícil equilíbrio que o movimento ecumênico procurou manter. Esta tendência mostrou-se vitoriosa na Índia meridional e fez escola. Aonde irá a parar?

O caso audacioso da Igreja da Índia meridional

Os católicos que julgam externamente o protestantismo tendem a considerar que todos os protestantes se equivalem, ou seja, que todos eles são heréticos por igual. E com certeza os leitores católicos deste livro podem ter ficado surpreendidos de verificar que há maior diferença doutrinal entre um unitarista e um anglicano do que entre este e eles próprios. Com efeito, as grandes formações nascidas da Reforma conservam um sentido agudo das suas diferenças específicas. Mais ainda: a Igreja anglicana tem uma clara consciência daquilo que a torna diferente das outras. A colaboração fraterna para a qual trabalha o Conselho Ecumênico das Igrejas tem, pois, certos limites, que são bem conhecidos precisamente dos seus dirigentes.

Até uma época recente — até há uns vinte anos —, parecia inadmissível a ideia de que alguns desses limites pudessem ser transpostos. Assim o demonstrou um caso, entre outros: o dos *kikuios*. Em 1913, os missionários da África central tiveram uma reunião de trabalho destinada a estudar de que modo chegarem a uma colaboração prática entre eles. A sessão pouco ou nada inovou, e, se se falou de vir um dia a unir todas as Igrejas da África negra, não foi mais que um anelo. No fim da reunião, porém, dois bispos anglicanos — o de Mombaça e o de Uganda — celebraram um serviço de comunhão a que foram convidados os membros das comunidades não anglicanas. Estes assistiram e receberam a comunhão. Isso desencadeou uma borrasca de protestos. Pelos céus britânicos voou uma nuvem de panfletos incendiários... e, por esse gesto fraterno, embora inconsiderado, o bispo da Zambézia acusou pura e simplesmente os dois colegas de heresia. A questão foi levada a Lambeth. Se não fosse a Guerra Mundial, que trouxe à Igreja anglicana outros cuidados, sabe-se lá onde se iria parar!

Calcule-se agora o caminho percorrido! Em 1947 — após duas guerras mundiais —, o universo do protestantismo recebeu com grande espanto uma notícia importante. Na Índia, quatro Igrejas (ou seis, se contarmos de outra maneira), umas episcopalianas, outras sinodais, tinham decidido fundir-se. Eram a Igreja anglicana da Índia, Birmânia e Ceilão, a Igreja metodista da Índia do Sul e a Igreja Unida da Índia do Sul (que resultara de uma união mais antiga, em 1908, entre presbiterianos e congregacionalistas e da qual participavam ainda missões suíças e alemãs, umas delas luteranas, as outras calvinistas). A nova formação declarou chamar-se *South India Church* (SIC) — *Igreja da Índia do Sul.*

Essa decisão sensacional era o resultado de longas e minuciosas negociações. «O sinal de largada tinha sido dado em 1919» — disse o bispo anglicano S. Neill, que não fugia de comparações tiradas dos esportes. E, de fato, nesse ano, fora esboçado um princípio de aproximação entre anglicanos e a «Igreja Unida». Desde então, não tinham parado as discussões, pois os congregacionalistas receavam que o elemento anglicano absorvesse tudo e os anglicanos, pela voz forte do arcebispo Palmer, gritavam que integrar tantos protestantes ameaçava protestantizar a *Igreja da Inglaterra*. Após muitos relatórios e discursos, concluiu-se que se criaria uma Igreja inteiramente nova, e que esta não seria de modo algum um ramo do anglicanismo, mas se apresentaria como Igreja regional, à maneira, por exemplo, da sueca ou da finlandesa. Depois que ficasse solidamente constituída, então se trataria das relações com a comunhão anglicana.

A Segunda Guerra Mundial, que abalou o mundo asiático nas suas próprias bases e colocou a Índia diante dos novos problemas da sua independência, levou muitas inteligências a pensar que se devia fazer rapidamente a união das Igrejas. Foi, portanto, assinado um acordo definitivo em 1947, «numa atmosfera bastante tensa, pois o conjunto dos anglicanos via com tristeza as quatro dioceses do sul da Índia abandonarem a sua Igreja pelo que, para eles, era uma aventura incerta, e, para a minoria anglo-católica, quase uma apostasia...»[48], enquanto os mais protestantes dos recentemente «unidos», sobretudo os congregacionalistas, continuavam a desconfiar de certos aspectos do culto anglicano.

Apesar de tudo, os resultados foram, em linhas gerais, satisfatórios. O episcopado ex-anglicano fez um grande esforço para dar a compreender aos seus fiéis e também aos seus antigos colegas da Comunhão Anglicana o interesse superior da operação. Quanto à Comunhão Anglicana, depois de ter adiado por duas vezes a decisão, admitiu em 1955 a validade das ordenações feitas na nova Igreja. Os presbiterianos, que tinham hesitado muito em entrar na união, vieram a mostrar-se nela extremamente ativos e seguros; e foi até um dos seus chefes, *Lesslie Newbigin*, feito bispo na Igreja Unida, quem se revelou como o melhor dos seus teólogos, particularmente quando justificou numa obra hábil[49] a sua atitude perante o problema capital da Igreja. Por fim, só se recusaram à união os luteranos e algumas missões «fundamentalistas» norte-americanas. E, contrariamente ao que alguns tinham anunciado, não se produziu nenhuma «deserção em massa», nem conversões em massa ao catolicismo de anglicanos desiludidos, mesmo entre os membros do grupo da «Anunciação», que representava a tendência mais anglo-católica do anglicanismo, e cujo secretário, o rev. W. Hannah, se fez católico romano.

Pode-se, pois, dizer que a operação de fusão triunfou, o que é o mesmo que admitir que as «bases da união» foram bem escolhidas. Um observador católico, falando ao autor destas páginas sobre esta tão curiosa realização, concluía que, segundo ele, o que explicava o êxito era que tudo se tinha centrado no episcopado e seus poderes, permitindo assim aos bispos anglicanos e metodistas conservarem todos os direitos, e satisfazendo a secreta nostalgia de autoridade e de prestígio que existia entre ministros das Igrejas sem episcopado. A observação, algum tanto irônica, não é inteiramente falsa. A Igreja da Índia Meridional é *episcopal*; inclui formalmente na sua hierarquia o episcopado considerado como realidade histórica; mas não é isso que lhe define a natureza: cada qual pode concebê-la à sua vontade. Declara-se até, de certo modo, detentora da sucessão apostólica, visto que os bispos anglicanos que pretendem possuí-la não foram novamente sagrados, ao passo que os ministros protestantes designados para o episcopado são sagrados pela imposição das mãos dos bispos. Quanto aos pastores e ministros das paróquias, se tiverem sido ordenados por um bispo, permanecem em funções, sob a reserva de não ser lícito impor a uma dada comunidade um ministro que seja totalmente contrário aos respectivos usos.

Enquanto organização e administração, a Igreja da Índia do Sul está, pois, bem concebida e construída. Mas sobre que bases doutrinais assenta? São extremamente amplas: aceitação das Sagradas Escrituras como regras de toda a fé; assentimento pleno ao Símbolo dos Apóstolos e ao Símbolo de Niceia; crença nos dois sacramentos, o Batismo e a Santa Ceia, dos quais apenas se diz que são «meios da graça pelos quais Deus opera em nós» (mas sem precisar se não há outros meios...); uso de uma liturgia bastante próxima da católica, não só pela celebração desses dois sacramentos, mas por outras cerimônias que lembram o Matrimônio, a

Ordem, a Confirmação. Tudo isso permanece muito lato. Um dos artigos da Constituição diz formalmente que as doutrinas ou os usos de que não se faz menção nem por isso são suprimidos, e que cada Igreja é livre de os conservar.

Vê-se, pois, qual o verdadeiro sentido da operação: «Unamo-nos na prática; levantemos o menos possível questões doutrinais; da vida em comum, no seio destas massas cristãs, há de destacar-se um credo». E é bom acrescentar que, desde agora, vem sendo realizado um valioso trabalho de aproximação teológica. Por exemplo, a própria concepção da Igreja é, como sabemos, diferente: para os calvinistas, união voluntária dos crentes; para os anglicanos (e os católicos), corpo místico e social de Cristo; para os luteranos pietistas e numerosas Igrejas jovens, comunidades em que fala o Espírito Santo. Com notável poder dialético, o bispo Newbigin demonstrou que essas três concepções se completam, se sobrepõem e, no fim de contas, se aplicam à mesma e única Igreja.

Tal como se nos apresenta após uns quinze anos de funcionamento, a Igreja da Índia do Sul é um êxito: dura até hoje e ultrapassou duas ou três crises. Mas para onde vai ela? Para soldar verdadeiramente todos os elementos que a constituem, não se arriscará a admitir um credo simplificado, uma espécie de cristianismo elementar, correndo o mesmo perigo dos inícios do movimento *Life and Work*, que absorveu com demasiada facilidade certos elementos do «Social Gospel» [Evangelho Social] norte-americano?[50] Outros interrogam-se se não será arrastada, pela força das circunstâncias, a anglicanizar-se cada vez mais ou, como dizem alguns, a catolicizar-se, visto que o regresso a numerosos elementos da prática da Igreja Católica deve muito naturalmente levar as mentes a religar-se pouco a pouco à tradição católica. É por isso que muitos teólogos católicos seguem com a maior atenção a experiência da Índia do Sul.

O futuro da *Pilgrim Church*, como lhe chamam com frequência, é tanto mais importante quanto esta Igreja é incontestavelmente uma Igreja-piloto, cuja experiência é observada atentamente por todo o mundo proveniente da Reforma, e que já tem sido imitada. Já em 1947, no Ceilão, os representantes de cinco grandes Igrejas (entre as quais a batista) pensaram em imitar a sua vizinha indiana e prepararam com grande cuidado, em 1957, a «Igreja de Lanka» unida. Houve demoradas negociações entre as Igrejas do norte da Índia e do Paquistão e em 1958 estavam prestes a ter êxito. No Sião, fez-se a união entre os presbiterianos e os batistas, e, nas Filipinas, entre cinco Igrejas. Na China e no Japão, firmaram-se acordos que não foram até à fusão, e abriram-se negociações na Pérsia, em Madagascar e na Austrália. O movimento está lançado, e tende a associar num quadro administrativo único Igrejas diferentes, sem lhes pedir, de imediato, que renunciem às suas características específicas, deixando, pois, ao tempo e à Providência o cuidado de unir completamente as mentes e as almas.

O mais interessante é que este movimento nascido no seio das jovens Igrejas missionárias, em que o acordo parece ter-se imposto por força do confronto com o mundo pagão, está a caminho de repetir-se nos países de antiga tradição. Foi assim que se conseguiu nos Estados Unidos, em 1957, uma união orgânica entre comunidades congregacionalistas e «discípulos de Cristo», para a formação da *Igreja Unida de Cristo*. Mais surpreendente ainda: na Escócia, onde, como se sabe, a Igreja presbiteriana (oficial) se opõe à Igreja anglicana (considerada dissidente), prossegue pacientemente um trabalho de unificação. Foram já concluídos acordos de caráter doutrinário, e, embora se tenha adiado a unificação para 1959, isso não impediu que alguns concluíssem ser necessário alargar o projeto para que triunfasse e se estendesse às Igrejas homólogas da Inglaterra.

O documento-base desse projeto alargado contém afirmações singulares: para agradar a todos, define o sistema presbiteriano como um «episcopado», e o episcopado como «a convergência de certas funções» do povo cristão numa só pessoa. Percebe-se aí o perigo de confusionismo que pesa sobre todos esses gêneros de tentativas de união.

Assim se desenvolve no interior do mundo da Reforma uma corrente para a unidade prática, que parece poderosa. Nascida fora do Conselho ecumênico, foi por este aprovada, a despeito de diversas resistências, e pode ser tida ainda hoje como uma espécie de lugar de experiência em que se realiza concretamente a união desejada e estudada pelo Conselho. Em 1958, os resultados obtidos ainda eram demasiado recentes para que se pudesse apreciar o sucesso ou insucesso das «Igrejas Unidas» do tipo das da Índia do Sul. Mas não é de afastar a possibilidade de que, sob a influência dos seus elementos mais ilustres, se venha a formar nela uma nova teologia capaz de desempenhar um grande papel no movimento «ecumênico».

A caminho do «Ecumenismo»

Em face do notável desenvolvimento alcançado pelo movimento ecumênico protestante, qual foi a atitude da Igreja Católica? No plano da doutrina, é claro que não se alterou. No plano dos fatos, porém, talvez se possa notar uma certa evolução. Logo a seguir à sua eleição, Pio XII, em *Dum Gravissimum*, de 3 de março de 1939, falara com paternalíssimo carinho de «todo os que estão fora do redil da Igreja Católica», e o seu discurso de Natal desse ano fora um vibrante apelo a «todos aqueles que, sem pertencerem ao corpo visível da Igreja Católica, nos são próximos pela fé em Deus e em Jesus Cristo». Na prática, mudava alguma coisa? Podiam-se distinguir dois planos. Quando se tratava de troca de informações, de contatos privados e confidenciais, não havia proibição alguma; uma nota do delegado apostólico na Grã-Bretanha, datada de 12 de julho de 1939, dissera-o formalmente. Mas, no caso de alguma manifestação mais espetacular, a questão seria formulada de outra sorte.

Assim, nas vésperas do Conselho ecumênico em Amsterdã, o Santo Ofício renovou a sua advertência: nenhum católico seria autorizado a participar das reuniões. Ao mesmo tempo, contudo, o episcopado holandês ordenou um dia de orações para que o Espírito Santo iluminasse os congressistas. Em seguida, por duas vezes, o Santo Ofício voltou à questão, estabelecendo, nomeadamente em dezembro de 1949, uma verdadeira carta do ecumenismo católico: registrava a importância histórica e sociológica do movimento ecumênico protestante; convidava os bispos a prestar-lhe muita atenção e ia ao ponto de dizer que esses esforços pela unidade constituíam «uma fonte de santa alegria». O evidente interesse com que a imprensa católica acompanhou os trabalhos de Amsterdã prova bastante que tais frases correspondiam a uma aspiração profunda.

Dois anos mais tarde, quando o *Faith and Order* anunciou uma reunião em Lund, pôs-se novamente a questão de saber se alguns católicos poderiam participar dela. O arcebispo luterano de Upsala, Yngve Brilioth, teve um encontro com o vigário apostólico na Suécia, e mostrou-se tão persuasivo que Roma não se fechou: devia entender-se apenas que os representantes católicos não seriam «delegados» à Assembleia, mas somente «observadores». Foram designados quatro padres, três que viviam na Suécia e o pe. C.J. Dumont, fundador de *Istina*, cuja competência na matéria era indiscutível. Ao abrir a Assembleia, o arcebispo Brilioth saudou muito calorosamente os quatro católicos.

Poderia parecer que essa decisão faria jurisprudência. Na realidade, porém, em Evanston não foi assim. De qualquer modo, a equipe de *Istina* tomou uma iniciativa construtiva: publicou e mandou traduzir para o inglês, dirigido a todos os participantes protestantes[51], um documento que definia a posição católica acerca dos problemas que iam ser estudados. Mas na América as relações entre católicos e protestantes não se apresentavam na altura com uma feição muito pacífica, além de que Evanston era tido como um bastião calvinista. Assim, o cardeal Stritch, de Chicago, recordou com firmeza que não era possível autorizar qualquer católico a participar da Assembleia sem o assentimento de Roma. A deplorável intervenção do bispo metodista Barbieri pareceu dar razão à prudência do cardeal.

Podemos, portanto, dizer que, em 1958, a situação não se alterara. Oficialmente, os católicos não participavam do movimento do «Conselho Ecumênico»[52]; se estes ou aqueles podiam assistir aos trabalhos, não era senão em pequeno número e em virtude de uma autorização especial. Mas de maneira nenhuma lhes estava proibido estabelecer relações amistosas com os «irmãos separados», a fim de se conhecerem melhor, de melhor se compreenderem, desde que não comprometessem a própria Igreja nessas relações.

Importa, no entanto, acrescentar que essa prudente regulamentação se situava num quadro amplo de tolerância, fixado várias vezes por Pio XII. Por exemplo, em 6 de outubro de 1946, falando perante os membros do Tribunal da Rota, disse o papa: «Há uma tolerância política, civil e social para com os fiéis de outras confissões, que é para os católicos um dever moral». E, em 6 de dezembro de 1953, à União dos Juristas: «O dever de reprimir os erros de moral e de religião não pode ser uma norma última de ação. Devemos subordiná-lo a normas mais elevadas e mais gerais, que, em certas circunstâncias, permitem e por vezes chegam a mostrar como mais perfeita a tolerância do erro em vista da promoção de um bem maior». Tais frases mostram suficientemente a que ponto se estava distante do clima do hostilidade em que, havia tanto tempo, se inscreviam as relações com os «irmãos separados». A crítica sistemática podia ceder o passo ao respeito mútuo. E Pio XII havia de falar do «valor religioso» de certos testemunhos dados por não católicos. A célebre fórmula «Fora da Igreja, não há salvação», tantas vezes mal interpretada, deixaria de ser um instrumento de guerra? Em 1949, nos Estados Unidos, um sacerdote, o pe. Feeney, declarara do púlpito que os protestantes estavam necessariamente condenados, e mons. Richard Cushing, arcebispo de Boston e futuro cardeal, retificou com veemência e até pediu ao Santo Ofício uma carta que fixasse a doutrina católica sobre a matéria.

Com efeito, o clima das relações entre católicos e irmãos separados mudou profundamente após a Segunda Guerra Mundial. Em Londres, tinha havido desde o início da guerra, por decisão dos dois arcebispos de Cantuária e de Westminster, ou seja, o anglicano e o católico, reuniões animadas do propósito de estabelecer relações fraternas. Terminada a guerra, assiste-se a uma verdadeira conjunção de forças favoráveis à unidade dos cristãos de todas as obediências. A ameaça imediata e constante de uma ditadura totalitária inspirada pelo ateísmo não tem pouco a ver com o desejo, crescente entre os cristãos, de batalhar em conjunto pelos mesmos valores sagrados. As transformações provocadas pela descolonização colocam todas as Igrejas perante os mesmos problemas. E essas correntes que conduzem à unidade podem ser observadas no próprio íntimo da consciência cristã. Desde que, em 1943, apareceu a iluminadora encíclica *Divino Afflante Spiritu*, a renovação bíblica toma de ano para ano uma nova importância nos meios católicos, que assim se sentem mais próximos dos protestantes. E a essa renovação seguiu-se de perto a da patrística, que, atraindo a atenção para os Padres gregos, aproxima dos ortodoxos. Em sentido inverso, o interesse prestado à liturgia por certos elementos do protestantismo leva-os a estabelecer contatos com o movimento de renovação litúrgica, tão vivo entre os católicos. E os grupos que se esforçam por renovar a Ortodoxia na Grécia, no Próximo Oriente, como também nos meios russos, vão buscar muita coisa à Ação Católica, às paróquias comunitárias, aos jovens Institutos seculares.

É, pois, num clima muito mais favorável que trabalham e se desenvolvem os organismos que vimos surgirem no período de entre as duas Guerras Mundiais para preparar a unidade; e outros se juntam à lista. O ecumenismo espiritual ganha terreno com a generalização da «Semana de oração universal pela unidade», que o papa recomenda calorosamente à devoção dos católicos e que é adotada por mais da metade dos protestantes. A fundação do pe. Wattson — *Society of Atonement* — vem-se tornando o mais importante dos organismos católicos que trabalham pela unidade nos países de língua inglesa; a sua casa-mãe, em Graymoor, é o centro de uma vasta organização de propaganda. Em Lyon, foi constituído em 1954 o centro *Unité chrétienne*, com a finalidade de continuar a obra desse santo que foi o pe. Couturier, falecido em 1953 em consequência dos maus-tratos nos calabouços nazistas e de uma vida de abnegação que lhe esgotou as forças; o seu discípulo, o pe. Michalon, sacerdote de São Sulpício, foi encarregado de levar adiante esse centro e deu-lhe um vigoroso impulso; e o seu amigo e biógrafo, o pe. Maurice Villain, espalha a sua mensagem por meio de livros, de conferências e da imprensa.

Istina, a fundação criada pelo padre e mais tarde bispo C.J. Dumont para estudar «os problemas que a Rússia suscita aos olhos da Igreja Católica no domínio religioso», alarga os seus horizontes ao conjunto das questões relativas à unidade, e interessa-se pelos protestantes e pelos ortodoxos; a sua casa de Boulogne-sur-Seine é cada vez mais um lugar de contato e diálogo. *Chèvelogne*, o centro dos beneditinos que trabalham pela união, embora mantenha como primeiro objetivo o conhecimento do mundo ortodoxo e dos meios de penetrar nele, organiza a revista *Irenikon*, na qual, sob a sábia direção de Dom Clemente Lialine, se estudam profundamente os problemas da unidade. Na Alemanha, o *Instituto Möhler*, de Paderborn, sob a influência pessoal do arcebispo Jäger — futuro cardeal —, experimenta um forte desenvolvimento, com a sua atividade concentrada unicamente nos assuntos do protestantismo. *Una Sancta*, fundada pelo heroico pe. Metzger, passou para a responsabilidade dos beneditinos de Niederaltach.

E agora Roma: 1947. Nasceu um centro de trabalho ecumênico, fortemente encorajado pelo papa, segundo se diz, e sem dúvida ligado à famosa Universidade Gregoriana dos jesuítas. O seu fundador, o pe. Charles Boyer, é hoje uma das personalidades mais destacadas da Companhia de Jesus. *Unitas* é ao mesmo tempo o título de uma associação e o de uma revista, ambas patrocinadas por numerosas e altas personagens católicas. O pe. Boyer escolhe os colaboradores, não apenas entre os filhos de Santo Inácio, mas entre os agostinianos da Assunção e os padres do «Atonement».

Tem um triplo objetivo: recordar aos católicos os benefícios da unidade e convidá-los a trabalhar por ela, menos por meio de discussões do que pela santidade de vida; mostrar aos orientais tudo o que há de semelhante entre os católicos e eles, ou seja, a grandeza da herança comum; revelar aos anglicanos e aos protestantes o verdadeiro caráter da Igreja Católica. Quer isto dizer que o ecumenismo é aí concebido da maneira católica mais estrita. Foi isto que fez recear, a princípio, que *Unitas* tivesse sido fundada para realizar uma espécie de «moderação» em todos os elementos de tendência ecumênica. No saboroso prefácio autobiográfico que deu aos seus *Chrétiens en dialogue*[53], o pe. Yves Congar narrou uma semana de estudos «Unitas» em Grotta Ferrata, em que esse receio se revelou sem fundamento.

Mesmo fora destes centros em que se prossegue um trabalho de unidade concreta, com vistas a uma melhor compreensão recíproca, o período do segundo pós-guerra assiste à multiplicação, na Igreja Católica, de lareiras em que brilha a chama ecumênica: além das abadias beneditinas que já vimos, a Casa de São João, na Universidade de Lovaina; os centros olivetanos, de Gelrode e de Schotenhof; nos Estados Unidos, o centro russo de Fordham University. A própria Espanha, tão desconfiada para com o protestantismo, começa a despertar para as preocupações ecumênicas. São sinais indubitáveis de uma evidente evolução. Mas há muitos outros.

Na França, quando, a 1 de abril de 1953, os dominicanos de Paris criaram um novo periódico, *L'Actualité religieuse dans le monde*, foi a mons. Dumont que pediram o artigo de capa, que se intitularia *L'appel de l'Unité*. Em 1958, o conferencista de Notre-Dame, mons. Blanchet, reitor do Instituto Católico, ao tratar da «Igreja de Deus», consagrou uma dessas conferências ao tema «a Igreja e as Igrejas», e falou com franqueza do problema da unidade. Nos seus lábios, são notáveis frases como estas: «Se o protestantismo nasceu, quem ousará dizer que os católicos não tiveram uma parte de responsabilidade?», ou: «Nós não conhecemos de modo algum os altos valores cristãos que eles conservam». São fáceis de multiplicar testemunhos como esses.

Outro sintoma nítido: não cessa de aumentar o número de teólogos católicos que se interessam pelo problema da unidade. Um pioneiro como o pe. Congar — cujo livro *Vraie et fausse Réforme dans l'Église* deu que falar à saída — é cada vez menos uma figura isolada. Aparece a «teologia ecumênica», definida por um dos seus promotores, o cônego G. Thils, como «a ciência teológica enquanto construída e apresentada tendo em conta os objetivos e intenções do movimento ecumênico». Desta ciência diz com razão o pe. Congar que deve empreender um duplo esforço de «pureza» e de «plenitude». Os nomes que pertencem a esta disciplina teológica são demasiado numerosos para que se pretenda citá-los todos: Karl Adam, Joseph Lortz, Max Pribilla, W.H. van de Pol, o pe. Bea (futuro cardeal), o pe. Bernard Leeming, jesuíta que introduziu a grande teologia no ecumenismo da Inglaterra, onde estava pouco difundida; nos Estados Unidos, Dom Columba Cary-Elwes, John Todd e o assuncionista Georges Tavard, cuja obra contribui enormemente para dar a conhecer na sua realidade os irmãos separados.

Em 1951, uma grande personalidade holandesa, *mons. Willebrands*, fundava a *Conferência Internacional Católica para as questões ecumênicas*, composta de umas cinquenta pessoas de relevo internacional, que haviam de se reunir todos os anos e cuja primeira assembleia foi em Friburgo (Suíça) em agosto de 1952, com a aprovação dos pes. Boyer, Bea e Tromp. Era seu objetivo esclarecer a situação do ecumenismo católico em face do Conselho ecumênico das Igrejas, bem como estudar os problemas comuns a todos e estabelecer contatos com o Secretariado Geral de Genebra. De ano para ano, sucessivamente em Mogúncia, Utrecht, Paris, Chèvetogne, Gazzada (perto de Milão), esta conferência itinerante firmou-se tão solidamente que, quando João XXIII, tendo em vista o

Concílio, criar o Secretariado para a Unidade, o respectivo Secretário geral será mons. Willebrands, o iniciador da Conferência.

Um irresistível impulso no sentido da unidade — tal é a impressão que se colhe do panorama do catolicismo durante estes anos fecundos que se estendem do fim da Segunda Guerra Mundial ao advento do papa João[54]. Mas não vamos embebedar-nos com palavras... Se é patente a preocupação «ecumênica» numa boa parte das elites, as massas é que não parecem conquistadas. Subsistem as incompreensões, e os partidários da unidade são frequentemente atacados em certos jornais. Um homem de gênio como Claudel vilipendiava o protestantismo qualificando-o de «Leviatã do abismo», figura de «Gog e Magog», e atirava contra a tolerância palavras que, nem por serem graciosas, eram menos odiosas. Por outro lado, Roma, embora tivesse aprovado, nas linhas gerais e sob certas condições, os esforços empreendidos para ir ao encontro dos irmãos separados, mantinha o receio de que o movimento fosse demasiado rápido. Donde esses contragolpes, por vezes violentos, como aquele de que foi vítima o pe. Congar, exilado por algum tempo num convento britânico e submetido a uma censura reforçada. Até a *Unitas* sofreu. Fora previsto que, em certas modalidades, os não católicos poderiam pertencer à Associação: pois bem, essa autorização foi retirada.

No entanto, é evidente que, em 1958, a atmosfera é infinitamente mais favorável à busca da unidade do que vinte ou trinta anos atrás. Do lado protestante, dá-se uma evolução perfeitamente análoga, quer dentro, quer fora do Conselho ecumênico. Num opúsculo dedicado, em 1946, ao *Problema da unidade cristã*, obra que constituiu um balanço da questão, o pastor Marc Boegner observa que se podem notar numerosos sintomas de melhoria; e continuará a afirmá-lo por mais de dez vezes entre essa data e 1958, e de modo cada vez mais explícito.

A renovação teológica, tão evidente no seio do protestantismo, contribuiu para fazer progredir a ideia de uma aproximação, não apenas entre as Igrejas vindas da Reforma, mas com as outras, incluindo a Católica. Por exemplo, Karl Barth, cujas teses despertam tanto interesse entre os católicos, trabalha neste sentido; mas o neoliberalismo de Bultmann não procura ser menos aberto. Os trabalhos de Oscar Cullmann sobre as origens da sucessão apostólica e a residência de São Pedro em Roma revelam uma atitude protestante inteiramente nova acerca da questão que continua a ser o obstáculo aparentemente mais intransponível entre protestantes e católicos.

Uma das tentativas mais curiosas de cotejar a teologia protestante com a católica é a do movimento alemão *Die Sammlung* («A Reunificação»), que, lançado em 1954 nos meios luteranos da «Alta Igreja», procura batalhar pela esperança de que «as Igrejas reformadas possam encontrar — para o seu aperfeiçoamento e para o bem futuro de toda a Igreja de Deus — o seu indispensável lugar na Igreja Una, Santa, Católica e Apostólica». Aliás, os seus promotores, Hans Asmussen, Max Lackmann e Wolfgang Lehmann, mantêm uma grande liberdade crítica em relação à Igreja Católica e à sua própria, e reclamam um «regresso às fontes» de uma e de outra. Essa independência valeu a um deles, Richard Baumann, ser privado em 1956 do seu lugar de pastor. Na Holanda, o «grupo de Hilversum», em redor de J. Loos e de J.N. Bakhuizen van den Brink, trabalha de maneira bem parecida à do movimento alemão.

Como é óbvio, as comunidades religiosas que vimos[55] reconstituir-se no anglicanismo e no protestantismo, e que dão a impressão de serem pontes vivas lançadas entre as suas próprias Igrejas e a Tradição católica, não têm deixado de servir a causa da unidade. Isto é singularmente verdadeiro no caso de *Taizé*, o célebre centro comunitário da Borgonha, criado por Roger Schütz com o propósito de servir a causa da unidade. Guiado, desde o início, pela luz do pe. Couturier, encorajado pelas mais altas autoridades católicas da região, com o cardeal Gerlier à cabeça[56], Taizé declarou pela boca de um dos seus irmãos: «A unidade da Igreja está no primeiro plano das preocupações da comunidade, [...] todos trazem no coração e na oração a angústia da divisão». Em 1958, no momento em que ia erguer-se a igreja da Reconciliação, Taizé surgia já como um dos santuários do autêntico ecumenismo, viva encarnação desse alto pensamento. Mas o desejo de servir esta causa não é menos vivo entre as religiosas da comunidade de Grandchamp, entre as «retiradas» de Pomeyrol, entre as «*Marien schwestern*» de Darmstadt ou entre os beneditinos anglicanos de Nashdom.

Tanto num campo como no outro, existe pois, incontestavelmente, uma boa vontade — uma *vontade boa*: reconhece-se no destino dos irmãos do outro lado a obra de Deus. Daí resulta uma multidão de contatos, de reuniões, de pequenos congressos, em que representantes de uma ou outra das Igrejas põem na mesa os grandes problemas. A efervescência já registrada neste domínio antes da Segunda Guerra não cessa de aumentar. A associação de «Amizade por meio das religiões» multiplica os encontros. Também se realizam em abadias beneditinas ou cistercienses; foi no decorrer de um deles, na Trapa dos Dombes, que Roger Schütz tomou consciência clara da sua vocação para a unidade. Nascidos da iniciativa do pe. Couturier, os encontros da Trapa tornaram-se sistemáticos quando, em Chatelard, perto de Francheville (Ródano), se iniciaram cursos regulares de formação de padres para os encontros ecumênicos. E o Instituto de Bossey, perto de Genebra, onde os protestantes recebem também uma formação para o ecumenismo, acolhe numerosos católicos[57].

Destes encontros, ficou-nos um testemunho impresso. É tocante ver como têm aparecido entre 1945 e 1958 tantas publicações em que protestantes ortodoxos e católicos colaboram e confrontam posições. A primeira em data — e ainda hoje uma das mais importantes — foi o caderno de «Présences» intitulado *Protestantismo francês*, que teve por iniciador um escritor católico e em que o pe. Daniélou expunha a atitude católica, ao lado de quinze representantes do pensamento protestante. Desde então, bastantes outras se seguiram, como foi o diálogo *Unidade cristã e tolerância religiosa*, em que o pe. Couturier, Jean Guitton, Gabriel Marcel, André Latreille, conviviam com os pastores Cadier, Delpech, Thurian. Ou esse díptico original formado por uma correspondência entre um sacerdote, mons. Cristiani, e um pastor, Jean Rilliet, reunida sob os dois títulos *Catholiques, protestants, fréres pourtant,* e *Catholiques, protestants, les pierres d'achoppement* [«Católicos e protestantes, irmãos apesar de tudo», e «Católicos e protestantes, as pedras de toque»].

Diálogos semelhantes a esses, já os vimos em outros lugares. Assim foi na Suíça, em redor da Fraternidade São João dos pastores Baumlin e Zwick. Ou nos Estados Unidos, entre o rev. Dick Hall, ministro batista do Sul, e mons. Gerald O'Hara, arcebispo de Savannah (Geórgia). Ou por ocasião do IX centenário do cisma grego, em 1954, entre mons. Atenágoras Kokkinakis, bispo ortodoxo, e o cardeal Mc Intyre, arcebispo de Los Angeles. Chegou-se até a ver, na coluna das cartas dos leitores do diário inglês *The Times*, um confronto de numerosas opiniões sobre os assuntos teológicos que separam anglicanos, protestantes e católicos.

De tantos esforços generosos, qual o resultado em 1958? Fica-se com a impressão de que está preparado o terreno para um passo decisivo. Um dos sinais mais expressivos da evolução da mentalidade consiste, talvez, na alteração do significado da palavra *ecumênico*. Sabe-se que, etimologicamente, a palavra significa «universal». Mas há apenas uns quarenta anos era muito pouco utilizada[58]. O fato de ter sido empregada para caracterizar o Conselho das Igrejas contribuiu para torná-la conhecida. À medida que passaram os anos e se foi firmando a vontade de chegar a uma união fraterna, o termo enriqueceu-se com tonalidades afetivas e espirituais: não se limita a assinalar a universalidade de um movimento ou de uma assembleia — traduz um estado de alma. Doravante, o ecumenismo é um impulso para a unidade, um esforço no sentido de estabelecer entre todos os cristãos um clima de afeto fraterno. Implica, não somente uma atenção prestada ao mundo inteiro, e desde logo a todo o cristianismo, mas ainda uma atitude de alma acolhedora e fraterna[59]. E a generalização de um outro termo que veio substituir os da linguagem crítica não é menos revelador da mudança de clima: é o termo *diálogo*. O seu emprego passou a ser constante.

Devemos, porém, chegados a este ponto, fazer uma reserva e não nos deixarmos dominar por um excesso de otimismo. Vimos já que a evolução para o «ecumenismo» não se deu sem certos contragolpes dentro do catolicismo. Vimos também que o ecumenismo protestante tem, ele próprio, os seus opositores irredutíveis. Um ecumenismo que pretenda a união global de todos os cristãos não consegue arrebatar o assentimento de todos os batizados. O fosso cavado pelos séculos entre os cristãos das diversas confissões e obediências é demasiado profundo para ser preenchido em algumas dezenas de anos. De parte a parte, importa realizar um imenso esforço para bem definir o que separa e o que une, para voltar a situar em plena luz as bases comuns, para pôr fim aos preconceitos, tantas e tantas vezes mais fortes do que os argumentos. É frequente que os antagonismos religiosos estejam tão enraizados que seja inconcebível poder arrancá-los em uma ou duas gerações[60].

Neste jogo tão melindroso de investigações recíprocas e de abordagens, é sempre possível que uma decisão tomada por um dos campos, na plenitude do que julga serem os seus direitos mais sagrados, vá chocar tão vivamente com o outro que comprometa todo o impulso ecumênico. Assim, a proclamação do dogma da Assunção em 1 de novembro de 1950 «foi, segundo diz o pe. Congar, um rude golpe para as atividades ecumênicas; em numerosos lugares, deixaram de existir certos grupos que estavam bem vivos»[61]. E, no entanto, que católico desconhecia que, ao promulgar esse dogma, Pio XII agiu na plenitude da sua autoridade infalível e de acordo com a linha de Tradição?

Tais golpes são sempre possíveis, enquanto não se alcançar essa «paz criadora» de que fala Matthias Laros, sucessor de Max Metzger à frente de *Una Sancta*: paz que fará dos crentes das diversas confissões, e até dessas próprias confissões, não já rivais, não já simples vizinhos que se toleram, mas colaboradores que se ajudam mutuamente a ser plenamente fiéis à verdade e à caridade de Cristo. A unidade cristã só será possível com uma renovação profunda de todo o cristianismo, seja qual for a forma com que se apresente. Em 1958, houve um homem que o compreendeu e ia dizê-lo. Chamava-se *Angelo Roncalli*.

A hora de João XXIII

A 25 de janeiro de 1959, o papa João XXIII foi à Basílica de São Paulo Extramuros, para celebrar, não longe do lugar onde foi consumado, o martírio do Apóstolo das Gentes. Encerrava-se a Semana da Unidade, a cujas orações o Vigário de Cristo sempre se associara com fervor. E parecera natural que essa saída do Vaticano, a décima após a sua eleição, marcasse de modo claríssimo o interesse que o papa concedia a esse místico empreendimento. Os dezessete cardeais, todos da Cúria Romana, que tinham sido convidados a comparecer, não pensavam que se tratasse senão de uma dessas quebras de protocolo de que Roncalli já se mostrava useiro e vezeiro...

Com efeito, passados apenas três meses desde que cingira a tiara, aquele a quem os romanos já chamavam familiarmente o «bom papa João» vinha manifestando uma surpreendente independência em relação aos costumes mais veneráveis e às sacrossantas tradições. Tinham-no visto passear a pé pelas ruas da cidade e pelos campos dos arredores, convidar para o almoço um colaborador ou um visitante, provar do farnel dos operários que trabalhavam no palácio do Vaticano... Na véspera do Natal, tinha ido visitar doentes em dois hospitais. E todos esses gestos tinham criado em torno da sua figura uma aura de lenda familiar que os humildes apreciavam, mas descontentava alguns...

Os cardeais não suspeitaram, pois, de que se podia tratar de algum acontecimento importante quando foram discretamente prevenidos de que, depois da cerimônia na Basílica, o papa os convocava ao antigo mosteiro confinante com a nave moderna; somente o cardeal Secretário de Estado, Tardini, estava ao corrente[62]. E o que ouviram lançou-os efetivamente naquilo que um comentador, mons. Veuillot, então «minutante», classificou modestamente de «surpresa». Um comunicado da sala de imprensa do Vaticano daria a saber naquela tarde que o papa transmitira ao seu auditório as reflexões que lhe sugeriam esses três primeiros meses de pontificado. Como bispo de Roma, causavam-lhe inquietação os graves problemas originados pelo rápido crescimento da Urbe, fonte de dificuldades. Como pastor supremo, afligiam-no os perigos que ameaçavam a vida espiritual dos fiéis, os «erros que serpenteiam aqui e acolá» e a excessiva atração pelos bens materiais, que cresce como nunca com os progressos da técnica. Para lutar contra esses perigos, anunciava três decisões.

Reunir-se-ia sem demora um sínodo diocesano, a fim de estudar a vida das almas na cidade de Roma. O Código de Direito Canônico, datado de 1917, seria rejuvenescido e atualizado. E seria convocado um Concílio ecumênico para estudar em conjunto todos os problemas que a Igreja enfrentava. Como é óbvio, dessas três decisões, foi a terceira que mais deixou estupefatos os purpurados presentes. Um Concílio!... Desde que o canhão dos piemonteses, troando à Porta Pia, tinha obrigado a suspender o do Vaticano, ou seja, desde há oitenta e oito anos, falara-se várias vezes de continuá-lo, mas não se tomara nenhuma decisão. No seu íntimo, *in petto*, muitos acharam a ideia bem imprudente.

Mas o comunicado oficial, tal como se pôde ler no *Osservatore Romano* de 26 de janeiro, continha uma frase que foi imediatamente destacada e suscitou comentários. «No que diz respeito ao Concílio ecumênico, segundo o pensamento do Santo Padre, não tem por fim apenas o bem espiritual do povo cristão, mas deseja ser igualmente um convite às comunidades separadas para que se busque a Unidade, à qual tantas almas aspiram hoje em dia, em todas as partes da terra». A frase era capital. O Vigário de Cristo não somente reconhecia a aspiração à unidade que levantava tantas almas, como a fazia sua pessoalmente. Entendidas no seu exato sentido, essas palavras convidavam todos os cristãos a uma procura em comum da Unidade[63] e empenhavam toda a Igreja Católica nessa procura. A corrente ecumênica, até então assunto de um certo número de crentes, mais ou menos firmemente encorajados pelas autoridades supremas, passava agora a ser assumida pelo próprio Soberano Pontífice.

Como chegou o papa João a essa atitude de solícita atenção pelo problema da Unidade? Quando jovem sacerdote, fora formado por um dos bispos mais «avançados» da Itália, o de Bérgamo, mons. Radini-Tedeschi, que partilhava dos modos de ver de mons. Bonomelli. Mais tarde, nomeado representante da Santa Sé na Bulgária, na Turquia e na Grécia, e fiel ao seu temperamento acolhedor, criara muitas relações com as autoridades religiosas ortodoxas desses países, a ponto de o patriarca ecumênico Atenágoras o ter por verdadeiro amigo. Em 1934, na manhã de Natal, pronunciando na catedral católica de Sofia um discurso que era o seu adeus à Bulgária, dirigira-se muito particularmente aos «irmãos separados», assegurando-lhes que podiam contar com «essa fraternidade, essa sinceridade de sentimentos que Jesus Cristo ensina no Evangelho», e proclamando a sua convicção: «Por fim, não haverá senão um só rebanho e um só pastor, pois assim o quer o Senhor». Durante a sua nunciatura em Paris, os seus íntimos tinham-no ouvido inúmeras vezes falar dos tesouros espirituais da Igreja ortodoxa (apontava com gosto para os numerosos livros de espiritualidade grega e russa que possuía na sua biblioteca), interessar-se pelo Concílio de Florença (que, no século XV, conseguira refazer por algum tempo a unidade), falar com muita atenção e respeito das Igrejas protestantes da França e do presidente da respectiva Federação, o pastor Boegner. E a mesma preocupação pela unidade não o teria deixado certamente quando a sua nomeação patriarcal o colocara nessa cidade de Veneza tão naturalmente aberta aos sopros do Oriente. Participando em 1957 de um congresso unionista em Palermo, interviera com fervor, citando especialmente uma palavra de Dom Lambert Beauduin, o fundador de Amay-Chèvetogne, a quem chamava «o meu caríssimo amigo belga»: «É preciso criar no Ocidente, a favor da reunião das Igrejas separadas, um movimento paralelo ao da Propagação da Fé». O que era como se dissesse ser preciso dar às massas humanas o impulso decisivo para a unidade. Precisamente o que ele próprio ia fazer a 25 de janeiro de 1959.

Um ponto importante a sublinhar nos comentários que, a partir daí, foram precisando o projeto do papa João foi que ele não separou o dever de trabalhar pela unidade do de renovar a Igreja, de atualizá-la. O termo *aggiornamento*, que esteve tão em voga, correspondia exatamente às intenções que numerosos teólogos católicos tinham manifestado, desde o pe. Congar, na sua *Vraie et fausse Réforme*, até aos dirigentes alemães de *Una Sancta*. A encíclica *Cathedram Petri*, de 29 de junho, associou formalmente a ideia de unidade «ao desenvolvimento da fé católica, à renovação moral da vida cristã dos fiéis, à adaptação da disciplina eclesiástica às necessidades e desejos do nosso tempo». E foi possível compreender, depois disso, que não se tratava de um meio cômodo de adiar o trabalho a favor da unidade para as calendas gregas... A discussão dos Esquemas do Concílio iria revelar a profundidade de visão de João XXIII. Ao repensar o papel dos bispos e o dos leigos na Igreja, não há dúvida de que se promovia uma aproximação com os irmãos separados: hoje, já ninguém duvida disso.

O apelo do papa João ressoou pelo mundo e teve imenso eco. O pe. Villain contou[64] que, encontrando-se a 26 de janeiro no Centro ecumênico protestante de Bossey, ouviu o pastor Visser't Hooft ler o comunicado do *Osservatore Romano* e presenciou a profunda emoção que se apoderou de toda a assistência. A imprensa protestante fez inúmeros comentários e numerosos pastores escreveram a amigos católicos para lhes dizer da sua alegria. Em Constantinopla, o patriarca Atenágoras emitiu uma declaração cheia de entusiasmo. Sucedeu até que certos órgãos da grande imprensa foram depressa demais, e anunciaram que o projetado Concílio não deixaria de consagrar a reunificação de todos os cristãos...

Fosse como fosse, o impulso decisivo estava dado. E o papa João, durante os meses que se seguiram, soube conservá-lo forte. Uma declaração sua precisou que era preciso prever três frases no trabalho pela unidade: «primeiro, a aproximação; depois, a tomada de contato; finalmente, a reunião fraterna». Em conversas privadas ou perante auditórios limitados, o papa exprimia-se ainda mais nitidamente. Por exemplo, em 29 de janeiro de 1959, falando aos párocos de Roma: «Não abriremos um processo histórico. Não procuraremos ver quem tinha razão e quem estava errado. As responsabilidades recaem sobre todos. Diremos apenas: reunamo-nos, acabemos com as discussões!» E os atos não tardaram a seguir as palavras. Foi a fundação de um *Secretariado pela Unidade*, colocado ao lado das grandes comissões preparatórias do Concílio, e que ficou confiado a dois «ecumenistas» célebres, o pe. Bea, criado cardeal, e mons. Willebrands; como foi o anúncio de que seriam admitidos a assistir às sessões do Concílio observadores não católicos. Ao que responderam gestos espetaculares de irmãos separados, que vieram visitar o papa-apóstolo da Unidade. Era já indubitável que se instaurara em toda a terra um novo clima que envolvia todos os homens que seguem Jesus Cristo.

É sobre esta imagem toda cercada de luz que se pode concluir este resumo da história dos esforços feitos pelos cristãos para que a Túnica de Cristo seja de novo sem costura. Com o *Vaticano II*, uma página nova se irá escrever. Isto necessariamente, já que há decisões irreversíveis, tomadas de posição das quais é impossível recuar. Tudo isto porque um padre de coração generoso, filho de um camponês italiano, decidiu viver a caridade de Cristo e fazer dela o único imperativo válido na marcha, por muito tempo hesitante e difícil, para a unidade dos cristãos. No limiar do Concílio, tal como os visitantes o viram na sua biblioteca vaticana, como as multidões romanas o viram pelas ruas e pelas prisões, Angelo Roncalli avança com as mãos abertas, com um sorriso a iluminar-lhe o rosto, e diz: «Vede, irmãos, isto aqui é a Igreja de Cristo»[65].

Tresserve, agosto de 1963 — Neuilly, fevereiro de 1965.

Notas

[1] Sobre Eugéne Boré, cf. o vol. VIII, cap. VII, par. *Escolas Cristãs no Próximo Oriente.*

[2] Sobre a questão dos Lugares Santos, basta indicar os trabalhos de mons. Bernadin Collin, bispo de Digne (1948 e 1956), exaustivos, que resumi em 1962 num número da coleção *Que sais-je?* Cf. também os numerosos *guias* turísticos, especialmente o das Edições Odé: *Terres saintes*. (Em português, cf. a importante obra de Georges Irani, *A Santa Fé e o Médio Oriente*, trad. port. do Rei dos Livros, Lisboa, 1991).

[3] Entre os mais antigos textos em que se encontra essa imagem, podemos citar: Tertuliano (160-223), *Contra Marcião*, IV, 42; São Cipriano de Cartago (200-258), *Tratado sobre a unidade da Igreja*, cap. VII; Santo Agostinho em numerosas passagens, nomeadamente no *Tratado sobre o Evangelho de São João*, onde diz formalmente: «A veste sem costura de Cristo é a Igreja Católica». No Breviário romano, nona leitura de São Pedro de Alexandria, martirizado em 311, fala-se de um sonho durante o qual o santo viu Ário, o heresiarca, rasgar a túnica sem costura de Cristo. São Tomás de Aquino, no *Tratado sobre o Evangelho de São João* (leitura 4, 425) amplificou essa imagem tradicional. No nosso tempo, o papa João XXIII utilizou oficialmente a comparação numa carta dirigida ao bispo de Tréveris (é sabido que a catedral de Tréveris garante possuir a preciosa relíquia, a própria túnica). Observa o pe. Michalon: «A imagem da Túnica sem costura é estática. É possível voltar a costurar e cerzir a veste rasgada [...]. Mas as realidades vivas, as comunidades vivas, movidas pelo Espírito Santo, estão sempre a mudar de situação».

[4] Cf. o cap. IV, par. *«Ortodoxia» ou catolicidade.*

[5] Ideia exposta por Möhler no prefácio aos seus *Symboliques* (cf., adiante, o par. *De Möhler a Leão XIII: teóricos da unidade*).

[6] Talvez... Há quem a atribua ao marechal Fabert, que tentou converter os protestantes de *Sedan. Outros, a Rojas Spinola.*

[7] Sobre Schleiermacher, cf. o *Índice Analítico.*

[8] Irenikon, t. II, nº 10 p. 41.

[9] *The Living Thought of Kierkgaard*, ed. por W.H. Adam, Nova York, 1952, p. 213.

[10] Cf. o vol. IX, cap. VI, par. *Pródromo da crise:o americanismo.*

[11] Sobre Soloviev, como escritor de espiritualidade, cf. o cap. IV, par. *A «Intelligentsia» perante Deus.*

[12] Para Denison Maurice, cf. o *Índice Analítico.*

[13] Para Döllinger, cf. o *Índice Analítico* dos vols. VIII e IX; e, ainda, o *Anexo* sobre os Velhos--Católicos.

[14] Com a agravante de que a carta de convite aos Orientais foi publicada pelo Vaticano antes de ter chegado aos destinatários.

[15] Sobre o Movimento de Oxford, cf. o vol. VIII, cap. VIII, par. *Na Inglaterra: Newman e o Movimento de Oxford.*

[16] Sobre o dr. Pusey e o ritualismo, cf. o cap. III, par. *Regresso aos sacramentos e à liturgia.*

[17] Sobre o ritualismo, cf. *ibidem.*

[18] Para as comunidades religiosas anglicanas, cf. *ibidem.*

[19] Vimos já a resposta do patriarca Antimo.

[20] Cf. o cap. II, par. *Minorias em defesa ou expansão.*

[21] No nosso cap. I, ao falar destas diferentes formações, já indicamos as principais alianças.

[22] Embora haja, por vezes, certas resistências. Nos Estados Unidos, os batistas do Sul não aderiram ao Conselho federal. Na Alemanha, há uma União das Igrejas luteranas que se mantém à margem da Federação em que calvinistas e luteranos se uniram em 1948.

[23] Designação que acabava de ser adotada em substituição da de Amizade por meio das Igrejas.

[24] Cf. o *Índice Analítico* do vol. IX desta coleção e a obra de Douglas Hyde sobre Don Orione, *Bandit pour le Christ* (trad. fr.), p. 85.

[25] Cf. o nome de Mons. Bonomelli no *Índice Analítico* do vol. IX.

[26] *World Missionary Conference* 1910, vol. VIII, p. 221 e segs.

[27] Cf. o cap. I, par. *A Comunhão Anglicana.*

[28] Sobre os Velhos-Católicos, cf. o *Anexo* no fim deste vol.

[29] Cf. o *Índice Analítico* do vol. IX.

[30] Passados quarenta anos, é difícil não nos comovermos com o sentido dessas frases. Pela sua humildade e simplicidade, dir-se-iam pronunciadas nos nossos dias.

[31] Cf., adiante, o par. *Os católicos e o movimento para a Unidade: III. Uma efervescência criadora.*

[32] Sobre a questão do *Prayer Book*, cf. o cap. II, par. *A Inglaterra dos anglicanos e dos «dissenters».*

[33] Cf. o vol. IX, cap. V, par. *Isolamento? Eclipse?*

[34] A Congregação dos Beneditinos do Monte Oliveto tem igualmente duas casas em que as questões ecumênicas são estudadas de modo especial: o mosteiro de Gelrode (junto de Lovaina) e a abadia do Bec (Normandia). Registremos, por último, o mosteiro dos Beneditinos de rito bizantino, em Cureglia (Lugano, Suíça).

[35] *Chrétiens désunis*, p. 401.

[36] Para toda a história do livro, das ideias e do destino pessoal do pe. Congar, leia-se o apaixonante prefácio autobiográfico ao seu outro volume, *Chrétiens en dialogue*, publicado em 1964.

[37] Pe. Maurice Villain, *Introduction à l'oecuménisme* (Paris, 1958; reed. em 1964.).

[38] A palavra «Oitavário» foi posta de lado como demasiada «católica».

[39] O Decreto sobre o ecumenismo, promulgado a 21 de novembro de 1964 no Concílio do Vaticano II, virá a insistir no conteúdo da oração pela Unidade, sublinhando que, «una e unânime, a oração é o meio supereficaz de pedir a graça da Unidade», e que ela constituiu «uma expressão autêntica dos laços que continuam a unir os católicos aos seus irmãos separados».

[40] Cf. o *Índice Analítico* do vol. IX.

[41] Têm sido referidos os casos da Irmã Maria Gabriela, trapista de Grottaferrata, e de Dom Bento, beneditino anglicano de Nashdom, os quais ofereceram a vida pela Unidade.

[42] Cujo filho, católico, entrou na Companhia de Jesus.

[43] Tal como protestaram, passados dez anos, no Vaticano II, os representantes das cristandades em países árabes.

[44] O que efetivamente se fez.

[45] Na verdade, essa fusão foi boa na perspectiva ecumênica. Desde então, deu-se uma mudança em muitos campos missionários.

[46] A situação iria mudar a partir da Assembleia de Nova Delhi: os russos deixaram de fazer uma declaração à parte.

[47] E anglicano... A título privado, o anglicanismo trabalhou para a união de diversos modos, designadamente estabelecendo relações muito fraternais com os ortodoxos. E também com os velhos-católicos, que foram admitidos à intercomunhão e que têm frequentemente um bispo associado à sagração de um bispo anglicano.

[48] Pe. Boyer, *L'Union des Églises du Sud de l'Inde*; Istina, 1955 (II, 215).

[49] *L'Église peuple des Croyants, corps du Christ, temple de l'Esprit* (trad. fr.; Neuchâtel, 1958).

[50] Sobre o Social Gospel, cf. o cap. II, par. *A religião dos americanos*.

[51] De fato, essa tradução de *Istina* não chegou a tempo. Mas o pe. Tavard, que residia nos EUA, dando-se conta desse atraso, traduziu ele próprio o texto francês e mandou uma cópia mimeografada à maior parte dos delegados.

[52] Restou a questão de princípio: poderia a Igreja Católica fazer parte do Conselho ecumênico? O pe. Michalon, no seu *Unité des chrétiens*, escreveu: «Sempre entendi que, doutrinariamente, nada se opunha a uma eventual entrada da Igreja Católica no C.O.E., visto que não lhe seria pedido que ocultasse fosse em que fosse a sua posição de Igreja». O que não quer dizer que essa entrada seja oportuna hoje em dia...

[53] P. 2.

[54] Nos Estados Unidos, um dos mais eloquentes apóstolos da unidade foi o pe Gustav Weigel, S.J.

[55] Cf., o cap. III, par. *A renovação litúrgica e monástica: Taizé*.

[56] Recorde-se que o bispo de Autun concordou em emprestar aos monges protestantes de Taizé a igreja paroquial da aldeia para a celebração dos seus ofícios.

[57] Durante dez anos, a presença em Bossey de Suzana de Dietrich, eminente comentarista da Bíblia, contribuiu para fazer dessa casa também um foco de estudos bíblicos.

[58] Com certa malícia, o pastor Boegner garantiu que por vezes se fazia confusão com *econômico*...

[59] Cf. a importante nota do pastor Visser't Hooft sobre o sentido do termo «Ecumênico» na grande *A history of the Ecumenical Movement* (Londres, 1954), de House e Neill.

[60] É um fato por demais evidente — escreve o pe. Tavard — que os católicos da Inglaterra e dos Estados Unidos têm dificuldade em compreender o protestantismo dos seus países, porque é difícil a um irlandês considerar um protestante em geral e um inglês em particular como um ser plenamente humano» (*À la rencontre du protestantisme*, p. 11.).

[61] *Chrétiens en dialogue*, p. LI.

[62] Esta precisão foi dada ao A. pelo próprio João XXIII, e desmente o que vários autores têm afirmado: que o papa teria telefonado ao cardeal Tardini *após* a reunião de São Paulo. «Se o cardeal Tardini Nos tivesse desaconselhado de falar, não teríamos dito nada», declarou o papa.

[63] Certos jornais cometeram um erro de transcrição, que fez acreditar, por momentos, que o papa prometera convidar para o Concílio as Comunidades separadas.

[64] Na reedição de 1963 do seu livro *Initiation à l'Oecuménisme*.

[65] Este cap. consagrado à história da Unidade, foi lido pelo pe. Michalon, p.s.s., sucessor do pe. Couturier à frente do grupo *Unité chrétienne*, a quem agradecemos calorosamente. O pastor Marc Boegner, cuja benevolência nos toca profundamente, teve também a bondade de o ler.

[illegible]

[illegible]

[illegible]

[illegible]

ANEXOS

I. OS VELHOS-CATÓLICOS

Entre as comunidades cristãs separadas de Roma, os *Velhos-católicos* ocupam um lugar à parte. Como o nome indica, proclamam-se tão católicos quanto os católicos, e mesmo mais do que eles, pois afirmam ser fiéis à verdadeira tradição e afastar tudo o que seria inovação vã, notadamente o dogma da Infalibilidade pontifícia.

No sentido estrito do termo, os Velhos-católicos são historicamente os católicos que, em 1871, se recusaram a admitir as decisões do Concílio Vaticano I. O seu líder foi o teólogo *Joseph Ignatius Döllinger* (1799-1890), professor de Tubinga que havia sido amigo de Moehler[1]. Violentamente oposto à proclamação do dogma, recusou submeter-se porque se teria «fabricado uma nova Igreja». No entanto, apesar de excomungado, não desejava romper totalmente com a Santa Sé e aconselhava os seus discípulos a permanecerem no interior da *Ecclesia Mater* para ali disseminarem as suas teses.

Na prática, porém, Döllinger logo foi ultrapassado pelos seus seguidores, que constituíram uma Igreja cismática dita dos «Velhos-católicos». Contra a ortodoxia que diziam defender, não reconheciam como válidas senão as decisões dos sete primeiros Concílios Ecumênicos; depois passou a rejeitar a confissão auricular e o celibato sacerdotal, e por fim descartou o culto dos santos e as indulgências (o que era uma atitude nitidamente protestante). Os ministros dessa Igreja eram eleitos e o culto celebrado em língua vernácula.

O cisma desenvolveu-se sobretudo na Alemanha e na Europa Central. Ao mesmo tempo, na Suíça, onde se havia refugiado temporariamente o famoso pe. Hyacinthe Loison, outro adversário da Infalibilidade, ocorreu um cisma análogo, o dos «Católicos cristãos». Mas os novos agrupamentos logo chocaram com o problema capital de todos os cismas, o da ordenação dos seus sacerdotes por um bispo legítimo, que fosse incontestavelmente um sucessor dos Apóstolos. Voltaram-se então para *Utrecht*, onde ainda subsistia — desde a publicação da bula *Unigenitus*, que condenara o jansenismo — um terceiro grupo de cismáticos.

No tempo da Reforma, essa diocese constituíra uma ilhota católica no mar calvinista da Holanda; era considerada terra de missão e, a esse título, dirigida não por um bispo mas por um vigário apostólico. Desde 1580, estava vinculada diretamente a Roma, o que não deixara de criar dificuldades com o clero local, pois antes tinha gozado de uma série de privilégios e isenções. Aconteceu que o jansenismo fez enorme sucesso em Utrecht, o que levou a um conflito extremamente violento com Roma entre 1703 e 1705. Nesse momento, chegou à cidade certo bispo missionário suspenso, Varlet, titular de Babilônia, e consagrou arcebispo o chefe dos jansenistas revoltados com a bula *Unigenitus*, Cornelius Steenhoven. Em 1723-24, estava organizada a nova Igreja, que teve também o seu teólogo, Van Espen, e acolheu com alegria os jansenistas que fugiam da França. Por volta de 1750, contava três dioceses.

Ao dirigir-se à Igreja de Utrecht — que alguns incluem, por uma extensão um pouco abusiva, entre os velhos-católicos —, os discípulos de Döllinger e os outros anti-infalibilistas consideravam que o seu clero beneficiaria da legitimidade: o bispo Varlet, ao qual remontaria a sua filiação, era certamente legítimo, embora estivesse suspenso... O primeiro bispo velho-católico foi Joseph Hubert Reinkens, e o primeiro «católico cristão», Eduard Herzog. Mas os diversos grupos cismáticos tinham plena consciência da sua fraqueza numérica, de forma que, em 1899, no episcopado de Jan Eykamp, de Utrecht, se reuniu um «pequeno concílio» que levou à fusão dos três grupos na «União de Utrecht». Invocando a famosa máxima de São Vicente de Lérins, decidiram não aceitar como base da fé senão «aquilo que sempre foi crido, em toda a parte, pela Igreja». A solene declaração final recebeu sucessivamente a adesão de pequenas formações com ideias semelhantes, na Polônia, Boêmia, Croácia etc., e a expressão «Velhos-católicos» passou a aplicar-se ao conjunto.

Curiosamente, esses cismáticos que acabavam de separar-se da Igreja Católica alimentavam a ideia de que o velho-catolicismo poderia servir de meio para aproximar as grandes Igrejas umas das outras. Döllinger, como vimos, era um partidário fervoroso da união entre os cristãos, e uma autoridade teológica nada desprezível na matéria. A *Revue internationale de Théologie*, fundada em Zurique, em 1893, pelos velhos-católicos, publicava com frequência estudos de grande interesse sobre os problemas da união. Mais ainda, a partir de 1875 esse grupo passou a organizar assembleias que hoje chamaríamos de «ecumênicas», pois delas participavam diversas Igrejas protestantes e ortodoxas.

Em 1902, houve até uma tentativa de união dos velhos-católicos com a Igreja ortodoxa. No entanto, os ortodoxos mais intransigentes consideravam-nos mais ou menos contaminados pelo vírus romano, e os velhos-católicos, por sua vez, reivindicavam ferozmente a sua filiação à cadeia de bispos e fiéis puros de toda a heresia, como verdadeiros católicos, e assim a fusão acabou por não se realizar. Isso não impediu, porém, que as relações entre as duas Igrejas permanecessem muito amistosas[2].

Os velhos-católicos desempenharam em diversas ocasiões um papel de relevo na atualidade. Como os bispos católicos os tinham proibido de ensinar nas suas Universidades, apelaram para Bismarck, o que forneceu ao chanceler um pretexto para lançar o *Kulturkampf*. Convencido de que a pequena Igreja tinha um caráter suficientemente «nacional», Bismarck apoiou-a a fundo e, no momento mais aceso da polêmica entre Berlim e o Vaticano, tentou até substituir o clero católico pelo velho-católico. O mesmo ocorreria pouco depois na Suíça, quando explodiu ali o «pequeno *Kulturkampf*». Mas nem num lugar nem no outro a coisa foi muito longe.

Voltou-se a falar deles por ocasião da tentativa de «reunião em corpo» do anglicanismo com Roma, sob o impulso de Lord Halifax e do pe. Portal. Quando Leão XIII, para tristeza de todos, teve de declarar inválidas as ordenações anglicanas, alguns se perguntaram que aconteceria se os bispos anglicanos se fizessem «reconsagrar» pelos velhos-católicos; neste caso, poderia Roma sustentar ainda que não tinham sucessão apostólica? Na prática, porém, tudo não passou de especulação, pois nenhum bispo anglicano duvidava da validade das suas Ordens Sagradas... Contava-se, no entanto, que o dr. Lee, fundador da *Order of Corporate Reunion* (1877) se teria feito sagrar bispo católico em segredo, mas parece que teria sido através de um bispo italianos e não de um velho-católico.

Mas foi sobretudo no movimento ecumênico, tal como nasceu a partir de 1910 no seio do protestantismo e do anglicanismo, que os velhos-católicos marcaram presença. Foram dos primeiros a aderir ao movimento; desde que se constituiu o Conselho Ecumênico das Igrejas, em 1948, sempre tiveram representantes nas suas assembleias; e também houve sempre alguns dos seus membros no Secretariado geral. Como os ortodoxos e os protestantes diferem sobre muitas questões, os velhos-católicos desempenham em certa medida o papel de fiel da balança.

Em 1963, a Igreja Velho-católica contava cerca de 600 mil adeptos, dos quais 360 mil nos Estados Unidos (com quatro bispos), 30 mil na Alemanha e na Áustria, 30 mil na Suíça e uns 100 mil na Polônia[3]. Há uns poucos na França. Têm em Berna uma Faculdade de Teologia respeitável; a *Revue internationale de Théologie* sobreviveu à morte dos seu fundador, pe. Michaud, mas quase só publica em alemão e inglês. Os velhos-católicos foram, dentre os «irmãos separados», os primeiros a declarar que aprovavam a grande iniciativa de João XXIII ao dar ao Concílio, entre os seus objetivos, o do ecumenismo. Têm mantido colóquios com os católicos e tiveram um observador no Vaticano II.

II. Pequeno repertório das igrejas, heresias, denominações e seitas fora da Igreja Católica[4]

Adventistas do Sétimo Dia. Igreja de origem norte-americana, fundada por volta de 1840 por William Miller e mais tarde solidamente organizada por Ellen Gould White. Os adventistas esperam a próxima vinda de Cristo, celebram o Sabath (sábado) em vez do domingo, insistem muito na Bíblia, têm concepções próprias acerca dos novíssimos. São reconhecidos pelos protestantes e participam do Conselho Ecumênico.

Em 1963, eram cerca de um milhão no mundo todo. Em 2005, segundo estatísticas da própria Igreja Adventista do Sétimo Dia, o número dos fiéis estava próximo de 14,5.

Amigos do Homem. Fundados em 1916 por dissidentes das Testemunhas de Jeová, proclamam-se «Exército do Eterno» ou «Igreja do Reino de Deus». A doutrina, muito simples, afirma a imortalidade do homem se souber evitar o pecado e não «ofender o seu corpo». Os adeptos têm a obrigação de observar certos costumes naturistas. Está-se longe do quadro de uma verdadeira religião e, geralmente, não são aceitos pelos protestantes entre as suas Igrejas. Está presente em vinte países, na sua maioria europeus, e contava em 2008 cerca de 71.500 adeptos. A sede mundial fica na Suíça, pátria do fundador Frédéric-Louis-Alexandre Freytag.

ANABATISTAS. Grupos protestantes sem laços entre si, constituídos na Alemanha, Suíça e Holanda na época da Reforma, e cujo traço comum era o batismo adulto e o rebatismo dos convertidos. A doutrina era muito vaga. Foram trucidados em grande número pelos outros protestantes, por ocasião da Guerra dos Camponeses, e depois na louca tentativa de criar uma «Cidade de Deus» em Münster. A corrente anabatista ressurgiu nos menonitas (v. menonismo).

ANGLICANISMO. Igreja instituída na Inglaterra pelo cisma de Henrique VIII e gradualmente infiltrada pelo protestantismo. A profissão de fé anglicana está contida no *Bill dos 39 Artigos*, de 1563. Atualmente, há três grandes tendências no seio do anglicanismo: Alta Igreja, Baixa Igreja e Igreja ampla. À volta da *Church of England* formou-se a Comunhão Anglicana, que compreende principalmente os episcopalianos dos Estados Unidos. Em 1963, havia ao todo cerca de 30 milhões de anglicanos.

Segundo os dados oficiais de 2008, a Comunhão Anglicana compreende hoje cerca de 78 milhões de fiéis divididos em 44 igrejas diferentes. Há pelo menos duas décadas, porém, o número de fiéis vem caindo drasticamente tanto nos Estados Unidos como na Europa por causa dos desvios doutrinais e disciplinares do arcebispado de Canterbury e de outras sés episcopais, notadamente a «ordenação» de mulheres e homossexuais. Muitos dos fiéis que abandonam o anglicanismo acabam por ingressar na Igreja Católica, e há mesmo paróquias inteiras que pediram para entrar em comunhão com Roma. Nos Estados Unidos, essa demanda fez com que o Papa João Paulo II aprovasse um documento chamado «Provisão Pastoral», publicado pela Sagrada Congregação para a Doutrina da Fé em 22 de junho de 1980, que estabelece um conjunto de normas litúrgicas conhecidas como «Uso Anglicano», a fim de que essas comunidades, pertencendo integralmente à Igreja Católica, possam reter aspectos da liturgia anglicana.

Por outro lado, nas últimas décadas as igrejas africanas ganharam muito peso dentro da Comunhão Anglicana, tanto pelo número de fiéis — quase a metade dos membros —, como pela firmeza moral do seu episcopado, que se opôs às inovações adotadas nas outras igrejas.

ARMÊNIOS. A Igreja Apostólica Armênia abrangia originalmente duas áreas, nas proximidades do Cáucaso e no Tauro; nesta segunda região, foram atrozmente perseguidos pelos turcos. Desde 551, a Igreja armênia professa um monofisismo mais verbal do que doutrinal; em 1963, contava cerca de 3,5 milhões de fiéis. Há também armênios-católicos, isto é, uma igreja de rito armênio que reconhece o primado do Papa e está em plena união com Igreja Católica.

Em 2008, segundo dados oficiais, a Igreja Apostólica Armênia conta cerca de nove milhões de fiéis, dos quais quase três milhões na República da Armênia (no Cáucaso) e o restante espalhado por diversos países, como Estados Unidos, França, Líbano, Rússia, Irã e Argentina. Há uma pequena mas importante comunidade em Jerusalém. Já Ronald Roberson[5] dava para 1999 o número de seis milhões de fiéis da Igreja Apostólica Armênia.

O número de armênios católicos, por sua vez, está em torno de 376 mil, divididos entre quinze eparquias e cinco comunidades. Sofreu gravemente com a perseguição dos turcos (foram mortos sete bispos, 130 sacerdotes, 47 freiras e cem mil leigos).

ARMINIANOS. Calvinistas com origem em Armínio, professor da Universidade de Leyden em começos do século XVII, que defendia teses de caráter lato sobre a predestinação contra o teólogo Gomar, partidário de teses mais estritas. Foram condenados pelo Sínodo de Dordrecht (1619). No nosso tempo, há ainda pequenas comunidades arminianas que somam cerca de 25 mil fiéis. Hoje as teses arminianas foram assumidas pelas mais diversas denominações protestantes, especialmente os metodistas e os batistas.

Batistas. Agrupamentos protestantes constituídos no século XVIII, fora das Igrejas estabelecidas e das principais profissões de fé, por influência arminiana e anabatista, na Inglaterra e depois nos Estados Unidos. O que os diferencia é sobretudo o batismo de adultos, que no entanto não é sacramento. Têm um *credo* muito simples, fundado unicamente na Bíblia, particularmente no Evangelho. Esta simplicidade doutrinal explica o sucesso que têm tido nos Estados Unidos, onde são a primeira «denominação» protestante, aliás dividida em muitos ramos, nem todos filiados à União Batista Mundial. Em 1963, eram no total uns 30 a 40 milhões.

Em 2006, a União Batista Mundial afirmava ter cerca de 37 milhões membros, a maior parte (21 milhões) concentrada nos Estados Unidos e na África (7 milhões).

Batistas do Sul. É o grupo batista mais numeroso dos Estados Unidos, com pelo menos 7 milhões de fiéis, na imensa maioria negros e de tendência «fundamentalista»; mantiveram durante muito tempo uma atitude de desconfiança com relação a todas as outras Igrejas, mesmo protestantes. São na maioria antiecumenistas.

Em 2005, segundo os dados oficiais, a Convenção Batista do Sul contava 16 milhões de membros nos Estados Unidos.

CALVINISTAS. Protestantes que seguem João Calvino. Não há Igrejas que se intitulem «calvinistas», mas muitas professam a doutrina calvinista; declaram-se «reformadas» ou «presbiterianas». Além disso, essa doutrina exerceu grande influência sobre todas as modalidades do protestantismo. Em 1963, eram trinta a quarenta milhões. (v. *Reformados*, *Presbiterianos*, *Puritanos*).

Atualmente — em 2008 —, a Aliança Mundial das Igrejas Reformadas reúne 214 igrejas presbiterianas, reformadas e congregacionais em 107 países; afirma contar mais de 75 milhões de fiéis.

CONGREGACIONALISTAS. Protestantes de diversas origens (sobretudo presbiterianos e anglicanos) que se opõem, na concepção que têm da Igreja, aos presbiterianos e aos episcopalianos simultaneamente. Para eles, toda a autoridade assenta na Igreja local, que não se submete a nenhuma hierarquia, mesmo eletiva. Desembarcado nos futuros Estados Unidos com os «Pais Peregrinos» do *Mayflower*, o congregacionalismo exerce atualmente (1963) uma influência sem proporção com a sua fraqueza numérica (um milhão e meio nos EUA). Em 1931, as igrejas congregacionalistas norte-americanas uniram-se num Conselho Nacional; o Conselho, por sua vez, uniu-se a uma associação de igrejas reformadas para formar a Igreja Unida de Cristo, que contava em 2008 cerca de 1,4 milhões de membros.

COPTAS. Cristãos do Egito, descendentes dos antigos felás dos tempos faraônicos e dos cristãos dos primeiros séculos, cujo centro era Alexandria. Aderiram via de regra ao monofisismo jacobita (v.) sob a influência de Tiago Baradai; desde a conquista árabe, resistiram a todas as pressões do Islã e contam hoje cerca de quatro milhões de crentes.

Em 2008, o número de fiéis da Igreja Copta Ortodoxa chega aos nove milhões no mundo inteiro, dos quais sete no Egito.

Há também coptas católicos, que somam 162 mil fiéis, espalhados por sete dioceses, todas no Egito, embora existam pequenas comunidades em outros países do Oriente Médio e na Europa.

DARBYISTAS. Seita protestante fundada no início do século XIX pelo ministro anglicano John-Nelson Darby; ligou-se aos Irmãos de Plymouth (v.), mas rompeu com eles em fins da década de 1840, fundando os Irmãos Exclusivos (*Exclusive Brethren*). Darby ensinava um protestantismo renovado, simplificado, centrado no fervor pessoal e na amizade fraterna; não admitia nenhuma organização eclesiástica, e reduzia o culto ao ágape do pão e do vinho e à prece pública. São extremamente rigorosos e evitam todo o contato com qualquer pessoa que não faça parte da seita.

Em todo o mundo, haveria em 1963 cerca de trezentos mil darbyistas. Em todo o caso, a influência das missões darbyistas foi real em meios protestantes que ficaram fiéis às velhas Igrejas, como, por exemplo, os calvinistas das Cévennes.

Em 2008, são 42 mil no mundo inteiro, a maioria na Inglaterra.

DISCÍPULOS DE CRISTO. Nos Estados Unidos, variedades de batistas (*Reform Baptists*) fundadas em começos do século XIX, dentro do «Movimento Restauracionista» norte-americano. Esse movimento começou entre pastores batistas e presbiterianos, principalmente Barton W. Stone e Alexander Campbell, que em face da «burocracia» e do «autoritarismo» que julgavam haver nas outras denominações desejavam restaurar a simplicidade da comunidade cristã primitiva. Inicialmente separados, os grupos de Stone e Campbell uniram-se em 1832 para formar a Igreja Cristã. A união duraria até 1906 quando os dois grupos romperam, dando origem aos Discípulos de Cristo e às Igrejas de Cristo. Mais tarde, em 1968, um grupo dos Discípulos de Cristo deu origem às Igrejas Cristãs Independentes.

Desempenharam um papel importante durante a expansão para o Oeste. Mais tarde, fortemente influenciados pelo protestantismo liberal, conquistaram sobretudo os meios intelectuais, em que imprimiram forte armadura moral e sentido social. Costumam ser muito «ecumênicos» e hostis à desunião dos cristãos. Em 1963, eram por volta de um milhão e meio.

Além das três Igrejas mencionadas, há ainda outras subdivisões nos Estados Unidos e em países como Austrália, Reino Unido e Nova Zelândia. Essas denominações estão unidas na Convenção Mundial de Igrejas Cristãs e Discípulos de Cristo. Segundo dados da Convenção Mundial, têm atualmente (2008) doze milhões de membros no mundo todo; a maior ramificação (3,5 milhões) é a Igreja de Cristo.

DOUKHOBORS OU «CRISTÃOS ESPIRITUAIS». *Doukhobor* significa «guerreiro espiritual». Sectários russos fundados no século XVIII, partidários de uma religião completamente interior, sem culto, sem igrejas, sem ícones, e neste sentido semelhantes aos *quakers* (v.). Inicialmente perseguidos por Moscou, foram fixados por Alexandre I nas margens do Mar Negro por volta de 1820-1826. Entre 1899 e 1905, migraram em sucessivas levas para o Canadá, fugindo das perseguições e do alistamento militar obrigatório (são adeptos do pacifismo total). Grande parte das despesas dessas viagens foram pagas por Lew Tolstoi e por comunidades *quaker*. Em 1938, um dos seus maiores líderes, Peter P. Veregin, fundou a União das Comunidades Espirituais de

Cristo, congregando os *doukhobors* do Canadá e da Rússia. De lá para cá, a maioria dos *doukhobors* já abandonou a vida comunal e, depois de muitos conflitos com o governo canadense, integrou-se à nova pátria.

Estima-se que existam atualmente (2008) cerca de setenta mil *doukhobors* no mundo, mais da metade no Oeste do Canadá. Há ainda um minúsculo grupo dissidente, refratário às mudanças de Veregin, os *Svobodniki* («filhos da liberdade»).

EPISCOPALIANOS. Parcela da Comunhão Anglicana cujo território se situa nos EUA e que, por isso, não pode estar vinculada à Coroa inglesa; mantém, no entanto, a profissão de fé dos *39 artigos* e as práticas do anglicanismo. A «Igreja Protestante Episcopaliana» contava cerca de um milhão e meio de fiéis em 1963. Esse número caiu depois das inovações doutrinais e disciplinares da Comunhão Anglicana; em 2005/2006, era por volta de 2,4 milhões (v. *Anglicanismo*).

ETÍOPES. Uma das mais antigas Igrejas cristãs do mundo. O monofisismo chegou à Etiópia no século VI, vindo do Egito, e aí se manteve, ao menos em teoria, até aos nossos dias; pelo seu relativo isolamento, essa Igreja conservou características, liturgia e piedade de grande originalidade.

Até a deposição do imperador Hailé Selassié, em 1974, a Igreja etíope formava um todo único com a nação; mesmo agora, apesar de haver pequenas comunidades em outros países, a maioria dos seus membros continua a viver na Etiópia. Em 1963, contava entre 4 e 7 milhões de fiéis; atualmente (2008), 33,3 milhões, cerca de 45% da população (os muçulmanos sunitas perfazem outros 45% da população).

A Igreja Ortodoxa da Eritreia, antes uma diocese da Igreja Etíope, tornou-se autocéfala em 1993, por ocasião da recém-conquistada independência do país; tem cerca de 1,5 milhão de fiéis.

Há também cerca de 750 mil católicos de rito latino ou etíope, e um pequeno número de protestantes.

EVANGÉLICOS. O termo não designa uma denominação; o qualificativo é reclamado pela maior parte dos protestantes. Aplica-se especialmente a calvinistas hostis à corrente liberal — que, neste sentido, se aproximam dos *fundamentalistas* (v.) —, mas também a Igrejas metodistas, batistas e pentecostais. Na Inglaterra, os «evangélicos» eram, por volta de 1800, anglicanos fervorosos, por vezes influenciados pelo metodismo, que desejavam renovar a *Church of England*. Atualmente, o termo designa os membros da *Low Church* (Baixa Igreja).

EXÉRCITO DA SALVAÇÃO. Formação protestante, famosa pela sua organização militar, seus uniformes e sobretudo suas grandes realizações sociais. Fundada por William Booth no final do século XIX e difundida no mundo inteiro. Alguns autores consideram-na como uma seita, mas não tem verdadeiros dogmas e apenas aconselha aos seus adeptos uma vida espiritual centrada na caridade. Em 2008, está presente em 111 países e territórios e conta com mais de um milhão de «soldados».

FUNDAMENTALISMO. Nos Estados Unidos, designa, não uma Igreja ou denominação, mas uma atitude de espírito correspondente em larga medida ao que os católicos chamam «integrismo»: fé rígida, interpretação literal da Bíblia, moral austera, etc. O termo teve origem no final do século XIX, quando um grupo de protestantes norte-americanos, com o desejo de reafirmar a «ortodoxia» da sua fé, publicaram uma série de doze volumes chamada *Os fundamentos*, que atacavam, entre outras coisas, a teologia liberal, o darwinismo, o mormonismo e o catolicismo. O fundamentalismo pode ser encontrado tanto entre os presbiterianos como entre os batistas ou os metodistas. Os Estados do Sul dos EUA são *grosso modo* mais fundamentalistas do que os do Norte, mais liberais (v. *Evangélicos*).

IRMÃOS HUTTERIANOS, IRMÃOS MORÁVIOS, IRMÃOS DE PLYMOUTH. V. *Huterianos*, *Morávios (Irmãos)*, *Plymouth (Irmãos de)*.

HINSCHISTAS. Pequenos grupos calvinistas dissidentes da região de Montpellier. «A Igreja Evangélica Hinschista» foi fundada por Coraly Hinsch, em meados do século XIX; tinha uma teologia dualista, insistia muito nos dons do Espírito Santo e exerceu também uma ação social não desprezível. Ao que parece, já não existem desde cerca de 1980.

HUTTERIANOS OU HUTTERITAS. Seita anabatista fundada no início do século XVI por Jakob Hutter, vieram a ser na prática uma variedade de luteranos muito estritos, influenciados pelos pietistas e pelos batistas. Eram praticamente desconhecidos quando, em 1945, abandonaram a Alemanha e migraram em massa para os EUA, o Canadá e o Paraguai; chegaram a contar 450 comunidades e talvez cem mil adeptos em 1963, que atualmente (2008) parecem ter-se reduzido para 45 mil.

IGREJAS CRISTÃS INDEPENDENTES, IGREJAS DE CRISTO. V. *Discípulos de Cristo*.

IRVINGIANOS. Seita protestante fundada em começos do século XIX pelo pastor presbiteriano escocês Edward Irving, sob o nome de «Igreja Católica Apostólica». Pretendendo voltar à Igreja primitiva, também quanto aos fenômenos carismáticos, de profecia e dons das línguas, Irving não tardou a sobrepor a uma fé muito simples uma prática fundada nos sete «sacramentos», uma organização eclesiástica muito complicada e uma liturgia imitada da bizantina. Esse caráter ambíguo não assegurou o êxito da seita, que em 1963 não ia além de cinquenta mil adeptos; atualmente (2008), embora a própria denominação afirme contar oito milhões de adeptos no mundo, dados mais realistas apontam para cerca de duzentos mil. Disputas a respeito da sucessão na hierarquia acarretaram um cisma em 1862 entre as comunidades alemãs e holandesas e as outras; a parte germânica daria origem aos neoapostólicos (v. *Neoapostólicos*).

JACOBITAS. Cristãos do Oriente que seguem Tiago Baradai, «Tiago o Andrajoso», notável personagem que organizou no século VI a resistência do monofisismo às repressões bizantinas. Os coptas (v.) do Egito e os etíopes (v.) são jacobitas.

JOANITAS. Uma das numerosas seitas nascidas na Rússia Soviética. Fiéis do Bem-aventurado João de Cronstadt, grande figura de apóstolo popular e de místico no início do século XX, os joanitas viam nele uma reencarnação de Cristo; o próprio João, evidentemente, aborrecia o fato e o condenava como herético. Aparentemente, não há mais joanitas hoje (2008).

LUTERANOS. Protestantes que seguem Martinho Lutero. Constituem a maior massa protestante, cerca de 75 milhões em 1963, sobretudo na Alemanha, países escandinavos e Estados Unidos, divididos em Igrejas consoante os países ou as tendências doutrinais. Nos Estados Unidos, estão agrupados em sínodos, o mais importante dos quais é o do

Missouri. Segundo dados da Federação Luterana Mundial, que reúne a maioria das igrejas luteranas, há cerca de 65,4 milhões de luteranos no mundo em 2008.

MENONITAS. Protestantes cujas comunidades foram fundadas em meados do século XVI pelo antigo padre católico holandês Menno Simons, num espírito próximo do dos «espirituais» da Idade Média e dos «alumbrados» espanhóis, e que reuniu os restos do anabatismo. Caracteriza-se pelo batismo dos adultos, o rebatismo dos convertidos, um credo extremamente lato e uma grande simplicidade de vida. São por volta de quinhentos mil em 1963, metade dos quais nos Estados Unidos e no Canadá, em 2008, segundo dados da Conferência Menonita Mundial, há aproximadamente 1,5 milhão de menonitas no mundo, a maioria na África e nos Estados Unidos.

METODISTAS. Saídos do movimento do ex-anglicano Wesley, na segunda metade do século XVIII, professam um cristianismo sem doutrina, reduzido a amplos princípios de caridade, de moral, de piedade. Apesar disso, estão constituídos em Igrejas, cerca de quarenta, na sua maior parte reunidas desde 1951 no Conselho Metodista Mundial; no mundo inteiro, contavam-se cerca de 30 milhões em 1963, dois terços deles nos Estados Unidos; em 2008, são cerca de 75 milhões.

MONOFISITAS. Vinculam-se às teses defendidas por alguns teólogos do século V (Dióscoro, Eutiques), os quais não reconheciam senão uma natureza, a divina, na Pessoa de Cristo. Condenados em 451 pelo Concílio de Calcedônia, resistiram à repressão bizantina, sobretudo graças aos esforços de Tiago Baradai (v. Jacobitas). Três importantes Igrejas seguem ainda o monofisismo, ao menos verbalmente: a dos armênios (v.), a dos coptas (v.) e a dos etíopes (v.).

MORÁVIOS (IRMÃOS). Descendentes de grupos hussitas instalados sobretudo na Morávia, estão vinculados à Confissão de Augsburgo (luterana), mas continuam a formar comunidades autônomas na Boêmia, Inglaterra, Alemanha, Estados Unidos e América do Sul. Em 1963, não contavam mais de 1,5 milhões fiéis, mas são muito ativos no campo missionário; em 2000, havia cerca de oitocentos mil morávios espalhados pelo mundo, com maior concentração na África.

MÓRMONS. Embora reconhecidos nos Estados Unidos como Igreja, os mórmons são em geral considerados como hereges pelos protestantes. À revelação bíblica, acrescentam outra, a do *Livro de Mórmom*, que Joseph Smith lhes deu no início do século XIX. Celebrizaram-se durante muito tempo pela prática da poligamia «bíblica», como também pela fuga que realizaram através dos Estados Unidos e pela sua instalação perto do Grande Lago Salgado, no Utah. Hoje, tendo renunciado à poligamia, distinguem-se mal de outras variedades protestantes, como os *quakers* e certos metodistas. No entanto, conservam dogmas e práticas à parte, uns trazidos do judaísmo, outro originais, como o «batismo» dos mortos por procuração. Segundo dados oficiais da Igreja de Jesus Cristo dos Santos dos Últimos Dias, há quase 12,8 milhões de mórmons no mundo hoje (2008).

NEOAPOSTÓLICOS. As comunidades neoapostólicas nasceram em 1860, de uma dissidência dos apostólicos irvingianos. Foram solidamente organizados por Niehaus e Bischoff. Têm a convicção de serem a única verdadeira Igreja; conservam numerosos dados do irvingianismo (v.), mas só admitem três «sacramentos»; atribuem enorme importância ao «apóstolo» que os chefia e que dispõe do «direito de salvar as almas». Muitos deles creem que o regresso de Cristo está iminente. Eram ao todo uns 540 mil em 1963; em 2003, segundo os dados oficiais da igreja neoapostólica, seriam uns 10,2 milhões, número que no entanto se pode pôr em dúvida.

Nestorianos. Cristãos do Oriente que descendem dos fiéis de Nestório, heresiarca do século V que distinguia radicalmente Deus e o Homem na Pessoa de Cristo, se recusava a atribuir a Deus as notas do homem Jesus e daí concluía que a Virgem Maria não é «Mãe de Deus» (*Theotokos*), mas apenas mãe de Jesus. Condenados pelo Concílio de Éfeso (431), os nestorianos subsistem em pequeníssimos grupos na Mesopotâmia e na Índia.

Ortodoxos. Admite-se hoje que o termo («que ensina a fé reta») designa habitualmente os cristãos separados de Roma pelo cisma grego de 1054. Divergem dos católicos em pontos menores de doutrina, mas não por opiniões heréticas. Contam entre 150 e 180 milhões de fiéis, agrupados em Igrejas «autocéfalas», sobre as quais o patriarca ecumênico de Constantinopla conserva um primado honorífico. Cobrem a Europa balcânica, a Rússia e seus prolongamentos, e têm Igrejas fortes na Europa ocidental e nos Estados Unidos.

No protestantismo, o termo «ortodoxo» é mais ou menos sinônimo de *fundamentalista*; significa *antiliberal*. Nas pequenas Igrejas da Índia, dá-se o nome de «ortodoxos» aos jacobitas que se opuseram à corrente de protestantização que arrastou alguns grupos de monofisistas.

Segundo o Patriarcado Ecumênico de Constantinopla, há cerca 250 milhões de ortodoxos no mundo hoje, a maioria na igreja russa (110 milhões).

PENTECOSTAIS. As comunidades de Pentecostes constituem as seitas protestantes mais vivas. Fundadas nos começos do século XIX pelo mineiro galês Evan Roberts e pelo pastor batista negro W.J. Seymour, a sua religião está baseada na certeza de ser guiada pelo Espírito Santo, que se manifesta em curas miraculosas e no dom das línguas. Prática muito simples, caridade fraterna ativa. São entre 4 e 10 milhões.

No século XX, especialmente a partir da década de 1960, o pentecostalismo cresceu em ritmo acelerado, especialmente na América Latina, na África e na Coreia do Sul. Em 2008, estimam-se uns 125 milhões de seguidores do pentecostalismo no mundo todo, mas a miríade de denominações, muitas delas «independentes» e/ou «não regulamentadas» torna difícil precisar o número.

PEQUENA IGREJA. Pequeníssimos grupos de cismáticos que se separaram de Roma por recusarem a Concordata de Napoleão. Subsistem alguns milhares, sobretudo nas Charentes e em Lyon. Todos eles afirmam a sua total «ortodoxia católica». (Uma parte desta Igreja regressou à Igreja Católica em 1963-64).

Em 2008, há cerca de quatro mil membros da «pequena igreja». Uma parte não tem mais sacerdócio desde meados do século XIX, quando morreram os últimos padres contrários à concordata; outra parte conseguiu, na década de 1960, que um dos seus membros fosse ordenado bispo por um prelado velho-católico (v.) inglês e ingressou na União de Utrecht, que reúne as formações contrárias ao dogma da infalibilidade papal.

PIETISTAS. Elementos do protestantismo, e sobretudo do luteranismo alemão, que centram o essencial da vida religiosa na piedade pessoal. O movimento pietista teve grande importância no século XVIII, com o conde von Zinzendorf e seus êmulos de Herrnhut, mas nunca constituiu uma Igreja autônoma. No nosso tempo, pode-se ligar aos pietistas os Irmãos Morávios (v.). Nos EUA, usa-se de preferência a designação de «Irmãos de Plymouth».

PLYMOUTH (IRMÃOS DE). Em fins do século XVIII, eram um conjunto de pequenas comunidades pietistas um pouco análogas aos Irmãos Morávios (v.). O primeiro impulso foi-lhes dado por John Walkes. Depois caíram nas mãos de Darby e hoje não se distinguem dos darbyistas (v.). Em 2006, havia cerca de um milhão de irmãos de Plymouth no mundo, a maioria nos EUA.

PRESBITERIANOS. Podem ser chamados presbiterianos todos os protestantes que admitem para a organização da Igreja o sistema do «presbitério» — Conselho de pastores e de leigos — estabelecido por Calvino, ou seja, aqueles que não são nem episcopalianos, nem congregacionalistas. Na prática, o termo designa os calvinistas da Escócia, da Inglaterra e da América, cujos homólogos da Europa continental são chamados «Reformados».

Até recentemente as igrejas reformadas e presbiterianas estavam divididas entre a Aliança Mundial de Igrejas Reformadas e o Conselho Ecumênico Reformado. Em outubro de 2007 ambos organismos decidiram unir-se num terceiro organismo ainda sem nome. Estima-se que haja cerca de oitenta milhões de cristãos reformados ou presbiterianos no mundo.

PURITANOS. Tipo muito austero de protestantes. Historicamente, os puritanos são presbiterianos rigorosos que por certo tempo dominaram a Inglaterra com os *Roundheads* («Cabeças-redondas») de Cromwell e participaram da primeira colonização da América como passageiros do *Mayflower*. Nunca houve nem há hoje Igrejas propriamente puritanas, mas apenas presbiterianas, congregacionalistas etc. Em sentido amplo, o puritanismo é uma atitude de espírito cuja influência foi considerável em todo o protestantismo, e que não está muito distante do jansenismo (heresia do catolicismo).

QUAKERS. Membros da «Sociedade dos Amigos», fundada no século XVIII na Inglaterra por George Fox e instalada nos Estados Unidos pouco depois; foram renovados no princípio do século XIX por Bénézet, de Grellet, Woolmans e Whitter. Praticam um cristianismo muito despojado, baseado na meditação silenciosa e na espera da iluminação interior. De moral muito austera. São cerca de 200.000, sobretudo na Inglaterra e nos Estados Unidos. A sua ação social e caritativa mereceu a concessão do Nobel a dois dos seus comitês do «Socorro Quaker». A Sociedade dos Amigos afirma haver perto de 360.000 quakers no mundo atualmente (2008), a maioria na América e na África.

REARMAMENTO MORAL. Formação protestante que não é nem Igreja nem seita. Fundada após a Segunda Guerra Mundial pelo pastor luterano Franck Buchman, com o nome de «Grupos de Oxford», o movimento não tem dogmática. O que lhe interessa é o testemunho pessoal e a fraternidade humana vivida. Claramente protestante nos seus princípios, tendeu a abrir-se aos cristãos não protestantes e atualmente também aos não cristãos.

A entidade tornou-se cada vez mais secular com o passar dos anos e hoje pode ser considerada como uma instituição filantrópica. Em 2001, o nome *Rearmamento moral* foi substituído por *Initiatives of Change* («Iniciativas de mudança»). Suas atividades procuram fomentar a paz em regiões de conflito, especialmente na África e na Ásia.

REFORMADOS. Termo que designa, em geral, os calvinistas na França, Suíça, Países Baixos, Alemanha, Europa Central. Corresponde aos presbiterianos dos países anglo-saxões.

SKOPTSY («CASTRADOS»). Estranha seita russa que praticava a castração a fim de evitar o risco do pecado da carne; segundo a *Grande Enciclopédia Soviética*, ainda tinha adeptos em 1930. Hoje, aparentemente, já não há *skoptsy*; os pequenos grupos que resistiram à perseguição czarista foram liquidados pelo governo comunista.

TESTEMUNHAS DE JEOVÁ. Seita procedente dos Adventistas do Sétimo Dia, que a maior parte dos protestantes se recusa a admitir entre as suas Igrejas. Violentamente antitrinitárias, as Testemunhas não reconhecem senão o Deus da Bíblia (melhor: do Antigo Testamento), rejeitam qualquer outra revelação, negam a imortalidade da alma (melhor: negam a alma), são vigorosamente pacifistas. Uma excelente organização e um sentido real do apostolado permitiram-lhes fazer grandes progressos, sobretudo de 1925 a 1955.

Segundo os dados oficiais de 2006, haveria cerca de 6,2 milhões de testemunhas de Jeová praticantes, os únicos levados em conta nas estatísticas.

UNITARIANOS. Agrupamentos oriundos de diversas confissões, e que tinham em comum a hostilidade ao dogma da Santíssima Trindade (prolongando as heresias gnósticas e arianas dos primeiros séculos e o socinianismo do século XVI). Instalado nos EUA, onde a Universidade de Harvard foi o seu centro, o unitarismo evoluiu no sentido de um cristianismo sem dogmas, de índole moral e social. Em 1963, havia cerca de 125 mil unitarianos declarados nos EUA e 40 mil na Inglaterra.

Depois dos estragos feitos pela teologia liberal, as suas Igrejas passaram a ser praticamente entidades filantrópicas: em 2003, um terço dos seus membros definia-se como humanista, não como cristão. Eram nessa altura cerca de 300 mil, metade dos quais nos EUA. As igrejas unitaristas na Hungria e na Transilvânia também são numerosas e ainda conservam aspectos da doutrina sociniana. Praticamente todas as igrejas estão unidas no Conselho Internacional de Unitaristas e Universalistas.

VALDENSES. Descendentes dos hereges da Idade Média, ainda hoje chamados «Pobres de Lyon», sobreviveram em pequenos grupos às perseguições nos vales alpinos.

A Igreja Valdense e a Igreja Metodista Italiana fundiram-se em 1975 sob o nome de Igreja Evangélica Valdense; são hoje (2008) uns 45 mil, dois quais dois terços na Itália e um terço na Argentina e no Uruguai.

VELHOS-CATÓLICOS. Cismáticos que abandonaram Roma por recusarem o dogma da infalibilidade papal (1871). Depois, vieram a ligar-se à Igreja Jansenista de Utrecht e protestantizaram-se cada vez mais. Desde 1931, têm um acordo com a Comunhão Anglicana que permite aos fiéis de uma receberem os sacramentos na outra.

A maior Igreja velho-católica, a Igreja Católica Polonesa Nacional, separou-se da União de Utrecht na década de noventa, quando a Igreja velho-católica alemã e algumas outras começaram a ordenar mulheres e a abençoar uniões homossexuais.

Em 1963, eram cerca de 600 mil, dos quais 360 mil nos Estados Unidos; atualmente (2003), embora o seu número seja difícil de estimar, talvez sejam em torno de 550 mil, dos quais a maior parte (quinhentos mil) se concentra nos EUA; no entanto, se incluirmos a Igreja Filipina Independente, fundada por Gregório Aglipay em 1902, chegaremos à casa dos três milhões.

Velhos-crentes. Cristãos russos separados da Igreja Ortodoxa oficial desde o *Raskol* [«cisma», em russo] do século XVI por não terem aceitado certas inovações. Apesar de muito perseguidos pelos soviéticos, eram ainda em 1963 uns vinte milhões, divididos entre várias formações, a principal das quais é a Igreja Ortodoxa dos «Velhos-crentes»; de lá para cá, o seu declinou dramaticamente, para apenas 2 a 2,5 milhões na Rússia.

Verdadeiros Cristãos Ortodoxos. Uma das numerosas seitas nascidas na Rússia em começos do século XX, quando a igrejas ortodoxas adotaram um versão reformada do calendário Juliano que o aproximava do gregoriano (daí também o nome de «velhos-calendaristas»). Hostis a todas as formas de comunismo oficial, vivem no entanto em comunidades muito coesas, recusam-se a considerar-se uma Igreja, esperam o fim do mundo para breve (como os Adventistas do Sétimo Dia no campo protestante. Atualmente (2008), o número de fiéis é muito reduzido, uma vez que muitos dos seus bispos resolveram submeter-se ao Patriarcado Ecumênico de Constantinopla.

Notas

[1] Sobre Döllinger, veja-se o vol. VIII, cap. V, par. *O Concílio Vaticano*.

[2] Mais recentemente, nos anos setenta do século XX, as Igrejas da «União de Utrecht» passaram a estar em plena comunhão com a Comunhão Anglicana (N. do E.).

[3] A «Igreja Católica Nacional Polonesa» saiu da União de Utrecht em 2003 por não aceitar a ordenação de mulheres e por outras questões disciplinares (N. do E.).

[4] Os números e dados posteriores a 1963 foram acrescentados pelo Editor (N. do E.).

[5] Ronald Roberson, *The Eastern Christian Churches*, 6ª edição, Edizioni Orientalia Christiana, Pontificio Istituto Orientale, 1999; disponível no endereço: http:www.cnewa.com/generalpg-verus.aspx?pageID=182.

Quadro cronológico

Datas	Eventos políticos, intelectuais e sociais	Igreja Católica	Igrejas Orientais	Igrejas saídas da Reforma	História do ecumenismo
1789	Revolução Francesa				
1790		Constituição civil do Clero (França)			
1791		Começa a pers. relig. (França)		M. de Wesley, fundador do Metodismo. Igualdade de direito para os protestantes da França	
1792	10-8: cai a Mon. francesa			Sociedade Batista Missionária	

1793	21-I: execução de Luís XVI. Segunda Partilha da Polônia	Agrava-se a perseguição: muitos padres emigram. Festa da Deusa razão	Filocália dos Santos: trad. russa		
1794	O Terror	Robespierre: Festa do ser Supremo	M. o grande *staretz* russo Paisius Velichkowski		
1795	3ª e última Partilha da Polônia			Sociedade Mis. de Londres	
1798	Bonaparte desembarca no Egito Roma ocupada pelos franceses				
1799	Golpe de Estado de Bonaparte (18-19) Brumário	Paz relig. na França. M. de Pio VI.			
1800		Eleição de Pio VI			
1801	Alexandre I da Rússia (até 1825) Os franceses deixam o Egito	Concordata na França			
1802	O território de Montbéliard (luterano) entra na França				

1803				M. de Herder (Alemanha)	
1804	Sagração Imp. de Napoleão por Pio VII: Império Francês la insurreição servia contra os Turcos			Bible Society (Londres)	
1806	Hegel: *Fenomenologia do Espírito*				
1807	Abolição do tráfico dos Negros				
1808		Conflito de Napoleão com o Papa			
1812	Campanha da Rússia	Pio VII em Fontainebleau			
1813				Desenvolvimento dos Batistas: *Baptist Union*. Nasce Kierkegaard	
1814	A abdicação de Napoleão	Pio VII regresso a Roma			

1815	Waterloo. Queda definitiva de Napoleão. Congresso de Viena. Luís XVIII no trono				
1816	Autonomia da Sérvia			«Despertar» em Genebra. *American Bible Society*	
1817				Reforma Freder. Guilherme e a «Igreja Unida» (Prússia)	
1818				Sociedade Bíblica Francesa	
1821	Guerra da Independência da Grécia		Patriarca de Constantinopla é enforcado pelos Turcos		
1822	Chacina de Quio				
1823		M. de Pio VII; eleição de Leão XII			
1824	Carlos X, rei da França (até 1830)			Sociedade das Missões Evangélicas de Paris	Möhler: *A Unidade da Igreja*
1825	Nicolau I da Rússia (até 1855)				

1826				M. de D'Oberlin, pastor de Ban-de-la-Roche	
1827	Vitória de Navarino, contra os turcos				
1828	Os Russos na Armênia			Irving e as «Comunidades apostólicas»	
1829		M. de Leão VIII; eleição de Pio VIII		M. de Félix Neff, pastor de Queyras. Abolição do «Act of Test» (1829-33)	
1830	Formação do Reino da Grécia. Independência da Bélgica. Ocupação da Argélia pela França. Queda de Carlos X. Luís Filipe (até 1848)	M. de Pio VIII	A Igreja Grega declara-se «autocéfala»		
1831		Eleição de Gregório XVI			Möhler: *A Simbólica*

1832	Maomé Ali, paxá do Cairo, revolta-se contra o Sultão			Adolphe Monod: «Despertar» em Lyon. Os Haldane na Escócia. Na Alemanha. Wichern cria a «Rauhe Haus»	
1833			M. de Serafim de Sarov	Começa, no Anglicanismo, o movimento de Oxford «Congregational Union»	
1834				M. de Schleiermacher	
1835	Strauss: *Vida de Jesus*				
1836	Vitória no trono britânico (até 1901)		Os Russos tentam submeter a Igreja Armênia	Fliedner funda as Diaconisas alemãs	
1838				Fundação dos «Discípulos de Cristo» (E.U.A.)	M. de Möhler
1839	Novo conflito turco-egípcio		O Sultão dá, em princípio, igualdade civil aos cristãos		

1840	Tratado de Londres (Questão do Oriente)			Associação Geral de Beneficência (Alemanha). Elizabeth Fry e a reforma das prisões (Ingl.). Freder. Guilherme IV da Prússia, reformador religioso	
1841				Primeiras religiosas anglicanas	
1842			Chacina dos Armênios pelos Curdos		
1844		Movimento anticatólico, nos Estados Unidos			
1845				G. Williams funda a União Cristã da mocidade. A Noruega concede a igualdade de cultos	
1846		M. de Gregório XVI. Pio IX (até 1878)			Aliança Evangélica

1847				M. de Alexandre Vinet	
1848	Revolução em Paris: queda de Luís Filipe. Marx: *Manifesto do P. Comunista*		Carta de metropolistas, em resposta à de Pio IX	Fundação (na Escócia) da Aliança Presbiteriana. Wichern cria a Missão Interior (Alemanha). Holanda: separação da Igreja e do Estado	Pio IX dedica a sua carta *In supremo patri* aos Orientais
1849				Dinamarca: igualdade de cultos	
1850				Darby e os «Irmãos de Plymouth». Pusey e o começo do ritualismo anglicano	
1851	2-12: golpe de Estado de Luís Napoleão				
1852	Império francês				
1854	Guerra da Crimeia	Dogma da Imaculada Conceição			
1855	O Czar Alexandre II (até 1881)				

1856	Tratado de Paris (Questão do Oriente)		Os cristãos da Turquia obtêm, em princípio, a igualdade pol.	M. de Kierkegaard	
1858	Autonomia da Romênia	Aparições de Lourdes			
1859	Darwin: *Origem das Espécies*			O protestantismo liberal passa a ter importância	O Pe. Guetée funda a *União Cristã*
1860			Os Drusos chacinam cristãos no Líbano	Ellen Gould White e os Adventistas do Sétimo Dia. Vermeil e as Diaconisas francesas	
1861	Fundação do Reino da Itália. Na Rússia, é abolida a servidão				
1863	Renan: *Vida de Jesus*			O caso Colenso na África do Sul	Publicação da *Union Review*
1864		*Quanta Cura* e *Syllabus*		Primeiro bispo anglicano negro	Condenação pelo Santo Ofício da Associação (inglesa) pela Unidade

1865			Narrativa de um peregrino russo	William Booth e o *Exército de Salvação*. «Social Gospel», nos E.U.A.	*Anglican and Eastern Churchs Association*
1866	I Internacional. A Prússia vence a Áustria em Sadowa. Estatuto constitucional no Egito			Pressencé reage contra os excessos da «crítica livre». Nos Estados Unidos, o «Ku-Klux-Klan»	Fundação da «Conferência Internacional das Missões
1867	Independência da Sérvia. Marx: *Das Kapital* (I vl.)			Comunhão Anglicana (Conferência de Lambeth)	
1868	Japão: início da Era Meiji	Bula *Aeterni Patris* (convocação do concílio do Vaticano)		Estátua monumental a Lutero (Alemanha)	
1869		Abertura do Concílio	A Hierarquia ortodoxa rejeita o convite para o Concílio		Bula *Aeterni Patris*

1870	Tomada de Roma pelos Piemonteses, interrupção do Concílio. Guerra franco--alemã. Queda do Império francês. III República	Dogma da infalibilidade pontifícia	Fundação da Sociedade Missionária Ortodoxa. A Igreja Búlgara torna-se autocéfala		
1871	Proclamação do Império Alemão	Cisma Velho--Católico. Começa, na Alemanha, o *Kulturkampf*			
1872		Mons. Mermillod e o «Pequeno Kulturkampf» suíço			Ação de Mons. Strossmayer
1873			Na Igreja Copta, os leigos criam um conselho de Vigilância	A Suécia concede igualdade de cultos	
1875				Aliança Mundial das Igrejas Reformadas	
1876	Terror turco na Bulgária				
1877				Fundação do *Exército de Salvação*	

1878	Tratado de San Stefano (Questão do Oriente). Congresso de Berlim	M. de Pio IX. Leão XIII (até 1903)			
1879		Na Alemanha, aplacação do Kulturkampf			
1881	Alexandre III, czar (até 1894)		M. de Dostoievski		
1882		Mártires do Uganda (entre os quais, angl.)			
1884	Morte de Karl Marx				
1885			«Autocefalia» da Igreja Romena	Florescimento (por 10 anos) do socialismo crist. de Stoecker. Na França: escola de Ch. Gide	
1888	Guilherme II, Kaiser (até 1918)				
1889					A União de Utrecht congrega antigos jansenistas com velhos-católicos

1890	Renan: *O futuro da ciência*				Lord Halifax encontra-se com o Pe. Portal
1891		A grande encíclica social *Rerum Novarum*		(e anos seguintes); renasce o monaquismo, na Igreja Anglicana	
1893					«Parlamento das religiões», em Chicago
1894	Nicolau II, Czar (até 1917)	Apelo de Leão XIII aos Orientais	Os Ortodoxos repelem a encícl. *Praeclara*. M. Teófano o recluso. Pavorosas chacinas na Armênia		
1895			As chacinas se estendem ao Tauro		
1896	Derrota italiana em Aduá (Etiópia)				*Apostolici Curae* declara inválidas as ordenações anglicanas. Leão XIII estabelece uma novena pela Unidade

1897		P. Hecker; o *Americanismo*		Auguste Sabatier: *Filosofia da religião*
1898	O «Affaire» Dreyfus, na França			
1899	Guerra dos Boers			
1900			M. de Soloviev (1858)	Fundação da «Aliança Luterana»
1901	M. da Rainha Vitória; Eduardo VII (até 1910)			Publicações (liberais) de Albert Schweitzer sobre Cristo
1902		Começo da crise modernista		
1903	Surge o «Bolchevismo»	M. de Leão XIII: Pio X (até 1914)	A Rússia despoja a Igreja Armênia	Comissão Central das Igrejas evangélicas da Alemanha

1905	Derrota russa perante o Japão: agitação revolucionária russa		Começo de um movimento reformador na Rússia	Aliança Batista Universal. Surgem e florescem os movimentos pentecostistas. Os protestantes franc. aceitam o sistema das Associações de culto	
1907		Condenação do modernismo		Federação Protestante da França. Rauschebusch e o Cristianismo Social (E.U.A.)	
1908			M. de João de Kronstadt. Nasce em Atenas o movimento *I Zoi*	Baden Powell funda o Escotismo	O Pe. Wattson cria o Oitavário de orações pela Unidade
1909		Fundação do Instituto Bíblico	Novos Morticínios na Armênia		

1910			M. de Tolstoi (n. 1828)	Congresso de Berlim (protestantismo liberal). Ressurreição do «Deserto». Museu do «Deserto	Conferência de Edimburgo; origem do movimento Ecumênico
1912	Guerras balcânicas (até 1913)				
1913			Na Rússia forte corrente pela restauração do Patriarcado de Moscou		
1914	I Guerra Mundial (28 de Julho até 18 de Nov.)	M. de Pio X: Bento XV			Fundação da Aliança Universal de Amizades pelas Igrejas (2 de Agosto)
1915			Novas Chacinas na Armênia, e a seguir em todas as cristandades do Próximo Oriente asiático		

1917	Revolução Russa (2-3; liberal e socialista); 25-10: comunista.)	Fundação da Congregação para as Igrejas Orientais (Roma)	Restabelecimento do Patriarcado de Moscou (28-10). Início da perseguição na Rússia		
1918	Armistício que acaba com a Guerra (11-11)		Na Rússia, separação da Igreja e do Estado. Perseguição violenta		
1919	Os Gregos atacam os Turcos na Anatólia			Primeiras obras de Karl Barth (n. 1884) Frank Buchman cria os «Grupos de Oxford», futuro Rearmamento Moral	
1920	Fome na Rússia. Tratado de Sèvres (Independência da Armênia, que será em breve república na União Soviética)			Notável Lei Escolar na Holanda. Conferência (anglicana) de Lambeth	
1921	Revolta antissoviética reprimida na Armênia			Conselho Internacional das Missões	Encontros de Malines (até 1925)

1922	Lenin instaura os NEP. Os Turcos derrotam os Gregos. Mussolini sobe ao poder na Itália		A Igreja sérvia elevada a Patriarcado. Novos Morticínios de cristãos na Turquia	Federação Alemã das Igrejas	
1923	Mustafa Kemal, ditador na Turquia		O Patriarca Tikhon aceita o regime soviético: a perseguição cessa em breve		
1924	M. de Lenin (n. 1870)				
1925			Florescem os «sem-deus» na Rússia		Fundação do priorado de Amay pela União. Congresso de Estocolmo (Life and Work).
1926	Stalin todo-poderoso				Fundação do Centro Istina
1927			O «Patriarca» Sérgio liga-se ao regime soviético	Questão do «Prayer Book» (Inglaterra)	Congresso de Lausane (*Faith and Order*). Fundação do Centro para a União das Igrejas, no Instituto Católico de Paris

1928		Apelos de Pio XI aos Orientais	Nova perseguição na Rússia		Encícl. *Mortalios animos*
1929		Acordos do Latrão (termo da «Questão Romana»)			
1930	Heilé Selassié imperador da Etiópia				
1931		Quadragésimo Ano			
1932				Karl Barth: *Dogmática* (a continuar)	
1933	Hitler sobe ao poder como chanceler		Os Assírios perseguidos, no Iraque	Hitler tenta fundar uma Igreja Evangélica Alemã	O Pe. Couturier da sentido autêntico à Semana de Orações pela Unidade
1934	Os grandes expurgos na URSS			«Igreja Confessante Alemã»	
1935	Mussolini invade a Etiópia				
1936	Começa a Guerra Civil na Espanha				

1937		Encíclica de Pio XI contra o Comunismo e o Nacional-Socialismo			Pe. Congar: *Cristãos desunidos*. Reuniões de Oxford e de Edimburgo (*Faith and Order* e *Life and Work*)
1938	Novos expurgos na URSS. «Anschluss» da Áustria		Nova onda de perseguições na URSS		Max Metzger cria *Una Sancta*
1939	1-9: Hitler invade a Polônia. Começa a II Guerra	M. de Pio XI: Pio XII		Começa a ação de Billy Graham	
1940				Fundação da Comissão Central Maronita. Roger Schütz em Taizé	
1941	Hitler ataca a URSS			Bultmann (n. 1884): *Novo Testamento e Mitologia*	
1943		Encícl. *Divino afflante Spiritu* (sobre a Bíblia)	Normalização das relações entre o regime e a Igreja na URSS: supressão do movimento «sem-deus»		

1944			M. do Patriarca Sérgio: eleição do Patriarca Aleixo	União Batista na Rússia	A Encícl. *Orientalis Ecclesia* exalta São Cirilo de Alexandria
1945	Conferência de Yalta: partilha da Europa, favorável à URSS. Bomba atômica: destruição de Hiroshima		Renovação da Igreja na URSS	Roger Schütz instala definitivamente em Taizé. A comunidade dos Irmãos huterianos no Paraguai	
1946	Esmagamento da Alemanha. Começa a Guerra da Indochina			Aliança Bíblica Universal	
1947	Os Ingleses saem da Índia		Reconstituição dos «sem-deus» na URSS	Federação Mundial Luterana	Fundação da «Igreja da Índia Meridional». O Pe. Ch. Boyer funda em Roma o Centro *Unitas*
1948					Fundação (em Amsterdã) do «Conselho Ecumênico das Igrejas»

1949	República popular da China				O Santo Ofício defina condições para a ação ecumênica dos Católicos
1950	Cortina de Ferro. Guerra da Coreia				
1951			A Igreja da Etiópia torna-se independente da Igreja Copta Egípcia	Fundação do Conselho Metodista Mundial. Tillich (n. 1886): *Teologia Sistemática*	D. Willebrands funda a Conferência sobre as questões ecumênicas
1952					Reunião de Lund (*Faith and Order*)
1953	M. de Stalin (n. 1879)				
1954	Crise na URSS: N. Khrushchov, toma conta do regime. Começa a Guerra da Argélia		O Patriarca copta é sequestrado pelos fiéis		Reúne-se em Evanston. Conselho Ecumênico das Igrejas. Fundação de *Die Sammlung*
1955			Motins anticristãos em Constantinopla		

1956	Revolta de Budapeste; repressão pela URSS. Crise de Suez				
1958		M. de Pio XII: João XXIII			
1959		João XXIII anuncia a convocação de um Concílio ecumênico (25-1).	Nova onda de perseguições pelo governo na URSS. Desenvolvimento do movimento ateu		Anúncio por João XXIII de que um dos fins do Concílio será a Unidade dos Cristãos

ÍNDICE BIBLIOGRÁFICO

Como em todos os tomos desta *História*, as indicações bibliográficas a seguir não se propõem de maneira nenhuma dar uma bibliografia completa da questão, mas apenas guiar o leitor que, sobre um ou outro dos assuntos aqui abordados, deseje aprofundar os conhecimentos. A bibliografia sobre o protestantismo é rica sobretudo em inglês e em alemão; como nos dirigimos sobretudo ao público francês, limitamo-nos às obras indispensáveis nas outras línguas quando não existem trabalhos homólogos em francês.

História geral

Para situar os acontecimentos religiosos no seu enquadramento geral, político, sociológico, remetemos para os dois primeiros tomos de *A Igreja das revoluções*, I. *Diante de novos destinos* e II. *Um combate por Deus*, bem como para as obras gerais indicadas nas bibliografias desses volumes.

História religiosa

Entre obras indicadas nos tomos precedentes, são úteis para este as grandes enciclopédias, como a *Enciclopaedia Catholica*, que contém sobre as Igrejas separadas notícias minuciosas e, em geral, muito objetivas; a *Enciclopaedia Britannica*, mina inesgotável em especial sobre os diversos aspectos do protestantismo; e os treze volumes de F. Lichtenberger, *Encyclopédie des Sciences Réligieuses*, Librairie Sandoz et Fischbacher, Paris, 1876-82, naturalmente ultrapassado nas questões mais recentes. Nos tomos anteriores, ver também as revistas indicadas sobre questões religiosas; e acrescentemos que a *Actualité religieuse* e a *Informations catholiques internationales* dedicam parte das suas edições aos «irmãos separados», e que *Le Christ au monde* se interessa pelos seus métodos de apostolado.

Para quadros de conjunto, vejam-se os grandes manuais de História das Religiões, bem como: Gérard Viatte, *Oecuménisme*, Casterman, Paris, 1964, rápido, bem informado e muito justo no tom, e Maurice Villain, *Introduction à l'oecuménisme*, 4ª. ed., Casterman, Paris, 1964. Desde 1959, há algumas obras que, sem traçar quadros completos nem descrições históricas, abrem para os «irmãos separados» perspectivas luminosas; sob o ponto de vista católico, veja-se Yves Congar, *Chrétiens désunis*, Cerf, Paris, 1967 e Jean Guitton, *Le Christ écartelé*, Perrin, Paris, 1963.

Para os dados estatísticos, utilizamos o *World Handbook*, Nova York; o *Bilan du monde : 1964. Encylopédie catholique du monde chrétien*, do Centre «Église Vivante» Louvain e da Fédération Internationale des Instituts de Recherches Sociales et Socio-réligieuses, Casterman, Tournai, 1964; alguns números especiais de *Missi*; e as informações fornecidas por Adrien Bouffard, *Perspectives sur le Monde*, L'Union Missionaire du Clergé, Québec, 1957. Na atualização, o Editor utilizou o *CIA World Factbook*, https://www.cia.gov/library/publications/the-world-factbook; Ronald Roberson, *The Eastern Christian Churches*, 6ª ed., Edizioni Orientalia Christianae, Pontificio Istituto Orientale, 1999, disponível no endereço: http://www.cnewa.com/generalpg-verus.aspx?pageID=182; e os sites oficiais das diversas Igrejas.

Protestantismo

Sobre os diversos aspectos do protestantismo, Émile G. Léonard, *Histoire générale du Protestantisme*, t. III, reed. pelas Presses Universitaires de France (PUF), Paris, 1998, obra geral de alta qualidade, mas que apresenta alguns esquecimentos lamentáveis (por exemplo, não menciona Paul Tillich ou Oscar Culmann) e erros patentes (divide Lord Halifax em duas pessoas, uma que seria a da tentativa da «reunião em corpo», a outra a de Malines) e revela a hostilidade do autor pelo movimento ecumênico. Inferiores são Paul Fargues, *Histoire du Christianisme* (de viés protestante, naturalmente), vols. IV-VI, Paris, 1936-39; Louis Emery, *Histoire du christianisme: manuel destiné à l'enseignement religieux*, 5a. ed., Bruxelas, 1937. Jacques Courvoisier, *Histoire du protestantisme*, Neuchâtel, 1952, é sumário, mas judicioso; F.H. Broadbert, *Le pélerinage douloureux de l'Église fidèle à travers les âges*, Yverdon, 1938, é uma apologética «fundamentalista». Algumas obras sucintas de autores católicos que escrevem com uma mentalidade bem ampla: de Georges Tavard, *Le protestantisme*, PUF, Paris, 1958 e *À la rencontre du protestantisme*, Paris, 1954; André D. Toledano, *L'Anglicanisme*, PUF, Paris, 1957; e Jean Dedieu, *Instabilité du protestantisme*, Paris, 1928, contém apesar do título juízos equitativos. Muitas informações encontram-se também nos periódicos protestantes, tais como *Réforme*, *Christianisme au XXe siècle* e sobretudo o boletim trimestral da *Société d'Histoire du Protestantisme*, que se publica desde 1852.

I. Filhas da reforma

Luteranos: Lucien Febvre, *Martin Luther, un destin*, 4ª. Ed., PUF, Paris, 1988, continua a ser a biografia mais viva e mais completa em francês. Também R. Jung, *Histoire résumée de l'Église luthérienne en France*, Paris, 1928, e H.F.F. Schmidt, *Geschichte des Pietismus*, Munique, 1868. *Calvinistas* : Jean Rilliet, *Calvin*, Paris, 1963 e Henri Clavier: *Études sur le Calvinisme*, Paris, 1936. *Congregacionalistas*: F.L. Flagey, *History of the Congregational*

Christian Churches, Boston e Chicago, 1941. *Anglicanos*: Stephen Neill, *Anglicanism*, 3ª. ed., Londres, 1958, com uma boa bibliografia; Cyril F. Garbett, *The Claims of the Church of England*, London, 1947, e *Church and state in England*, London, 1950; F. W. Cornish, *The English Church in the 19th Century*, 2 vols., London, 1910; e sobretudo John Richard H. Moorman, *History of the Church in England*, London, 1954; para uma visão católica, Georges Coolen, *Histoire de l'Église d'Angleterre*, Paris, 1932, e *L'anglicanisme d'aujourd'hui*, Paris, 1933, e André D. Toledano, *L' anglicanisme*, Paris, 1957, muito objetivos. *Batistas*: H. Wheeler Robinson, *The Life and Faith of the Baptists*, London, 1947; G. Rousseau *Histoire des Églises baptistes dans le monde*, Paris, 1951; C. Henry Smith, *Story of the Mennonites*, North Newton, Kansas, 1957, e o manual *Brève histoire des églises mennonites*, Montbéliard, 1954. *Metodistas*: sobre Wesley e o metodismo, a bibliografia é enorme; mencionemos apenas John Fletcher Hurst, *History of Methodism*, 7 vols., Nova York, 1902-4; e, em francês, Agnés da la Gorce, *Wesley maître d'un peuple*, Paris, 1940; os artigos de Jean Orcibal, designadamente na *Revue Historique*; e a curiosíssima obra de Maximin Piette, *La réaction wesleyenne dans l'évolution protestante*, Bruxelas, 1925, com bibliografia crítica. *Quakers*: Henry van Etten, *George Fox et les Quakers*, Paris, 1953, dá o essencial; ver também William Wistar Comfort, *Just Among Friends*, Nova York, 1945 e *Quakers in the modern world*, Nova York, 1940, bem como Henry van Etten e Magdeleine Lévy, *Le Culte quaker d'après les données de la mystique, l'inspiration dans la vie quotidienne et dans le culte*, Paris, 1945. *Novas Igrejas e seitas*: há inúmeras publicações sobre este assunto ; mencionemos Jean Séguy, *Les sectes protestantes dans la France contemporaine*, Paris, 1956; Henri-Charles Chéry OP, *L'offensive des sectes*, Paris, 1954; Maurice Colinon, *Faux prophétes et sectes d'aujourd'hui*, Paris, 1953, e *Le phénomène des sectes*, Paris, 1959; B. Lavaud, *Rites modernes et foi catholique*, Paris, 1954; Robert Walter, *Histoire des sectes chrétiennes*, Paris, 1950; e, do lado protestante, Societé Centrale d'Evangelisation, *L'Église et les sectes. Quelques dissidences religieuses de notre temps*, Paris, 1951; Gérard Dagon, *Petites églises et grandes sectes*, Paris, 1960; E. Gerber, *Le Mouvement adventiste*, Paris, 1950; e Camillo Crivelli SJ, *Pequeño diccionario de las sectas*, México, 1949.

II. O mundo protestante

Uma visão de conjunto, sucinta mas singularmente pertinente, é a que se encontra na parte protestante, redigida por André Siegfried, de André Latreille e André Siegfried, *Les Forces religiuses et la vie politique*, Paris, 1951; e Jean Maurice, *Voyages chez les protestants*, Paris, 1964, trata da Escandinávia, da Alemanha e da Inglaterra.

Escandinávia: J.G. Hoffmann, *Les fondements historiques des Églises du Nord*, Genebra, s.d. *Alemanha*: para o período anterior a 1895, cf. Georges Goyau, *L'Allemagne réligieuse*, vol. 2. *Le Protestantisme*, Paris, 1905; também Frédéric Lichtenberger, *Histoire des idées religieuses en Allemagne*,

Paris, 1888; para os tempos posteriores, ver as Histórias da Alemanha, as obras sobre Guilherme II e Hitler e os livros de Roger d'Harcourt, F. Vermeil, H. Valloton, etc. *Inglaterra*: André D. Toledano, *Histoire de l'Angleterre chrétienne*, Paris, 1955, e Berthe Gavalda, *Les Églises en Grande-Bretagne*, Paris, 1959; ver também Georges Coolen, *Histoire de l'Église d'Angleterre*, Paris, 1932, e as obras gerais sobre a história da Inglaterra, p. ex. Élie Halévy, Ch. Bastide, André Maurois e Jacques Chastenet; em Portugal, é importante José Pequito Rebello, *Aspecto espiritual da aliança inglesa*, Restauração, Lisboa, 1945. *França*: Raoul Stephan, *Histoire du protestantisme français*, Paris, 1961; Émile G. Léonard, *Le protestant français*, Paris, 1953, excelente análise psicossociológica; ver também o caderno de *Présences* sobre o *Protestantisme français*, Plon, Paris, 1945. *Estados Unidos*: o grande clássico é Will Herberg, *Protestant — Catholic — Jew: An Essay in American Religious Sociology*, University of Chicago Press, 1983; obras gerais são Claude Jullien, *Le nouveau Nouveau Monde*, vol II. *Races, réligions, moeurs*, Paris, 1960, André Siegfried, *Les États-Units d'aujour'hui*, Paris, 1929, e os livros de André Maurois, Jean Canu, Alexandre Viatta; ver também Ch. Bastide, *La religion et les Églises aux États-Unis*, Paris, 1918; V. Monod e H. Anet, *Les forces du protestantisme américain contemporain*, Paris, 1921, e, em inglês, Herbert Wallace Schneider, *A History of American Philosophy*, Columbia University Press, 1946. *América Latina*: W. Stanley Rycroft, *Religion and Faith in Latin American*, Filadélfia, 1958; Émile G. Léonard, *O protestantismo brasileiro*, JUERP, 1981 (*Formation d'une société protestante au Brésil*, Paris, 1953); Arturo Gaete, «Les Pentecôtistes au Chili», in *Recherches et Débats*, mai 1956.

As *missões protestantes*: as obras católicas citadas nos dois tomos anteriores — Dechamps, Du Mesnil, Delacroix, Sejés, etc. — também falam das missões protestantes. A obra mais documentada K.S. Latourete, *History of the Expansion of Christianity*, 7 vols., Yale, 1935-. A Sociedade das Missões Evangélicas de Paris publicou numerosas obras sobre o tema; ver também Maurice Leenhardt in *Protestantisme français*; Pannier e Mondain, *L'expansion française outremer et les protestants*, Paris, 1931; G. Mondain, *Un siècle de Missions protestants à Madagascar*, Paris, 1948; e as memórias dos pastores Maurice e Raymond Leenhardt.

III. A alma e o espírito do protestantismo

Os «despertares»: uma das obras mais interessantes é Léon Maury, *Le Réveil religieux à Genéve et en France*, Paris, 1898; as cartas de Félix Neff foram reeditadas por Dieulefit, 1934; a parte dedicada aos «despertares» por Émile G. Léonard na *Histoire générale du protestantisme* é a melhor da obra; ver também Yngve Brilioth, *The Anglican Revival: Studies in the Oxford Movement*, London, 1925; Élie Bois, *Le Réveil au Pays de Gales*, Paris, 1906; sobre Alexandre Vinet, as biografias de J. de Mestral-Combremont, 1930, ou H. Perrochon, 1947; sobre Grundtvig, a obra de Karl Koch, Genebra, 1943; e Jacques Blocher, *Lé Réveil du XVIII e siècle en Amérique du Nord*, Paris, 1952.

Sobre alguns personagens importantes. *Kierkegaard*: Margueritte Grimault, *Kierkegaard par lui-même*, Paris, 1962, e Karl Koch, *Søren Kierkegaard*, Paris, 1934; ver também Jean Wahl, *Études kierkegaardiennes*, Paris, 1949, e Mesnard, *Le vrai visage de Kierkegaard*, Paris, 1948. *Schleiermacher*: foi pouco estudado; ver Tissot, Paris, 1853, e Mathias Goy, *Schleiermacher, sa vie et ses ouvrages*, Paris, 1868; Lichtenberger e Goyau consagraram-lhe algumas páginas. Sobre as grandes figuras espirituais e sociais do Protestantismo, mencionemos apenas Wilfred Monod, *La nuée de témoins*, Paris, 1928; Camille Drevet, *Kagawa*, Estrasburgo, 1961; C.E. Babut, *Adolphe Monod*, Paris, 1902; Camille Leenhardt, *Oberlin*, Paris, 1910; Raymond Weiss, *Daniel Legrand*, Paris, 1926; Rey Lescure, *John Bost*, Paris, 1959; A. Lavondés, *Charles Gide*, Uzés, 1958; a tese de doutoramento de Marc Boegner, *Tommy Fallot*, etc.

Sobre a *renovação bíblica e teológica*. Ver Suzane de Dietrich, *Le Renouveau biblique, hier et aujourd'hui*, 2 vols., Paris, 1945; Karl Barth, *La théologie protestante au XIXe. Siècle: Pré-histoire et histoire*, Librairie Protestante, 1969. Sobre *K. Barth*, há numerosos trabalhos de Visser't Hooft, Victor Monod e as suas obras traduzidas por *Foi et Vie*; ver sobretudo Georges Casalis, *Portrait de Karl Barth*, Genebra, 1940, e também Jean Rilliet, *Karl Barth, théologien existencialiste*, Neuchâtel, 1952; numeroso católicos estudaram Barth, concretamente Bouillard, Jérônime Hamer, Congar, Hans Urs von Balthasar. Sobre *Paul Tillich*, ver Jean Paul Gabus, *Introduction à la théologie de la culture de Paul Tillich*, PUF, Paris, 1969. Sobre *Bultmann*, Giovanni Miegge, *L'Évangile et le mythe dans la pensée de Bultmann*, Neuchâtel e Paris, 1958; Marlié, *Le Problème théologique de l'herméneutique*, Paris, 1963; Oscar Cullmann, *La Tradition: Problème éxegetique, historique et theologique*, Paris, 1953.

Exército da Salvação: ver Albin Peyron, *Réflexions. Expériences d'un salutiste*, Paris, 1924; Mildred Duff, *Catherine Booth — A Sketch*, IndyPublishCo, 2006; G. Brabant, *William Booth. Un prophète des temps modernes*, Paris, 1948; e a abundante documentação publicada pelo Exército de Salvação. *Rearmamento Moral*: Frank Buchman, *Remaking the world*, London, 1961; Didier Lazard, *Le Réarmement moral*, Paris, 1949. Por fim, sobre o *monaquismo protestante*. François Biot, *Communautés protestants*, Paris, 1961. Sobre Taizé, há inúmeras reportagens, especialmente um número especial de *Fêtes et Saisons*.

IV. A herança de Bizâncio: a igreja ortodoxa

O interesse pela Ortodoxia e a bibliografia a seu respeito crescem sem cessar. *Trabalhos de conjunto*: um dos melhores é a trilogia de Adrian Fortescue, *The Orthodox Eastern Church*, Londres, reed. 2000; *The Uniate Eastern Churches*, Londres, reed. 2001; e *Lesser Eastern Churches*, Londres, reed. 2001. Também os trabalhos do pioneiro Albert Gratieux (o principal *é A.S. Khomiakov et le Mouvement Slavophile*, 3 vols., Paris, 1939) continuam interessantes. Uma boa obra de conjunto em francês são Raymond Janin, *Les*

Églises séparées d'Orient, Paris, 1927, e *Églises orientales et rites orientaux*, Paris, 1955. Também Gaston Zananiri OP, *Papes et Patriarches*, Paris, 1962; C. Gatti e C. Korolevskij, *I riti e le Chiese orientali*, Gênova, 1942, e Robert Walter, *Histoire des sectes chrétiennes*, cit.

Sobre a *espiritualidade*, há duas obras que se complementam bem: Jean Meyendorff, *L'Église ortodoxe, hier et aujourd'hui*, Paris, 1960, mais histórica, e Olivier Clément, *L'Église ortodoxe*, PUF, Paris, reed. 2002; e também Marie-Joseph Le Guillou, *L'Espirit de l'Orthodoxie grecque et russe*, Paris, reed. 2006. Para maior aprofundamento, ver Serge Boulgakov, *L'Orthodoxie*, Paris, reed. 2001, e Pavel Evdokimov, *Orthodoxia*, Neuchâtel, 1959. Traços particulares da espiritualidade ortodoxa foram estudados por Vladimir Lossky, *Essai sur la théologie mystique de l'Église d'Orient*, Paris, 1944, mais doutrinal; pela obra assinada por «Um monge da Igreja do Oriente», *La prière du coeur*, Chèvetogne, reed. 1959, sobre o «hesicasmo», também estudado em Jean Meyendorff, *Saint Grégoire Palamas*, Paris, 1959, e Olivier Clément, *Byzance et le Christianisme*, Paris, 1964. Sobre os ícones, Leonid Ouspensky, *Essai sur la théologie de l'icône dans l'Église orthodoxe*, Paris, 1960. Quanto à liturgia, Irénée Henri Dalmais, *Liturgies d'Orient*, Paris, 1959, e Helena Lubienska de Lenval, *Les liturgies d'Orient*, Paris, 1962. Sobre as Igrejas gregas e melquitas, Pierre Rondot, *Les chrétiens d'Orient*, Paris, 1955, e Jules Leroy, *Moines et monastères du Proche-Orient*, Paris, 1957, excelente narrativa de viagem. Sobre o Monte Athos, a reportagem de Jean Décarreaux, *Une république de moines*, Paris, 1956.

Sobre a *Igreja russa*, Nicolas Brian-Chaninov, *L'Église russe*, Paris, 1928, útil para a história; para a evolução espiritual, o ensaio de Julija Nicolaievna Danzas, *L'itinéraire réligieux de la conscience russe*, Paris, 1935. Sobre o sentido particular da espiritualidade russa, Ivan Kologrigoff, *Essai sur la sainteté en Russie*, Bruges, 1953, e Dino Barsotti, *Le christianisme russe*, Paris, 1963. Sobre a situação nos anos 30, o dossiê *Le problème religieux en URSS*, em *La documentation française*, Paris, 1954, e sobretudo Nikita Struve, *Les chrétiens en URSS*, Paris, 1963; nos anos 50-60, Constantin de Grunewald, *La vie religieuse en URSS*, Paris, 1961.

V. Os mais antigos separados da Ásia e da África

Trabalhos de conjunto: ver os já citados Adrian Fortescue, *Lesser Eastern Churches*; Gaston Zananiri OP, *Papes et Patriarches*, Paris, 1962; C. Gatti e C. Korolevskij, *I riti e le Chiese orientali*, Gênova, 1942; e especialmente Pierre Rondot, *Les chrétiens d'Orient*, e Jules Leroy, *Moines et monastères du Proche-Orient*. Vejam-se também os verbetes dedicados a cada Igreja no *Dictionnaire de Théologie catholique*, redigidos pelo cardeal Tisserant; no *Dictionaire d'Histoire et de Géographie eclésiastique*; os capítulos correspondentes em Maxime Gorce e Raoul Mortier, *Histoire générale des religions*, Paris, 1951; Henri Musset, *Histoire du christianisme, spécialement en Orient*, 3 vols., Harissa e Jerusalém, 1948-9; os dossiês de *L'actualité religieuse* e das *Informations catholiques*, bem como, para os coptas e os egípcios, alguns números especiais de *Vivante Afrique*.

Sobre os *Nestorianos*, os artigos de Amann e Tisserant no *Dictionnaire de Théologie catholique*, e o de Y. Tfinkdje no *Annuaire Pontifical* de 1914. Sobre o *Monofisismo* e os *Jacobitas*, o artigo de Jugie no *Dictionnaire de Théologie catholique*, e os de Ziadé e Vaillé sobre as Igrejas sírias, *ibid.* Para os *Armênios*: René Grousset, *Histoire de l'Arménie, des origines à 1071*, Paris, 1947; V.B. Lassardjian, *L'Église apostolique arménienne et sa doctrine*, Paris, 1943; Malachia Ormanian, *L'Église arménienne*, Paris, 1910; Krikor Jacob Basmadjian, *Histoire moderne des arméniens*, Paris, 1922, e Anne Nazarian, *Bibliographie de l'Arménie*, Paris, 1946. Quantos às *Igrejas do Malabar*, o livro de Fortescue acima citado; J.C. Panjikaram, *Christianity in Malabar*, in *Orientalia christiana*, Roma, 1926, e a reportagem de E. R. Hambye na *Documentation catholique*, XLIX, 1952. Para os *coptas*, Sylvestre Chauleur, *Histoire des coptes d'Égipte*, Paris, 1960, e sobre os *Etíopes* Jean Baptiste Coulbeaux, *Histoire politique et religieuse d'Abyssinie*, Paris, 1929; Jean Doresse, *L'Éthiopie antique et moderne*, Paris, 1956; e a reportagem de Maxime Cléret, *Éthiopie fidèle à la Croix*, Paris, 1957.

VI. A túnica inconsútil

Um modelo de clareza, concisão e equidade é Georges Tavard, *La petite histoire du mouvement oecuménique*, Paris, 1960.

Do *ponto de vista protestante e anglicano* : Ruth House e Stephan Neill, *A History of the Ecumenical Movement*, Londres, 1954; André Paul, *L'unité chrétienne*, Paris, 1930; Berthe Gavalda, *Le mouvement oecuménique*, PUF, Paris, 1959; Paul Conord, *Brève histoire de l'oecuménisme*, Paris, 1958; Marc Boegner, *Le problème de l'unité chrétienne*, Paris, 1946; W.A. Visser't Hooft, *Le protestantisme et le mouvement oecuménique*, Paris, 1935, e *Le Conseil Oecuménique des Églises*, Paris, reed. 1962; Robert Werner, *L'Unité protestante, les faits et les idées*, Paris, 1925; o caderno *Protestantisme français*, Paris, 1945; os artigos de *Foi et Vie*, e os opúsculos publicados por Roger Schütz e Max Thurian em Taizé ; por fim, Spencer Jones, *L'Église d'Angleterre et le Saint Siège*, Paris, 1951, ajuda a entender a atitude da «High Church».

Do ponto de vista ortodoxo: Pierre Kovalevski, *L'unité de l'Église*, Chauny, Aisne, 1946; L.A. Zander, *Vision and action : the problems of Ecumenism*, Londres, 1948; e a obra coletiva *L'Église et les églises: neuf siecles de douleureuse separation entre l'Orient et l'Occident — études et travaux sur l'unité chrétienne offerts a Dom Lambert Beauduin*, Chèvetogne, 1954-1955.

Do ponto de vista católico: Johann Adam Möhler, *L'unité dans l'Église*, Paris, reed. 1938; Yves Congar, *Vraie et fausse Réforme dans l'Église*, Paris, 1950, e *Chrétiens en dialogue*, Paris, 1963; Maurice Villain, *Introduction à l'oecuménisme*, Paris, reed. 1964. Gérard Viatte, *Oecuménisme*, Paris, 1964; François

Biot, *L'Église face aux chrétiens séparés*, Paris, 1963, e Pierre Michalon, *L'unité des chrétiens*, Paris, 1965, são bons resumos. Mais doutrinais são Roger Aubert, *Problèmes de l'unité chrétienne*, Paris, 1959, e *Le Saint-Siège et l'union de Églises*, Bruxelas, 1954; Karl Adam, *Vers l'unité chrétienne*, Paris, 1949; C. J. Dumont, *Les voies de l'unité chrétienne*, Paris, 1954; Gustave Thils, *Histoire doctrinale du mouvement oecuménique*, Lovaina, 1955; Bernard Leeming, *Les Églises à la recherche d'une seule Église*, Paris, 1964 ; e ainda se revistas *Istina, Irenikon, Unitas*, bem como as coleções *Actualités religieuses* e *Informations catholiques*. Sobre *Couturier*, Maurice Villain, *L'abbé Paul Couturier*, Paris, 1957, e os escritos do mesmo Couturier, *Rapprochements entre les chrétiens au XXe siècle*, Le Puy, 1944.

Por fim, sobre as tentativas de reunião *em corpo* dos anglicanos a Roma, Jacques de Bivort de la Saudée, *Anglicans et catholiques, le problème de l'union anglo-romaine*, Paris, 1948, mas especialmente Albert Gratieux, *L'amitié au service de l'union. Lord Halifax et l'abbé Portal*, Paris, 1951, e Jean Guitton, *Dialogue avec les précurseurs*, Paris, 1964.

ÍNDICE ANALÍTICO

Balthasar, Hans Urs von, sacerdote, teólogo e filósofo, 404, 901.

Baptist Educational Society, 97.

Barnes, Ernest William, bispo anglicano de Birmingham, 176, 289.

Barth, Karl, teólogo protestante, 62, 64, 88, 132, 147, 149, 150, 152, 156, 157, 200, 240, 290, 323, 331, 361, 363, 392, 396, 397, 398, 399, 400, 401, 402, 403, 404, 405, 406, 407, 408, 445, 446, 459, 467, 476, 477, 478, 482, 484, 771, 793, 829, 889, 891, 901.

Batistas do Sétimo Dia, 93.

Batistas do Sul, 110, 111, 223, 840, 854.

Baur, Ferdinand Christian, teólogo protestante liberal, 146, 354, 358, 361.

Bea, Augustin, cardeal, presidente do Pontifício Conselho para a Promoção da Unidade dos Cristãos, 827.

Beauduin, Lambert, beneditino, fundador do Mosteiro de Chevetogne, 783, 787, 788, 789, 797, 837, 903.

Beecher Stowe, Harriet, escritora, 474.

Beecher, Henry Ward, 238.

Beneditinos de Caldey, 426, 435, 509, 535, 633, 788, 825, 830, 841.

Bénézet, Antoine, pregador quaker, 100, 867.

Benjamin (Vasily Pavlovich Kazansky, Metropolita de Petrogrado, mártir, 79, 185, 214, 472, 555, 606, 665.

Benson, Richard Meux, sacerdote anglicano, fundador da Sociedade de São João Evangelista, 347, 752.

Bento XV (Cardeal Giacomo della Chiesa), papa, 767, 768, 774, 775, 780, 796, 888.

Berdiaev, Nicolau, filósofo, 562, 577, 586, 587, 632, 633, 647.

Berggrav, Eivind Josef, bispo luterano da Noruega, 135, 802.

Bergson, Henri-Louis, filósofo, 389, 480, 587.

Bersier, Eugène, pastor protestante, 425.

Bevan, Thomas, missionário protestante, 263.

Beyschlag, Willibald, teólogo protestante, 359.

Bible Christians, 83.

Bible Society, 166, 237, 333, 334, 875, 876.

Biblioteca Cristã, 86.

Bilderdijk, Willem, poeta protestante, 324.

Bill dos 39 Artigos, 69, 852.

Bill of Rights, 216.

Bischoff, Johann-Gottfried, terceiro apóstolo-patriarca da Igreja Neoapostólica, 102, 863.

Bismarck, Otto Eduard Leopold von, chanceler da Alemanha, 47, 48, 144, 148, 386, 848.

Bisseux, Isaac, missionário huguenote francês, 260.

Björnson, Bjørnstjerne, escritor protestante, 469.

Blake, Eugene Carson, líder protestante dos EUA, 232.

Blake, William, poeta, 470, 473.

Blok, Alexander, poeta russo, 604.

Bloy, Léon, homem de letras, 468, 565, 586.

Blumhardt, Christoph Friedrich, teólogo luterano, socialista cristão, 399, 446, 448.

Blumhardt, Johann Cristoph, pastor luterano, 399, 446, 448.

Boegner, Alfred, pastor protestante, 259, 267.

Boegner, Marc, teólogo protestante, ecumenista, 43, 64, 197, 201, 277, 338, 424, 486, 769, 802, 828, 843, 901.

Bois, Henri, teólogo protestante, 361, 369.

Boissy d'Anglas, François Antoine de, estadista francês, 184, 457.

Bon Saint-André, Jean, político francês, 182, 189.

Bonhoeffer, Dietrich, pastor e mártir luterano, 150.

Bonomelli, Geremia, bispo de Cremona, 774, 836, 840.

Booth, Catherine, filha dos fundadores do Exército da Salvação, 192, 901.

Booth, William, pastor metodista, fundador do Exército da Salvação, 120, 121, 174, 291, 292, 377, 378, 379, 380, 381, 383, 421, 448, 576, 647, 859, 882, 901.

Boré, Eugène, sacerdote missionário e orientalista, 719, 839.

Bosc, Jean, pastor protestante, 14, 254, 459, 461, 576, 647.

Bost, Ami, pastor protestante, 300, 303, 316.

Bost, John (Jean Antoine), pastor protestante, 374, 377, 901.

Bouillard, Henri, sacerdote jesuíta, 404, 901.

Bousset, Wilhelm, teólogo e professor universitário protestante, 260, 360.

Boutroux, Émile, filósofo, 389.

Boyer, Charles, sacerdote e teólogo jesuíta, 825, 827, 842, 893.

Boyve, Édouard de, cofundador da escola de Nîmes, 388.

Brent, Charles Henry, bispo episcopaliano, 766, 767, 769, 770.

Brilioth, Yngve, bispo luterano, 821, 900.

British and Foreign Bible Society, 333.

Brook Farmers, 385.

Brooke, Stopford, escritor e clérigo anglicano, 80.

Brunner, Emil, teólogo protestante, 157.

Brünner, Heinrich Emil, teólogo protestante, 404.

Buchez, Philippe-Joseph-Benjamin, católico social, 384.

Buchman, Franklin Nathaniel Daniel, fundador do Rearmamento Moral, 174, 418, 419, 421, 867, 889, 901.

Bultmann, Rudolf Karl, teólogo protestante, 54, 133, 152, 200, 364, 407, 408, 445, 482, 829, 892, 901.

Butler, Josephine Elizabeth, ativista social, 375.

Cahensly, Peter Paul, comerciante, membro da Sociedade de São Rafael, 221.

Calvino, João, reformador, 33, 34, 36, 37, 38, 40, 41, 55, 56, 57, 58, 59, 61, 62, 63, 64, 78, 88, 99, 114, 115, 121, 153, 174, 210, 214, 237, 277, 289, 290, 297, 299, 300, 301, 302, 303, 304, 305, 313, 315, 333, 340, 351, 355, 356, 394, 397, 402, 406, 427, 430, 457, 468, 470, 475, 477, 483, 486, 536, 723, 731, 736, 855, 866.

Campbell, Thomas, fundador dos Discípulos de Cristo, 95, 213, 856, 857.

Cardijn, Joseph Léon, cardeal, fundador da JOC, 413, 546.

Carey, William, missionário batista, 97, 244, 247, 254, 270.

Carlyle, Aelred, monge beneditino, 426.

Cartwright, Peter, pregador protestante americano, 320.

Cary-Elwes, Columba, monge benedito, 827.

Casa das Missões, 259, 423.

Casa de Caridade da Cruz de Ouro, 372.

Casalis, Eugène, missionário huguenote francês, 259, 260, 442, 901.

Castelar y Ripoll, Emilio, político e escritor da Espanha, 202.

Castro Ruz, Fidel Alejandro, ditador de Cuba, 284.

Cellerier, Jacques Elisée, pastor e músico sacro protestante, 155, 300.

Cerulário, Miguel, patriarca de Constantinopla, 496, 497, 498, 499, 502, 651, 725.

Chalmers, Thomas, líder da Igreja Presbiteriana Livre, 166, 169, 319, 341.

Channing, William Ellery, pastor unitarista, 67, 79, 385, 388.

Chapman, John Wilbur, pastor metodista, 409.

Despertar, 41, 62, 73, 82, 99, 101, 107, 108, 120, 129, 130, 131, 132, 134, 142, 154, 160, 161, 166, 167, 173, 174, 187, 216, 217, 218, 228, 229, 240, 258, 265, 289, 290, 291, 292, 302, 303, 304, 305, 306, 307, 308, 309, 310, 311, 312, 313, 314, 315, 316, 317, 318, 319, 320, 322, 323, 324, 325, 330, 332, 335, 337, 341, 349, 354, 364, 366, 367, 369, 379, 395, 409, 410, 411, 418, 440, 448, 463, 464, 481, 483, 484, 485, 497, 575, 624, 631, 634, 674, 710, 713, 716, 738, 764, 795, 826, 876, 878, 900.

Deutsche Evangelische Kirche, 149.

Dickens, Charles John Huffam, escritor, 369, 373, 469, 474.

Discípulos de Cristo, 47, 94, 95, 96, 103, 105, 113, 133, 152, 165, 215, 216, 219, 230, 303, 304, 313, 323, 348, 358, 411, 462, 463, 476, 531, 655, 721, 722, 819, 845, 846, 856, 857, 860, 878.

Dix, George Eglinton Alston, monge beneditino anglicano, 88, 424.

Dostoievski, Fiodor Mikhailovich, escritor, 400, 538, 559, 562, 564, 566, 569, 571, 578, 580, 581, 582, 583, 584, 585, 588, 646, 647, 884.

Doumergue, Émile, historiador protestante, 361.

Doumergue, Paul, pastor protestante, 389.

Duchesne, Louis, sacerdote e historiador, 754, 757, 759.

Duff, Alexander, missionário protestante, 244, 252, 270, 901.

Dukhobors, 209, 293, 596.

Dulles, John Foster, político, 803, 809.

Dum Gravissimum, 820.

Dumont, Christophe J., sacerdote dominicano, fundador do Istina, 640, 789, 821, 824, 826, 904.

Dunant, Jean Henri, 157, 338, 483.

Eddy, Mary Baker, fundadora da Ciência Cristã, 124, 395.

Edwards, Jonathan, ministro congregacionalista, iniciador do Great Awekening, 113, 311.

Egede, Hans Poulsen, missionário luterano, 243.

Ellul, Jacques, teólogo e filósofo protestante, 480, 803.

Empaytaz, Henri-Louis, pregador protestante, 299, 300, 301, 302, 303, 306, 313, 463, 480.

English Church Union, 345, 739, 751.

Escola do Serviço Social, 389.

Evans, Robert, pregador protestante, 110, 117, 119, 231, 410, 448, 507, 804, 811, 812, 822, 894.

Exército Aleluia, 380.

General Mission Convention, 94.

Gereformeerde Kerk, 161, 207.

Gerlier, Pierre-Marie, cardeal, arcebispo de Lyon, 435, 799, 830.

Geyer, Heinrich, fundador da Igreja Neoapostólica, 102.

Gide, Charles, economista e ativista social protestante, 154, 182, 192, 214, 216, 296, 334, 355, 362, 388, 389, 391, 469, 470, 619, 756, 884, 901.

Gladstone, William Ewart, político, 169, 341, 757, 759.

Glorificadores do Nome, 597.

Gogarten, Friedrich, pastor e teólogo luterano, 399, 404.

Goguel, Maurice, teólogo protestante, 364.

Göhre, Paul, teólogo ativista social protestante, 387.

Gore, Charles, teólogo e bispo anglicano, 426, 484, 782, 783.

Gosselin, Constant, missionário huguenote francês, 260.

Gounelle, Élie, pastor e ativista social protestante, 201, 389, 390, 391, 767, 769.

Graham, Billy, pregador batista, 228, 238, 240, 295, 309, 415, 416, 417, 418, 442, 446, 477, 892.

Grallet, Étienne, pregador quaker, 100.

Great Awakening, 311.

Gregório V (Georgios Aggelopoulos), patriarca ecumênico de Constantinopla, 522, 645, 725.

Grellet du Mabillier, Étienne de, missionário quaker, 165, 867.

Grundtvig, Nikolaj Frederik Severin, pastor luterano e homem de letras, 130, 131, 324, 336, 338, 738, 900.

Grupo de Hilversum, 829.

Guitton, Jean, filósofo, 22, 793, 831, 897, 904.

Guizot, François Pierre Guillaume, político, 184, 185, 186, 190, 192, 360, 747.

Gunkel, Hermann, teólogo protestante, 360.

Güntzlaff, Karl, missionário protestante, 254.

Hailé Selassié (Tafari Makonnen), imperador da Etiópia, 703, 704, 710, 714, 858.

Haldane, James Alexander, promotor das Missões protestantes, 166, 319, 878.

Haldane, Robert, promotor das Missões protestantes, 166, 301, 319, 878.

Halifax, Lord, Edward Frederick Lindley Wood, 173, 177, 750, 751, 752, 755, 756, 758, 759, 760, 761, 773, 778, 779, 780, 781, 784, 793, 796, 848, 885, 898, 904.

Irving, Edward, fundador da Igreja Católica Apostólica, 101, 102, 103, 104, 107, 111, 167, 291, 295, 320, 395, 481, 860, 861, 863, 864, 877.

Jacks, Lawrence Pearsall, ministro unitarista, 80.

Jézéquel, Jules, pastor protestante, 201.

Joanitas, 597, 861.

João de Kronstadt, (Ivan Ilyich Sergiyev), arcipreste ortodoxo, canonizado pela Igreja Ortodoxa Russa, 9, 572, 575, 576, 597, 647, 887.

Jones, David, missionário protestante, 8, 9, 77, 87, 135, 201, 294, 436, 499, 641, 643, 710, 827, 833, 837, 839, 843, 849, 895.

Jones, Samuel Porter, pregador protestante, 263, 319, 409, 796, 799, 903.

Joshuah, Seth, pregador pentecostal, 107.

Journet, Charles, cardeal, 793.

Judson, Adoniram, missionário batista, 270.

Justiniano Marina (nascido Ioan Marina), patriarca da Igreja Ortodoxa Romena, 505, 626, 627, 635, 649, 668.

Kagawa, Toyohiko, líder protestante, 9, 271, 297, 449, 450, 452, 453, 454, 455, 901.

Kasatkin, Nikolai (nascido Ivan Dimitrovich Nikolai), arcebispo ortodoxo do Japão, 591.

Keble, John, clérigo anglicano e escritor, 172, 320, 341, 344, 422, 785.

Kelly, Herbert Hamilton, fundador da Society of Sacred Mission e teólogo, 426.

Kemp, Johannes Theodorus van der, missionário protestante, 81, 255, 256.

Khodr, Jorge, bispo ortodoxo de Monte Líbano, 545.

Khomiakov, Alexis, escritor russo, 557, 571, 580, 645, 901.

Khrushev, Nikita Serguêievitch, político, 600, 602, 610, 617, 619.

Kierkegaard, Søren Aabye, filósofo e teólogo, 54, 88, 130, 240, 324, 326, 327, 329, 331, 332, 352, 397, 400, 468, 471, 738, 875, 881, 901.

King, Martin Luther, pastor batista e líder social, 95, 120, 224, 442.

Kingsley, Charles, escritor, 120, 172, 384, 388.

Kokkinakis, Atenágoras, bispo ortodoxo, 831.

Kottwitz, Hans Ernst, barão de, líder social, 146, 335, 371.

Krebs, Friedrich, segundo apóstolo-patriarca da Igreja Neoapostólica, 102.

Krüdener, Barbara Juliana, baronesa de, autora mística, 154, 208, 301.

Kuyper, Abraham, teólogo, político e escritor protestante, 161, 397.

Kyodan, 271.

Lackmann, Max, teólogo protestante, 423, 484, 829.

Laham, Albert, sacerdote ortodoxo, 545.

Lamennais, Hugues-Félicité Robert de, polemista e sacerdote apóstata, 167, 172, 186, 321, 384, 737.

Leão XIII (cardeal Vincenzo Gioacchino Raffaele Luigi Pecci), papa, 10, 193, 294, 489, 647, 686, 737, 740, 747, 748, 752, 755, 756, 758, 760, 761, 773, 778, 779, 795, 797, 840, 848, 884, 885, 886.

Leenhardt, Maurice, missionário huguenote e etnólogo, 262, 267, 273, 900, 901.

Legrand, Daniel, industrial, 369, 391, 448, 901.

Lemue, Prosper, missionário huguenote francês, 260.

Lenin, Vladimir Ilitch Ulianov, dito, revolucionário, 555, 599, 600, 601, 603, 606, 613, 614, 648, 890.

Léonard, Émile G., historiador protestante, 10, 22.

Leontiev, Konstantin Nikolayevich, filósofo, 565, 567, 571, 584.

Life and Work (Vida e trabalho), 483, 768, 770, 771, 776, 784, 800, 801, 810, 818, 890, 892.

Liga do Ensino Livre, 193.

Lightfoot, Joseph Barber, teólogo e bispo anglicano, 171.

Livingstone, David, missionário e explorador, 9, 244, 247, 256, 257, 258, 262, 267, 449.

London Missionary Society, 244, 247.

Lord Shaftesbury, Anthony Ashley Cooper, político e filantropo, 339, 345, 373.

Losski, Nikolai Onufrievici, filósofo ortodoxo, 633, 643.

Lutero, Martinho, reformador protestante, 23, 24, 26, 27, 28, 29, 30, 31, 32, 33, 34, 36, 37, 38, 39, 40, 41, 42, 46, 47, 49, 55, 57, 64, 68, 78, 88, 99, 115, 120, 129, 137, 138, 139, 143, 149, 174, 198, 205, 210, 212, 243, 277, 289, 290, 297, 308, 322, 328, 330, 340, 347, 351, 352, 356, 397, 406, 422, 427, 430, 444, 457, 462, 463, 468, 470, 475, 477, 731, 736, 793, 861, 882.

Mac All, 192, 412.

Madauss, Érika (Madre Martyria), religiosa luterana fundadora da Irmandade Evangélica de Maria, 428, 437.

Makrakis, Apostolos, teólogo e pregador ortodoxo leigo, 540, 541.

Malan, Henri Abraham César, pastor e músico sacro protestante, 155, 302, 304, 306, 312, 313, 314, 317, 372, 464, 711.

Manning, Henry Edward, cardeal, arcebispo de Westminster, 344, 757.

Marron, Paul-Henri, pastor protestante, 182, 184, 737.

Marsauche, Roger Louis, Frère Roger, fundador da Comunidade de Taizé, 432, 434, 435, 436.

Marsden, Samuel, missionário protestante, 273.

Martineau, James, filósofo inglês, 80, 174.

Marx, Karl Heinrich, pensador, 379, 384, 884.

Maurice, John Frederick Denison, teólogo e socialista protestante, 113, 119, 172, 262, 267, 273, 291, 363, 364, 384, 385, 388, 461, 483, 484, 744, 782, 799, 824, 840, 841, 897, 899, 900, 903, 904.

McGready, James, pastor presbiteriano, iniciador dos Camp Meetings, 312.

Mercier, Desiré-Félicien-François-Joseph, cardeal, arcebispo de Mechelen, teólogo, 177, 779, 780, 781, 783, 784, 785, 786, 787, 794, 798.

Methodist Book Council, 86.

Methodist Connection, 83.

Methodist Publishing House, 86.

Metzger, Max Josef, sacerdote e pacifista, fundador da Una Sancta, 776, 790, 791, 825, 833, 892.

Michalon, Pierre, sacerdote sulpiciano, ecumenista, 800, 824, 839, 842, 843, 904.

Milburn, William H., pregador protestante americano, 320.

Miller, William, pregador batista, 104, 105, 123, 395, 851.

Milner, Isaac, fundador do Evangelismo, 86, 165.

Missão Cristã, 102, 380.

Missão da França, 414.

Missão de Basileia, 252.

Missão do Lesoto, 259.

Missão Popular Evangélica, 192, 412.

Missão Urbana, 337, 387, 413.

Möhler, Johann Adam, sacerdote e teólogo, 647, 733, 740, 741, 742, 743, 790, 825, 840, 876, 877, 878, 903.

Monod, Adolphe-Louis-Frédéric-Théodore, pastor protestante, 188, 317, 366, 425, 448, 464, 878.

Monod, Frédéric, pastor protestante, 301, 361.

Monod, Wilfred, pastor protestante, 197, 389, 391, 427, 431, 448, 483, 769, 901.

Moody, Dwight Lyman, líder religioso protestante e editor, 228, 337, 409.

Morel, Élie, pastor protestante, 197.

Mórmons, 43, 112, 122, 275, 385, 395, 809, 863.

Mortalium animos, 776, 785.

Movimento da Juventude Ortodoxa, 545.

Movimento dos Grupos de Oxford, 418.

National Baptist Convention, 94.

National Missionary Society, 270.

Naumann, Friedrich, político e pastor protestante, 145, 387, 388.

Naval and Military Bible Society, 333.

Neff, Félix, pastor, teólogo e filantropo protestante, 187, 305, 316, 335, 367, 368, 377, 448, 464, 481, 877, 900.

Nefftzer, Auguste, jornalista protestante, 188, 189.

Newbigin, James Edward Lesslie, bispo protestante, ecumenista, 816, 818.

Newman, John Henry (venerável), cardeal, 73, 173, 174, 291, 320, 341, 343, 344, 346, 418, 422, 481, 482, 747, 750, 751, 757, 840.

Niebuhr, Helmut Richard, teólogo protestante, 392.

Niebuhr, Karl Paul Reinhold, teólogo protestante, 225, 240, 392, 406.

Niehaus, Hermann, ministro da Igreja Neoapostólica, 102, 863.

Niemöller, Martin, pastor e teólogo luterano perseguido pelos nazistas, 150.

Niesel, Wilhelm, pastor e teólogo luterano, 150.

Nietzsche, Friedrich Wilhelm, filósofo, 47, 146, 327, 360, 400, 474, 558, 573, 580, 582, 734.

Nightingale, Florence, enfermeira, 373, 448.

Nygren, Anders Theodor Samuel, bispo e teólogo luterano, 53, 133, 136, 769.

Oberlin, Jean-Frédéric, pastor protestante e filantropo, 67, 182, 185, 316, 366, 367, 368, 377, 389, 448, 481, 877, 901.

Obra da Unificação Luterana, 53.

Order for corporate Reunion, 751.

Orientalis Ecclesiae, 680.

Orientalium, 489.

Paisius Velichkovsky, santo ortodoxo, staretz, 532, 538, 567, 568, 569, 570, 591, 628, 645, 874.

Parker, Theodore, reformador da igreja unitarista, 79, 753.

Parlamento das Religiões, 740, 885.

Partido Kirchlich Social, 388.

Pastores em perigo (Pfarrernotbund), 149.

Paton, John Gibson, missionário protestante, 253, 273.

Paulo I (Pavel Petrovich Romanov), czar, 547, 550, 551, 596, 753, 852.

Paulo VI, (cardeal Giovanni Battista Enrico Antonio Maria Montini), papa, 8, 449, 547, 641, 643.

Pécaut, Félix, educador e homem público protestante, 189, 191.

Pereira, Eduardo Carlos, líder protestante, 283.

Pio IX (bem-aventurado cardeal Giovanni Maria Mastai-Ferretti), papa, 488, 489, 500, 736, 746, 751, 879, 880, 884.

Pio X (São, cardeal Giuseppe Melchiorre Sarto), papa, 773, 796, 886.

Pio XI (cardeal Ambrogio Damiano Achille Ratti), papa, 150, 227, 484, 775, 776, 777, 787, 796, 891, 892.

Pio XII (cardeal Eugenio Maria Giuseppe Giovanni Pacelli), papa, 680, 791, 820, 822, 823, 833, 892, 895.

Pitra, Jean-Baptiste-François Pitra, cardeal, religioso beneditino e bispo, 487, 488, 500, 633, 643.

Platão II, Metropolita de Moscou, 495, 548, 550, 569, 570, 630.

Pontavice, Pierre du, pastor e missionário metodista, 166, 187, 733.

Pontifício para a promoção da Unidade entre os Cristãos, 9, 496, 498, 650, 710, 717, 759.

Praeclara carissimi, 753.

Praeclara gratulationis, 489, 747.

Primitive Methodists, 83.

Protestant Alliance, 177.

Pusey, Edward Bouverie, clérigo e teólogo anglicano, 73, 121, 173, 291, 320, 342, 343, 344, 345, 346, 418, 422, 423, 484, 747, 750, 782, 840, 880.

Rabaut, Paul, pastor protestante, 180, 181, 182, 184, 186, 187, 311.

Ragged Schools, 373.

Rampolla del Tindaro, Mariano, cardeal, 755, 756, 758.

Rasputin, Grigori Yefimovich, religioso ortodoxo, 554, 555.

Rauschenbusch, Walter, teólogo e pastor batista, 96.

Rearmamento Moral, 157, 174, 418, 420, 421, 477, 867, 889, 901.

Regular Baptists, 93, 94.

Religious Tract Society, 333.

Renan, Joseph Ernest, orientalista e escritor anticristão, 189, 191, 357, 359, 375, 482, 514, 585, 881, 885.

Rerum Novarum, 747, 885.

Réveillaud, Eugêne, pastor protestante, 192.

Réville, Albert, teólogo protestante, 114, 355, 481.

Rilliet, Jean Horace, pastor e teólogo protestante, 290, 405, 442, 831, 898, 901.

Ritschl, Albrecht, teólogo protestante, 354, 355, 358, 361, 364, 365, 396.

Roberts, Evan, pregador pentecostal, 107, 865.

Rockefeller, John Davison, industrial e filantropo protestante, 94, 236, 271.

Rolland, Samuel, missionário huguenote francês, 260, 445, 455.

Roullet, Yann, pastor protestante, 194, 195, 441, 443, 448.

Roussel, Napoléon, pastor protestante, polemista anticatólico, 186.

Rowlands, Charles Grandison, ministro galês, 319.

Rozanov, Vasily Vasilievich, pensador, 586.

Sabatier, Louis Auguste, teólogo protestante, 355, 363, 364, 886.

Saillens, Ruben, pastor batista, 193, 410.

Satis cognitum, 759.

Saussure, Éric de, membro da Comunidade de Taizé, 458.

Saussure, Jean de, pastor protestante, 436.

Scheppler, Louise, educadora infantil, 448.

Schleiermacher, Friedrich Daniel Ernst, teólogo protestante, 52, 54, 142, 146, 322, 323, 324, 329, 336, 347, 352, 353, 355, 358, 359, 397, 473, 481, 482, 734, 840, 878, 901.

Schütz-Marsauche, Roger Louis, Frère Roger, fundador da Comunidade de Taizé, 432, 434, 435, 436.

Schweitzer, Albert, teólogo, médico e missionário protestante, 200, 251, 296, 297, 359, 363, 467, 475, 482, 886.

Scott, Douglas, pregador pentecostal, 108, 385.

Secrétan, Charles, filósofo protestante, 388.

Secretariado para a Unidade, 828.

Semana pela Unidade, 739.

Serafim de Sarov (nascido Prokhor Moshnin), místico e santo ortodoxo, 573, 574, 878.

Seymour, William J., pregador pentecostal, 108, 865.

Shakers, 385.

Shimun XIX (Mar Benyamin), patriarca da Igreja Assíria, 665.

Shimun XX (Mar Paulus), patriarca da Igreja Assíria, 665, 666, 667, 686.

Shimun XXI (Mar Eschai), patriarca da Igreja Assíria, 666, 667, 686.

Siegfried, André, historiador protestante, 85, 94, 121, 180, 191, 200, 213, 215, 225, 231, 238, 363, 446, 899, 900.

Simeon, Charles, clérico anglicano, seguidor do Evangelismo, 86, 165, 318.

Sínodo Reformado Ecumênico, 63.

Smith, Sydney, clérico anglicano, seguidor do Evangelismo, 122, 212, 235, 245, 318, 384, 395, 863, 899.

Sociedade Central de Evangelização, 186, 195, 412, 414.

Sociedade Continental, 319.

Sociedade de Ajuda Fraterna e de Estudos Sociais, 192.

Sociedade de Economia Popular, 388.

Sociedade dos Amigos, 300, 301, 373, 521, 867.

Sociedade dos Sem-Deus, 609, 613.

Sociedade Missionária Batista, 254.

Sociedade Missionária Ortodoxa, 589, 883.

Sociedade para o desenvolvimento dos conhecimentos Científicos, 616.

Society of Sacred Mission, 426.

Socorro Internacional Quaker, 101.

Söderblom, Lars Olof Jonathan, dito Nathan, arcebispo luterano de Upsalla, 54, 133, 392, 767, 768, 769, 770, 771.

Soloviev, Vladimir Sergeyevich, filósofo, 565, 571, 580, 585, 586, 604, 635, 647, 742, 743, 840, 886.

Southern Baptist Convention, 94.

Spencer Jones, clérigo anglicano, 796, 799, 903.

Spencer, Ignatius (nascido George Spencer), sacerdote passionista converso do anglicanismo, 744, 845.

Spurgeon, Charles Haddon, pregador batista, 174, 409, 484.

Stahl, Friedrich Julius, político luterano, 347.

Steeg, Jules, pastor protestante, 191.

Stöcker, Adolf, teólogo e político alemão, 145, 386, 387, 388, 409, 413, 448.

Stone, Barton W., fundador dos Discípulos de Cristo, 9, 95, 169, 244, 247, 256, 257, 258, 262, 267, 341, 449, 757, 759, 856, 857.

Strauss, David Friedrich, teólogo anticristão, 146, 153, 189, 354, 358, 482, 514, 585, 616, 878.

Struve, Petr Berngardovich, sociólogo e político, 587, 632, 902.

Studd, Charles Thomas, missionário protestante, 253.

Tavard, Georges Henri, sacerdote e teólogo assuncionista, 120, 233, 484, 486, 827, 842, 898, 903.

Taylor, James Hudson, missionário protestante, 253, 254, 271, 272.

Taylor, William Carey, missionário batista, 97.

Teilhard de Chardin, Pierre, sacerdote e pensador jesuíta, 354, 406, 408.

Temple, William, arcebispo de Canterbury, 177, 766, 769, 772, 799, 801, 842.

Testemunhas de Jeová, 112, 122, 123, 206, 209, 228, 395, 809, 851, 868.

Thondanat, Abdisho (Antonio), metropolita assírio, 685, 686.

Thurian, Max, subprior da Comunidade de Taizé, 425, 431, 436, 438, 458, 831, 903.

Thurneysen, Eduard, pastor e teólogo luterano, 397, 398, 399.

Tikhon (nascido Vasily Ivanovich Bellavin), santo ortodoxo, patriarca de Moscou, 555, 604, 605, 607, 890.

Tillich, Paul Johannes, teólogo protestante, 200, 240, 364, 405, 406, 408, 459, 478, 480, 484, 894, 898, 901.

Troeltsch, Ernst, teólogo protestante, 145, 360, 396, 484.

Tzschirner, Heinrich Gottlieb, teólogo protestante, 321.

União Batista, 211, 476, 854, 893.

União Cristã dos Jovens Trabalhadores, 223, 338, 543, 738, 879, 881.

União Protestante, 154.

Unitarismo, 77, 79, 124, 162, 350, 363, 868.

Unitas, 825, 826, 828, 858, 893, 904.

Valdenses, 40, 103, 205, 292, 302, 315, 368, 485, 869.

Vaughan, Herbert Alfred, cardeal, arcebispo de Westminster, 757, 758, 760.

Velhos-Católicos, 650, 744, 745, 778, 791, 803, 805, 841, 842, 845, 847, 848, 849, 869.

Velhos-Crentes, 647, 870.

Venn, John, o Vigário de Clapham, fundador do Evangelismo, 13, 86, 165, 184, 199, 316, 337, 424, 440, 445, 856.

Verdadeira Igreja Ortodoxa, 102, 489, 606, 608, 648, 734, 808, 863.

Verdadeiros Cristãos Ortodoxos, 279, 325, 598, 599, 723, 744, 870.

Villain, Maurice, sacerdote marista, ecumenista, 431, 799, 824, 837, 841, 897, 903, 904.

Vilmar, August Friedrich Christian, teólogo luterano, 348.

Vincent, Samuel, teólogo protestante liberal, 185, 310, 318, 351, 354, 481, 749.

Vinet, Alexandre Rodolphe, crítico literário e teólogo, 154, 155, 156, 313, 314, 315, 353, 448, 464, 737, 880, 900.

Visser't Hooft, Willem Adolph, teólogo e pastor protestante, 64, 163, 802, 837, 842, 901, 903.

Vogel, Heinrich, pastor e teólogo luterano, 150, 401.

Von Zinzendorf und Pottendorf, Nikolaus Ludwig, conde, bispo da igreja morávia, 52, 301, 311, 732, 866.

Wattson, Paul James Francis (nascido Lewis Thomas Wattson), sacerdote converso do anglicanismo, fundador da Society of Atonement, 795, 796, 797, 798, 824, 887.

Wellhausen, Julius, exegeta protestante, 359.

Wesleyan Methodist Association, 83, 86, 247.

White, Ellen Gould, líder religiosa adventista, 75, 81, 82, 104, 105, 106, 294, 311, 312, 395, 851, 881.

Whitefield, George, líder metodista, 81, 82, 311, 312.

Whittes, John, pregador quaker, 100.

Wichern, Johann Hinrich, teólogo e líder protestante, 142, 147, 336, 337, 371, 372, 373, 374, 377, 411, 448, 878, 880.

Wilberforce, Samuel, bispo anglicano, 171.

Wilberforce, William, seguidor do Evangelismo e político, 166, 290, 318.

Willebrands, Johannes Gerardus Maria, cardeal, arcebispo de Utrecht, 827, 828, 838, 894.

Williams, George, fundador da YMCA, 172, 338, 339, 340, 341, 879.

Williams, John, missionário protestante, 253.

Woolman, John, pregador quaker, 100, 867.

World Christian Handbook, 22, 152, 270, 475.

Yaroslavsky, Yemelyan (Minei Gubelman), fundador da Sociedade dos Sem-Deus, 609, 610.

YMCA (Young Men Christian Association, Associação Cristã de Moços), 172, 291, 338, 339, 340, 413, 419, 446, 482, 764, 769, 772.

ESTE LIVRO ACABOU DE SE IMPRIMIR
A 5 DE NOVEMBRO DE 2024,
EM PAPEL IVORY SLIM 65 g/m^2.